Traducción en español del
Significado de

AL-QUR'ÃN

La Guía para toda la Humanidad

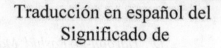

Por
Dr. Haroon-ur-Rashid Malik

© *Copyright 2012*

The Institute of Islamic Knowledge

P.O. Box 8307, Houston, Texas 77288-8307

© Todos los derechos reservados

Traductor: *Dr. Haroon-ur-Rashid Malik*

Primera
Impresión: Solamente Español   15,000   May, 2012

Library of
Congress Cat #   **2012937138**

ISBN#   978-0-9819439-3-0

Printer: RR Donnelley & Sons Company
600 State Road 32 West
Crawfordsville, IN 47933, USA

Publisher   **El Instituto de Conocimiento Islámico**
P.O. Box 8307
Houston, Texas 77288-8307, USA

Sitio de Web   Para leer Al-Qur'ãn, obtener más copias o
patrocinar su Distribución, visite nuestro Sitio
de Web: **www.al-quraan.org**

Correo Electrónico   información @al-quraan.org
Wbmaster@al-quraan.org
Sugerencias @al-quraan.org

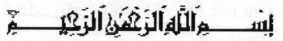

En el nombre de Al'lá, el Compasivo, el Misericordioso

Dedicado
A
Toda la humanidad en general,
Pero a los Latinos en particular

Atención por favor:

El noble Qur'ãn fue revelado en el idioma árabe. Por lo tanto Al-Qur'ãn es únicamente en el texto árabe y su traducción en cualquier otro idioma no se considera como Al-Qur'ãn.

Por favor también debe notar que el requerimiento para leer Al-Qur'ãn es tocarlo con las manos limpias.

Por favor si usted encuentra algún error o falla de cualquier tipo: i.e. sea gramático o tipográfico o alguna sugerencia, háganos favor de avisarnos a la dirección que se encuentra al portador de este libro.........seremos muy agradecidos, ya que es nuestro deber de predicar la Palabra de Dios Todopoderoso, de mejor forma posible.

Biografía de: Dr. Haroon-ur-Rashid Malik.

Dr. Malik nació en 1948 en una aldea llamada Machhiwal cerca de Lalamusa, distrito de Gujrat en la provincia de Punjab, Paquistán.

Después de terminar la lectura árabe del Qur'ãn durante su escuela primaria, él comenzó la escuela secundaria con lengua árabe como una materia opcional. Durante sus años en la Prepa, él también estudió y terminó la traducción del Qur'ãn en Urdu, junto con el comentario. Él también estudió a los Ajadiz como alumno de un Alim que se llama Jafiz Bashir Ajmed, quien es el director de "Madrasa Islamia deTalim-ul- Qur'ãn". Durante este periodo él tenía el honor de competir con su hermano mayor Muhammad Farooq-i-Azam Malik, para aprender el significado del Qur'ãn Santo, y quien es un autor bien conocido de varios manuales junto con la traducción del Qur'ãn santo en inglés 'AL-QUR'AN The Guidance for Mankind'. Aunque su hermano estudiaba como alumno de otro Alim que se llama Jafiz Wajíd. Dr. Malik también tenía la oportunidad de beneficiarse de otros grande Ulamas como Alãma Anait-ulá Shah Bujari en la ciudad de Gujrat. Ahí él aprendió los conocimientos de Ulüm-ul-Ajadiz y tafãsir-ul- Qur'ãn con un poco más de profundidad.

Él terminó su licenciatura con lengua árabe como una materia opcional desde la Universidad de Punjab, Pakistán. Dr. Malik vino a Estados Unidos al principios de 1972. Él fue a la 'Universidad de Long Island' y a la 'Universidad de Fordham' en Bronx, Nueva York y a la 'Universidad de Houston'. Finalmente él fue a México a estudiar la carrera de medicina donde él graduó de La Universidad Autónoma Metropolitana Xochimilco, en el Ciudad de México, México. Él graduó teniendo el promedio de entre 2% más alto de su clase de la facultad de medicina y se volvió a Estados Unidos y pasó National Medical Board Exam y USMLE.

Viendo que las disponible traducciones de AL-QUR'ÃN, estaban en español de España, lo que no es común en Estados Unidos y que la mayoría de los latinos que viven en sur de Estados Unidos provienen de México. Leyendo estas traducciones, se dio cuenta que aunque las traducciones en sí mismos eran maravillosamente bien hechas pero sin embargo eran difícil de entender para un lector común que no tiene los conocimientos suficientes de Al- Qur'ãn. Él se realizó la importancia de una traducción española en español de México. Él certifico como un docente en la lengua española que incluía de entre otras materias la educación bilingüe y español desde departamento de educación de Texas. Él enseño como maestro bilingüe y del español por tres años antes de comenzar a traducir Al- Qur'ãn. La tarea de este proyecto empezó al fin de este periodo aunque mayor parte del crédito para acelerar el proyecto va a su hermano quien lo empujaba en cualquier momento que él tenía la oportunidad.

DE UN VISTAZO

Reconocimientos

Primero déjenme reconocer y agradecer la tremendas bendiciones y ayuda de Al'lá Todopoderoso que me regalo en muchas diferentes formas; como los recursos que yo no hubiera poder tener para iniciar o terminar esta gran tarea.

Segundo mis agradecimientos son para mis padres, especialmente a mi madre (*que en paz se descansen y que tengan un lugar alto en el Paraíso*). Son esfuerzos de mi madre quien me ensenó leer Al-Qur'ån y después me persuadió de aprender su significado y explicaciones en detalle. Mis agradecimientos también son para mi docente Jafiz Bashir Ahmed para ensenarme la traducción del Qur'ån junto con su Tafsir. Mis agradecimientos también son para mi esposa Dra. Norma Corina Malik quien me extendió su apoyo y ayuda durante todo este tiempo con mucha paciencia. Mis agradecimientos también son debido a mi hermano mayor Sr. Muhammad Farooq-i-Azam Malik quien me empujo e insistió de terminar esta tarea rápidamente ofreciéndome toda la ayuda en que yo tenía la necesidad. Sr. Shabbir Dadabhoy también hizo sus esfuerzos de empujarme de terminar esta tarea, imprimiendo varias copias del Qur'ån para que yo podía enviar a varias personas y lugares por sus aportaciones en esta tarea. Igualmente a mis hijos Sobia, Umar, Ndiah y Aisha quienes tenían mucha paciencia conmigo y me ayudaron en cualquier manera que ellos pudieron. Mis agradecimientos también son para todas estas personas quienes me enseñaron desde que yo era chiquito que son muchos.

Soy endeudado a los autores, traductores y sus editores; trabajos de quienes yo ha frecuentemente consultados durante mi traducción del Qur'ån.

Déjenme concluir diciendo que cualquier falla y error que haya en este manuscrito, es totalmente mío y pido perdón y misericordia al más Compasivo Al'lá por cualquier error inadvertido que exista.

Por favor si ustedes se encuentran algún error o que tengan cualquier sugerencia para mejorar esta traducción, no tengan ninguna hesitación para escribir y apuntar eso en su comunicación al Instituto de los Conocimiento Islámico, la dirección de cual se encuentra cerca de la portada de esta traducción. Ojala que Al'lá Todopoderoso ayude a todos nosotros para trabajar por Su Placer.

¡Ãmïn!

Dr. Haroon-ur-Rashid Malik
The Institute of Islamic Knowledge
Houston, Texas USA

Índice de Las Süras (Los Capítulos)

Índice De Los Y̊úz (Partes)

Para abrazar El-Islam uno simplemente es requerido de afirmar la siguiente declaración (Kalimá), y después de seguir Al-Qur'ãn y las tradiciones del Profeta Mujámad (Paz y bendiciones de Al'lá estén en él)

La Ilája ilálaju mujámadur rasülul'lá

No hay nadie digno de la adoración sino Al'lá (Solo y único Dios) y Mujámad es mensajero de Al'lá

PROLOGO

La alabanza es al Dios Todo poderoso (Al'lá), Quién es El Creador y El Sostenedor del Universo. La paz y las bendiciones de Al'lá, sean con el Mujámad, el sello de los Profetas quién dijo:

"El mejor entre ustedes es él, quien aprende y enseña el Qur'ăn."

El Qur'ăn es el Mensaje de Al'lá Todopoderoso para toda la humanidad. Porque el idioma del Qur'ăn es árabe, hay una barrera del idioma para aquéllos que no entienden árabe. Esta traducción, en español contemporáneo, es un esfuerzo para facilitar la comprensión del Qur'ăn. Éste también es el cumplimiento de nuestra obligación de presentar el Mensaje de Al'lá en el idioma de esas personas, quienes están presentándose con este mensaje. Al'lá ha dicho en Süra Ibrãjïm, el Mensaje Divino debe presentarse en el propio idioma del destinatario:

"Nosotros no hemos enviado ningún Rasúl (*mensajero*) sino que él hablara el idioma de sus propias gentes para hacer aclarar las cosas a ellos." Süra 14, verso 4)

Puede preguntarse: ¿Hay alguna necesidad de una nueva Traducción española? A aquéllos que hacen esta pregunta, me gustaría pedir que ellos tomen cualquier pasaje particular, como por ejemplo 2: 54, y comparen con cualquier otra versión que ellos escogen. Si ellos encuentran que yo le ha ayudado un poco más entendiendo su significado o apreciando su belleza o cogiendo algo de la grandeza del original, yo exigiría que mi esfuerzo humilde está justificado. Yo empecé este proyecto con la misma invocación (*oración*) que fue hecho por el Profeta Musa (pece):

"¡Rab mío! Abre mi corazón, [25] haz fácil mi tarea [26] y quítame el impedimento de mi lengua (*conversación*) [27] para que la gente puedan entender a lo que yo digo [28]   (Süra 20, versos 25-28)

(Si ustedes ven la portada de publicaciones por el Instituto de Conocimiento Islámico usted notará al inicio esta oración "Rabish Rajli Suadri" que es el logotipo del Instituto. El objetivo del Instituto es presentarse el Mensaje de Al'lá en un idioma que las personas de América Latina pueden entender con mucho más facilidad)

Es el deber de cada musulmán, varón o hembra, leer El Qur'ăn y entenderlo según la propia capacidad de uno. Si cualquier de nosotros logra de adquirir un poco de conocimiento o aprendizaje del Qur'ăn por estudio o contemplación, ambos superficial y profundo; es el deber de uno, según la capacidad de uno de instruir otros, y compartir con ellos la alegría y la paz que resulta por el contacto con el mundo espiritual. El Qur'ãn será leído, no sólo con la lengua, voz y ojos, pero con el mejor luz que nuestro intelecto puede proporcionar, y más aún, con la más verdadera, más pura luz que nuestro corazón y la conciencia pueden ofrecernos. Eso es en este espíritu que me gustaría que los lectores se hagan contacto con el Qur'ãn.

El lector debe comprender que dado la profundidad y sublimación del texto del Qur'ãn, una traducción fiel en otro idioma es casi imposible. El lector estaría de acuerdo que cualquier traducción del Qur'ãn nunca puede ser igual o que puede servir como el reemplazo del original, por consiguiente, ninguna traducción incluyendo el presente, aún más exacto, puede designarse como El Qur'ãn. Pero la traducción es uno de las avenidas disponible a nosotros para compartir este regalo de Al'lá Omnipotente que aún no tiene precio. Español que se habla en México no está igual que es hablado en el América Central, e incluso dentro del mismo país, el español hablado en D.F. no está igual que eso hablado en Oaxaca. La tarea de la traducción nunca cesará. Cuando las personas crecen y cambian, pues así hacen sus idiomas. Este esfuerzo humilde es meramente para facilitar la generación presente para que puedan entender el Mensaje Eterno del Qur'ãn. Hay algunas palabras árabes que no pueden traducirse en español; por ejemplo: Al'lá, Rab, Rasúl y Shirk. Éstos se escriben en forma original y sus significados se explica en el Glosario de las Palabras y los Términos, antes de inicio de texto del Qur'ãn.

El método de la traducción que esta seguido aquí es basado en el tema y la materia discutido en los versos del Qur'ãn en lugar de la traducción literal. La traducción literal en español no puede crear la misma continuidad en español como está en el texto árabe, el lector no puede disfrutar la fuerza del idioma árabe y los efectos que generan las palabras de Dios. Esos pueden parecer como un grupo de frases inanimadas sin la correlación a nosotros. No afecta el alma, despierta los sentimientos o trae las lágrimas en los ojos de uno como hace el texto del Qur'ãn en árabe. A veces leyendo la traducción literal en el español uno no puede imaginar, que si eso es el mismo Qur'ãn que desafió al mundo entero para producir un verso o un capítulo como él. La razón para esto es que en la traducción literal, el enfoque está en las palabras y no el mensaje que el Qur'ãn está llevando. El idioma original de Qur'ãn es tan poderoso que fundirá incluso las piedras, como el propio Qur'ãn lo declara:

> "Si Nosotros hubiéramos revelado este Qur'ãn a la montaña, ustedes
> podrían ver esta (*La montaña*) humillarse y desbaratarse en pedazos
> debido al temor de Al'lá..."   (Süra 59, verso 21)

La fuerza de la dirección del Qur'ãn fue apreciada por los antagonistas del Profeta que estuvieron miedo y decían a los árabes paganos: "No hay que escuchar al Qur'ãn, su idioma afecta como magia y cualquiera que escucha no puede resistirse". Esos efectos no pueden recrearse en una traducción.

Hay otra razón por lo cual la traducción literal no sirve como el propósito de la comprensión para el Mensaje Divino. El texto del Qur'ăn es un discurso, y no fue entregado al Profeta Mujámad (paz esté con él) en la forma de un libro. Los destinatarios eran conscientes de su ambiente y sus problemas, por consiguiente, soluciones presentadas en el Qur'ăn eran suficiente para su comprensión. A menos que nosotros somos conscientes del ambiente, las circunstancias y problemas enfrentados por la comunidad en el tiempo del Profeta Mujámad (pece) a que se proporcionaron pautas del Qur'ăn y los soluciones; no podremos entender su mensaje. Por esta razón, la biografia del Profeta Mujámad (pece) está presentando al inicio de esta obra. Fondo histórico, tiempo de la revelación, y los problemas enfrentados por la comunidad se declara al inicio de la traducción de cada Süra (capítulo). Para mejor comprensión, el lector se aconseja frecuentemente referirse a estas partes mientras leyendo el texto real de la traducción del Qur'ăn.

Existen numerosas traducciones del Qur'ăn disponible en español. Sin embargo, es muy dificil para los no-musulmanes y los nuevos musulmanes entender el Qur'ăn sin saber la condición del mundo en el momento cuando el Qur'ăn se fue revelado al Profeta Mujámad (paz esté con él). En ese momento Judaísmo, cristiandad y otras religiones estaban incapaces de resolver los problemas reales enfrentados por la humanidad en los aspectos sociales, económicos, morales y políticos de la vida. Al'lá Todopoderoso dio Sus favores a la humanidad, seleccionando a Mujámad (paz esté con él), una persona analfabeta de la región más atrasada del mundo, para Su Mensaje. En ese región los tribus, mayor parte de su tiempo estaban en la guerra. Una guerra tribal, por ejemplo, basada en el problema pequeño de beber agua de un pozo duró 500 años, miles de seres humanos en ambos lados fueron muertos. Las personas mataban a sus hijas enterrándolas vivas. El mensaje de Al'lá, El Qur'ăn, no sólo unió esas tribus, resolvió sus problemas sociales, económicos y políticos, sino les hizo los líderes del Islam. Islam, a través de su insistencia en la conciencia y conocimiento, creó en sus seguidores un espíritu de curiosidad intelectual y la investigación independiente, produciendo una era espléndida de aprendizaje y la investigación científica. Las enseñanzas del Qur'ăn penetraron en las maneras innumerables y por los caminos distintos en las mentes de Europa medieval y dieron lugar al reavivamiento de cultura Occidental que nosotros llamamos el Renacimiento. En el curso del tiempo, estas enseñanzas causaron principalmente el nacimiento de "la Edad de la Ciencia": la edad en la que nosotros estamos viviendo ahora.

El lector debe saber que Mujámad (paz esté con él) no recibió educación y no podría leer o escribir aun su propio nombre. Así él no fue expuesto a la literatura o libros de los judío o de los cristianos. Además ningún judío o cristiano vivió en la Meca, la ciudad de su residencia. Él tenía 40 años cuando él fue escogido por Al'lá Todopoderoso para entregar Su mensaje. Su vida entera estaba conocida por sus gentes. Él era un hombre de negocios exitoso. Él había ganado los títulos de Al- Amïn (el Fidedigno) y Al-Sidïq (El Verídico) por su conducta e interacción con la comunidad. Él nunca hizo cualquier discurso de valor que se puede mencionar antes de su selección como un Rasúl (Mensajero y un Modelo) de Al'lá. Como sorpresa, vino la revelación del Qur'ãn, lo cual esta como una obra maestra del idioma árabe que desafió a los árabes (quiénes llamaban a los no-árabes" 'Áyamis," que significa aquéllos que no saben hablar) para producir "incluso un verso" como los versos del Qur'ãn. El desafío no era a una sola persona o incluso a los árabes exclusivamente, sino que era y todavía es para toda la humanidad, permitiéndoles usar la ayuda de sus dioses o ídolos y nadie ha sido, ni jamás van a ser, capaz de cumplir con este desafío. El lector debe preguntarse a sí mismo "¿Puede un libro de este tamaño y volumen; que no tiene cualquier contradicción o los errores gramaticales aunque fue revelada en un periodo de 23 años; atribuir a un hombre iletrado?"

Es notable que los árabes estuvieran orgullosos de su idioma. El árabe estaba en su cresta. No había ninguna otra forma de arte sino el arte del idioma que podría ocupar el interés de las personas. Este desafío se repitió muchas veces en el Qur'ãn, ambos en la Meca y en la Madina. Eso debe de ser suficientemente para convencer a los antagonistas del Islam que el Qur'ãn es sin igual en su excelencia literaria y en su contenido, y que eso no podría ser producido por cualquier ser humano. Debe, por consiguiente, de ser revelado por una Potencia que es Al'lá.

Al contrario de la Biblia, como existe hoy, en que el nombre de profeta Isa (Jesús, que paz esté con él) y sus discípulos se mencionan numerosos tiempos, el nombre del Profeta "Mujámad" (paz esté con él) se fue mencionado sólo cuatro veces en el Qur'ãn. Cada tiempo se fue mencionado para un propósito específico:

1. "El Mujámad es nada más que un Rasúl de Al'lá, como los Rasúles (*Mensajeros*) que fallecieron ante de él..."   (Süra 3, verso 144)

Este verso prohíbe a los seguidores del Profeta Mujámad (pece) de elevar su estado a Deidad o hijo de Dios, como los cristianos atribuyeron al profeta Isa (*Jesús*) (paz esté con él).

2. "Mujámad no es padre de cualquiera de los varones, entre ustedes, sino que él es Rasúl de Al'lá y el sello de los Profetas."   (Süra 33, verso 40)

Este verso indica que la dinastía del Profeta Mujámad (pece) acabó con él, para que nadie pudiera exigir superioridad sobre otros siendo su descendiente y nadie podría exigir de ser el profeta de Al'lá después de él, porque él es el sello (último) de los Profetas.

3. "En cuanto a aquéllos que creen y hacen los hechos buenos y creen en lo que se revela a Mujámad - y ésa es la Verdad de su Rab - Él quitará de ellos sus pecados y mejorará su condición." (Süra 47, verso 2)

Este verso reafirma que el Qur'ãn es la verdadera revelación de Al'lá y sólo aquéllos que creerán en él y actuarán de acuerdo con Sus mandamientos, (Desde luego ningún estilo de vida afuera del Islam es aceptable a Al'lá) tendrá vida buena en este mundo y calificará para la salvación en el Día de la Justicia (la vida después de la muerte).

4. "Mujámad, el Rasúl de Al'lá, y sus seguidores son estrictos contra los incrédulos y cortés entre uno y otros..." (Süra 48, verso 29)

Este verso indica las características de los seguidores del Profeta Mujámad (pece); que ellos deben resistir firmemente contra la trasgresión y deben cooperar entre sí promoviendo las buenas obras.

Yo soy totalmente consciente que mis humilde esfuerzos no pueden hacer "justicia" a la profundidad del significado del Qur'ãn. Sin embargo, esta traducción es el resultado de no sólo mis esfuerzos, sino también los esfuerzos, ayuda, consejo y sugerencias por docenas de Ulemas, (personas que tienen conocimientos profundo del Islam) varios nuevo-musulmanes latinos y no-musulmanes y las traducciones ya existente en español. Con estas palabras de la apertura, permítanos intentar aprender sobre la misión del Profeta Mujámad (paz esté con él), su clasificación jerárquica en la historia humana, su biografía, las guías y reglas para estudiar el Mensaje de Al'lá, y El Mensaje (El Qur'ãn) mismo.

En conclusión, me gustaría pedirle al lector y aquéllos a quienes Al'lá (Dios) ha bendecido con conocimiento, para informarnos, si ellos encuentran cualquier error o tienen una sugerencia para mejorar para que reciban el premio por parte de Al'lá Todopoderoso. Insha Al'lá (Si Dios quiere) la próxima edición se mejorará de acuerdo con su participación. Por favor oren para mí, mi familia, mi hermano y mis amigos que animaron que yo asumiera a esta tarea pesada, los críticos y los editores que ayudaron sintonizar este trabajo. Yo también voy a orar para ustedes y para toda la humanidad; Que Dios los bendiga con Su misericordia y que proporcione al lector Su verdadera guía. Que Dios nos ayude para esforzarse duro para Su causa y Su placer.

¡Ãmïn!

Son mis mejores y buenos deseos

Dr. Haroon-ur-Rashid Malik

15th Day of Rajab, 1434

EL PROFETA MUJÁMAD
(Paz y bendiciones de Al'lá estén en él)

SU MISIÓN

El Fondo histórico

Antes de al advenimiento del Profeta Mujámad (paz esté en él) el mundo entero se había sumergido en la oscuridad. La luz de civilización se había marchitado fuera desde Egipto hasta China y desde Persia hasta Roma. Los imperios romanos y Pérsico, los dos poderes mundiales, estaban en el peor estado de tiranía y terrorismo. Los emperadores fueron considerados dioses o representantes de dioses. Con el clero y ejército a su disposición, ellos habían estrangulado al hombre común a través de los impuestos pesados, sobornos y labor forzada. Las guerras devastadoras, los cambios frecuentes en las dinastías gobernantes, y territorios grandes que frecuentemente pasaban de un imperio al otro, causaron nuevas formas de opresión. A su vez, las iglesias y templos, en las manos cambiantes, se volvieron lugares de culto de cada conquistador. Por todo el mundo, el hombre común estaba prevenido de las necesidades básicas de vida y ni siquiera podría levantar su voz en la protesta. La libertad era desconocida y ninguna religión o filosofía podría guiarles. La religión se había vuelto un comercio aprovechable en las manos de órdenes religiosos en la alianza con la clase gobernante. La filosofía griega había perdido su fuerza, se habían olvidado de las enseñanzas de Confucio y de Mani. Las enseñanzas budistas, Vedanicas y cristianas se habían puesto ineficaces. Cuando la humanidad desesperó y encontró ninguna manera de escape, la crisis alcanzó su cresta. Estaba en esta fase crítica que el Al'lá Todos-poderoso (Dios) seleccionó a un redentor de humanidad de una área tribal de la península árabe, que ni el imperio romano ni el imperio Pérsico quiso anexar debido a su barbarismo, su falta de rendir a cualquier disciplina, y por su degradación moral absoluta.

En el medio de esta degradación, el Profeta Mujámad (paz esté en él) fue asignado una misión para redimir a la humanidad de la esclavitud de hombres (los reyes, emperadores, clérigos, etc.) hacia el servicio de Un Omnipotente Dios. Él solito se puso de pie para cambiar el mundo entero, mientras aquéllos, como él, que odiaban el mal y quienes eran incapaces de reformar sus ambientes, se habían retirados hacia los bosques y cuevas montañesas y se habían hecho monjes. El Profeta Mujámad (paz esté en él) por otro lado, audazmente enfrentó la situación, desafió el Imperio romano junto con el Imperio Pérsico al igual que el resto del mundo, y los aplastó para restaurar la libertad por todos.

La Misión del Profeta Mujámad (paz esté en él):

La misión de Mujámad (paz esté en él) era redimir la humanidad de los embragues de esclavitud, para transformar la vida entera del hombre desde dentro y de afuera, su vida como el individuo así como también de la comunidad. Este programa omnímodo no se subió al azar sino era el resultado de convicción firme, meditación profunda y contemplación. Durante años, las preguntas profundas acerca de la vida humana, su significado y el propósito, tenían preocupado la mente del Profeta. Todos los años durante un mes, en la cueva de Jirá, él examinaba sus propias capacidades y pensaba acerca de las existentes condiciones del mundo, consagrando su mente a los problemas básicos que afligieron la sociedad humana, pero él no tomó ningún paso práctico hasta que él recibió la guía a través de las Revelaciones Divinas. La más grande Verdad era que Al'lá es el Amo de todo el universo y el hombre es Su siervo. Era de esta semilla que el sano árbol de la civilización creció.

La proclamación revolucionaria del Profeta: " Lâ Ilâja Ila Al'lá " (hay ningún dios sino Al'lá), aun siendo muy breve, tiene una tremenda importancia. Era una declaración que no hay ningún ser divino exceptúe "Al'lá," el Único Dios Que debe ser obedecido, amado, adorado, alabado y recordado. De Él, uno debe esperar todo bueno y que uno debe temer Su disgusto. Él recompensará el bien y castigará el mal. Él se considera como el Amo, Gobernante y Dador de las leyes. Sus órdenes deben de ser obedecidos, y Sus prohibiciones evitadas. Deben amoldarse las vidas según Su Voluntad. Todo debe sacrificarse a Su orden y Su placer debe hacerse el ideal de vida de uno. Era este significado comprensivo de divinidad que se condensó en la frase " Lâ Ilâja Ila Al'lá" (hay ningún dios sino Al'lá).

La sociedad humana estaba sufriendo porque estos atributos de la divinidad fueron destinados por las diferentes personas y las divinidades innumerables estaban gobernándoos a la sociedad, como los ritos sociales, tradiciones tribales, y dominación del clero y gobernante bajo cuales el hombre era impotente. "Lâ Ilâja Ila Al'lá" golpeó a la raíz de todos esto. Uno que creyó en esta proclamación, declaró que él no reconocería cualquiera otra grandeza que no sea de Dios, no sometería a cualquier otra regla, no reconocería cualquier otra ley o código de conducta y no arquearía ante cualquier otro poder, ni buscaría el placer de nadie más que no sea de Él. Esta proclamación era de hecho la declaración de la libertad del hombre.

La segunda parte de esta proclamación, Mujámad-ur-Rasúl-Al'lá " (Mujámad es el Mensajero de Al'lá), declaró que los únicos medios de elevación y la reforma social era el Profetismo establecido por Al'lá (el Omnipotente Dios). Ese Conocimiento Real se proporciona a través de la Revelación que guía el pensamiento de la humanidad. Que el Profeta Mujámad (paz esté en él) ha concluido la cadena del Profetismo y que él fue el último Rasúl (Mensajero) de Al'lá. El propósito de esa vida puede afianzarse solo de esta fuente y que la guía Divina ha terminado y que la humanidad puede seguir exitosamente hacia su verdadera meta de lograr el placer de Al'lá y heredar el Paraíso. Era esta interpretación de la proclamación que significaba el primer pilar del Islam. Para abrazar el Islam, uno tiene sólo que decir y creer en este eslogan. Cuando esta creencia entró en los corazones de hombres, cambió la entera perspectiva del hombre y dio el nacimiento a una nueva humanidad en la marcha hacia el progreso y rectitud.

La Misión del Profeta y el Mundo Moderno

Los que no son musulmanes estudian las enseñanzas de Platón, Sócrates, Marx, Einstein etc., sin cualquier prejuicio, pero hay prejuicios innumerables acerca de la manera en que uno busca la guía por el medio de la misión del Profeta Mujámad (paz esté en él). Hay existe una noción que Mujámad (paz esté en él) sólo es el Profeta de los musulmanes, por consiguiente, los que no son musulmanes no tienen nada que aprender de él. Esto es muy lejos de la verdad. Mujámad (paz esté en él) se asignó para la guía de la Humanidad como se ordena en el Qur'ãn: " Diga; ¡Humanidad! Soy el Rasúl de Al'lá hacia todos ustedes." Esto incluye a todos los seres humanos: Los musulmanes, los judíos, los cristianos, los budistas, los Hindúes, las personas de otras religiones y también incluye a los ateos.

La vida del Profeta no se estudia a menudo en conjunto, sino en los fragmentos y partes. Un estudio imparcial de su biografía indica claramente que la personalidad que brilla en el fondo del renacimiento europeo y cuya mano pudiera trazarse detrás de las democracias, los movimientos internacionales y las reformas religiosas, es de nadie más que de Mujámad (paz esté en él). Estudiando una misión y el patrocinador de esa misión nunca pueden llevar a una verdadera apreciación, si hay una dosis excesiva de literatura parcial y hostil en el asunto que puede perjudicar a las mentes, e incluso aquéllos que no son completamente contrarios a la Verdad.

El mensaje del Qur'ãn es para toda la humanidad, para el mundo entero que sea del Oriente o del Oeste, para el negro y blanco, para las clases y las masas, para los empleados y sus patrones, para los hombres y mujeres de todos los paseos de la vida, para todo las religiones y las persuasiones políticas, para los gobernantes y los gobernados, para el sabio y el ignorante y para cada hombre en cada campo de actividad. El Qur'ãn se trata de "Hombre" (qué se usa en el Qur'ãn para significar a los hombres así como las mujeres) y no con su civilización, etnia, idioma o color. El nacimiento de hombre, el crecimiento, los sentidos del bien y del mal, caliente y frío, risa y grito, felicidad y dolor, son todos iguales. Tiempo ha cambiado, las civilizaciones han cambiado, pero ' Hombre' está igual como estaba en el momento de la creación de Adán y permanecerá el mismo hasta el Último Día. Por eso el mensaje de Al'lá es duradero por todo los tiempos: es aplicable a nosotros hoy como era aplicable en el momento del Profeta Mujámad (paz esté en él) hace más de mil cuatro cientos años.

Clasificación y Jerarquía del profeta (pece) Y su lugar en la Historia Humana

Me gustaría citar sólo a los becarios que no eran musulmanes, para presentar las opiniones imparciales sobre este tema. El Michael H. Hart en su libro "Los 100, Una Clasificación jerárquica de las Personas más Influyentes en la Historia" publicó en 1989 por el grupo Carol Publishing, Nueva York, clasificó a Mujámad (paz esté en él) como #1 en la historia de la humanidad tanto en la influencia religiosa como la influencia secular. Él escribe:

"Mi opción de escoger a Mujámad para ser el primero en la lista de las personas más influyentes del mundo, puede sorprender a algunos lectores y puede cuestionarse por los otros, pero él era el único hombre en la historia que era supremamente exitoso en ambos niveles; religiosos y seculares...... De un origen humilde, Mujámad fundó y promulgó una de las grandes religiones del mundo, y se volvió un líder político inmensamente eficaz. Hoy, trece siglos después de su muerte, su influencia todavía es poderosa y penetrante...... Además, Mujámad (al contrario de Jesús) era un líder seglar así como religioso. De hecho, como una fuerza de la influencia detrás de las conquistas árabes, él puede alinear bien como el líder político más influyente de todo las tiempos....... es la combinación incomparable de las influencias seglar tan como religiosa que yo me siento titular a Mujámad para ser considerado como la única figura más influyente en la historia humana."

Un famoso becario francés, Lamartine dice:

"Si la grandeza del propósito, la pequeñez de los medios, y los resultados asombrosos son tres criterios de ser un genio humano, ¿quién podría atreverse a comparar a cualquier gran hombre en la historia moderna con Mujámad? Los hombres más famosos sólo crearon los brazos, las leyes y los imperios. Ellos fundaron, si algo en absoluto, nada más que los poderes materialistas que a menudo desmenuzaron ante sus propios ojos. Este hombre no sólo movió los ejércitos, las legislaciones, los imperios, las gentes y las dinastías, sino millones de hombres en un tercio del mundo entonces habitado; y más de eso, él movió los altares, los dioses, las religiones, las ideas, las creencias y las almas. En base a un Libro, cada letra de cual se ha vuelto la ley, él creó una nacionalidad espiritual que mezcló a las personas de cada lengua y de cada raza como un conjunto. Él ha dejado para nosotros como la característica indeleble de esta nacionalidad musulmana, el odio de dioses falsos y la pasión para un Dios inmaterial. Filósofo, el Orador, el apóstol, el legislador, el guerrero, el conquistador de ideas, el restaurador de dogmas racionales, de un culto sin las imágenes, el fundador de veinte imperios terrestres y de un imperio espiritual; eso es Mujámad. Con respecto a las reglas establecidas con que uno puede medirse la grandeza humana bien podemos preguntar, ¿Hay cualquier otro hombre más grande que él? (Historledela Turquie, París, Vol.1, pp.276-277 por Lamartine)."

Un estudioso británico famoso, George Bernard Shaw dice:

"Yo siempre he sostenido la religión de Mujámad con la estimación alta debido a su vitalidad maravillosa. Es la única religión que parece poseer la capacidad de asimilar a las fases cambiantes de la existencia que puede hacerse apelación a cada edad. Yo he profetizado acerca de la fe de Mujámad que sería aceptable mañana como él está empezando a ser aceptable a la Europa de hoy. Los eclesiásticos medievales, a través de la ignorancia o fanatismo, han pintado el Mujámadanismo en los colores más oscuros. Ellos, de hecho, fueron entrenados para odiar a ambos el hombre Mujámad y su religión. A ellos Mujámad era anti-Cristo. Yo lo he estudiado a este hombre maravilloso, y en mi opinión lejos de ser un anti-Cristo él debe llamarse el salvador de la Humanidad. Yo creo que si un hombre como él fuera asumir la dictadura del mundo moderno, él tendría éxito para resolver los problemas en cierto modo, eso le traería la mucho-necesitada paz y felicidad. Europa está empezando a ser enamorada del credo de Mujámad. En el próximo siglo puede ir todavía más allá reconociendo la utilidad de ese credo para resolver sus problemas, y está en este sentido que ustedes deben entender mi predicción."

(Una colección de Escrituras de algunos de los Becarios Eminentes p.77, por el Working Muslim Mission, 1933 edición).

Con este fondo histórico breve, la misión del Profeta, pertinencia de su misión al mundo moderno y su clasificación jerárquica y su lugar en la historia humana, permítanos mirar los momentos culminantes de su vida y el Mensaje Divino revelado a él.

PROFETA MUJÁMAD

(Las bendiciones de Al'lá y la paz estén con él)

El Rasúl (El Enviado) de Al'lá para toda la humanidad

SU VIDA

En la Ciudad de Meca:

Nacimiento del Profeta

Mujámad, el hijo de Abdulá y el nieto de Abdul Mutalib, de la tribu de Quraish; nació en la Meca en el 12 de Rabi-ul-Awal (abril 22, 571 D.C.) cincuenta y tres años ante del Hiy'ra. Su padre se murió antes de que él naciera, y él fue creado primero por su abuelo, Abdul Mutalib, y luego después de la muerte de su abuelo, por su tío, Abu Talib. Él viajó con su tío en la caravana comerciante a Siria como un muchacho joven. A pesar del predominio de la corrupción, libertinaje, juego por dinero, alcoholismo y otros vicios, él sí mismo aisló de todo estos y guardó su carácter como casto, y puro. Él nunca arqueó antes de los ídolos como era la práctica prevaleciente de su familia y de su tribu. Él unió un cuerpo de juventud que tenía los pensamientos al igual que él y formó una asociación, para ayudar a los pobres y a los oprimidos contra los opresores, que fue llamada "Jalful Fazul." Sus sabidurías le permitieron que difundiera una situación fea causada por la tensión entre las varias tribus (en el momento de la reconstrucción del Ka'ba) que exigían el derecho, para instalar "la piedra negra" para sí mismo. Él sugirió que la piedra se pusiera en un pedazo de la tela, para que los líderes de cada tribu, pudieran sostener una de cada esquina para levantar la piedra, y que él pudiera poner la piedra en su lugar y así fue.

Su profesión

Su matrimonio

Cuando él llego a la edad suficiente para escoger una profesión, él escogió la honorable profesión del comercio. Él ganó semejante reputación que los capitalistas más prominentes de la Meca desearon invertir su dinero en efectivo en comercio por medio de él. En relación a esta profesión, él hizo una jornada a Siria en el servicio de una viuda adinerada que se llamaba Jadï'yá. Tan fielmente él llevó a cabo el negocio de la viuda, y tan excelente era su conducta informada por su viejo sirviente que lo había acompañado, que pronto después, ella se casó a su agente joven. Este matrimonio resultó ser muy feliz, aunque ella era quince años más vieja que él. Juntos, a lo largo de los veintiséis años de su vida, él permaneció fiel a ella. Solo después de la muerte de ella fue que él tomó a otras esposas, y aún después de la muerte de ella, él siempre la mencionó con gran amor y reverencia hacia ella. Este matrimonio le dio a él, una jerarquía entre los notables de Meca, mientras su conducta ganó para él el apellido de Al-Amin (el fidedigno).

Los gentes de la Meca, reclamaban de ser como descendientes de Ibrãjïm a través de Ismail, y la tradición decía que su templo, el Ka'ba, había sido construido por Ibrãjïm para la adoración de Un Sólo Dios. Todavía se llamaba como la Casa de Al'lá, pero los objetos principales de la adoración, habían varios ídolos que se llamaban hijas e intercesores de Al'lá. Los pocos que se sentían aversión a esta idolatría, que había prevalecido durante los siglos, suspiraban por la religión de Ibrãjïm e intentaban averiguar lo que había sido su enseñanza. Los tales buscadores de la verdad eran conocidos como Junafa (singular - Janif), una palabra que significa originalmente, "aquéllos que rechazan ' (la idolatría prevaleciente), pero después su significado se cambió como para decir "recto" o "recto de la naturaleza," porque las tales personas sostuvieron la manera de la verdad y conducta del derecho. Estos Junafa no se formaron una comunidad. Ellos eran los agnósticos de su día, cada uno buscando la verdad por la luz de su propia conciencia interna. Mujámad (la paz esté con él) se hizo como uno de ellos. Era su práctica para retirarse, de su familia durante un mes cada año, a una cueva en el desierto para la meditación. Su lugar de retira era "Jirá," una cueva en una colina del desierto, no lejos de la Meca, y su mes escogido era el Ramadãn.

Los Junafa

Estaba allí cuando una noche, en la tranquilidad de los últimos días, cuando la primera revelación vino a él. En este momento, él tenía cuarenta años de edad. Él estaba meditando cuando él oyó una voz que dijo: "¡Lea!" Él contestó: "Yo no puedo leer." La voz dijo de nuevo: "¡Lea!" Él contestó: "Yo no puedo leer". Tercera vez la voz, ordenó: "¡Lea!" Él preguntó: "¿Qué puedo leer yo?" La voz dijo:

La primera revelación

"¡Lea! ¡En el nombre de tu Rab Que ha creado [1] *- creó al hombre de una masa como sanguijuela!* [2] *¡Lea pues tu Rab es lo más Bondadoso!* [3] *Quien ha enseñado por medio del cálamo.* [4] *Enseñó al hombre lo que él no sabía."* [5]   v

(Süra 96 versos 1-5)

Las palabras permanecieron "como si fueron inscritas en su corazón." Él salió afuera de la cueva a la ladera y oyó la misma voz, temor-inspirante, decir: "¡Mujámad! Tu eres el mensajero de Al'lá, y yo soy Gabriel." Entonces él levantó sus ojos y vio el ángel, en la semejanza de un hombre, estando de pie en el cielo sobre el horizonte. Y de nuevo la voz dijo: "¡Mujámad! Tú eres el mensajero de Al'lá, y yo soy Gabriel." Mujámad (la paz esté con él) se detuvo, trató de escapar su cara del brillo de la visión, pero dondequiera que él se volvió su cara, el ángel estaba allí confrontándolo. Él se quedó allí para mucho tiempo hasta que al fin el ángel desapareció. Él devolvió con una gran aflicción mental a su esposa Jadï'yá. Él estaba estremeciéndose. Él le pidió a su esposa que lo cubriera con una manta pesada. Él relacionó su visión a Jadï'yá. Ella la hizo tranquilizarlo, de mejor manera posible, diciéndolo que su conducta había sido tal que Al'lá no permitiría un espíritu dañoso venir a él. Después, ella lo llevó a su primo Waraqá ibn Naufal, un hombre muy viejo, "quién sabía las Escrituras de los Judíos y de los Cristianos". Él declaró su creencia que el mensajero celestial

La visión en la cueva de Jirá

el ángel Gabriel quien vino a Musa (Moisés) había venido a Mujámad, y que él era escogido como el Profeta para sus gentes. Además él dijo, "las Personas no lo creerán, ellos lo perseguirán, y van a tratar de expulsar y hacer la guerra contra él. Yo deseo de vivir lo suficiente tiempo para apoyarlo."

Su destreza mental

Para entender la razón por la angustia del Profeta y su tremenda tensión mental después de la visión en la cueva de Jira, debe recordarse que los Junafa buscaban verdadera religión en la naturaleza y consideraban con desconfianza la comunicación con espíritus de que los hombres "ávido del Inadvertido," hechiceros e incluso poetas, alardeaban por esos días. Es más, él era un hombre de naturaleza humilde y devota, un amante de la tranquilidad y de la soledad. El mismo pensamiento de ser escogido para enfrentar a la humanidad solito, con semejante Mensaje, lo espantó al principio. Reconocimiento de la llamada Divina, que él había recibido, involucraba un cambio drástico en su perspectiva mental, y era lo suficiente para perturbar su mente sensible y honrada. También involucraba, el desamparo de su estilo de la vida tranquila. Con la persistencia de las revelaciones y la convicción que ellos trajeron, él al fin aceptó la tremenda tarea impuesta en él, se llenó con un entusiasmo de obediencia tan intenso, que justifica su orgulloso título del, "El Esclavo de Al'lá."

La diferencia básica entre Al-Qur'ãn y Al-Jadis

Las palabras que fueron revelados a él, cuando en un estado de catalepsia, a través del ángel Gabriel, por parte de Al'lá, se sostiene sagrados por los musulmanes y nunca están perplejos con aquéllos, que el Profeta habló cuando ningún cambio físico estaba claro en él. El anterior es el Sagrado Libro, llamado El Qur'ãn que quiere decir, "La Lectura," la Lectura del hombre que no conoció leer. Las propias palabras del Profeta de predicar o sus dichos se llaman Al-Jadís.

Los primeros conviertas

Durante los primeros tres años de su Misión, el Profeta predicó sólo a su familia y sus amigos íntimos. Su esposa Jadï'yá fue la primera quien convirtió al Islam, el segundo sus primo Ali a quien él había adoptado, el tercero su sirviente Zeyd, un ex-esclavo. Su amigo, de hace mucho tiempo, Abu Bakr; junto con algunos de sus esclavos y su dependientes; fueron entre los primeros convertidos.

Inicio de la persecución

Al final del tercer año, el Profeta recibió el orden a "levántese y advierta," después de lo cual él empezó a predicar en el público. Él señaló el aspecto necedad de la idolatría, comparando con las tremendas leyes, que gobiernan el día y la noche, la vida y la muerte, el crecimiento y el decaimiento manifiestan el poder de Dios y atestan a Su Soberanía. Cuando él empezó a hablar contra dioses de ellos, el Quraish se puso activamente hostil, persiguiendo a sus discípulos más pobres, mofándose e insultándolo. La una consideración que les impidió a ellos matarlo a él era, el miedo de venganza por su sangre del clan al que su familia pertenecía. Bien convencido en su inspiración, el Profeta siguió advirtiendo y suplicando, mientras el Quraish hizo todos que ellos pudieron, para ridiculizar su enseñanza, y desalentar sus seguidores.

Los convertidos de los primeros cuatro años eran gente principalmente humilde, que eran incapaz de defenderse contra la opresión. Tan cruel era la persecución que el Profeta aconsejó todos que pudieron emigrar a Abisinia, que era un país Cristiano. A pesar de la persecución y la emigración, la pequeña compañía de musulmanes creció en números. El Quraish fue tremendamente alarmado.

El adoración de los ídolos en el Ka'ba, el lugar más santo, al que toda la Arabia hizo peregrinación, estaba primero entre sus intereses vestidos. Durante el periodo de la peregrinación ellos anunciaron a las gentes en todos los caminos para advertir las tribus contra "el loco" que estaba predicando en medio de ellos. Ellos intentaron de arreglar con el Profeta ofreciendo de aceptar su religión si él lo modificara un poco y si él aceptara sus dioses como intercesores con Al'lá, ellos ofrecieron hacerlo su rey si él dejara de atacar idolatría. Cuando sus esfuerzos a negociación fallaron, ellos fueron a su tío Abu Talib, ofreciendo darle el mejor de sus hombres jóvenes en lugar de Mujámad, darle todos que él deseaba, si sólo él les permitiría matar el Mujámad y haría con él. Abu Talib se negó a esta oferta. La exasperación de los idólatras fue aumentada por la conversión de Umar, uno de sus personas valiente. Ellos crecieron más hostiles, hasta las cosas vino a semejante paso que ellos decidieron condenar al ostracismo el clan entero del Profeta, incluyendo a los idólatras que lo protegieron junto con musulmanes que creyeron en él. Sus jefes principales prepararon un documento que prohibía cualquier interacción con ese clan, incluso venta o compra de cualquier tipo con ellos. Ellos todos lo firmaron, y se depositaron en el Ka'ba. Consecuentemente durante los tres años, el Profeta fue aislado de su parentela estándose en su fortaleza que se situó en uno de las barrancas que corren hacia el Meca. Sólo en el momento de peregrinación él pudo salir y predicar. Asimismo cualquiera de su parentela se atrevió a entrar en la ciudad solamente durante este tiempo.

A la longitud del tiempo, algunos corazones más amables entre Quraish crecieron cansados del boicot de sus amigos y vecinos. Ellos mandaron a sacar y traer el documento que se había puesto en el Ka'ba para la reconsideración. Se fue encontrado que toda la escritura había sido destruida por hormigas blancas, exceptúe las palabras Bismil-Lá, Al'lajum'ma ("En el nombre Tuyo, Al'lá mío"). Cuando los superiores vieron esta maravilla, la prohibición se fue alejada, y el Profeta era de nuevo libre de salir a la ciudad. Pero entretanto, la oposición a su predicación había crecido más fuerte. Él tenía poco éxito entre los de Meca, y el esfuerzo que él hizo predicar en la ciudad de Ta'if era un fracaso. Su Misión aparecía ser

Inmigración de los nuevos musulmanes hacia Abisinia

Conversión del Umar

La escritura de ostracismo

Los hombres desde Llasrib

un fracaso, juzgados por normas mundanas, cuando, a la estación de la peregrinación anual, él encontró un pequeño grupo de hombres que lo oyeron alegremente.

Ellos vinieron de Llasrib, una ciudad con una distancia de más de doscientas millas. Este ciudad se ha puesto, subsecuentemente, teniéndose la fama mundial, con el nombre de Al-Madina, "la Ciudad" por excelencia. A Llasrib, había tribus judías con rabinos sabios que habían hablado a los paganos a menudo que pronto vendrá un Profeta entre los árabes. Con su ayuda, los judíos destruirían a los paganos como las tribus de Ád y de Zamüd se habían destruidos en los tiempos previos por su idolatría. Cuando los hombres de Llasrib vieron a Mujámad, ellos lo reconocieron como el Profeta acerca de quien los rabinos judíos habían descrito a ellos. En su retorno a Llasrib, ellos dijeron lo que ellos habían visto y habían oído, con el resultado que a la próxima estación de peregrinación, una delegación vino intencionalmente de Llasrib para encontrarse al Profeta. Ellos le juraron obediencia en el primer pacto de Al-'Aqabá. Las mujeres después de su conversión al Islam fueron exentas de mencionar la palabra pelear en sus juramentos. Ellos devolvieron entonces a Llasrib con un maestro musulmán en su compañía, y pronto "no había una casa en Llasrib en qué no había la mención del mensajero de Al'lá."

En la ocasión de peregrinación, setenta y tres musulmanes de Llasrib vinieron a Meca para jurarle la obediencia al Profeta e invitarlo a su ciudad en el año siguiente. En Al-'Aqabá, al anochecer, ellos juraron defenderlo a él de la misma manera que ellos defenderían a sus propias esposas y niños. Era entonces que el Jiy'rá, el Vuelo a Llasrib, se puso posible y ellos sólo esperaron para "el permiso de Al'lá para emigrar."

Pronto, los musulmanes que estaban en una posición de hacer así, empezaron a vender su propiedad y dejar Meca para ir a Llasrib. Pronto el Quraish vino a saber de qué estaba pasando. Ellos odiaban a Mujámad entre ellos mismos, pero tenían miedo de lo que él podría hacer, si él escapaba de ellos. Ellos consideraron que sería mejor, pensarlo muy bien para destruirlo. La muerte de Abu Talib había quitado a él su protector principal; pero todavía ellos tenían que contar con la venganza de su clan en el caso de su asesinato. Ellos escogieron a un asesino fuera de cada clan. El plan era que todos ésos van a atacar al Profeta simultáneamente y golpear juntos, como un hombre. Así la responsabilidad de su sangre estaría de todo el Quraish.

Los últimos de los musulmanes, capaces de permanecer en Meca, eran Abu Bakr, Ali y el Profeta mismo (. Abu Bakr, un hombre de riqueza, había comprado dos camellos y retenido una guía en prontitud por el Vuelo. El Profeta sólo esperó por el orden de Dios que vino a longitud. En la noche que era marcada para su asesinato. Los conspiradores estaban alrededor de su casa. Él le dio su manto a Ali, instruyéndolo de dormir en su cama, para que pareciera a cualquiera, que él estaba durmiendo allí. Ellos ya eran listos para golpearlo, cuando él salió de la casa, en la madrugada o un poco antes. Él sabía que ellos no herirían a Ali. Él tiró polvo hacia ellos, y se dice que una ceguedad se cayó entre él y ellos y él pudo pasarlos sin ser detectado. Él fue a la casa de Abu Bakr y los dos fueron juntos a una cueva llamada "Sor" en las colinas del desierto, y escondieron allí durante los tres días hasta que la persecución fútil había terminado. El hijo de Abu Bakr, la hija y también su pastor traían la comida y las noticias después del anochecerse. Una vez una patrulla de búsqueda vino bastante cerca de ellos en el lugar donde ellos estaban escondidos. Abu Bakr era temeroso, pero el Profeta dijo; "¡No temes! Al'lá está con nosotros." Cuando la costa estaba clara, Abu Bakr mando a traer los camellos y una guía que fueron traídas por la noche a la cueva, y ellos partieron hacia Llasrib.

la que se llama "Al-Jiy'rá" (Junio 20, 622 dc)

La cueva de Sor

Después de viajar durante muchos días por los caminos que estaban menos viajados, los prófugos alcanzaron a un suburbio de Llasrib, donde, para las semanas pasadas, las gentes de la ciudad habían estado esperando y habían tratados de mirar el Profeta, en espera, hasta que el calor les esfuerzo a refugiarse. Los viajeros llegaron al calor del día, después de que los esperantistas se habían retirados. Era un judío que convocó a los musulmanes en tonos de burla que por fin, él por quien ellos estaban esperando, había llegado.

Llegada del Profeta en Llasrib

Así era el Jiy'rá, el Vuelo de Meca hacia el Llasrib (Ya llamado como Al-Madina), qué es el principio de la era musulmana. Se acabaron los trece años de la humillación, la persecución y lo que parecía el fracaso de profecía. Diez años de éxito, el periodo tan corto en que jamás ha triunfado algún otro hombre, había empezado. La Jiy'rá, había hecho una división clara en la Misión del Profeta. Hasta entonces, él sólo había sido un predicador. De aquí en adelante él era el gobernante de un Estado, al principio muy pequeño pero que creció en diez años para ser el imperio de toda la Arabia.

La Jiy'rá fue inicio de el inicio de un nuevo calendario para un estado Islámico

Esta Jiy'rá, era como un punto de vuelta en la misión del Profeta y el inicio de un nuevo calendario para el Estado islámico. El tipo de guía que él y sus gentes necesitaron después de la Jiy'rá, no estaba igual al que necesitaban anteriormente. Por consiguiente, las Madani Süras difieren de las Mecan Süras. Las Mecan Süras dan la guía al alma de un individuo y también al Profeta como un Advertidor; las Madani Süras guían a una comunidad social creciente, a una política y al Profeta como un reformador y legislador ejemplar.

En la ciudad de Madina:

En el primer año de la Jiy'rá, el Profeta hizo un tratado solemne con las tribus judías que les aseguraron los derechos de ciudadanía iguales y

29

completa libertad religiosa a cambio de su apoyo al nuevo Estado. Pero su idea de un Profeta era uno de que les daría el dominio, y no de uno que hiciera a los judíos como los hermanos de cada árabe quienes podrían creer al igual que ellos mismos. Cuando encontraron que ellos no pudieran usar el Profeta para sus propios fines, ellos intentaron agitar su fe y su Misión a través de seducir algunos que profesaban de ser como musulmanes y quienes tenían la razón para resentirse al Profeta por su llegada (los hipócritas), porque se puso fin a su influencia local. En las Madani Süras, hay mención frecuente de estos judíos e Hipócritas.

Hasta entonces el Qiblá (el lugar hacia cual los musulmanes dirigen sus rostros en la oración) había sido Jerusalén. Los judíos imaginaron que la opción implicó una inclinación hacia Judaísmo y que el Profeta estaba en la necesidad de su instrucción. Él recibió el orden para cambiar el Qiblá de Jerusalén al Ka'bah en Meca. La primera sección de Parte II de Al-Qur'ãn relaciona a esta controversia de los judíos.

La primera preocupación del Profeta en Llazrib era establecer las oraciones colectivas públicas y extender la constitución del Estado; pero él no se olvidó que los árabes habían jurados para poner el fin a su religión. Después de estar en Llazrib para doce meses, varias pequeñas expediciones salieron llevadas por el Profeta y otros inmigrantes de Meca. Éstas generalmente se representan como bélicas pero, considerando su debilidad y el hecho que esto no produjo el combate, ellas apenas podrían ser como la guerra, aunque es cierto que ellos fueron preparados para resistir el ataque. Es notable que en esas expediciones sólo inmigrantes de Meca tomaran la parte; y no los nativos de Llazrib; la razón era que los de Llazrib habían jurado la obediencia en lugar de Al-Áqabá, previeron combatir en la defensa propia, y de no combatir en el campo de batalla. Derramamiento de sangre y alojamiento de botín fue únicamente en una de las expediciones tempranas, e incluso entonces estaba contra los órdenes del Profeta. Un propósito de esas expediciones puede haber sido familiarizarse a los musulmanes inmigrantes a los ambientes de Llazrib (Madina) en las situaciones bélicas, porque durante trece años ellos habían sido los pacifistas estrictamente, y está claro de varios pasajes del Qur'ãn que ellos odiaban aun tener la idea de incluso combatir en su autodefensa.

En el segundo año de la Jiy'rá, la caravana de los comerciantes de Meca estaba volviendo, como de costumbre, desde Siria por un camino que no pasaba lejos de Llazrib. Los de la Meca habían empeñado usar la ganancia de este viaje de negocios en la guerra contra el Estado islámico recientemente formado. El Profeta tenía la opción de capturar la caravana o espera y combatir en la guerra planeado por los de Quraish. Como su líder, Abu Sufllân, se acercó el territorio de Llazrib, él supo el plan del Profeta para capturar la caravana. Él, inmediatamente, envió a un camello-jinete a Meca, quien llegó en un estado estropeado y gritó frenéticamente del valle para acelerar al rescate, de otro modo ellos perderían sus riquezas y el honor. Se envió una fuerza comprendida de encima de 1,000 guerreros hacia Llazrib; parece que era con la esperanza de rescatar la caravana y no con la idea de castigar a los invasores, desde que el Profeta podría haber tomado la caravana antes de que la fuerza de alivio empezara de la Meca.

El ejército de Quraish había adelantado más de la mitad del camino al Llazrib antes de que el Profeta partiera. Ambos ejércitos del Quraish y del Profeta con sus 313 compañeros--estaban dirigiéndose hacia el agua de Badr. Abu Sufllân, el líder de la caravana, se volvió hacia la costa y pasó Llazrib en seguridad. Los musulmanes se encontraron el ejército de Quraish por el agua de Badr. Antes de la batalla, el Profeta preparo todavía más allá para aumentar las desigualdades contra él. Él dio el permiso a todo de los Ansâr (los nativo de Llazrib) para devolver a sus casas sin cualquier perjuicio, desde que su juramento no incluyó el deber de combatir en el campo de batalla; pero los Ansâr sólo se hirieron por la sugerencia que ellos pudieran abandonarle posiblemente en un tiempo de peligro. La batalla fue al principio contra las musulmanas, pero acabó en una victoria para ellos.

La victoria de Badr le dio el nuevo prestigio al Profeta entre las tribus árabes; pero esta guerra creó un feudo de sangre entre el Quraish y el Estado islámico, además del viejo odio religioso. Esos pasajes del Qur'ān que se refiere a la batalla de Badr dan advertencia de forcejeos mayores que todavía eran por venir.

De hecho, en el año siguiente, un ejército de 3,000, bajo la dirección de Abu Sufllân, llegó desde Meca para destruir Llazrib. Al principio la idea del Profeta era meramente defender la ciudad, un plan que Abdulá bin Ubaí, el líder de "Hipócritas" (los medio musulmanes), aprobó fuertemente. Pero los hombres que habían combatidos en la batalla de Badr y habían creído que Dios les ayudaría contra cualquier desigualdad, pensaron que sería una vergüenza para esperar detrás de las paredes. El Profeta, mientras aprobando su fe y ardor, les cedió, y partió con un ejército de 1,000 hombres hacia el Monte Ujud, enfrentar al enemigo. Abdulá bin Ubaí era muy ofendido por el cambio de plan y retiró con sus hombres, que eran más que un cuarto del ejército.

A pesar de las desigualdades pesadas, la batalla del Monte Ujud habría sido una victoria aun mayor que la del Badr para los musulmanes, si no era por la desobediencia de una venda de cincuenta arqueros quienes el Profeta habían puesto para guardar un paso contra la caballería enemiga. Viendo a sus compañeros victoriosos, estos hombres dejaron su poste, temiendo perder su porción del despojos. La caballería del Quraish pasó a través del hueco y se cayó en los musulmanes triunfantes. El Profeta estaba

La batalla de Ujud

herido y el lamento se levantó que él fue matado, hasta alguien le reconoció y gritó que él todavía estaba vivo, un grito a que los musulmanes reunieron, mientras reuniéndose alrededor del Profeta. Esta batalla costó a los musulmanas setenta vidas, incluso Jamza, un tío del Profeta.

En el día siguiente, el Profeta reunió de nuevo con lo que permanecía de su ejército para que el Quraish sepa que él todavía estaba en el campo, mientras deteniéndolos de posibilidad de atacar la ciudad. La estratagema tuvo éxito, gracias a la conducta de un amistoso beduino quién se encontró a los musulmanes y conversó con ellos y después se encontró el ejército de Quraish. Cuestionado por Abu Sufllân, él dijo que Mujámad estaba en el campo, más fuerte que nunca, y teniendo sed para la venganza por el asunto de ayer. En esa información, Abu Sufllân decidió devolver a Meca.

La pérdida que ellos sufrieron en Monte Ujud bajó el prestigio de los musulmanes con las tribus árabes y también con los judíos de Llazrib. Tribus que habían inclinadas ahora hacia los musulmanes inclinaron hacia lo del Quraish. Los seguidores del Profeta fueron atacados y matados siempre que ellos salieran en el extranjero en las compañías pequeñas. Jubaib, uno de sus enviados, fue capturado por una tribu del desierto y vendido al Quraish, que a su vez le torturó a la muerte públicamente en Meca. Y los judíos, a pesar de su tratado, ahora escasamente ocultaban su hostilidad. Ellos estaban en la lisonja de Quraish tanto que declararon la religión de los árabes pagano superior a la del Islam. El Profeta fue obligado a tomar la acción punitiva contra algunos de ellos. La tribu de Bani Nazïr la que era sitiada en sus torres fuertes, fue dominada y fue obligada a emigrar. Los Hipócritas simpatizaron con los judíos y en secreto les afilaron adelante.

En el quinto año de la Jiy'rá, los idólatras hicieron un gran esfuerzo para destruir Al-Islam en la Guerra de los Clanes o Guerra de la Trinchera, como él se llama diversamente. El Quraish con todos sus clanes y la tribu de Ghatfân con todos sus clanes, un ejército de 10,000 hombres, montó contra Llazrib. El Profeta, por el aconseje de Salmân, el pérsico, ordenó una trinchera profunda a ser excavada en frente de la ciudad, y él en sí mismo llevó el trabajo de excavarlo junto con sus gentes. El ejército de los clanes se detuvo por la trinchera, una novedad en la guerra árabe. Parecía imposible para caballería que formó su fuerza para superar este táctico. Ellos acamparon en la vista de él y llovieron sus flechas diariamente en sus defensores. Mientras los musulmanes estaban esperando el ataque, las noticias vinieron que Bani Quraizá, una tribu judía de Llazrib que hasta entonces era fiel, había ido al enemigo. El caso parecía desesperado. Pero el retraso causó por la trinchera había humedecido el ardor de los clanes, y un musulmán cuya conversión al Islam no se conoció todavía a los incrédulos, fue mandado para sembrar la desconfianza entre los Quraish y sus aliados judíos, como resultado los dos vacilaron de actuar. Luego vino un viento muy fuerte del mar que sopló tan terriblemente durante tres días y tres noches que ni una tienda pudo quedarse en pie, ni un fuego podría encenderse, ni una olla podría hervirse. Los miembros de las tribus estaban en la miseria absoluta. A la longitud, una noche un líder del Quraish decidió que ya no soportaban el tormento y dio el orden para retirarse. Cuando Ghatfân despertó la próxima mañana, encontraron que el Quraish había ido con sus bolsas y equipaje.

En el día del retorno de la trinchera el Profeta ordenó un ataque al Bani Quraizá que le traicionó, lo que consciente de su culpa, ya había tomado a sus torres de refugio. Después de un sitio de casi un mes ellos tenían que rendirse incondicionalmente. Ellos rogaron que ellos deban de ser juzgado por un miembro de la tribu árabe con la que ellos eran aliados. El Profeta concedió su demanda. Pero el juez en cuyo favor ellos habían contado, condenó a sus hombres a la muerte, sus mujeres e hijos a la esclavitud.

Temprano en el sexto año de la Jiy'rá, el Profeta llevó una campaña contra Bani Al-Mustaliq, una tribu que estaba preparando atacar a los musulmanes. Estaba durante el retorno de esa campaña que Aisha, su esposa joven, fue dejada atrás accidentalmente y fue traída por un soldado que quedó atrás, una casualidad que dio lugar al escándalo lo que fue denunciado en la Süra An-Nür. Era esta campaña, cuando Abdulá bin Ubaí, el Jefe de los Hipócritas, cuando vio una riña entre los Mujâyirïn (los inmigrantes de Meca) y los Ansâr (los nativos de Llazrib) dijo: "En cuanto nosotros devolvamos a la ciudad, el más poderoso expelerá el más débil. "

En el mismo año el Profeta tenía una visión en que él se encontraba entrando en el lugar santo de Meca sin cualquier impedimento; por consiguiente, él decidió intentar para la peregrinación. Además él llamó a los varios musulmanes de Llazrib (qué nosotros llamaremos de aquí en adelante Al-Madina) él invitó a los amistosos árabes cuyos números habían aumentado desde la derrota milagrosa de los clanes, para acompañarlo, pero la mayoría de ellos no respondió. Ataviado como los peregrinos, y tomando con ellos las ofrendas de costumbre, una compañía de mil cuatro cientos viajó hacia Meca. Cuando ellos llegaron cerca del valle santo, se encontraron un amigo de la ciudad que advirtió al Profeta que Quraish se había puesto sus pieles de leopardo (la insignia de valor) y habían jurado prevenir su entrando en el santuario; su caballería estaba en el camino ante él. En eso, el Profeta pidió un desvío a través de desfiladeros de la montaña y bajó por fin en el valle de Meca y acampó a un punto llamado Al-Judaibillá. De allí él intentó abrir las negociaciones con los de Quraish, mientras explicando que él sólo vino como un peregrino. El primer enviado que él envió hacia la ciudad fue maltratado y su camello fue desjarretado. Él volvió sin entregar su mensaje. El Quraish por otro lado envió a un enviado que estaba amenazando con un tono que estaba muy arrogante. Otro de sus enviados estaba demasiado libre en su comportamiento y tuvo que ser recordado severamente acerca del respeto debido al Profeta. Era él quien, en su retorno a la ciudad, dijo: "Yo he visto César y Josrú en su pompa, pero nunca he visto que un hombre esta honrado como Mujámad se honra por sus compañeros."

El Profeta buscó por algún enviado que inspiraría el respeto del Quraish. Uzmân bin Affân (que Al'lá esté complacido con él) era finalmente escogido debido a su parentesco con la familia de poderosa Uma'llad. Mientras que los musulmanes estaban esperando su retorno, llegaron las noticias que él había sido matado. Era entonces que el Profeta se siento bajo de un árbol en Al-Judaibillá, tomó un juramento de todos sus compañeros que ellos estarían de pie o se caerían juntos (Bai't-e-Ridwan). Después de poco tiempo, sin embargo, se supo que Uzmân (Aece) estaba vivo. Algunas personas que salieron de la ciudad para herir a los musulmanes se capturaron en su campamento antes de que ellos pudieran hacer algún daño y fueron traídos ante el Profeta quien les perdonó por su promesa de renunciar la hostilidad. Entonces los enviados apropiados del Quraish vinieron. Después de algunas negociaciones, tratado de Al-Judaibillá se firmó. Según este tratado no había de ser ninguna hostilidad entre ambos lados por diez años y que el Profeta tenía que volver a Al-Madina sin visitar el Ka'ba, pero en el año siguiente él podría realizar la peregrinación con sus compañeros. Quraish prometió evacuar la Meca durante tres días para permitirle hacer su peregrinación. Los desertores de Quraish hacia los musulmanes serían vueltos por atrás durante el periodo del tratado; pero no era así para los desertores musulmanes que llegaran al Quraish. Cualquier tribu o clan que deseara ser una parte del tratado como los aliados del Profeta podrían hacerlo, y cualquier tribu o clan que deseara ser parte del tratado como los aliados de Quraish serían libres de hacerlo.

Había descontento entre los musulmanes a estas condiciones. Estaba durante la jornada del retorno de Al-Judaibillá hacia la Madina cuando la Süra # 48, titulado "Al-Fat'j" se reveló. Al'lá declaró que este tratado era una victoria bien definida para los musulmanes, y de hecho, fue demostrado de ser la más gran victoria que los musulmanes tenían lograda hasta este tiempo. La guerra había sido una barrera entre ellos y entre los idólatras, pero ahora ambos lados ya podía hablar y juntar libremente, y la nueva religión extendió más rápidamente. Sólo dos años pasaron entre la firma del tratado y en la caída de Meca, el número de convertido era mayor que el número total de todos los convertido anteriores. El Profeta había viajado a Al-Judaibillá con 1,400 hombres. Dos años después, cuando la Meca rompió este tratado, él marchó contra ellos con un ejército de 10,000.

En el séptimo año del Jiy'rá, el Profeta llevó una campaña contra Jaiber, la fortaleza de las tribus judías en Arabia Norte que se había vuelto como un nido de avispón de sus enemigos. Las fortalezas de Jaiber fueron reducidas una por una, y los judíos de Jaiber se hicieron arrendatarios, de ahí

Tratado de Al-Judaibillá

Al-Judaibillá resulto en una gran victoria para los musulmanes

en adelante, de los musulmanes hasta que los judíos de Arabia fueron expulsados durante el Califato de Umar (que Al'lá esté complacido con él). En el día cuando el última fortaleza se rindió, Ya'far, el hijo de Abu Tâlib, el primo del Profeta en primer grado, llegó con todos los musulmanes que permanecieron con él y que habían huido a Abisinia para escapar de la persecución en los días tempranos. Ellos habían estado ausentes de Arabia durante quince años. Estaba en Jaiber que una señora judía preparó una carne envenenada para la Profeta de lo cual él probó sólo un pedacito sin tragarlo, luego advirtió a sus compañeros que esa era envenenada. Un musulmán que ya había tragado un bocado se murió inmediatamente. La mujer que cocinó la carne fue traída ante la Profeta. Cuando ella dijo que ella lo había hecho a causa de la humillación de su gente, el Profeta le permitió ir.

campaña contra Jaiber

En el mismo año la visión del Profeta se cumplió: él visitó el lugar santo sin cualquiera resistencia por parte de la gente de Meca. De acuerdo con las condiciones de los idólatras del tratado, la ciudad fue evacuada, y miraron el procedimiento de los musulmanes desde las alturas circundantes. Al final de los tres días estipulados, los jefes de Quraish enviaron la palabra para recordar al Profeta que ya era el tiempo para salir. Él retiró entonces, y los idólatras re-ocuparon la ciudad.

La peregrinación

En el octavo año de la Jiy'rá, oyendo que el emperador Bizantino (Romanos) estaba recogiendo una fuerza en Siria para destruir el Islam, el Profeta envió a 3,000 hombres a Siria bajo el orden de su liberto Zaid. La campaña era infructuosa pero impresionó a los sirios con una noción del valor impresionante de los musulmanes. Los 3,000 no vacilaron para combatir contra el ejército romano de 100,000 tropas. Cuando todos los tres líderes fijado por el Profeta se habían matados, los sobrevivientes obedecieron a Jâlid Ibn Al-Walïd, quién por su estrategia y valor, manejó conservar un remanente y pudo volver con ellos a la Madina.

La expedición de Mutá

En el mismo año, el Quraish rompió el tratado atacando una tribu que estaba en la alianza con el Profeta e hicieron una matanza de ellos incluso en el santuario de la Meca. Después tuvieron miedo debido a lo que ellos habían hecho. Ellos enviaron Abu Sufllân a la Madina para pedir el tratado existente a ser reafirmado. Ellos esperaron que él llegara antes de la noticias de la matanza que ellos hicieron. Pero mensajero de la tribu del herido había estado ante él, y su embajada fue infructuosa.

Tratado violado por el Quraish

Entonces el Profeta convocó a todos los musulmanes capaces de llevar los brazos y marchó a Meca. Los Quraish se intimidaron. Su caballería puso a una muestra de defensa ante su pueblo, pero fue derrotado sin derramamiento de sangre; y el Profeta entró en su ciudad nativa como el conquistador. Los habitantes esperaban la venganza para sus fechorías pasadas pero el Profeta proclamó una amnistía general. Sólo unos

Conquista de Meca

delincuentes conocidos fueron arrestados, y la mayoría de ellos al fin fue perdonada. En su alivio y sorpresa, la entera población de la Meca aceleró para jurar la obediencia. El Profeta ordenó que todos los ídolos que estaban en el santuario fueran destruidos, mientras diciendo: "La Verdad ha venido y la oscuridad ha desaparecido," entonces la llamada islámica para la oración (el Azán) se oyó en la Meca.

La batalla de Junain

En el mismo año, había una recolección enfadada de las tribus paganas ávidas por recobrar el Ka'ba. El Profeta condujo a 12,000 hombres contra ellos. Circa de un lugar que se llama Junain, en un barranco profundo, sus tropas se emboscaron por la enemiga y casi les pusieron al vuelo. Estaba con dificultad que ellos se reunieron al Profeta y su guardia personal de compañeros fieles que exclusivamente resistieron a este ataque. Pero la victoria, cuando vino, estaba completo y el botín enorme, porque muchas de las tribus hostiles habían sacados con ellos todo lo que ellos poseían.

Conquista de Ta'íf

La tribu de Zaqïf estaba entre los enemigos en Junain. Después de esa victoria su ciudad de Ta'íf fue sitiada por los musulmanes, y finalmente capturada. Entonces el Profeta fijó a un gobernador a Meca, y él volvió a la Madina con la alegría enorme de los Ansâr quienes habían temido que ahora el Profeta ya que había recobrado su ciudad nativa, podría desampararlos y podría hacer la Meca como su capital.

La expedición de Tabük

En el noveno año de la Jiy'rá, oyendo que el ejército romano estaba estándose de nuevo en Siria, el Profeta llamó a todos los musulmanes por su apoyo en una gran campaña. La distancia lejana, la estación caliente, el hecho que era el tiempo de cosecha y el prestigio del enemigo; causaron a muchos hipócritas para que sean excusados, y muchos más quedaron detrás sin cualquiera excusa. Esos malversadores fueron denunciados en el Qur'ãn, pero la campaña se acabó apaciblemente. El ejército adelantó a Tabük, en los confines de Siria, y allí aprendió que el enemigo se había retirado.

Declaración de la inmunidad

Aunque Meca había sido conquistado y sus gentes ya eran musulmanas y el orden oficial de la peregrinación fue cambiado; los árabes paganos fueron permitidos realizarlo en su manera y los musulmanes de su manera. Sólo era después de que la caravana de los peregrinos había salido de la Madina, en el noveno año de la Jiy'rá y cuando Al-Islam era dominante en Arabia Norte, que la Declaración de la Inmunidad, como ella se llama, se reveló. El Profeta envió una copia de esta declaración por un mensajero a Abu Bakr, el líder de la peregrinación, con la instrucción que Ali fuera leerlo a las multitudes en la Meca. Su propósito era que, después de ese año, los musulmanes eran sólo hacer la peregrinación, excepción fue hecho para tal de los idólatras quienes tenían un tratado con los musulmanes y nunca habían roto su tratado ni habían apoyado a cualquiera contra ellos. Tales eran de disfrutar los privilegios de su tratado hasta fin de su término, pero cuando su tratado fuera expirado, ellos serían como otros idólatras. Esa proclamación marca el fin de la adoración a los ídolos en Arabia.

El noveno año de la Jiy'rá se llama el Año de Delegaciones, porque de todas las partes de Arabia vinieron las delegaciones a la Madina para jurar la obediencia al Profeta y oír el Qur'ãn. El Profeta se había vuelto, de hecho, el emperador de Arabia, pero su estilo de vida permanecía tan simple como antes.

El Año de Delegaciones

El número de las campañas que él guió personalmente durante los últimos años de su vida es 27. En nueve de ellas había el fuerte combate. El número de las expediciones que él planeó y mandó bajo otros líderes es 38. Él controló cada detalle de la organización personalmente, juzgó cada caso y era accesible a cada suplicante. En esos diez años él destruyó la idolatría en Arabia; la mujer fue levantada del estado de un enseres para ser igual al hombre legalmente; eficazmente detuvo la embriaguez e inmoralidad que tenían a los árabes como desgraciados; hizo que los hombres vivieran con la fe, con la sinceridad y con el trato honrado; tribus fueron transformadas las que habían sido durante siglos satisfechas con la ignorancia, en personas con la más gran sed para el conocimiento; y para la primera vez en la historia hizo un hecho y principio de derecho consuetudinario a la hermandad universal de los humanos. Su apoyo y la guía en todo ese trabajo, era El Qur'ãn.

El Profeta condujo 27 campañas personalmente y 38 por medio de líderes asignados

En el décimo año de la Jiy'rá, él fue a Meca como un peregrino por la última vez se llama - "su peregrinación de adiós," - cuando de la Montaña ' Arafât, él se dirigió a una multitud enorme de los peregrinos. Él les recordó todo los deberes que el Islam mandó para ellos y que ellos habría, un Día tener que encontrarse a su Señor, Quien juzgaría cada uno de ellos según su trabajo. Un extracto de la dirección es como sigue:

La peregrinación de adiós

"...Declaro esta Verdad que no hay ningún dios excepto Al'lá y Yo declaro esta Verdad que Mujámad es Su siervo y Su mensajero.

Discurso de despedida

¡Siervos de Al'lá! Les aconsejo que se rindan culto a Él e insisto que hagan esto.

¡Hombres! Me escuchan cuidadosamente como soy hablando claramente, porque yo no pienso que tendré la oportunidad de encontrárselos aquí después de este año.
¡Hombres! Su sangre y su propiedad se han santificados a entre sí...., así como este año, este mes y este día en esta ciudad es santificado.

Sean cuidadosos con La Palabra que yo he transmitido a ustedes. ¡Al'lá! ¡Sea mi Testigo!

Así que cualquier que tiene algo en la confianza debe devolverlo a su dueño.

Se remiten las cantidades de usura de los días de la ignorancia y en primer lugar yo remito las demandas de usura de mi tío Abâs bin Abdul Muttalib....

Sean cuidadosos con las palabras que yo he transmitido a ustedes. ¡Al'lá! ¡Sea mi Testigo!

¡Hombres! Sus mujeres se han dadas algunos derecho con el respeto a ustedes y ustedes se han dados algunos derechos con el respeto a ellas. Es la obligaciones de ellas de no permitir a nadie entrar en sus cámaras durmientes exceptúe a su esposo y de no permitir a nadie que entre en su casa, cuya entrada no le se gusta por ustedes. Y ellas no deben comprometer ningún adulterio.......

Después de mí, no regresen a las maneras de la idolatría y no matan uno al otro.

Yo estoy dejando con ustedes dos cosas, con tal de que ustedes les sigan, nunca irán descaminados, y ésos son, la escritura de Al'lá (*El Qur'ãn*) y mi Sun'ná (lo que yo dije y lo que yo hice).

Sean cuidadosos con La Palabra que yo he transmitido a ustedes. ¡Al'lá! ¡Sea mi Testigo!

¡Hombres! Su Dios es Uno, y su antepasado también es uno. Todos ustedes son la descendencia de Adán lo que fue creado del polvo. El mejor respetado ante Al'lá entre ustedes es uno que es más temeroso de Al'lá. Ningún árabe tiene la preferencia encima de un non-árabe o un non-árabe encima de un árabe. La preferencia si cualquiera es en base a 'quién es lo más temeroso a Al'lá'....

Aquéllos que están presentes aquí deben llevar estas palabras a aquéllos que están ausentes. Posiblemente aquéllos que están ausentes pueden recordar y observar estas cosas más cuidadosamente que aquéllos que son presentes.

¡Hombres! Al'lá ha asignado una porción específica de herencia a cada heredero. Dejar en testamento más de un tercio de la propiedad de uno, no es permitido.

El niño pertenece a uno en cuya cama (el matrimonio) fue nacido, y el adúltero se apedreará."

Al final del discurso, él preguntó: ¿Acaso no he llevado el mensaje a ustedes? Y de esa gran multitud de los hombres, quienes habían sido hace unos meses o años idólatras sin escrúpulo, el grito subió: "¡Sí, sin duda!" El Profeta dijo: "¡Al'lá! ¡Usted es mi Testigo! ¡Al'lá! ¡Usted es mi Testigo! ¡Al'lá! ¡Usted es mi Testigo!"

Era durante esta última peregrinación cuando el verso siguiente del Qur'ãn fue revelado, mientras declarando Al-Islam para ser la religión escogida de Al'lá:

"Hoy Yo he perfeccionado su religión para ustedes, ha cumplido Mi favor en ustedes y ha aceptado Al-Islam como su Dïn (el estilo de vida para ustedes).   (Al-Mã'idá: 5, Verso 3)

Enfermedad
y muerte del
Profeta
(12 de Rabi-al-
Áw'wal, 11 D.J)

El Profeta consideró este verso como un anuncio de llegada de su muerte. Poco después de su retorno a la Madina, él se cayó enfermo. La noticias de su enfermedad causó el desaliento a lo largo de Arabia y una angustia a la gente de la Madina, de la Meca y de la Ta'if, las ciudades natales. Al alba temprana en el último día de su vida terrenal, él salió de su casa al lado de su mezquita (Masyid Al-Nabawi) en Al-Madina y unió la oración de congregación que Abu Bakr había estado llevando subsecuentemente a su enfermedad. Y hubo el gran alivio entre las personas que le supusieron bien de nuevo. Cuando, después por el día, que era 12 de Rabi-al-Áw'wal, 11 D.J., el rumor creció que él ya estaba muerto, Umar amenazó aquéllos que extendieron el rumor con el castigo horrible, mientras declarando que era un crimen para pensar que el mensajero de Dios pudiera morirse. Él estaba atacando a las personas en esta tensión cuando Abu Bakr entró en la mezquita y lo oyó por casualidad. Abu Bakr fue a la cámara de su hija Aisha, dónde el Profeta estaba acostado. Habiendo determinado el hecho, y después de besar la frente del Profeta, él regresó en la mezquita. Las personas todavía estaban escuchando a Umar que estaba diciendo que el rumor era una mentira mala, que el Profeta, lo que era todos en todos a ellos, no pudiera morirse. Abu Bakr acercó al Umar e intentó detenerlo educadamente. Luego, encontrando que él no prestaría la atención, Abu Bakr llamó a las personas que, reconociendo su voz, dejaron a Umar y vinieron hacia él, mientras apiñando alrededor de él. Al principio él dio la alabanza a Al'lá, y entonces dijo: ¡Hombres! ¡Escuchen! En cuanto a él, quién se rendía culto a Mujámad (paz esté en él), él se ha muerto. Pero en cuanto a él, quién se rendía culto a Al'lá, Al'lá está Vivo y no se muere. Luego, él recitó el verso del Qur'ãn:

Mujámad es nadie más que un Rasúl de Al'lá, antes del cual han pasados muchos otros Rasúles. Si él se muere o le matan, ¿Van a voltear por atrás girando en sus talones (vuelvan a ser incrédulos)? Él, quién retrocede en sus talones no hará daño a Al'lá; pronto Al'lá premiará a los agradecidos.   (Âle-Imrân: 3, Verso 144)

"Y, " dice el narrador, un testigo que estaba viendo con sus propio ojos, "como que era si las personas no hubieran sabido que tal un verso se había revelado hasta Abu Bakr lo recitó." Y otro testigo dice cómo Umar decía: "Directamente yo oí que Abu Bakr recitó ese verso como si mis pies estuvieran cortados por debajo de mí y yo me caí a la tierra. ¡Que Al'lá se agrade con él!"

LA RECOPILACIÓN
DE
AL-QUR'ãN

Al- Qur'ãn
fue escrita
por la
dirección del
Profeta
propiamente

Todas las Süras del Qur'ãn se habían grabado por escrito a la dirección del Profeta antes de su muerte, y muchos musulmanes habían comprometido el entero Qur'ãn a su memoria. Pero las Süras que eran escritas estaban dispersas entre las personas; y cuando, en una batalla que tuvo lugar durante el Califato de Abu-Bakr - es decir, dentro de dos años de la muerte del Profeta - un número grande de aquéllos que conocían el Qur'ãn de memoria, fueron martirizados, una colección del Qur'ãn entero fue hecho y puso por escrito. En el Califato de Uzmân, todas las copias existentes de las Süras se colectaron, y una versión auténtica, basada en la colección de Abu-Bakr y el testimonio de aquéllos que habían memorizado todo el Qur'ãn entero, se compiló exactamente en la forma y orden presente, el arreglo de lo cual fue ordenado por el Profeta mismo, el Califa Uzmân y sus auxiliadores que son Compañeros del Profeta y los estudiantes más devotos de la revelación (para los detalles sobre la grabación y preservación del Qur'ãn, por favor refiérase a las páginas anteriores). El Qur'ãn ha sido así muy cuidadosamente conservado por Al'lá Todos-Poderoso, cuando Él declaró en el Qur'ãn:

"Ciertamente hemos revelado este recordatorio (El Qur'ãn); y ciertamente Nosotros mismos le conservaremos." (Al-Jiÿ'r: 15, Verso 9)

Arreglo de
los versos del
Qur'ãn

El arreglo de los versos del Qur'ãn no es fácil de entender. Las revelaciones en varias fechas y en los asuntos diferentes se encuentran juntas en las Süras; algunas de las Süras que fueron reveladas en Madina, aunque sean las últimas revelaciones, se encuentran al principio del Qur'ãn y las Süras que fueron reveladas en Meca que eran de las más tempranas se encuentran al final. Pero el arreglo no es casual, como algunas personas pueden suponer apresuradamente. Un estudio más íntimo revelará una sucesión e importancia-- como, por ejemplo, con respecto a la puesta de las Süras que fueron reveladas en Meca, las que eran del periodo más temprano, al final y la Süra que fue revelada en Madina (Al-Baqará), al principio.

Peculiaridad
del texto
árabe y su
traducción
español

Hay otra peculiaridad que está desconcertante en la traducción aunque procede de una de las bellezas del original, y es inevitable sin abolir la división de los versos de gran importancia para la referencia. En el árabe, los versos son divididos según el ritmo de las frases. Los versos acaban naturalmente cuando hay pausas fuertes, aunque la frase puede seguir en el próximo verso o en varios versos subsecuentes. Eso es del espíritu del idioma árabe; pero los esfuerzos por reproducirse el tal ritmo en español tienen un efecto opuesto a lo que es producido por el árabe. Una discusión detallada sobre la traducción y cómo estudiar el Qur'ãn se proporciona en " las Pautas para estudiar el Qur'ãn."

LA SINOPSIS DE LAS SÜRAS (LOS CAPÍTULOS)

YÚZ (PARTE) - 1

AL-FÃTIJÁ: 1

La suplicación a Al'lá para la guía la que fue enseñada por
el propio Al'lá.   1: [1-7]   113

AL-BAQARÁ: 2

La demanda del Qur'ãn que no contiene ninguna declaración
dudosa. El Qur'ãn es una guía para aquéllos que están
Dios-conscientes.   2: [1-5]   116
Advertir es inútil para aquéllos que rechazan la fe.   2: [6-7]
Los hipócritas y las consecuencias de la hipocresía.   2: [8-16]
Ejemplos de los hechos de los hipócritas.   2: [17-20]   117
La exigencia de Al'lá para rendírselo culto a.   2: [21-22]
La reclamación del Qur'ãn para ser la escritura de Al'lá.   2: [23-24]
La recompensa para los creyentes.   2: [25]
La parábola de mosquito puede confundir muchos y puede
    iluminar muchos.   2: [26-27]
¿Cómo ustedes pueden negar a Al'lá?   2: [28-29]   118
La historia de la creación de Adán: 2: [30]
    La victoria de conocimiento.   2: [31-33]
    Los ángeles muestran el respeto a Adán.   2: [34-35]
    Shaitãn causó a Adán para perder el paraís 2: [36]
    El arrepentimiento de Adán y su perdón.   2: [37]
La necesidad de las revelaciones de Al'lá para la guía humana.   2: [38-39]   119
Los convenios de Al'lá con los Hijos de Israel.   2: [40-43]
¿Ustedes aconsejan a otros y se olvida de ustedes mismos?   2: [44]
La ayuda de Al'lá viene con la paciencia y el Salá (las Oraciones). 2: [45-46]
Los delincuentes no encontrarán ninguna vía en el Día del Juicio. 2: [47-48]
La liberación de los Israelíes' de la persecución de Faraón: 2: [49-50]
Su pecado de rendirse culto al Ternero.   2: [51-52]   119
Su arrepentimiento a través de matar a los culpables.   2: [53-54]   120
Aquéllos que quisieron ver a Al'lá cara a cara fueron puestos
a la muerte, Al'lá les resucitó y les proveyó con la comida celestial. 2: [55-57]
Su descontento y escepticismo.   2: [58-59]
El milagro de proporcionar el agua en el desierto a partir de
una piedra.   2: [60]
El rechazo de la comida celestial por parte de los Israelíes y
Su desobediencia y trasgresión.   2: [61]
Los creyentes reales no tienen nada que temer o sentir tristes. 2: [62]   121
Israelíes pactan con Al'lá: 2: [63-64]
    El castigo para la violación de sábado.   2: [65-66]
    Su actitud hacia el sacrificio de una vaca por el orden

ŶÚZ (PARTE) - 3

Â'LE-'IMRÂN: 3

ẎÚZ (PARTE) - 6

ŶÚZ (PARTE) - 7

AL-AN'ÂM: 6

ÝÚZ (PARTE) - 8

ŶÚZ (PARTE) – 9

ÝÚZ (PARTE) – 11

LLÜSUF: 12

ẎÚZ (PARTE) – 13

AR-RÁD: 13

entonces, creen en las deidades que no tienen el poder para
crear algo y descreen en Al'lá, el Creador? 16: [71-76]

Hay también señales de Al'lá en las vidas de los pájaros y de
los animales. 16: [77-83] 311

En el Día del Juicio se llamará un testigo de cada una
nación y los incrédulos enfrentarán la realidad de su
dioses falsos inventados. 16: [84-89]

Al'lá ordena para hacer la justicia, hacer bien a otros, y ayudar a
los parientes; y Él prohíbe indecencia, la maldad,
y rebelión. Y

Lo que está con ustedes es transitorio; y lo que está con Al'lá es 16: [90-94] 312
eterno. Y
Cuando recitas el Qur'ãn, busque la protección de Al'lá
contra Shaitãn . 16: [95-100]

Los incrédulos acusaron a Mujámad (pece) de ser enseñado
el Qur'ãn por un cierto hombre, pero el hombre a que ellos
aluden, es no-árabe, mientras el Qur'ãn está en el árabe
elocuente. 16: [101-110] 313
No declare con su lengua lo que es Jalãl (licito) y
lo que es Jarãm (ilícito) - Jalãl y Jarãm proceden de
Al'lá. 16: [111-119] 314

Ibrãjïm era una nación en sí mismo. 16: [120-124]

Llame hacia el camino de Al'lá con la sabiduría; con mejor
consejo y razone con ellos de una manera atenta. 16: [125-128]

ỸÚZ (PARTE) – 15
AL-ISRÂ: 17

Al'lá llevó a Mujámad (pece) en una gira del universo. 17: [1] 316
Al'lá cumplió la profecía hecha en la escritura Santa de los
Israelitas que ellos crearán la travesura dos veces en la tierra
y cada vez serán castigados. Y
El Qur'ãn guía a la Vía Recta y perfecta. 17: [2-10]

En el Día del Juicio, cada individuo se dará la escritura de sus
propios hechos. 17: [11-14] 317

Él eso que busca la guía hace por su propio bien y él quién
va descaminado se hace para su propia perdición. 17: [15-17]

Él quién desea las cosas transitorias de esta vida se da aquí,
pero en la Ultima Vida, él se condenará al infierno. 17: [18-22]

Algunos mandos de Al'lá por los creyentes incluyen
la conducta apropiada con los padres, con los parientes, y
con la comunidad a lo largo. 17: [23-30]

Los mandos (continuados). . . 17: [31-40] 318

Si había otros dioses además de Al'lá, ellos habrían intentado
para destronarlo. 17: [41-44]

La creencia en la Ultima Vida es necesario para entender el Qur'ãn.
La Ultima Vida es la vida después de la muerte. 17: [45-52] 319

Los creyentes sólo deben hablar palabras buenas. 17: [53-55]

Los dioses inventados no tienen el poder para relevarlo de

AL-KAHF: 18

ÝÚZ (PARTE): 17

AL-ANBILLÂ: 21

ỸÚZ (PARTE): 18

AL-MU'MINÜN: 23

ŶÚZ (PARTE): 19

A-SHU'ARÂ: 26

todos ellos.	29: [31-35]	418
Igualmente las Naciones de 'Ad, Zamüd, Mad'llan y Fir'aun Rechazaron a los Rasúles de Al'lá que resultó en su destrucción.	29: [36-40]	
La parábola de aquéllos que toman protectores aparte de Al'lá.	29: [41-44]	

ÝÚZ (PARTE): 21

El Salá (la Oración) evita que uno hace los hechos vergonzosos. Y No discutas con la Gente de la escritura excepto en una manera buena.	29: [45-51]	419
Aquéllos que creen en la falsedad y descreen en Al'lá, serán los perdedores. ¿Cuántas criaturas están allí quién no llevan sus comestibles junto con ellos? Al'lá les proporciona como Él proporciona a ustedes.	29: [52-63]	420
La vida de este mundo es nada más que el pasatiempo, la vida real es la Ultima Vida. Aquéllos que se esfuerzan en Nuestra causa, Nosotros les guiamos a Nuestro Camino.	29: [64-69]	

AR-RÜM: 30

La derrota de los romanos (cristianos) a las manos de Persia (los Paganos) se tomó como una señal de la derrota de los musulmanes a las manos de los incrédulos árabes, pues Al'lá dio la noticias buena que los Romanos serán victoriosos así como serán los musulmana después de unos años.	30: [1-10]	425
Es Al'lá Quien origina la creación y luego la repite y hacia Él todos nos traeremos para último Juicio.	30: [11-19]	426
La creación del Hombre, su consorte, los cielos, la tierra, el idioma, los colores, el sueño, la demanda para el trabajo, el alumbramiento, la lluvia y el crecimiento de vegetación - todos son las señales de Al'lá.	30: [20-27]	
Los injustos se llevan por sus propios apetitos sin cualquier Conocimiento real. La verdadera fe y la naturaleza de sectas.	30: [28-32]	
Cuando una aflicción ocurre a las personas, ellos invocan a Al'lá, pero cuando Él los releva, ¡lo! Ellos empiezan comprometer el Shirk.	30: [33-37]	427
El mando para darles su deuda a los parientes e igualmente a los pobres y a los viajeros en la necesidad.	30: [38-40]	
La travesura en la tierra es el resultado de las propias fechorías del Hombre y es cómo Al'lá les permite gustar la fruta de sus hechos.	30: [41-45]	
Al'lá envió a Sus Rasúles para la guía de las gentes; algunos creen mientras otros rechazan. Al'lá sujeta al culpable a Su retribución y ayuda a los Creyentes. Al'lá dijo: "Tú no puedes hacer que el muerto te oiga."	30: [46-53]	428

Aquéllos que descreen en el Qur'ãn y en las escrituras anteriores,
tendrán los yugos puestos alrededor de sus cuellos antes de que
echaran en el infierno.
La riqueza e Hijos no son las indicaciones del placer de
Al'lá.   34: [31-36]
Es la creencia que lo trae cerca de Al'lá, no la riqueza ni los Hijos.
Cualquier cosa que ustedes gastan en la caridad, Al'lá lo
pagará por atrás.
Las declaraciones de los incrédulos sobre el Profeta y el
Qur'ãn.   34: [37-45]   454
Los incrédulos se piden ponderar en sus afirmaciones falsas
- la Verdad ha venido, falsedad ni origina ni restaura algo.   34: [46-50]
En el Día del Juicio los incrédulos querrán creer
pero será de ningún provecho a ellos.   34: [51-54]

FÂTIR: 35

Nadie puede detener o puede otorgar las bendiciones además de
Al'lá. Shaitãn es su enemigo: pues lo considera como a tal.   35: [1-7]   457
Esas personas que consideran sus hechos malos para ser buenos,
no pueden ser guiados al Camino Correcto.   35: [8-9]
Todos aquéllos que están buscando el honor sepan que el honor
Real es en la obediencia de Al'lá.   35: [10-11]
Al'lá ha creado el agua, el día, la noche, el sol y la luna, todos
para el beneficio del hombre.
Las deidades además de Al'lá no pueden oír, ni contestar.
Ellos no poseen ni siquiera un hilo de un dátil.   35: [12-14]   458
La humanidad está en la necesidad de Al'lá, mientras Él no está en
la necesidad de cualquier entidad.   35: [15-18]
El viviente y el muerto no son iguales. Ustedes no pueden hacer
aquéllos quiénes están en la tumba que oigan.   35: [19-26]
Aquéllos que recitan el Qur'ãn, establezcan el Salá (la oración) y dan
la caridad, pueden esperar para las bendiciones de Al'lá y
Sus premios. Aquéllos que descreen, tendrán un castigo
doloroso en el infierno para siempre.   35: [27-37]   459
Al'lá no ha enviado cualquier Libro lo que tiene una provisión de
Shirk (rindiéndose culto a cualquiera además de Al'lá).   35: [38-41]
Trazar el mal retrocede a nadie más que su autor.
Si Al'lá fuera castigar a las personas para sus actos malos,
Él no habría dejado ni siquiera ni un animal alrededor de ellos. 35: [42-45]   460

LLÂ-SÏN: 36

El Qur'ãn se revela por Al'lá para advertir a las personas.
El Profeta se dice que él pudiera advertir a sólo esas personas
quiénes tienen el temor de Al'lá.   36: [1-12]   462
El ejemplo de tres Profetas que fueron enviados a un pueblo; todas
las personas les negaron excepto un hombre que vino
por el pueblo.   36: [13-21]

74

AS-SÂFÂT: 37

SÂD: 38

AZ-ZUMAR: 39

ŶÚZ (PARTE): 24

El ejemplo de las señales de Al'lá. Y
Nada se dice a Mujámad (pece) qué no fue dicho a los
Profetas anteriores.
El Qur'ãn es una guía y bendición para los creyentes. 41: [33-44]
La escritura dado al Profeta Musa era similar al Qur'ãn. 41: [45-46] 498

ŸÚZ (PARTE) – 25

En el Día del Juicio todos otros dioses a quienes las personas
adoraban además de Al'lá desaparecerán. 41: [47-51]
¿Has considerado alguna vez que si el Qur'ãn realmente es de
Al'lá y ustedes lo niegan, qué pasará con ustedes? 41: [52-54]

AS-SHU'ARÂ: 42

Si no era porque los ángeles piden perdón para los residentes de la
Tierra, los cielos podrían haber rotos sobre aquéllos que elevan
las criaturas de Al'lá a Su categoría,. 42: [1-9] 502
Islam es el mismo Dïn (el estilo de vida) qué fue mandado a
Nüj (Noe), Ibrãjïm (Abraham), Musa (Moisés) y
Isa (Jesús). Todos ellos fueron pedidos para establecer el Dïn -
al-Islam y de no crear la división (las sectas) en él. 42: [10-19] 503
Él, quién desea la cosecha en el Día de la Justicia se dará
multiplicadas, pero él quién desea en esta vida se dará
una porción aquí pero no tendrá ninguna porción en el Día
de la Justicia. 42: [20-29] 504
Las aflicciones que ocurren a cualquier persona son el resultado de
sus propias fechorías.
Los verdaderos creyentes son aquéllos que establecen el Salá,
den la caridad y se defienden cuando están oprimidos. 42: [30-43]
Los perdedores reales son aquéllos que perderán en el Día
La Resurrección. 42: [44-48] 505
Es Al'lá Quien da a las hijas e hijos como Él agrada. 42: [49-50]
No es posible para cualquier ser humano que Al'lá le
hable cara a cara. 42: [51-53]

AZ-ZUJ'RUF: 43

El Qur'ãn es una trascripción de la Libro Madre la que es
guardada por Al'lá. 43: [1-8] 508
Incluso los Mushrikïn creen que los cielos, la tierra y todo
lo que hay en eso es creado por Al'lá.
La súplica antes de montar una transporte. 43: [9-15]
Algunos Mushrikïn consideran a los ángeles para ser las divinidades
hembras, siendo las hijas de Al'lá. 43: [16-25] 509
El Profeta Ibrãjïm reconoció la Unidad de Al'lá y
rechazó el Shirk (asociar alguien con Al'lá).
Si no fuera que toda la humanidad se vuelva una raza de
los incrédulos, Al'lá habría dado a los incrédulos
las casas hechas con la plata esterlina. 43: [26-35]
Él, quién se vuelve fuera del recuerdo de Al'lá, Al'lá,

AL-HADÏD: 57

Todos los que están en los cielos y en la tierra glorifican a Al'lá
Que creó a los cielos y a la tierra en seis periodos y tiene el
conocimiento de todos.
Aquéllos que gastan en la caridad se premiarán ricamente.   57: [1-10]   572
En ese día, los verdaderos creyentes tendrán su luz que brillará
ante ellos mientras los hipócritas tendrán su destino no
diferente que los incrédulos.
Aquéllos que gastan en la caridad se reembolsarán
multicopista y también además de eso se darán la recompensa
liberal.   57: [11-19]   573
La vida de este mundo es pero juego, entretenimiento e ilusión.
No aflijas para las cosas que extrañas, ni haga muy feliz
para las ganancias.   57: [20-25]   574
Los profetas Nüj (Noé), Ibrãjïm (Abraham) e Isa (Jesús)
se envió para la guía a la Vía Recta. En cuanto al
monasticismo, las personas instituyeron ellos mismos.   57: [26-29]

ŶÚZ (PARTE) - 28

AL-MUŶÁDILÁ: 58

La práctica pagana de divorcio a través de ' Zijâr' (*llamar la esposa
De uno como su madre) se prohíbe y*
La multa por practicar ' Zijâr. '   58: [1-6]   577
Al'lá es Omnipresente, si tres personas conversan en el secreto,
Él, es el cuarto de ellos.
Los consejos confidenciales se prohíben excepto sobre la virtud y
la piedad. Conspirar en el secreto es el trabajo de Shaitãn.
La etiqueta de celebrar una reunión.
El orden para gastar en la caridad antes de consultar el Rasúl
en privado.   58: [7-13]   578
Las personas que favorecen a aquéllos que están bajo la ira de
Al'lá se castigarán severamente.
Los verdaderos creyentes no favorecen a aquéllos que oponen
a Al'lá y a Su Rasúl.   58: [14-22]   579

AL-JASHR: 59

La tribu judía de Bani Al-Nazir se da el orden de destierro por
su motín contra el Estado islámico.   59: [1-5]   588
La distribución de las cosas de Bani Al-Nazir.
Las calidades buenas de verdadero Mujãyirïn (los
inmigrantes) y las calidades buenas de verdadero Ansãr
(los residentes de Madina).   59: [6-10]   589
La conspiración de los hipócritas con las Gentes de la escritura.
La parábola de un Shaitãn vs. Un incrédulo.   59: [11-17]
Cada alma debe ver lo que está enviando para Última Vida.   59: [18-20]

84

Ninguna aflicción puede ocurrir en la vida excepto por el permiso
de Al'lá y entre sus esposas e Hijos hay algunos
quiénes son sus enemigos, sean consciente de ellos.   64: [11-18]   607

A-TALÂQ: 65

Las leyes de divorcio e Id'dat (el periodo de espera) antes de que el
divorcio toma el efecto.
Id'dat (el periodo de espera) es tres periodo de la menstruación
o tres meses o el parto, en caso de un embarazo.   65: [1-7]   611
La rebelión contra el mando de Al'lá puede traer un castigo fuerte
o el castigo ejemplar, pues tengan temor a Al'lá y
adhieran a Sus leyes.   65: [8-12]   612

AT-TAJRIM: 66

No hagas algo ilícito qué Al'lá ha hecho licito
y las esposas del Profeta se amonestan en relación a su
conducta con él.   66: [1-7]   616
¡Creyentes! Vuélvase a Al'lá en el arrepentimiento sincero si ustedes
quieren a ser perdonados.
El ejemplo de las esposas de las Profetas Nüj y Lüt (pece) que irán
al infierno y el ejemplo de la esposa de Fir'aun y de Marllam
(pece) a que admitirán al paraíso.   66: [8-12]   617

ŶÚZ (PARTE) – 29

AL-MULK: 67

El reino del universo pertenece a Al'lá.
El más bajo cielo se decora con las lámparas (las estrellas).
La conversación entre los moradores del infierno y
sus guardias.   67: [1-14]   620
Nadie puede ayudarlo contra Al'lá.
Nadie puede proporcionarlo el sustento además de Al'lá.
Nadie puede salvarlo del castigo de Al'lá.   67: [15-30]   621

AL-QALAM: 68

Al'lá ha declarado Mujámad (pece) para ser del carácter moral
. más alto.
No rindas a cualquiera incrédulo que jura falsamente,
el calumniador, o la persona mala.   68: [1-16]   623
¿Qué pasó a los dueños tacaños arrogantes de un jardín que
no querían pagar la caridad?   68: [17-33]
Al'lá no va a tratar a los musulmanes como Él tratará a los
culpables. ¿Por qué los incrédulos no entienden esto?   68: [34-43]   624
Aquéllos que no creen en las revelaciones de Al'lá se llevan paso

Aquéllos que torturan a los creyentes se darán el castigo de
conflagración en el Día del Juicio.
Él, Quién creó la primera vez, devolverá a la vida de nuevo
para la contabilidad.   85: [1-22]   675

AT-TÂRIQ: 86

Encima de cada alma hay designado un ángel guardián.
El Qur'ãn es una palabra firme de Al'lá.   86: [1-17]   677

AL-Á'LÂ: 87

Glorifique a Al'lá; Él ha tomado la responsabilidad de la memoria
del Profeta acerca del Qur'ãn. Es un recordatorio y aquéllos
que hacen caso a sus recordatorios tendrán el éxito en el Día
del Juicio.   87: [1-19]   679

AL GHÂSHILLÁ: 88

La condición de los incrédulos y de los creyentes en el Día del
Juicio.   88: [1-16]   681
Las maravillas de naturaleza, advertencia y la responsabilidad.   88: [17-26]

AL-FÁ'ŶR: 89

La advertencia para el bienestar social a través de los ejemplos
de las naciones anteriores.   89: [1-14]   683
¿Qué debe evitarse para hacer el bienestar social?   89: [15-20]
Día del Juicio llegará demasiado tarde para considerar la
advertencia. La dirección de Al'lá a los creyentes.   89: [21-30]

AL-BALAD: 90

La advertencia a los incrédulos de Meca.
Al'lá le ha dado una lengua y dos labios para controlarla.
Las calidades de una persona virtuosa.   90: [1-20]   685

ASH-SHAMS: 91

El éxito depende de guardar el alma puro y el fracaso depende
en adulterarlo.   91: [1-10]   687
Las gentes de Zamüd fueron nivelados por corromper la tierra.   91: [11-15]

AL-LAIL: 92

Para las personas buenas, Al'lá facilitará el camino fácil y para los
malos, el camino duro.
Qué beneficio recibirás de la riqueza, si eres
condenado.   92: [1-21]   689

LOS ARTÍCULOS DE FE

"Creer en Al'lá, Sus Ángeles, Sus libros, Sus Rasúles, en el Último Día y creer en el Decreto Divino (Al-Qádar), tanto el bien como el mal." *(Reportado por Bujari y Muslim)*

I. Al'lá: Creencia y convicción en la existencia de Al'lá y Su Unidad (Taujïd). Taujid se divide en tres categorías para facilitar su comprensión:

    a) **Taujïd Al-Rabubillá** (La Unidad de Su Señorío): Creer que sólo Al'lá es Rab de este universo. Él es el Creador, el Propietario, el Proveedor, el Encargado, el Sostenedor y el Ejecutor de todos sus asuntos. Toda la creación ha sido creada por Él y Él Solo.

    b) Taujïd-Ulujillá (la Unidad de Su Culto): Creer que Al'lá es el único Ilâj (Dios, objeto de adoración y culto), y que todos los actos de culto (como oración, postración, ayuno, sacrificio de los animales y las invocaciones) deben orientarse hacia Al'lá y Al'lá solamente. Estos actos de culto, interno y externo, deben hacerse de manera prescrito por Al'lá y que son agradable para Él, lo que significa la obediencia total de Sus leyes y mandamientos. Esta es la razón por la cual fueron enviados los Rasúles y que fueron revelados las Sagradas Escrituras.

    c) Taujïd Al-Asma wa As-Sifât (la Unidad de Sus Nombres y Atributos): Creer en todos los nombres y atributos de Al'lá en sus formas absolutas sin ningún imperfecciones como descrito por Al'lá para Sí Mismo o por Su Rasúl (la paz sea con él), sin darles significados distintos de sus significados obvios, sin darle nuevos nombres y atributos o quitar alguno de ellos y sin hacer ningún semejanzas de ellos con Su creación.

II. Sus Ángeles: Creer en la existencia de los Ángeles, sus nombres, atributos, características y funciones como se describe en el Qur'ãn y la Sunna auténtica del profeta (la paz sea con él). Son una creación de entre las creaciones de Al'lá. Fueron creados afuera de la luz y son en obediencia total solamente a Él. Ellos se asignan muchos deberes, de entre ellos es Gabriel, quien ha traído abajo todas las revelaciones a los diversos Rasúles, Isrâfïl, quien es encargado de soplar la trompeta que hará que será destruido todo y que será resucitados los cuerpos en el Día del Juicio y Mikâïl, quien es encargado de la lluvia y de la vegetación.

III. Sus Libros: Creer en todos los libros o revelaciones enviados por Al'lá a Sus diversos Rasúles como misericordia y guía para la humanidad. De entre ellos son el Taurât (Torá) revelado a Musa (Moisés), el Inyïl (Evangelio) revelado a Ísa (Jesús), el Zubür (Salmos) revelado a Dawüd (David) y el Qur'ãn revelado a Mujámad, la paz sea con todos ellos. Para creer que el Qur'ãn es la revelación final, completa e inalterada de Al'lá hacia toda la humanidad y permanecerá como tal hasta el Día del Juicio, y que todas revelaciones anteriores han sido derogadas por esta revelación final.

IV. Sus Rasúles (Mensajeros): Creer en todos los Rasúles, como se menciona en el Qur'ãn y que Al'lá envió uno o más mensajeros a cada nación. Para creer que los Rasúles comunicaron el mensaje de Al'lá en su totalidad, con prontitud y correctamente, y que no tenían ningún estatus o atributo divino. Todos ellos proclamaron las mismas enseñanzas y creencias fundamentales. De entre ellos fueron Nûj (Noé), Ibrâjïm (Abraham), Musa (Moisés), 'Isa (Jesús) y el último de ellos y el sello de los profetas es Mujámad, quien llegó como un Rasúl para toda la humanidad (la paz sea con todos ellos).

V. Último Día (Día del Juicio): Creer en todo lo que el Qur'ãn o el profeta (pece), ha mencionado sobre la Hora Final. Incluye todo lo que se ocurrirá antes de que la trompeta sea soplada y después de la resurrección, los eventos relacionados con el Día del Juicio en que todos serán responsables de sus actos y que serán recompensados con el paraíso o castigados en el infierno.

VI. La Creencia en el Decreto Divino (Al-Qádar), tanto el bien como el mal: Creer que Al'lá tiene el conocimiento de todo antes de su existencia. Esto, por lo tanto, incluye todos los asuntos de su creación con respecto a su obediencia, su desobediencia, duración de la vida y su sustento. Que todas las cosas fueron grabadas y conservadas en el Libro Matriz *(Loje Majfüz)* antes de que fueran creados los cielos o la tierra. Que todas las cosas entraron en la existencia por el Decreto Divino y que sólo fueron creadas por Al'lá. Nada ha llegado a la existencia por cualquier otro medio y no pasa nada, buenas o malas, sin Su Permiso. El mal, que se menciona, se refiere a la maldad que ocurre como resultado de desobediencia del hombre hacia Al'lá.

El Glosario
de las Palabras y las terminologías del Qur'ãn

NOTA: A causa de las limitaciones puestas por la lengua española, hay muchas palabras en la lengua árabe que no se pueden escribir exactamente, por lo tanto fue tratado de escribir la pronunciación, más cercana posible. Especialmente cuando una palabra termina con la letra (ح) como AL-BURÛ'Ý. La letra ح fue re-emplazada con 'Ý. La letra (h) en español no tiene su sonido propio y suena como los vocales (حروف العلة) que la siguen, por lo tanto no fue usado por las letras ح, خ y ه, los que fueron re-emplazados con la letra (J), como por ejemplo en el nombre del profeta Mujámad (pece).

Aace: Al'lá se agrade con ella, o, Al'lá se agrade con él o ellos.

Acce: Que Al'lá esté complacido con él/ella o ellos.

Aece: Que Al'lá esté complacido con él/ella.

Al'lá - (El Dios); También se escribe erróneamente como Allah, Alá y Aláh pero la pronunciación apropiada es: Al'lá, que es el nombre apropiado del Único Ser Supremo Que existe necesariamente Sólo y entre Sí Mismo. Esta palabra comprende todos los atributos de la perfección. Al contrario de la palabra Dios que también se pude decir como dios, diosa, dioses o diosas, esta palabra ni es femenina ni plural y nunca se ha aplicado a cualquier otro ser. Esta palabra no tiene ninguna palabra correspondiente en inglés o en cualquier otro idioma del mundo, por lo tanto se ha usado en esta traducción.

Al-Mas'yid-al -Jarâm:
La Sagrada Mezquita en Meca que tiene el Ka'ba en su centro.

Ansâr: Los Auxiliadores, los defensores, los protectores. Este nombre se dio como una distinción honoraria a aquéllos de los habitantes de Madina que fueron los primeros en extender la ayuda al Profeta Mujámad (pece) y quienes dieron una bienvenida cordial a los emigrantes, fraternizaron con ellos y defendieron al Profeta con sus riquezas y con sus vidas.

A'râf: Literalmente significa un lugar elevado o una porción elevada de tierra o suelo. Este término se usa para las paredes (las alturas) que divide el Paraíso del Infierno.

Ásr: Una magnitud ilimitada del tiempo, durante cual las personas fallecen y se ponen extintos. Ásr también es un nombre usado para una de las cinco oraciones prescritas, ofrecida en el extremo de la tarde.

Dar-ul-Islam: Casa de Paz. Un Estado o el País gobernado por la Ley islámica (Qur'ăn y Sun'ná), dónde los musulmanes y No-musulmanes son en paz para practicar sus creencias respectivas.

Dïn: La Religión, el juicio, el estilo de vida. Islam se llama 'Al-Dïn,' lo que es un estilo de la vida, y no es como una religión de rituales sino un estilo de vida completo que incluye el aspecto espiritual, sistemas sociales, económicos y políticos que proporcionan la guía para una vida privada, pública, nacional y también para los problemas internacionales.

Fir'aun: Faraón. Éste era el título usado para los reyes de Egipto.

Furqân: Cualquier cosa que hace una separación o distinción entre la Verdad y falsedad. También significa prueba, evidencia, o demostración. La Escritura Divina revelada al Profeta Moisés y el Qur'ăn también se llaman Furqân, como para distinguir entre la Verdad y falsedad.

Já'ý: Escrito en inglés como Hajj, es la realización de los ritos religiosos y ceremonias de la peregrinación mayor. Este término se usa para la peregrinación obligatoria a Meca en Arabia Saudita durante el mes lunar de Zul-Já'ý. Es obligatorio para cada musulmán una vez en su vida con tal de que uno puede y tiene el lujo de los gastos necesarios incluyendo su viaje y alojamiento, sin dejar a los suyos in dificultades.

Jarâm: El Santuario, sagrado, santificado. Este término se usa para el territorio de Meca y sus suburbios inviolables.

Ji'ýrá: Nombre del Calendario islámico basado en el día de la migración del Profeta (pece) desde Meca hacia Madina.

Id'dat: Literalmente significa contando o para contar. Este término se usa en relación al periodo de espera para una mujer, después del divorcio o muerte de su marido, antes de que pueda volver a casarse. Eso es para asegurarse que ningún embarazo existe del matrimonio anterior.

Ijrâm: Para entrar en la actuación de esos actos de Já'ý (la peregrinación mayor obligatoria) o de Umrá (la peregrinación menor no obligatoria). Se prohíben ciertas cosas que eran lícitas antes de ese estado. Este término también se usa para el vestido especial llevado por los peregrinos durante Já'ý o Umra.

I'tikâf: Para permanecer en un lugar constantemente. Este término se usa para consagrar uno mismo para el culto de Al'lá en una Mezquita, durante los últimos diez días del mes de Ramadãn (el mes de Ayuno).

Ilá: Dios, una entidad digno de culto

Imân: La Creencia, la verdadera fe, la creencia cordial.

Ka'ba: El cuadrado o cúbico, uno que se haya inflado o uno que se pone prominente. Este término se usa específicamente para el edificio en forma de un cubo en el centro de la Sagrada Mas'yíd (Mezquita) en Meca. Es la primera casa de culto construida en la tierra por Adán. Se destruyó durante el diluvio de Nüj (Noé) y fue re-erigido por Ibrãjïm (Abraham) e Isma'il (Ismael). Es un edificio de la piedra macizo oblongo en la forma, 55 pies en la longitud, 45 pies en la anchura, y con la altura, un poco más de su longitud, estando de pie en el medio de paralelogramo abierto de aproximadamente 500 pies por 530 pies conocido como la sagrada Mezquita y teniendo una puerta 7 pies arriba de la superficie de la tierra.

Llaum: Un día, una Fase o un Periodo del Tiempo. Puede ser equivalente a un mil años terrenal como fue mencionado en la Süra # 32 (As-Sa'ÿdá) Verso # 5, o cincuenta mil años de nosotros como fue mencionado en la Süra # 70 (Al-Ma'ari'ÿ) Verso # 4.

Más'ÿíd: Mezquita

Muÿâjid: El que se esfuerza o uno que hace sus forcejeos en el camino de Al'lá (Dios), y si es requerido de él, combate en la causa de Islam.

Máj'ram: La relación que se declara sagrada o qué se prohíbe y es ilícita para el matrimonio. Los ejemplos son miembros familiares inmediatos, tías reales, tíos reales, sobrinos reales y sobrinas reales etc.

Mujâ'yirïn: Los Inmigrantes. Este término se usa más específicamente para esos musulmanes que emigraron de Meca a Madina para la causa de Islam. Ellos unieron al Profeta dejando atrás todas sus cosas.

Mushrik: El que asocia, el adorador de los ídolos, el adorador de cualquier entidad además de Al'lá (Dios) o el que asocia a alguien como el compañero de Al'lá (Dios) o el que compromete shirk. Para los detalles vea 'Shirk'.

(pece) = Paz esté con él/ellos. Que Al'lá le dé Su gracia y paz

Profeta: Enviado de Al'lá, seleccionado por Él para pasar Su mensaje que se recibió a través la escritura de Revelaciones y Shari'á (las Leyes islámicas) a un Rasúl. Por ejemplo: el Profeta Lláj'lla (Juan) era un profeta durante el tiempo de Isa (Jesús) quien era un Rasúl. Por consiguiente, él (Juan) fue exigido seguir la escritura y Shari'á que fue dado a Isa (Jesús) - paz esté en ellos ambos.

Qiblá: Es la dirección hacia Ka'ba en Meca, hacia cual los musulmanes se vuelven sus rostros en cualquier parte del mundo durante sus oraciones.

Rab: Traducido en la mayoría de las traducciones españolas como ' Señor ', también se usa para: El Amo, el Dueño, el Sostenedor, el Proveedor, el Guardián, el Soberano, Gobernante, Administrador, Organizador. Al'lá es el Señor del Universo en todos estos sentidos. De los Atributos del Ser Divino, lo que ocupa el primer lugar en el Qur'ãn es el Rab. Es este atributo que, después de Al'lá, se menciona más frecuentemente, mientras ocurriendo 967 veces en el Qur'ãn; y, por último, es el nombre por lo que Dios se dirige el más a menudo en las oraciones. Su importancia, según Imam Rãghib, es dar la importancia a una cosa de tal manera que uno hace lograr condición atrás condición hasta que uno se alcance su meta de perfección. Por lo tanto Rab es el Señor Que no sólo da a toda la creación sus medios de sustento, sino también ha preordinado para cada uno una esfera de capacidad y, dentro de esa esfera, provee los medios por los cuales él continúa logrando su meta de perfección gradualmente.

Puede notarse aquí que el Qur'ãn adopta la palabra Rab en lugar de la palabra "ab" (lo que significa 'padre') lo que frecuentemente se usa por los cristianos cuando están dirigiendo a Dios. La importancia llevada por la palabra "ab" está muy limitada comparado con la palabra Rab. Puede notarse otra peculiaridad con respecto a este Atributo aquí. La palabra Rab nunca se usa absolutamente pero siempre como "Rab mío" o "nuestro Rab" o "su Rab" o "Rab tuyo" o "Rab de los mundos."

La razón es evidente. El Nutriente o Sostenedor sólo pueden hablarse respecto a de algo que Él nutre o sostiene. Él se habla repetidamente cómo, él es Rab (o Sostenedor) de los creyentes así como de los incrédulos, de los musulmanes así como de sus antagonistas que son una evidencia clara de la inmensidad de la concepción de Dios en Islam.

Rasúl: Un Profeta que es dado la escritura de Revelaciones incluyendo Shari'á (Las Leyes Islámicas), y es seleccionado por Al'lá (Dios) para transmitir Su mensaje y de ser un Modelo para una nación particular, como Ibrãjïm (Abraham), Lüt (Lot), Musa (Moisés), Isa (Jesús) o para toda la humanidad como Mujámad - paz esté en ellos todos. Todos los Rasúles también eran Profetas pero no todos los Profetas necesariamente eran Rasúles.

Rajmãn: Amable, benéfico, Compasivo, Misericordioso.

Rajïm: Merciful, Misericordioso.

Estos dos atributos no sólo ocupan el lugar más alto despés de Rab con respecto a la frecuencia de su ocurrencia en el Qur'ãn, sino también su importancia es aparente por sus uso inmediatamente después del atributo de Rab en el capítulo de la apertura, y más allá encabezando con cada Süra del Qur'ãn en la fórmula muy conocida Bismil'lah-ir-Rajmãn-ir-Rajïm. El estrechamente relacionado Nombra Rajmãn y Rajïm, traducidos como el Compasivo y el Misericordioso, respectivamente. Ellos ocurren 400 veces en el Qur'ãn, mientras estos atributos en la exhibición de forma de verbo de misericordia ocurren aproximadamente 170 veces que traen el total a aproximadamente 570. Ningún otro atributo, con la excepción de Rab, se repite tan frecuentemente. Ambas estas palabras son nombres del participio activos de formas diferentes de la misma raíz ráj'má que significa ternura que requiere el ejercicio de la beneficencia, y así comprende la idea de amor y misericordia.

Las dos palabras son aplicables a dos estados diferentes del ejercicio de la misericordia de Al'lá; la primera se usa para un estado, cuando el hombre no ha hecho nada que merecer a sí mismo y Al'lá ejerce Su misericordia ilimitada concediendo Sus regalos a él, y la segunda se usa a ese estado, cuando el hombre hace algo lo que merece Su misericordia, y Su misericordia es, por consiguiente, repetidamente concedido a él.

Por lo tanto, es Rajmãn Que crea para el hombre todas esas cosas que hacen posible su vida en esta tierra y es Rajïm Que le da las frutas de su labor; o, de nuevo, es Rajmãn Que, por Su revelación, le muestra la Vía Recta de desarrollar facultades al hombre, y es Rajïm Lo Que premia al creyente de lo bueno que él hace.

No es sólo la ocurrencia frecuente de los dos nombres, Rajmãn y Rajïm y la importancia que atada a ellos poniéndolos al título de cada capítulo lo que muestra que el atributo de misericordia es el más predominante de todos los atributos de Al'lá. El Qur'ãn ha ido más allá y ha puesto la más gran importancia en las palabras explícitas en la inmensidad inmensurable de Su Misericordia Divina.

Risãlat: El Mensaje. Este término se usa para la institución de entregar los

Mensajes Divinos. Un individuo que es escogido por Al'lá (Dios) para este propósito se llama un Rasúl. Para los detalles vea ' Rasúl.'

Rüj: El Alma del hombre. Es el orden de Al'lá. Un hombre tiene dos componentes, cuerpo y alma. Cuando el alma deja el cuerpo, la persona está muerta. Esta vida terrenal es el mundo de cuerpo en que el alma es invitado y el mundo en La Ultima Vida será el mundo de alma dónde el cuerpo será invitado. Desde que el alma nunca se muere, por consiguiente, La Ultima Vida será una vida eterna.

Sadaqãt: Las Limosnas, las caridades. Este término se usa para cualquier cosa que se da para el placer de Al'lá (Dios) al necesitado o lo que se santifica al servicio de Dios.

Sakïná: Tranquilidad o paz de mente.

Salá: Una oración obligatoria en la forma prescrita que debe ofrecerse cinco veces al día en los tiempos prescritos. Los tiempos prescritos son Fa'yr (antes de la salida del sol), Zójúr (tarde), Ásr (el extremo de la tarde), Maghrib (después del ocaso) y Ísha (el anochecer).

Shirk: No tiene ningún equivalente en español. Es una combinación de idolatría, el ateísmo, el paganismo, el politeísmo, el paganismo, etc. Uno puede ser culpable de Shirk aun cuando uno no es un adorador de los ídolos y aun cuando uno profesa para creer en Al'lá. Shirk es atribuir cualquiera de los atributos exclusivos o características o poderes o derechos exclusivos de Al'lá a cualquier entidad o asociar cualquier con Él de cualquier forma, figura o manera en absoluto.

Shorakã: Los Compañeros, compañeros imaginarios o cualquier socio atribuido a Al'lá por los que Le asocian. Este término se usa para todos aquéllos a quienes los Mushrikïn dan una porción de honores Divinos, como hacen a los ángeles, Yines, diablos, ídolos, santos o sus estatutos.

Sun'ná: El Dispensación, la tradición, la manera de hacer las cosas. Este término se usa específicamente para el trato de Al'lá (Dios) con Sus criaturas y también las tradiciones y las acciones del Profeta Mujámad (pece) los qué son de acuerdo con los mandamientos de Al'lá.

Süra: Un capítulo del Qur'ãn.

Tãghüt: Uno que se rebela contra Al'lá y demanda de ser el amo y soberano de los siervos de Al'lá y les obliga a que se hagan los propios siervos de el mismo. La palabra árabe de Tãghüt aplica literalmente a todos los que transgreden los límites puestos por Al'lá; la tal entidad puede ser Shaitãn o sacerdote, un religioso, líder político, un rey o un estado.

Taujïd: El contrario de Shirk. La doctrina que Al'lá es Un Ser; Él es Único en Su Persona, en Sus Atributos, en Sus Poderes y en Sus Derechos. Él no tiene ninguna descendencia o ascendencia, ningún compañero y ningún asociado en cualquier forma o capacidad en absoluto. Él Solo es el Creador, el Acariciador, el Sostenedor, el Soberano, el Gobernante y la única Deidad digno de la adoración.

Tawâf: Dar vuelta, girar alrededor de algo. Este término se usa para el acto de girar alrededor de Ka'ba, se dan vueltas al sentido contrario del reloj, siete veces, empezando por la esquina de la Piedra Negra y acabando al mismo lugar.

Tallam'müm: Es un proceso de ablución cuando el agua no está disponible o alguna condición médica previene a alguien para usar el agua. Se hace con el polvo o con la arena limpia, golpeando ligeramente las palmas de las manos en ella y pasándolos encima de las manos hasta los codos, repitiendo el mismo proceso y pasando las manos encima de la cara como si ellos estuvieran lavándose con el agua. Así se hace con los pies si uno rompe su Wuzú mientras teniendo puestos los calcetines.

Taurât: La Tora. Es el nombre de la Escritura Santa que contiene el Mensaje Divino dado al Profeta Musa (Moisés) para la guía de Fir'aun (Faraón), s us jefes y de los Hijos de Israel.

Umrá: La Peregrinación Menor. Una peregrinación voluntaria al Ka'ba a cualquier tiempo que no sea en los días de Ja'y (La Peregrinación Mayor).

Wali: Para ser muy cerca de cualquier persona, el protector, el amigo, el patrocinador, el bienhechor, el auxiliador. Este término se usa para la mistad de Al'lá (Dios) o amistad de

Shaitãn: (Satanás). También se usa para uno quien es el protector y responsable de un niño.

Ÿijãd: Esforzarse para llevar a cabo los Mandos de Al'lá y de la Sun'ná del Profeta y para esforzarse en el camino de Al'lá (Dios) incluso combatir para Su causa. Ÿijãd es uno de los tres elementos básicos de Imãn (la Fe) en Islam.

Ÿin: Un orden definido de un ser consciente, inteligente, corpóreo y normalmente invisible, creado fuera de la llama sin humo, como fueron creados los hombres de la arcilla. Los Yines se crearon antes de Adán. Ellos comen, toman las bebidas y propagan sus especies, y están sujeto a la muerte, la misma manera como los seres humanos, aunque como una regla ellos son invisibles al ojo humano. Ellos pueden manifestarse a su voluntad a los seres humanos, principalmente en la forma de los animales.

Ŷiz'llá: La Compensación. Este término se usa para un impuesto que se toma de los ciudadanos que no son musulmanes de un Estado islámico o de un Gobierno en cambio el Gobierno islámico asegura su protección.

ŶÚZ: Uno de las treinta partes del Qur'ãn.

Zabür: El nombre de la Escritura Santa que contiene el mensaje Divino dado al Profeta Dawüd (David). También se llama los Salmos.

Zaká: Literalmente significa - el crecimiento o aumento, así también como la purificación. El pago del Zaká purifica y limpia el resto de la riqueza, porque es bendito por Al'lá para la complacencia con Su mandamiento. El Zaká es considerado un acto de la adoración relacionado a la riqueza de uno. La entrega del Zaká se conduce en el aumento en la riqueza en este mundo, desarrolla los méritos religiosos en la Ultima Vida y purifica al otorgador de los pecados. El verso divino: "Tome de su propiedad sadaqãt (las Caridades) para purificarlos de sus pecados" se ilustra el espíritu del Zaká. El Zaká es una caridad obligatoria mandada en los miembros de la comunidad musulmana, para tomar una porción del dinero del sobrante de los miembros comparativamente adinerados de la sociedad y se lo entrega al destituido, necesitado y los proyectos de bienestar de la comunidad. También se usa para extender el mensaje del Islam.

PAUTAS PARA ESTUDIAR EL QUR'ãN

El lector debe entender la naturaleza real del Qur'ãn. Aunque uno cree o no, que eso es un libro revelado, uno debe considerar, como un punto de arranque, la proclamación, que el Qur'ãn y su portador el Profeta Mujámad (La paz esté con él), habido puesto adelante que **ésta es una Guía Divina.**

Antes de que un lector empiece a estudiar el Qur'ãn, él debe comprender que al contrario de todas las otras escrituras, éste es único libro con El Autor Supremo, un mensaje eterno y con una relevancia universal. Sus contenidos no se confinan a un tema particular o estilo, pero contiene la fundación para una completa sistema de la vida, cubriendo un espectro entero de las problemas, que van desde los artículos de la fe, hasta la enseñanza moral general; los derechos y las obligaciones; el crimen y el castigo; las leyes personales y públicas; regulaciones sociales, económicas y políticas; tratados locales e internacionales; pautas para la guerra y la paz; e incluso mayoría de las preocupaciones privadas y de la comunidad. Estas problemas se discuten en diferente y varias maneras, como estipulaciones directas, los recordatorios de los favores de Al'lá a Su creación, advertencias, y buenas noticias. Se narran historias de las comunidades pasadas, seguidas por las lecciones que deben de ser aprendidas de las acciones y sus consecuencias.

Al contrarios de los libros convencionales, el Qur'ãn no contiene información, ideas y argumentos sobre los temas específicos colocados en un orden literario. Consecuentemente un extraño al Qur'ãn, en su primera experiencia con él, se confunde cuando él no encuentra la enunciación de su tema o su división en los capítulos y secciones o instrucciones separadas para los diferentes aspectos de la vida colocados en un orden de serie. Al contrario, lo que él encuentra es algo con que él no ha estado familiarizado antes y qué no conforma a su concepción de un libro. Él encuentra que se trata de credos, da instrucciones morales, extiende las leyes, invita a las personas al Islam, amonesta a los incrédulos, deduce lecciones de los eventos históricos, administra advertencias, y da buenas noticias, y todos éstos están juntos mezclados. El mismo asunto se repite de maneras diferentes y un tema sigue el otro sin cualquier conexión clara. A veces un nuevo tema siega a en el medio de otro sin cualquier razón clara; el portavoz, los destinatarios, y la dirección del discurso cambian sin cualquier aviso. Se presentan eventos históricos, pero no como en libros de la historia. Se tratan los problemas de filosofía y metafísicas de una manera diferente del de los libros de texto en esos asuntos. Se mencionan hombre y el universo en un idioma diferente que de las ciencias naturales. Igualmente sigue su propio método de resolver problemas culturales, políticos, sociales, y económicos y trata con los principios y órdenes de la ley de una manera bastante diferente que de los sociólogos, abogados y juristas. La moralidad se enseña de una manera que no tiene ningún paralelo en la entera literatura sobre este tema.

Para entender el Qur'ãn en su profundidad, es esencial saber la naturaleza de este Libro, su idea central y su objetivo y objeto. El lector también debe enterarse bien con su estilo, usos de los términos y los métodos adoptados para explicar las cosas. Él también debe tener en la vista el fondo y las circunstancias bajo cual un cierto pasaje fue revelado.

* **EL ASUNTO** que se trata es LA HUMANIDAD: discute esos aspectos de su vida que lleva a su éxito real o a su fracaso.

* **LOS TEMAS del Qur'ãn son Tres:**

1.-   Taujïd---que hay sólo un Dios,
2.-   Risãlá---que Al'lá le ha asignado a los Rasúles para entregar Su mensaje y proporcionar como un modelo para vivir de acuerdo con Su mandos, y
3.-   Ãjirá---que la humanidad está en la prueba aquí en esta vida y se sostendrá responsable para todos los hechos buenos o malos en el Día de Juicio. Entonces se premiarán personas virtuosas para sus hechos buenos en el Paraíso y las personas malas se castigarán para sus hechos malos por el fuego del Infierno.

* **EL TEMA CENTRAL** que corre a lo largo del Qur'ãn es la exposición de la Realidad y la invitación a la Vía Recta basada en él. Declara que esa Realidad es la misma que fue revelada por el propio Al'lá a Adán en el momento de su designación como su agente, y a todos los Profetas después de él, y la Vía Recta es la misma que fue enseñada por todos los Profetas. También señala que todas las teorías contradictorias a esta Realidad, inventadas por las personas en relación a Dios y el resto de Su creación, son falsas y los estilos de la vida que basaron sobre estas son erróneos y llevan a las consecuencias desastrosas.

* **EL OBJETIVO y OBJETO** de las revelaciones son, invitar a la humanidad a la Vía Recta y presentar la Guía lo cual la humanidad ha perdido debido a su arte inmaduro y subdesarrollado para preservarse la Guía Divina, en los tiempos anteriores del Profeta Mujámad (pece).

* **EL QUR'ÃN ES TODO UN INTEGRO** en que cada verso y la frase tiene una relación íntima con otros versos y frases, todos ellos clarifican y amplifican entre sí. Sus significados reales sólo pueden apreciarse, cuando nosotros ponemos en correlación cada uno de sus declaraciones con lo que se ha declarado en otra parte en sus páginas a través de una cruz-referencia, siempre subordinando el particular al general y incidental a intrínseco, comprendiendo que el "Qur'ãn mismo es su mejor comentario ". Las cruz-referencias de Qur'ãn están como chequeo digitales con habilidad de verificar sus propios contenidos en el esquema de Al'lá para proteger este Mensaje Eterno. Al'lá ha declarado en Al-Qur'ãn:

> *"Nosotros hemos revelado este Recordatorio y Nosotros mismo*
> *vamos a conservarlo."* (15:9)

Si el lector tiene estas cuatro cosas básicas en su mente, él encontrará que en este Libro no hay ninguna incongruencia en el estilo, ningún hueco en la continuidad del asunto, y ninguna falta de interconexión entre sus varios temas. De hecho, este Libro no tiene impertinencia en cualquier parte con respecto a su Asunto, su Tema Central y su Objetivo. Desde su inicio hasta su fin, los diferentes temas que son tratadas en él, son tan íntimamente conectadas con su Tema Central que ellos están como las bonitas gemas del mismo collar, a pesar de sus diferentes tamaños y colores. El Qur'ăn guarda el mismo objeto en su vista, aunque sea relacionando la historia de la creación de la tierra o de los cielos o del hombre, o está refiriéndose a las manifestaciones en el universo o declarando eventos de la historia humana. Como el objetivo del Qur'ăn es guiar al hombre y no enseñar la naturaleza, historia, filosofía, ciencia o arte, por eso no se relaciona con estos asuntos. La única cosa con que Al-Qur'ăn está interesado es exponer la Realidad, quitar las equivocaciones y los conceptos erróneos sobre eso, impresionar la Verdad en la mente, advertir de las consecuencias de actitudes malas y invitar a la humanidad a la Vía Recta. El mismo es cierto cuando crítica varios credos, los sistemas morales, y los problemas metafísicas. Eso es por eso qué declara, discute o sólo cita un ejemplo a la magnitud pertinente a su Tema Central y a su invitación alrededor de la que cada otro tema revuelve. Cuando el Qur'ăn se estudia en esta luz, ninguna duda queda que hay una continuidad de asunto a lo largo de la escritura.

Otra cosa que causa confusión mental es la aserción que el Qur'ăn es un código completo de la vida. Pero cuando uno lo lee, uno no se encuentra las reglas detalladas y las regulaciones con respecto a los problemas sociales, culturales, políticos, e económicos. Uno, por consiguiente, se confunde para ver que no contiene cualquier detalle aun sobre el Salá (oraciones) y el Zaká (caridad), qué son tales deberes obligatorios importantes que el propio Qur'ăn pone gran énfasis en ellos uno tras otra vez en varios partes de él. Por este razón el lector común no puede entender que cómo este Libro puede llamarse como un código completo. Esta confusión se causa porque el lector pierde vista del hecho que Al'lá no sólo envió la escritura solita sino también comisionó Su Rasúl (Enviado) para demostrar cómo Sus enseñanzas se podían poner en la práctica en la vida real.

Para ilustrar esto, nosotros podemos tomar el caso de la construcción de un edificio. Si sólo un plan de construcción de un edificio propuesto se extiende y ningún ingeniero esta designado para dirigir su construcción, entonces es indispensable que cada detalle debe ser proporcionado. Pero si un ingeniero también esta designado junto con el plan para construir el edificio, entonces no hay necesidad por un plan detallado. En ese caso, sólo un boceto con sus rasgos esenciales será realmente bastante. Habría, por consiguiente, ser equivocado por encontrar falta con semejante plan como estar incompleto. Cuando Al'lá asignó el Profeta Mujámad (pece) junto con Su Mensaje (el Qur'ãn), se necesitaban sólo principios generales y las instrucciones absolutamente esenciales, y no sus detalles.

El único requisito previo, para entender el Qur'ãn es estudiarlo con una mente abierta y aislada. Aunque uno cree que es un libro revelado o no, uno debe, tanto como posible, tener libre su mente de prejuicio a favor de o en contra de él; y que se libre de todos los opiniones preconcebidos. Uno debe de empezar con el solo deseo de tener la comprensión. Las personas que estudian con su propio nociones preconcebidas, leen sólo sus propias ideas entre las líneas de la Escritura y no pueden, por consiguiente, agarrar lo que el Qur'ãn quiere transmitir.

Si uno desea tener conocimiento profundo de él, uno tendrá que pasar por él varias veces y cada vez con un punto de vista diferente. Aquéllos que desean hacer un estudio completo del Qur'ãn deben leerlo por lo menos dos veces para el solo propósito de comprensión el sistema global de la vida que esta presentada. Es un Libro que se ha enviado para invitar a las personas a empezar un movimiento y llevar a sus seguidores y dirigir sus actividades hacia el logro de su misión. Uno tiene, por consiguiente, que ir al campo de la batalla de la vida para entender su significado real. Eso es por qué, una persona tan callada y tan amable como el Profeta Mujámad (pece) tenía que salir de su aislamiento a empezar el Movimiento islámico y luchar contra el mundo rebelde. Era el Qur'ãn que le instó a él para declarar guerra contra cada tipo de la falsedad y comprometer en conflicto contra los líderes de escepticismo sin cualquier consideración de las consecuencias.

Es obvio que uno no puede asir la verdad contenida en el Qur'ãn con solo recitación de sus palabras. Algunos versos y algunos capítulos del Qur'ãn por sí mismo señalan, los periodos de sus revelaciones y las ciertas instrucciones traídas para guiar el Movimiento Islámico. Para otros, uno debe de averiguar el tiempo de su revelación en la vida del Profeta para entender los problemas que ellos estaban enfrentando y la guía proporcionada de acuerdo con estos problemas. La misma fórmula aplica a sus Mandos, sus enseñanzas morales, sus instrucciones sobre la economía y cultura y sus leyes con respecto a los diferentes aspectos de la vida humana. Estas cosas nunca pueden entenderse a menos que se pongan en la práctica. Es así obvio, que esos individuos y comunidades que lo desechan el Qur'ãn desde la vida práctica no pueden entender su significado y ganar su guía proporcionada. Ellos le dan no más que solo servicio labial a él.

Ultimo pero no menor, uno también debe de tener presente en su mente que los nombres de las Sürás no indica el contenido en esas Sürás. Por consiguiente es una equivocación de traducir los nombres de Sürás; como Al-Baqará en "La Vaca" o "La Vaquilla" porque esto implicaría que la Süra está tratándose del asunto de "La Vaca". De la misma manera, estaría equivocado traducir cualquier nombre español como Adolfo, Juan, Pedro, Martínez o Sergio en su equivalente en ingles, árabe, Urdu u otros idiomas. Como mencioné en el Prólogo, se escriben algunas palabras árabes que no pueden traducirse en español en transliteración, como Al'lá, Jiẏ'rá, Já'ẏ, y así sucesivamente. Por favor refiérase al Glosario de las Palabras y los Términos para entender sus significados en detalle.

El Verdadero Conocimiento está con Al'lá, que el Dios lo guíe a mí y el lector hacia la Vía Recta.

¡Ãmïn!

BIBLIOGRAFIA Y REFERENCIAS

Los siguientes diccionarios, la vida del Profeta Mujámad (pece), la historia del Islam, traducciones y comentarios del Qur'ăn fueron usados durante el proceso de la investigación y traducción para entender el Mensaje Divino en la luz del fondo histórico de la sociedad arábica y las problemas enfrentadas por el Profeta Mujámad (pece) y sus compañeros en el tiempo de la Revelación Divina. Es importante de notar que en algunos casos para traducir un verso del Qur'ăn Sagrado tardamos tres o cuatro semanas para finalizar el significado satisfactorio.

El estilo de esta traducción fue adoptado como el estilo de "English Translation of the Meaning of AL-Qur'an---The Guidance for Mankind" por Sr. Muhammad Farooq-i-Azam Malik, también publicado por 'El Instituto del Conocimiento Islámico'. Que Dios les bendiga a todos los becarios, obras de quienes consultamos para completar esta traducción especialmente a los siguientes.

- 'Vocabulary of the Holy Qur'an' por Abdullah Abbas Nadvi
- 'Lughatul Qur'an' – Arabic and Urdu por Abdul Karim Parekh.
- 'Lughat-ul Manjid' – Arabic y Urdu por un grupo de 10 Becarios.
- 'Index Of Qur'anic Topics' por Ashfaque Ullah Syed.
- 'Mufridat-ul-Qur'an' por Imam Raghib Asfasháni.
- 'Maudu'at-e-Qur'an' and Human Life' por Khuwaja Abdul Waheed.
- 'Index Of Qur'anic topics' por Ashfaque Ullah Syed.

- 'Translation and Commentary of The Holy Qur'an' por Abdullah Yousuf Ali.
- 'Tafheem-ul-Qur'an' por Syed Abul A'la Maududi
- 'Tafsir Ibn Kazir' por Allama Ibn-e-Kazir Dimishqui.
- 'Al-Qur'an Al-Karim' por Shabir Ahmad Usmani
- 'Bayan-al-Qur'an' por Ashraf Ali Thanvi.
- 'El Corán' por Julio Cortés.
- 'Tafseer Ibn Katheer' por Allama Ibn-e-Latheer Dimishaqui
- 'Darse Qur'an' por Al-Hajj Muhammad Ahmad.
- 'Interpretation of the meaning of The Holy Qur'an' por Muhammad Taqi-ud-Din Al-Hilali Y Muhammad Muhsin Khan.
- 'Translation and Comentary of the Holy Qur'an' por Adul Majid Daryabadi

- 'Seerat-un-Nabi' por Allama Shibli Nu'mani y Syaed Sulaiman Nadvi.
- 'History of Islam' por Professor Masudul Hasan.

Traducción en español del
Significado de

AL-QUR'ÃN

La Guía para toda la Humanidad

Por
Dr. Haroon-ur-Rashid Malik

The Institute of Islamic Knowledge

P.O. Box 8307, Houston, Texas 77288-8307

LA INFORMACIÓN IMPORTANTE

En el nombre de Al'lá, el Compasivo, el Misericordioso.

Antes de que usted empiece leer el significado de la traducción de Texto del Qur'ãn, usted debe conocer a lo siguiente:

1. Después de esta página todo conjunto de caracteres Cursiva serán usados para la explicación e información que relaciona a la Süra (capítulo) el periodo de revelación, incluyendo los principios, Leyes y Guías divinas en esa Süra y un fondo histórico breve para que el lector tenga la facilidad de entender el Mensaje Divino en el contexto.

2. En la Traducción, un esfuerzo se hace usar el tipo regular por traducir los significados de Texto árabe, y tipo Cursiva para clarificar el significado del verso - en el contexto significado por Al'lá en el contexto de la Guía Divina según las tradiciones auténticas del Profeta Mujámad (paz esté en él). Por favor nota que eso no es palabra por palabra traducción (Taryuma) sino una traducción de los significados de Al-Qur'ãn (Taryumâni).

3. [ ] indica la realización de un verso del Texto árabe del Qur'ãn y el número de este verso es escrito en este paréntesis.

4. Por entender bien hemos deletreado fuera los nombres de aquéllos que son significados en los versos dónde " él," " ella, o " ellos " se mencionan. La palabra " él " no quiere decir el género masculino, también significa la hembra a menos que específicamente fue usado comparado con una hembra.

5. El texto se agrupa en los párrafos. Los párrafos son la combinación de esos versos que contienen el mismo tema, casualidad, ley, ejemplo o guía sobre un problema particular. Para una referencia fácil hay una identificación numérica de la Süra (el Capítulo) y de los Â'llât (los versos).

6. No hemos traducido esas palabras o términos usados en el Qur'ãn que no se pueden traducir o si son traducido podrían limitar o confundir el significado, como Al'lá, Rab, Rasúl, Taujïd, Shirk, Salá y Zaká.

7. El paréntesis ( ) se usa para explicar el término, nombre o la palabra que inmediatamente le precede. Los nombres árabe o los términos usados en el texto no traducidos en ( ) se explica en el "El Glosario de las Palabras y las terminologías del Qur'ãn".

¡Que Al'lá Todos-poderoso bendice con la Guía lo que usted está buscando!

¡Ãmïn!

El apéndice 1

Al - Qur'ãn

LAS PARTES Y CAPÍTULOS

El Qur'ãn ha sido dividido en 30 partes (Ŷuz) las que son iguales en sus tamaños para la conveniencia de recitar el Qur'ãn en las oraciones nocturnas llamadas Tarâwïj, durante el mes de Ramadân, el 9 mes en el Calendario Lunar designado para ayunar. Recitación del Qur'ãn diariamente también es considerado un deber pío por cada musulmán y realmente se realiza en la práctica por cada hombre, mujer, y niño instruido. El Ŷuz más allá es dividido en Rakûj que está como una sección en español. Estos Rakûjes también son de varias longitudes. Uno de las treinta partes del Qur'ãn se llama un 'Ŷuz' en el árabe y Sipâra o simplemente Pâra en persa e idiomas Urdu. Si usted leyera un 'Ŷuz' todos los días, completarían la lectura entera del Qur'ãn en un mes de treinta días. Normalmente los cuartos aritméticos de un 'Ŷuz' (un cuarto, medio, y tres-cuartos) también son marcados en el texto árabe como al-ruba: al-nisf, y al-zalazá.

El todo del Qur'ãn es colocado en 114 Süras de varias longitudes. Cada Süra consiste en varios Allât (los versos). Una Süra normalmente es como un capítulo en español, pero como esa traducción es escasamente satisfactoria. La palabra Süra ha quedado como tal y no se fue traducido por motivo de ser un término técnico en la literatura islámica. El Âllá o la división de un verso son normalmente determinados por el ritmo y cadencia en el texto árabe. A veces un Âllá (el verso) contiene muchas frases. A veces una frase es dividida por una interrupción en un Âllá. Pero hay normalmente, una pausa significando al final de un Âllá.

Para la identificación fácil y para la conveniencia, las Süras se numeran y el número consecutivo simplemente se muestra antes del título de la Süra en español. En el árabe, el número del 'Ŷuz' y el título de la Süra se dan a la cabeza de cada página en la Süra. El número de la Süra y los números de los Allât también son escritos al final de cada párrafo en cada Süra. La forma más conveniente de cita es escribir el nombre de la Süra y luego del Âllá: así que 2:120 significa el Âllá número 120 de la segunda Süra.

El apéndice II

LAS LETRAS ABREVIADAS (Al-Muqata'ât)

Ciertas Süras tienen ciertas iniciales prefijadas, a las qué se llaman Muqatta'ât (las letras abreviadas). Varias conjeturas han sido hechas acerca de su significado. Las opiniones son dividido acerca del significado exacto de cada letra particular o combinación de ellas, y es concordado que sólo Al'lá sabe su significado exacto.

Su presencia no es incoherente con el carácter del Qur'ãn como un " libro llano": La escritura de naturaleza también es un libro llano, pero qué pocos pueden entenderlo totalmente. Todos podemos recibir la guía llana del Qur'ãn para su vida según su capacidad de la comprensión espiritual. Como crece su capacidad, así crece su comprensión. Este Libro es un registro para todo el tiempo. Necesariamente debe contener las verdades que sólo gradualmente se despliegan a la humanidad.

Éste no es un misterio de la misma clase como " misterios " que nos piden que creamos contra los dictados de razón. Si nos piden que creamos que uno es tres y que tres son uno, nosotros no podemos dar ningún significado inteligible a las palabras. Si nos piden que creamos que ciertas iniciales tienen un significado que se entenderá en la llenura del tiempo o nos pide que utilicemos para la fe en desarrollo espiritual, pero no nos pide que hagamos alguna injusticia a nuestra razón.

Hay 29 letras en el alfabeto árabe (contando Jamza y alif como dos letras), y hay 29 Süras que tienen las letras abreviadas prefijadas a ellas. Una de estas Süras (#42) tiene dos juegos de las letras abreviadas, pero nosotros no contamos esta Süra dos veces. Si tomamos la mitad del alfabeto, mientras omitiendo el fragmento, conseguimos 14, y éste es el número de letras que realmente ocurren en los Muqata'ât. Las 14 letras que ocurren en las varias combinaciones son:

1. Alif	8. Qâf
2. Jâ (ح)	9. Kâf
3. Râ	10. Lâm
4. Sïn	11. Mïm
5. Swâd	12. Nün
6. Tâ	13. Jâ (ﻪ)
7. Ain	14. Llâ

La ciencia de fonéticas nos dice que nuestros sonidos vocales se producen por la expulsión de aire de los pulmones, y los sonidos son a propósito determinados en que la respiración pasa a través de los varios órganos de discurso, por ejemplo, la garganta (gutural), o las varias posiciones de la lengua al medio o frente del paladar o a los dientes, o la obra de los labios. Es asombroso que cada uno de estos tipos de sonidos se represente en estas letras abreviadas.

ÝÚZ (PARTE) 1

AL QUR'ÃN-UL-JAKÏM

1: AL-FÂTIJÁ

El periodo de Revelación:

Es una de las Revelaciones muy tempranas. De hecho, según las Tradiciones auténticas esta fue la primera Süra que fue revelada en su enterizo al Profeta (paz esté con él). Antes de esto, sólo unos versos misceláneos fueron revelados los que forman partes de la Süras ' Aláq, Muzam'mil y Mudaz'zir.

La oración y la Guía Divina:

➢ Esta Süra (el Capítulo) está conocida como Sab'á Mazáni (Siete Versos A menudo-repetidos).
➢ También se llama Um-al-Kitâb (la escritura Matriz), la fundación y la esencia del Qur'ãn.
➢ Su recitación es obligatoria en cada Oración islámica (en cada rak'á del Salá). Se recita por lo menos diariamente diecisiete veces en las cinco oraciones obligatorias.
➢ Esta Oración fue enseñada por Al'lá (el Omnipotente Dios) a la humanidad, como un favor, para dejarla conocer el formato de una Oración que es aceptable a Él.

Esta Oración es para todos aquéllos que quieren estudiar Su Mensaje. Esta Süra se pone al principio para enseñar al lector que si él quiere beneficiar atentamente de Al-Qur'ãn, él debe ofrecer esta oración al Rab (Señor) del Universo. Al-Fãtijá enseña que la mejor cosa para un hombre es orar para "la guía hacia la Vía Recta" y estudiar Al-Qur'ãn con la actitud mental de un buscador de la Verdad, y para reconocer que el Rab (Señor) del Universo, es la Fuente de todo el conocimiento. Por consiguiente, uno debe empezar el estudio de Al-Qur'ãn con una oración a Al'lá (el Omnipotente Dios) en búsqueda de Su guía.

Es importante saber que la relación real entre Al-Fãtijá y Al-Qur'ãn no es eso de una introducción a un libro sino que de una oración y su respuesta. Al-Fãtijá es la oración del devoto, y el resto de Al-Qur'ãn es la respuesta de Al'lá a esta oración. El devoto ora a Al'lá que le muestre "la Vía Recta" y Al'lá pone el todo de Al-Qur'ãn ante él en la respuesta a su oración, como si para decir:

"Ésta es la Guía que Me has pedido."

Al-Fãtijá: Significa la Süra que abre (El Qur'ãn) También significa la Süra que sirve como la entrada o el acceso al Qur'ãn Santo.

Rab: Fue traducido en la mayoría de las traducciones como "Señor". También puede traducir como: Patrón, Dueño, Sostenedor, Proveedor, Guardián, Soberano, Gobernante, Organizador, Administrador, Al'lá es el Señor del Universo en todos estos sentidos. Rab, como comparado a 'Ab' (usado por los cristianos para Dios, y lo que quiere decir el padre), es un atributo muy comprensivo. Eso implica que, Él no solamente da a la entera creación sus medios de sustento, pero también Él pre-estima para cada uno la esfera de su capacidad, y dentro de esa esfera, proporciona los medios por los que continúe logrando, gradualmente, su meta de perfección. Solo en esta Süra la palabra 'Usted' fue usada aunque en resto del Qur'ãn la palabra 'Usted' fue re-emplazada con Tu o Ti.

1: Al-FÃTIJÁ

Esta Süra, revelada en Meca, tiene 1 sección y 7 versos.

En el nombre de Al'lá, el Compasivo, el Misericordioso. [1]

Todas alabanzas son para Al'lá, el 'Rab' de todos los mundos (*O todos los universos*). [2]

El Compasivo, el Misericordioso. [3]

El Dueño del Día de la Justicia. [4]

¡Al'lá! Exclusivamente a Usted nos rendimos la adoración, y exclusivamente de Usted imploramos la ayuda. [5]

¡Al'lá! Guíanos a la Vía Recta. [6]

La Vía de aquéllos a quienes Usted ha favorecido; no de aquéllos que han ganado la ira de Usted, o de aquéllos que han perdido El Camino. [7]

¡Ãmïn! 1: [1-7]

La suplicación a Al'lá para la guía la que fue enseñada por el propio Al'lá

2: AL-BAQARÁ

Periodo de Revelación:

Aunque esta Süra es Madani (fue revelada en Ciudad de Madina), sin embargo sigue, naturalmente, a una Mak'ki Süra (revelada en Meca). Al-Fãtijá que acabó con la oración:"¡Dios nuestro! Guíenos a la Vía Recta". Esta Süra empieza con la respuesta a esa oración, "Ésta es la guía que ustedes han pedidos." La mayor parte de Al-Baqará se reveló durante los primeros dos años de la vida del Profeta en Al-Madina.

Los temas Importantes en esta Süra son: Leyes Divina y la Guía:

> *La reclamación del Qur'ãn: "Ésta es la escritura que es exenta de cualquier duda."*
> *La creación de Adán, la naturaleza del hombre, y su destino.*
> *Los Hijos de Israel y las gentes de la escritura (Los judíos y Los cristianos).*
> *Las Israelitas' pecan con su acto de rendirse culto a la estatua de un ternero.*
> *El castigo para las Israelitas por violación de sábado.*
> *La naturaleza de la creencia de Los Judíos.*
> *Al'lá ordena de no impedirles a las personas que vengan a Masãyid.*
> *Ibrãjïm (pece) y sus hijos no eran, ni judíos ni cristianos, sino eran musulmanes.*
> *Abraham (Ibrãjïm), Ismael (Isma`il), y su edificación de Ka'ba.*
> *El cambio de Qibla (la dirección en las oraciones) hacia el Ka'ba en Meca.*
> *Al'lá ordena de no profesar la fe ciegamente.*
> *La luna fue creada para determinar los periodos del tiempo, es decir los meses y años.*
> *La hipocresía vs. La Verdadera fe.*
> *Allat-ul-Kursi (Verso del Trono de Al'lá).*
> *Al'lá pide que los creyentes entren completamente en el Islam.*
> *El castigo de un murtad (un musulmán que se vuelve ser un incrédulo).*
> *Es ilegal casarse con un mushrik o mushrika (persona que asocia algo o alguien con o cualquier atributo de Al'lá).*
> *La victoria no está por que sean numerosos, sino por la ayuda de Al'lá.*
> *La confrontación de Ibrãjïm y Namrüd (el rey de su tiempo).*
> *Que es lo que hace caridad sin valor.*
> *Tomar usura es como declarar guerra contra Al'lá y Su Rasúl.*
> *Todos los tratos comerciales que relacionan a los pagos diferidos deben ser por escrito.*
> *La venganza contra opresión.*
> *No hay compulsión en la religión.*
> *Se promulgan Leyes divinas acerca de las siguientes categorías:*

La comida	*La retribución*	*El testamento*	*El ayuno*	*El soborno*
Ýijãd	*Autodefensa*	*Evidencia*	*Caridad*	*Bebidas Alcohólicas*
Juego por dinero	*El matrimonio*	*Los huérfanos*		*La menstruación*
El juramento	*El Divorcio*	*La lactancia*	*Viudos*	*La usura Deudas*
Peregrinaje	*Los prestamos*	*Fianza/Enganche*	*Pensión alimenticia*	
La compra con crédito				

> La súplica de los creyentes a Al'lá.

Se proporciona también la guía que involucra problemas sociales, culturales, económicos, políticos y legales a través de dirigirse a los judíos que tenían los conocimientos acerca de la Unidad de Al'lá, La Risalá (La designación de ser un mensajero de Dios), La Revelación, el Día de Justicia y los ángeles. Los judíos profesaron de creer en la ley que fue revelada por Al'lá en su Profeta Musa (pece), y en su principio religión de ellos estaba misma (como el Islam) lo que el Profeta Mujámad (pece) estaba enseñando. Aunque ellos eran originalmente musulmanes, habían desviados del Islam original y lo hicieron innovaciones y alteraciones a su religión. Como resultado ellos se habían caídos víctimas a los detalles no importantes y diferentes sectas, tanto para que ellos hubieran dejado su nombre original incluso "el musulmán" y adoptó el nombre "el judío" en cambio, y hicieron la religión como un monopolio de los Hijos de Israel. Ésta era su condición religiosa cuando el Profeta fue a Al-Madina e invitó a los judíos a la Verdadera Religión. Más de un tercio de esta Süra se dirige a los Hijos de Israel. Una revisión crítica de su historia, la degeneración moral y perversiones religiosas que fueron hechas por ellos, se describe para dibujar líneas claras de demarcación entre los esenciales y no esenciales de la Verdadera Religión. Los judíos fueron advertidos de no mezclar la Verdad con la Falsedad.

Durante este periodo, un nuevo tipo de musulmanes llamados "Munãfiqïn" (las hipócritas), había surgido. Había algunos que habían entrado en el pliegue del Islam meramente para dañarlo desde dentro. Había otros que fueron rodeados por musulmanes, y se habían vueltos "los musulmanes" para salvaguardar sus intereses mundanos. Ellos, por consiguiente, continuaron teniendo relaciones con los enemigos para que si el último se puso exitoso, sus intereses permanecerían seguros. Al'lá tiene, por consiguiente, brevemente apuntado fuera las características de los hipócritas en este Süra. Después cuando sus hechos traviesos se volvieron manifiesto, se dio instrucciones detalladas en Süra Al-Tauba.

Esta Süra es una invitación hacia la Guía Divina. Todas sus historias, los ejemplos y casualidades revuelven alrededor de este tema central. Esta Süra particularmente dirige a los judíos y se cita muchos eventos de su historia para amonestar y aconsejarlos que aceptando la Guía revelada al Profeta Mujámad (pece) es a su propia ventaja. Ellos deben, por consiguiente, de ser los primeros en aceptarlo porque este Mensaje está básicamente igual a lo que fue revelado al Profeta Musa (Moisés) la paz esté con él.

2: AL-BAQARÁ

Esta Süra, revelada en Madina, tiene 40 secciones y 286 versos.

En el nombre de Al'lá El Compasivo, El Misericordioso

SECCIÓN: 1

La demanda del Qur'ãn que no contiene ninguna declaración Dudosa.

El Qur'ãn es una guía para aquéllos que están Dios-conscientes.

Advertir es inútil para aquéllos que rechazan la fe

Alif L'ãm M'ïm. [1] Ésta es La Escritura, exenta de dudas. *Porque su Autor, Al'lá, el Creador de este universo, posee conocimiento completo, por lo tanto no hay ningún lugar para la duda acerca de sus contenidos.* Es una guía para aquéllos que son temerosos de Al'lá, [2] quienes creen en lo oculto, establecen el Salá (*cinco oraciones diarias, regularmente*) y gastan en la caridad fuera de lo que Nos hemos proveído para su sustento. [3] Quienes creen en esta Revelación (*el Qur'ãn*) que te hemos enviado y las Revelaciones que fueron enviados ante de ti (*Ej. Tora, Salmos, el Evangelio...*) y firmemente creen en el Día de la Justicia.[4] Ésos son los guiados por su Rab y ésos son lo que lograrán la salvación.[5]   2: [1-5]

De hecho, en cuanto a aquéllos que rechazan la Fe; es lo mismo, si les adviertas o no les adviertas, no creerán. [6] Al'lá ha sellado sus corazones y sus oídos, y sus ojos están cubiertos con una venda, y tendrán un castigo doloroso. [7]   2:[6-7]

SECCIÓN: 2

Los hipócritas y las consecuencias de la hipocresía

Hay algunas personas que dicen: "Nosotros creemos en Al'lá y en el Ultimo Día," aunque ellos no son verdaderos creyentes. [8] Ellos intentan de engañar a Al'lá y los creyentes. Sin embargo, ellos no engañan nadie más que ellos mismos, pero no lo comprenden. [9] hay una enfermedad *de decepción* en su corazón; y Al'lá permite agravar su enfermedad, y ellos tendrán castigo doloroso para las mentiras que ellos han dicho. [10] Cuando se les dice: "No hagan las travesuras en la tierra," dicen: "¡Nosotros somos reformadores". [11] ¿Acaso ellos mismos no son quienes hacen la travesura aunque no lo sepan? [12] Cuando se les dice: "Crean como los otros han creído," preguntan sarcásticamente: "¿Vamos creer como los tontos?" ¿No son ellos los tontos, sin dar cuenta? [13] Cuando ellos se encuentran a los creyentes, les dicen: "Nosotros somos creyentes," pero cuando están a solas con sus Shaitãnes (*Satanás, Demonios*), dicen: "Nosotros realmente estamos con ustedes, es que estábamos solamente burlándose de ellos." [14] Al'lá les devolverá su burla y les dejará que persistan en sus rebeldías; vagándose adelante y atrás como los ciegos. [15] Éstas son las personas que han cambiado la Guía por el extravío: pero su negocio es infructuoso y no van a ser guiados debidamente. [16]   2: [8-16]

Su ejemplo es como de un hombre que se encendió un fuego; cuando ya estaba iluminado alrededor, Al'lá se llevó esta luz (*su vista*) y les dejó en oscuridad absoluta en que no hubieran podido ver nada. [17] Sordos, mudos, y ciegos, pues nunca devolverán a la Vía Recta. [18] U otro ejemplo es, como si viniera del cielo una nube oscura, cargada de tinieblas, truenos y relámpagos. Se tapan sus oídos al sonido de cada trueno asombroso, por temor a la muerte: Al'lá tiene rodeados a los incrédulos de todos los lados. [19] El relámpago les aterra como si iba a arrebatar su vista; siempre cuando hay ráfaga de luz, caminan adelante; cuando se pone oscuro, se detienen. Y si Al'lá quisiera Él podría llevar totalmente su facultad de oír y su vista; Sin duda Al'lá tiene poder sobre todas las cosas. [20]   2: [17-20]

> Ejemplos de los hechos de los hipócritas.

SECCIÓN: 3

¡Humanidad! Ríndanse culto a su Rab Quien ha creado a ustedes al igual que aquéllos que vinieron antes de ustedes; haciéndolo esto podrían tener esperanza de guardarse contra el mal. [21] Él es Quien ha hecho la tierra como un suelo para ustedes y el cielo como un dosel; y Él es Quién hace bajar la lluvia del cielo, por medio de la cual hay crecimiento de las frutas para su sustento. Por consiguiente, no pongas rivales a Al'lá, sabiéndolos. [22]   2: [21-22]

> La exigencia de Al'lá para rendírselo culto a Él Solamente

Si están en duda acerca de las revelaciones que hemos enviados a Nuestro siervo (*Mujámad*), entonces produzcan una Süra semejante a esta; y llamen a sus testigos (los dioses que ustedes le llaman para la ayuda) en lugar de llamar a Al'lá para ayudarlo, si ustedes están en lo cierto en su demanda. [23] Pero si ustedes son incapaces de hacer así, e indudablemente nunca podrán hacer eso, pues entonces temen al Fuego del Infierno, cuyo combustible son los hombres y las piedras, que ha sido preparado para los incrédulos. [24]   2: [23-24]

> La reclamación del Qur'ān para ser la escritura de Al'lá.

Y dales las buenas nuevas a aquéllos que creen en este Libro y hacen hechos buenos de acuerdo con su enseñanzas, que habrán Jardines, para ellos, por cuyo bajo corren los ríos. Siempre que van a ser servidos frutas para comer, ellos dirán: "Esto es similar al uno que comíamos antes en la tierra," Las frutas se parecerán como de la tierra para su identificación fácil; y para ellos habrán esposas vírgenes (*puras en todos los sentidos*), y ellos vivirán allí para siempre. [25]   2: [25]

> La recompensa para los creyentes.

Al'lá no se avergüenza usando la parábola aunque sea de un mosquito o de la criatura más insignificante, para enseñar una lección. Aquellos que creen ya saben que es la Verdad de su Rab; pero los incrédulos dicen: "¿Qué quiere decir Al'lá por semejante parábola?" Dando este tipo de parábolas, Al'lá confunde a muchos e ilumina a muchos. Él no confunde así a nadie, sino a los transgresores: [26] aquéllos que violan el Convenio de Al'lá, después de aceptarlo, y quienes cortan lo que Al'lá ha pedido que unan, y causan travesura en la tierra. Son ellos los perdidos. [27]   2: [26-27]

> La parábola de mosquito puede confundir muchos y puede iluminar muchos.

¿Como ustedes pueden negar a Al'lá?

¿Cómo pueden negar a Al'lá? ¿Acaso no es Él quien dio la vida cuando ustedes eran inanimados; y no es Él quien va a causar su muerte y luego, lo va a traer a la vida de nuevo; y acaso no devolverán a Él finalmente? [28] Él es, Quién ha creado para ustedes todo lo que hay en la tierra; y se dirigió al cielo y formó siete cielos en perfecto equilibrio. Él tiene conocimiento perfecto de todas las cosas. [29]   2: [28-29]

SECCIÓN: 4

La historia de la creación de Adán:

Contemplen acerca del tiempo, cuando su Rab dijo a los ángeles: "Voy a poner un sucesor Mío en la tierra. Los ángeles dijeron: "¿Vas a poner en ella alguien que hará travesuras y que va a derramar sangre, mientras que nosotros celebramos Sus alabanzas y glorificamos Su Santidad?" Al'lá dijo: "Yo sé lo que ustedes no saben."   2: [30]

La victoria de conocimiento.

Él le enseñó a Adán, los nombres de todas las cosas; luego, Él presentó estos a los ángeles y les dijo: "¿Me podían informar de los nombres de aquéllos, si lo que dicen es la verdad?" (*Al'lá hizo esto para mostrar las calidades especiales de Adán de aprendizaje y de memoria*). [31] "Gloria a Usted," Ellos contestaron, "No tenemos conocimiento más de lo que Usted nos ha enseñado: de hecho Usted es Quien es perfecto en conocimiento y sabiduría." [32] Al'lá dijo: "¡Adán! Dígales nombre de todas estas cosas." Cuando Adán les dijo de sus nombres, Al'lá dijo: "¿No lo he dicho, que Mi conocimiento abarca todos los secretos de lo que hay en los cielos y en la tierra y sé lo que ustedes revelan y lo que ustedes ocultan?" [33]   2: [31-33]

Los ángeles muestran el respeto a Adán.

También cuando ordenamos a los ángeles: "Póstrense ante Adán *en respeto*," Todos ellos postraron excepto Iblïs (*Shaitãn*) quien se negó a hacerlo en su arrogancia y se volvió a un infiel. [34] Dijimos a Adán: "¡Habites con tu esposa en el Paraíso y que comen ustedes, ambos, lo que quieren y desean, de su comida dadivosa de dondequiera, pero no se acercan a este árbol! Al contrario ustedes, ambos, se volverán transgresores." [35]   2: [34-35]

Shaitãn causó a Adán para perder el paraíso

Pero el Shaitãn les tentó a ambos con el árbol, causando la desobediencia al mando de Al'lá y les causó ser expelido del Paraíso, y Nosotros les dijimos: "Vayan fuera de aquí, unos de ustedes serán enemigos de otros, y hay para ustedes, en la tierra, los provisiones y una morada para un periodo especificado." [36]   2: [36]

El arrepentimiento de Adán y su perdón.

Luego Adán, recibió palabras apropiadas de su Rab y se arrepintió, y Al'lá aceptó su arrepentimiento. Ciertamente Al'lá es el máximo en Perdonar, el más Misericordioso. [37]   2: [37]

La necesidad de las revelaciones de Al'lá para la

"Salgan fuera de aquí todos ustedes," Dijimos en el momento de la salida de Adán desde Paraíso. "Allí vendrá a ustedes la guía procedente de Mí, aquéllos que aceptaran y lo seguirán no tendrán nada que temer o lamentar. [38] Pero ésos que rechazan y desafían Nuestras revelaciones serán compañeros del Fuego del Infierno, en que ellos vivirán para siempre." [39] 2: [38-39]

guía humana.

SECCIÓN: 5

¡Hijos de Israel! Recuerdan Mis favores a ustedes; cumplen sus convenio (*compromiso firme*) conmigo y Yo cumpliré Mi convenio con ustedes, no deben temer a nadie además de Mí. [40] Crean en Mis revelaciones lo que están confirmando sus escrituras; no sean de los primeros para negar Mis revelaciones, y no vendan estas para un precio barato, temen a Mí y Solo a Mí. [41] No mezclan la Verdad con la falsedad, u ocultan la Verdad sabiéndolo. [42] Establezcan el Salá (*oraciones*); den el Zaká (*la caridad obligatoria*); y arqueen abajo con aquéllos que arquean abajo en culto a Mí. [43] 2: [40-43]

Los convenios de Al'lá con los Hijos de Israel.

¿Pedirían ustedes a otros que sean virtuosos y olvidan de practicarlo ustedes mismos? ¿Aunque ustedes leen sus Libro Santo? ¿Acaso no tienen ningún sentido común? [44] 2: [44]

¿Ustedes aconsejan a otros y se olvida de ustedes mismos? **La** ayuda de Al'lá viene con la paciencia y el Salá (las Oraciones).

Busque la ayuda de Al'lá con la paciencia y con el Salá; de hecho es difícil de ser paciente y ser puntual para ofrecer el Salá, salvo para aquéllos que temen a Al'lá, [45] aquellos que son certísimo que se van a encontrar a sus Rab y que van a devolver a Él para el juicio final. [46] 2: [45-46]

SECCIÓN: 6

¡Hijos de Israel! Recuérdense el favor especial que Yo les di a Ustedes; que Yo exalté a ustedes sobre todas las otras naciones. [47] Guárdense ustedes mismos contra el Día en que una alma no será útil para la otra - ninguna intercesión se aceptará, ningún rescate se tomará y ninguna ayuda se dará. [48] 2: [47-48]

Los delincuentes no encontrarán ninguna vía en el Día del Juicio.

Recuérdense, cómo salvamos a ustedes de las gentes de Fir'on (*Faraón*): ellos lo habían sujetados a ustedes al tormento severo, matando a sus hijos y dejando con vida a sus hijas; ustedes estaban enfrentados con una tremenda prueba por parte de su Rab. [49] Y Nosotros partimos el Mar Rojo para ustedes, llevándolos a seguridad, y nos ahogamos a las personas de Fir'on ante sus propio ojos. [50] 2: [49-50]

La liberación de los Israelíes' de la persecución de Faraón:

Recuerden cuando Nosotros comulgamos con Musa (*Moisés*) durante cuarenta noches y en su ausencia ustedes tomaron un ternero para adorar, así comprometiendo una trasgresión injusta.[51] Incluso entonces Nosotros lo perdonamos, para que ustedes pudieran ser agradecidos. [52] 2: [51-52]

Su pecado de rendirse culto al Ternero.

Nosotros dimos a Musa (*Moisés*) la escritura Santa (*la tora*) y el criterio del bien y del mal, para que ustedes pudieran guiarse

Su arrepentimiento a través de matar a los culpables.

debidamente. [53] Recuerden cuando Musa volvió con la escritura Divina, él dijo a sus gentes: "¡Pueblo mío! Ustedes se han hecho penosamente mal, de tomar el ternero para el culto; así que vuélvanse en arrepentimiento a su Creador y maten a los que son culpables entre ustedes; eso será mejor para ustedes en Su vista". Él aceptó sus arrepentimiento; ciertamente, Él es el Indulgente, el Misericordioso.[54]

2: [53-54]

Aquéllos que quisieron ver a Al'lá cara a cara fueron puestos a la muerte, Al'lá les resucitó y les proveyó con la comida celestial.

Recuerden cuando ustedes dijeron: "¡Musa! Nosotros nunca te creeremos hasta que nosotros veámonos a Al'lá con nuestros propios ojos," pues hice que se caiga un rayo mientras que ustedes estaban viéndoos y se cayeron muertos. [55] Luego, Nosotros lo levantamos a ustedes después de sus muertes; para que ustedes pudieran agradecer. [56] Y aun proporcionamos la sombra de las nubes y enviamos abajo a ustedes el maná y salva (*carne de la codorniz*) diciéndolos: "Coman de las cosas buenas que Nosotros lo hemos proveído"; a pesar de estos favores sus antepasados violaron Nuestros mandos. Sin embargo, violando Nuestros mandos ellos no nos dañaron, sino dañaron a sus propias almas. [57]

2: [55-57]

Su descontento y escepticismo.

Recuerden cuando dijimos: "Entren en este pueblo y coman cualquier cosa que ustedes desean a su satisfacción," hagan su camino a través de las verjas, diciendo con la humildad, "nosotros nos arrepentimos," Perdonaremos sus pecados y aumentaremos las provisiones para el virtuoso entre ustedes. [58] Pero los injustos cambiaron Nuestras Palabras de lo que fueron pedidos que dijeran, así que Nosotros enviamos abajo un azote del cielo como un castigo por su trasgresión. [59]

2: [58-59]

SECCIÓN: 7

El milagro de proporcionar el agua en el desierto a partir de una piedra.

Recuerden el tiempo cuando Musa (*Moisés*) oró para el agua para sus gentes; Nos dijimos: "Golpea la piedra con tu vara". Con eso Nosotros causamos salir, de esa piedra, doce fuentes. Cada tribu fue asignado su propio lugar para beber. Luego fueron ordenados: "Comen y beben de lo que Al'lá ha proveído y no crean travesura en la tierra". [60]   2: [60]

Su desobediencia y trasgresión.

Recuerden cuando ustedes dijeron: "¡Musa (*Moisés*)! Nosotros no podemos soportar un único tipo de comida; llames a tu Rab para que nos dé variedades de comida que la tierra produce, como legumbres, pepinos, ajo, lentejas, y cebollas. '¿Eso qué? 'Musa preguntó. '¿Intercambiarían ustedes lo que es mejor por algo peor? Si ése es lo que ustedes quieren entonces váyanse al Misr (*una ciudad*); allí encontrarán lo que ustedes han pedido. Gradualmente ellos se degradaron tanto que eso les trajo vergüenza y pura miseria para ellos, y lo ganaron la ira de Al'lá; esto era porque ellos siguieron rechazando los mandos de Al'lá e injustamente mataron a Sus profetas, además, era la consecuencia de sus desobediencia y trasgresión. [61]   2: [61]

SECCIÓN: 8

Asegúrense que los Creyentes (*musulmanes*), los que siguen el judaísmo, los cristianos y los sabeos - quienquiera que cree en Al'lá y en el Ultimo Día y realiza hechos buenos - será premiado por su Rab; ellos no tendrán nada que temer o sentir tristeza. [62]   2: [62]

Recuerden hijos de Israel, cuando tomamos un convenio con ustedes y cuando alzamos la Montaña (*Tür*) encima de sus cabezas diciéndoles: "Sostenga firmemente a lo que hemos dado (*la tora*) y siguen los mandos contenidos en esa, para que ustedes puedan guardarse contra el mal." [63] Pero aun después de eso ustedes se echó por atrás; si no habría habido la Gracia y Misericordia de Al'lá, ustedes habrían estado ciertamente entre los perdedores. [64]   2: [63-64]

Ustedes saben muy bien la historia de aquéllos quienes hayan transgredido en asunto del sábado; Nosotros ordenamos: "Sean monos detestados". [65] Así, hicimos de ellos un castigo ejemplar para sus propias gentes y para las generaciones subsiguientes, y una lección para aquéllos que están temerosos de Al'lá. [66]   2: [65-66]

Recuerden el incidente cuando Musa (*Moisés*) dijo a sus gentes: "Al'lá ordena a ustedes de sacrificar una vaca." Ellos contestaron, "¿Te burlas de nosotros?" Musa contestó, "Busco la protección de Al'lá de estar entre los ignorantes". [67] "Pides a tu Rab," Ellos dijeron, "para que nos dé un poco de detalles de esa vaca." Musa contestó: "Al'lá dice, la vaca no debe ser ni demasiada vieja ni demasiada joven, sino de edad media"; háganse, pues, lo que están ordenados. [68] "Pides a tu Rab de nuevo" Ellos dijeron, "para clarificar a nosotros su color." Musa contestó: "Al'lá dice, la vaca debe ser de un color rico y profundamente amarillo que agrada a los ojos". [69] De nuevo ellos dijeron: "Pide a tu Rab para que clarifique a nosotros exactamente el tipo de vaca que ella debe de ser, es que a nosotros todas las vacas parecen iguales; si Al'lá quiere, nos guiaremos debidamente". [70] Musa contestó: "Al'lá dice, la vaca no se debe de haber usado para cultivar la tierra ni para el riego del cultivo; una intacta, una libre de cualquier mancha."" Entonces ellos la sacrificaron, después de que ellos habían casi rechazado. [71]   2: [67-71]

SECCIÓN: 9

Y recuérdense de otra incidencia cuando unos de ustedes mataron a un hombre y empezaron disputar acerca de quién lo mató, Al'lá lo hizo conocido lo que ustedes habían ocultado. [72] Así que Nosotros dijimos: "Golpeen el cuerpo del muerto con un pedazo de la vaca matada". Eso es cómo Al'lá volverá los muertos a la vida para mostrarles Su Señales, así que ustedes puedan entender Su poder de restaurar la vida. [73] Pero aun después de eso, sus corazones se pusieron duros como una piedra o aún

Los creyentes reales no tienen nada que temer o sentir tristes..

Israelítas pactan con Al'lá:

El castigo para la violación de sábado.

Su actitud hacia el sacrificio de una vaca por el orden de Al'lá.

El milagro de devolver el cuerpo muerto a la vida y su reacción a éste milagro.

más duro, hay algunas piedras de las que brotan los ríos, y hay algunas que se rompen y el agua sale de ellas, y hay algunas que se caen con el temor a Al'lá. Y Al'lá no es desprevenido de lo que ustedes hacen. [74]

2: [72-74]

Los judíos son víctimas desesperadas de la hipocresía.

¡Creyentes! ¿Todavía esperan ustedes que ellos (*gentes de la escritura*) creerán en lo que ustedes dicen, cuándo algunos de ellos ya han oído la palabra de Al'lá y la pervirtieron sabiéndola, aún después de que ellos la entendieron? [75] Cuándo ellos encuentran a los creyentes (*Musulmanes*) ellos dicen: "Nosotros también somos creyentes," Pero cuando ellos (*los gentes de la escritura*) se encuentran en privado dicen: "¿Revelarían ustedes a los creyentes (*Musulmanes)* lo que Al'lá ha revelado a ustedes? ¿Para qué ellos (*Musulmanes*) puedan usarlo como un argumento contra ustedes en la corte de su Rab? ¿Acaso no pueden entender"? [76] ¿Acaso no saben que en realidad Al'lá sabe lo que ocultan y lo que revelan? [77]

2: [75-77]

Algunos de ellos atribuyeron sus propias escrituras a Al'lá.

Entre ellos hay algunos analfabetos que no conocen su Libro Santo; ellos siguen nada más que sus propios deseos y hacen nada más que las conjeturas. [78] Ay de aquéllos que re-escriben la escritura con sus propias manos y luego dicen: "¡Esta procede de Al'lá!" para que luego puedan venderlo por un precio pequeño, ¡Ay de ellos para lo que sus manos han escrito y Ay de ellos para lo que ellos han ganado! [79]

2: [78-79]

Su reclamación falsa y su resultante castigo.

Los judíos dicen: "El fuego no nos tocará salvo unos días contados." Pregúnteles: "¿Acaso tienen obtenido tal promesa de Al'lá que Él no rompería? ¿Acaso afirman contra Al'lá de lo que ustedes no saben?" [80] ¡Pues sí! Ésos que comprometen el mal y se rodean en pecado, son los presos del Fuego del Infierno; vivirán allí para siempre. [81] En cuanto a aquéllos que creen y hacen hechos buenos, ellos serán los residentes del Paraíso y vivirán allí para siempre. [82]   2: [80-82]

SECCIÓN: 10

Israelitas hicieron un convenio con Al'lá y luego rompieron.

Recuérdense, Nos tomamos un convenio (*compromiso firme*) de los Hijos de Israel: "Ustedes se rendirán culto a ninguno sino a Al'lá; sean buenos a sus padres, a su parientes, a los huérfanos y a los destituidos, hablen a las personas de buena manera, establezcan el Salá, y pagan el Zaká. "Pero ustedes rompieron el convenio, exceptúe unos pocos de ustedes, y no prestaron la atención *debida*. [83]   2: [83]

Su conducta con sus propias gentes y su castigo por romper el convenio.

También recuérdense otro convenio que tomamos de ustedes: Que ustedes no verterán la sangre entre ustedes mismos y ustedes no expelerán a sus propias personas de sus casas; ustedes lo confirmaron y ustedes son testigos a esto. [84] Todavía allí están ustedes, matando a sus propias gentes, expulsando un grupo de entre ustedes de sus casas, retrocediéndolos con pecado y agresión; y si ellos vienen a ustedes como cautivos, ustedes transaban a ellos por rescates, considerando que, para empezar, en primer lugar sus expulsión era ilegal para ustedes. ¿Creen ustedes en una parte de su Libro Santo y rechazan el resto? Así que ¿qué otro castigo merecen las tales personas entre ustedes, quienes comportan así, que la desgracia en este mundo, y van a ser llevados al castigo doloroso en el Día del Juicio? Al'lá no es desprevenido de lo que ustedes hacen. [85] Tales personas que transan la vida de este mundo al costo de la Vida eterna; No aliviará su castigo y tampoco serán ayudados. [86]

2: [84-86]

SECCIÓN: 11

A Musa (*Moisés*) dimos la escritura (*tora*) y enviamos, después de él, otros Rasúles en sucesión; luego Nos dimos a Isa (*Jesús*), el hijo de Marllam (*María*), las Señales claras y lo fortalecimos a él con el espíritu santo (*El arcángel Gabriel*). ¡Por qué es que siempre que vino a ustedes algún Rasúl con un mensaje que no satisfizo sus deseos, ustedes se pusieron tan arrogante que a algunos de ustedes les llamaron como impostores y a otros de ustedes les mataron! [87] Ellos dicen: "Nuestros corazones están en envolturas seguras"; pero la realidad es que Al'lá ha maldecido a ellos para su escepticismo ¡Qué poco es lo que creen! [88]

2: [87-88]

Adviento del Profeta Isa (Jesús).

Ahora cuando allí ha venido a ellos un Libro de Al'lá que confirma los Libros Santos (*tora y Evangelio*) que ya los tienen - aunque antes de esto oraban para la victoria contra los incrédulos--cuando allí vino a ellos algo que ellos reconocen muy bien, ellos lo rechazaron sabiéndolo; La maldición de Al'lá está sobre tales incrédulos. [89] Ridículo es el precio por cual ellos han vendidos sus almas, pues ellos niegan la revelación de Al'lá meramente debido a sus rencor, porque Al'lá envío Su gracia (*en lugar de un Israelita*) a quien Él quiso de Sus siervos (*a Mujámad*). Ellos han ganado para ellos mismos ira tras ira, y para los tales incrédulos hay un castigo humillante. [90]

2: [89-90]

Los judíos rechazaron la Verdad a sabiendas.

Cuando les pide que crean en lo que Al'lá ha revelado, contestan: "¡Nosotros sólo creemos en lo que Al'lá ha enviado a nosotros (*tora*), y nos rechazamos lo que está al lado de eso," mientras ese Verdad (*Al-Qur'án*) confirma sus propias escrituras! Bien, pregúnteles, "¿Si ustedes creen sinceramente en lo que se envió a ustedes, entonces por qué mataron a los Profetas de Al'lá que fueron enviados previamente a ustedes, aunque eran de entre ustedes mismos?" [91] Musa (*Moisés*) vino a ustedes con Señales claras, y de ahí no más que él alejo de ustedes, comprometieron mal rindiéndose culto al ternero. [92]

2: [91-92]

La naturaleza de la creencia de los judíos.

Recuérdense cuando tomamos un Convenio de ustedes y alzamos la Montaña de Tür encima de ustedes: "Tomen lo que Nosotros lo hemos dado firmemente y escuchen a Nuestros Mandos," ustedes contestó: "Hemos oído pero nosotros no obedeceremos".... tanto era el amor de ese ternero en sus corazones debido a sus incredulidad. Dígales: "Si ustedes

El amor de los Israelitas por el ternero estaba más que su amor por Al'lá.

son, realmente, creyentes, entonces ¿Por qué su fe sugiere a ustedes, cometer tales cosas malas?" [93]   2: [93]

Dígales: "Si la Casa en la Vida Eterna es exclusivamente para ustedes y no para el resto de la humanidad, entonces ¡desean para la muerte si ustedes son en los ciertos en su reclamación!" [94] Pero ellos nunca desearán para la muerte, porque ellos son totalmente conscientes de las consecuencias de lo que ellos han enviado adelante para la Vida Eterna. Y Al'lá sabe la mentalidad de los injustos. [95] Encontrarás a ellos más ávidos entre los hombres para estar con la vida, aun más ávido que los mushrikïn (*Personas que asocian a otros como dioses junto con Al'lá*); cada uno de ellos desea ser dado una vida de mil años; pero aún la concesión de semejante vida no salvará a ellos del castigo, porque Al'lá ve bien cualquier cosa que ellos hacen. [96]   2: [94-96]

SECCIÓN: 12

Dígales: "Quienquiera es el enemigo de Yibrã'el (*Gabriel*) debe saber que él reveló este Qur'ãn a su corazón por el orden de Al'lá que confirma escrituras anteriores, y es como una guía y como buenas noticias para los creyentes". [97] Hágales saber, que quienquiera que es un enemigo a Al'lá, a Sus ángeles, a Sus Rasúles, a Yibrã'el (*Gabriel*) y a Mika'el (*Miguel*); Al'lá, a su vez, es enemigo de los tales incrédulos. [98]

     2: [97-98]

Hemos enviados a ti las revelaciones claras: No puede negar nadie a estas exceptúen a los transgresores. [99] ¿No es así, que cada vez que ellos hicieron a un convenio, que un grupo de ellos le tiró al lado? Pero el hecho es que la mayoría de ellos es infiel. [100]

     2: [99-100]

Siempre que allí vino a ellos, un Rasúl de Al'lá confirmando sus propio Libro Santo, un grupo de aquéllos, a quienes fueron dado la Escritura, se tiraron la escritura de Al'lá detrás de sus espaldas como si ellos no supieran nada sobre eso, [101] y aceptaron lo que los Shaitãnes(*demonios*) atribuyeron falsamente al reino de Sulaimãn (*Salmón*); no es porque Sulaimãn era un incrédulo, por el contrario, eran los Shaitãnes que eran incrédulos; enseñando brujería (*Magia*) a las personas lo que se había revelado a los dos ángeles, Jarüt y Marüt en la ciudad de Babilonia. Aun así, estos dos ángeles nunca enseñaron magia a cualquiera sin decir: "Nos han envidos para que lo tentemos; por lo tanto, no renuncien su fe." A pesar de esta advertencia, esas personas siguieron aprendiendo, de los ángeles, la magia que podría causar discordia entre el marido y la esposa; aunque ellos no pudieran dañar a nadie con eso exceptúe con el permiso de Al'lá. Ellos aprendieron, de hecho, lo que podía dañar y nada de lo que podía beneficiar; aunque ellos supieron totalmente que los compradores de magia no tendrían ninguna porción en la felicidad de la Vida Eterna. Ciertamente, ellos vendieron sus almas para

---

La exigencia de los judíos de derecho exclusivo para heredar el paraíso se pone a la prueba.

Su animosidad hacia Gabriel y otros ángeles.

Su falta de tener la fe.

Su acusación contra el Profeta Salomón (Sulaimãn) y su aprendizaje de la brujería.

un precio malo. ¡Ojala hubieran sabido, qué mal negocio que han hecho! [102] Si ellos hubieran creído (*aceptado el Islam*) y hubieran mantenido lejos del mal, habría sido un premio mejor junto a Al'lá, ¡Solo si pudieran entenderlo! [103]   2: [101-103]

SECCIÓN: 13

¡Creyentes! No digan a Nuestro Rasúl: "Rã'ina" (*una palabra ambigua que podría significar: "Escuche, ojala que seas sordo" o "Nuestro pastor" o en idioma Judío-árabe el sentido lleva, "nuestro malo"*.) Pero que digan "Unzurna" ("*ponga un vistazo a nosotros" o "presta atención a nosotros*") y lo escuchan cuidadosamente; y recuerden que hay un castigo doloroso para los incrédulos. [104] Los incrédulos entre la gente de la escritura, y los mushrikïn, nunca desearían que cualquier bien venga a ti, por parte de tu Rab, pero Al'lá escoge para Su Misericordia especial a quien Él quiere, y Al'lá es dueño del favor inmenso. [105]   2: [104-105]

La etiqueta dirigiéndose al Profeta de Al'lá.

Nosotros no abrogamos ninguno de Nuestros versos del Qur'ãn o lo causamos olvidarse, sino que sustituimos con algo mejor o semejante; ¿Acaso no sabes que Al'lá tiene poder totalmente sobre toda las cosas? [106] ¿No lo sabes que a Al'lá Le pertenece el dominio de los cielos y de la tierra, y que fuera de Al'lá, ustedes no tienen ningún protector o auxiliador? [107]   2: [106-107]

La abrogación y / o substitución de los versos del Qur'ãn.

¿Piensan ustedes hacer preguntas a su Rasúl (*Mujámad*) como ya hicieron con Musa (*Moisés*)? Pero quienquiera cambie la creencia para la incredulidad, ha perdido, de hecho, la dirección de la Vía Recta. [108]   2: [108]

Cuestionando al Profeta.

A muchos entre la gente de la escritura (*judíos y cristianos*) les gustaría si ellos podrían retrocederlo a ustedes, de algún modo, a la incredulidad; debido a sus envidias egoístas, después de que la verdad se ha puesto bastante clara a ellos. No obstante perdónelos y llevan con ellos hasta que Al'lá invoque Su decisión; ciertamente Al'lá tiene poder sobre toda las cosas. [109]   2: [109]

Envidia de los judíos y de los cristianos.

Establezcan el Salá (*las oraciones obligatoria diarias*) y pagan el Zaká (*la caridad obligatoria para los necesitados*), y cualquier bien que ustedes envían adelante para la Vida Eterna, para ustedes mismos, encontrarán con Al'lá; ciertamente Al'lá está mirando todas sus acciones. [110]   2: [110]

La cuenta de crédito abierto para el Día de la Justicia.

Ellos dicen: "Ninguno entrará en paraíso con excepción de que sea Judío o cristiano". Éstos son sus deseos vanos. Dígales: "¡Muestren sus pruebas si es que tienen razón en sus reclamación." [111] ¡Pues sí! Quienquiera que somete completamente a Al'lá y es bueno a otros, será premiado por su Rab; y no tendrá nada que temer ni sentirá tristeza. [112]   2: [111-112]

La exigencia falsa de los judíos y de los cristianos para heredar el paraíso.

SECCIÓN: 14

Los perjuicios religiosos de los judíos y de los cristianos.

Los judíos dicen: "Cristianos no están en la Vía Recta," y los cristianos dicen: "Es los judíos que no están en la Vía Recta," siendo así que los dos leen sus Libros Santos (*La tora o El Evangelio*). Y aquéllos que tienen ningún conocimiento de sus Libros Santos dicen lo mismo lo que estos lo dicen; así que Al'lá juzgará entre ellos en su disputa en el Día del Juicio. [113]   2: [113]

No impidas a las personas para venir al Masãyid.

¿Quién es más injusto que aquel que previene a las personas del Masãyid (*Mezquitas, lugares de culto)* de Al'lá, prohíbe la mención de Su nombre en eso, y se esfuerza para arruinarlos? No es apropiado para las tales personas entrar en ellos excepto con temor a Él. Para ellos hay desgracia en este mundo y el castigo doloroso en el Día del Juicio. [114]   2: [114]

Todas las direcciones pertenecen a Al'lá.

A Al'lá Le pertenecen el Oriente y el Occidente; cualquier dirección que ustedes se vuelven sus caras, hay la presencia de Al'lá. Ciertamente Al'lá es Omnímodo y Omnisciente. [115]   2: [115]

La acusación contra Al'lá de tener un hijo.

Dicen: "¡Al'lá ha tomado para sí un hijo!"; ¡Al'lá es encima de tales cosas! Más bien, a Él pertenecen todos que están en los cielos y en la tierra; ¡todos son obediente a Él! [116] Él es el Creador de los cielos y de la tierra. Cuando Él decreta una cosa, Él sólo necesita decir, "Sé," y allí es. [117]   2: [116-117]

El Qur'ãn es el conocimiento de verdad.

Aquéllos, que no tienen conocimiento, preguntan: "¿Por qué no habla Al'lá a nosotros cara a cara o nos envía una señal?" La misma demanda fue hecha por aquéllos ante ellos: todos ellos tienen la misma mentalidad. Hemos ya mostrado las señales claras a aquéllos cuya fe es firme. [118] ¿Qué señal más clara podría estar allí, que este Libro? Nosotros te hemos enviado con el conocimiento de la Verdad y como el portador de noticias buenas y de advertencias; ahora, a ustedes no se llamarán para contestar acerca de las acciones de los compañeros del Fuego llameante.[119]   2: [118-119]

Nunca se agradarán los judíos ni los cristianos con ustedes (con los musulmanes).

Los judíos y los cristianos nunca estarán contentos contigo, hasta que tú sigas a su fe. Dígales: "La guía de Al'lá es la única guía;" y si después de que te ha llegado el conocimiento, rindes a deseos de ellos, no habrá ninguno para protegerte o ayudarte de la ira de Al'lá. [120] Aquéllos a quienes hemos dado la escritura y leen como debe de ser leída, ellos son que creen en él; en cuanto a aquéllos que lo rechazan, ellos son, con seguridad, los perdedores.[121]   2: [120-121]

SECCIÓN: 15

La responsabilidad

¡Hijos de Israel! Recuerden el favor especial que Yo les ha dado a ustedes; que lo exalté a ustedes sobre todas las otras naciones. [122] Ustedes deben de cuidar contra el Día cuando un alma no será útil a otra, ningún rescate se tomará, ninguna intercesión servirá a cualquiera, y ninguna ayuda se dará. [123]   2: [122-123]

en el Día del Juicio.

Recuérdense cuando Ibrãjïm (*Abraham*) fue probado por su Rab con ciertos órdenes, él los cumplió. Al'lá dijo: "Ciertamente, Yo te haré a ti el líder de la humanidad." "Mi empeño," dijo Al'lá, "no aplicará a los (*injustos*) que hacen la crueldad a ellos mismos."[124]   2: [124]

Ibrãjïm era hecho el Líder de humanidad por Al'lá.

Recuérdense cuando hicimos de la Casa (*el Ka'ba*) como un centro y santuario por la humanidad, desciendo: "Tomen la estación de Ibrãjïm como un lugar de oración"; Nosotros confiamos a Ibrãjïm e Isma`il (*Ismael*) para limpiar Nuestra Casa para aquéllos que dan las vueltas alrededor de él, quienes meditan en él, y quienes se arrodillan y postran en las oraciones en él. [125] Ibrãjïm dijo: "¡Señor mío! Haga este (*Meca*) un pueblo seguro y proporciona comida suficiente a su población de las frutas, aquéllos de ellos quienes creen en Al'lá y en el Ultimo Día." Él contestó, "En cuanto a aquéllos que no lo hacen, también mantendré en esta vida, aunque en el Día de la Justicia los arrastraré a la tortura del Fuego del infierno y, de hecho, es un destino malo" [126]   2:[125-126]

La importancia del Ka'ba La oración de Ibrãjïm para la ciudad de Meca.

Ibrãjïm (*Abraham*) y Isma`il (*Ismael*) levantaron las fundaciones de la Casa y lo dedicaron diciendo: "¡Señor nuestro!, acepte esto de nosotros, Tú eres Quien oye a todos y Quien sabe todo. [127] ¡Rab! Hagas a ambos de nosotros, musulmanes (*Sometidos a Ti*); y haz de nuestros descendientes una nación que será musulmán (*sometida a Ti*). Enséñanos nuestros ritos de adoración y abténgase de nuestras limitaciones; ciertamente, Tú eres el Aceptor de los arrepentimientos, el Misericordioso. [128] ¡Rab nuestro! Envíales, de entre ellos, un Rasúl para que se recite a ellos Sus Revelaciones y les enseñe la escritura, la Sabiduría y los purifique; ciertamente, Tú eres el Todos-poderoso, el Sabio." [129]   2: [127-129]

La oración del Ibrãjïm y del Isma`il para designación de un Profeta de entre la Ciudad de Meca.

SECCIÓN: 16

¿Y quién, sino aquel que sea un hombre tonto, renunciaría la fe de Ibrãjïm? Nosotros lo escogimos a él en esta vida mundana, mientras en la Última, él será entre los virtuosos. [130] Cuando su Rab le dijo: "Sea un musulmán," él contestó: "Yo me he vuelto un musulmán al Rab de los mundos." [131] Éste era el legado que Ibrãjïm dejó a sus hijos y así hizo Lla'qüb (*Jacob*), cuando él dijo: "¡Hijos míos! Al'lá ha escogido para ustedes este Dïn (*estilo de vida*), por consiguiente, no se mueran a menos que ustedes son musulmanes (*sometidos a Él*)". [132]   2: [130-132]

Islam: la religión de Ibrãjïm. El consejo de Ibrãjïm a sus hijos y el consejo de LLáqüb a sus hijos.

¿Acaso eran presente cuándo la muerte se acercó a Lla'qüb (*Jacob*)? Él les preguntó a sus hijos: "¿A quién se rendirán culto después de mí (*muerte*)?" Ellos contestaron: "Nos rendiremos culto al mismo Un

Dios Que es tu Rab y el Rab de tus antepasados Ibrãjïm, Isma`il e Isjáq (*Isaac*), y a Él, todos nosotros, sometemos como musulmanes." [133]

2: [133]

Los judíos y los cristianos vs. La fe de Ibrãjïm.

Esa era una comunidad que ha fallecido. Ellos segarán las frutas de lo que ellos hicieron, y ustedes lo que ustedes harán. Ustedes no se cuestionarán sobre lo que ellos hicieron. [134] Los judíos y los cristianos dicen: "Sean judíos o cristianos, ustedes se guiarán, entonces, debidamente. " Dígales: "¡De ninguna manera! Nosotros seguimos la fe de Ibrãjïm el derecho; y él no era ninguno de los mushrikïn (*quienes asocian otros dioses junto con Al'lá*)". [135]

2: [134-135]

El orden de Al'lá para creer en todos los Profetas sin discriminación.

Diga: "Nosotros creemos en Al'lá y en que se reveló a nosotros; y lo que se reveló a Ibrãjïm (*Abraham*), a Isma`il (*Ismael*), a Isjáq (*Isaac*), a Lla'qüb (*Jacobo*) y a sus descendientes, y en que se dio a Musa (*Moisés*), a Isa (*Jesús*) y en que fue dado a otros Profetas por parte de su Rab. Nosotros no diferenciamos ente ninguno de ellos, y hemos sometidos (*en Islam*) a Al'lá." [136] Así que, si ellos aceptaran el Islam como ustedes han aceptados, ellos se guiarán debidamente; si ellos lo rechazan, entrarán en disensión ciertamente (*divididos en diferente facciones*); Al'lá será tu defensor suficiente contra ellos, y Él oye y sabe todo. [137]

2: [136-137]

El bautismo es de Al'lá.

El bautismo es de Al'lá; ¿Y quién es mejor que Al'lá para bautizar? Rendimos culto solamente a Él. [138]

2: [138]

Ibrãjïm y sus hijos no eran ni judíos ni cristianos sino eran musulmanes.

Dígales: "¿Disputarían ustedes con nosotros acerca de Al'lá, siendo así que Él es nuestro Rab y también suyo? Nosotros seremos responsables, a Él, para nuestros hechos y ustedes para los suyos; a Él, exclusivamente, nosotros somos consagrados. [139] ¿Exigen ustedes que Ibrãjïm (*Abraham*), Isma`il (*Ismael*), Isjáq (*Isaac*), Lla'qüb (*Jacobo*) y sus descendientes sean todos judíos o cristianos? ¿Son ustedes más conocedores que Al'lá? ¿Quién es peor que quien esconde el testimonio recibido de Al'lá? Al'lá no es desprevenido de lo que ustedes hacen." [140] Ésa era una nación que ya ha fallecido. Ellos son responsables para lo que ellos hicieron y ustedes son para lo que ustedes hacen, a ustedes no se cuestionará sobre hechos de ellos. [141]

2: [139-141]

ŶÚZ (PARTE): 2

SECCIÓN: 17

Qibla (la dirección en las oraciones):

Los necios preguntarán: "¿Por qué han rechazado el Qibla (*la dirección para ofrecer el Salá*) hacia lo que se orientaban?" Diga: "El Oriente y el Poniente pertenecen a Al'lá; Él guía a quienquiera que Él desea a la Vía Recta". [142]

2: [142]

Hemos hecho de ustedes una Um'má (*nación, comunidad*) moderada, para que ustedes puedan ser testigos contra la humanidad y que su propio Rasúl sea testigo contra ustedes. Nosotros sólo decretamos sus Qibla anterior, para distinguir aquéllos que son los seguidores reales del Rasúl, de aquéllos que retrocederían de la fe. Era, de hecho, una prueba dura, salvo para aquéllos a quienes Al'lá ha guiado. Al'lá no quiere hacer tu fe infructuoso. Al'lá es el Compasivo y el Misericordioso a la humanidad. [143]   2: [143]

El orden de Al'lá para cambiar Qibla.

Muchas veces notamos que volvías tu rostro hacia el cielo; ahora te haremos que vuelves hacia un Qibla que te agradará. Vuelve tu rostro durante el Salá hacia la Sagrada Masyid (*Ka'ba*). Dondequiera que ustedes están giren sus rostros en esa dirección. La gente de la Escritura sabe bien que es la Verdad que viene de su Rab. Al'lá no es desprevenido de lo que ellos hacen. [144] Aun cuando le des todas las pruebas a la gente de la escritura, ellos no aceptarán tu Qibla, ni tú debes aceptar a los suyos. Ninguno de ellos (*los judíos y los cristianos*) son seguidores de Qibla del otro. Si, después de todo el conocimiento que te ha llegado, rindes a sus deseos, entonces ciertamente, estará entre los injustos. [145] Aquéllos a quienes hemos dado la Escritura (*judíos y cristianos*) reconocen este hecho, como ellos reconocen a sus propios hijos. [146] No obstante, un grupo de ellos oculta la Verdad deliberadamente. La Verdad es de tu Rab; por consiguiente, nunca debes estar entre los que dudan. [147]

El Ka'ba en Meca era hecho el nuevo Qibla.

2: [144-147]

SECCIÓN: 18

Todos tienen una dirección hacia cuál se vuelven, por consiguiente, emulen entre sí en los hechos buenos. Dondequiera que estén, Al'lá reunirá a todos ustedes; Al'lá tiene poder sobre todas las cosas. [148] De cualquier lugar que provengas, vuelves tú rostro durante Salá hacia la Sagrada Masyid; éste es de hecho un mando de tu Rab. Al'lá no es desprevenido de lo que ustedes hacen. [149] De nuevo, de cualquier lugar que provengas, vuelvas tu rostro durante Salá hacia la Sagrada Masyid; y dondequiera que ustedes estén, vuelven hacia él, para que la gente no tuviera ningún argumento contra ustedes, exceptúe aquéllos, entre ellos, quienes son injustos. Pues no les tengas miedo a ellos; sino a Mí, así perfeccionaré Mis favores a ustedes y para que ustedes puedan ser guiados debidamente, [150] así como dimos Nuestro favor a ustedes cuando enviamos entre ustedes un Rasúl propio de ustedes, quien recita a ustedes Nuestras revelaciones, lo santifica, le enseña la Escritura y sabiduría, y le enseña a ustedes de lo que no sabían. [151] Por consiguiente, recuerden de Mí y Yo recordaré a ustedes, agradecen a Mí y no sean ingratos conmigo.[152]   2: [148-152]

El orden para enfrentar hacia Ka'ba como Qibla durante el Salá (la oración).

SECCIÓN: 19

La prescripción para buscar la ayuda de Al'lá.

¡Ustedes que creen! Busquen Mi ayuda a través de la paciencia y de la oración: ciertamente, Al'lá está con aquéllos que son pacientes. [153]

2: [153]

Los mártires no están muertos.

No digas acerca de aquéllos que son matados en la causa de Al'lá (*mártires*), que ellos están muertos. Al contrario, están vivos, aunque ustedes no lo perciben. [154]

2: [154]

Al'lá probará la creencia de los Creyentes.

Nosotros probaremos su constancia, ciertamente, con el miedo y el hambre, con la pérdida de la propiedad, de la vida y de los productos. Anuncias buenas noticias a aquéllos que soportan con la paciencia; [155] quienes, cuando afligen con la calamidad, dicen: "Nosotros pertenecemos a Al'lá y hacia Él es nuestro retorno." [156] Tales son las personas quienes tienen las bendiciones y la Misericordia de Al'lá; y ellos son quienes están guiados debidamente. [157]

2: [155-157]

Safa y Marwá son los símbolos de Al'lá.

¡Miren! Safa y Marwa (*dos colinas en la Sagrada Masyid*) están entre los símbolos de Al'lá. Así que cualquiera que realice la peregrinación mayor o que realice el Umra *(la peregrinación menor)* a la Casa, no hay ningún reproche si uno dé las vueltas entre los dos; y cualquiera que hace el bien voluntariamente, debe saber que ciertamente Al'lá lo sabe y es agradecido. [158]

2: [158]

La maldición de Al'lá y de los ángeles y de toda la humanidad está en aquéllos quiénes ocultan la Verdad.

Aquéllos que ocultan las pruebas claras y ocultan la guía, después de que hemos hecho claro en la Escritura para la humanidad, tendrán la maldición de Al'lá y de aquéllos que son titulados para maldecir; [159] exceptué aquéllos que se arrepienten, reforman y den a conocer la Verdad; aceptaré sus arrepentimiento, porque soy el Receptor de los Arrepentimientos, el Misericordioso.[160] Ciertamente aquéllos que son incrédulos y murieron mientras ellos estaban incrédulos, ellos son en quienes esta la maldición de Al'lá, de los ángeles y de toda la humanidad,[161] ellos vivirán para siempre en eso; su castigo no será aliviado, ni tampoco, van a recibir alguna tregua. [162] Dios de ustedes es Un Dios Único; no hay nadie digno de culto excepto Él, el Compasivo, el Misericordioso.[163]

2: [159-163]

SECCIÓN: 20

Las señales de la naturaleza para reconocer a Al'lá.

Ciertamente, En la creación de los cielos y de la tierra; en la alternación de la noche y del día; en la navegación de las naves a través del océano, para el beneficio de la humanidad; en la lluvia que Al'lá hace bajar de los cielos, con la que Él reaviva la tierra después de su muerte; y en cómo se han diseminado en ella todos tipos de los animales; en los cambios de los vientos y de las nubes sometidas entre el cielo y la tierra; hay señales para las personas racionales. [164]

2: [164]

Hay algunos que se rinden culto a otras deidades además de Al'lá (*mushrikïn*), ellos les aman como deben amar a Al'lá, pero la intensidad de amor de los creyentes, por Al'lá, es mucho más fuerte. Si aquéllos que son injustos pudieran visualizar (*el Día del Juicio*) cuando ellos verán el castigo, ellos vendrán a saber con seguridad que todo los poderes pertenecen a Al'lá y que Al'lá es muy duro en la retribución. [165] En ese Día (*el Día del Juicio*) esos líderes que eran seguidos, cuando van a enfrentar con su castigo, renunciarán a aquéllos que siguieron y enlace que los unía romperá. [166] Los seguidores dirán: "Si pudiera ser posible para nosotros vivir de nuevo, los renunciaríamos como ellos nos han renunciado hoy." Así Al'lá les mostrará sus obras. Ellos suspirarán con pesar, y no podrán salir del Fuego del Infierno. [167] 2: [165-167]

Los mushrikïn tendrán el castigo severo y los seguidores de los líderes descaminados, sentirán remordimiento en el Día del Juicio.

SECCIÓN: 21

¡Humanidad! Comen de lo que es lícito y limpio de lo que hay en la tierra y no siguen a los pasos del Shaitãn, ciertamente él es su enemigo declarado. [168] Él lo manda que comprometan el mal e indecencia y que digan ciertas cosas contra Al'lá acerca del cual ustedes no tienen conocimiento. [169] 2: [168-169]

No sigas a los pasos de Shaitãn.

Y cuando se les dice: "Siguen a lo que Al'lá ha revelado." Ellos contestan: "¡No! seguiremos lo que nuestros antepasados practicaron." ¡Bien! ¿Aun cuando sus antepasados no tenían ningún sentido en absoluto para razonar y faltaron la guía? [170] La parábola de aquéllos que rechazan la fe es como del ganado, cuando uno le llama, incapaces de entender oyen nada más que gritos y lamentos; pues ellos son sordos, mudos y ciegos y no entienden nada. [171] 2: [170-171

No profese la fe ciegamente.

¡Creyentes! Comen las cosas limpias lo que hemos proporcionados y hay que dar gracias a Al'lá, si es que verdaderamente adoran a Él exclusivamente. [172] Él ha prohibido que coman la carne mortecina, la sangre, la carne de cerdo, y la carne de cualquier otro animal sobre cual se haya invocado cualquier otro nombre fuera de Al'lá; pero si alguien es compelido por la necesidad absoluta, --no pensando en pecar ni transgredir, no incurrirá en ningún pecado. Ciertamente Al'lá es Indulgente, Misericordioso. [173] 2: [172-173]

La comida prohibida (Jarãm).

Ciertamente aquéllos que ocultan cualquier parte de la Escritura que Al'lá ha revelado y han vendido Sus revelaciones para un precio pequeño (*ganancia material*), tragarán nada más que el Fuego en sus barrigas. Al'lá no les hablará, en el Día de la Resurrección, ni los purificará y ellos tendrán castigo doloroso. [174] Éstos son los que cambian guía para el error y perdón por el castigo. ¡Cómo pueden permanecer tercos ante el Fuego del Infierno! [175] Esto es así porque Al'lá ha revelado la Escritura con la Verdad; ciertamente aquéllos que buscan causas de disputa en la escritura (*en el Qur'ãn*) están en el mismo extremo (*la marcada divergencia*). [176] 2: [174-176]

Aquéllos que esconden la Verdad para la ganancia mundana no tragan sino el fuego.

SECCIÓN: 22

La definición de rectitud.

La rectitud no es que se vuelven sus rostros hacia Este u Oeste; sino la rectitud es creer en Al'lá, en el Ultimo Día, en los Ángeles, en los Libros y en los Profetas, y gastar sus riquezas por el amor de Al'lá, sobre los parientes, los huérfanos, los viajeros, los desvalidos, los necesitados, aquéllos que piden y en la redención de los cautivos; y establecer el Salá (*oraciones*), pagar el Zaká (*limosnas*), cumplir con las promesas después de hacerlo, ser firme en el dolor, en la adversidad, y en el momento de la guerra. Esos son los veraces y ésos son los temerosos. [177]   2: [177]

Las leyes islámicas de la retribución.

¡Creyentes! La venganza se prescribe para ustedes en los casos de asesinato: un hombre libre para un hombre libre, un esclavo para un esclavo, y una hembra para una hembra. Pero si cualquiera que es perdonado por su hermano afligido, entonces el talión (*un rescate para el homicidio involuntario*) debe decidirse según el derecho consuetudinario y el pago debe hacerse con gratitud. Éste es una concesión y una misericordia de su Rab. Ahora, quienquiera excede los límites después de esto, tendrá un castigo doloroso. [178] ¡Hombres de comprensión! Hay seguridad de la vida por ustedes en la ley de talión, para que ustedes puedan aprender auto-refrenamiento. [179]   2: [178-179]

El mando de Al'lá para hacer un 'testamento.'

Hacer el testamento es obligatorio antes de la muerte de cualquiera de ustedes que está dejando atrás alguna propiedad, en favor de sus padres y parientes, conforme lo reconocido. Éste es un deber para los temerosos (*de Al'lá*). [180] Si cualquiera cambia el legado después de haberlo oído, el pecado será entonces en aquéllos que hacen el cambio. Al'lá todo lo oye y todo lo sabe. [181] Pero no hay ningún reproche en el que sospecha un error o una injusticia por parte del testador y provoca un arreglo entre los herederos. Al'lá es Indulgente, Misericordioso. [182]

    2: [180-182]

SECCIÓN: 23

La obligación de ayunar.

¡Creyentes! Ayuno se prescribe para ustedes como fue prescrito para aquéllos antes de ustedes, para que puedan aprender auto-control. [183] Ayunen el número de días prescrito; excepto si cualquiera de ustedes está enfermo o en una jornada, entonces ayunará un número similar de días después. Para aquéllos que no pueden soportarlo por las razones médicas, hay un rescate: Alimentarse a una persona pobre para cada día extrañada. Quienquiera hace mejor que esto, voluntariamente, es mejor para él. Sin embargo, si ustedes entienden la razón de ayuno, de verdad, es mejor para ustedes que ayunen. [184]   2: [183-184]

La revelación del Qur'ăn en el mes de Ramadăn

Es el mes de Ramadăn en que el Qur'ăn fue revelado, una guía para la humanidad con enseñanzas claras que muestran la Vía Recta y un Criterio entre la Verdad y la falsedad. Por consiguiente, cualquiera de ustedes quien esté presente en ese mes debe ayunar en eso, y quienquiera que está enfermo o en una jornada ayunará después número similar de días. Al'lá quiere su bienestar y no quiere ponerlo a penalidad. Él quiere que ustedes completen el periodo prescrito para que ustedes glorifiquen Su Grandeza y deben dar gracias a Él, por haberles guiados. [185]

2: [185]

Cuando Mis siervos te pregunten por Mí, les diga que soy muy cerca de ellos. Yo sí contesto la oración de cada suplicante cuando Me invoca; por consiguiente, ellos deben responder a Mí y que pongan su confianza en Mí, para que ellos puedan guiarse debidamente. [186]

2: [186]

Al'lá es muy cerca a Sus devotos.

Se hace legal para ustedes acercarse a sus esposas en la noche durante el mes de ayuno; ellas son vestidura para ustedes y ustedes para ellas. Al'lá sabe que ustedes estaban comprometiendo deshonestidad a sus almas. Así que Él ha vuelto hacia ustedes con Su favor y lo ha perdonado. Ahora, ustedes pueden acercarse a sus esposas y pueden buscar lo que Al'lá ha escrito para ustedes. Coman y beban hasta el hilo blanco de alba aparece a ustedes distinto del hilo negro de la noche, luego completen su ayuno hasta anochecer. No se acerquen a sus esposas durante I'htikaf (*retirada en las Masãyid durante ultimo diez días de Ramadãn*). Éstos son los límites puestos por Al'lá: jamás deben de violar. Así Al'lá hace Sus revelaciones aclarar a la humanidad para que ellos puedan guardarse contra el mal. [187]

2: [187]

Al'lá es muy cerca a Sus devoto. Los tiempos para ayunar.

No malversen la propiedad entre si injustamente, ni sobornen a los jueces para malversar una parte de la propiedad de otras personas, pecaminosamente y a sabiéndolos. [188]

2: [188]

El soborno es un pecado.

SECCIÓN: 24

Ellos te preguntan acerca de las fases de la luna. Dígales: "Esos son para determinar los periodos del tiempo para el beneficio de la humanidad y para la peregrinación. No es virtuoso entrar en sus casas de las puertas traseras durante tiempos de la peregrinación. La rectitud es temer a Al'lá. Entren en sus casas a través de las puertas apropiadas y temen a Al'lá para que ustedes puedan prosperar. [189]

2: [189]

La luna es para determinar los periodos del tiempo.

Combaten en la causa de Al'lá con aquéllos que combatan contra ustedes, pero no exceden los límites. A Al'lá no Le gustan los transgresores. [190] Mátelos dondequiera que ellos lo confrontan en combate y expúlsenlos de los lugares de donde ustedes fueron expulsados. Crear una travesura es peor que matar. No les combaten dentro de los recintos de la Sagrada Masyid, a menos que ellos lo atacan allí; pero si ellos atacan a ustedes. Pues póngales a la espada; ése es el castigo para los tales incrédulos. [191] Pero si ellos cesan la hostilidad, entonces ciertamente Al'lá es el Perdonador, Misericordioso. [192] Combaten contra ellos hasta que no haya desorden allí y que se establece la supremacía de

Ordena para combatir por una causa justa.

Al'lá. Si ellos desisten, pues no haya hostilidad excepto contra los opresores. [193]   2: [190-193]

La venganza en los sagrados meses.

El Sagrado mes en que se prohíbe el combate, será respetado si el mismo es respetado por el enemigo: las sagradas cosas también están sujeto a la ley de talión. Por consiguiente, si cualquiera que hace la trasgresión contra una prohibición y ataque a ustedes, desquítese con la misma fuerza. Temen a Al'lá, y sepan que Al'lá es con los que Le temen.[194]   2: [194]

El orden para dar la caridad.

Gasten generosamente para la causa de Al'lá y no hagan que sus propias manos llevan a ustedes hacia su propia perdición. Sean caritativos: Al'lá ama aquéllos que son caritativos. [195]   2: [195]

Já'ý y Umrá (la peregrinación Mayor Y Menor a Meca).

Completen la peregrinación obligatoria (*a la Ka'ba en Meca*) al igual que el Umra (*visita optativa a la Ka'ba en Meca*) por causa de Al'lá. Pero si algo lo impide para llevar lo acabo, entonces envían tal ofrenda para el sacrificio de lo que puedan conforme a sus recursos y no afeiten su cabeza hasta que la ofrenda a alcanzada su destino donde debe ser sacrificada. Pero si cualquiera de ustedes esté enfermo o tiene una dolencia en su cuero cabelludo que hace necesario afeitar, él debe pagar el rescate ayunando o alimentando a los pobres u ofreciendo un sacrificio. Si en período de paz cualquiera quiere aprovecharse de realizar la peregrinación obligatoria y el Umra juntos, él debe hacer una ofrenda conforme a sus recursos; pero si le faltan los medios, debe ayunar tres días durante la peregrinación obligatoria y siete días cuando haya regresado, de manera que complete un total de diez. Este orden es para aquél cuya casa no está en los recintos de la Sagrada Masyid. Temen a Al'lá y sepan que Al'lá es estricto en retribución. [196]   2: [196]

SECCIÓN: 25

Las restricciones durante Já'ý y la actuación de Já'ý (la peregrinación Mayor).

La peregrinación obligatoria está en los meses bien conocidos. Uno que emprende para realizarlo debe abstenerse de la relación marido-esposa, de transgredir y de disputar durante este periodo del tiempo. Cualquier bien que ustedes hacen, Al'lá lo conoce. Lleven las provisiones necesarias con ustedes para la jornada, y mejor de todas las provisiones es la piedad. Témanme, pues, ustedes que son dotados de intelecto. [197] No hay ningún reproche en ustedes si ustedes buscan la generosidad de su Rab durante esta jornada. Cuando vuelven de Arafat, (*deténganse en Muzdalifa*) invoquen a Al'lá cerca de Mash'ar-al-Jar'am. Recuérdenle como Él lo ha guiado, porque antes de esto ustedes eran de las personas que habían perdido la Vía Recta. [198] Entonces deben retornar de donde otros vuelven y piden el perdón de Al'lá; ciertamente Al'lá es Perdonador, Misericordioso. [199] Cuando ustedes han cumplido sus sagrados deberes, deben alabar a Al'lá como ustedes alababan a sus antepasados o aun con reverencia más profunda. Hay algunos que dicen: "¡Nuestro Rab! Danos abundancia en este mundo." Las tales personas no tendrán ninguna porción en la Ultima Vida. [200] Pero hay otros que dicen: "¡Nuestro Rab! Danos lo bueno, ambos en este mundo y lo bueno en la Ultima y sálvenos del tormento del Fuego." [201] Las Tales personas tendrán su porción debida en ambos mundos según lo que ellos han ganado, Al'lá es veloz estableciendo todas las cuentas. [202] Celebren las alabanzas de Al'lá durante estos días fijados. Si cualquiera acelera para dejar el Mina, después de dos días o quede un día más, pues no hay ningún reproche en él con tal de que haga uso de estos días en piedad. Temen a Al'lá y recuerdan que, seguramente, ustedes serán congregados ante Él. [203]

2: [197-203]

Entre la gente hay unos cuyos discursos te fascinan, cuando hablan de esta vida mundana. Él puede invocar a Al'lá, incluso, para dar testimonio de lo que está en su corazón, aun siendo tus antagonista firme. [204] Y cuando él te deja, dirige sus esfuerzos hacia causar travesura en la tierra, destruyendo cosechas y el ganado. Al'lá a Quien él hace su testigo, no Le gusta la travesura. [205] Cuando se le dice "¡Teme a Al'lá!" la arrogancia se apodera de él, la que le mueve para hacer el mal. El infierno será el lugar apropiado para semejante persona que es, de hecho, un refugio malo. [206] Y entre las personas hay uno que regalaría su vida para buscar el placer de Al'lá. Al'lá es afectuoso a Sus devotos. [207]

2: [204-207]

La hipocresía vs. La verdadera creencia.

¡Creyentes! Entren completamente en el Islam y no siguen pasos del Shaitãn, ciertamente él es su enemigo declarado. [208] Si ustedes se vacilan después de haber recibido el mensaje claro, entonces tengan presente que Al'lá es Poderoso, Sabio. [209] ¿Acaso están esperando que Al'lá reduzca a ellos en la sombra de nubes, por las manos de los ángeles y que tome Su decisión conocida? Finalmente, todas las cosas se presentarán a Al'lá para Su decisión. [210]

2: [208-210]

¡Creyentes! entran completamente en Islam.

SECCIÓN: 26

Pregúnteles a los Hijos de Israel cuántas señales claras les hemos mandado. Cualquiera que sustituye el favor de Al'lá (*cambiándose las revelaciones de Al'lá*) después de haber recibido, debe saber que Al'lá es estricto en retribución. [211] La vida de este mundo está encantando a aquéllos que son incrédulos y ellos se mofan a aquéllos que creen, pero ellos se olvidan que aquéllos que temen a Al'lá, estarán por encima de ellos en el Día de la Resurrección; Al'lá provee sustento sin medida a quien Él quiere. [212]

2: [211-212]

Los creyentes serán encima de los incrédulos en la categoría.

La humanidad era una nación que tenía sólo una religión. Después cuando las personas inventaron otras religiones, Al'lá envió a los Profetas como portadores de noticias buenas y advertencias graves; y reveló a ellos la escritura con la Verdadera Guía para que se deciden las materias de disputa entre la humanidad. Pero las mismas personas a

La humanidad era una nación que tenía una religión.

quienes fue otorgado, empezaron a disputar, después de que los argumentos claros habían llegados a ellos, debido a rivalidad entre sí mismos. Al'lá ha guiado a los creyentes por Su Voluntad a la Verdad en esas materias en las que ellos tenían diferencias. Al'lá guía, a quienes Él quiere, hacia la Vía Recta. [213]   2: [213]

El camino al Paraíso atraviesa los ensayos.

¿Piensan ustedes que entrarán en el Paraíso sin cualquier prueba mientras que ustedes han sabidos los ejemplos de aquéllos que fallecieron ante ustedes? Ellos se afligieron con el sufrimiento y la adversidad y se agitaron tan violentamente que incluso los Rasúles y los creyentes que eran con ellos, clamaron: "¡¿Cuándo vendrá la ayuda de Al'lá!?" Luego, se confortaron con las palabras, ¡Sepan que la ayuda de Al'lá es muy cerca! [214]   2: [214]

La caridad y el combate (sólo para causa justa) son hechos obligatorios.

Te preguntan qué deben gastar en caridad. Dígales: "Cualquier cosa que ustedes gasten con un corazón bueno, déselo a los padres, los parientes más cercanos, los huérfanos, los desvalidos, y los viajeros en necesidad. Cualquier bien que ustedes hagan, Al'lá es consciente de él. [215] El combate se ha hecho obligatorio para ustedes, mucho a su aversión. Es bastante posible que algo que no les guste sea bueno para ustedes y que algo que ustedes quieren mucho sea motivo de una pena para ustedes. Al'lá sabe, mientras ustedes no lo saben. [216]   2: [215-216]

SECCIÓN: 27

Combatir en el Sagrado Mes. El castigo para " el murtad " - quien retrocede del Islam.

Te preguntan acerca de la guerra en el Sagrado Mes. Dígales: "Combatir en este mes es una ofensa odiosa; pero es un pecado aún más severo en la vista de Al'lá, prevenir del camino de Al'lá, negarlo a Él, prevenir el acceso y expulsar a Sus adoradores de la Sagrada Masyid. Eso es porque en Su vista, la travesura es peor que matar. En cuanto a los incrédulos: ellos no dejarán de luchar hasta que ellos tengan éxito retrocediéndolo de su religión si ellos pueden; y si cualquiera de ustedes retrocede de su religión y muere como un incrédulo, todos sus hechos buenos se pondrán nulos en esta vida y también en el Día de la Justicia. Él será el compañero del Fuego y va a vivir allí, para siempre. [217] Ciertamente aquellos que son los creyentes, y emigran y luchan en el camino de Al'lá, pueden esperar para la misericordia de Al'lá; y Al'lá es Perdonador, Misericordioso." [218]   2: [217-218]

Consumo de alcohol y puestas, juegos al azar son pecados. Las relaciones con los huérfanos.

Ellos te preguntan acerca de bebidas alcohólicas y los juegos de azar. Dígales: Hay gran pecado en ambos, aunque ellos pueden tener algún beneficio para la gente; pero el pecado es mayor que el beneficio." Ellos te preguntan acerca de lo que ellos deben gastar; dígales: " Cualquier cosa que ustedes pueden." Así Al'lá hace Sus revelaciones claras para ustedes, Ojala que puedan reflexionar acerca de [219] este mundo y también de la Última. Ellos te preguntan acerca de los huérfanos. Dígales: "Es mejor que traten justamente con ellos; ustedes pueden hacer los copartícipes con ellos, después de todos, ellos son sus hermanos; Al'lá sabe quién quiere hacer el daño y también quién quiere bienestar de ellos. Si Al'lá hubiera querido, Él podría ser duro con ustedes en este asunto, ciertamente Al'lá es Poderoso, Sabio." [220]   2: [219-220]

No se case con las mujeres que son mushrikas (*Quienes comparten cualquier calidad de Dios con cualquier otro/a entidad*) hasta que ellas se vuelvan las creyentes; una mujer esclava creyente es mucho mejor que una mujer que es mushrika pero libre, aunque ella puede ser más atractiva a ustedes. Igualmente, no se casa con los hombres que son mushrikïn hasta que ellos se vuelvan los creyentes: un esclavo creyente es mucho mejor que un mushrik libre aunque él puede estar más agradable a ustedes. Estos mushrikïn lo invitan al Fuego del Infierno, mientras Al'lá lo invita hacia el paraíso y al perdón por Su gracia. Él hace Sus revelaciones claras a la humanidad para que ellos puedan prestar la atención. [221]
2: [221]

SECCIÓN: 28

Ellos te preguntan acerca de la menstruación. Dígales: "Ésta es una incomodidad; por consiguiente, abstengan de las mujeres (*no tengan el contacto sexual*) durante su periodo menstrual y que no acercan a ellas hasta que ellas estén de nuevo limpias. Cuando ellas estén limpias entonces ustedes pueden acercárselas de la manera como Al'lá ha mandado a ustedes. Ciertamente Al'lá ama a aquellos que se vuelven a Él en el arrepentimiento y a los quienes se purifican. [222] Sus esposas son su campo de siembra; así que vayan a su sembrado cuando le guste. Cuiden de su futuro y refrene del disgusto de Al'lá. Tengan presente que ustedes se lo encontrarán con Él en el Día de la Justicia, y da las buenas noticias a los creyentes. [223]   2: [222-223]

No usen el nombre de Al'lá en sus juramentos como una excusa para impedirles practicar la caridad, para guardar contra el mal, y para hacer la paz entre las personas; Al'lá oye y sabe todo. [224] Al'lá no sostendrá a ustedes responsable para lo que está inadvertido en sus juramentos, pero Él sí sostendrá a ustedes responsable para intención de sus corazones; Al'lá es Perdonador, Indulgente. [225]   2: [224-225]

Aquellos que renuncian la relación conyugal con sus esposas en el juramento tienen una limitación de cuatro meses. Si ellos se reconcilian y restauran sus relaciones, ciertamente Al'lá está Perdonador, Misericordioso. [226] Pero si ellos deciden divorciárselas, pueden hacerlo, ciertamente Al'lá oye y sabe todo.[227]   2: [226-227]

Las mujeres divorciadas deberán esperar por tres periodos menstruales, no es lícito para ellas esconder lo que Al'lá ha creado en sus úteros, si ellas creen en Al'lá y en el Último Día. En casos así, sus maridos tienen más derecho para tomarlas de nuevo durante este periodo, si ellos desean la reconciliación. Las mujeres tienen los derechos similares

Es ilícito casarse con un mushrik.

Pregunta sobre la menstruación.

No emplees mal juramentos en el nombre de Al'lá.

La limitación por renunciar los derechos conyugales.

El periodo de espera después del divorcio.

a aquellos ejercidos contra ellas de una manera justa, aunque los hombres tienen un grado (*el grado de responsabilidad*) sobre ellas. Al'lá es Poderoso, Sabio. [228]

2: [228]

SECCIÓN: 29

Leyes que relacionan para divorciarse.

La declaración de divorcio revocable sólo se permite dos veces: luego se la debe permitir quedarse con el honor o la deja marchar en buenos términos. No es lícito para los maridos recuperar nada de que ellos les han dado a menos que ambos partidos temen que ellos no van a poder seguir los límites puestos por Al'lá; entonces si ustedes temen que los dos no podrán guardar los límites de Al'lá. No hay ningún reproche si, por el acuerdo mutuo, la esposa ofrece alguna compensación al marido para obtener el divorcio. Éstos son los límites puestos por Al'lá; no deben de transgredir, y ésos que hayan transgredido los límites de Al'lá son los injustos. [229] Si un marido se divorcia a su esposa tres veces, no sea lícito para él volver casarse con ella hasta después de que ella se ha casado con otro hombre y ha conseguido el divorcio. En ese caso no hay ningún reproche en ambos si ellos reúnen en el matrimonio, con tal de que ellos piensen que ellos pueden guardar los límites de Al'lá. Tales son los límites de Al'lá que Él hace claros a las personas que pueden entender.[230]

2: [229-230]

El tratamiento de las mujeres divorciadas.

Cuando ustedes divorcian a las mujeres y ellas han alcanzado el límite de su periodo de espera (*Id'dat*) permiten a ellas quedarse con el honor o déjenlas ir con la bondad; pero ustedes no deben retenerlas, dañarlas, o tomar la ventaja indebida de ellas; cualquiera que hace así, hace mal a su propia alma. No tomen las revelaciones de Al'lá como un chiste. Recuerden los favores de Al'lá con ustedes y el hecho de que Él envió la escritura y Sabiduría por su guía. Temen a Al'lá y sepan que Al'lá tiene conocimiento de todo. [231]

2: [231]

SECCIÓN: 30

No hay ninguna restricción para las personas divorciadas, volver a casarse.

Cuando ustedes se han divorciado a sus esposas, y ellas han alcanzado el límite de su periodo de espera, no impidan a ellas de casarse con sus maridos anteriores, si han llegado con un acuerdo honorable entre ellos. Esto es un mandamiento para todos ustedes quienes creen en Al'lá y en el Último Día. Esto es más correcto y más casto para ustedes; Al'lá sabe de lo que ustedes no saben. [232]

2: [232]

El requisito de bebés del amamantamien-to.

Las madres amamantarán a sus bebés durante dos años enteros, si el padre desea que la lactancia sea completa. El costo razonable de su mantenimiento y de vestir será la responsabilidad del padre del niño. Nadie debe cobrarse más de que ellos tienen el lujo de pagar. Ninguna madre debe hacerse sufrir a causa de su bebé ni tampoco un padre a causa de su hijo. Los herederos del padre están bajo la misma obligación. Pero si, con el acuerdo mutuo, los dos deciden destetar al niño, no hay ningún reproche en ellos. Si ustedes deciden tener una madre-adoptiva para amamantar su niño, no hay ningún reproche en ustedes con tal de que pagan lo que ustedes han prometido pagar, de una manera honorable. Temen a Al'lá y sepan que Al'lá ve bien sus acciones. [233] En cuanto a aquellos de ustedes quienes se mueren y dejan sus viudas detrás, ellas deben abstenerse del matrimonio por un periodo de cuatro meses y diez días: cuando ellas han alcanzado al final de este periodo, no hay ningún reproche en ustedes por lo que ellas hacen para ellas mismas de una manera decente. Al'lá es consciente de lo que ustedes hacen. [234]

2: [233-234]

El periodo de espera para las viudas.

No hay ningún reproche en ustedes si ustedes hacen una propuesta de matrimonio abiertamente durante su periodo de espera o lo guardan en sus corazones. Al'lá sabe lo que ustedes acariciarán naturalmente en sus corazones; sin embargo, no hagan ningún acuerdo secreto con ellas, y si ustedes desean casarse, hábleles de una manera honorable. No confirme el lazo político hasta que el periodo de espera prescrito ya está expirado. Ustedes deben saber que Al'lá es consciente de lo que está en sus corazones, así que Le teman. Y sepan que Al'lá es Perdonador e Indulgente. [235]

2: [235]

No hay ninguna restricción para las segundas nupcias de viudas.

SECCIÓN: 31

No hay ningún reproche en ustedes si divorcian a las mujeres antes de que el matrimonio se consuma o la dote es fijada. Págueles sin embargo algo, el hombre rico según sus medios y el pobre según suyo, una cantidad razonable lo que es justo. Ésta es una obligación para las personas virtuosas. [236] Y si ustedes divorcian antes que el matrimonio se consuma pero después de la fijación de una dote, dales la mitad de su dote a menos que la mujer quiere renunciar eso o el hombre en cuya mano es el lazo político está generoso (*y paga la dote por completo*). Y dar la dote completamente es más íntimo a la piedad. No se olviden de mostrar la bondad entre sí mismos. Ciertamente Al'lá observa sus acciones. [237]

2: [236-237]

La dote y divorcio.

Guarden su Salá (*las oraciones regulares obligatorias*) sobre todo el Salá del medio y pónganse de pie con la verdadera devoción a Al'lá. [238] Si ustedes están en el peligro, oren de pie o mientras montados; y cuando ustedes están seguros, recuérdense de Al'lá a la manera que Él le ha enseñado de lo que ustedes no supieron anteriormente. [239]

2: [238-239]

La observación del Salá (la Oración).

Aquellos de ustedes quienes mueren y dejan las viudas, deben dejar para ellas, en sus testamentos, el mantenimiento de un año sin causarles dejar sus casas; pero si ellas dejan la residencia por si mismas entonces no hay ningún reproche en ustedes por lo que ellas escogieron para ellas mismas de una manera justa. Al'lá es Poderoso. Sabio. [240]

La obligación de ejecutar el "Último Testamento."

También deben hacer las provisiones razonables para las mujeres divorciadas. Ésa es una obligación para aquellos que temên a Al'lá. [241] Eso es cómo Al'lá hace Sus Revelaciones aclarar a ustedes para que ustedes puedan entender.[242]   2: [240-242]

SECCIÓN: 32

No hay ningún escape de la muerte.

¿Has reflexionado, acerca del caso de miles de personas (*Israelitas*) quienes huyeron de sus casas por el miedo de la muerte? Al'lá les dijo: "¡Muéranse!" (*Les dio muerte*). Luego Él les dio la vida, nuevamente. Ciertamente Al'lá es dadivoso a la humanidad, pero la mayoría de las personas es ingrata. [243] ¡Creyentes! Combaten en el camino de Al'lá (*sin temor a la muerte*) y ten presente que Al'lá todo lo oye y todo lo sabe. [244]   2: [243-244]

Gastar en el camino de Al'lá.
La demanda de Israelitas para tener un rey.

¿Quién prestará a Al'lá un préstamo lindo para que Al'lá se lo devuelva aumentado muchas veces más? Solo Al'lá puede disminuir y aumentar la riqueza, y hacia Él todos ustedes volverán. [245] ¿No han reflexionado por lo que los líderes de los hijos de Israel exigieron a uno de sus Profetas después de la muerte de Musa (*Moisés*)?" "Designe para nosotros un rey, " ellos dijeron, "y combatiremos por la causa de Al'lá". El Profeta contestó: "¿Qué pasa si ustedes se niegan a combatir cuándo estén ordenados de combatir?" Ellos contestaron, "¿Cómo pudiéramos negar a combatir en la causa de Al'lá, mientras nosotros, junto con nuestros hijos, fuimos expulsados fuera de nuestras casas?" Pero cuándo, según su demanda, fue pedidos que combaten, todos se negaron a excepto unos de ellos. Al'lá sabe a los injustos. [246]   2: [245-246]

Al'lá designó el Talüt para ser su rey.

Su Profeta les dijo: "Al'lá ha designado a Talüt (*Saúl*) para ser su rey." Ellos contestaron: "¿Cómo él puede estar nuestro rey cuándo algunos de nosotros merecemos más que él? Además, él no es rico." El Profeta dijo: "Al'lá lo ha escogido gobernar sobre ustedes y le ha bendecido abundantemente con los conocimientos y buena estatura. Al'lá concede majestad a quien Él agrada y Al'lá tiene el conocimiento ilimitado. [247] Y (*además*) sus Profeta les dijo: "La señal de su autoridad, como un rey, será que vendrá a ustedes el cofre en que hay tranquilidad de su Rab y el residuo de reliquias que la familia de Musa (*Moisés*) y de la familia de Jarün (*Aarón*) dejó atrás, y ese cofre va a ser llevado por los ángeles. Ciertamente en eso es una señal para ustedes si ustedes son los verdaderos creyentes." [248]   2: [247-248]

SECCIÓN: 33

La prueba de creencia de Israelitas y su obediencia.

Cuando Talüt (*Saúl*) marchó adelante con su ejército, él anunció: "Al'lá probará a ustedes con un cierto río; cualquiera que beberá de su agua dejará de ser mi soldado. Y aquello que no lo pruebe, será de los míos, a menos que para extinguir su sed, tome una sola vez con hueco de su mano." A pesar de esta advertencia, ellos bebieron de él, exceptúe unos de ellos.   Cuando él y aquellos que creyeron con él cruzaron el río, dijeron: " No tenemos el poder en este día contra Yalüt (*Goliat*) y sus guerreros." Pero los creyentes que conocían que ellos se encontrarían a Al'lá, dijeron: "Ha pasado a menudo que un grupo pequeño, por la gracia de Al'lá, ha vencido un ejército poderoso. Al'lá está con aquellos que tienen la paciencia." [249]   2: [249]

La victoria no está en números.

Cuando ellos salieron para enfrentar a Yalüt (*Goliat*) y sus guerreros, oraron: "¡Nuestro Rab! Llene nuestros corazones de la constancia, afirma nuestros pasos, y ayúdenos (*danos victoria)* contra los incrédulos." [250] Con el permiso de Al'lá ellos pusieron a los incrédulos al vuelo, y Dawüd (*David*) mató a Yalüt (*Goliat*). Al'lá dio el reino y la sabiduría a Dawüd y le enseñó lo que Él agradó. Si Al'lá no hubiera estado rechazando puesto de las personas por el poderío de otros, habría desorden, de hecho, en la tierra, pero Al'lá es Cortés a todos los mundos. [251] Éstas son las revelaciones de Al'lá; Nosotros los recitamos a ustedes con la Verdad. Ciertamente, tú eres uno de Nuestro Rasúles. [252]

2: [250-252]

La oración de los creyentes para la victoria. Reafirmación del Profetismo de Mujámad (pece).

ÝÚZ (PARTE): 3

Éstos son los Rasúles (*Enviados, que hemos enviado para la guía de la humanidad*). Hemos exaltado algunos sobre los otros. A algunos Al'lá habló directamente; a otros Él elevó en la categoría; a Isa (*Jesús*), el hijo de Marllam (*María*), Dimos las Señales claras y le apoyamos con el Espíritu Santo (*El ángel Gabriel*). Si Al'lá hubiera querido, las personas que recibieron las señales claras no habrían luchado contra uno y otro; pero ellos disputaron, como resultado, había algunos que creyeron mientras otros rechazaron. Todavía Si Al'lá hubiera querido, ellos no habrían luchado entre ellos; pero Al'lá hace lo que Él quiere. [253]

2: [253]

Las líneas de los Rasúles.

SECCIÓN: 34

¡Creyentes! Gasten fuera del sustento que Nosotros lo hemos proveído, antes de la llegada de ese Día cuando no habrá (*servirá*) ningún negocio, ni amistad o intercesión. Los injustos son los que niegan de creer. [254]   2: [254]

Gastando en la caridad.

¡Al'lá! No hay ningún dios excepto Él: el Viviente, el Eterno. Ni la somnolencia ni el sueño se apoderan de Él. A Él pertenecen todos los que están en los cielos y en la tierra. ¿Quién puede interceder ante Él sin Su permiso? Él sabe lo que está ante ellos y lo que está detrás de ellos. Ellos no pueden ganar el acceso a cualquier cosa fuera de Su

Los atributos de Al'lá y "Allat-al-Kursi".

conocimiento excepto lo que Él quiere. Su trono es más inmenso que los cielos y la tierra, y guardar estos ambos no Le fatiga. Él es el Exaltado, el Supremo. [255]   2: [255]

No hay ninguna compulsión en la religión. La verdadera guía ha sido hecha claramente distinta del error. Por consiguiente, quienquiera que renuncie a los 'Tãghüt' (*las fuerzas de Shaitãn*) y cree en Al'lá ha sido el asidero más firme que nunca romperá. Al'lá, Cuyo asidero que ustedes han sido, todo lo oye y todo lo sabe. [256] Al'lá es el Wali (*el Protector, el Amigo*) de aquellos que creen, Él les saca de la oscuridad más profunda y les lleva a la luz. En cuanto a los incrédulos tienen como amigos a los Tãghüt (*las fuerzas del Shaitãn*), Él les saca de la luz y les lleva a las profundidades de las tinieblas. Como resultado ellos se volverán como compañeros del Fuego y vivirán en eso para siempre. [257]

2: [256-257]

SECCIÓN: 35

¿Has reflexionado acerca de una persona (*Namrüd*) que discutió con Ibrãjïm (*Abraham*) acerca de su Rab, a quien Al'lá había dado un reino? Cuando Ibrãjïm dijo: "Mi Rab es Él, Quién tiene el poder de dar la vida y causar la muerte." Él contestó: "Yo también tengo el poder para dar la vida y causar la muerte." Ibrãjïm dijo: "Bien, Al'lá causa el sol subir del oriente; simplemente hágale subir del occidente." Así el incrédulo se quedó perplejo; Al'lá no guía a los injustos. [258]

2: [258]

O tomen otro ejemplo del uno (*el Profeta Ezra*) quien pasó por un pueblo que se había caído en sus tejados. Él exclamó: "¿Cómo va Al'lá poder devolver este pueblo muerto a la vida?" Entonces Al'lá le causó morir, y después de cien años le devolvió a la vida. Al'lá preguntó: "¿Cuánto tiempo permaneciste aquí?" Ezra contestó: "Quizás un día o parte de un día." Al'lá dijo: "¡No!" Tú ha permanecido aquí durante cien años: ahora sólo das una mirada a tu comida y bebida; no están podridos; y ahora mira hacia tu asno y vez que aún sus huesos se han deteriorados. Hemos hecho esto, para hacerte como una Señal para la humanidad. ¡Mire los huesos de su asno cómo vamos reunir y vestir con la carne y devolver a la vida! Cuando todo este proceso fue demostrado claramente a él, él dijo: "Ahora yo sé con la certitud que Al'lá tiene el poder sobre todas las cosas." [259]

2: [259]

Todavía otro ejemplo es cuando Ibrãjïm dijo: "¡Rab mío! Muéstreme cómo das la vida al muerto." Él contestó:"¿No tienes ninguna fe en esto?" Ibrãjïm sometió humildemente: "¡Sí!" Pero pido a esto para tranquilizar mi corazón." Al'lá dijo: "Tome cuatro pájaros; entrénelos a ellos para seguir sus direcciones, después córtales sus cuerpos en pedazos y espárzales esos pedazos sobre las cumbres, luego vuélvales a llamar;

Margin notes:

No hay ninguna compulsión en la religión. Wali (los amigos) de Al'lá vs. Wali (los amigos) de Shaitãn.

La confrontación entre Profeta Ibrãjïm y el Rey (Namrüd).

El ejemplo de traer el muerto a la vida.

La pregunta de Ibrãjïm acerca de vida después de la muerte.

Al'lá les devolverá a la vida y ellos vendrán enseguida a ti. Así tú sabrás, que Al'lá es Todo poderoso y Sabio." [260]   2: [260]

SECCIÓN: 36

La parábola de aquellos que gastan su riqueza en el camino de Al'lá es, como un grano que crece y hace como una planta que tiene siete orejas, y que cada una de los cuales contienen cien granos. Al'lá le da aumento multíplicemente a quien Él desea. Al'lá tiene el conocimiento ilimitado. [261] Aquellos que gastan su riqueza por la causa de Al'lá y después no siguen su caridad con los recordatorios de su generosidad o con el daño al sentimiento del destinatario, recibirán su premio de su Rab; ellos no tendrán nada que temer o sentir tristes. [262] Las palabras Amables y el perdón, son mucho mejores que la caridad seguida por el perjuicio. Al'lá es Autosuficiente, Indulgente. [263]   2: [261-263]

La parábola de gastar en la Caridad.

¡Creyentes! No hagan su caridad sin valor por la causa de los recordatorios de su generosidad o por causarse el daño a los sentimientos de los destinatarios, como aquellos que gastan su riqueza para ser visto de las personas aunque no creen en Al'lá ni en el Último Día. Su parábola está como una piedra yerma y dura cubierta con una capa delgada de tierra; la caída de la lluvia pesada, deja desnuda esta piedra. Estas tales personas no ganarán cualquier premio que ellos pensaron que ellos habían ganado. Al'lá no guía al pueblo de los incrédulos. [264]   2: [264]

Qué es lo que hace la caridad sin valor.

El ejemplo de aquellos que gastan su riqueza para buscar el placer de Al'lá y fortalecer sus almas está como un jardín en una tierra alta y fértil: cuando la lluvia pesada se cae en él, rinde a dos veces su producto normal; y si ninguna lluvia se cae, entonces aún una humedad ligera es suficiente. Cualquier cosa que tu hace está en la vista de Al'lá. [265] ¿Le gustaría a cualquier de ustedes que su jardín, que está lleno de árboles de las palmas, vides de la uva, todos los tipos de frutas, y regado por los arroyos, se destruye y se hace consumido por un torbellino ardiente en el momento cuándo él se ha puesto demasiado viejo y sus hijos son demasiado débiles para ganar algo? Así Al'lá hace Sus revelaciones aclarar a ustedes para que quizás así ustedes puedan meditar. [266]   2: [265-266]

La caridad vs. Presumimiento

SECCIÓN: 37

¡Creyentes! Gasten en el camino de Al'lá, desde mejor porción de la riqueza que ustedes han ganado legalmente y que hemos producido para ustedes de la tierra, y no escogen para la caridad esas cosas sin valor que ustedes mismo no aceptarían sino con los ojos cerrados. Tengan presente que Al'lá es Autosuficiente, Laudable. [267] Shaitãn te amenaza con la pobreza y sugerencias para que tú comprometas lo que es indecente, mientras Al'lá te promete Su perdón y generosidad, y Al'lá tiene el conocimiento ilimitado. [268] Él concede sabiduría a quien Él

Debes gastar la mejor porción de su riqueza. La promesa de Al'lá vs. La promesa de Shaitãn.

agrada; y quienquiera que está concedido la sabiduría, de hecho, ha recibido una gran riqueza, aun así, nadie entiende eso excepto las personas que están dotados del intelecto. [269]   2: [267-269]

Cualquier cosa que ustedes gastan como la caridad o cualquier cosa que ustedes prometen, ciertamente Al'lá ya lo conoce. Los injustos no tendrán ningún auxiliador. [270] Dar la caridad públicamente es bueno, pero dar a los pobres en privado es excelente, eso lo quitará de ustedes algunos de sus pecados. Al'lá está bien informado de sus acciones. [271] Tú no es responsable para guiarles, es Al'lá Quien guía a quienes Él quiere. Cualquier riqueza que ustedes gastan en la caridad, es a su propia ventaja; con tal de que ustedes le den con el motivo de buscar el placer de Al'lá. Cualquier riqueza que ustedes gastan por la causa de Al'lá, se devolverá a ustedes por completo, y ustedes no serán tratados injustamente. [272] La Caridad es para esas personas necesitadas que están comprometidos tantos en la causa de Al'lá que ellos, debidos a su dedicación, no pueden desplazarse en la tierra para ganar su sustento: el ignorante piensa que ellos son adinerados a causa de su conducta modesta. Ustedes pueden reconocerlos por su aspecto, porque ellos no hacen las demandas insistentes a las personas. Cualquier cosa que ustedes gastan en ellos, ciertamente Al'lá lo conoce perfectamente. [273]   2: [270-273]

SECCIÓN: 38

Aquellos que gastan su riqueza en la caridad durante el día o por la noche, en el secreto o abiertamente, tendrán su premio por parte de su Rab. Ellos no tendrán nada que temer o lamentar. [274]   2: [274]

Aquellos que se mantienen en el estado de la usura no levantarán ante Al'lá excepto como aquellos que son derribados a la locura por el toque de Shaitãn. Eso es porque ellos exigen que: " Comerciar es no diferente que la usura," pero Al'lá ha hecho el comercio lícito y la usura ilícita. Él quien ha recibido la advertencia de su Rab y ha remendado sus modos puede guardar sus ganancias anteriores; Al'lá será su juez. Aquellos que retroceden (*repitan este crimen*), ésos serán los condenados al Fuego y en él vivirán para siempre. [275] Al'lá ha puesto Su maldición en la usura y ha bendecido la caridad para prosperar. Al'lá no ama a cualquier pecador ingrato. [276]   2: [275-276]

Aquellos que creen y hacen buenos hechos, establecen las oraciones regulares, y dan la caridad regular, tendrán su premio con su Rab. ¡Ellos no tendrán nada que temer o lamentar. [277] ¡Creyentes! Temen a Al'lá y renuncien lo que todavía es debido a ustedes de la usura, si ustedes son de verdad creyentes. [278] Si ustedes no lo hagan así, entonces la guerra se declarará contra ustedes por Al'lá y por Su Rasúl. Si ustedes se arrepienten, pueden retener a su principal, mientras no causando ninguna pérdida al deudor y no sufriendo ninguna pérdida de su parte. [279]

Si el deudor está en una dificultad, concédale tiempo hasta que es fácil para él rembolsar; pero si ustedes renuncian la suma como la caridad, será mejor para ustedes, ¡si ustedes lo entienden! [280] Ten Miedo al Día, cuando todos ustedes tienen que devolver a Al'lá; cuando cada uno se pagará lo que ha ganado por completo y ninguno se repartirá injustamente. [281]   2: [277-281]

SECCIÓN: 39

¡Creyentes! Cuando ustedes hagan un préstamo entre sí, para un periodo fijo del tiempo, póngalo por escrito. Permitan a un escritor apuntarlo, con la justicia, entre los partidos. El escritor, que es dado el regalo de alfabetización por Al'lá, no debe negarse a escribir; él está bajo la obligación de escribir. Permítale a quién incurre en la obligación (*el deudor*) el dictado, temiendo a Al'lá su Rab y no disminuyéndose nada del pago. Si el prestatario está mentalmente enfermo o débil o es incapaz de dictarse, permitan al guardián de sus intereses dictar para él con la justicia. Permitan dos personas entre ustedes como testigos a todos los tales documentos, si no pueden encontrarse dos hombres, entonces un hombre y dos mujeres de su opción deben llevar como los testigos, porque si una de las mujeres se olvide de algo, pues la otra puede recordarla. Los testigos no deben rehusarse cuando ellos están llamados para dar sus testimonios. No debes ser en contra de escribir (*su contrato*) precisando su vencimiento, aun cuando la deuda sea pequeña o grande. Esta acción es más justo para ustedes en la vista de Al'lá, porque eso facilita el establecimiento de evidencia y es la mejor manera de quitar todas las dudas; pero si es una transacción comercial común concluida entre ustedes mismos sin intermediarios, entonces no hay ningún reproche en ustedes si ustedes no lo ponen por escrito. Ustedes deben de tener testigos cuando ustedes hagan las transacciones comerciales. No permitan el daño al escritor, ni al testigo; y si ustedes hacen eso, ustedes serán culpables de la trasgresión. Teman a Al'lá; es Al'lá que enseña a ustedes y Al'lá es omnisciente. [282]   2: [282]

Si ustedes están en una jornada y no pueden encontrar a un escriba para apuntar la transacción, entonces lleven a cabo su negocio tomando posesión de una fianza. Si uno de ustedes confía de otro con un depósito, permiten al fideicomisario entregar la propiedad empeñada a su dueño, y temen a Al'lá, su Rab. No oculte el testimonio, y quienquiera lo oculta, su corazón es ciertamente pecador. Al'lá es consciente de todas sus acciones. [283]   2: [283]

SECCIÓN: 40

Todo lo que está en los cielos y en la tierra pertenece a Al'lá. Si ustedes revelan lo que está en sus mentes o los ocultan, Al'lá sí pedirá cuenta de ellos. Él, sin embargo, tiene la autoridad absoluta de perdonar o

Todos los trámites comerciales deben ser escritos – los préstamos, las deudas, y compra al crédito. Tener el testigo se requiere en todas las transacciones.

Si escribir no es posible, tome un depósito de seguridad- el fianza / hipoteca.

Al'lá llamará para ajustar las cuentas.

castigar a cualquiera que Él Le agrada. Al'lá tiene el poder completo sobre todas las cosas. [284] 2: [284]

La verdadera creencia de Profetas y de los musulmanes y la súplica de los creyentes.

El Rasúl ha creído en la Guía que se ha revelado a él de su Rab y también así creen los Creyentes. Todos ellos creen en Al'lá, en Sus ángeles, en Sus libros y en Sus Rasúles. Ellos dicen: "Nosotros no diferenciamos entre ninguno de Sus Rasúles." Y ellos han dicho: "¡Nuestro Rab! Oímos y obedecemos a ti. Concédanos Su perdón, ¡Rab! Todos nosotros tenemos que devolver hacia Ti." [285] Al'lá no pide a cualquier ser humano más de lo que él puede sostener. "Todos disfrutaremos el crédito de nuestras buenas obras y sufriremos los débitos de nuestras malas obras." Los creyentes piden: "¡Señor! No castigues a nosotros, si nosotros nos olvidamos o cometemos un error. ¡Nuestro Rab! No pongas en nosotros una carga como ha puesto en aquellos que procedieron a nosotros. ¡Nuestro Rab! No nos impongas el tipo de carga que nosotros no tenemos la fuerza de llevar. Absuélvenos, perdónenos, Tenga la misericordia de nosotros. Tú eres nuestro Protector, ayúdenos contra los incrédulos." [286] 2: [285-286]

3: Ã'LE IMRÃN

El periodo de Revelación:

Esta Süra, revelada en Madina, consiste en tres discursos. El primer discurso (el vv. 1-32 y vv. 64-120) aparece haber sido revelado poco después de la Batalla de Badr. El segundo discurso (el vv. 33-63) se fue revelado en 9 D.J. cuando la delegación de los cristianos de Najran visitó al Profeta. El tercer discurso (el vv. 121-200) se fue revelado después de la Batalla de Ujud.

Incluye los siguientes principios, Leyes y Guías divinas:

➤ *El testimonio de Al'lá sobre Él mismo.*
➤ *Los versos Firmes vs. Versos Alegóricos del Qur'ãn.*
➤ *La Verdadera religión en la vista de Al'lá es solamente el Islam.*
➤ *La única religión aceptable a Al'lá es el Islam.*
➤ *Hay que vivir siguiendo el Islam y morir como un musulmán paraconseguir la salvación.*
➤ *Los seguidores del profeta Isa (Jesús) eran los musulmanes.*
➤ *El nacimiento de Marllam (Maria), LLáj'lla (Joan) e Isa (Jesús) paz esté con ellos.*
➤ *' Mubajla' (requiriendo la decisión de Al'lá si el nacimiento de Jesús se disputa). Él nació sin un padre, como Adán (El primer hombre) nació sin los padres y Eva (La primera mujer) nació sin madre.*
➤ *La vida y la muerte son en las manos de Al'lá.*
➤ *No hay ningún escape de la muerte.*
➤ *Aquellos que son matados en el camino de Al'lá no están muertos, sino están vivos.*
➤ *Mujámad (la paz sea con él) es nada más que un Rasúl/Profeta de Al'lá.*
➤ *La prohibición de tomar a los incrédulos como sus protectores.*
➤ *La revisión crítica y las lecciones que fueron enseñadas durante la Batalla de Ujud.*
➤ *La primera Casa de Al'lá construida en la tierra se llama Ka'ba que es situada en la ciudad de Meca.*

Como en Süra Al-Baqará, los judíos fueron invitados a aceptar la guía. Semejantemente, en esta Süra, los cristianos son amonestados de dejar sus creencias erróneas y aceptar la guía del Qur'ãn. Al mismo tiempo, los musulmanes están instruidos de nutrir las virtudes, que permitirán de llevar a cabo su obligación de extender la guía Divina.

Los creyentes se habían encontrado con todas las clases de ensayos y penalidades, acerca de cuáles ellos fueron avisados en Süra Al-Baqará. Aunque ellos habían ser victoriosos en la Batalla de Badr, ellos todavía no estaban fuera del peligro. Su victoria había despertado la enemistad de todo esos poderes en Arabia que estaban opuestos al movimiento islámico. Los eventos amenazantes habían empezado a aparecer en todos los lados y los musulmanes estaban en un estado perpetuo del miedo y de la ansiedad. Este estado de emergencia también estaba afectando adversamente a su economía. La situación se puso peor por la entrada de los refugiados musulmanes de otros lugares.

Los clanes judíos que vivieron en los suburbios de Al-Madina, empezaron desechar a los tratados de alianza que ellos habían hecho con el Profeta a su llegada de Meca. Ellos habían desechado los tratados a la magnitud que durante la Batalla de Badr, estas "Gente de la escritura" estaban al lado de los mushrekïn de Quraish (a pesar del hecho que sus Artículos fundamentales de la Fe - como la Unidad de Al'lá, los profetas y la vida después de la muerte - estaban iguales a los de musulmanes). Después de la Batalla de Badr, ellos empezaron a juntarse, abiertamente, a los varios clanes árabes contra los musulmanes. La magnitud del peligro se puede juzgarse con el hecho que incluso la vida del Profeta estaba en el peligro todos los tiempos. Sus Compañeros dormían en su armadura y hacían las guardias por la noche para guardar contra cualquier ataque súbito. Siempre que el Profeta pasara estar fuera de la vista aún para un ratito, ellos partirían enseguida en busca de él.

Los judíos aún acercaron al Quraish para desafiar su ego, para vengar la derrota que ellos habían sufrido en la batalla de Badr, y habían prometido ayudarles desde dentro. Como resultado el Quraish marchó contra Al-Madina con un ejército de 3000 guerreros, para batallarse, al pie de la montaña Ujud. El Profeta salió del Madina con mil hombres para combatir contra el enemigo. Mientras ellos estaban marchando al campo de batalla, trescientos hipócritas abandonaron el ejército y devolvieron al Madina para descorazonar a los creyentes. Una banda pequeña de hipócritas, sin embargo, permanecía entre el setecientos quiénes acompañaron al Profeta. Ellos jugaron su parte e hicieron su máximo esfuerzos, para crear travesura y caos en las líneas de los Creyentes, durante la batalla. Ésta fue la primera indicación clara demostrándose que dentro del pliegue de la comunidad musulmana había un número grande real de los saboteadores que siempre estaban listos para conspirar con los enemigos externos y dañar a sus propios hermanos.

Estos trucos de los hipócritas jugaron un papel importante en el retroceso en la batalla de Ujud, aunque las debilidades de los musulmanes también contribuyeron a este retroceso. Los musulmanes eran una comunidad nueva, formaron en una nueva ideología y todavía no tenían conseguido el entrenamiento moral por completo. Naturalmente, en esta segunda prueba de su fuerza física y moral, algunas debilidades vinieron a la superficie. Por eso una revisión crítica detallada de la Batalla de Ujud fue hecha en esta Süra que fue necesitado para advertir a los musulmanes de sus limitaciones y emitir las instrucciones para su reforma.

3: Ã'LE IMRÃN

Esta Süra, revelada en Madina, tiene 20 secciones y 200 versos.

En el nombre de Al'lá, El Compasivo, El Misericordioso

SECCIÓN: 1

Alif L'ãm M'ïm [1]

¡Al'lá! No hay ningún dios excepto Él; el Viviente, el Eterno. [2] Él ha revelado a ti este Libro con la Verdad; confirmando las escrituras que precedieron. Él reveló anteriormente el Taurãt (*tora*) e Inyíl (*Gospel o Evangelio*), [3] como una guía para la humanidad y reveló esta Escritura como Al-Furqãn (*el criterio con que uno puede juzgar entre el bien y el mal.*) Ciertamente aquellos que rechazan las revelaciones de Al'lá van a ser castigados severamente; Al'lá es todo Poderoso y capaz de retribución. [4] Ciertamente no hay nada que hay en la tierra o en el cielo que es oculto a Al'lá. [5] Él es Quién forma sus cuerpos, en los úteros de sus madres, como Él Le agrada. No hay ningún dios excepto Él; el Poderoso, el Sabio.[6]   3: [1-6]

Es Al'lá Quien ha revelado la Tora, Evangelio y el Qur'ãn.

Él es Quien ha revelado a ti la escritura. Algunos de sus versos son firmes - que son la fundación de la escritura - mientras otros son alegóricos. Aquellos cuyos corazones son infectados con el escepticismo, siguen la parte alegórica para desencaminar a otros y darle su propia interpretación, buscando para sus significados ocultos, pero nadie sabes sus significados ocultos excepto Al'lá. Aquellos que son conectados bien con el conocimiento dicen: "Creemos en él; todos son de nuestro Rab." Ninguno pondrá la atención excepto las personas de comprensión. [7] Ellos dicen: "¡Nuestro Rab! No permites a nuestros corazones desviarse de la Verdad después de que nos has guiado, y concédenos Su propia misericordia; Tú eres el Otorgador de las generosidades sin medición. [8] ¡Nuestro Rab! Ciertamente reunirás toda la humanidad ante Ti en el Día acerca de cuál no hay ninguna duda; ciertamente Al'lá no rompe Su promesa." [9]   3: [7-9]

Firme vs. Los versos alegóricos.

La súplica de los Creyentes.

SECCIÓN: 2

Ni su riqueza ni sus hijos salvarán a los incrédulos de la ira de Al'lá: ellos son los que se volverán combustible del Fuego del infierno. [10] Su fin estará al igual que de las personas de Fir'on (*Faraón*) y sus predecesores que negaron Nuestras revelaciones, por lo tanto Al'lá les castigó por sus pecados. Al'lá es estricto en la retribución. [11] Diga a los incrédulos: "Pronto ustedes van a ser vencidos y a la vez manejados al Infierno - que es un refugio horrible. [12] Había una señal, de hecho (*la lección*), para ustedes en los dos ejércitos que se encontraron en el campo de batalla (*de Badr*): uno estaba combatiendo para la causa de Al'lá y el

Aviso a los incrédulos y la lección de la Batalla de Badr.

otro había rechazado a Al'lá; los creyentes vieron con sus propios ojos que los incrédulos eran dos veces su número. Pero el resultado de la batalla demostró que Al'lá fortalece con Su propia ayuda a quien Él quiere. Hay una lección, ciertamente, en esto para aquellos que tienen la visión. [13]

3: [10-13]

Los consuelos de esta vida vs. La vida en el Día del Juicio.

La vida de los hombres se tienta por la lujuria y deseos para las mujeres, para los hijos varones, para la acumulación de tesoros del oro y de la plata, para los caballos de raza pura, para las riquezas de ganado y plantaciones. Éstos son los consuelos por la vida transitoria de este mundo; los mejores y eterno consuelos, sin embargo, están con Al'lá. [14] Diga: "¿Quieren que informo a ustedes acerca de las cosas que son mejores que éstos, con que el virtuoso se premiará por su Rab? Habrán jardines por cuyos bajo fluyen los ríos en los que vivirán para siempre con las esposas de castidad perfecta y con el placer de Al'lá. Al'lá está mirando a Sus siervos muy estrechamente." [15] Las personas virtuosas son aquellos que oran: "¡Nuestro Rab! Creemos atentamente en Ti: por favor perdone nuestros pecados y presérvanos de la agonía del Fuego infernal;" [16] y ellos también son pacientes, sinceros, obedientes, y caritativos, y quienes oran al rayar el alba para pedir perdón. [17] 3: [14-17]

El testimonio de Al'lá sobre Él mismo y que la verdadera religión en la vista de Al'lá es Al-Islam.

Al'lá si mismo ha testificado al hecho que no hay ningún dios excepto Él y así ha hecho los ángeles y aquellos que son bien conectados (*enterrados*) en el conocimiento (*científico*) que son firme en lo que es justo. No hay ningún iláh (*dios*) excepto Él, el Poderoso, el Sabio. [18] Ciertamente, en la vista de Al'lá, el único Dïn (*la verdadera religión y el estilo de vida Correcto*) está Al-Islam. Aquellos a quienes se dio la Escritura no adoptaron las maneras diferentes que esto; excepto fuera de envidia entre ellos; sino después de que el verdadero conocimiento había venido a ellos. Ellos deben de saber que Al'lá es veloz en pedir cuenta a aquellos que niegan Sus revelaciones. [19] Luego, si ellos discuten contigo, dígales: " Yo me he sometido completamente a Al'lá y así también aquellos que me siguen." Entonces pregúntales aquellos que son dados la escritura y aquellos que son analfabetos: ¿Ustedes también someterían a Al'lá?" Si ellos se vuelven ser musulmanes se guiarán debidamente pero si ellos retroceden, tú no tiene por qué preocupar, tu única responsabilidad es llevar el Mensaje. Al'lá está mirando a todos Sus siervos muy estrechamente. [20] 3: [18-20]

SECCIÓN: 3

Aviso a los incrédulos.

Des una advertencia a aquellos que niegan las revelaciones de Al'lá, aquellos que matan a los Profetas sin cualquier justificación y quienes matan a las personas, de entre ellos, que mandan la justicia, hay un castigo doloroso para ellos. [21] Éste tipos de personas son cuyos hechos se volverán nulos en este mundo y en el Día de la Justicia, y ellos no tendrán ningún auxiliador. [22] ¿No has visto la conducta de aquellos (*los judíos*) a quienes se ha dado una porción de la escritura? Cuando ellos estén invitados a resolver sus disputas según la escritura de Al'lá, algunos de ellos retroceden y declinan. [23] Esto es porque ellos dicen: " El fuego del Infierno no nos tocará; aun cuando hiciera, sería para unos días." En su religión ellos se engañan por sus propias creencias. [24] ¿Qué van a hacer en el Día, que seguramente va a venir, cuando les reuniremos y cuando cada alma se dará lo que ha ganado y no habrá ninguna injusticia?[25]   3: [21-25]

La fe de los judíos y de los cristianos.

Diga: "¡Al'lá! Amo de todo el Majestad, entregas el reino a quien Tú quieres y quitas el reino de quien Tú quieres; das el honor a quien Tu favoreces y das la desgracia a quien Tú quieres; todo el bien está en Tu mano; ciertamente tienes el poder sobre todo. [26] Causas la noche pasar en el día y el día que pase en la noche; sacas lo vivo de lo muerto y lo muerto de lo vivo; y provees el sustento a cualquiera que Tu deseas sin medida."[27]   3: [26-27]

Al'lá es Quién controla el reino y el honor.

Los creyentes no deben de tomar a los incrédulos como sus protectores (*amigos íntimos*) en lugar de los creyentes; cualquiera que hace así, no tendrá nada que esperar de Al'lá - excepto que hagan como una precaución para guardarse contra su tiranía. Sin embargo, Al'lá lo advierte que tengan cuidado con Él: porque su último refugio está con Al'lá. [28] Diga: "Si ocultas lo que está en su corazón o lo revelas, Al'lá lo conoce. [29] Él sabe cualquier cosa que está en los cielos y en la tierra. Al'lá tiene el poder completo sobre todo. En el día del Juicio, cuando cada alma se confrontará con lo que ha hecho del bien - en cuanto a sus hechos malos, deseará que ellos estuvieran muy lejos de él. Al'lá lo advierte que tengan cuidado con Él. Al'lá es lleno de bondad hacia Sus devotos. [30]   3: [28-30]

La prohibición de tomar a los incrédulos como sus protectores.

SECCIÓN: 4

Dígales: "Si ustedes aman a Al'lá atentamente, entonces síganme; Al'lá también lo amará y perdonará sus pecados. Al'lá es Perdonador, Misericordioso." [31] También les diga, "Obedezcan a Al'lá y a Su Rasúl." Aún después de esto, si ellos retroceden, adviértales, que Al'lá no ama a los incrédulos. [32]   3: [31-32]

Orden de Al'lá para obedecer y seguir al Profeta.

De hecho Al'lá exaltó a Adán, Nüj (*Noé*), la familia de Ibrãjïm (*Abraham*) y la familia de Imrãn sobre todos los mundos. [33] Ellos eran, entre sí, los descendientes de unos de otros. Al'lá todo lo oye y todo lo sabe. [34]   3: [33-34]

Los Profetas de la clasificación jerárquica altos.

Al'lá oyó cuando la esposa de `Imrãn dijo, "¡Rab mío! Dedico a Su servicio lo que hay en mi útero. Por favor acéptelo de mí. Tu eres único que oyes todo y sabes todo." [35] Cuando ella dio luz a una hija en lugar de un hijo, ella dijo: "¡Rab mío! He dado luz a una hija," - Al'lá sabía muy bien lo que ella había parido - y que el varón no es igual que una

El nacimiento y crecimiento de Marllam (María).

hembra, "la he nombrado mi hija Marllam (*María*) y busco Tu protección para ella y su descendencia de la travesura del maldito Shaitãn." [36] Su Rab aceptó a esa muchacha cortésmente. La hizo crecer como una muchacha buena y la confió al cuidado de Zakárilla. Siempre que Zakárilla entraba en el santuario para verla, encontraba ella con su comida. Él preguntaba, "¡Marllam! ¿De dónde conseguiste eso?" Ella contestaba, "Vino de Al'lá." De hecho, Al'lá da sin medida a quien Él quiere. [37]   3: [35-37]

La súplica de Zakarilla para su hijo LLáj'lla (Juan).

Entonces Zakárilla invocó a su Rab pediendo: "Concédame una descendencia virtuosa como Tu favor especial; ciertamente Tu eres que oye todas las oraciones." [38] Cuando él estaba de pie, mientras que estaba orando en el Mejrãb (*un lugar de la oración en el santuario*) los ángeles le llamaron diciendo: "Al'lá te da buenas noticias de un hijo nombrado LLáj'lla (*Juan*), él confirmará la palabra de Al'lá, será un gran líder, casto y un Profeta de entre los virtuosos." [39] Él dijo: "¡Rab mío! ¿Cómo puedo tener un hijo ahora, ya que ha alcanzado una vejez y mi esposa es estéril?" "Así es la voluntad de Al'lá " Él contestó, " Al'lá hace lo que Él quiere." [40] Zakárilla dijo: "¡Rab mío! Concédame una señal." Dijo: "Tu señal es que no podrás hablar a la gente durante tres días exceptúe a través de las señas. Durante este tiempo debes recordar mucho de tu Rab y debe glorificarlo por anochecer y por la mañana." [41]   3: [38-41]

SECCIÓN: 5

El estado de Marllam (María) entre las mujeres del mundo.

Allí llegó el momento cuando los ángeles dijeron: ¡"Marllam! Ciertamente Al'lá te ha exaltado, te ha purificado, y te ha preferido para Su servicio encima de todas las mujeres de los mundos. [42] ¡Marllam! Seas obediente a tu Rab, postras y arqueas abajo en adoración junto con otros adoradores." [43] Estas son las noticias de lo oculto que estamos revelando a ti. No estabas presente con ellos cuando sacerdotes del templo lanzaron sus plumas para decidir quién de ellos va a hacer el encargado de Marllam; Ni eras con ellos cuando ellos disputaban acerca de eso. [44]

3: [42-44]

Y las noticias del nacimiento Isa (Jesús).

Cuando los ángeles dijeron " ¡Marllam! Al'lá te da las buenas noticias con una Palabra que procede de Él que darás luz a un hijo: su nombre será el Mesías, Isa (Jesús Cristo) el hijo de Marllam. Él será noble en este mundo y en el Día de la Justicia; y él será de aquellos que son muy cerca de Al'lá. [45] Él hablará a la gente en la cuna y en su vejez y él será entre los virtuosos." [46]   3: [45-46]

El nacimiento de Isa (Jesús) el hijo de Marllam

Oyendo esto, Marllam dijo, "¡Rab mío! ¿¡Cómo puedo tener un hijo cuándo ningún hombre me ha tocado!?" Él contestó, "Aun así, Al'lá crea, sin embargo, como Él quiere; siempre que Él decide hacer algo, Él sólo le dice, ' Sé ' y es. [47] Al'lá enseñará a tu hijo la escritura, la Sabiduría, el Taurãt (*Tora*), y el Inÿïl (*Evangelio*) [48] y será como un Rasúl a los Hijos de Israel con este mensaje: ' He traído para ustedes las señales de mi designación de su Rab. Voy a constituir la semejanza de un pájaro de la arcilla; respiraré en él y, con el permiso de Al'lá, se volverá un pájaro viviente. Sanaré a los ciegos y los leprosos, y resucitaré a los muertos, con permiso de Al'lá. Además, diré lo que ustedes han comido y lo que ustedes han guardado en sus casas. Ciertamente éstas son las señales para convencerlos si ustedes son creyentes. [49] Fui designado para confirmar lo que fue ante de mí del Taurāt (*tora*) y hacer lícito a ustedes alguna de las cosas prohibidas a ustedes. He traído para ustedes las señales de su Rab, por consiguiente temen a Al'lá y obedecen a mí. [50] De hecho, Al'lá es mi Rab así como suyo, por consiguiente, se lo rinden adoración a Él; ésta es la Vía Recta."[51]　　　　　3: [47-51]

Milagros que fueron dados a Isa (Jesús).

Cuando Isa (*Jesús*) averiguó que ellos (*la mayoría de los Hijos de Israel*) no tenían la fe, él preguntó: "¿Quién me ayudará en la causa de Al'lá?" Los Discípulos contestaron: "Nosotros somos ayudante en la causa de Al'lá. Creemos en Al'lá. ¡Seas nuestro testigo que somos musulmanes." [52] Entonces ellos invocaron a Al'lá y dijeron: "¡Nuestro Rab! Creemos en lo que has revelado y seguimos Su Rasúl. Por favor cuéntenos entre aquellos que dan testimonio." [53]　　　　　3: [52-53]

Los seguidores de Isa (Jesús) eran los musulmanes.

Los incrédulos entre los Hijos de Israel planearon en contra del Isa y Al'lá también hizo Su plan (*para elevarlo a él*), y Al'lá es el Mejor planeador. [54]　　　　　3: [54]

La conspiración para matar Profeta Isa (Jesús) (pece).

SECCIÓN: 6

Al'lá dijo: "¡Isa (*Jesús*)! Yo voy a revocarte (*de su misión*) y voy a elevarte a Mí. Yo te limpiaré de aquellos que te rechazaron y exaltare a tus seguidores sobre los incrédulos hasta el Día de la Resurrección; luego a Mí será su retorno y juzgare en que ustedes han sido disputando. [55] Aquellos que son los incrédulos, castigare con el castigo severo en este mundo y en el Día de la Justicia; ellos no tendrán ningún auxiliador. [56] en cuanto a aquellos que creen y hacen los hechos buenos, Al'lá les pagará su premio debidamente. Al'lá no ama a los transgresores." [57]　　　　　3: [55-57]

La promesa de Al'lá a Isa (Jesús) (pece).

Esta revelación que recitamos a ti, está llena de señales y de recordatorios sabios. [58] De hecho, el ejemplo del nacimiento de Isa (*Jesús*) en la vista de Al'lá es como el ejemplo de Adán, quien no tenía ni padre ni madre y a quien Él creó fuera de tierra, entonces le dijo, " Sea " y él era. [59] Ésta es la Verdad que viene de tu Rab, por consiguiente, no seas entre aquellos que dudan. [60] Si alguien disputa contigo acerca de esto (*el nacimiento de Jesús*) después de recibir conocimiento completo que ha venido a ti, dígales: "¡Vengan! Vamos llamar a nuestros hijos y a sus hijos, a nuestras mujeres y a sus mujeres, a nosotros mismos y a ustedes mismos, luego pidamos sinceramente e invocamos la maldición de Al'lá que caiga sobre los que mientan." [61] Sin duda, ésta es la verdadera explicación absoluta. La verdad es, que no hay ningún dios sino Al'lá; y

El nacimiento de Isa (Jesús) se compara a la creación de Adán.
Mubáj'la ": Invocación para la decisión de Al'lá si el nacimiento del Isa (Jesús) se

disputa.

La llamada para la unidad con los judíos y cristianos en lo que es común entre ellos y musulmanes. La religión de Ibrãjïm era el Islam. Los musulmanes son los seguidores de Ibrãjïm.

con certeza Al'lá es el Poderoso, el Sabio. [62] Pero si ellos se niegan de aceptar este desafío, será la prueba clara de su travesura y Al'lá tiene el conocimiento completo de los corruptores.[63]   3: [58-63]

SECCIÓN: 7

Diga: ¡Gente de la Escritura! Vamos seguir lo que es común entre nosotros y ustedes mutuamente: que nos rendiremos adoraciones a nadie más que Al'lá; que no asociaremos a cualquier compañero con Él; que no tomaremos de entre nosotros cualquier señor al lado de Al'lá." Si ellos rechazan tu invitación entonces les diga: "¡Sean testigos que nosotros somos los musulmanes!" (*Quienes han sometidos a Al'lá*). [64] ¡Gente de la Escritura! ¿Por qué ustedes disputen con nosotros acerca de Ibrãjïm, que sí él era un judío o un cristiano? ¿Acaso ustedes no saben que el Taurãt (*tora*) y el Inÿïl (*el Evangelio*) fueron revelados mucho tiempo después de él? ¿Porque no reflexionan? [65] Hasta ahora ustedes han estados discutiendo acerca de cosas que ustedes tenían muy poco de conocimiento ¿Deben Ustedes discutir, ahora, sobre algo de lo que ustedes no saben nada en absoluto? Al'lá sabe mientras ustedes no lo saben. [66] Ibrãjïm no era un judío ni un cristiano sino él era un musulmán, verídico en la fe. Él no era nada como los Mushrikïn (*quienes asocian compañeros con Al'lá*). [67] Ciertamente las personas más cercanas a Ibrãjïm son aquellos que siguen a él, entre ellos es este Profeta y aquellos que creen con él; Al'lá es el Protector de aquellos que son los creyentes. [68] Un grupo de la gente de la Escritura quisiera desencaminarlos. ¡Pero ellos no desencaminan ninguno excepto a ellos mismos, aunque ellos no lo comprenden! [69] ¡Gente de la Escritura! ¿Por qué ustedes niegan las revelaciones de Al'lá siendo testigos de la Verdad? [70] ¡Gente de la Escritura! ¿Por qué hacen confundir la Verdad con la falsedad y sabiéndolo ocultan la Verdad?

3: [64-71]

IÓN: 8

Los hipócritas entre los judíos y cristianos.

Algunos de la Gente de la Escritura dicen entre sí: "Crean lo que se revela a los creyentes (los musulmanes) por la mañana y lo niegan por la tarde; para que ellos (*los musulmanes*) puedan seguir este patrón hasta que abandonan su fe. [72] No sigan a nadie excepto al que sigue su propia religión". Dígales: "La única verdadera guía es la guía de Al'lá." Estas personas de la Escritura no creen que la revelación pudiera enviarse a cualquiera además de ellos, así como que se haya enviado a ti; o que ellos argumentaran contigo ante su Rab. Dígales: "Con seguridad, la gracia está en las manos de Al'lá: Él lo dispensa a quien Él agrada; Al'lá tiene el conocimiento ilimitado." [73] Él escoge para Su misericordia a quien Él agrada, Al'lá es el Dueño de gracia inmensa. [74]   3: [72-74]

Entre las Personas de la escritura hay algunos que, si confías en ellos con un montón de oro, te lo devolverán prontamente; y hay otros que, si confías en ellos con un solo dinãr (*la moneda color de plata*) no te devolverán atrás a menos que sigues exigiendo constantemente; porque ellos dicen, " Nosotros no vamos a ser llamados para responder de nuestra conducta con los analfabetos (*lo que no son judíos o cristianos*)." Así ellos atribuyen una mentira deliberadamente a Al'lá - sabiendo bien que Él nunca permitió tal maldad. [75] De hecho, aquellos que mantienen sus promesas y guardan contra el mal son Sus queridos, es que Al'lá ama sólo a aquellos que se guardan contra los males. [76] De hecho, aquellos que venden la alianza de Al'lá y sus propios juramentos para un precio pequeño, no tendrán ninguna porción en el Día de la Justicia. Al'lá no les hablará ni incluso les mirará ni les declarará limpios de sus pecados en el Día del Juicio. Ellos tendrán el castigo doloroso. [77] Hay algunos entre ellos quienes tuercen sus lenguas pretendiendo como cotizo de su Libro Santo; para que puedas pensar que lo que ellos leyeron es una parte de la Escritura, considerando que, verdaderamente eso no es ninguna parte de la Escritura. Ellos también afirman, " es de Al'lá " cuando por el contrario, no es de Al'lá. Así ellos atribuyen una mentira deliberadamente a Al'lá.[78]

3: [75-78]

Hay algunos judíos y cristianos que son buenos, y otros malos y ellos estafan cuando citan de su Libro Santo.

No es posible para un hombre quien Al'lá le ha dado la Escritura, la Sabiduría y el Profetismo que él diría a las personas: " Ríndanme veneración a mí en lugar de rendir a Al'lá". Al contrario él diría: "Sean devotos adoradores de su Rab de acuerdo con la escritura Santo que ustedes mismo han estado enseñando y han estado leyendo." [79] Él nunca les pediría que tomaran a los ángeles y los profetas como sus señores. ¿Pediría a ustedes que vuelvan incrédulos después de que ustedes se hicieron musulmánes (*creyentes*)? [80]

3: [79-80]

Isa (Jesús) nunca dijo que rendan culto a él en lugar de Al'lá

SECCIÓN: 9

Al'lá tomó un pacto con los Profetas, diciendo: "Ahora que ustedes se han dado la escritura y Sabiduría; allí vendrá a ustedes un Rasúl que confirmará lo que está con ustedes, tendrán que creer en él y ayudarle en su misión." Luego Él preguntó "¿Afirman ustedes este convenio y están de acuerdo en tomar esta responsabilidad pesada?" Los Profetas contestaron, "Sí, nosotros afirmamos." Al'lá dijo, "Muy bien, hagan testigos de esto y Yo también hago testigo junto con ustedes." [81] Cualquiera que retrocede después de esto, volverá ser el trasgresor. [82]

3: [81-82]

El pacto que Al'lá tomó de todos los Profetas acerca del Mujámad (pece) el Último profeta

¿Acaso están buscando una religión afuera de prescrito Dïn (*la religión y estilo de vida*) de Al'lá? Sabiendo bien que todos lo que hayan en los cielos y en la tierra, con o sin voluntad, han sometidos a Él, y hacia Él todos van a devolver. [83] , Dígale: " Nosotros creemos en Al'lá y lo que se revela a nosotros y lo que se reveló a Ibrãjïm (*Abraham*), Isma`il (*Ismael*), Isjãq (*Isaac*), Lla'qüb (*Jacobo*) y sus descendientes; y en lo que se dio a Musa (*Moisés*), a Isa (*Jesús*) y a otros Profetas procedente de sus Rab; No diferenciamos entre cualquier de ellos, y a Al'lá sometemos en Islam." [84] Si alguien está buscando una religión afuera del Islam,

Ninguna religión es aceptable a Al'lá que no sea Al-Islam.

entonces sepa que no se le aceptará; y en el Día de la Justicia estará entre los perdedores. [85]   3: [83-85]

La maldición de Al'lá, de los Ángeles y de toda la humanidad en los incrédulos. El destino de los incrédulos que se mueren como incrédulos.

¿¡Cómo es posible que Al'lá guiara a las personas que cometen Kufr (*rechazo de la fe*) después de su Imãn (*la aceptación de fe*), después de haber sido testigo de la veracidad del Rasúl, y de haber recibido pruebas claras!? Al'lá no guía a los tales injustos. [86] El premio de tales personas como retribución es, la maldición de Al'lá, de los ángeles y de toda la humanidad. [87] Ellos permanecerán eternamente bajo ella; no les disminuirá su castigo, ni les serán dados espera. [88] Sin embargo, aquellos que se arrepienten después de esto y remiendan sus maneras, pues entonces, Al'lá está Perdonador, Misericordioso. [89] Sin embargo, aquellos que dejan de creer después de haber creído, luego siguen agregando a su escepticismo, su arrepentimiento nunca se les aceptará; porque ellos escogieron ir descaminado intencionalmente. [90] Acerca de aquellos que son incrédulos y murieron mientras ellos eran los incrédulos, si ellos tuvieran la tierra llena de oro y lo ofrecieran como un rescate para cada uno de ellos, no se les aceptaría; tendrán un castigo doloroso, y no tendrán ningún auxiliador. [91]   3: [86-91]

ỸÚZ (PARTE): 4

SECCIÓN: 10

El criterio para la rectitud.

Ustedes nunca puedan realmente lograr la piedad a menos que gastan en la causa de Al'lá de lo que ustedes aprecian amorosamente; y cualquier cosa que ustedes gastan, ciertamente, Al'lá conoce muy bien. [92]
3: [92]

La comida lícita e ilícita para los Hijos de Israel.

Toda la comida que es lícita en la Ley islámica también era jalâl (*lícita*) para los Hijos de Israel excepto lo que Israel (*Lla'qüb*) había hecho jarâm (*ilícito*) para él mismo, antes de que la Taurât (*tora*) fuera revelada a Musa. Dígales: "Traigan la Tawrât (*tora*) y lean cualquier pasaje en el apoyo de lo que ustedes dicen, si es verdad lo que dicen." [93] Entonces, quienquiera que fabrique una mentira contra Al'lá después de esto, será de hecho muy injusto. [94] Dígales: "Al'lá ha declarado la Verdad. Si ustedes son sinceros, entonces sigan la fe de Ibrãjïm (*Abraham*); quien era erguido y no era un mushrik (*Lo que asocia alguien con Al'lá*)". [95]
3: [93-95]

La primera Casa para la adoración de Al'lá lo que fue construida para la humanidad es en Ba'ká (*Meca*), un sitio bendito y una guía para todos los mundos. [96] Hay en ella las señales claras: la Estación de Ibrãjïm (*Abraham*); quienquiera que entre en ella, estará en paz. El desempeño de la peregrinación a esta Casa es un deber prescrito por Al'lá, para todos que disponen el lujo de la jornada a ella; y el quien desobedece este mando debe saber que Al'lá es Autosuficiente, más allá de la necesidad de cualquier cosa de los mundos. [97]   3: [96-97]

> La primera Casa de Al'lá en la tierra.

Dígales: ¡Gentes de la Escritura! ¿Por qué ustedes niegan las revelaciones de Al'lá? El propio Al'lá es un testigo a sus acciones". [98] Dígales: ¡Gentes de la Escritura! ¿Por qué obstruyen a los creyentes del camino de Al'lá y desean que ellos siguen el camino tortuoso, aunque ustedes son los testigos de la Verdad? Al'lá es muy atento de lo que ustedes hacen." [99] ¡Creyentes! Si ustedes obedecerán a un grupo de aquéllos que fueron dados la escritura, retrocederían a ustedes de la creencia a la incredulidad. [100] ¡Sólo piensan!, ¿Cómo ustedes pueden dejar de creer por causa de sus declaraciones, cuándo las revelaciones de Al'lá están ser recitadas a ustedes y el Rasúl de Al'lá está entre ustedes? Quienquiera que se aferre a Al'lá, se guiará, de hecho, hacia la Vía Recta. [101]   3: [98-101]

> El escepticismo de los judíos y de los cristianos.
>
> No obedezcas a los judíos ni a los cristianos.

SECCIÓN: 11

¡Creyentes! Teman a Al'lá como debe de ser temido y no deban morirse sino siendo verdaderos musulmanes. [102] Manténgase unidos y agarren fuertemente la cuerda de Al'lá (*la Fe en Islam*) y no sean divididos entre ustedes mismos. Recuerden los favores de Al'lá en ustedes cuando ustedes eran como enemigos; Él unió sus corazones, y por Su gracia ustedes se volvieron ser como hermanos; ustedes estaban en el borde del hoyo ardiente y Él los salvó de él. Así Al'lá hace Sus revelaciones aclarar a ustedes, para que ustedes puedan guiarse debidamente. [103]   3: [102-103]

> Vívanse en Islam, muéranse como un musulmán, y no sean divididos entre ustedes mismos.

Debe ser un grupo de personas de entre ustedes que invite a la rectitud, mande lo que es bien y prohíbe lo que es mal; tales personas que obran así tendrán el éxito. [104] Y no sean como aquéllos, quienes dividieron en las sectas y quienes empezaron a discutir entre uno y otro después de que las revelaciones claras habían venido a ellos. Esos que fueron responsables para la división y de los argumentos serán castigados severamente. [105] En el Día cuando algunos rostros serán radiantes con la alegría y otros oscurecerán con la melancolía. Se dirá a los que tienen sus rostros oscuros: "¿Adaptaron ustedes la manera de escepticismo, después de abrazar la Verdadera Fe?" Entonces gusten el castigo para haber adoptado la manera de escepticismo". [106] En cuanto a los que tienen sus frentes radiantes, ellos estarán en la Misericordia de Al'lá y morarán en eso para siempre. [107] Éstas son las Revelaciones de Al'lá, Nosotros los

> El castigo para aquéllos que dividen a los musulmanes en las sectas.

recitamos a ustedes conforme a la Verdad; Al'lá no quiere ninguna injusticia para nadie de los mundos. [108] Todos que están en los cielos y en la tierra pertenecen a Al'lá y todas las cosas devuelvan a Al'lá para Su decisión. [109]   3: [104-109]

SECCIÓN: 12

Los musulmanes son la mejor nación que evolucionó para mandar El bien y prohibir el mal.

Ustedes son la mejor nación, que jamás se haya suscitado para la guía de la humanidad. Ustedes mandan lo que es bien, y prohíben lo que es mal, y creen en Al'lá. Si las gentes de la escritura (*los judíos y los cristianos*) creyeran, habría sido ciertamente mejor para ellos. Hay entre ellos creyentes, pero la mayoría de ellos son los transgresores. [110] Sin embargo, ellos no pueden hacer el daño a ustedes exceptúe que sea una molestia fútil; si ellos combaten contra ustedes, se darán sus espaldas y correrán lejos, luego no conseguirán la ayuda en cualquier parte. [111] La humillación es prescrito para ellos dondequiera que se encuentren, excepto cuando ellos están bajo un convenio de protección de Al'lá y de otra gente; ellos han incurrido en la ira de Al'lá. Y ellos se han marcados con la miseria porque ellos descreyeron las revelaciones de Al'lá y mataron a Sus profetas injustamente. Esto es porque ellos desobedecieron y transgredieron los límites. [112] Aun así, todos ellos no son iguales: hay algunos entre las Gentes de la escritura que son honrados, quienes recitan las revelaciones de Al'lá a lo largo toda la noche y luego también se postran ante Él. [113] Ellos creen en Al'lá y en el Último Día, ellos mandan lo que es bien y prohíben lo que es mal y compiten apresuradamente en los hechos buenos. Éstas son las personas virtuosas. [114] Lo que hacen de bien, su premio no se negará a ellos; Al'lá conoce muy bien a los que Le temen. [115]   3: [110-115]

Algunas Personas virtuosas entre la Gente de la escritura.

La caridad hipócrita. Y La amistad íntima sólo debe estar con las creyentes.

Ciertamente, aquéllos que son los incrédulos, ni su riqueza ni sus hijos les protegerán en lo más mínimo de la ira de Al'lá; ellos serán los presos del Fuego del Infierno y vivirán en eso para siempre. [116] El Ejemplo de lo que ellos gastan en esta vida es como de un viento helado que golpea y destruye el cultivo de las personas que se han hecho mal (*es la falta de fe que hace su premio nulo y sin valor*); Al'lá no es injusto con ellos. ¡Son ellos mismos quienes han hecho la injusticia a sus propias almas! [117] ¡Creyentes! No hagan las amistades íntimas con cualquiera que no sea de sus propias gentes. Los incrédulos no perderán cualquier oportunidad de adulterarlos. Ellos desean nada más que su destrucción: su malicia se ha puesto evidente de lo que ellos dicen; y lo que ellos ocultan en sus corazones es aún peor. Hemos explicado claramente Nuestras revelaciones a ustedes, si es que ustedes quieren comprender. [118] Aunque ustedes aman a ellos pero ellos no lo aman a ustedes, aunque ustedes creen en sus Libros Santos (*los Salmos, el tora, y los Evangelios*). Cuando ellos se encuentran a ustedes, dicen "Nosotros también creemos en su profeta y su Qur'ãn"; pero cuando ellos están solos, ellos muerden sus yemas de los dedos en la rabia contra ustedes. Dígales: "¡Ojala que perecen en su rabia!" Ciertamente, Al'lá sabe bien lo que encierran los pechos. [119] Cuando ustedes son benditos con una buena fortuna, se aflige a ellos; pero si un poco de infortunio les da alcance a ustedes, ellos regocijan. Si ustedes son pacientes y guardan ustedes mismos contra el mal, sus esquemas no dañarán a ustedes de ninguna forma. Ciertamente, Al'lá abarca todas sus acciones. [120]   3: [116-120]

SECCIÓN: 13

Recuérdate de esta mañana cuando dejaste tu familia a primera hora de la mañana para asignar a los creyentes a sus puestos de la batalla (*en la Batalla de Ujud*): Al'lá todo lo oye y todo lo sabe. [121] Recuérdate, cuando dos tropas de entre ustedes proyectaron a abandonar y Al'lá les protegió a través de fortalecer sus corazones. Pues, los creyentes deben de poner su confianza solamente en Al'lá. [122] Al'lá, ciertamente ayudó a ustedes en la Batalla de Badr cuando ustedes estaban inferiores (*en números y armas*). Por consiguiente, temen a Al'lá; ¡Quizás así, ustedes puedan ser agradecidos! [123] Recuérdate, cuándo dijiste a los creyentes, "¿No es bastante que Al'lá envíe abajo tres mil ángeles para ayudarlos?" [124] ¡Claro! Si ustedes permanecen pacientes y píos, Al'lá no enviará a su ayuda tres mil sino cinco mil especialmente marcados ángeles en caso de un ataque súbito del enemigo. [125] Al'lá le ha dicho esto como las noticias buenas y para que sus corazones puedan ser tranquilos, por eso; la victoria sólo viene de Al'lá Quien es Poderoso, el Sabio. [126] Al'lá envió la ayuda de Ángeles para los creyentes para compensar la ayuda de Shaitânes a los incrédulos para que Él pudiera cortar un flanco de los incrédulos o derrotarlos, así haciéndoles retirar con la desilusión absoluta. [127] ¡Profeta!, tú no tienes la autoridad para decidir el asunto; depende de Al'lá si perdonará o castigará por la causa de que ellos son injustos. [128] A Al'lá pertenece, todo lo que está en los cielos y en la tierra. Él perdona a quien Él Le agrada y castiga quien Él quiere. Al'lá es Indulgente, Misericordioso. [129]   3: [121-129]

> Las lecciones de la Batalla de Ujud. La ayuda de Al'lá a los creyentes. El Profeta no tiene la autoridad para perdonar a los pecadores.

SECCIÓN: 14

¡Creyentes! No consuman la usura que se multiplica una tras otra vez. Tengan temor a Al'lá para que ustedes puedan prosperar. [130] Y temen contra el Fuego que es preparado para los incrédulos. [131] Obedecen a Al'lá y a Su Rasúl para que ustedes puedan recibir la misericordia. [132] Y apresuran hacia el perdón de su Rab y al paraíso tan inmenso que su anchura es como los cielos y la tierra unidos, y es preparada para los virtuosos. [133] Aquéllos que gastan generosamente en el camino de Al'lá, sea en la prosperidad o en la adversidad; los que controlan su enojo y perdonan a otras personas, Al'lá ama a tales caritativos. [134] Quienes, en caso de comprometer una indecencia o hacer el mal a sus propias almas, seriamente recuerdan a Al'lá y buscan el perdón por sus pecados; porque nadie puede perdonar los pecados aparte de Al'lá, y aquéllos que

> La prohibición de usura. Y Al'lá ama a las personas caritativas.

sabiéndolo no persisten en lo que han hecho algo mal. [135] Se premiarán las tales personas con el perdón de su Rab y jardines por cuyos bajos fluyen los ríos, vivirán en eso para siempre. ¡Que excelente es el premio para los que obran bien! [136] 3: [130-136]

Se prometen los creyentes que tendrán la mano superior.

En cuanto a aquéllos, quienes rechazaron las Revelaciones Divinas, han habidos muchos casos ejemplares antes de ustedes. Viajen a través de la tierra y vean lo que era el fin de aquéllos que rechazaron la Verdad. [137] Esto (*el Qur'ãn*) es una aclaración clara para la humanidad, una guía y una advertencia para aquéllos que son los temerosos de Al'lá. [138] No afligen ni desanimen: porque ustedes tendrán la mano superior, si es que ustedes son creyentes. [139] Si ustedes han sufridos una herida, su enemigo ha sufrido una herida semejante. Nosotros alternamos estos días de fortunas variantes entre la humanidad para que Al'lá pueda conocer a los verdaderos creyentes y a los que tomen testigo de la Verdad de entre ustedes (*a los que concede el martirio*) Al'lá no ama a los injustos. [140] y para que Al'lá puede purgar los pecados de los creyentes y puede destruir a los incrédulos. [141] 3: [137-141]

No hay ningún paraíso sin el ensayo.

¿Piensan que ustedes entrarán en el paraíso sin pasar por la prueba? Al'lá todavía no lo ha probado, quién de entre ustedes pone toda su esfuerza a Su causa y quien muestre la paciencia a Su causa. [142] Ustedes, ciertamente, deseaban la muerte antes de que ustedes la confrontaron; ahora ustedes han visto, pues, con sus propios ojos.[143] 3: [142-143]

SECCIÓN: 15

Mujámad (pece) es nada más que un Rasúl de Al'lá.

Mujámad es nadie más que un Rasúl de Al'lá, antes del cual han pasados muchos otros Rasúles. Si él se muere o le matan, ¿Van a voltear por atrás girando en sus talones (*vuelvan a ser incrédulos*)? Él, quién retrocede en sus talones no hará daño a Al'lá; pronto Al'lá premiará a los agradecidos. [144] Nadie se muere sin el permiso de Al'lá. El término de cada vida es fijo. Él, quién desea el premio en este mundo se lo dará aquí, y aquél, quien desea el premio en el la vida eterna se lo dará allí. Pronto Nosotros premiaremos a los agradecidos. [145] 3: [144-145]

Los profetas y sus seguidores. Y La súplica de los creyentes.

En el pasado, muchos Profetas han combatidos, en el camino de Al'lá, junto con gran número de personas piadosas. Ellos no perdieron el corazón durante las adversidades que les ocurrieron en el camino de Al'lá; ellos no mostraron la debilidad ni sometieron a la falsedad. ¡Al'lá ama a los que son firmes! [146] Sus únicas palabras eran, "¡Nuestro Rab, Perdónanos nuestros pecados y los excesos que hemos cometidos; establezcas nuestros pies firmemente y denos victoria encima de los incrédulos!" [147] Por consiguiente, Al'lá les dio la recompensa en este mundo y también un premio excelente les espera en el Día del Juicio. Al'lá ama a tales virtuosos quienes son buenos a otros. [148]

3: [146-148]

SECCIÓN: 16

¡Creyentes! Si ustedes rinden a los incrédulos, ellos los arrastrarán atrás a la incredulidad y ustedes se retrocederán en perdición. [149] ¡No! Al'lá es Protector de ustedes y Él es el Mejor de todos los auxiliadores. [150] Pronto infundiremos el terror en los corazones de los incrédulos porque ellos comprometen el Shirk con Al'lá, aun cuando Él no ha conferido la autoridad para eso. El Fuego será su morada; y ¡Que mal es la morada de los injustos! [151]   3: [149-151]

No sigas a los incrédulos.

Verdaderamente Al'lá cumplió Su promesa a ustedes, cuando, con Su permiso, ustedes derrotaron a ellos hasta que ustedes mismos retrocedieron y entraron en la disputa acerca del orden y desobedecieron al Profeta, después de que Al'lá había traído dentro de su vista lo que ustedes amaban. Entre ustedes había algunos que desearon la ganancia de este mundo y otros que desearon la ganancia de otra vida. Él apartó a ustedes de ellos para probarlos, pero ahora Él los ha perdonado, porque Al'lá es cortés a los creyentes. [152] ¡Recuerdan, cómo ustedes huyeron en el pánico e incluso no miraban por atrás para ver uno y otro, mientras el Rasúl, a su trasero, estaba llamando a ustedes! Por consiguiente, Al'lá infligió en ustedes aflicciones, una tras otra, para darles una lección; para que ustedes no afligirán por lo que perdieron, ni a cualquier otro infortunio que ustedes pueden encontrar. Al'lá es bien consciente de todos lo que ustedes hacen. [153]   3: [152-153]

El resultado de desobedecer el Rasúl.

Luego, después de esta tribulación, Él dio paz a ustedes - un sueño que venció a algunos de ustedes- en cambio, los otros estaban en la ansiedad de cómo salvar a ellos mismos, sosteniendo las sospechas injustas y erróneas acerca de Al'lá, las sospechas de la ignorancia. Preguntaban: "¿Acaso hemos tenido algo que ver en la decisión?" Les Diga: "Todo está completamente en las manos de Al'lá." Ellos esconden en sus mentes lo que ellos no se atreven de revelar a ti. Decían: "Si nosotros tuviéramos parte en la decisión, ninguno de nosotros se habría muerto." Dígales: "Aun cuando ustedes habían permanecidos en sus casas, aquéllos de ustedes quienes fueron destinados para ser matados no obstante se habrían matados; pero era la Voluntad de Al'lá de probar su fe y purificar a lo que estaba en sus corazones. Al'lá tiene conocimiento total de los secretos de sus corazones." [154] De hecho, aquéllos de ustedes quienes dieron la espalda en el día cuando los dos ejércitos se encontraron, fallaron en su deber porque ellos fueron seducidos por el Shaitãn a causa de alguna culpa que habían cometido. Pero ahora Al'lá les ha perdonado; porque Al'lá es Perdonador, Indulgente. [155]   3: [154-155]

Después de la aflicción, Al'lá les concedió la paz.

De la muerte no hay ningún escape.

SECCIÓN: 17

¡Creyentes! No estén como los incrédulos que hablan de sus hermanos que murieron durante sus viajes en la tierra o cuando hacían incursiones: "Si quedaban con nosotros, no se habrían muertos o no les

La vida y la muerte proceden de Al'lá.

habrían matados." Al'lá hace que piensan así, para que quede como una angustia y remordimiento en sus corazones. Es Al'lá que da la vida y da la muerte. Al'lá está atento de todas sus acciones. [156] Si ustedes mueren o son martirizados en la causa de Al'lá, Su perdón y misericordia serán mucho mejor que todas las riquezas que ustedes podrían recoger. [157] Si ustedes mueren o son matados, todos ustedes se traerán ante Al'lá. [158]

3: [156-158]

Consultes antes de tomar una decisión, una vez ya hecho, seas firme.

Es una gran Misericordia de Al'lá que eres muy manso con ellos; si tu hubieras sido áspero y duro de corazón, se habrían abandonado a ti. Por consiguiente, perdónales y pidas el perdón de Al'lá para ellos. Consúltales en relación a los asuntos; y cuando tomas una decisión para hacer algo, entonces pongas tu confianza en Al'lá (*sostenga fuertemente a tu decisión*). Al'lá ama aquéllos que ponen su confianza en Él. [159]

3: [159]

Ponga su confianza en Al'lá.

Si hay ayuda de Al'lá, no hay nadie que puede vencer a ustedes. Si Él lo desampara, entonces, ¿quién está allí, afuera de Él, quien puede ayudarlo a ustedes? Por consiguiente, solamente en Al'lá deben confiar los creyentes. [160] No es concebible que cualquier Profeta detendría de los despojos de la guerra; porque cualquiera que defraude llevará lo defraudado el día de la Resurrección; luego cada alma se reembolsará por completo lo que haya ganado y no serán tratados injustamente. [161]

3: [160-161]

La dignidad del Rasúl.

¿Será concebible que una persona que está buscando el mejor placer de Al'lá estará como aquél, quien ha incurrido en la ira de Al'lá y ha condenado finalmente al infierno? ¡Qué mal refugio¡ [162] Estos dos tipos de personas tienen las categorías enteramente diferentes en la vista de Al'lá; Al'lá está atento de todas sus acciones. [163] Al'lá ha hecho un gran favor a los creyentes al crear, entre ellos, un Rasúl de entre sí mismos, que les recita Sus Revelaciones, les santifica, y les enseña la Escritura y la Sabiduría. Aunque antes de esto, ellos estaban evidentemente extraviados.[164]

3: [162-164]

Las lecciones que deben de ser aprendidas de la Batalla de Ujud.

¿Cómo, cuando ustedes son afligidos con una pérdida, después de haber infligido doble a su enemigo (en la Batalla de Badr) ustedes exclamaron: '¡A qué se debe esto!'? "Era su propia falta," Ciertamente, Al'lá tiene el poder encima de todas las cosas. [165] El infortunio que ocurrió a ustedes cuando los dos ejércitos se encontraron en la Batalla de Ujud fue con el permiso de Al'lá y para probar, quiénes eran los creyentes verdaderamente [166] y para conocer a los hipócritas. Cuando se les dijo: "¡Vamos a combatir en el camino de Al'lá o por lo menos que defiendan a ustedes mismos!" Ellos contestaron: "Si supiéramos cómo combatir, vendríamos, ciertamente, con ustedes." En ese día, ellos estaban más cerca de la incredulidad que de la creencia; porque ellos profirieron con sus bocas lo que no estaba en sus corazones. Al'lá sabe muy bien de lo que ellos estaban ocultando. [167] Tales eran ellos quienes, mientras quedaban en sus casas, decían de sus hermanos: "Si ellos nos hubieran escuchado, no les habrían matado." Dígales: "Apartan, pues, la muerte de si mismos, sí es verdad lo que dicen." [168] Nunca deben de pensar acerca de aquéllos quienes han caídos en la causa de Al'lá, que están muertos. ¡Al contrario! Ellos están vivos, y están bien proporcionados junto a su Rab. [169] Ellos están bien contentos con lo que Al'lá les ha dado con Su gracia, y ellos también están contentos de pensar que hay nada que temer o afligir para esos creyentes a quienes dejaron por detrás y quienes no han unidos todavía en sus beatitud. [170] Ellos se sienten felices para haber recibido la gracia y favor de Al'lá y han venido a saber que, el más ciertamente, Al'lá no deja de remunerar a los creyentes. [171]   3: [165-171]

Los mártires en la causa de Al'lá no están muertos.

SECCIÓN: 18

En cuanto a aquéllos, quienes, incluso después de haber recibido heridas (*durante la Batalla de Ujud*), respondieron a la llamada de Al'lá y de Su Rasúl (*para seguir el ejército de Quraish que estaba alistando para atacar de nuevo*), habrá una magnífica recompensa para aquéllos que hacen los hechos virtuosos y temieron a Al'lá, [172] quienes, cuando la gente les dijeron: "¡Témelos! Sus enemigos han agrupado una gran fuerza contra ustedes," eso les aumentó su fe, y contestaron: "La ayuda de Al'lá es suficiente para nosotros. Él es, Quien dispone mejor los asuntos." [173] Como resultado, ellos devolvieron a la casa con las bendiciones y favor de Al'lá y no sufrieron nada del daño en absoluto. Además de esto, ellos tenían el honor de seguir por el placer de Al'lá, y Al'lá es el Dueño de favor inmenso. [174] Ahora ustedes debían de haber comprendido que era el Shaitãn quien estaba sugiriendo a ustedes de temer a sus seguidores. Pero no tengan ningún miedo de ellos. Temen a Mí, si ustedes son los verdaderos creyentes. [175]   3: [172-175]

El carácter de los creyentes en la batalla de Ujud.

No dejes afligirte por aquéllos que se apresuran precipitadamente en la incredulidad; ciertamente, ellos absolutamente no pueden hacer nada del daño a Al'lá. Al'lá piensa cederles ninguna porción en la Vida Eterna. Ellos tendrán un castigo terrible. [176] Aquéllos quienes cambian la fe por la incredulidad no causarán ningún daño a Al'lá. Ellos tendrán un castigo doloroso. [177] Pues que no piensen los incrédulos que por haber concedido un plazo, suponen que es mejor para sus almas. Nosotros les concedemos eso para que ellos puedan agregar más a sus pecados. Ellos tendrán un castigo humillante. [178]   3: [176-178]

El castigo por el cambio de la creencia por la incredulidad.

Al'lá no dejará a los creyentes en la condición que presentan; ustedes sólo están en esta condición hasta que Él distinga al Malo del Bueno. Al'lá no hará esto revelando a ustedes los secretos de lo oculto. En cuanto a revelar a lo que es oculto, Al'lá escoge de entre sus Rasúles a quien Él le agrada. Por consiguiente, crean en Al'lá y Sus Rasúles. Si ustedes creen y se guardan contra el mal, tendrán una gran recompensa.[179]   3: [179]

Las condiciones adversas son una prueba de Al'lá.

El castigo para ser el tacaño.

Que no piensan aquéllos que son avaros, para disponer en la caridad con que Al'lá les ha bendecido, que es bueno para ellos: Al contrario, es muy mal para ellos. Se colgarán todo las riquezas que ellos acumularon, por ser avaro, alrededor de sus cuellos a modo de collar en el Día de la Resurrección. Es Al'lá Quien heredará los cielos y la tierra. Al'lá es bien consciente de todas sus acciones. [180]   3: [180]

SECCIÓN: 19

Los judíos insultaron a Al'lá y profirieron una mentira contra Él.

Al'lá ha oído la declaración de aquéllos que dijeron: "Al'lá es pobre y nosotros somos ricos." Tomaremos nota de lo que han dicho, incluyendo también que han matados injustamente a los Profetas. En el Día del Juicio, diremos: "¡Gusten ahora el tormento de la quemadura! [181] Aquí es el premio de sus hechos. Al'lá no es injusto, en absoluto, con Sus siervos." [182] Ellos también dicen: "Al'lá ha tomado un convenio de nosotros, según el cual, nos ha ordenado que creamos en ningún Rasúl a menos que él nos muestra un sacrificio consumido por un fuego del cielo." Pregúnteles: "Otros profetas ante de mí han venido a ustedes con las pruebas claras y han mostrado este milagro que ustedes están pidiendo. ¿Por qué ustedes les mataron, si es verdad lo que ustedes dicen?" [183] Si ellos te rechazan llamándote como un impostor, ellos también han rechazados a otro Rasúles antes de ti, aunque ellos les trajeron las señales claras, las Escrituras Divinas, y la escritura luminosa. [184]   3: [181-184]

Todos tenemos que morir.

Cada alma le gustará la muerte. Ustedes recibirán sus premios por completo para todo que ustedes se han esforzado en el Día de la Resurrección. Quienquiera que sea salvado del Fuego y sea admitido en el paraíso, de hecho, habrá triunfado; porque la vida de este mundo es nada más que un goce ilusorio. [185]   3: [185]

La prueba de los creyentes.

Ustedes se probarán, ciertamente, a través de sus riqueza y de sus personas; y ustedes ciertamente oirán mucho que es perjudicial por parte de aquéllos que fueron dados la escritura antes de ustedes, y de los Mushrekïn (*Los que asocian alguien con Al'lá*). Pero si ustedes aguantan con la paciencia y temen a Al'lá, ésta será ciertamente una prueba de su determinación firme. [186]   3: [186]

El castigo por exigir el crédito por algo que ustedes no han hecho.

Cuando Al'lá hizo el convenio con aquéllos que fueron dados la Escritura, fueron pedidos a propagar las enseñanzas de la Escritura a la humanidad y de no ocultarles; pero ellos se la echaron a la espalda y la vendieron para un precio pequeño. ¡Qué mal negocio...! [187] Aquéllos que regocijan en sus fechorías y aman ser alabado para lo que ellos realmente no han hecho nada, jamás deben pensar que ellos escaparán el castigo; de hecho, ellos tendrán un castigo doloroso; [188] porque todo los dominios de los cielos y de la tierra pertenecen a Al'lá, Quien tiene el poder encima de toda las cosas. [189]   3: [187-189]

SECCIÓN: 20

¡En la creación de los cielos y de la tierra y la alternación de la noche y del día, hay ciertamente signos, para los dotados del intelecto! [190] Aquéllos que recuerdan a Al'lá estando de pie, sentados, y aun cuando estén de sus lados, y meditan en la creación de los cielos y de la tierra, luego dicen: "¡Nuestro Rab! No has creado todo esto en vano. ¡Gloria a Ti! Sálvenos del castigo del Fuego. [191] ¡Nuestro Rab! Aquéllos a quienes tiras en el Fuego estarán en la vergüenza eterna: Y no habrá ningún auxiliador para los tales injustos. [192] ¡Nuestro Rab! Hemos oído alguien llamando a la fe: "Creen en su Rab", pues hemos creído. ¡Nuestro Rab! ¡Perdónenos nuestros pecados, quite de nosotros nuestras malas obras y recíbenos, cuando muramos, entre los virtuosos. [193] ¡Nuestro Rab! Concédanos lo que has prometido a través de Su Rasúles y libre a nosotros de la vergüenza, en el Día de la Resurrección; Ciertamente, nunca rompes Tu promesa." [194]

3: [190-194]

Así que su Rab escucha a sus oraciones, mientras diciéndoles: "No permitiré perder las obras buenas de cualquier obrero entre ustedes, sea un varón o una hembra. Ustedes son entre si la descendencia de unos de otros. Aquéllos quienes emigraron y fueron expulsados de sus hogares y aquéllos que sufrieron la persecución por causa Mía y quienes combatieron y fueron matados: Yo les perdonaré sus pecados y les admitiré en los jardines por cuyos bajos fluyen los ríos; una recompensa de Al'lá," y Al'lá sostiene junto a Sí el premio más fino. [195]

3: [195]

No te engañe el movimiento libre de los incrédulos en esta tierra. [196] Su goce es breve. Su última morada será el infierno, ¡Que mal recurso! [197] En cuanto a aquéllos que temen a su Rab, habrán jardines por cuyos bajos fluyen los ríos, vivirán en eso para siempre, ésta será su bienvenida por parte de Al'lá; y lo que Al'lá posee es el mejor para las personas que son virtuosas. [198] Hay algunos entre las gentes de la Escritura que de verdad creen en Al'lá y a lo que se ha revelado a ti, y a lo que se ha revelado a ellos antes de ti. Ellos se humillan ante Al'lá y no venden las revelaciones de Al'lá por un precio pequeño. Para ellos, habrá un premio de su Rab. ¡Ciertamente, Al'lá es muy veloz estableciendo las cuentas. [199] ¡Creyentes! Sean pacientes, sean firmes esforzándose a uno y otro, y temen a Al'lá para que ustedes puedan tener éxito. [200]

3: [196-200]

Las señales de la naturaleza.

La súplica de los creyentes.

La aceptación de súplica por Al'lá.

No se engañe por los incrédulos. Seas paciente y aventajes en la paciencia.

4: AN-NISÃ'

El periodo de Revelación:

Esta Süra se comprende de varios discursos y fue revelada en diferentes periodos del tiempo. Hay instrucciones sobre la división de herencia y salvaguardar derechos de los huérfanos en esta Süra y fue revelada después de la Batalla de Ujud en que se martirizaron 70 musulmanes (el vv. 1-28). A finales de D. J. 3, una última advertencia a los judíos (v. 47) se dio antes de la tribu judía de Banu Nazïr que fue expulsada de Al-Madina en D.J. 4. El Permiso sobre Tallammüm (la ablución con la tierra limpia cuando el agua no está disponible) fue dado durante la expedición de Bani-al-Mustaliq en temprana parte de D. J. 5.

Incluye los siguientes principios, Leyes y Guías divinas:

> La restricción en el número de esposas.
> El matrimonio y los derechos de las mujeres.
> Las leyes de herencia, se otorgan las mujeres los derechos para heredar.
> El arrepentimiento aceptable e inaceptable.
> Las relaciones de los Máj'ram (parientes que son prohibidos para el matrimonio).
> El mando sobre ' la arbitración' en las disputas de la familia.
> Segundo mando en relaciona a la prohibición de tomar alcohol, (primer mando estaba en Süra Al-Baqará (2:219).
> Él, quien disputa la decisión del Profeta no es un creyente.
> La Ley divina: que la obediencia del Rasúl, es de hecho, la obediencia de Al'lá.
> Al'lá ordena a responder los saludos con los saludos iguales o mejores.
> Las leyes sobre el homicidio involuntario, asesinato y recompensa al homicidio.
> Salát-ul-Qasr: el permiso de oración corta en la jornada.
> Salát-ul-Jauf: La oración realizada en un estado de emergencia (la guerra).
> Salá: (Las oraciones) es obligatorio en los horarios prescrito.
> La prohibición de 'consejos confidenciales' y sus excepciones.
> El decreto de Al'lá que Él nunca perdonará un mushrik.
> El mando de Al'lá para ser firme para la justicia y ser un testigo veraz.
> El mando de Al'lá para boicotear las reuniones no-islámicas.
> El hecho que los hipócritas estarán en la profundidad más baja del Fuego del infierno.
> Jesús no fue ni matado ni se crucificó.
> Jesús era un Profeta de Al'lá (el Omnipotente Dios) y Su adorador.
> Detengan el refrán "Trinidad" - Al'lá es el Único Dios Solo.
> El Qur'ãn lleva el mismo Mensaje que se envió a Nüj (Noe), Ibrãjïm (Abraham), Musa (Moisés) e Isa (Jesús).
> Los mandos de Al'lá relacionadas a la vida familiar y a la vida de la comunidad.

El tema principal de esta Süra es la edificación de una comunidad islámica fuerte. Se suministran las pautas a los musulmanes para unir sus líneas y ser firmes y fuertes. Se dan las instrucciones para estabilizar la estructura familiar, que es el núcleo de una comunidad fuerte. Se urge a los musulmanes que preparen para la *defensa propia y de ser como modelos para el Islam. Se da énfasis a la importancia de tener un carácter moral alto así construyendo una comunidad fuerte.*

Se proporcionan pautas para el funcionamiento uniforme de la vida familiar y se enseñan métodos para establecer las disputas familiares. Se prescriben reglas para el matrimonio y los derechos de las esposa y de los maridos se asignan imparcialmente y justamente. El papel de mujeres en la sociedad es determinado y la declaración sobre los derechos de huérfanos es hecha. Las leyes y regulaciones se extienden para la distribución de herencia. Se dan las instrucciones para reformar el sistema económico. La fundación de leyes penal se extiende. Bebidas alcohólicas se prohíbe. Se dan las instrucciones para la limpieza y purificación. Los musulmanes se enseñan qué tipo de relaciones ellos deben tener con su Rab y con su compañero seres humanos. Se dan las instrucciones para el mantenimiento de disciplina en la comunidad musulmana.

La condición moral y religiosa de las Personas de la Escritura se repasa para enseñar las lecciones a los musulmanes, y una advertencia se da para abstenerse de seguir en sus pasos. Los rasgos distintivos de hipocresía y la verdadera fe son claramente marcados para la identificación fácil entre los dos. El retroceso en la Batalla de Ujud había permitido clanes árabes que eran mushrikin, los judíos vecinos, y los hipócritas en Al-Madina para amenazar a los musulmanes de todos los lados. En esta fase crítica, la gracia de Al'lá llenó del valor a los musulmanes y les dio las instrucciones necesarias, durante ese periodo, para neutralizar los rumores que estaban extendiéndose por los hipócritas, les pidió averiguar completamente acerca de veracidad de los rumores y después tomar la dirección apropiada. Los musulmanes estaban teniendo dificultades a ofrecer sus Salá durante las expediciones cuando el agua no estaba disponible para realizar la ablución. En las tales circunstancias Al'lá concedió el permiso para hacer Tallammüm (la purificación con la tierra limpia), y acortar el Salá u ofrecer el " Salát-ul-jauf, " siempre cuando ellos se enfrentan con el peligro. También se dio las instrucciones a esos musulmanes que estaban viviendo en los campamentos enemigos a que ellos deben emigrar Al-Madina, el Estado islámico.

También se dan las instrucciones claras con respecto a los hipócritas y clanes que no eran beligerantes. En un lado, se establece la superioridad de moralidad y cultura islámica encima de los judíos, cristianos y mushrikin. Por otro lado, se critica sus conceptos religiosos incorrectos, inmoralidad, y las acciones malas, para preparar las condiciones apropiadas para invitarlos a la Vía Recta.

4: AN-NISÃ'

Se reveló en Madina. Esta Süra contiene 176 versos.

En el nombre de Al'lá, el Compasivo, el Misericordioso

SECCIÓN: 1

La creación de la humanidad.

¡Humanos! Temen a su Rab, Quien creó a ustedes a partir de un solo ser, de ese Él creó a su cónyuge, y a través de ellos Él extendió a los hombres innumerables y las mujeres. Temen a Al'lá, el Uno en Cuyo nombre exigen sus derechos entre sí, y los lazos de sangre; ciertamente Al'lá está mirándolo muy estrechamente. [1]   4: [1]

La propiedad de los huérfanos.

Déles la propiedad que pertenece a los huérfanos cuando ellos pueden manejarlo y que no sustituye sus cosas sin valor, para cosas de ellos que son valiosas; y no los estafan sus posesiones a través de mezclarlo con la suya. Porque esto sería, de hecho, un gran pecado. [2]   4: [2]

Las restricciones en el número de esposas.

Si teman que ustedes no podrán tratar a los huérfanos con la honradez, entonces no deben casarse a las mujeres con los niños huérfanos; cásese a otras mujeres de su opción: dos, tres o cuatro. Pero si ustedes teman que no podrán mantener la justicia entre sus esposas, entonces cásese a una sola o cualquier muchacha esclava que ustedes pueden poseer. Eso será más conveniente, para que ustedes no puedan desviarse de la Vía Recta. [3]   4: [3]

La obligación de dote.

En el momento de matrimonio, deles sus dotes de buena gana a las mujeres como una obligación; pero si ellas, por su propia libre voluntad, renuncian a ustedes una porción, entonces ustedes pueden disfrutarlo con el placer. [4]   4: [4]

No confíe la propiedad a las personas con la mente inmadura.

No confíen su propiedad, que Al'lá ha hecho como un medio de apoyo para su familia, a las personas con la mente enfermiza para la inversión en el negocio, sin embargo, a tales personas hay que proporcionar con la comida y vestido y les hablan con cariño y les den buenos consejos. [5]   4: [5]

Entrene a los huérfanos para manejar sus propiedades.

Observen a los huérfanos a través de probar sus habilidades hasta que ellos alcancen la edad de matrimonio, entonces si ustedes les encuentran capaz de juicio legítimo, entreguen a ellos su propiedad; y no lo consumen pródigamente en la prisa temiendo que exigirán al crecer. Si el guardián es rico, él no debe tomar la compensación de la propiedad del huérfano, pero si él es pobre, se permite tomar una remuneración justa y razonable. Cuando entregan propiedad a ellos, llamen algunas personas como testigos; aunque Al'lá es suficiente para ajustar cuentas. [6]   4: [6]

Los hombres tendrán una porción en lo que sus padres y sus parientes cercanos dejan; y las mujeres tendrán una porción en lo que sus padres y sus parientes cercanos dejan: sean poco o mucho, ellos se titularán legalmente a sus porciones. [7] Si los parientes, huérfanos o necesitado están presente en el momento de la división de una herencia, repartan algo de él a ellos, y hábleles las palabras amables. [8] Aquellos (*disponiendo de esta propiedad*) deben de tener mismo miedo en sus mentes como ellos tendrían si ellos fueran dejar su propia familia impotente en esta situación: por consiguiente, ellos deben temer a Al'lá y deben hablar para la justicia. [9] De hecho, aquellos que malversan la propiedad de huérfanos injustamente, no tragan nada sino fuego en sus barrigas; ellos se lanzarán pronto en el Fuego llameante.[10]   4: [7-10]

Las leyes de herencia.

SECCIÓN: 2

Con respecto a la herencia, Al'lá lo ordena en relación a sus hijos: que la porción de un varón será dos veces que de una hembra. En el caso dónde hay más de dos hijas, su porción será dos tercero de la propiedad; pero si hay sólo una hija, su porción será la mitad de la propiedad. Si el difunto dejo los niños detrás, cada uno de su padre recibirá sexto de la propiedad, pero si el difunto dejó ningún hijo y los padres son los únicos herederos, la madre recibirá un tercio de la propiedad, pero si el difunto dejó los hermanos y las hermanas, entonces la madre recibirá el sexto de la propiedad. La distribución en todos los casos estará después de cumplir las condiciones del último testamento y el pago de las deudas. En relación a sus padres y sus hijos, ustedes no saben quién es más beneficioso a ustedes, por consiguiente, Al'lá expidió esta ordenanza. Ciertamente Al'lá es el Conocedor, el Sabio. [11]   4: [11]

Las porciones prescritas en la herencia.

Ustedes heredarán la mitad de la propiedad de sus esposas, si ellas dejan a ningún hijo; pero si ellas dejan atrás a un hijo, entonces ustedes recibirán un cuarto de su propiedad, después de cumplir las condiciones de su último testamento y el pago de las deudas. Sus esposas heredarán un cuarto de su propiedad, si ustedes dejan ningún hijo atrás; pero si ustedes dejan un hijo, entonces, ellas recibirán un octavo de su propiedad; después de cumplir las condiciones de su último testamento y el pago de las deudas. Si un hombre o una mujer no deja ni ascendente ni descendientes, pero ha dejado a un hermano o una hermana, cada uno de ellos deben heredar un sexto, pero si ellos están más de dos, ellos compartirán uno tercero de la propiedad; después de cumplir las condiciones del último testamento y el pago de las deudas, sin el prejuicio a los derechos de los herederos. Así es el mando de Al'lá. Al'lá es el Conocedor, el Paciente (*Jalïm*) [12]   4: [12]

La herencia de la propiedad de esposo.

Éstos son los límites puestos por Al'lá: aquéllos que obedecen a Al'lá y a Su Rasúl se admitirán al paraíso en que los ríos fluyen, vivirán en eso para siempre, y ése es un Gran Logro. [13] Pero aquellos que

El mando para cumplir los límites puestos

por Al'lá.

desobedecerán a Al'lá y a Su Rasúl, y transgredirán Sus límites, van a ser puesto en el infierno, vivirán en eso para siempre, y ellos tendrán un castigo humillante. [14]   4: [13-14]

SECCIÓN: 3

Orden inicial relacionada al castigo para las mujeres culpable de la fornicación.

Si cualquiera de sus mujeres es culpable de la fornicación, pidan cuatro fiable personas que puedan dar testimonio entre ustedes mismos contra ellas; y si ellos testifican contra ella que demuestra su culpa, deben confinar a ella en su casa hasta que ella se muera o Al'lá abre alguna otro camino para ella. [15] Si ambos son culpables de esta ofensa, castíguelos a los dos, aunque sean casados o solteros. Si ellos se arrepienten y remiendan sus maneras, déjelos en paz. Ciertamente Al'lá es el Aceptador del Arrepentimiento, Misericordioso. [16]   4: [15-16]

Aceptable vs. El arrepentimiento inaceptable.

El arrepentimiento con Al'lá (*el derecho ser perdonado por Al'lá*) sólo es para aquéllos que hacen algo malo en la ignorancia y se arrepienten en cuanto ellos lo comprendan; Al'lá les perdonará. Al'lá es el Omnisciente, el Sabio. [17] No hay arrepentimiento para aquéllos que persisten en sus hechos malos hasta que la muerte se acerque a cualquiera de ellos y dice: " Ciertamente ahora sí, yo me arrepiento." No hay aceptación de arrepentimiento para ellos. Semejantemente, aquéllos que se mueren mientras que eran incrédulos; para ellos, hemos preparado un castigo doloroso. [18]   4: [17-18]

No deben tratarse a las mujeres como una parte de la propiedad.

¡Creyentes! No es lícito para ustedes que consideran a las mujeres como una parte de su herencia y que retengan a ellas contra su voluntad, para que ustedes puedan obligarlas que dejan una parte del dote que ustedes las ha dado, a menos que ellas son culpables de fornicación probado. Trátelos con la bondad aun cuando ustedes los detestan; es bastante posible que ustedes detesten algo en que Al'lá le ha puesto bastante bien. [19]   4: [19]

No tome por atrás las dotes de las mujeres.

Si ustedes desean ya casarse a otra esposa en lugar de la una que ustedes tienen, no vuelven a tomar nada de lo que ustedes le han dado aun cuando es un montón de oro. ¿Devolverían ustedes a través de la calumnia y el pecado abierto (*acusándola injustamente*)? [20] Y ¿cómo pudiera tomarlo, mientras ustedes han disfrutados felicidad conyugal y ellas habían tomado de ustedes una prenda firme del matrimonio? [21]

4: [20-21]

La prohibición de casarse a la esposa del padre de uno.

No se casen a esas mujeres a quienes sus padres se habían casado, - excepto lo que ya ha pasado antes de este mando. - Ciertamente es algo indecente, repugnante, y un mal camino. [22]   4: [22]

SECCIÓN: 4

Prohibido a ustedes para el matrimonio son: sus madres, sus hijas, sus hermanas, sus tías paternales, sus tías maternales, las hijas de sus hermanos, las hijas de sus hermanas, sus madres de leche, sus hermanas de leche, las madres de sus esposas, sus hijastras bajo su protección, de esas esposas con quienes ustedes ha consumado su matrimonio; pero no hay ningún reproche en ustedes si casan a sus hijastras si ustedes no han consumado sus matrimonio con sus madres quienes ustedes se han divorciado; y las esposas de sus propios hijos reales, y también le prohíben que casen con las dos hermanas al mismo tiempo, excepto lo que ya pasó antes de este mando; ciertamente Al'lá es Perdonador, Misericordioso. [23]   4: [23]

Mujeres que son prohibidas para el matrimonio - las relaciones de Máj'ram."

ŶÚZ (PARTE): 5

Prohibidas para ustedes, también, son las mujeres casadas, exceptúe aquéllas que se han caídas en sus manos como prisioneras de la guerra. Éste es el orden de Al'lá en relación a las prohibiciones políticas. Todas las otras mujeres son legales con tal de que ustedes las buscan en el matrimonio con los regalos de su propiedad (*la dote*), deseando la castidad y no la lujuria. Dales su dote como una obligación para el beneficio que ustedes han recibido de su relación política. No hay ningún reproche, sin embargo, en ustedes si cambian el acuerdo de dote con el consentimiento mutuo. Al'lá es el Conocedor, el Sabio. [24]   4: [24]

Prohibidos y permitidos en los matrimonios-- continuado.

Si cualquiera de ustedes no puede tener el lujo de casarse con una mujer creyente libre, puede casarse con una de sus propias muchachas esclavas que son creyentes; Al'lá sabe que tal buenos ustedes están en su fe. Ustedes todos pertenecen a una y la misma comunidad. Cáseselas con el permiso de su familia y dales su dote justo para que ellas puedan vivir una vida decente en el matrimonio y que no tienen que vivir como las prostitutas o buscar las relaciones ilícitas confidenciales. Luego si después del matrimonio ellas comprometen el adulterio, pues a ellas se darán mitad del castigo que es prescrita para una adúltera libre. La concesión de tal matrimonio es para aquéllos de ustedes quienes temen que ellos pudieran comprometer un pecado si ellos no se casan, aunque es mejor para ustedes practicar el auto-refrenamiento. Al'lá está Perdonador, Misericordioso. [25]   4: [25]

El permiso para el matrimonio con las muchachas esclavas.

SECCIÓN: 5

Al'lá desea
guiar y
perdonar.

Al'lá desea clarificar, y guiar a ustedes a las maneras que fueron seguidas por las personas virtuosas ante de ustedes, y se vuelve a ustedes en la misericordia.   Al'lá es el Conocedor, el Sabio. [26] Al'lá desea perdonarte, pero aquéllos que siguen sus lujurias desean verte desviado y lejos de la Vía Recta. [27] Al'lá desea aligerar sus cargas porque los humanos se han creados débiles por la naturaleza. [28]   4: [26-28]

Respete la
propiedad de
entre sí.

¡Creyentes! No consuman la riqueza entre sí a través de los medios ilícitos; en cambio, hagan el negocio con el consentimiento mutuo; no maten ustedes mismos adoptando los medios ilícitos. De hecho Al'lá es Misericordioso a ustedes. [29] Cualquiera que comporte así, y actúa con agresión e injusticia, se tirará pronto en el Fuego del infierno, y esto es muy fácil para Al'lá de hacerlo. [30]   4: [29-30]

Eviten los
pecados
odiosos y no
tengan celos.

Si ustedes evitan los pecados odiosos que les han prohibido, Nosotros anularemos sus pecados pequeños y lo causaremos entrar en un lugar de gran honor (*el paraíso*). [31] No envidien que Al'lá ha dado algunos de ustedes más que de los otros. Se premiarán los hombres según sus hechos y las mujeres se premiarán según suyos.   Pídale a Al'lá Su gracia. Ciertamente Al'lá tiene conocimiento perfecto de todas las cosas.[32]   4: [31-32]

Las leyes de
herencia son
fijas.

Para cada padre y pariente hemos fijado a los herederos justos para heredar lo que ellos dejan. En cuanto a aquéllos con quienes ustedes han hecho los acuerdos firmes, dales sus porciones. Ciertamente Al'lá es Testigo de todos los asuntos. [33]   4: [33]

SECCIÓN: 6

Los hombres
son capataces
encima de las
mujeres.

Las medidas
correctivo para
las mujeres
desobedientes.

El arbitraje en
las disputas de
la familia.

Los hombres están al cargo de las mujeres porque Al'lá ha dado preferencia a unos más que a otros, y porque se exigen a los hombres que gasten su riqueza para el mantenimiento de las mujeres. Por consiguiente, las mujeres honorables son devotamente obedientes y guardan en la ausencia del marido lo que Al'lá les exige que guarden la propiedad de su marido y su propio honor.   Acerca de esas mujeres de quienes ustedes tienen el miedo de la desobediencia, primero amonéstelas, luego niéguese a compartir su cama con ellas, y luego, si necesario, péguelas (*ligeramente*). Entonces si ellas lo obedecen, no deben tomar ninguna acción extensa contra ellas y no hagan las excusas para castigarlas. Al'lá es Excelso, Grande. [34] Si ustedes temen una brecha de matrimonio entre un hombre y su esposa, deben fijar un árbitro de familia de ella y otro de él, es que si ellos desean reconciliarse Al'lá creará alguna manera de conciliación entre ellos. Al'lá es el Conocedor, Consciente. [35]

4: [34-35]

Sirvan a Al'lá y no comprometan cualquier socio con Él. Sean buenos con: sus padres, parentelas, los huérfanos, los desvalidos, vecinos lejanos y de cerca que guardan la compañía con ustedes, los viajeros en la necesidad, y los cautivos que ustedes poseen. Al'lá no ama a aquéllos que son arrogantes y jactanciosos, [36] A personas quienes son tacaños y mandan a otros para ser tacaños, a los quienes esconden las generosidades que Al'lá les ha dispensado; Nosotros hemos preparado para los tales incrédulos un castigo humillante. [37] Semejantemente, a Al'lá no le gustan aquéllos que gastan su riqueza para presumir a las personas, mientras ni si quiera creen en Al'lá ni en el Último Día. ¡La verdad es que las personas que escogen Satanás como sus compañeros han escogido un compañero muy horrendo! [38]   4: [36-38]

Juqûq-al-Ibâd (los derechos de otros seres humanos).

¿Qué daño habrían sufrido si ellos habían creído en Al'lá y en el Último Día y habían gastado en la caridad fuera de lo que Al'lá les había dado? Al'lá les conoce bien. [39] Sin duda, Al'lá no hace mal a nadie ni siquiera por el peso de un átomo. Si alguien hace un hecho bueno, Él lo aumentara muchas veces y también dará una magnífica recompensa de Su parte. [40] Sólo imaginan ¿Cómo se sentirán cuando traeremos a un testigo de cada nación y lo llamaremos, a ti, para testificar contra éstos? [41] En ese Día (*el Día del Juicio*) aquéllos que rechazaron la fe y desobedecieron el Rasúl (*Enviado*) desearán que la tierra se aplane sobre ellos; porque ellos no podrán esconder ni una sola palabra de Al'lá. [42]   4: [39-42]

Da testimonio de los Rasúles en el Día del Juicio.

SECCIÓN: 7

¡Creyentes! No ofrecen sus Salá cuando ustedes están en el estado de ebriedad hasta que ustedes sepan lo que están diciendo; ni después de la emisión seminal, excepto cuando ustedes están viajando, a menos que ustedes lavan su cuerpo entero. Si ustedes están enfermos, o en una jornada, o uno de ustedes ha usado el retrete, o ha tenido el contacto con las mujeres (*la relación sexual con las esposas*) y no pueden encontrar el agua, entonces hagan Tallamüm: tome alguna tierra limpia y frote sus caras y manos con él. Al'lá es Indulgente, Perdonador. [43]   4: [43]

La prohibición de beber el licor - segundo orden. Y Tallammüm – como sustituto para la ablución

¿No has considerado el caso de aquéllos a quienes fue dada una porción de la escritura? Ellos compraron el error para ellos mismos y desean verte perder la Vía Recta. [44] Al'lá conoce muy bien a sus enemigos. Suficiente es Al'lá para protegerte, y Suficiente es Al'lá para ayudarte. [45] Entre los judíos hay algunos que sacan las palabras de su contexto y los profieren con una torcedura de sus lenguas calumniando el verdadero Dïn (*la fe*) y dicen: "Nosotros oímos y nosotros desobedecemos" Y "Oye, ojala que no oigas nada" Y "Rã'ina" (*un palabra que tiene significado ambiguo: " escuche, ojala que seas sordo, o " nuestro pastor, o " en idioma judío-árabe que lleva el sentido de "nuestro malvado"*). Si sólo ellos hubieran dicho: "Nosotros oímos y nosotros obedecemos;" y "¡Escucha!"; y "¡Unzurna! ("*¡Míranos!, o preste*

La conducta de las Personas de la escritura.

la atención a nosotros"): habría sido mejor para ellos y más apropiado. Debido a todo este Al'lá los ha maldecido para sus incredulidades. De hecho con la excepción de unos, ellos no tienen la fe. [46]   4: [44-46]

La invitación hacia el Islam a las Gente de la escritura. Y Mushrikïn no se perdonarán.

¡Gentes de la Escritura (*los judíos y los cristianos*)! Crean en lo que hemos revelado ahora (*El Qur'ãn*), confirmando sus propias escrituras, antes de que obliteramos rasgos de sus rostros y los volteamos hacia atrás, o maldigamos a ustedes como maldijimos a los violadores del Sábado: y recuerdan que el orden de Al'lá siempre se ejecuta. [47] Ciertamente Al'lá no perdonará a los que se Le asocien (*asociar cualquier compañero con Él*); y sí podrá perdonar los pecados de menos gravedad a quien Él quiere. Esto es porque uno que compromete algún socio con Al'lá, de hecho inventa una gravísima mentira pecadora. [48] ¿No le has visto aquéllos quienes hablan muy favorablemente de su propia pureza? ¡No! Es Al'lá Quien declara puro a quien Él quiere y nadie será tratado injustamente en lo más mínimo. [49] ¡Mira cómo ellos inventan la mentira contra Al'lá! Y esto, en sí mismo, se basta para mostrar sus pecados manifiestos. [50]   4: [47-50]

SECCIÓN: 8

La Gente de la escritura tiende a tomar el lado de Shaitãn.

¿No has visto a aquéllos que fueron dados una porción de la escritura? ¿Ellos creen en las supersticiones y en los Tãghüt (*las fuerzas de Satanás*) y dicen acerca de los incrédulos que ellos se guían bien a la Vía Recta que los creyentes![51] Aquéllos son a quienes Al'lá ha maldecido, y lo que esta maldito por Al'lá puede encontrar a ningún auxiliador. [52] ¿Acaso tienen una porción en el reino? ¿Aunque si tuvieran cualquier porción, ellos no habrían dado a otras personas ni como una ranura del hueso de un dátil. [53] O ¿Es que ellos envidian a otras personas porque Al'lá los ha dado de Su gracia? En ese caso, déjelos que sepan que Nosotros dimos la Escritura y Sabiduría a los descendientes de Ibrãjïm (*Abraham*), y les bendijo con un gran reino. [54] Pero algunos de ellos creyeron en él y algunos le rechazaron. Suficiente será el infierno para quemar aquéllos que rechazaron. [55]   4: [51-55]

El destino de los incrédulos y de los creyentes. Y ¿A quién los creyentes deben de obedecer?

Aquéllos que rechazaron Nuestras revelaciones pronto les arrojaremos al Fuego. No más que consumará sus pieles, reemplazaremos sus pieles de nuevo, para que pueda gustarles el tormento real. Al'lá es Poderoso, Sabio. [56] En cuanto a aquéllos que creen y hacen los hechos virtuosos, les admitiremos a jardines bajo cuales fluyen los ríos en los que estarán eternamente y vivirán para siempre. Allí, ellos tendrán las esposas castas, y les proporcionaremos la sombra espesa, fresca. [57] Al'lá ordena a ustedes que devuelvan las confianzas a sus dueños justos, y cuando ustedes juzgan entre las personas, juzguen con la honradez. Ciertamente, excelente es el consejo que Al'lá le da. Al'lá es Él quién oye y observa todos. [58] ¡Creyentes! Obedezcan a Al'lá, obedezcan el Rasúl (*Enviado*) y a aquéllos entre ustedes que tengan la autoridad. Si ustedes tienen una disputa en algo, se lo refieren a Al'lá y a Su Rasúl, si ustedes de verdad creen en Al'lá y en el Último Día. Este curso de acción será mejor y más apropiado. [59]   4: [56-59]

SECCIÓN: 9

¿No has visto a aquéllos reclamándoos que ellos creen en lo que se ha revelado a ti y a otros profetas antes de ti? Todavía ellos desean que el juicio (*en sus disputas*) se haga por Tãghüt (*las fuerzas de Satanás*) aunque fueron ordenados a rechazarlo, y el deseo de Satán es llevarlos y guiarlo lejos en el error profundo. [60] Cuando ellos dicen: "Ven a ser juzgados por el Rasúl (Enviado) de acuerdo con lo que Al'lá ha revelado," ves que los hipócritas muestran su vacilación suprema viniendo a ti. [61] Pues, ¿cómo se comportan cuándo ellos entran en el problema como consecuencia de sus propios hechos? Ellos vienen a ti jurando por Al'lá que ellos desearon nada más que promover el bien y provocar una conciliación. [62] Esos tales son aquéllos de quienes Al'lá sabe lo que realmente está en sus corazones; por consiguiente, descuide su actitud, amonéstelos, y hábleles palabras eficaces que puedan entrar profundamente en sus corazones. [63]   4: [60-63]

La actitud de los hipócritas hacia la decisión del Profeta.

Y no hemos enviado ningún Rasúl sino para ser obedecido con el permiso de Al'lá. ¡Si ellos hubieran venido a ti cuando ellos se habían sido injustos consigo mismos, para buscar el perdón de Al'lá y si el Rasúl también hubiera pedido el perdón de Al'lá por ellos, habrían encontrado a Al'lá Indulgente, Misericordioso. [64] Pues ¡No, por su Rab! Ellos nunca serán los creyentes verdaderos hasta que ellos lo acepten a ti como un juez en sus disputas, luego no encuentran resentimiento en sus corazones contra tu veredicto y los aceptan con la sumisión completa. [65] Si les hubiéramos ordenado sacrificar sus vidas o dejar sus casas, muy pocos de ellos lo habrían hecho. Aún, si ellos hubieran hecho lo que fueron ordenados que hicieran, habría sido mejor para ellos; no habría solamente fortalecido su fe, [66] sino les habríamos dado un gran premio extra de Nuestra parte [67] y también les habríamos guiados a la Vía Recta. [68]

4: [64-68]

Uno que disputa la decisión del Profeta no es un creyente.

Cualquiera que obedece a Al'lá y al Rasúl, estará en la compañía de aquéllos quienes Al'lá ha bendecido - los Profetas, los veraces, los mártires, y los virtuosos: ¡Qué excelentes compañeros serán! [69] Ésta es la gracia de Al'lá y suficiente es, el infinito conocimiento de Al'lá. [70]

4: [69-70]

Los creyentes estarán en la excelente compañía en la Ultima Vida.

SECCIÓN: 10

¡Creyentes! Tengan sus precauciones, luego combaten en destacamentos o formando un solo cuerpo, como la ocasión puede requerir. [71] Habrá alguien entre ustedes quién, ciertamente, se quedará detrás, para que si ustedes enfrentan cualquier calamidad, él dijera: " Al'lá

Preparen para el conflicto

armado (Yijãd).

ha sido cortés a mí que yo no les acompañé." [72] Pero si ustedes son benditos con la gracia de Al'lá, él dirá, como si no había amistad entre ustedes y él: "Ojala que hubiera estado con ellos; ¡Yo podría lograr un triunfo sumamente bueno!" [73] Que sólo esas personas deben combatir, en la causa de Al'lá, quienes están deseosos intercambiar la vida de este mundo para el Día de la Justicia; y quienquiera que combate para la causa de Al'lá, si él se muere o es victorioso, le daremos una magnífica recompensa. [74]
4: [71-74]

Hagan Yijãd para ayudar a los oprimidos.

Y Qué razón ustedes tienen para no combatir en la causa de Al'lá, rescatar a los oprimidos, hombres viejos desvalidos, mujeres, y niños que están gritando: "¡Nuestro Rab! Sácanos de este pueblo cuyo habitantes son opresores; nos envía un protector por Su gracia y nos envía un auxiliador designado por Ti." [75] Aquéllos que son los creyentes combaten en la causa de Al'lá y aquéllos que son los incrédulos combaten en la causa de Tãghüt (*las fuerzas de Satanás*): Pues, hay que combatir contra los auxiliadores de Satanás; ciertamente, las artimañas de Satán son muy débiles. [76]
4: [75-76]

SECCIÓN: 11

Tema a Al'lá y no a las personas. Y No hay ningún escape de la muerte.

¡No has visto a aquéllos que fueron ordenados de refrenar sus manos de combatir, establecer el Salá (*las oraciones regulares*) y pagar el Zaká (*la caridad regular*)!. Ahora cuando por fin fueron ordenados a combatir, ¡Lo! Un grupo entre ellos tiene miedo a las gentes, cuando ellos deben de haber temido a Al'lá, o aún más y dicen: "¡Nuestro Rab! ¿Por qué ha pedido que combatiéramos? ¿Podrías demorar este orden por un poco más tiempo?" Les Diga: "El goce de esta vida mundana es corto, vida del Día de la Justicia es mucho mejor para aquéllos que temen a Al'lá, y además tengan por seguro que no se hará la injusticia aún igual a la fibra de la semilla de un dátil. [77] En cuanto a la muerte, no importa donde estén, la muerte va a localizarlos aun cuando ustedes están en las torres fortificadas. Cuando las tales personas son benditas con algún beneficio, ellos dicen: "Esto es de Al'lá"; pero si ellos sufren una pérdida, ellos dicen: "Esto está debido a ti". Di: "Todo viene de Al'lá" ¿Qué pasa con estas personas que no entienden nada? [78] Cualquier beneficio que viene a ustedes, está por la gracia de Al'lá; y cualquier pérdida que ustedes sufren, es el resultado de sus propio hechos. Nosotros te hemos enviado, como un Rasúl hacia la humanidad. Al'lá basta como testigo. [79]
4: [77-79]

La obediencia del Rasúl es de hecho la obediencia de Al'lá.

Cualquiera que obedece el Rasúl, de hecho, obedece a Al'lá. En cuanto a aquéllos que no prestan la atención, ellos deben de saber que Nosotros no te hemos enviado como un capataz sobre ellos. [80] Ellos dirán: "¡Nosotros estamos en su servicio!" Aunque dejándote, algunos de ellos se unen clandestinamente, por la noche, para trazar contra lo que tú has dicho. Al'lá toma nota de todas sus conspiraciones. Por consiguiente, apártate de ellos y ponga su confianza en Al'lá. Al'lá es suficiente como su fideicomisario. [81]   4: [80-81]

¿Por qué ellos no investigan en el Qur'ãn? ¿Porque no comprenden que si fuera de alguien que no sea Al'lá, ellos encontrarían numerosas contradicciones en él? [82] Cuando ellos oyen las noticias de paz o de peligro, lo difunden rápidamente; pero si ellos lo informaran al Rasúl y a las personas responsables en la comunidad, vendría al conocimiento de aquéllos que podrían llegar a las conclusiones correctas. Si no hubiera sido por la gracia de Al'lá y por Su misericordia, todos ustedes con la excepción de unos, habrían seguidos Shaitãn. [83] Por consiguiente, combaten en el camino de Al'lá, tu eres responsable para nadie salvo a ti mismo. Ínsteles a los creyentes que combaten, puede ser que Al'lá derroque el poderío de los incrédulos, porque Al'lá es mucho más en poderío y severo en el castigo. [84]   4: [82-84]

La prueba del Qur'ãn que es la revelación Divina. Y Debe Informar las noticias importantes a las personas responsables.

Cualquiera que intercede para una causa buena tendrá una porción en él, y cualquiera que intercede para una causa mala también conseguirá una porción en su carga. Al'lá tiene el mando sobre toda las cosas. [85] Cuando alguien te saluda de una manera atenta, salúdelo con un saludo aún mejor - o por lo menos devuélvelo igual. Al'lá guarda cuenta de todo. [86] ¡Al'lá! No hay ningún dios además de Él. Él lo reunirá ciertamente en el Día de la Resurrección; no hay ninguna duda en eso, y ¿quién puede ser más verdadero en sus palabras que Al'lá? [87]   4: [85-87]

Responda a los saludos con los saludos aún mejores.

SECCIÓN: 12

¿Qué pasa con ustedes, por qué ustedes son divididos en dos grupos acerca de los hipócritas? Al'lá les ha rechazado ya por la causa de sus fechorías. ¿Desean ustedes guiar aquéllos a quienes Al'lá ha extraviado? Quienquiera que Al'lá ha extraviado no podrán encontrar ninguna manera para guiarlo. [88] Su deseo real es ver que ustedes se vuelven de ser incrédulos, para que ustedes vuelvan exactamente como ellos. Así que ustedes no deben tomar a ellos como amigos a menos que ellos hayan inmigrado en el camino de Al'lá; y si ellos cambian de propósito, apodéralos de ellos y mátenlos dondequiera que ustedes los encuentran, y ustedes no deben de tomar a ninguno de ellos como protector o auxiliador. [89] La excepción a esto es para aquéllos que toman el refugio con sus aliados o vienen a ustedes porque sus corazones los refrenan de combatir contra ustedes ni tampoco combatir contra sus propias gentes. Si Al'lá hubiera querido, Él les habría dado poder encima de ustedes y ellos podrían haber combatido fácilmente contra ustedes; por consiguiente, si ellos aparten de ustedes y cesan su hostilidad y ofrecen paz, entonces, Al'lá no ha concedido permiso para combatir contra ellos. [90] Ustedes encontrarán aún otro tipo de hipócritas que desean estar en paz con ustedes así como con sus propias gentes; pero quienes se zambullirían en la travesura siempre que ellos encuentran una oportunidad. Por

Combate contra la hipocresía e hipócritas.

consiguiente, si ellos no mantienen alejado de ustedes, ni ofrecen paz a ustedes, ni cesan sus hostilidades contra ustedes, entonces ustedes pueden asirlos y pueden matarlos dondequiera que ustedes los encuentran. Contra las tales personas Nosotros les damos a ustedes la autoridad absoluta.[91]

4: [88-91]

SECCIÓN: 13

El castigo por matar un creyente y leyes de la retribución de sangre.

No es digno para un creyente matar a otro creyente a menos que sea por el accidente. Y quienquiera que mate a un creyente por error debe de librar un esclavo creyente y pagar el precio de sangre a la familia de la víctima, a menos que la familia renuncie al mismo como una caridad. Si la víctima era creyente y pertenecía a una nación hostil, entonces la libración de un esclavo creyente es suficiente, pero si él pertenecía a una nación con quien usted tiene un tratado, entonces debe pagarse el precio de sangre a su familia junto con la libración de un esclavo creyente. Pues aquél que no tiene los medios (*el precio de sangre y / o un esclavo*) debe ayunar dos meses consecutivos: un método de arrepentimiento proporcionado por Al'lá. Al'lá es el Omnisciente, Sabio. [92] Quienquiera que mate a un creyente intencionalmente, su castigo, como retribución, es el infierno en que vivirá para siempre. Él incurrirá la ira de Al'lá, le maldecirá y preparará para él un castigo terrible. [93]

4: [92-93]

Investigue propiamente antes de saltar a la conclusión.

¡Creyentes! Cuando ustedes acuden a una expedición en el camino de Al'lá, pues hay que investigar cuidadosamente, y no digan a nadie que le ofrece un saludo: " Tú no eres un creyente " para buscar la ganancia mundana con esto. Pues Al'lá tiene abundantes botines para ustedes. Recuerden que ustedes estaban en la misma condición anteriormente y Al'lá ha conferido Sus favores en ustedes. Por consiguiente, hagan una investigación completa antes de considerar a alguien un incrédulo. Indudablemente Al'lá es bien consciente de todas sus acciones. [94]

4: [94]

Las categorías de los Muyâjidïn encima de los que no son.

Los creyentes que se quedan en casa - teniendo ningún invalidez física - no son igual a aquéllos que hacen Ÿijãd (*el forcejeo*) en la causa de Al'lá con su riqueza y con sus personas. Al'lá ha concedido un grado más alto a aquéllos que hacen Ÿijãd con sus riquezas y con sus personas en comparación a aquéllos que se quedan en casa. Aunque Al'lá ha prometido un buen premio para todos, Al'lá ha distinguido y preparado un premio magnífico para aquéllos que hacen Ÿijãd para Él que para aquéllos que se quedan en casa [95] - ellos tienen rangos especiales más altos, Su perdón y Su misericordia. Al'lá es Indulgente, Misericordioso. [96]

4: [95-96]

SECCIÓN: 14

Oprimidos deben emigrar si es posible.

Cuando los ángeles encargados de quitar la vida, llevan a las personas que han sido injustos consigo mismos y preguntan: "¿Cuál fue su situación?" Ellos contestarán: " Éramos oprimidos en la tierra." Los ángeles dirán: "¿Acaso no era la tierra de Al'lá espaciosamente suficiente para emigrar e ir en alguna otra parte?" Pues el Infierno será morada para ellos y ¡que refugio más malo! [97] Sin embargo, los hombres desvalidos, mujeres y niños que no tienen los medios para emigrar ni fuerza para el escape. [98] A éstos puede que Al'lá les perdone. Al'lá es el Perdonador, Indulgente. [99] Él, quien emigra en el camino de Al'lá, encontrará numerosos lugares de refugio en la tierra y los recursos abundantes. Él quien deja su casa para emigrar para Al'lá y para Su Rasúl y es sorprendido por la muerte, su recompensa es debido y efectivamente seguro con Al'lá. Al'lá es Indulgente, Misericordioso. [100]   4: [97-100]

El premio para la migración en la causa de Al'lá.

SECCIÓN: 15

Cuando ustedes viajan en la tierra, no hay ningún reproche si ustedes abrevian su Salá, sobre todo cuando ustedes temen que los incrédulos pueden atacarlo, ya que los incrédulos son sus enemigos declarados. [101] Cuando tú, está con ellos, mientras dirigiendo su Salá (la oración en el estado de guerra), permita que un grupo de ellos mantenga la posición para rezar con tigo, listos con sus armas. Después de que ellos terminan sus postraciones, permítales retirar al trasero y permita al otro grupo que todavía no ha rezado avanzar para rezar contigo; y también les permitas que mantengan en su guardia, listos con sus armas. Los incrédulos desean verle descuidar sus armas y su equipaje, para que ellos pudieran atacar para dominarlo todos de repente en un golpe. Sin embargo no hay ningún reproche, si pones sus armas al lado debido a la lluvia pesada o porque eres enfermo, pero aun así debes estar en su guardia. Al'lá ha preparado un castigo humillante para los incrédulos. [102] Cuando ustedes terminan su Salá (*la oración*) recuerden a Al'lá siendo ustedes de pie, sentados o reclinándoos; luego cuando ustedes estén seguros (*fuera del peligro*) establezcan el Salá regular por completo. Ciertamente el Salá está hecho obligatorio para los creyentes en sus tiempos prescritos. [103] No muestren la debilidad siguiendo al enemigo; si ustedes están sufriéndoos las penalidades, ellos también están sufriendo las penalidades similares; es más, ustedes tienen espera de recibir el premio de Al'lá mientras ellos no tienen ninguno. Al'lá es el Omnisciente, Sabio. [104]   4: [101-104]

Salat-ul-Qasr: Acortar el Salá durante el viaje. Y el Salá en el estado de guerra.

El Salá está obligatorio en sus momentos prescritos.

SECCIÓN: 16

Nosotros hemos revelado a ti la Escritura con la Verdad para que puedas juzgar entre las personas de acuerdo con la Vía Correcta que Al'lá te ha mostrado, y no seas un abogado para aquéllos que traicionan la confianza; [105] ¡Pides perdón a Al'lá!, ciertamente Al'lá es Indulgente, Misericordioso. [106] No supliques en nombre de aquéllos que traicionan sus propias almas; Al'lá no ama al traicionero, pecador. [107] Ellos podrían esconder sus crímenes de las gentes, pero ellos no pueden esconder de Al'lá. Él incluso está con ellos cuando ellos trazan de noche en palabras que Él no puede aprobar. Al'lá abarca todas sus acciones. [108] Puedes

Establezcan la justicia basada en la guía Divina. Y Aviso contra la Calumnia y contra cobrar falsamente a

los inocentes.

suplicar para ellos en esta vida, pero ¿Quién suplicará para ellos con Al'lá en el Día de la Resurrección? ¿Quién será entonces su protector? [109] Si cualquiera hace mal o es injusto con su propia alma y luego busca el perdón de Al'lá, encontrará que Al'lá es Perdonador, Misericordioso. [110] Quienquiera que se compromete un pecado, pues se compromete contra su propia alma. Al'lá es Omnisciente, Sabio. [111] Cualquiera que compromete un crimen o pecado y acusa de eso a una persona inocente (*un musulmán de la tribu de Bani Zafar comprometió el robo y echó la culpa a un judío que era inocente*), él llevará la culpa de calumnia y un pecado flagrante manifiesto. [112]   4: [105-112]

SECCIÓN: 17

Los favores especiales de Al'lá al Profeta. La prohibición de las conversaciones secretas y su excepción limitada.

Si la gracia de Al'lá y misericordia no estuvieran contigo para salvarte de travesura de ellos, un grupo de ellos (*entre la tribu de Bani Zafar*) se había determinado para llevarte descaminado. Ellos no extravían a nadie más que ellos mismos, y ellos de ninguna manera pueden dañarte. Al'lá ha revelado a ti la Escritura y la Sabiduría y te ha enseñado de lo que no sabías; de hecho, el favor de Al'lá en ti es inmenso. [113] No hay virtud en la mayoría de los consejos confidenciales de las personas; es, sin embargo, bueno si uno hace la caridad, la bondad, y la reconciliación entre las personas en secreto; el que hace esto por deseo de agradar a Al'lá, pronto le daremos una magnífica recompensa. [114] Cualquiera que es hostil al Rasúl después de haberle sido aclarada la guía a él y se ha seguido un camino diferente que de los creyentes, lo dejaremos en el camino que él ha escogido y le arrojaremos en el Infierno ¡Que refugio más malo! [115]   4: [113-115]

SECCIÓN: 18

Shirk es un pecado imperdonable. Y La prenda y las Promesas del Shaitãn.

Ciertamente Al'lá nunca perdonará al que compromete el pecado de Shirk (*asociarse a Al'lá algo o alguien*) y puede ser que perdone lo que es menos grave a quien Él le agrada. Alguien que compromete el pecado de Shirk con Al'lá está profundamente extraviado. [116] Los paganos invocan las deidades femeninas al lado de Él; no invocan más que a un Shaitãn (*Satanás*) rebelde, [117] en quien Al'lá ha puesto Su maldición; y quien ha dicho: "Yo tomaré una buena porción de Tus siervos y los desencaminaré. [118] Instigaré en ellos los deseos falsos y pediré que ellos se hiendan las orejas de ganado y pediré que alteren la creación de Al'lá." Por consiguiente, quienquiera que tome Shaitãn como su guardián en lugar de Al'lá, se ha vuelto como un perdedor bien definido. [119] Shaitãn les hace promesas y promueve los deseos falsos en ellos; pero Shaitãn no les promete sino engaños. [120] La morada de tales personas que le siguen será el infierno, de dónde ellos encontrarán ningún modo para escapar. [121]   4: [116-121]

En cuanto a aquéllos que tienen la fe y hacen los hechos virtuosos, Nosotros los admitiremos pronto a jardines por cuyos bajos fluyen los ríos en los que van a vivir para siempre. Ésta es la promesa verdadera de Al'lá, y ¿quién puede ser más veraz en sus palabras que Al'lá? [122] El resultado final no estará de acuerdo con sus deseos ni de acuerdo con los deseos de las Gentes de la Escritura. Él, quien hace el mal será retribuido con el mal: él encontrará a ningún protector o auxiliador fuera de Al'lá. [123] Pero el que hace los hechos virtuosos, sea un varón o una hembra - con tal de que él o ella sea creyente - entrará en el paraíso y no será tratado/tratada injustamente en lo más mínimo. [124]   4:[122-124]

¿Quién tiene un Dïn (*estilo de vida o religión*) mejor que uno que es musulmán (*alguien que somete completamente*) a Al'lá, hace el bien a otros y sigue la fe de Ibrãjïm (*Abraham*) que fue janif (*el recto*) y a quien Al'lá escogió de ser Su amigo íntimo? [125] Todas las cosas que están en los cielos y en la tierra pertenecen a Al'lá. Al'lá rodea todas las cosas. [126]

4: [125-126]

SECCIÓN: 19

Ellos preguntan decisión tuya acerca de las mujeres. Di: "Al'lá toma Su decisión acerca de ellas y junto con este hay que recordar los mandos ya recitados en la Escritura (*El Qur'ãn*), en relación a las huérfanas a las quienes ustedes aún no han concedidos sus derechos legales y a quienes ustedes desean casarse, y a propósito de los niños desvalidos, y que hagan la justicia a los huérfanos. Lo que ustedes hacen de bueno, Al'lá lo conoce ciertamente. [127] Si una mujer teme crueldad o deserción de su marido, no hay ningún reproche si los dos de ellos están de acuerdo en reconciliarse por medio de un compromiso, después de todo el compromiso es mejor. La naturaleza humana es propenso a la codicia, pero si ustedes muestran la generosidad y temor a Al'lá en sus relaciones, ciertamente Al'lá es bien consciente de sus acciones. [128] No es posible para ustedes hacer la justicia entre sus esposas aun cuando ustedes desean hacerlo; por lo tanto obedeciendo la Ley Divina, no sean parciales hacia una esposa a la magnitud que ustedes dejan la otra suspendida en el aire. Si ustedes reconcilian y tengan el temor de Al'lá, Al'lá es Indulgente, Misericordioso. [129] Si se separan, Al'lá enriquecerá a cada uno con Sus propios recursos ilimitados, Al'lá es el Espléndido, el Sabio. [130]

4: [127-130]

A Al'lá pertenece todo lo que hay en los cielos y en la tierra. Nosotros dirigimos a las Gentes de la Escritura anteriormente y ahora lo dirigimos a ustedes también que hay que temer a Al'lá. Pero si ustedes desobedecen (*ustedes harán por su propio riesgo*) Al'lá de todo modo posee lo que está en la tierra y en los cielos. Al'lá es Autosuficiente, Digno de alabanza. [131] ¡Sí! de Al'lá es lo que está en los cielos y en la tierra. Al'lá es suficiente como Protector. [132] Si Él quisiera, Él podría destruirlo todos, ¡Humanos!, y podría sustituirlos por otros. Al'lá tiene el poder para hacer todo eso. [133] Cualquiera que desea la recompensa de este mundo debe saber que Al'lá dispone de la recompensa de ambos, de este mundo y el de Día de la Justicia. Al'lá todo lo oye, todo lo ve.[134]

4: [131-134]

SECCIÓN: 20

Seas firme en su posición para la justicia.

¡Creyentes! Mantengan firmes para la justicia y hagan los verdaderos testigos por causa de Al'lá, aunque esté contra sus propios intereses, de sus padres o parientes más cercanos. Aunque sean ricos o pobres - pues Al'lá es protector de ambos. Así que no permita sus deseos egoísticas que desvíen a ustedes de la justicia. Si ustedes tuercen su testimonio o rechazan darlo, entonces ustedes deben recordar que Al'lá es totalmente consciente de sus acciones.[135]

4: [135]

Los creyentes se exigen creer sinceramente.

¡Creyentes! Crean en Al'lá, en Su Rasúl, en la escritura que Él ha revelado a Su Rasúl, y cada Libro que Él había revelado previamente. Él quién niega a Al'lá, a Sus ángeles, a Sus Libros, a Sus Rasúles y en el Último Día ha extraviado profundamente. [136] Indudablemente aquéllos que aceptan la fe luego renuncian, vuelven de nuevo abrazar la fe y de nuevo lo niegan, y siguen aumentando en la incredulidad, Al'lá ni perdonará a ellos ni los guiará a la Vía Recta. [137] Anuncie el castigo doloroso a esos hipócritas [138] quienes escogen a los incrédulos para ser sus protectores en lugar de los creyentes. ¿Están buscando el honor estando con ellos? Cuando por el contrario el honor en su totalidad pertenece a Al'lá. [139] Él ya ha revelado para ustedes en la escritura que cuando ustedes oyen las revelaciones de Al'lá no son creídas o son ridiculizadas por las personas, ustedes no deben sentarse con ellos a menos que ellos cambian el tema de su charla--- si no, ustedes serán considerados culpables igual como ellos. Tengan la seguridad que Al'lá va a reunir a los hipócritas y los incrédulos en el infierno. [140] Estos hipócritas son los que esperan y miran para ver cómo el viento sopla. Si Al'lá les concede una victoria, ellos dicen: "¿Pues, acaso no estábamos con ustedes?" Y si los incrédulos ganan algún éxito parcial, ellos dicen: "¿Acaso no éramos bastante fuerte para combatir contra ustedes? Aun así protegimos a ustedes de los creyentes (*los musulmanes*)." Al'lá juzgará entre ustedes y entre ellos en el Día de la Resurrección. Al'lá no dejará, de ninguna manera, a los incrédulos triunfar contra los creyentes. [141]

4: [136-141]

Debe boicot las reuniones un-islámicas.

Los hipócritas tienen las normas dobles.

SECCIÓN: 21

Las características de los hipócritas y los

Ciertamente los hipócritas intentan engañar a Al'lá, considerando que, de hecho, Él ha revertido su decepción a ellos; cuando ellos disponen al Salá, ellos están de pie renuentemente, meramente para ser visto por las personas y no recuerdan a Al'lá pero un poquito [142] - vacilándose entre la creencia y el escepticismo, no perteneciendo a uno ni al otro. Quien Al'lá permite extraviarse, pues no puedes encontrar un camino para él. [143] ¡Creyentes! No escojan a los incrédulos para ser sus amigos protectores en lugar de los creyentes. ¿Gustarían ustedes dar a Al'lá una prueba clara contra ustedes mismos? [144] Ciertamente los hipócritas estarán en la profundidad más baja del Fuego; y no encontrarán cualquier auxiliador para ellos. [145] Sin embargo, aquéllos que se arrepienten y remiendan sus conductas, se aferran a Al'lá, y purifican su fe sinceramente, solamente en devoción a Al'lá - pues se considera, que ellos están con los creyentes. Pronto Al'lá concederá un premio magnífico a los creyentes. [146] ¿Por qué Al'lá va a castigar si ustedes están agradecidos y verdadero creyentes? Al'lá es Agradecido, Omnisciente. [147]

4: [142-147]

actos de hipocresía. Y Los hipócritas estarán en las profundidades más bajas del infierno.

ȲÚZ (PARTE): 6

A Al'lá no le gusta proferir las palabras malas en voz alta, excepto por alguien que haya sido tratado injustamente. Al'lá todo lo oye todo lo sabe. [148] Si ustedes hacen los hechos buenos abiertamente o en privado o perdonan un agravio, entonces ciertamente Al'lá está Perdonador, Poderoso. [149] Aquéllos que niegan a Al'lá y a su Rasúl y aquéllos que piensan trazar una línea entre Al'lá y entre Su Rasúl diciendo: "Nosotros creemos en algunos, y rechazamos el resto." - deseando tomar una postura entre la creencia e incredulidad [150] - éstos son los incrédulos verdaderos y hemos preparado para los tales incrédulos un castigo humillante. [151] En cuanto a aquéllos que creen en Al'lá y en Sus Rasúles y no diferencian entre cualquiera de ellos, pronto les daremos sus premios debidos. Al'lá es Indulgente, Misericordioso. [152]

4: [148-152]

No profiera las malas palabras. No atraiga una línea entre Al'lá y Sus Rasúles En su obediencia hacia ellos.

SECCIÓN: 22

La gente de la escritura te pide que bajes un libro del cielo para ellos. Ya habían exigidos a Musa (*Moisés*) un milagro aún más grave que eso. Ellos le pidieron: "Háganos ver a Al'lá con nuestros propios ojos," como resultado de sus impiedades, el rayo se los llevó. Luego, cogieron el ternero para el culto aun después de haber recibidos las revelaciones claras. Aun después de todos esos, todavía se les perdonamos y dimos a Musa una autoridad manifiesta. [153] Nosotros alzamos la montaña de Tür encima de ellos en señal de pacto con ellos y les ordenamos que entraran en la verja postrando en la humildad. Todavía en otra ocasión les ordenamos que no transgredieran en el asunto del Sábado y tomamos un pacto solemne de ellos. [154] Después de todo esto, por haber violado su convenio, por haber rechazado la Revelación de Al'lá, por haber matado a

Los judíos son los pecadores habituales y violadores de los mandos de Al'lá. Y Jesús no fue ni matado ni crucificado.

Castigando a los judíos para sus iniquidades.

los Profetas injustamente y por haber dicho: "Nuestros corazones están en envolturas seguras que han conservado la Palabra de Al'lá; no necesitamos ningún más." ¡No! Es Al'lá Quien ha sellado sus corazones a causa de sus escepticismos. Ellos no tienen la fe excepto un poco. [155] Ellos entraron en su incredulidad a tal magnitud que ellos profirieron la calumnia terrible contra Marllam (*María*). [156] Ellos aun dicen: "Nosotros hemos matado el Mesías, Isa (*Jesús*), hijo de Marllam, el Rasúl de Al'lá." Cuando por el contrario la verdad es, que ellos ni lo mataron ni lo crucificaron pero pensaron que ellos hicieron así porque este asunto fue hecho dudoso para ellos. Aquéllos que discrepan acerca de eso sólo están en la duda. Ellos no tienen el conocimiento real, ellos siguen nada más que y meramente una conjetura, pero ciertamente ellos no le mataron (*a Jesús*). [157] ¡No! La realidad es que Al'lá se lo elevó hacia Sí. Al'lá es Poderoso, Sabio. [158]

Su única salvación es en volverse al Islam.

No hay ninguno de las Personas de la escritura sino que creerá en este hecho antes de su muerte; y en el Día de la Resurrección Jesús dará testimonio contra ellos. [159] Debido a la injusticia de aquéllos que se llaman a ellos mismos como judíos, de haber impedido muchas personas del camino de Al'lá, [160] por haber tomado usura a pesar de su prohibición, y haber estafado a otros de sus propiedades - hicimos ilícitas muchas cosas sanas los que eran anteriormente legal para ellos. También hemos preparado un castigo doloroso para aquéllos entre ellos quienes rechazan la fe. [161] Sin embargo, aquéllos entre ellos quienes son bien-conectados en el conocimiento y aquéllos que de verdad creen en lo que se ha revelado a ti, y a otros Profetas antes de ti, establecen el Salá, pagan el Zaká, y creen en Al'lá y en el Último Día, pronto se les dará un premio magnífico. [162]   4: [153-162]

SECCIÓN: 23

Este Qur'ãn lleva el mismo mensaje como se envió a Noé, Abraham, Moisés y Jesús. Y La autenticidad de Al-Qur'ãn es verificada por el propio Al'lá.

Nosotros te hemos enviado las revelaciones así como Nosotros enviamos a Nüj (*Noé*) y a los Profetas que vinieron después de él; Nosotros también enviamos las revelaciones a Ibrãjïm (*Abraham*), a Isma`il (*Ismael*), a Isjãq (*Isaac*), a Lla'qüb (*Jacob*), a sus descendientes, a Isa (*Jesús*), a Allüb (*Job*), a Llünus (*Jonás*), a Jarün (*Aarón*) y a Sulaimãn (*Salomón*); y a Dawüd (*David*) le dimos los Salmos. [163] Enviamos las Revelaciones a esos Rasúles quienes ya hemos mencionado a ti y también a aquéllos cuyos nombres no te hemos mencionado; a Musa Al'lá habló directamente. [164] Todo los Rasúles llevaron las buenas noticias a la humanidad y los amonestaron para que, después de mandar el mensaje a través de los Rasúles, las personas no puedan tener ningún pretexto para alegar contra Al'lá. Al'lá es Poderoso, el Sabio. [165] Las gentes pueden o no pueden creerlo, pero Al'lá es el testigo a lo que Él ha enviado a ti, Él ha enviado con Su propio Conocimiento y los ángeles también son testigos; aunque para el testimonio sólo Al'lá es suficiente. [166]   4: [163-166]

Aquéllos que rechazan la fe e impiden a otros del camino de Al'lá, se han extraviado, de hecho, profundamente lejos del Camino. [167]

Ciertamente Al'lá no perdonará a aquéllos que rechazan la fe y actúan injustamente; ni les guiará por cualquier otro camino [168] sino al camino del infierno, en que ellos vivirán para siempre y esto es fácil para Al'lá. [169] ¡Humanidad! El Rasúl ha venido a ustedes con la Verdad que viene de su Rab, así que crean en él, es para su propio beneficio. Si ustedes descreen, entonces deben de saber que a Al'lá pertenece todo lo que está en los cielos y en la tierra. Al'lá es el Conocedor, el Sabio. [170] ¡Gentes de la escritura! No transgreden los límites de su religión. Hablen nada más que la Verdad acerca de Al'lá. El Mesías, Isa (*Jesús*), el hijo de Marllam (*María*) era nada más que un Rasúl de Al'lá y Su Palabra qué Él ha comunicado a Marllam y un Espíritu que había procedido de Él. Así que crean en Al'lá y en Sus Rasúles y no digan: "la Trinidad". Dejen de decir eso que será mejor para ustedes. Al'lá es sólo un Dios Uno. ¡Gloria a Él!, Él es muy arriba de la necesidad de tener un hijo. A Él pertenece todo lo que está en los cielos y en la Tierra. Al'lá solo es suficiente como protector. [171]

4: [167-171]

SECCIÓN: 24

El Mesías (*Jesús*) nunca había desdeñado de ser el siervo de Al'lá ni tampoco los ángeles que están más cercanos a Al'lá. A todos aquéllos que desdeñan de ser Su siervos y son arrogantes, se congregarán hacia Sí. [172] En cuanto a aquéllos que tienen la fe y hacen los hechos virtuosos, Él les pagará su compensación debida y les dará aún más de Su gracia, pero Él infligirá el castigo doloroso en aquéllos que son desdeñosos y arrogantes, y ellos no encontrarán nadie (*aquéllos con quienes ellos cuentan*) como para protegerlos o ayudarlos, fuera de Al'lá. [173]

4: [172-173]

¡Humanidad! Allí ha venido a ustedes la prueba convincente de la Verdad de su Rab. Hemos enviado a ustedes una luz gloriosa (*Al-Qur'ãn*) eso les muestra claramente la Vía Recta. [174] Ahora aquéllos que creen en Al'lá y hayan aferrado a Él, Al'lá les cubrirá pronto con Su misericordia y gracia y les mostrará la Vía Recta hacia Él. [175]

4: [174-175]

Ellos le piden una decisión legal en relación a la herencia en el caso de una persona sin hijos. Dígales: "Al'lá le da Su decisión sobre aquéllos que dejan ningún descendiente o ascendiente como los herederos. Si un hombre se muere sin hijos y solo deja atrás una hermana, ella heredará la mitad de su propiedad. Si una mujer se muere sin hijos o esposo y solo deja atrás un hermano, su hermano heredará toda su propiedad. Si la persona sin hijos deja a dos hermanas detrás, ellas las dos heredarán dos-tercero de su propiedad; pero si él tenía más de dos hermanos y hermanas, la porción de cada varón será como a dos hembras juntas. Así Al'lá aclara Sus mandos a ustedes para que no vayan descaminados. Al'lá tiene el conocimiento perfecto de todo. [176]

4: [176]

Notas al margen:

Crean en csta revelación auténtica si ustedes quieren lograr la felicidad. Y Paren de decir el refrán de "Trinidad" Al'lá es Uno y Sólo Deidad.

Jesús era un Profeta y adorador de Al'lá.

Se pide la humanidad de creer en el mensaje del Qur'ãn.

La decisión legal en relación a la herencia de las personas sin hijos.

5: AL-MÃ'IDÁ

El periodo de la Revelación

Esta Süra parece haber sido revelada después del tratado de Judaibilla al final de 6 D. J. o el principio de 7 D. J. Aquí se trata de problemas que fueron el resultado de este pacto. La continuidad de los asuntos indica que la Süra en su totalidad fue revelada como un solo discurso el más probablemente en el mismo tiempo.

Incluye los siguientes principios, Leyes y Guías Divinas:

➢ Lícito (Jalãl) e ilícito (Jarãm) en los asuntos de la comida.
➢ El permiso para comer la comida de Ajl-al-Kitab (los judíos y los cristianos).
➢ El permiso para casarse a las mujeres de Ajl-al-Kitab (los judíos y cristianos).
➢ Las reglas en relación al bañarse, hacer wuzú y Tallamüm.
➢ El hecho que el Salá y el Zaká también eran obligatorios para los judíos y cristianos.
➢ La invitación a los judíos y los cristianos para volver al Islam. Aquéllos que no juzgan por las Leyes de Al'lá se declaran de ser incrédulos y transgresores.
➢ La Advertencia para guardar contra la corrupción de poder.
➢ El castigo para la rebelión, para perturbar la paz y para el robo.
➢ La prohibición absoluta de tomar bebidas alcohólicas y los juegos de suerte.
➢ Las reglas adicionales para las leyes de la evidencia.
➢ Los milagros de Jesús - y el hecho que él no exigió de ser divino.
➢ El testimonio que Jesús va a dar en el Día del Juicio.

Al-Mã'idá se reveló en el momento cuando el último esfuerzo del Quraish para suprimir el Islam se había derrotado en la Batalla de la Zanja, y se había puesto bastante obvio a los Árabes que ningún poder pudiera suprimir el movimiento islámico. Ahora Islam no era meramente un credo que gobernó las mentes y corazones de las personas, sino también se había vuelto ser un Estado que estaba regulando las vidas de las personas. Por consiguiente, había una necesidad de formular las leyes civiles y delictivas islámicas en detalle y ponerlo in vigor a través de las cortes islámicas. Había necesidad de reformar las reglas de comercio y cambiarlo con las nuevas formas de hacer negocios reemplazándolos por las viejas. Igualmente, leyes islámicas de matrimonio y de divorcio, segregación de los sexos, y castigo para el adulterio, fue necesitado amoldar la vida social de los musulmanes. Esta Süra proporcionó las pautas a los creyentes en algunos de estos aspectos de sus vidas para que sus conductas social, conversación, vestido, estilo de la vida y la cultura pudieran tomar una forma definida de su propio modo.

El tratado de Judaibilla también se firmó en el mismo año que resulto en paz para los musulmanes, no solamente en su propio territorio sino también la tregua para extender el Mensaje del Islam en los territorios circundantes. El Profeta Santo escribió las cartas a los gobernantes del Irán, del Egipto, y de la Roma y a los Jefes de las tribus árabes, invitándolos al Islam. Al mismo tiempo los misioneros del Islam extendieron entre los clanes y las tribus y les invitaron a aceptar el Mensaje Divino de Al-Islam.

Ahora que los musulmanes se habían vuelto un cuerpo gobernante, fue temido que el poder pudiera adulterarlos. A este periodo de gran ensayo, Al'lá los había amonestado de hacer la justicia y guardar contra la conducta mala como de sus predecesores, las gentes de la escritura. Se mandan a los creyentes para permanecer firme al Convenio de Obediencia a Al'lá y a Su Rasúl. Ellos deben seguir los órdenes de Al'lá y las prohibiciones para salvarse de las consecuencias malas que enfrentaron los judíos y los cristianos. Les han dicho que eviten la hipocresía. En la continuación de las instrucciones cedida en la Süra Al-Nisã ' sobre la consolidación de la comunidad islámica, los musulmanes se han dirigido a observar y cumplir todas sus obligaciones. También se amonestan a los judíos y a los cristianos de dejar sus actitudes malas hacia la Vía Recta y aceptar la guía que está enseñada por el Profeta Mujámad (paz esté en él).

5: AL-MÃ'IDÁ

Esta Süra, revelada en la Madina, tiene 16 secciones y 120 versos.

En el nombre de Al'lá, el Compasivo, el Misericordioso

SECCIÓN: 1

Cumplan sus obligaciones, promesas y acuerdos. Cooperen en la piedad y no en la trasgresión.

¡Creyentes! Cumplen sus obligaciones del contrato. Todos los animales de cuatro patas del ganado son permitidos a ustedes excepto aquéllos que se anuncian por este acto. Sin embargo, no deben violar la prohibición de cazar mientras ustedes estén en el estado del Ejrãm (*el vestido de la peregrinación al Ka'ba*). De hecho Al'lá ordena cualquier cosa que Él le agrada. [1] ¡Creyentes! No violen la santidad de los Símbolos de Al'lá: ni el mes sagrado, ni los animales que trajeron para el sacrificio, ni las guirnaldas que marcan los tales animales, y ni esas personas que dirigen a la Sagrada Casa (*Ka'ba*) para buscar la gracia y el placer de su Rab. Están permitidos a cazar cuando ustedes dejen de estar sacralizados quitando sus Ejrãm (*la peregrinación ha terminado*). No permitan el odio de algunas personas - quienes una vez lo impidieron de la Sagrada Masyid - que les incite a comprometer la trasgresión. Cooperen entre sí en la rectitud y en la piedad, y no cooperen en el pecado y en la trasgresión. Tengan temor a Al'lá. Al'lá es severo en el castigo. [2]

5: [1-2]

La carne que fue declarada como Jarâm - (Prohibida). Y Islam se declara para ser el completo y perfecto Dïn (el estilo de vida).

Ustedes están prohibido a comer; la carne de cualquier animal que se muere solo (*el cuerpo muerto*), la sangre, la carne de cerdo (*puerco*) y la de animal sobre el que se haya invocado un nombre diferente que no sea de Al'lá; prohibidos también son los animales que mueren asfixiados, matados violentamente por palos, muertos por una caída, por una cornada o la que fue comido en parte por un animal salvaje a menos que ustedes puedan sacrificarlo antes de su muerte; también los que sacrifican en los altares o los divididos como resultado de tomar parte en una rifa de flechas. Todos éstos son los actos de las perversidades. Hoy los incrédulos han dejado todas sus esperanzas de vencer su religión. No tengan ningún temor de ellos, sino a Mí. Hoy Yo he perfeccionado su religión para ustedes, ha cumplido Mi favor en ustedes y ha aceptado Al-Islam como su Dïn (*el estilo de vida para ustedes*). Cualquiera que es compelido por hambre para comer lo que se prohíbe, sin intención de pecar, encontrará a Al'lá Indulgente, Misericordioso. [3]   5: [3]

Todas las cosas buenas y limpias son hecho lícitas.

Te preguntan acerca de qué les está permitido para ellos. Di: Todas las cosas limpias, buenas son permitidas para ustedes, Pueden comer lo que cogieron para ustedes sus pájaros de la caza y sus bestias, así como lo que ustedes se les han enseñado, entrenado por ustedes con el conocimiento dado a ustedes por Al'lá. Coma lo que ellos cogen y sostienen para ustedes, sin embargo, pronuncie el nombre de Al'lá sobre eso. Tengan temor a Al'lá. Al'lá es veloz estableciendo las cuentas. [4] Hoy las cosas limpias y buenas han sido permitidas para ustedes; y la comida de los que han recibido la escritura, es permitida para ustedes, así como también su comida es permitida para ellos. Igualmente, el matrimonio con las mujeres creyentes castas y también con las mujeres castas entre las Personas que fueron dados la escritura anterior a ustedes es hecho lícitas para ustedes, con tal de que ustedes les den sus dotes y desean la castidad, no comprometiendo la fornicación ni tomándolas como las amantes. Cualquiera que compromete Kufr (*rechaza*) con el Imán (*la fe*), todas sus obras buenas serán en vano y en el Día de la Justicia él será uno de los que van a perder. [5]

La comida de las Personas de la escritura es hecho lícita. Se permite el matrimonio con sus mujeres.

5: [4-5]

SECCIÓN: 2

¡Creyentes! Cuando ustedes dispongan a hacer el Salá (*la oración*), laven sus caras y sus manos hasta los codos, pasan sus manos húmedos sobre las cabezas y laven sus pies hasta los tobillos. Si ustedes tuvieran en un estado de impureza legal, entonces tomen un baño completo. Sin embargo, si ustedes están enfermos o en una jornada o ustedes han usado el inodoro o ustedes habían tenidos contacto (*sexual*) con sus mujeres (*sus esposas*) y ustedes no encuentran el agua entonces hagan el Tallamüm - encuentren la tierra limpia y froten sus caras y manos con él. Al'lá no desea imponer ninguna carga; Él sólo desea purificarlo y perfeccionar Su favor en ustedes, quizás así ustedes puedan ser agradecido. [6]

Orden de hacer el vudú (la ablución). Y

El permiso de Tallammüm.

5: [6]

Recuerden el favor de Al'lá a ustedes y el convenio que Él ratificó con ustedes cuando ustedes dijeron: " Nosotros oímos y nosotros obedecemos". Tengan temor a Al'lá; ciertamente Al'lá sabe los secretos de sus corazones. [7] ¡Creyentes! Sean firmes por causa de Al'lá cuando sean como testigos y no permitan la enemistad de unas personas incitarlo hacer la injusticia; hagan la justicia; eso está más cercano a la piedad. Tengan temor a Al'lá, ciertamente Al'lá es totalmente consciente de todas sus acciones. [8] Al'lá ha prometido a aquéllos quienes crean y hacen hechos buenos el perdón y el premio magnífico. [9] En cuanto a aquéllos que rechazan la fe y niegan Nuestras revelaciones, ellos serán los compañeros del fuego del infierno. [10] ¡Creyentes! También recuerden el favor de Al'lá que Él les dispensó recientemente a ustedes cuando Él refrenó las manos de aquéllos que quisieron dañarlo (*los judío planearon matar al Profeta y a los compañeros eminentes de él, a través de una invitación a una cena que Al'lá le informó no asistir*). Tengan temor a Al'lá; Que los creyentes confíen en Al'lá. [11]

Sean como verdaderos testigos y establezcan la justicia. Y La conjura de los judíos para matar al Profeta y sus compañeros.

5: [7-11]

SECCIÓN: 3

Al'lá concertó un convenio con los Hijos de Israel y designó doce jefes de entre ellos y dijo: "Yo estoy con ustedes; si ustedes establecen el Salá (*las oraciones*) paguen el Zaká, crean en Mis Rasúles apoyándoles y

El Salá y El
Zaká eran
obligatorios
para los judíos.
Y El hábito de
los judíos de
ser engañosos.

La mayoría de
los cristianos
también han
descuidado de
su Libro. Se
piden a los
judíos y a los
cristianos que
se vuelvan ser
musulmanes.

Jesús el hijo de
la María no es
Dios ni hijo de
Dios.

La demanda
falsa de los
judíos y de los
cristianos de
ser los Hijos de
Dios. Y Una
invitación a los
judíos y a los
cristianos que
se vuelvan ser
musulmanes.

den un préstamo generoso a Al'lá (*gasten en la caridad*), ciertamente Yo les perdonaré sus pecados y lo admitiré a los jardines por cuyos bajos fluyen los ríos. Sin embargo, si cualquier de ustedes, después de esto, viola este convenio, se habrá extraviado de la Vía Recta. [12] Aun después de eso, ellos violaron su convenio; como resultado, pusimos en ellos Nuestra maldición y endurecimos sus corazones. Ellos sacaron las palabras fuera de su contexto y descuidaron mucho de lo que ellos fueron mandados. Siempre encontrarás la mayoría de ellos engañosos salvo unos de ellos. Aun así perdónelos y pase por alto sus fechorías. Al'lá ama a aquéllos que son amables a otros. [13]   5: [12-13]

Igualmente, Nosotros también hicimos un convenio con aquéllos que se llaman cristianos, pero ellos también han descuidado mucho de lo que ellos fueron mandados. Como resultado, provocamos entre ellos la enemistad y odio que cultivarán hasta el Día de la Resurrección. Y pronto Al'lá les informará todos lo que ellos han hecho. [14] ¡Personas de la escritura! (*los judíos y los cristianos*) Ahora Nuestro Rasúl ha venido a ustedes a revelar mucho de lo que ustedes han ocultado de los Libros Santos y pasar por encima de mucho que no más es necesario. Allí ha venido a ustedes de Al'lá una nueva Luz y un Libro claro, [15] por medio de cual Al'lá guiará a los caminos de paz a todos aquéllos que buscan Su placer y les sacará de la profundidad de oscuridad hacia la luz por Su gracia y les guiará a la Vía Recta.[16]   5: [14-16]

De hecho aquéllos han comprometido Kufr (*rechazo a la fe*) quienes dijeron, "El Mesías, hijo de Marllam (*María*) es Dios." Pregúnteles, "¿Quién tiene el poder para prevenir a Al'lá si Él había escogido de destruir a Mesías, el hijo de Marllam, a su madre y a todos que están en la tierra?" Al'lá tiene la soberanía encima de los cielos y de la tierra y de todos que están entre ellos. Él crea lo que Él Le agrada y tiene el poder encima de todos. [17]   5: [17]

Los judíos y los cristianos dicen: "Nosotros somos los hijos de Al'lá y Sus predilectos." Les Pregunta, "¿Por qué, entonces, Él lo castiga a ustedes para sus pecados? ¡No! De hecho, ustedes son los seres humanos igual que otros que Él ha creado. Él perdona a quien Él quiere y Él castiga a quien Él Le agrada. ¡A Al'lá Le pertenece la soberanía de los cielos y de la tierra y de todo lo que está entre ellos, y hacia Él es último refugio!" [18] ¡Gentes de la escritura! De hecho, ahora Nuestro Rasúl ha venido a ustedes haciendo claro a ustedes la enseñanza de la Vía Recta, después de una interrupción larga en la serie de los Rasúles, para que ustedes no puedan decir, "Nadie ha venido darnos noticias buenas o advertirnos." Así pues, ahora alguien ha venido darles buenas nuevas y advertirlos para que le escuchen. Al'lá tiene el poder sobre toda las cosas. [19]   5: [18-19]

SECCIÓN: 4

Ponderen en la casualidad cuando Musa dijo a sus gentes: "¡Pueblo Mío! Recuerden los favores que Al'lá ha otorgado a ustedes. Él ha dispensado los Profetas de entre ustedes, hizo de ustedes reyes y lo dio algo que no se había dado a nadie en los mundos." [20] "¡Pueblo Mío! Entren en la tierra santa que Al'lá ha asignado para ustedes. No retrocedan, porque si ustedes hacen eso, ustedes se volverán los perdedores." [21] Ellos dijeron: "¡Musa! En allí, vive una nación de gigantes, nosotros no pondremos nuestros pies en este lugar hasta que ellos salgan de allí. En cuanto ellos salgan estaremos listos para entrar." [22] Por lo tanto, dos hombres entre ellos que eran temerosos de Al'lá y a quienes Al'lá había dado Su Gracia, dijeron: " Ataquen directamente a la verja de la ciudad, una vez que ustedes entran en él, ustedes serán ciertamente victoriosos. ¡Pongan sus confianza en Al'lá si ustedes realmente son los creyentes!". [23] Ellos contestaron, "¡Musa! No entraremos nunca en ella mientras ellos estén dentro. ¡Por consiguiente, vete, pues, tú con tu Rab y combaten con ellos, porque nosotros nos quedaremos aquí!". [24] Oyendo este Musa oró, "¡Rab mío! Yo no tengo ningún mando encima de cualquiera, excepto a mi y a mi hermano. Por favor, pónganos aparte de estas personas perversas." [25] Al'lá respondió, " Muy bien, les prohibirá esta tierra para cuarenta años, durante este tiempo ellos vagarán sin casa y sin hogar en la tierra, no te afliges para estas personas desobedientes." [26]   5: [20-26]

La conducta de los judíos con su propio Profeta Musa (Moisés).

La maldición de Al'lá en los judíos para 40 años.

SECCIÓN: 5

Cuéntales a ellos en toda la verdad la historia de los dos hijos de Adán: Cómo cada uno ofreció un sacrificio, y cómo la ofrenda de uno fue aceptada mientras la del otro no. El último dijo: " Yo te mataré." El anterior contestó: "Al'lá sólo acepta el sacrificio del virtuoso. [27] Aun cuando estiras tu mano para matarme, yo no estiraré mi mano para matarte, porque yo temo a Al'lá, el Rab de los mundos. [28] Pienso permitirte que cargues de mi pecado así como de los suyos y así se vuelvas como un preso del Fuego que es el premio para los injustos." [29] El alma de lo último incitó a matar a su hermano; él lo mató y así se volvió uno de los que pierden. [30] Él llevó cuerpo muerto de su hermano a todos los lados y no supo qué hacer con él. Entonces Al'lá envió un cuervo que excavó la tierra para mostrarle cómo enterrar el cuerpo muerto de su hermano. "¡Ay de mí!", Él lloró, "Yo incluso no estuve la capacidad como de este cuervo para encontrar alguna manera de disponer del cuerpo muerto de mi hermano." Y paso a ser de los arrepentidos. [31]

5: [27-31]

La historia de los dos hijos de Adán (Abel y Caín).

A causa de ese suceso, Nosotros ordenamos para los Hijos de Israel que quienquiera que mate a una persona, exceptúe como un castigo para asesinato o travesura en la tierra, se escribirá en su libro de hechos como si él hubiera matado a todos los seres humanos que existen en la

El decreto de Al'lá con respecto a la

matanza de un ser humano.

superficie de la tierra y quienquiera que salvará una vida se considerará como si él ha dado la vida a todos los seres humanos en la superficie de la tierra. Aunque Nuestro Rasúles vinieron a ellos uno tras otro con las revelaciones claras, a pesar de eso, fueron muchos que comprometieron excesos en la tierra. [32] 5: [32]

El castigo de emprender la guerra contra Al'lá y contra Su Rasúl.

Retribución para aquéllos que hacen la guerra contra Al'lá y contra Su Rasúl y que se esfuerzan para crear la travesura en la tierra, es muerte o crucifixión o la amputación de sus manos y pies opuestos o destierro del país basada en la gravedad de su ofensa. Ésta será su humillación en este mundo y en el Día de la Justicia tendrán un castigo terrible, [33] quedan exceptuados aquéllos que se arrepienten antes de que ustedes les aprehendan, en tal caso, ustedes deben saber, que en efecto, Al'lá es Indulgente, Misericordioso. [34] 5: [33-34]

SECCIÓN: 6

Yijăd es la manera al éxito. Y Ningún rescate salvará a los incrédulos del castigo.

¡Creyentes! Temen a Al'lá y busquen tales medios cuales llevan hacia más íntimo a Él y hagan Ȳijăd (*el forcejeo*) en Su camino para que ustedes puedan tener el éxito. [35] En cuanto a aquéllos que son los incrédulos, si ellos tienen todo lo que la tierra contiene o aún doble de esto, y lo ofrecieran como rescate para librarse del castigo del Día de la Resurrección, no se les aceptaría de ellos y tendrán un castigo doloroso. [36] Ellos desearán salir del Fuego pero no podrán hacerlo y tendrán un castigo eterno. [37] 5: [35-37]

El castigo para el robo.

Varón o hembra, quienquiera es culpable de robo, corte la mano (*lo que usó en el robo*) de los ambos, como un castigo para su crimen. Éste es castigo ejemplar ordenado por Al'lá. Al'lá es el Poderoso, el Sabio. [38] Pero quienquiera que se arrepiente después de comprometer el crimen y reformas su conducta, Al'lá se volverá ciertamente a él con el perdón. Al'lá es Perdonador, Misericordioso. [39] ¿No sabes que Al'lá tiene la soberanía encima de los cielos y de la tierra? Él castiga a quien Él Le agrada y perdona a quien Él quiere. Al'lá tiene el poder sobre todas las cosas. [40] 5: [38-40]

No proporcionen el servicio labial; sean los verdaderos creyentes. Si Al'lá quiere castigar, el Rasúl no puede evitarlo.

¡Rasúl! No te afliges para aquéllos que se zambullen precipitadamente en la incredulidad; aquéllos que dicen con sus lenguas: "Nosotros creemos", pero no tiene la fe en sus corazones; y no afliges para esos judíos quienes escuchan atentamente a las mentiras y espían para otras personas que nunca habían venido a ti. Ellos manosean las palabras de Al'lá y los sacan de su contexto y dicen: "Si ustedes se dan el cierto mando, acéptelo; pero si está algo diferente que esto, rechácelo." Si Al'lá quiere poner a alguien a prueba, tú no tienes la autoridad en lo más mínimo para salvarlo de Al'lá. Las tales personas son aquéllos cuyos corazones Al'lá no ha deseado purificar; ellos tendrán la humillación en este mundo y un castigo doloroso en el Día del Juicio. [41] Eso es porque ellos escuchan a la falsedad y devoran el soborno (*las mordidas*). Por consiguiente, si ellos vienen a ti con sus casos, puedes juzgar entre ellos o puedes negarlo a hacer. ¿Aun cuando niegas a hacerlo, ellos no podrán dañarte en lo más mínimo, pero si actúas como un juez, juzgues entre ellos con equidad, porque Al'lá ama aquéllos que juzgan con equidad. [42] Pero ¿Por qué ellos vienen a ti para el Juicio cuándo ellos tienen el Taurãt que contiene los mandos de Al'lá? Aun así ellos retroceden después de eso. De hecho, ellos no son los verdaderos creyentes. [43]   5: [41-43]

SECCIÓN: 7

      De hecho Nosotros revelamos el Taurãt a Moisés en que hay Guía y Luz: Por sus leyes, todos los Profetas que eran los musulmanes juzgaron aquéllos que se llaman 'judíos' y así lo hicieron los rabinos y los juristas de lcyes. Ellos fueron confiados para la protección de la escritura de Al'lá y de lo cual ellos eran testigos. ¡No tengas, pues ningún miedo de los gentes, sino a Mí! Y no vendan Mis revelaciones por un poco de dinero: aquéllos que no juzgan por la ley que Al'lá ha revelado, de hecho, son los kafirïn (*los incrédulos*). [44] Nosotros ordenamos en la Taurãt para ellos: " Vida por vida, ojo por ojo, nariz por nariz, oreja por oreja, diente por diente y para una herida una venganza igual." Pero si cualquiera remite la venganza por vía de la caridad que será un acto de expiación para él; aquéllos que no juzgan por la ley que Al'lá ha revelado, ellos son los injustos. [45]   5: [44-45]

      Luego en los pasos de esos Profetas, enviamos Isa (*Jesús*) el hijo de Marllam (*María*) confirmándolo cualquier cosa que quedó intacto del Taurãt hasta este momento, y le dimos el Inÿïl (*el Evangelio*) en qué era la guía y la luz, mientras corroborando lo que se reveló en el Taurãt; una guía y una advertencia a aquéllos que temen a Al'lá. [46] Por consiguiente, juzgues a las personas que siguen el Inÿïl (*el Evangelio*) por la Ley que Al'lá ha revelado en eso; aquéllos que no juzgan por la Ley que Al'lá ha revelado, ellos son los perversos. [47]   5: [46-47]

      Te hemos revelado este Libro con la Verdad. En confirmación y como custodia del cualquier cosa que ha permanecido intacto en las escrituras que vinieron antes. Por consiguiente, juzgues entre las personas según las revelaciones de Al'lá y no rindes a sus deseos vanos, que te apartan de la Verdad que has recibido. Hemos ordenado una ley y un estilo de vida para cada uno de ustedes. Si Al'lá quisiera Él podría hacer a todos ustedes como una sola nación. Pero Él optó de no hacer para probarlo en lo que Él ha dado a ustedes; por consiguiente, intenten aventajar entre sí en los hechos buenos. Al final, todos ustedes devolverán a Al'lá; luego Él mostrará la verdad de esas cosas en que ustedes disputan. [48] Debes hacer Juicio entre ellos según la ley que Al'lá ha revelado y no sigues sus deseos vanos, y ten cuidado con ellos porque no sea que te seduzcan desviándote de parte de lo que Al'lá te ha revelado. Si ellos rechazan tu Juicio, pues debe saber que Al'lá desea afligirles por algunos

Las leyes de Taurãt (Tora). Aquéllos que no Juzgan por las leyes de Al'lá:
a)   Son incrédulos.

b) Son injustos.

c)   Son transgresores

en las revelaciones de Al'lá.

de sus pecados. La mayoría de las personas, en realidad, es perversa. [49] ¿Desean ellos ser juzgados por las leyes de la ignorancia rechazando la Ley Divina? y ¿Quién puede ser mejor Juez que Al'lá para aquéllos que están convencidos? [50]   5: [48-50]

SECCIÓN: 8

No tomen a los judíos ni a los cristianos como sus protectores.

¡Creyentes! No tomen a los judíos ni los cristianos como sus amigos protectores: ellos están protegiendo amigablemente a sólo entre sí mismos. Quienquiera de ustedes que desobedece este mando se contará como uno de ellos. Ciertamente Al'lá no guía a los injustos. [51] Pues, veras a aquéllos que tienen la enfermedad de hipocresía en sus corazones van apresurados alrededor del campamento diciendo: "Tenemos miedo de un revés de fortuna." Pero pronto cuando Al'lá te de victoria o una decisión según lo que Él querrá, ellos lamentarán para lo que ellos están escondiendo en sus corazones. [52] En ese momento los creyentes dirán: "¿Son estas las mismas personas que juraban solemnemente por Al'lá que ellos estaban al lado de ustedes?" Como resultado, todos sus hechos buenos se anularán y ellos se volverán perdedores. [53]   5: [51-53]

Sus amigos protectores son: Al'lá, Su Rasúl, y sus compañeros creyentes.

¡Creyentes! Quienquiera entre ustedes renuncia al-Islam, permítales que lo hagan; pronto Al'lá les reemplazará con otros a quienes Él amará y ellos amarán a Él, quienes serán humildes hacia los creyentes, vigorosos contra los incrédulos, esforzándose fuertemente en el camino de Al'lá, y no tendrán ningún miedo de reproche de cualquier crítico. Ahora éste es el favor de Al'lá. Él lo dispensa a quien Él Le agrada. Al'lá tiene el conocimiento ilimitado. [54] Sus amigos reales cuales están protegiéndoos son: Al'lá, Su Rasúl, y los compañeros creyentes - los que establecen el Salá, dan el Zaká y arqueen abajo humildemente ante Al'lá. [55] Quienquiera que toma a Al'lá, a Su Rasúl y a los creyentes compañeros como sus amigos protectores, deben saber que el partidario de Al'lá será ciertamente victorioso. [56]   5: [54-56]

SECCIÓN: 9

No favorezca a esas personas que hacen una burla de su religión.

¡Creyentes! No les haga a aquéllos como sus amigos protectores, quienes han recibido la Escritura antes de ustedes y ni tampoco a los incrédulos que toman la religión suya como objeto de burla o pasatiempo. Tengan temor a Al'lá si ustedes son los verdaderos creyentes. [57] Cuando ustedes hacen llamada para el Salá (para orar) ellos lo hacen como un objeto de burla y pasatiempo; esto es porque ellos son personas desprovistas para entender. [58] Di: "¡Gente de la escritura! ¿Qué es lo que hace a ustedes contra nosotros fuera de lo que creemos en Al'lá y en la Revelación hecha a nosotros y a los que nos precedieron? El hecho es que la mayoría de ustedes son los transgresores rebeldes" [59] Pregúnteles: ¿Debo yo contarle acerca de aquéllos que tendrán aun peor que esto en la retribución junto a Al'lá? Son aquéllos quienes Al'lá ha maldecido;

quienes han incurrido en Su ira; algunos de ellos a quienes Él ha convertido en monos y cerdos; quiénes rindieron culto a los Tãghüt (*las fuerzas de Satanás*); ésos son los que se encuentran en la situación peor y los más extraviados de la Vía Recta." [60]   5: [57-60]

Cuando ellos vienen a ustedes, dicen: "Nosotros creemos." Pero en verdad, incrédulos vinieron e incrédulos que van. Al'lá sabe bien lo que ellos esconden en sus corazones. [61] Verás que muchos de ellos precipitan en el pecado y rencor, y ellos consumen lo que es ilícito. ¡Qué mal es lo que ellos hacen! [62] ¿Por qué sus Rabinos y los Juristas de leyes no les prohíben de proferir palabras pecadoras y su consumo de las cosas ilícitas? ¡Qué mal está lo que hacen! [63] Los judíos dicen: "La mano de Al'lá está cerrada." ¡No! Sus propias manos se atarán y sean malditos por lo que ellos profieren. Al contrario, Sus ambos manos están abiertas; sin embargo, Él distribuye Sus dones como Él Le agrada. El hecho es que las revelaciones que han venido a ti de Al'lá, ciertamente, acrecentarán en muchos de ellos su rebelión e incredulidad. Hemos suscitado entre ellos la enemistad y odio hasta el Día de la Resurrección. Cada vez que ellos encienden el fuego de la guerra, Al'lá lo extingue. Ahora ellos están esforzándoos para extender la travesura en la tierra. Al'lá no ama a aquéllos que hacen la travesura. [64] Si en lugar de esta actitud rebelde, las personas de la escritura habían creído y se habían vuelto temerosos de Al'lá, Nosotros, ciertamente, habríamos quitado sus iniquidades y les habríamos admitido a los jardines de la Delicia (*el Paraíso*). [65] Si ellos hubieran observado las Leyes de Taurãt y la del Inÿil (*el Evangelio)* y otras Revelaciones que fueron enviados a ellos de su Rab, ellos habrían disfrutado, ciertamente, la abundancia del cielo y de la tierra. Aunque hay entre ellos una comunidad que mantiene el curso moderado; pero ¡Que mal que hace la mayoría de ellos! [66]   5: [61-66]

SECCIÓN: 10

¡Rasúl! Entregues el mensaje que se ha revelado a ti de tú Rab, y si tu no haces, no estás haciendo la justicia a su misión. Al'lá te protegerá de la travesura de las personas. Seguramente Al'lá no permitirá a los incrédulos tener éxito contra ti. [67] Dígales: ¡Gentes de la escritura! Ustedes no tienen ninguna razón para estar de pie a menos que ustedes observan la Taurãt (*tora*), el Inÿil (*el Evangelio*) y otras revelaciones que han venido a ustedes de su Rab. Esta revelación (*El Qur'ãn*) que ha venido a ustedes de su Rab, ciertamente, aumentará la rebelión y escepticismo de muchos de ellos. Pero no debes de afligir por el pueblo infiel. [68] Seguramente los creyentes (*los musulmanes*), los judíos, los sabianos y los cristianos - quienquiera de ellos que cree en Al'lá y en el Último Día y hace los hechos virtuosos - no tendrá nada que temer y no estará triste. [69]   5: [67-69]

La conducta engañosa de los judíos. Y La calumnia de los judíos contra Al'lá. Y Si sólo las Gentes de la escritura hubieran creído, ellos pudieran tener el mejor de ambos mundos.

La misión del Rasúl es entregar el Mensaje de Al'lá.

La actitud de
los judíos hacia
Rasúles.

Ciertamente tomamos un convenio de los Hijos de Israel y les enviamos Rasúles. Siempre que allí vendría a ellos un Rasúl con un mensaje que no satisfacía sus deseos, algunos de ellos le llamarían como un impostor y algunos de ellos le matarían. [70] Ellos no pensaron que van a hacer probados (*con la aflicción*); así que ellos portaron como los ciegos y sordos. Todavía Al'lá, en Su misericordia extrema, aceptó sus arrepentimientos, pero de nuevo muchos de ellos actuaron como ciegos y sordos hacia el mensaje de Al'lá. Al'lá está atento de sus acciones. [71]

5: [70-71]

Ésos que dicen
que Jesús es
Dios son
incrédulos.

Ciertamente ellos han descreído quienes dicen: " Al'lá es Cristo el hijo de Marllam (*María*). Mientras el propio Cristo dijo: "¡Hijos de Israel! Ríndanse culto a Al'lá, Quien es mi Rab y también suyo." Quienquiera que compromete el acto de Shirk (*asocia algún compañero con Al'lá*), Al'lá le negará el paraíso, y el fuego del infierno será su morada. No habrá ningún auxiliador para los injustos. [72] Ciertamente cometen la incredulidad quienes dicen: " Al'lá es uno de tres en la Trinidad." No hay ningún otro dios que Dios Único. Si ellos no detienen de este refrán, un castigo doloroso ocurrirá a los incrédulos entre ellos. [73] ¿No se volverán, entonces, a Al'lá pidiéndole Su perdón? Al'lá es Indulgente, Misericordioso. [74]

5: [72-74]

¿Quién era
Jesús hijo de
María?

Cristo, el hijo de Marllam, era nadie más que un Rasúl; muchos Rasúles ya habían fallecidos ante él y su madre quien era una mujer veraz; ellos los dos comían la comida igual que otros seres humanos. ¡Mira cómo les explicamos las Revelaciones para que sepan la realidad! Y ¡Mira cómo ellos les ignoran! [75] Pregúnteles: ¿Ustedes se rendirían culto afuera de Al'lá a alguien quien no puede ni dañar ni puede beneficiarlos? Mientras es Al'lá, Quien todo lo oye y todo lo sabe." [76] Di: "¡Gente de la escritura! No transgredan los límites de verdad en su religión, y no sigan las pasiones de unas gentes quienes ya antes se descaminaron y también extraviaron a los muchos otros y partieron de la Vía Recta.[77]

5: [75-77]

SECCIÓN: 11

Incrédulos
entre los Hijos
de Israel fueron
malditos por
los Profetas
David y Jesús
(pece).
Los cristianos
son más
íntimos a los
musulmanes
que los judíos

Aquéllos que descreyeron de entre los Hijos de Israel fueron maldecidos por la propia boca de Dawüd (*David*) e de Isa (*Jesús*) el hijo de Marllam (*María*): porque ellos desobedecieron y comprometieron los excesos. [78] Ellos no prohibirían entre sí de comprometer las iniquidades; ¡Qué mal es lo que hacían! [79] Como ustedes pueden ver que muchos de ellos están tomando el lado de los incrédulos. Lo que han hecho antes, está tan mal, que ellos han incurrido la ira de Al'lá, y en el castigo vivirán para siempre. [80] Si hubieran creído en Al'lá, en el Profeta, y en la Revelación que él recibió, nunca habrían tomado a los incrédulos como sus amigos protectores en lugar de los creyentes, pero la mayoría de ellos es trasgresor rebelde. [81] Encontrarán que los más violentos en la enemistad a los creyentes son los judíos y los mushrikïn (*los árabes paganos*); y verán también que el más cercano en el afecto a los creyentes son aquéllos quienes dicen: " Nosotros somos cristianos." Eso es porque hay entre ellos sacerdotes y monjes que no se comportan arrogantemente. [82] 5: [78-82]

y los Paganos.

ÝÚZ (PARTE): 7

Cuando ellos (*monjes y sacerdotes*) escuchan a lo que fue revelado al Rasúl, puedes ver sus ojos llenan de las lágrimas, de reconocimiento de la Verdad. Ellos dicen: "¡Nuestro Rab!, ¡Creemos!, por consiguiente, escríbanos, pues, entre los quienes dan el testimonio de esta Verdad. [83] ¿Cómo no vamos a creer en Al'lá y en la Verdad que ha venido a nosotros? Si no, ¿Cómo podíamos esperar que nuestro Rab nos admitirá a la compañía de los virtuosos?" [84] Pues, Al'lá les premiará con los jardines, bajo quienes fluyen los ríos, en los que vivirán para siempre. Así es la recompensa de los quienes hacen bien a otros. [85] En cuanto a aquéllos que rechazan y niegan Nuestras revelaciones, ellos se volverán los presos del fuego infernal. [86] 5: [83-86]

Los buenos cristianos reconocen la Verdad y se vuelven ser musulmanes.

SECCIÓN: 12

¡Creyentes! No hagan ilícitas esas cosas sanas que Al'lá ha hecho legal para ustedes. No transgredan; porque Al'lá no ama a los transgresores. [87] Coman de las cosas lícitas y sanas que Al'lá lo ha proporcionado. Teman a Al'lá en Quien ustedes creen. [88] Al'lá no llamará a ustedes para responder de lo que está inadvertido en sus juramentos. Pero Él, sí sostendrá responsable, para lo que ustedes juran solemnemente. La multa para violación a juramento es que deben alimentarse diez personas indigentes con comida tal como ustedes proporcionan a su propia familia, o que visten a diez personas necesitadas, o dejen un esclavo libre. El que no puede tener el lujo de ninguno de éstos, debe ayunar tres días. Ésta es la expiación por romper sus juramentos. Por lo tanto, estén atentos a sus juramentos. Así Al'lá ha aclarado a ustedes Sus revelaciones para que ustedes puedan ser agradecidos. [89] 5: [87-89]

No hagan ilícitas cosas como lícitas. Y Kaf'fará (la multa) por romper el juramento.

¡Creyentes! Intoxicantes y juegos al azar (*los juegos de suerte, lotería, etc.*), dedicación a las piedras (*dar el tributo a los ídolos*) y división por las flechas (*la lotería, arrojar las monedas, etc.*) son los trabajos cochinos de Shaitãn. Eviten de todo estos, para que ustedes puedan prosperar. [90] Shaitãn desea avivar enemistad y odio entre ustedes con los intoxicantes y juegos al azar y prevenirlo del recuerdo de Al'lá y del Salã (*las oraciones obligatorias*). ¿No van a abstener, pues? [91]

La prohibición de los intoxicantes (el licor y drogas) y juego por dinero. Y

El deber del Rasúl es sólo transmitir el Mensaje de Al'lá

Obedezcan a Al'lá y obedezcan al Rasúl y ¡tengan cuidado! Si ustedes no hacen, entonces deben saber que la obligación de Nuestro Rasúl es solamente transmitir Mi mensaje claramente. [92] No hay ningún reproche en aquéllos que creen y hacen los hechos buenos y para lo que ellos comieron en el pasado, con tal de que ellos se abstienen de esas cosas que han sido hecho ilícitas, luego permanecen firme en su creencia y hacen los hechos virtuosos, luego abstienen de cualquier cosa que fue prohibida y creen en la Ley Divina, y luego tienen el temor de Al'lá y hacen los hechos buenos. Al'lá ama a aquéllos que hacen los hechos buenos. [93]

5: [90-93]

SECCIÓN: 13

La prohibición de cazar durante estado de Ejrâm (el vestido de la peregrinación) y Kaf'fará (la multa) por cazar durante estado de Ejrâm.

¡Creyentes! Al'lá lo pondrá a la prueba a ustedes, dándole la oportunidad y alcance de sus manos y de sus lanzas alguna caza, para ver quién Le teme en secreto. Por consiguiente, habrá un castigo doloroso, para aquéllos que transgredan después de esta advertencia. [94] ¡Creyentes! No maten la caza mientras estén en Ejrâm (el vestido del peregrino). Si cualquiera de ustedes mata intencionalmente, él tendrá que pagar una multa a través de una ofrenda traído al Ka'ba de un equivalente animal doméstico al como que se mató determinado por dos hombres justos entre ustedes; o como una expiación dé de comer a los pobres o ayunan días equivalentes, para que pueda probar las consecuencias malas de lo que él hizo. Al'lá ha perdonado lo que pasó en el pasado; pero si cualquiera lo repite ahora, Al'lá infligirá la retribución en él. Al'lá es Poderoso, Capaz de Retribución. [95] La pesca y la caza del mar y su uso como la comida es lícita para ustedes y para los marineros, pero la caza de la tierra se prohíbe con tal de que ustedes estén en Ejrâm. Que tengan temor a Al'lá Quien congregará a todos ustedes hacia Él. [96]

5: [94-96]

Al'lá ha hecho Ka'ba en Meca un valor eterno por la humanidad.

Al'lá ha hecho de la Ka'ba la Sagrada Casa, un valor eterno para la humanidad. Y también; los Meses Sagrados, los animales de la ofrenda, y los animales que tienen guirnaldas como una marca de dedicación; así que ustedes deben saber que Al'lá tiene conocimiento de lo que está en los cielos y en la tierra y que Al'lá es bien consciente de toda las cosas. [97] Ustedes también deben saber que Al'lá es duro en la Retribución, y también que Al'lá es Indulgente, Misericordioso. [98] El único deber del Rasúl es la transmisión de Mi Mensaje. Al'lá sabe todos lo que ustedes revelan y lo que ocultan. [99] Diga: "Lo malo nunca será igual que lo bueno, aunque la abundancia del mal puede deslumbrar a ustedes; así que temen a Al'lá, hombres del intelecto, quizás, así, ustedes puedan prosperar." [100]

5: [97-100]

SECCIÓN: 14

¡Creyentes! No pregunten por las cosas que si dieran a conocer, podrían causar problemas para ustedes. Es que si preguntan por algo durante el periodo en que el Qur'ãn está revelándose, se hará conocer a ustedes. Al'lá lo ha perdonado lo que ustedes ya lo hicieron hasta la fecha, Al'lá es Perdonador, Tolerante. [101] Algunas personas antes de ustedes ya habían preguntados esas misma cosas y después perdieron su fe debido al mismo. [102] Al'lá no instituyó las supersticiones como aquellos de la camella con la oreja partida o una camella que sueltan para la pastura libre o sacrificio al ídolo para nacimiento de los gemelos en animales o camellos sementales librados del trabajo; todas estas son las mentiras inventadas por los incrédulos contra Al'lá, y a la mayoría de ellos le falta la comprensión. [103] Y cuando se les dice: " Vengan a lo que Al'lá ha revelado y al Rasúl." Ellos contestan: "Suficiente son para nosotros las maneras en que encontramos a nuestros antepasados." ¡Cómo! ¿Aunque sus antepasados no supieron nada y no eran debidamente dirigidos? [104]

5: [101-104]

¡Creyentes! Ustedes son responsables para nadie más que ustedes mismos; cualquiera que ha extraviado no puede dañarlo, si ustedes están en el buen camino. ¡El retorno de todos ustedes es a Al'lá y Él les informará la verdad de todos lo que ustedes hicieron! [105] ¡Creyentes! Cuando cualquier de ustedes se acerque a la muerte, debe llamar dos hombres de entre ustedes mismos que sirven como testigos en el momento de hacer su último testamento; o dos personas aunque sean de afuera, si estés viajando a través de la tierra y sobreviene la calamidad de muerte. Si dudan de su honestidad, retengas a ellos después del Salá y que los dos juren por Al'lá: " No venderemos nuestro testimonio por cualquier precio, incluso a un pariente, y no esconderemos el testimonio que vamos dar por causa de Al'lá. Si no, seríamos de los pecadores". [106] Luego, si se conoce que esos dos eran culpables del pecado de perjurio, entonces sustituirán con dos otros calificados que den testimonio de entre aquéllos que fueron privados de su derecho y testifiquen en el juramento, "Por Al'lá, nuestro testimonio es más verdadero que lo suyo. Nosotros no hemos transgredido en nuestro testimonio; si no, seríamos de los injustos." [107] Por este procedimiento, está más probable que ellos llevarán al verdadero testigo o por lo menos temen que sus juramentos pudieran contradecirse por los juramentos subsecuentes. Tengan temor a Al'lá y escuchen; Al'lá no guía a aquéllos que son los transgresores desobedientes. [108]   5: [105-108]

SECCIÓN: 15

En el Día de la Resurrección cuando Al'lá congregará a los Rasúles y preguntará: "¿Cómo respondieron a ustedes sus destinatarios?" Ellos dirán: " No tenemos el conocimiento, sólo Tú eres Único que tiene el conocimiento de todas las cosas ocultas." [109] Entonces Al'lá preguntará: "Isa (*Jesús*) hijo de Marllam (*María*) Recuérdate de Mi favor a ti y a tu madre, cómo te fortalecí con el Espíritu Santo, para que pudiera hablar a las personas en la cuna y en la vejez, cómo te enseñé la escritura, la Sabiduría, el Taurãt (*tora*) y el Inŷil (*el Evangelio*) Cómo creabas molde de un pájaro de una arcilla, con Mi permiso, cómo respiraste en él y lo

---

Marginal notes:

No hagas las preguntas como la nación de Musa (Moisés). Se prohíben las supersticiones en Islam

El Testamento, y el testimonio de los que atestiguan.

Los favores de Al'lá en Jesús y los milagros que él fue dado.

Los discípulos de Jesús pidieron una Mesa servida como un milagro.

cambió en un pájaro real, con Mi permiso. Cómo pudiste sanar al ciego de nacimiento y a los leprosos con Mi permiso. Cómo pudiste resucitar a los muertos con Mi permiso. Cómo te protegí de la violencia de los Hijos de Israel cuando viniste a ellos con las señales claras y los incrédulos entre ellos dijeron: "Ésta es nada más que una manifiesta magia." [110] Recuérdate, cuando inspiré a los apóstoles para tener la fe en Mí y en Mi Rasúl y ellos dijeron: ' Nosotros creemos y sé testigo que nosotros nos hemos vueltos los musulmanes." [111] Cómo cuando los apóstoles preguntaron: "¡Isa, hijo de Marllam! ¿Puede hacer tu Rab que nos baje del cielo una mesa servida de comida?" Y dijiste: " Tengan temor a Al'lá si ustedes son los verdaderos creyentes." [112] Dijeron: "Nosotros sólo deseamos comer y para satisfacer nuestros corazones y también para que sepamos de lo que tú dijiste, en realidad, era la verdad y para que seamos los testigos de ella." [113] Isa, el hijo de Marllam dijo: "¡Al'lá, nuestro Rab! Envíenos del cielo una mesa servida, que sea para nosotros, el primero como el último, motivo de regocijo y una señal tuya; y proporciónanos nuestro sustento, Tú eres el mejor de los proveedores." [114] Al'lá respondió: "Lo enviaré abajo a ustedes, pero si cualquiera de ustedes descree después de eso, lo castigaré con un tormento que nunca he infligido a nadie en los mundos." [115]   5: [109-115]

SECCIÓN: 16

El testimonio de Jesús en el Día del Juicio acerca de los cristianos.

Después de recordarlo estos favores, Al'lá dirá: "Isa (*Jesús*), hijo de Marllam (*María*) ¿Eres tú quien ha dicho a las gentes, " ríndanse culto a mí y a mi madre como dioses al lado de Al'lá?" Él contestará: "¡Gloria a Ti! ¿Cómo podría decir algo lo que yo no tenía ningún derecho de decir? Si yo hubiera dicho algo así, Tú ciertamente lo habrías sabido. Tú sabes lo que está en mi corazón, pero yo no sé lo que está en Suyo; porque Tú tienes el conocimiento total de todas las cosas ocultas. [116] No les he dicho más que lo que Tú me has ordenado que dijera, 'deben rendirse culto a Al'lá Quien es mi Rab y también suyo.' Fui testigo de ellos mientras permanecí entre ellos; pero después de que me llamaste hacia a Ti, fuiste Tú Quien vigiló a ellos y Tú es Testigo de todo. [117] Si Tú les castigas, ellos son ciertamente Tus siervos; y si Tú les perdonas, Tú eres el Poderoso, el Sabio." [118] Al'lá dirá: " Éste es el día en que el verdadero ganará de su verdad; ellos tendrán jardines bajo cuyos fluyen los ríos en que vivirán para siempre. Al'lá está bien-contento con ellos y ellos están bien satisfechos con Él. Éste es el logro grandísimo. [119] A Al'lá pertenece la soberanía de los cielos y de la tierra y de todo lo que hay en ellos, y Él tiene el poder encima de todas las cosas. [120]   5: [116-120]

6: AL-AN'ĀM

El periodo de la Revelación

Esta Sūra se reveló por completo, durante el último año de la estancia del Profeta en Meca. Las tradiciones indican que el Profeta dictó por la misma tarde que fue revelada.

Incluye los siguientes principios, Leyes y las Guías Divinas:

➢ La refutación del Shirk (Asociarse alguien o algo a Dios en Su Divinidad) y guía hacia

➢ la Taujïd (la singularidad de Dios).

➢ La Realidad de la vida después de la muerte y el Día del Juicio.

➢ La clarificación acerca de prohibiciones voluntarias que se atribuyeron a Al'lá

falsamente.

➢ El hecho, que los mandos de Al'lá, no son los tabú irracionales, sino forman los

principios morales fundamentales de la sociedad islámica.

➢ Las respuestas a las objeciones levantadas contra la persona y la misión del Profeta.

➢ El consuelo y el incentivo para el Profeta y sus seguidores que estaban en ese momento en un estado de ansiedad y desaliento.

➢ Se dan advertencia, amonestación y amenazas a los incrédulos para que dejen su apatía y altanería.

➢ La prohibición de dividir la religión en las sectas.

➢ Al'lá exige a los Creyentes que declaren: "Mi Salá, mi devoción, mi vida y mi muerte son todos para Al'lá, el Rab de los mundos."

El lector debe ser consciente que los problemas, anteriormente mencionados, no se han discutido bajo el título separado; más bien el discurso sigue como un todo continuo y estos temas se discuten repetitivamente de las maneras diferentes. La discusión revuelve alrededor de los artículos comandantes de la fe: Taujïd, la vida después de la muerte, del profeta, y la aplicación de estos en la práctica, a la vida humana. Lado a lado con esto, refuta las creencias erróneas de los Mushrikïn (Los asociadores a Al'lá) y proporciona las respuestas a sus objeciones. También conforta al Profeta y sus seguidores que estaban padeciendo de la persecución en aquel tiempo por los incrédulos.

6: AL-AN'ĀM

Esta Süra, revelada en la Meca, tiene 20 secciones y 165 versos.

En el nombre de Al'lá, el Compasivo, el Misericordioso

SECCIÓN: 1

Al'lá es el Dios, el Uno y Omnipotente, para los cielos y para la tierra

Todas las alabanza sean para Al'lá, Quien ha creado los cielos y la tierra y instituyó las tinieblas y la luz; todavía los incrédulos equiparan a los compañeros iguales a su Rab. [1] Él es Quien ha creado a ustedes de la arcilla, luego decretó un término fijo de vida e hizo un plazo fijo para ustedes junto a Él; ¿todavía ustedes siguen dudando? [2] Él es mismo Un Al'lá en los cielos y en la tierra. Él sabe lo que ustedes ocultan, lo que revelan y lo que ustedes hacen. [3] Aun así, la reacción de las personas ha sido que siempre que viniera a ellos una revelación de su Rab, ellos se apartaron de ella. [4] Ahora que la Verdad ha venido a ellos, le han desmentido. Pronto ellos vendrán a saber la realidad que ellos están ridiculizando. [5] ¿Es que no ven a cuántas generaciones precedentes hemos destruido ante ellos? Habíamos hecho esas naciones más poderosas en la tierra que ustedes mismos. Enviamos, del cielo, la lluvia abundante para ellos e hicimos que fluyeran arroyos a sus pies: Pues aun así, por sus pecados les destruimos todos y suscitamos otras generaciones en sus lugares. [6]

6: [1-6]

Si Al'lá hubiera enviado un Libro escrito y un ángel con él, los incrédulos todavía no hubieran creído.

¡Profeta! Si hubiéramos enviado a ti un Libro escrito en el pergamino lo que ellos podrían tocarlo con sus propias manos, los incrédulos todavía habrían dicho: " Ésta es nada más que la pura hechicería." [7] Ellos preguntan: "¿Por qué no se ha hecho descender a un ángel sobre él?" Bien, si hubiéramos hecho descender un ángel, ya se habría decidido el asunto y no les habrías sido dado ningún plazo de espera; [8] y si hubiéramos enviado un ángel, lo habríamos enviado ciertamente en una forma humana y así los habríamos involucrado en la misma confusión como ellos estén en este momento. [9] Muchos de los Rasúles antes de ti, también fueron ridiculizados, pero a la larga, aquéllos que ridiculizaban se vieron cercados por la misma cosa que ellos estaban ridiculizando.[10]

6: [7-10]

SECCIÓN: 2

Al'lá ha decretado la misericordia por Él Mismo y es por eso

Dígales: "Viajen a través de la tierra y vean como fue el fin de aquéllos que negaron la verdad." [11] Pregúnteles: "¿A quién pertenece todo lo que está en los cielos y en la tierra?" Si ellos no responden, les diga: "¡Solamente a Al'lá!" Él se ha decretado la misericordia para Él mismo, por eso Él no lo castiga en seguida para sus fechorías. Él lo reunirá, ciertamente, en el Día de la Resurrección; no hay ninguna duda en eso. Aun así, aquéllos quienes han perdidos sus almas no creerán. [12] A Él pertenecen todos lo que reposan por la noche y por el día. Él es Quien todo lo oye y todo lo sabe. [13] Pregúnteles: "¿Tomaré como mi protector cualquiera que no sea Al'lá, Quien es el Creador de los cielos y de la tierra? Él es Quien alimenta a todos y no es alimentado por nadie. Diga: "Yo fui ordenando de ser el primero entre aquéllos que someten a Al'lá en Islam y no de aquéllos que cometen el Shirk." [14] Diga: "Yo nunca desobedeceré a mi Rab, porque yo sí temo el tormento de un Día horrible." [15] Él, quien salvará en éste Día, habrá tenido misericordia de Al'lá y éste es un logro grandísimo. [16] Si Al'lá te aflige con cualquier daño, nadie puede relevarlo excepto Él; y si Él te bendice con alguna felicidad, debes de saber que Él tiene el poder encima de todas las cosas. [17] Él es la Autoridad Suprema encima de todos Sus siervos; y Él es el Sabio, el Conocedor de lo más escondido. [18]   6: [11-18]

que Él no castiga a cualquier persona en este mundo y que el castigo estará en el Día del Juicio.

Pregúnteles: "¿El testimonio de quién es más fiable?" Cuando ellos dicen de Al'lá, entonces les diga: "Al'lá es el Testigo entre mí y ustedes (*que yo soy el Rasúl de Al'lá*) y este Qur'ān me ha sido revelado por Él, para que yo pueda advertir con eso a todos aquéllos a quienes puedo alcanzar. ¿Pueden ustedes, realmente, testificar que hay otros dioses además de Al'lá? Les Diga: "De mi lado, yo nunca testificaré a esto." Diga: "De hecho, Él es un Dios Uno y absolutamente a mí me repugnan a quienes ustedes asocian con Él. [19] Aquéllos a quienes hemos dado la escritura lo conocen este hecho, igual como ellos conocen a sus propios hijos. La realidad es que aquéllos quienes han perdido sus almas, no creerán.[20]   6: [19-20]

El Qur'ān se revela para amonestar y declarar que hay Sólo Un Dios: Al'lá.

SECCIÓN: 3

¿Quién puede ser más injusto que esta persona que forja una mentira contra Al'lá o niega Sus revelaciones? Ciertamente los injustos nunca conseguirán la salvación. [21] En el Día del Juicio cuando les reuniremos, preguntaremos a los mushrikïn (*Los quienes han asociados a Al'lá*): "¿Dónde están esas deidades a quienes ustedes les atribuían como Mis compañeros?" [22] Ellos no tendrán ningún argumento sino que van a decir: " Por Al'lá, nuestro Rab, nosotros no éramos mushrikïn (*Asociadores*)." [23] Ves cómo ellos mentirán contra sus propias almas, y cómo las deidades de sus propias invenciones les dejarán en la sacudida. [24] Hay entre ellos, algunos que pretenden que lo escuchan; pero sus prejuicios han embotado sus facultades y hemos lanzado los velos encima de sus corazones y sordera en sus oídos para que ellos siguen siendo incapaces de entenderlo. Aun cuando ellos ven cada uno de Nuestras Señales, ellos no creerán. Hasta el punto de que cuando ellos vienen a ti, discuten contigo. Los incrédulos dicen: "Éstos son nada más que los cuentos de los tiempos antiguos." [25] Ellos se han salidos lejos de la Verdad y también prohíben a otros que crean en él (*en el Qur'ān*). Con una conducta así, ellos dañan a nadie más que sus propias almas pero no lo perciben. [26]   6: [21-26]

El prejuicio ha hecho a las personas rendirse culto a las deidades afuera de Al'lá.

¿Acaso hay seguramente una vida después de la muerte?

Si pudieras ver la escena, cuando ellos se harán parados frente al fuego del infierno, ellos dirán: " ¡Ojala si podríamos devolver de nuevo a la vida terrenal! Entonces no negaríamos las revelaciones de nuestro Rab, y nosotros uniríamos a los creyentes."[27] Pero ¡No! ellos dirán esto porque ellos habían venido a saber la realidad, de lo que antes estaban ocultando. De hecho, aun así, sí les habremos enviados por atrás, ellos ciertamente repetirían las mismas cosas que les habían prohibidos de no hacer. Ellos ciertamente son los mentirosos. [28] Hoy ellos dicen: "No hay ninguna otra vida excepto la vida en esta tierra y nosotros nunca nos resucitaremos de nuevo a la otra vida." [29] Si tu pudiera ser el testigo de la escena cuando ellos van a ser traídos ante sus Rab puestos de pie; Él preguntará, "¿Acaso ésta no es una realidad?" Ellos dirán: "¡Claro que sí, nuestro Rab, ésta es la realidad!" "Bien, entonces saboreen, pues, el castigo por haber negado esta realidad."[30]

6: [27-30]

SECCIÓN: 4

Aquéllos que niegan al Profeta Mujámad (pece), de hecho niegan las revelaciones de Al'lá.

Esas personas están, de hecho, perdidas quienes niegan la realidad de hallarse frente a Al'lá. Cuando, de repente, la hora de Día del Juicio Final les alcanzará, ellos exclamarán: " ¡Ay! Cómo hemos estado negligente de esta Hora." Ellos estarán llevando la carga de sus pecados a las espaldas; ¡Cuidado! ¡Qué malas son las cargas que ellos van a llevar! [31] La vida de este mundo es nada más que juegue y entretenimiento, pero la Morada de la otra vida será mejor para aquéllos que son temerosos de Al'lá. ¿Es que no tienen la inteligencia para razonar? [32] Conocemos muy bien que lo que ellos dicen te aflige: no es a ti que ellos niegan, sino estos injustos, realmente niegan las revelaciones de Al'lá. [33] Muchos de los Rasúles antes de ti, también fueron desmentidos pero ellos sufrieron pacientemente con estas mentiras y persecución hasta que llego la Nuestra ayuda a ellos: No hay quien puede cambiar los decretos de Al'lá. Tú mismo ya ha recibido las noticias de lo que pasó a esos Rasúles. [34] Si te encuentras su aversión enorme para ti, entonces ve si puedes hacer un túnel en la tierra o puedes poner una escalera para ascender en los cielos por motivo de traerles una señal. Sabías bien que si Al'lá quisiera, Él habría congregado a todos para guiarles a la Vía Recta. Así que no seas de los ignorantes. [35]

6: [31-35]

Aquéllos que escuchan aceptarán la Verdad.

Ciertamente aquéllos que escuchan a Nuestras revelaciones con la mente abierta aceptarán la Verdad. En cuanto a los muertos (*aquéllos con las mentes cerradas*), Al'lá los devolverá a la vida, en el Día del Juicio, para ser producidos en Su corte. [36] Ellos preguntan: " ¿Por qué no fue enviado a él una señal que procede de su Rab?" Les Diga: "Ciertamente Al'lá es capaz de enviar una Señal, si Él quiere; pero la mayoría de ellos no entienden la sabiduría detrás de eso." [37] Si ustedes realmente quieren ver las señales de Al'lá, simplemente miren cualquier animal que camina en la tierra y cualquier pájaro que vuela en el aire con sus alas; ellos también son las comunidades semejante a ustedes. No hemos omitido nada de la escritura (que determina los cursos de sus vidas). Ellos todos serán congregados ante su Rab. [38] Aquéllos que niegan Nuestras Revelaciones son sordos y mudos, mientras viviendo en muchas capas de las tinieblas. Al'lá extravía a quien Él quiere, y guía a la Vía Recta a quien Él Le agrada. [39] Les pidas que piensen cuidadosamente y contestan: "Cuándo ustedes enfrentan algún desastre o les acerca la última Hora, ¿Invocarían ustedes para la ayuda, a cualquier otro, que no sea Al'lá? Contéstenme si ustedes son veraces." [40] ¡No!, Ustedes llamarían a Él Solo, y se olvidarían de aquéllos a quienes ustedes han preparado como Sus compañeros; luego si Él Le agrada, lo releva de la aflicción para cual ustedes han invocados a Él. [41]   6: [36-41]

SECCIÓN: 5

Nosotros enviamos Rasúles a otras naciones, antes de ti y los afligimos con sufrimientos y adversidades para que ellos pudieran aprender la humildad. [42] ¡Porqué ellos no se humillaron cuándo los sufrimientos les alcanzó! Al contrario, sus corazones se endurecieron y el Shaitãn (*Demonio*) hizo sus actos pecadores parecer justo a ellos. [43] Cuando ellos descuidaron la advertencia que ellos habían recibido, entonces, en lugar del castigo, abrimos las verjas de cada tipo de prosperidad para ellos; pero así como ellos estaban regocijando en lo que ellos fueron dados, de repente les asimos a ellos; ¡Ellos se sumergieron en la desesperación! [44] Así cortamos las raíces de los injustos. Todas las alabanzas son debidas a Al'lá el Rab de los mundos. [45]   6: [42-45]

Pregúntales: "Simplemente piénsenlo, si Al'lá les privara sus facultades del oído y de la vista y sellara sus corazones, ¿Hay cualquier deidad aparte de Al'lá, quien tendrá el poder de restaurarlo a ustedes?" Mira cómo claramente explicamos Nuestras revelaciones y aun así ellos se alejan. [46] Diga: " Simplemente piensan si el castigo de Al'lá viene a ustedes de repente o abiertamente, ¿Quienes más van a ser destruidos que no fueran los injustos?" [47] No hemos enviados los Rasúles sino para dar las buenas noticias y para advertir: así que aquéllos que creen y remiendan sus conductas no tendrán nada que temer y no estarán tristes. [48] Pero aquéllos que niegan Nuestras Revelaciones les alcanzará el castigo por haber sido transgresores. [49] Diga: " Yo no pretendo que poseo los tesoros de Al'lá, o que yo sé lo que es desconocido ni exijo que yo soy un ángel. Lo que yo digo es, que yo sólo sigo lo que se me ha revelado." Pregúnteles: ¿Acaso el ciego y el que ve son iguales? ¿Por qué ustedes no piensan?" [50]   6: [46-50]

SECCIÓN: 6

Amonestes con esto (*El Qur'ãn*), a aquéllos que tienen el temor de congregarse ante su Rab en tal una condición que habrá nadie para

Usen su sentido común para aprender de las señales de la naturaleza. Y¿Acaso no llaman sólo a Al'lá en un dolor real?

La prosperidad en este mundo no es un premio, sino una tregua.

¿Quién puede restaurar su oído y vista si Al'lá te les quita? Y Los Rasúles nunca exigieron que ellos sepan a lo oculto o que ellos son los ángeles.

protegerles o interceder para ellos, fuera de Él. ¡Puede ser que, por esta advertencia, ellos pueden ponerse virtuosos! [51] No ahuyentes a aquéllos (*a las personas pobres como Bilal, Amär y Sujaib*) quienes invocan a su Rab por la mañana y por la tarde, buscando solamente ganar Su favor. Tú no eres, de ninguna manera, responsable para sus hechos ni ellos son de alguna forma responsables para lo suyo. Así que si tú los ahuyentas, tú serás entre los injustos. [52] Eso es cómo hemos hecho algunos de ellos (*los pobres y los esclavos que aceptaron al-Islam*) un medio para probar a los otros (*a los jefes de Quraish*), para que ellos digan: " ¿Son estos las personas a quienes Al'lá ha favorecido entre nosotros (*los pobres, la clase indigente y baja*)?" Bien, ¿No es Al'lá Quien sabe mejor a aquéllos que son agradecidos? [53] Cuándo aquéllos que creen en Nuestras revelaciones vienen a ti, diga: " Paz esté con ustedes. Su Rab ha decretado la misericordia para Él mismo. Si cualquiera entre ustedes compromete el mal debido a la ignorancia y después de esto se arrepiente y remienda sus maneras, ustedes encontrarán a Al'lá; Indulgente, Misericordioso." [54] Así, Nos deletreamos con claridad Nuestras revelaciones, para que el camino de los delincuentes pueda ponerse evidente. [55]   6: [51-55]

SECCIÓN: 7

Dígales: "Indudablemente soy prohibido que adoro a aquéllos a quienes ustedes llaman fuera de Al'lá." Diga: "Yo no voy a seguir sus deseos: si yo lo hago, yo sí me perdería y me cesaría ser de los debidamente guiados." [56] Diga: " Yo estoy siguiendo una prueba clara que procede de mi Rab lo que ustedes han negado, pero el azote de Al'lá que ustedes están tan apurados para ver, no está en mi poder. Nadie tiene la autoridad de pasar el Juicio excepto Al'lá: Él es Quien declara la Verdad y Él es el mejor de los Jueces." [57] Dígales: "Si eso que ustedes tienen tanta prisa para ver estaba en mi poder, el asunto entre ustedes y yo habría sido arreglado hace tiempo; pero Al'lá sabe mejor como tratar a los injustos. [58] Solamente Él posee las llaves de los tesoros ocultos que nadie los conoce excepto Él. Él sabes cualquier cosa que está en la tierra y en el mar; no hay una sola hoja que se cae sin Su conocimiento, no hay ni un grano en la oscuridad de la tierra ni algo fresco o seco que no se ha grabado en un Libro Claro. [59] Él es Quien toma sus almas por la noche (*le hace que duerman*) y sabe lo que ustedes hacen durante el día, luego el día siguiente lo levanta de nuevo a completar su plazos fijos de la vida. A Él van a regresar todos ustedes, luego Él, notificará de todos lo que ustedes han hecho." [60]   6: [56-60]

SECCIÓN: 8

Él es el Dominante (el rey supremo) sobre sus siervos y envía a los ángeles guardianes encima de ustedes. Al fin, cuando la muerte se acerca a cualquiera de ustedes, Nuestros ángeles toman su alma y ellos no son negligentes para realizar su deber. [61] Luego esa alma es traída hacia a

Al'lá, Quien es su Amo real. ¡Ten cuidado! Él es el Juez y Él es el más veloz para ajustar las cuentas. [62]   6: [61-62]

Pregúntales: "¿Quién es lo que salva de las calamidades, que encuentran en la oscuridad de la tierra y del mar, cuando ustedes le invocan con toda la humildad abiertamente y en secreto?: "Si nos libras de esta aflicción, estaremos verdaderamente de los agradecidos." [63] Diga: "Es Al'lá lo que libra de éstos y todas las otras calamidades, aun así ustedes de nuevo cometen el Shirk (*dar culto a los dioses falsos*)" [64] Di: "Él tiene el poder para enviar las calamidades a ustedes desde arriba o por debajo o dividirlos en las facciones discordantes para que saborean la violencia entre sí mismos. ¡Mira cómo exponemos Nuestras revelaciones, una tras otra vez, para que puedan entender la realidad! [65] Pero tu pueblo lo ha rechazado eso (*El Qur'ãn*), siendo así que es la Verdad." Les Diga: "Yo no soy designado como su guardián. [66] Para cada profecía hay un tiempo designado, y pronto ustedes vendrán a saber." [67]   6: [63-67]

Cuando veas a aquéllos que están burlándoos de Nuestras revelaciones, apártate de ellos hasta que ellos cambien su tema de discusión. Si Shaitãn te haces olvidar de este mando, entonces en cuanto te recuerdes, retires de la compañía de los injustos. [68] Aunque no se sostendrán las personas virtuosas responsable para las acciones de los injustos, aun así su deber es amonestarles; quizás con eso ellos puedan tener temor a Al'lá. [69]   6: [68-69]

Déjelo solo, a esas personas, quienes toman su religión nada más que un juego y entretenimiento y son engañados por la vida de este mundo. Sin embargo, sigues amonestándoles con esto (*El Qur'ãn*), para que sus almas no se condenen por razón de sus propias obras pecadoras. Ellos no tendrán cualquier protector o intercesor para rescatarles de Al'lá, y si ellos buscarían para ofrecer toda clase de rescate imaginable, no se aceptará de ellos. Eso son aquéllos que serán condenados por sus propias obras pecadoras. Ellos conseguirán el agua hirviente para beber y tortura dolorosa por su rechazo de la Verdad. [70]   6: [70]

SECCIÓN: 9

Pregúntales a los mushrikïn: "¿Invocaríamos a aquéllos, en lugar de Al'lá, quienes ni nos pueden beneficiarnos ni nos pueden dañarnos? ¿Volveríamos en nuestros talones después de que Al'lá nos ha guiado a la Vía Recta? Como él a quien Shaitãn (*Demonio*) ha poseído y es vagando desorientado en la tierra, mientras sus amigos le llaman para Guiarlo, gritando, " ¡Ven a nosotros! " les Diga: "La guía de Al'lá es la única Guía." Fuimos ordenados de someternos (*de ser musulmán*) al Rab de los mundos, [71] de establecer el Salá y temerlo hacia Quien todos ustedes van a ser congregados en el Día del Juicio. [72] Es Él Quien ha creado los cielos y la tierra como debían de ser creados. En el Día cuando Él dirá: "¡Sé!";

guardianes encima de ustedes.

Al'lá es Quien salva de las calamidades.

No se siente con aquéllos que argumenten acerca de las revelaciones de Al'lá.

No asocies con aquéllos que toman su religión como entretenimiento

Los creyentes se ordenan que sean verdaderos musulmanes, de establecer el Salá y temer sólo a Al'lá.

pues, va a ser (*el Día de la Resurrección*). Su Palabra es la Verdad. Solo Él será el Soberano en el Día, cuando la trompeta se soplará. Él tiene el conocimiento completo de los invisibles y de los visibles. Él es, el Sabio, el Bien Informado. [73]   6: [71-73]

Ibrãjïm aprendió la fe a través del estudio de la naturaleza con su sentido común.

Dígales acerca de Ibrãjïm (*Abraham*), quien dijo a su padre, Azar: ¿Están tomándoos a los ídolos como dioses? Ciertamente, yo lo veo que tú y tu pueblo están evidentemente bien extraviados. [74] Y así le mostramos el reino de los cielos y de la tierra a Ibrãjïm, como Nosotros lo mostramos a ustedes con los ejemplos de la naturaleza, así que él volvió a ser entre uno de los creyentes bien convencidos. [75] Cuando la noche trazó su sombra encima de él, él vio una estrella y dijo; "¡Éste es mi Rab!" Pero cuando vio que desaparecía, él dijo: "No amo a rendirme culto a tal un dios que se desaparece." [76] Después él vio la luna que salió brillando, él dijo; "Ésta es mi Rab." Pero cuando también desapareció, él lloró: " Si mi Rab no me guía, me volveré como uno de aquéllos que, ciertamente, van descaminados." [77] Luego cuando él vio el sol con su brillo más luminoso, él dijo: "Éste debe ser mi Rab; es más grande que los otro dos." Pero cuando también desapareció, él exclamó: "¡Gente mía! Yo si soy libre de todos con quienes ustedes hacen el Shirk (*asociarse compañeros con Al'lá*). [78] Hasta donde a mí me interesa, yo me volveré a mi rostro, siendo recto, a Él Quien ha creado a los cielos y la tierra, y yo no soy entre los mushrikïn." [79]   6: [74-79]

Los argumentos de los mushrikïn con Ibrãjïm sobre Al'lá.

Cuando su gente empezaron a argumentar con él, él les dijo: "¿Discutirán conmigo sobre Al'lá, a pesar de que Él me ha guiado? Yo no temo a aquéllos quienes ustedes toman como dioses fuera de Él, nadie puede dañarme a menos que mi Rab así lo quiere, el conocimiento de mi Rab abarca a todos. ¿Por qué ustedes no toman esta amonestación? [80] ¿Por qué debo temer sus ídolos, cuándo ustedes no tienen el miedo de hacerles compañeros con Al'lá, acerca de cuál Él no les ha conferido ninguna autoridad? ¿Cuál de los dos grupos entre nosotros merecen sentirse seguros? ¿Díganme, si ustedes saben la Verdad? [81] De hecho, aquéllos que creen y no corrompen su fe con las injusticias se sentirán más seguros y serán bien guiados." [82]   6: [80-82]

SECCIÓN: 10

Los descendientes del Profeta Ibrãjïm incluso Musa, Isa y Mujámad (pece): ninguno

Éste era el argumento que proporcionamos a Ibrãjïm (*Abraham*) contra su pueblo. Nosotros exaltamos en la categoría a quienes queremos; ciertamente su Rab es el Sabio, el Omnisciente. [83] Nosotros le dimos Isjãq (*Isaac*) y Lla'qüb (*Jacob*) y guiamos a los dos, como guiamos a Nüj (*Noé*) ante ellos, y entre sus descendientes Dawüd (*David*), Sulaimãn (*Salomón*), Allüb (*Job*), LLüsuf (*José*), Musa (*Moisés*) y Jarün (*Aarón*); así premiamos a aquéllos que hacen el bien. [84] Otros descendientes incluyen Zacarías, LLajlla (*Juan*), Isa (*Jesús*), e Il'llãs (*Elías*); todos ellos eran los virtuosos; [85] e Isma`il (*Ismael*), Al-llas'á (*Eliseo*), LLünus

(*Jonás*) y Lüt (*Lot*). Nosotros exaltamos cada uno de ellos sobre todo los mundos; [86] al igual que exaltamos algunos de sus antepasados, sus descendientes y sus hermanos. Nosotros los escogimos para Nuestro servicio y los guiamos a la Vía Recta. [87] Ésta es la guía de Al'lá; por la que dirige a quien Él Le agrada de Sus siervos. Si ellos hubieran comprometido el Shirk (*Hubieran asociados otros con Al'lá*) todas sus obras se habrían sido anuladas. [88] Tal eran las personas a quienes dimos la Escritura, la sabiduría y el Profetismo. Ahora si estas personas niegan a esta guía, no Le importa; Nosotros daríamos esta guía a otras personas que no descreerían. [89] Aquéllos eran las personas que fueron guiadas debidamente por Al'lá, por consiguiente, sigue su guía y les diga a estas personas: "Yo no estoy pidiendo ninguna compensación para este trabajo de entregar el Mensaje a ustedes, este mensaje es nada más que una Amonestación a todos los mundos." [90]

de ellos era Mushrik.

6: [83-90]

SECCIÓN: 11

No han valorado debidamente a los atributos de Al'lá como deben ser valorados, quienes dicen: "Al'lá nunca ha revelado algo a un ser humano." Pregúntales: "¿Quién entonces, envió la escritura (*tora*) que Musa (*Moisés*) lo trajo, lo que era como una luz y guía para la humanidad? Ustedes lo han trascrito en las hojas separadas, publicando algunos y suprimiendo mucho de este dado conocimiento, de lo cual, ni ustedes ni sus antepasados poseyeron previamente." Si ellos no te contestan, entonces simplemente diga: "¡Fue Al'lá!" y les dejas solos con el discurso de sus argumentos inútiles. [91]

Al'lá es Quien reveló el Taurãt y el Qur'ãn.

6: [91]

Ésta es la escritura bendito que hemos revelado, confirmando la revelación lo que vinieron antes de ti, para que puedas advertir a las personas que viven en la Madre Ciudad (*la Meca*) y a aquéllos que viven en sus alrededores. Aquéllos que creen en la Vida Eterna, creerán en esto y serán firmes cuidando de su Salá (*las oraciones prescritas*). [92] ¿Quién puede ser peor que uno que inventa una mentira contra Al'lá O quien dice: "He recibido una revelación", siendo así que nada se ha revelado a él O él quien dice: "¡Yo puedo revelar al igual que Al'lá ha revelado!"? Es que, si solo pudieras ver a estos injustos cuándo ellos estén en las agonías de la muerte y los ángeles dirán estirando sus manos adelante, " ¡Saquen sus almas! Hoy ustedes se premiarán con un castigo degradante por haber dicho la falsedades contra Al'lá, que ustedes no tenían ningún derecho de decir y mostrando la arrogancia contra Sus revelaciones." [93] Más bien, Al'lá va a agregar a lo que los ángeles van a decir, "¿Para qué ustedes han regresados a Nosotros solos, así como cuando creamos a ustedes por la primera vez, mientras dejando todos por detrás lo que Nosotros lo dimos en el mundo? y ¿Nosotros no vemos con ustedes sus intercesores quienes ustedes exigían de ser los compañeros de Al'lá en sus asuntos? Todos sus lazos han sido cortados y a lo que ustedes presumían ha faltado a ustedes."[94]

Aquéllos que inventan una mentira contra Al'lá enfrentarán un castigo deshonroso.

6: [92-94]

SECCIÓN: 12

Los ejemplos de la creación de Al'lá se deletrean claramente para aprendizaje de la humanidad.

Ciertamente es Al'lá Quien causa a la semilla y al hueso del dátil para henderse y crecer. Él saca un ser vivo desde un muerto y el muerto de un ser vivo. Es Al'lá, Quien hace todo esto; ¿¡Cómo pueden, pues, ser tan extraviados!? [95] Él es, Quien causa el alba de la oscuridad. Él hace la noche para el descanso y Él hace la salida y la puesta del sol y de la luna, para que ustedes puedan determinar tiempos (*días, semanas, meses y años*), éstos son los arreglos del Omnipotente, el Omnisciente. [96] Él es, Quién ha hecho las estrellas para ustedes, para que por medio de estos ustedes pudieran encontrar su dirección en la oscuridad, sean ustedes en la tierra o en el mar. Nosotros hemos deletreado muy claramente Nuestras revelaciones para las personas quienes tienen el sentido común. [97] Él es, Quién ha creado a todos ustedes de una sola alma y les ha concedido una morada y un lugar de descanso. Nosotros hemos deletreado muy claramente Nuestra revelación para las personas que puedan entender. [98] Es Él, Quien envía la lluvia del cielo y mediante cual produce vegetación de todos los tipos: Él trae cosechas verdes de lo cual saca granos arracimados, y de las palmeras abrumadas con los racimos de los dátiles que cuelgan dentro de su alcance, jardines de las uvas, las aceitunas, y las granadas; aunque su fruta es parecida en el tipo, pero es diferente en la variedad. ¡Observe sus frutas cuando ellos fructifican y maduran! ¡Mire! Hay señales en estas cosas para los verdaderos creyentes. [99] Todavía ellos hacen a los Yins (*Genios: criatura que se ha creado fuera del fuego*) como los asociados de Al'lá, siendo así que Él es Quien los ha Creado; y también atribuyen a Él los hijos y las hijas sin tener algún conocimiento. ¡Gloria a Él! Él es exaltado, muy por encima de lo que ellos Le atribuyen.[100]

6: [95-100]

SECCIÓN: 13

¿Cómo Al'lá podría tener un hijo sin tener una esposa?

Las pruebas claras han venido a ustedes, si sólo ustedes pudieran entenderlas.

Él es el Originador de los cielos y de la tierra. ¿Cómo Él podría tener un hijo cuándo Él no tiene ninguna consorte? Y Él ha creado todo y ha sido consciente de todo. [101] ¡Ése es Al'lá, su Rab! No hay ningún dios excepto Él, el Creador de todo. Por consiguiente, ríndanselo culto a Él, Él es el Vigilante de todo. [102] Ninguna vista puede alcanzar a Él mientras Él si alcanza todas las vistas. Él es el Sutil, el Bien Informado. [103] Ahora allí ha venido a ustedes las intuiciones de su Rab, abren sus ojos. Por lo tanto, cualquiera que abrirá sus ojos, es bueno para su propia alma y cualquiera que hace ciego, es a su detrimento propio, y yo (*el Profeta*), no fui asignado como un guardián encima de ustedes. [104] Así explicamos Nuestras revelaciones una tras otra vez para que los incrédulos puedan decir: "Tú has aprendido de alguien, pero no de Al'lá" y para que esto puede ponerse claro a las gentes que tienen la sabiduría. [105] Sigues lo que se te ha revelado procedente de tu Rab, no hay ningún dios excepto Él y apártate de los mushrikïn. [106] Si Al'lá hubiera querido, no habrían sido mushrikïn (*los que asocian con Al'lá*). Nosotros ni te hemos nombrado custodio de ellos, ni tú eres su guardián. [107]   6: [101-107]

¡Creyentes! No insulten a aquéllos quienes estos mushrikïn invocan además de Al'lá, no sea que, para vengarse ellos insultan a Al'lá por su ignorancia. Así hemos hecho que la obra de cada grupo de las personas parece justo a ellos. Luego, al fin, su retorno será hacia su Rab y entonces, Él les informará de la realidad de todo lo que ellos han hecho. [108] Estos mushrikïn juran solemnemente por Al'lá que si viniera una Señal a ellos, ellos creerían el más ciertamente en su Profetismo. Diga: " Todas las señales son dispuestos por Al'lá." Y ¿Qué es lo que te hace prever, que si una señal viene a ellos, que ellos aun así van a creer? [109] Nosotros desviaremos sus corazones y su visión de la Verdad debido a su actitud que les incitó descreer en el primer lugar, y les dejaremos vagar ciegamente en su rebeldía. [110]   6: [108-110]

ŶÚZ (PARTE): 8

SECCIÓN: 14

Aun cuando habíamos enviado a ellos los ángeles, habíamos hecho los muertos hablarles, y habíamos presentado todas las diferentes cosas del mundo ante ellos como prueba, ellos no habrían creído, a menos que Al'lá quisiera al contrario (*y obligando a alguien creer no es lo que Él quiere*): Pero la mayoría de ellos actúa fuera de la ignorancia. [111] Como es en caso de este Rasúl, les habíamos asignados sus antagonistas a cada Rasúl - los demonios de entre los seres humanos y de los genios, uno de ellos inspira a los otros con los discursos seductores de la decepción. Si su Rab habría querido, no lo habrían hecho. Por consiguiente, descuídate de los que ellos inventan, [112] para que los corazones de aquéllos que no lo creen en la Vida Eterna puedan inclinarse a lo que ellos dicen, y que les plazca con eso; y para que ellos puedan ganar lo que ellos desean ganar. [113] Diga: "¿Buscaré, pues, a un juez que no sea Al'lá, siendo Él Quien ha revelado este Libro (*El Qur'ãn*) explicada detalladamente?" Aquéllos a quienes dimos la escritura, antes que ustedes, saben muy bien que ha sido revelado a ti por tu Rab con la Verdad; por consiguiente, ustedes no deben ser de aquéllos que tienen las dudas. [114] Se ha completado La Palabra de su Rab con la credibilidad y justicia; no hay ninguna manera que cambien Sus Palabras. Él es el Oidor, el Conocedor. [115]   6: [111-115]

¿Si obedecieras (*a alguien otro que no sea el Rasúl, debes saber que*) la mayoría de las personas que son en la tierra te llevará fuera del camino de Al'lá, porque ellos siguen nada más que la conjetura y predican nada más que la falsedad. [116] Ciertamente, tu Rab lo conoce mejor que nadie a esas personas que se han desviados de Su Camino y Él sabe mejor que nadie a aquéllos que están bien dirigidos. [117] Comen, pues, (*de esa*

No insultes a las deidades a quienes los Mushrikïn ofrecen su adoración. La guía depende de la actitud de los individuos.

Todos los Rasúles de Al'lá tenían la oposición del Shaitãn y también de sus seguidores.

Coma sólo esa carne en que el nombre de Al'lá ha sido pronunciado.

carne) sobre cual el nombre de Al'lá ha sido pronunciado si ustedes de verdad creen en Sus revelaciones. [118] ¿Qué razón tendrán ustedes de no comer algo sobre lo cual se ha mencionado el nombre de Al'lá, cuándo Él ha deletreado claramente en detalle para ustedes lo que se prohíbe - excepto en caso de una necesidad extrema? De hecho, muchos sin conocimiento desencaminan a las personas por sus propias pasiones. Su Rab sabe mejor que nadie a aquéllos que transgredían. [119] Eviten todo clase del pecado que sea público o privado: ciertamente aquéllos que cometen el pecado conseguirán el castigo debido, conforme a su merecido. [120] No comen de esta comida en que nombre de Al'lá no ha sido pronunciado, pues eso, ciertamente, sería una perversidad. De hecho, los demonios inspiran a sus amigos que ellos discutan con ustedes, y si ustedes les obedecen, el más ciertamente, seria considerados como los Mushrikïn. [121]   6: [116-121]

SECCIÓN: 15

Cuando se trata al bueno y al malo como iguales, los delincuentes son designados como sus jefes.

¿Puede que una persona, que estaba muerta (*ignorante*) y a quien resucitamos y dimos la Luz con lo que él anda entre las personas; será igual a la persona que está en las profundidades de tinieblas, de cual él nunca podrá salir? Ya que ellos tratan a los dos como iguales, las acciones de los incrédulos son hecho lucrativos para ellos. [122] Y por lo mismo, en cada pueblo hemos puesto a los más delincuentes como sus líderes para que conspiren, aunque ellos conspiran contra nadie más que a sus propias almas, siendo así que ellos no lo perciben. [123] Siempre cuando viene a ellos un signo (*los versos del Qur'ãn*) ellos dicen: "Nosotros no creeremos hasta que nos recibos directamente como se ha dado a los Rasúles de Al'lá." Al'lá sabe el mejor a quien Él puede confiar Su Mensaje. Pronto estos delincuentes se darán alcance a la humillación y a un castigo severo por causa de sus conspiraciones. [124]   6: [122-124]

Quienquiera que Al'lá quiere guiar, Él abre su pecho al Islam.

A quienquiera que Al'lá quiere guiar, Él abre su pecho al Islam y a quienquiera que Él quiere extraviar, Él hace su pecho estrechar y lo aprieta tan firme que; aun con la misma idea del Islam, él se siente como si su alma va a subir hacia el cielo. Eso es cómo Al'lá pone una indignación en aquéllos quienes no creen, [125] siendo así, que de hecho, ésta es la Vía Recta (*Al-Islam*) de su Rab y hemos deletreado muy claramente Nuestras revelaciones para las personas que dejan amonestar. [126] Para ellos habrá una Morada de paz junto con su Rab. Él será su protector, debido a sus obras buenas. [127]   6: [125-127]

Los genios y seres humanos que son desencaminados por ellos,

El Día cuando Él congregará a todos, (*Al'lá se dirigirá a los genios*): "¡Asamblea de genios! Ustedes hayan seducidos a la humanidad en gran número." Y sus votantes, de entre la humanidad dirán: "Nuestro Rab, ambos de nosotros hemos disfrutado el compañerismo de uno y otro, pero ¡Ay! Ahora nosotros hemos alcanzado el fin de nuestro término que Tú habías decretado para nosotros." Entonces Al'lá dirá: " Ahora el fuego del Infierno es su morada; ustedes vivirán en eso para siempre, a menos que Al'lá ordena algo diferente." Ciertamente tu Rab es el Sabio, el Conocedor. [128] Eso es cómo, en el Día del Juicio, haremos a los camaradas quienes eran injustos entre sí; por la razón de lo que ellos ganaron durante sus vidas en la tierra con la mala amistad. [129]

6: [128-129]

SECCIÓN: 16

En ese momento Al'lá también preguntará: "¡Asamblea de genios y de humanos! ¿No vinieron allí a ustedes los Rasúles de entre ustedes, quienes proclamaron a ustedes Mis revelaciones y lo advirtieron acerca de la reunión en este Día?" Ellos contestarán: " Sí Señor, ellos sí los hicieron, atestiguamos contra nuestras propias almas." Hoy esta vida mundana les ha engañado pero en el Día del Juicio ellos testificarán contra ellos mismos, que ellos sí eran, de verdad los kúfar (*los incrédulos*). [130] Este testimonio se tomará para demostrar, que su Rab no ha destruidos los pueblos sin causa justificada, mientras que sus residentes eran ignorantes de la Realidad. [131] A todos les otorgarán las clasificaciones según sus hechos, y tus Rab no es desprevenido de lo que ellos hacen. [132] Tu Rab es Autosuficiente, Señor de la Misericordia. Si Él quiere, Él puede destruirlo a todos ustedes y reemplazarlo con otros, así como Él lo suscitó a ustedes de la descendencia de otra gente. [133] Ciertamente, con lo que ustedes fueron amenazados vendrá a pasar y ustedes no van a poder hacer nada sobre eso. [134] Dígales: "¡Pueblo mío! Si ustedes no me escuchan, háganse cualquier cosa que ustedes quieren hacerlo y yo haré cualquier cosa que yo juzgo que es Recto; muy pronto ustedes encontrarán quien es que ganará el premio del Día del Juicio; además lo aseguró que los injustos no conseguirán la salvación." [135]

6: [130-135]

Ellos ponen, una porción de su cosecha del campo y también una porción de su ganado, al lado para Al'lá; diciendo según su pretensión: " Esto es para Al'lá " Y " Esto es para nuestro shorakã' (*sus compañeros asignados aparte de Al'lá*)". La porción de Sus shorakã no llega a Al'lá, pero la porción de Al'lá llega a quienes ellos hacen shorakã'. ¡Qué mal lo que Juzgan! [136] Sus shorakã' han inducidos a muchos de los mushrikïn para que maten a sus propios hijos en el orden de estropearlos y confundirlos en su religión. Si Al'lá hubiera querido, no habrían hecho. Por consiguiente, déjales, pues, con sus invenciones falsas. [137] Estos mushrikïn dicen que el cierto ganado y cosechas son reservadas, en el nombre de cierto templo, y nadie debe comer excepto aquéllos a quienes nosotros permitimos - de hecho estas restricciones ellos mismos han impuesto. Hay algunos animales que ellos han prohibido para montar o llevar las cargas, y hay todavía otros animales sobre los que ellos no pronuncian el nombre de Al'lá. Ellos han atribuido todas estas cosas falsamente a Él. Pronto Él les retribuirá por sus mentiras inventadas. [138] Ellos también dicen: "Lo que hay en el vientre de estos ganado es especialmente reservado para nuestros varones y prohibido a nuestras

todos serán lanzados en el Infierno.

En el Día del Juicio los incrédulos confesarán que ellos eran, de hecho, los incrédulos.

Mushrikïn dan su preferencia de deidades encima de Al'lá.

Los mushrikïn atribuyen a Al'lá las prohibiciones falsamente – impuestos por ellos mismos.

hembras pero si nace muerto, pues entonces los dos juntos pueden compartir." Pronto Él les castigará para su atribución de tales supersticiones a Al'lá. Ciertamente Él es el Sabio, el Conocedor. [139] Los perdedores, en la realidad, son aquéllos que matan a sus propios hijos alocadamente sin el conocimiento y prohíben comida que Al'lá los ha proporcionado, mientras atribuyendo las prohibiciones falsamente a Al'lá. Ciertamente ellos han idos descaminados y no son guiados debidamente.[140]   6: [136-140]

SECCIÓN: 17

Dé el Zaká de agricultura en el día de la cosecha.

Es Él quien ha creado todos los tipos de jardines, emparrados y sin emparrar, las palmeras, los cereales de diferentes tipos, las aceitunas y las granadas, similares en los tipos, pero distintos en sabor. Coman de su fruta en su estación y regalen su debido (*el zaká*), en el día de la cosecha. No sean derrochadores, ciertamente, Él no le ama a los derrochadores. [141] De los animales que ustedes tienen, algunos son para el transporte y algunos son para dar leche, carne y lana. Coman de que Al'lá lo ha proveído y no siguen los pasos de Satán; ciertamente él es sus enemigo declarado. [142]   6: [141-142]

Se clarifica la prohibición de ganado falsamente atribuida.

Para ocho cabezas de ganado, varón y hembra, hay supersticiones. Toma un par de ovejas y un par de cabras, por ejemplo, y les pregunta: "¿Cuál de éstos, Él ha prohibido; los varones, las hembras o sus fetos? Contéstenme basado en el conocimiento, y no a la superstición, si lo que ustedes dicen es verdad." [143] Igualmente pregúntales acerca de un par de camellos y un par de vacas, "¿Cuál de éstos Él ha prohibido: los varones, las hembras o sus fetos?" *Si ellos contestan, entonces* pregúntales: "¿Acaso ustedes estaban presente cuándo Al'lá le dio estos mandos?" Si no, entonces ¿Quién puede ser más injusto que aquél que inventa una mentira contra Al'lá, para que él pueda desencaminar a la humanidad sin tener algún conocimiento? Ciertamente Al'lá no guía a las personas injustas. [144]   6: [143-144]

SECCIÓN: 18

Se deletrean las prohibiciones correctas acerca del ganado. Y La explicación de las prohibiciones judías acerca del

Les diga: "Yo no ha encontrado, en lo que se ha revelado a mí, algo prohibido para consumir, por uno que desea comerlo; exceptúe la carne de un animal ya muerto, o sangre derramada o la carne de cerdo (*la carne de puerco*) - porque éstos están sucios - o carne de un animal que se ha puesto profano, debido a lo que mataron en el nombre de alguna otra entidad que no sea Al'lá. Aun así, si cualquiera que se encuentra en una situación de la necesidad urgente, no deseando de desobedecer ni a transgredir, encontrarás que tu Rab es el Perdonador, el Misericordioso. [145] Para aquéllos que son los judíos, Nosotros les prohibimos cada animal con los pesuños no divididos y la grasa de ganado bovino y de las ovejas exceptúe lo que tuvieran en el lomo o en los intestinos o es mixto con sus huesos. Éste era el castigo que habíamos infligido para su rebeldía. Lo que dijimos, sí, es verdad. [146] Ahora si ellos lo descrean, diga: " Su Rab es el dueño de la Misericordia ilimitada; pero Su azote no se apartará de las personas delictivas." [147]   6: [145-147]

inventario de los ganados.

En la contestación a esto los mushrikïn dirán rápidamente: "Si Al'lá quisiera, ni nosotros ni nuestros antepasados habrían sido los mushrikïn, ni podríamos hacer algo ilícito." Eso es cómo sus antepasados rechazaron la Verdad en el pasado hasta que ellos saborearon de Nuestro castigo. Pregúntales: "¿Tienen alguna evidencia que ustedes pueden mostrarnos? La verdad es, que ustedes creen en nada más que conjeturas y siguen nada más que la falsedad." [148] Diga: " Al contrario a su posición, el argumento de Al'lá es conclusivo; si hubiera sido a Su agrado, Él podría guiarlo a todos." [149] Diga: " Traigan sus testigos y que atestigüen que Al'lá ha prohibido fulano de tal." Aun cuando ellos atestiguan, no testifiques con ellos, ni rindas a los deseos de aquéllos que niegan Nuestras revelaciones, descrean en el Día de la Justicia, y atribuyen semejantes a su Rab. [150]   6: [148-150]

Las excusas de los Mushrikïn por ser Mushrikïn.

SECCIÓN: 19

Diga: "Vengan, recitaré lo que su Rab ha prohibido a ustedes de: no comprometer el Shirk (*asociarse alguien con Al'lá*) con Él, ser amable con sus padres, no matar a sus hijos por miedo de ser incapaz para apoyarles - Nosotros mantenemos el sustento a ustedes y para ellos - no comprometer los hechos vergonzosos abiertamente o en secreto, no matar cualquier alma prohibida por Al'lá salvo a los requisitos de la justicia. Éstas son Sus mandos para que ustedes puedan reflexionar. [151] Además, no acercas a la propiedad de un huérfano excepto de la mejor manera (*para mejorarlo*), hasta que logre la madurez - dar la medida con equidad y peso justo - Nosotros nunca pedimos a una alma algo más de su capacidad. Siempre que ustedes hablen, simplemente sean justos, aun cuando afecta a sus propios parientes, y cumplen su convenio con Al'lá. Éstos son los órdenes que Él lo ha mandado para que ustedes puedan estar atento. [152] Él también ha dicho: "Indudablemente ésta es Mi Vía, la Vía Recta; por lo tanto, síganlo;" y no te sigas otras vías, porque estos te desviarían de Su camino. Estas son Sus Mandos para ustedes, para que ustedes puedan guardarse contra el mal. [153] Es más, Él también dijo, "Nosotros dimos a Musa (*Moisés*) la escritura para completar Nuestro favor por el bien que había hecho; como explicación detallada de todo, y como una guía y misericordia, para que ellos deban creer en la última reunión con su Rab." [154]   6: [151-154]

En Islam, las cosas prohibidas son basadas en los principios morales fundamentales.

SECCIÓN: 20

Nosotros hemos revelado este Libro, como una bendición; por consiguiente, pues, deben de seguirlo y adoptar una actitud que tenga el

La escritura de Al'lá ha venido a ustedes para su guía para que no puede haber ninguna excusa sobre la verdadera Palabra de Al'lá.

temor de Al'lá, para que ustedes puedan recibir Su misericordia. [155] Para que no digan ustedes: "La Escritura sólo fue revelada a los dos comunidades antes de nosotros y nosotros éramos desprevenidos de lo que ellos leyeron," [156] o para que ustedes no puedan decir: "Si se hubiera revelado la Escritura a nosotros, habríamos sido mejor dirigidos que ellos." Ahora un verdadero signo ha venido a ustedes de su Rab, que es como una guía y misericordia. ¿Quién entonces puede ser más injusto que aquel, quien niega las revelaciones de Al'lá y aparte de ellos? ¡Muy pronto, aquéllos que aparten de Nuestras revelaciones enfrentarán el castigo terrible para su aversión! [157] ¿Acaso están esperándoos sólo que vengan a ellos los ángeles o que venga tu Rab o es que están esperándoos de recibir algunos de los signos de tu Rab? En el Día, cuando vengan algunos de los signos de tu Rab, no aprovechará su creencia a nadie que antes no haya creído, o quienes, mientras profesando su fe, no hicieron los hechos buenos. Dígales: "Esperen si ustedes quieren; nosotros también estamos esperando." [158]

6: [155-158]

Ésos que dividen la religión en las sectas no son musulmanes.

Ciertamente aquéllos que dividen su religión en las sectas y se identifican como una secta, tú no tienes nada que ver con ellos. Su caso propiamente se referirá para la consideración por Al'lá, Él los informará acerca de lo que ellos hicieron. [159] Quienquiera hace un hecho bueno, a él se dará el crédito de diez hechos buenos similares, y quienquiera hace un hecho malo se castigará para sólo uno, y nadie va a ser tratado injustamente. [160]

6: [159-160]

Declare: " Mi Salá, mi devoción, mi vida y mi muerte son todos para Al'lá."

Dígales: "Ciertamente en cuanto a mí, mi Rab me ha guiado a la Vía Recta, a lo verdadero Dïn (Estilo de vida), a la fe de Ibrãjïm (Abraham) quien era el Janïf (El Recto) y quien no era de los mushrikïn." [161] También declares: "Ciertamente mi Salá, mi devoción, mi vida, y mi muerte son todos para Al'lá Quien es el Rab de los Mundos. [162] Él no tiene ningún par (asocio); así es como yo fui ordenado y soy el primero de los musulmanes." [163] Diga: "¿Buscaré a otro Rab aparte de Al'lá cuándo Él es Quien es Rab de todos?" Cada alma segará las frutas de sus propios hechos; nadie cargará la carga de cualquier otro. Finalmente ustedes devolverán a su Rab, y Él se resolverá para ustedes sus disputas. [164] Él es Quien ha hecho a ustedes los sucesores de la tierra y ha distinguido algunos de ustedes en las categorías unos sobre a otros, para que Él pueda probar acerca de lo que Él les ha dado. Ciertamente su Rab es veloz en la retribución; pero Él también sigue siendo el mismo: el Perdonador, el Misericordioso". [165]

6: [161-165]

7: AL-A'RÃF

El periodo de la Revelación

El periodo de su revelación coincide con de la Süra AL-AN'ÃM es decir, el último año de la residencia del Profeta en la Meca, pero no puede afirmarse con certeza que cual de estas dos fue revelada primero.

Incluye los siguientes principios, leyes y Guías Divinas:

➤ Se extiende una invitación a la gente de la escritura (los judíos y los cristianos) para volver al Islam.

➤ Se da una advertencia a los incrédulos acerca de las consecuencias de su rechazo a través de citar los ejemplos de los castigos que se infligieron en las personas anteriores para su actitud mala hacia sus Rasúles

➤ Aviso para los judíos sobre las consecuencias de su conducta hipócrita hacia a los Profetas.

➤ El mando para propagar el mensaje del Islam con la sabiduría.

➤ El hecho que los Rasúles, así como también las personas a quienes ellos fueron enviados, serán cuestionados en el Día del Juicio.

➤ El mando a los creyentes que ellos deben vestir decentemente y apropiado y deben comer la pura y buena comida.

➤ El diálogo entre los residentes del paraíso, y los presos del infierno juntos con las personas de A'rãf (un lugar entre el Paraíso e Infierno).

➤ El hecho que la afluencia y la adversidad son los recordatorios de Al'lá.

➤ La declaración que Mujámad (pece) es el Rasúl para toda la humanidad.

➤ El hecho que el advenimiento de Mujámad (pece) fue anunciado en la Tora y el Evangelio (la Biblia).

➤ El hecho que los judíos han fabricado una creencia equivocada sobre el perdón de Al'lá.

➤ El testimonio de la humanidad sobre Al'lá en el momento de la creación de Adán.

➤ El hecho que Al'lá creó toda la humanidad de una sola alma.

➤ El mando de Al'lá para mostrar el perdón, hablar para la justicia y evitar la ignorancia.

➤ El mando de Al'lá sobre escuchar a la recitación de Al Qur'ãn con el silencio completo, y con la atención debida.

El asunto principal de esta Süra es una invitación al Mensaje Divino enviado a Mujámad (pece). El Mensajero se había pasado trece largos años amonestando a las personas de la Meca sin cualquier resultado tangible, porque ellos se habían vuelto una oreja sorda a su mensaje y se habían puesto tan antagónicos que Al'lá estaba a punto de ordenarle al Profeta dejarlos solo y volverse a otras personas diferentes. Por eso ellos fueron amonestados para aceptar el mensaje y una advertencia sobre las consecuencias de su actitud mala. Ahora que el Profeta estaba a punto de recibir el mando de Al'lá para emigrar de la Meca, la porción concluyente es *dirigida hacia las Personas de la escritura con quien él iba a tener el contacto en ciudad de Al-Madina. Durante el curso del discurso a los judíos, las consecuencias de su actitud hipócrita hacia los Profetas están también claramente señaladas, porque ellos profesaron para creer en el Profeta Musa (Moisés) pero sus prácticas estaban opuestas a sus enseñanzas. Ellos no sólo estaban desobedeciéndolo sino también estaban rindiéndose culto a la falsedad.*

Al final de la Sũra, se dan las instrucciones al Profeta y sus seguidores para mostrar paciencia y ejercer el refrenamiento a la respuesta por las provocaciones de sus antagonistas. Desde que los creyentes estaban bajo la presión y la tensión, fueron aconsejados de tener mucho cuidado y no tomar cualquier paso que podría dañar su causa.

7: AL-A'RÃF

Esta Süra, revelada en Meca, tiene 27 secciones y 206 versos.

En el nombre de Al'lá, el Compasivo, el Misericordioso

SECCIÓN: 1

Alif L'ãm M'ïm Suãd. [1] Este Libro se revela a ti; no haya pues, ninguna estrechez en su pecho por su causa, para que puedas advertir a los incrédulos con eso y puedas amonestar a los creyentes. [2] Diga: "¡Humanos! Deben seguir lo que se ha revelado para ustedes de su Rab y no a los otros patrocinadores además de Él." ¡Qué poco que dejan amonestar! [3] ¿Cuántos pueblos hemos destruidos por causa de sus pecados? De repente, Nuestro castigo les llegó por la noche o mientras que estaban tomando su siesta. [4] Y cuando nuestro castigo se cayó en ellos, su único lamento era: "¡Nosotros hemos sido, de hecho, injustos!". [5] En el Día del Juicio, Nosotros cuestionaremos a aquéllos a quienes se enviaron los Rasúles y Nosotros también cuestionaremos a los Rasúles sobre Nuestro mensaje y su respuesta. [6] Pues, luego Nosotros contaremos su historia en su totalidad como un testigo presencial; porque nunca estábamos ausentes a eso o de cualquier lugar. [7] En ese Día, la balanza de La Justicia se establecerá. Aquéllos cuyas escala de hechos buenos serán pesadas, serán quienes lograrán la prosperidad, [8] y aquéllos cuya balanza será ligera, se encontrarán en la pérdida porque ellos habían hecho la injusticia a Nuestras revelaciones. [9] Somos Nosotros, Quien lo estableció a ustedes en la tierra, y proveímos a ustedes los medios de su sustento en eso: Aun así ¡Que poco que son agradecidos! [10]

7: [1-10]

Los Rasúles así como las personas a quienes les enviaron se cuestionarán en el Día del Juicio. Y La Balanza de justicia se establecerá.

SECCIÓN: 2

De hecho, Nosotros lo creamos a ustedes, luego lo formamos, luego ordenamos a los ángeles: "¡Postren ante Adán!" Ellos todos postraron de acuerdo con este orden excepto Iblïs (*Shaitãn*) quien no era entre aquéllos que postraron. [11] Al'lá preguntó: "¿Qué te impidió postrar cuándo Yo lo ordené?" Él contestó: " Yo soy mejor que él; me has creado del fuego y a él de la arcilla." [12] Al'lá dijo: " Bajes de aquí, tú no tienes ningún derecho para presumir aquí de su superioridad. Sálgase afuera de aquí, ahora en adelante tú va a ser entre los despreciables. [13] Shaitãn pidió: "Concédeme un plazo hasta el Día de la Resurrección." [14] Al'lá dijo: " Cuéntate entre aquellos a quienes ha concedido el plazo. [15] Shaitãn declaró: "Desde que Tú me permitiste desviarse, ahora yo quedaré en la emboscada para la humanidad para acecharles en Tu Vía Recta. [16] les llegaré del frente, del trasero, del derecho, y de la izquierda, y no encontrarás la mayoría de ellos agradecidos. [17] Al'lá dijo: " Sálgase de aquí, eres un proscrito despreciable; Yo llenaré el infierno, ciertamente, de ti y todos ellos quiénes te van a seguir." [18]

7: [11-18]

La historia de Adán e Iblïs (Shaitãn).

Shaitãn juró para desencaminar a Adán y sus descendientes.

Shaitãn sedujo a Adán y Eva hábilmente para que desobedezcan a Al'lá. Su arrepentimiento y la aceptación condicional por parte de Al'lá.

Al'lá dijo: "¡Adán! Tome la habitación junto con su esposa, en el paraíso y coman cualquier fruta que les agrada; pero no debes acercar a este árbol, si no, ambos de ustedes serán entre los Injustos." [19] Pero Shaitãn les tentó por lo que se les hizo revelar a ellos las partes privadas de sus cuerpos de lo que ellos nunca habían visto antes. Él les dijo: " Su Rab les ha prohibido que se acerquen a este árbol, para prevenirlo que los dos de ustedes conviertan ángeles o hagan inmortales." [20] Y él les juró a ambos: "Yo soy su consejero sincero." [21] Así es que él les sedujo hábilmente, y cuando ellos comieron del árbol, su vergüenza se puso visible a ellos y ellos empezaron a cubrirse con las hojas del jardín. Entonces su Rab les llamó: ¿No les ha prohibido de acercarse a ese árbol, y no les advertí a ambos de ustedes que Shaitãn era su enemigo declarado? [22] Ellos los dos contestaron: "¡Nuestro Rab! Hemos sido injustos con nuestras almas. Si Tú no nos perdonas y tendrás la misericordia en nosotros, seremos ciertamente de los que pierden." [23] Al'lá dijo: " Bajen, algunos de ustedes serán los enemigos de otros. La tierra será su morada y medio de sustento para un término fijo." [24] Él además les dijo: " En ella ustedes vivirán y en ella ustedes morirán, y de allí se levantarán ustedes a la vida." [25]

7: [19-25]

SECCIÓN: 3

Se advierten Hijos de Adán para no caerse en la trampa del Shaitãn igual que Adán.

Al'lá nunca ordena a lo que es vergonzoso.

¡Hijos de Adán! Nosotros hemos enviado a ustedes vestidura para cubrir su desnudez y como un adorno, sin embargo, la mejor vestidura es de la piedad. Éste es uno de las revelaciones de Al'lá. ¡Quizás, así, se dejen amonestar! [26] ¡Hijos de Adán! No permitan a Shaitãn que seduce a ustedes de la misma manera como cuando él sedujo y sacó a sus padres del paraíso a través de despojarlos de su ropa para exponer su desnudez. Él y su tribu los mira de dónde ustedes no pueden verlos. Nosotros hemos permitido a los Shaitãnes ser amigos de los incrédulos. [27] Siempre que ellos comprometan un hecho vergonzoso, ellos dicen: "Encontramos a nuestros antepasados que hacían esto y el propio Al'lá nos ha ordenado que hagamos eso." Les Diga: " ¡No! Ciertamente Al'lá nunca ordena lo que es vergonzoso. Ustedes atribuyen a Al'lá algo sobre cual no tienen nada de conocimiento." [28] Dígales: "Mi Rab ha ordenado la justicia y que pongan sus rostros en la dirección correcta en el tiempo de cada oración y que invoquen a Él con la verdadera devoción. Ustedes devolverán a Él así como Él los creó al principio." [29] Él ha guiado a un grupo, mientras que el otro grupo mereció ser quedado en el error debido a su propia opción; porque tomaron a los Shaitãnes como sus protectores en lugar de Al'lá, todavía ellos piensan que ellos están guiados. [30] ¡Hijos de Adán! Pónganse su adorno (*el vestido apropiado y decente*) cuando ustedes asisten a su Masyid en el tiempo de cada oración. Coman y beban, pero no sean extravagantes; ciertamente Él no ama a los derrochadores. [31]

7: [26-31]

SECCIÓN: 4

Pregúnteles: "¿Quién ha prohibido los adornos que Al'lá ha producido para Su siervos o comer la comida buena que Al'lá ha proveído a Sus siervos?" Diga: "Todas estas cosas son para el goce de los creyentes en la vida de este mundo aunque éstos serán exclusivamente suyos en el Día de la Resurrección. Así hacemos Nuestras revelaciones claras para aquéllos que entienden." [32] Diga: "Mi Rab ha prohibido: todas las indecencias sean abiertas o secretas, el pecado y la rebelión contra la justicia, comprometer el Shirk con Al'lá de lo cual Él no ha concedido ninguna sanción, y decir las cosas acerca de Al'lá de lo cual ustedes no tengan el conocimiento. [33] Para cada nación hay un término fijo, y cuando vence su plazo, no puede tardarse ni un momento, ni se puede adelantar un momento." [34]

7: [32-34]

> El orden de Al'lá para llevar el vestido decente y apropiado, y comer la comida buena.

¡Hijos de Adán! Cuando allí vienen a ustedes los Rasúles de entre ustedes y reciten a ustedes Mis revelaciones, aquéllos que se pondrán virtuosos y remendarán sus maneras no tendrán nada que temer o ser tristes; [35] pero aquéllos que niegan Nuestras revelaciones y les tratan con la arrogancia, serán presos del Fuego Infernal en que van a vivir para siempre. [36] ¿Quién puede ser más injusto que el uno, que inventa una mentira contra Al'lá o desmiente Sus revelaciones? Las tales personas tendrán su porción destinada de la escritura (*lo que era escrito para ellos recibir durante su vida en la tierra*); hasta cuando Nuestros mensajeros (*los ángeles de la muerte*) lleguen para llevarse sus almas, ellos van a ser preguntados: "¿Dónde están esos dioses a quienes ustedes invocaban además de Al'lá?" Ellos contestarán: "¡Nos han abandonado!" Y ellos atestiguarán contra sí mismos (*admitirán*) que ellos sí eran, de hecho, los kuffār (*los incrédulos*). [37] Al'lá dirá: "Entren en el fuego y unan con las naciones de genios y hombres que han ido ante de ustedes." Siempre que una nación entrará en el infierno, maldecirá su hermana precedente hasta que, al fin, cuando todas van a ser unidas allí, la última de ellas dirá sobre la primera: "¡Nuestro Rab! Éstos son quienes nos extraviaron; por consiguiente, déles a ellos el castigo doble del fuego." Él contestará: Habrá doble para todos, aunque ustedes no pueden saber (*debido a ser predecesores o sucesores en el pecado y agresión*)." [38] Entonces el primero dirá al último: "Si nosotros fuéramos de culpar, ustedes también, eran de ningún modo mejor que nosotros; ahora gusten el castigo de sus fechorías." [39]

7: [35-39]

> Se dirigen los Hijos de Adán para seguir la Guía de Al'lá proporcionada a ellos a través de Sus Rasúles.

SECCIÓN: 5

Ciertamente, no se abrirán las verjas del Cielo para aquéllos que niegan Nuestras revelaciones y los tratan con la arrogancia; su admisión en el paraíso será tan imposible como el paso de un camello a través del ojo de una aguja. Eso es cómo premiaremos a los delincuentes. [40] El

> No se abrirán las verjas del cielo para los incrédulos.

Infierno será su cama y las llamas serán sus cobijas. Eso es cómo premiaremos a los injustos. [41]   7: [40-41]

En cuanto a aquéllos que creen y hacen los hechos buenos - Nosotros nunca cargamos un alma con más de lo que él puede llevar - ellos son dignos del Paraíso, en que vivirán para siempre. [42] Nosotros quitaremos cualquiera hostilidad contra cualquier que ellos podían tener entre si en sus corazones. Bajo ellos, los ríos estarán fluyendo; y ellos dirán: "¡Alabado sea Al'lá! Quien nos guió para acá, nosotros nunca habríamos encontrado la Vía Recta, si Al'lá no nos había guiado. Los Rasúles de nuestro Rab nos han predicado ciertamente la Verdad." En ese momento ellos oirán el anuncio: "Éste es paraíso que ustedes han heredados debido a sus hechos buenos." [43]   7: [42-43]

Los residentes del paraíso llamarán a los presos del Fuego: "Nosotros hemos hallado las promesas de nuestro Rab como pura verdad. ¿Encontraron ustedes también, la promesa de su Rab igualmente verdad?" "¡Sí!", Ellos contestarán, y un heraldo proclamará entre ellos, "Que la maldición de Al'lá caiga sobre los Injustos, [44] quienes impedían a otras personas de la Vía de Al'lá y buscaban de hacerla torcida, y quienes no creían en la Último Vida." [45] Entre los dos, habrá un velo, y en el A'râf (*las alturas*) habrá personas que los reconocerán a todos por sus rasgos distintivos. Ellos llamarán a los residentes del Paraíso: "¡Paz esté con ustedes!" Ellos no habrán entrado en él todavía, aunque ellos tendrán la esperanza." [46] Cuando sus ojos se volverán hacia los presos del Fuego, dirán: "¡Nuestro Rab!" No nos pongas con estos injustos."[47]

7: [44-47]

SECCIÓN: 6

Las personas del A'râf (*las alturas*) llamarán a los ciertos hombres (*las personalidades famosas de entre los presos del Infierno*) quienes ellos reconocerán por sus rasgos distintivos y dirán: "¿Han averiguado ustedes que ni sus riquezas ni su orgullo arrogante han sido útil para ustedes? [48] ¿No son los residentes del paraíso los mismos, acerca de quienes ustedes juraban por Al'lá que nunca recibirán Su misericordia? Hoy las mismas personas están recibiendo la bienvenida con las palabras, " Entre en el paraíso, ustedes no tienen nada que temer o sentir tristes." [49] Los compañeros del Fuego suplicarán a los residentes del paraíso: "¡Denos un poco de agua o alguna de la comida que Al'lá lo ha proporcionado!". Ellos contestarán: " Al'lá ha prohibido las ambas de esta cosas a los incrédulos, [50] quienes tomaron su religión nada más que un entretenimiento y juego y quienes fueron engañados por su vida terrenal." Al'lá dirá: "Hoy Nosotros nos olvidaremos de ellos así como ellos se olvidaron de la reunión de este Día; y se mofaban de Nuestras revelaciones." [51] Ciertamente, Nosotros les hemos traído un Libro que proporciona los detalles claros basados en el conocimiento real y que es una guía y la bendición para los verdaderos creyentes. [52] Ahora ¿Acaso están esperando estas personas alguna otra cosa que el Día del Cumplimiento (*Día del Juicio*)? Cuándo el Día del Cumplimiento vendrá, aquéllos que los han descuidados, dirán: "De hecho los Rasúles de nuestro Rab habían venidos con la Verdad. ¿Hay algún intercesor ahora, quien podría interceder por nosotros O quien podría enviarnos por atrás para que nosotros no vamos hacer así como hemos hechos antes?" De hecho, ellos habrían perdido sus almas y las cosas que ellos habían inventado les dejarán esfumados. [53]   7: [48-53]

SECCIÓN: 7

       Ciertamente su Rab es Al'lá Quien creó los cielos y la tierra en seis Allãm (*los periodos del tiempo*) luego se estableció firmemente en el trono de la autoridad. Él hace que la noche cubre el día y que el día sigue la noche y los turnan sucesiva y automáticamente. Él creó el sol, la luna y las estrellas, y los hizo subordinados a Su Voluntad. Tomen la nota: Suyo es la creación, y Suyo es el orden. ¡Bendecido es Al'lá, el Rab del universo! [54] Invoquen a su Rab con la humildad y en privado; porque Él no ama a los transgresores. [55] No crean la travesura en la tierra después de que ha sido el orden. Oren a Él con el temor y con la esperanza. Ciertamente la misericordia de Al'lá siempre está cerca de aquéllos quienes hacen el bien a otros. [56] Él es Quien envía a los vientos con nuncios buenos de Sus bendiciones, para que cuando ellos alzan a las nubes pesadas, Nosotros les dirigimos hacia un campo muerto y hacemos caerse la lluvia en él, lo que trae todos los tipos de frutas de la misma tierra muerta. Igualmente Nosotros levantaremos el muerto a la vida; este ejemplo se da para que ustedes puedan aprender una lección de esta observación. [57] La tierra buena rinde el producto rico por el permiso de Al'lá y tierra erial rinde nada más que la escasez. Así Nosotros explicamos Nuestras revelaciones para aquéllos que son agradecidos. [58]   7: [54-58]

Al'lá es Quien creó este universo y Ore a Al'lá con el temor y esperanza.

SECCIÓN: 8

       De hecho Nosotros seleccionamos Nüj (*Noé*) para guiar a su pueblo, pues, él dijo: ¡Pueblo mío! Ríndanse culto a Al'lá, ustedes no tienen ningún otro dios excepto Él. Si ustedes no escuchan a lo que yo digo, temería para ustedes el castigo de un Día enorme." [59] Los jefes de su nación dijeron: "Ciertamente nosotros vemos que tú eres evidentemente en el error. [60] Él contestó: "¡Mi pueblo! Yo no estoy en el error; al contrario, soy un Rasúl del Rab de los mundos. [61] Yo soy responsable para entregar a ustedes el mensaje de mi Rab y darles consejo amistoso porque yo conozco de Al'lá algo que ustedes no saben. [62] ¿Acaso están maravillados que ha venido a ustedes un mensaje de su Rab a través de un hombre de entre ustedes mismos para advertirlos, para que ustedes puedan temer a Al'lá para recibir Su misericordia?" [63] Pero ellos le negaron, como resultado, Nosotros lo salvamos a todos que estaban con él en la arca, y se ahogaron aquéllos que negaron Nuestras revelaciones. Ciertamente ellos eran una nación ciega. [64]   7: [59-64]

La dirección del Profeta Nüj a sus gentes, su escepticismo y su destino.

SECCIÓN: 9

La dirección
del Profeta Jüd
a sus gentes, su
escepticismo y
su destino.

Y para el pueblo de Äd (*aditas*) Nosotros seleccionamos su hermano Jüd que dijo: "¡Pueblo mío! ¡Ríndanse culto a Al'lá! Ustedes no tienen ningún otro dios excepto Él. ¿Es que no Le temerán?" [65] Los jefes de su nación quienes negaron su mensaje dijeron: "Nosotros podemos ver que tú eres un loco y pensamos que eres de los que mienten." [66] Él contestó: "¡Mi pueblo! Yo no estoy loco, al contrario, soy un Rasúl del Rab de los mundos. [67] Estoy llevando el mensaje de mi Rab a ustedes, y soy un consejero honrado para ustedes. [68] ¿Acaso están maravillados que un recordatorio de sus Rab ha venido a ustedes a través de uno de sus propio hombre para advertirlos? Recuérdense que Él les hizo a ustedes sucesores después de la nación de Nüj y les dio una estatura alta como comparado a otras gentes. Por consiguiente, recuerden los favores que ustedes han recibido de Al'lá, para que ustedes puedan prosperar." [69] Ellos contestaron: "¿Tú has venido a nosotros con la demanda que nosotros debemos rendir culto al Al'lá solamente y debemos dejar a aquéllos quienes nuestros antepasados se rendían culto? Bien, ¡Tráiganos con lo que estas amenazando, si lo que dices es verdad!" [70] Jüd dijo: "Ustedes ya han incurridos la indignación e ira de su Rab. ¿Disputarían conmigo ustedes sobre los nombres, que no más, ustedes y sus antepasados han inventado y para cual Al'lá no les ha conferido ninguna autoridad? En ese caso, pues, esperen por la decisión de Al'lá, yo también esperaré junto con ustedes." [71] Nosotros salvamos a él y a sus compañeros por Nuestra misericordia y cortamos a ellos desde las raíces (*aniquiló*) a aquéllos que negaron Nuestras revelaciones y no eran creyentes. [72]   7: [65-72]

SECCIÓN: 10

La dirección
del Profeta
Sâlej a sus
gentes, su
escepticismo y
su destino.

Para las gentes de Zamüd (*tamudios*), seleccionamos su hermano Salej (*Salih*) quien dijo: "¡Pueblo mío! Ríndanse culto a Al'lá; ustedes no tienen ningún otro dios excepto Él. Ahora una prueba clara ha venido a ustedes de su Rab; aquí es la camella de Al'lá como un signo para ustedes, por consiguiente, déjenlo que pazca en la tierra de Al'lá y no la tocan con las intenciones malas, al contrario ustedes incurrirán un castigo doloroso. [73] Recuérdense cómo les hizo a ustedes herederos de la nación de Äd y les estableció en la tierra, capaz de edificar las mansiones en los valles y tallar las casas en las montañas. Por consiguiente, recuerden los favores de Al'lá y no extienden la travesura en la tierra." [74] Los líderes arrogantes de su nación preguntaron a los oprimidos entre ellos quienes habían creído: " ¿Realmente creen ustedes que Salej es un Rasúl de su Rab?" Ellos contestaron: "Nosotros creemos en la revelación que se le ha enviado." [75] Los arrogantes, quienes consideraban como superiores, dijeron: "Nosotros negamos todos en que ustedes creen. [76] Entonces ellos desjarretaron la camella, desafiaron el mando de su Rab y desafiando a Salej dijeron: "Tráenos el castigo con que nos has amenazado, si eres de verdad uno de los Rasúles." [77] Pues entonces, de repente un terremoto les sorprendió y ellos se volvieron a los cuerpos inanimados en sus casas con sus caras por debajo. [78] Salej se alejó de ellos diciendo: "¡Gentes míos! Yo llevé, de hecho, a ustedes el mensaje de mi Rab y los di consejo bueno, pero ustedes no amaron a los consejeros buenos." [79] 7: [73-79]

Nosotros también seleccionamos Lüt (*Lot*) quien dijo a su pueblo: "¿Quieren ustedes hacer los tales actos indecentes como nadie el resto del mundo ha comprometido antes? [80] Ustedes satisfacen sus lujurias con los varones (*el acto homosexual*) en lugar de las mujeres. De hecho ustedes son una nación que ha transgredido más allá de los límites." [81] Su pueblo no tenía ninguna respuesta sino decir: "¡Expúlsenlo a ellos fuera de su ciudad, ellos proponen para ser muy píos!" [82] Nosotros salvamos a él y a su familia excepto su esposa que era de aquéllos que se rezagaron. [83] Nosotros permitimos la lluvia suelta de azufre y cada uno de ellos fue matado; pues veas cómo fue el resultado final para los tales delincuentes.[84] 7: [80-84]

La dirección del Profeta Lüt a sus gentes, su escepticismo y su destino.

SECCIÓN: 11

Y para los de Mad'llan, Nosotros seleccionamos su hermano Shu'aib quien dijo: "¡Pueblo mío! Ríndanse culto a Al'lá, ustedes no tienen ningún otro dios excepto Él. Una guía clara ha venido a ustedes de su Rab. Den las medidas y peso justos, no defrauden a otros en sus mercancías, y no crean la travesura en la tierra después de que ha sido el orden; esto es bueno para ustedes si ustedes son los verdaderos creyentes. [85] No se sientan en la emboscada en cada camino amenazando a las personas e impedir del camino de Al'lá a aquéllos que creen en Él, mientras buscando como hacer Su Vía tortuosa. Recuérdense cómo Él los multiplicó cuando ustedes eran unos en el número; y véanse como fue el fin de los buscarruidos de entre los naciones anteriores. [86] Si hay algunos entre ustedes quienes creen en el mensaje con que fui enviado y otros los que descreen, entonces sean pacientes hasta que Al'lá juzgue entre nosotros, porque Él es el mejor de todos los jueces." [87] 7: [85-87]

La dirección del Profeta Shu'aib a sus gentes, su escepticismo y su destino.

ỸÚZ (PARTE): 9

Los líderes arrogantes de su nación dijeron: " ¡Shu'aib! Ciertamente expulsaremos a ti junto con tus creyentes compañeros, fuera de nuestro pueblo o tendrás que devolver atrás a nuestras creencias nacionales. Él contestó: "¿Aunque sean lo que detestamos? [88] Pues entonces, inventaríamos una mentira contra Al'lá si devolvemos a sus

La conducta de los incrédulos con el Profeta Shu'aib.

creencias después de que Al'lá nos ha salvado de ellas. No es posible para nosotros retroceder a menos que Al'lá, nuestro Rab, lo quiera. Nuestro Rab tiene inmenso conocimiento de todo. Nosotros sí, confiamos en Al'lá." Luego ellos oraron: "¡Nuestro Rab! Decida entre nosotros y nuestra nación con la Verdad, porque Tú eres el mejor de los jueces." [89] Los líderes que descreyeron de entre su nación dijeron: "Si ustedes siguen a Shu`aib, serán, en la realidad, entre los perdedores." [90] Por consiguiente, de repente un terremoto les dio alcance y amanecieron muertos, en sus propias casas, con sus caras por abajo. [91] Aquéllos que llamaron a Shu`aib como un mentiroso eran como que nunca vivieron por allí; ésos que llamaron a Shu`aib como un mentiroso eran que, en realidad, perdieron. [92] Se alejó de ellos diciendo: "¡Pueblo mío! Yo ha llevado a ustedes los mensajes de mi Rab y les ha aconsejado bien. ¿Por qué tenía que sentir, entonces, por lo que le sucediera a la nación que se niega a creer "? [93]   7: [88-93]

SECCIÓN: 12

La adversidad y la afluencia son los recordatorios de Al'lá.

Siempre que Nosotros ha enviado un Profeta a un pueblo, afligíamos a sus residentes con la adversidad e infortunios para que quizás así ellos pudieran ser humildes. [94] Luego cambiábamos su adversidad con la mejor fortuna hasta que ellos olvidaban y volvían a ser muy opulentos y decían: "¡Nuestros antepasados también tenían su adversidad y afluencia!". Pues entonces los tomábamos por la sorpresa, mientras que ellos ni siquiera lo notaban. [95] Si los residentes de los pueblos hubieran creído y temido a Al'lá, habríamos derramado sobre ellos las bendiciones de los cielos y de la tierra, pero ellos descreyeron; así que asimos a ellos por sus fechorías. [96] ¿Acaso sienten seguros, los habitantes de estos pueblos, contra Nuestro castigo que puede venir a ellos por la noche mientras que duermen? [97] ¿O sienten seguros esos mismos habitantes de estos pueblos de Nuestro castigo, que les puede venir en pleno día mientras que estén jugando? [98] ¿Se sienten seguras estas personas contra el intrigo de Al'lá? De hecho, solamente las personas que sienten seguras acerca del intrigo de Al'lá son quienes están destinadas a la destrucción. [99]
7: [94-99]

SECCIÓN: 13

Se narran las historias de naciones anteriores para enseñar una lección.

¿Acaso a los que han heredado la tierra después de que sus previos ocupantes estuvieron en ella, no sirve como una guía, para que entiendan que si nos quisiéramos, también podíamos agarrar a ellos a causa de sus transgresiones; sellando sus corazones de modo que no pudieran escuchar? [100] Esos pueblos cuyo historias que relacionamos a ti, pueden servir como ejemplos. Ciertamente sus Rasúles vinieron a ellos con las señales claras, pero ellos persistieron en su incredulidad y no les creyeron por haber negado anteriormente. Por eso Al'lá selló los corazones de esos incrédulos. [101] Nosotros no encontramos la mayoría de ellos,

verdadera a sus compromisos;   más bien Nosotros encontramos que la
mayoría de ellos era unos perversos. [102]   7: [100-102]

Luego, después de ellos, enviamos a Musa (*Moisés*) con Nuestras
revelaciones a Fir'on (*Faraón*) y sus jefes pero ellos también trataron
injustamente Nuestras revelaciones, pues mira, cómo fue el fin de aquéllos
quienes eran los corruptos. [103] Musa dijo: "¡Fir'on! He sido Rasúl por el
Rab de los mundos. [104] No es debido a mí decir algo sobre Al'lá, excepto
la Verdad. Yo he venido a ustedes por parte de Rab suyo, con las señales
claras de la designación, por consiguiente, envías a los hijos de Israel
conmigo."   [105] Fir'on preguntó: "¿Si tú has venido con una señal
muéstralo, si lo que dices es verdad." [106] Por lo tanto Musa tiró abajo su
palo y de repente se convirtió en una serpiente real. [107] Luego él sacó su
mano fuera de su bolsillo y se volvió como brillante blanco a todos los
espectadores. [108]   7: [103-108]

El Profeta
Musa (Moisés)
se envió para la
guía de Faraón
y sus jefes.

SECCIÓN: 14

Los jefes de la nación de Fir'on dijeron: "Sí, éste es un mago muy
experto. [109] Él quiere expulsar a ustedes de su tierra." Fir'on preguntó:
"¿Así que, qué proponen ustedes?" [110] Ellos dijeron: "Déjelo a él y su
hermano en el suspenso por algún tiempo; y envía a los agentes hacia
todos los ciudades, [111] para que te traigan todos los magos hábiles." [112]
Los magos vinieron a Fir'on y dijeron: "Debemos de recibir algún premio,
si nosotros prevalecemos." [113] " Sí ", él contestó. " No sólo eso, sino
también serán entre los que son muy cerca de mí." [114] Ellos preguntaron
a Musa: "¿Vas a tirar o que tiramos nosotros primero?" [115] Musa dijo:
"¡Tiren Ustedes!". Y cuando ellos lanzaron, embrujaron los ojos de las
personas y les aterrorizaron por la exhibición de una hechicería poderosa.
[116] Nosotros inspiramos Musa para lanzar su palo. ¡No más, de pronto
que él lanzó su palo, se volvió como una serpiente y empezó a tragar a la
creación de su hechicería! [117] Así prevaleció la verdad y todo que ellos
hicieron se derrumbó. [118]   Fir'on y sus dignatarios fueron derrotados y
humillados, [119] y los hechiceros, (*desde que ellos eran los profesionales y
sabían que esto no era ninguna hechicería,*) cayeron prosternados, [120]
diciendo: "Creemos en el Rab de los mundos, [121] el Rab de Musa y de
Jarün." [122] Fir'on dijo: "¿Cómo se atreve a ustedes creer en Él sin mi
permiso?" De hecho ésta era una estrategia que todos ustedes habían
planeados para sacar afuera las gentes de su ciudad, pero pronto ustedes
sabrán las consecuencias. [123] Amputaré sus manos y sus pies de los lados
opuestos y luego los crucificaré a todos." [124] Ellos contestaron:
"¡Nosotros volveremos, ciertamente, a nuestro Rab! [125] ¡Miras tu
veredicto, simplemente quieres tomar venganza porque nosotros creímos
en los signos de nuestro Rab cuando han venidos ante nosotros! ¡Rab!
Infunde en nosotros paciencia y haz que cuando muramos lo hagamos
como musulmanes." [126]   7: [109-126]

La
confrontación
de Musa
(Moisés) con
los magos de
Faraón.

SECCIÓN: 15

La venganza de Faraón contra las gentes de Moisés.

Los jefes de la nación de Fir'on (*Faraón*) le preguntaron: "¿Vas a dejar a Musa (*Moisés*) y su nación libres, para que comprometen la travesura en la tierra y desamparan tus dioses?" Él dijo: "Mataremos a sus hijos varones y dejaremos sus hijas con vidas; nosotros tenemos el poderío total sobre ellos." [127] Musa dijo a su pueblo: "Imploren la ayuda de Al'lá y sean pacientes. La tierra pertenece a Al'lá y se la da en herencia a aquéllos de Sus devoto quienes Él quiere. Ustedes deben saber que último éxito es para los virtuosos." [128] Ellos dijeron: "Hemos sufrido antes que tú vinieras a nosotros y luego también desde que has venido a nosotros." Él contestó: "Es muy probable que su Rab pueda destruir a su enemigo y puede hacer a ustedes como herederos de esta tierra; luego Él verá cómo actúan ustedes." [129]   7: [127-129]

SECCIÓN: 16

El castigo de Al'lá contra Faraón y sus jefes, y al final su destrucción.

Nosotros afligimos a las gentes de Fir'on con varios años de hambre y escasez de frutas para que ellos pudieran venir a sus sentidos. [130] Pero siempre que ellos tuvieran los tiempos buenos, dijeron "Eso es por nuestros (*esfuerzos*)", pero cuando algún mal les ocurría, atribuían esa suerte mala a Musa y a aquéllos con él. ¿Acaso su infortunio siempre no estaba en las manos de Al'lá? Aun siendo así, la mayoría de ellos no lo sabían. [131] Ellos dijeron a Musa: "No importa qué señal tú puedes traernos, para hechizarnos con tus magia, de todos modos no te vamos a creer." [132] Enviamos contra ellos las tormentas, las langostas, los piojos, las ranas y la sangre: las señales muy claras, y aun así, ellos persistieron en su arrogancia, porque ellos eran una nación delictiva. [133] Cada vez que llegaba la plaga, ellos decían: "¡Musa! Ruega por nosotros a tu Rab en virtud de la alianza que ha concertado contigo, si les ayudas a quitar la plaga de nosotros, creeremos de verdad en ti y enviaremos a los Hijos de Israel contigo." [134] Pero cada vez que quitamos la plaga de ellos y el tiempo designado por el descargo de los Hijos de Israel vino, he aquí que rompieron su promesa. [135] Por consiguiente, infligimos la retribución en ellos y les ahogamos en el mar, por haber negado Nuestras señales y por no haber hecho caso de ellas. [136] Así hicimos esa nación que era oprimida, la heredera de las tierras orientales y occidentales que Nos habíamos bendecido. Eso es cómo la promesa justa de tu Rab se cumplió para los Hijos de Israel, por haber soportado con la paciencia; y destruimos por la tierra, los grandes trabajos y los edificios finos que Fir'on y su nación habían erigido con tanto orgullo. [137]   7: [130-137]

Al'lá rescató a los Hijos de Israel pero ellos todavía

E hicimos que los Hijos de Israel atravesaran el mar (*el mar Rojo*). Durante su viaje, encontraron a una gente que estaban rindiéndose culto a sus ídolos. Ellos dijeron: "¡Musa! (*Moisés*) haznos un dios como los dioses de estas gentes." Él contestó: "Ustedes, de verdad, son personas muy ignorantes, [138] ¿No llegan ustedes a comprender, lo que estas personas están siguiendo se condena a la destrucción y sus obras serán vanas?". [139] Él dijo de más: "¿Acaso voy a buscar para ustedes un dios para el culto que no sea Al'lá: siendo así que Él es Quien ha exaltado a nosotros sobre todo los mundos? [140] Y mientras Al'lá dice, " Recuerden que Nosotros lo rescatamos de las gentes del Fir'on (*Faraón*), quien lo sujetó a ustedes al tormento cruel, matando a sus hijos varones y dejando a sus mujeres vivas, y en esa condición de esclavitud había para ustedes una gran prueba de su Rab." [141]   7: [138-141]

SECCIÓN: 17

Convocamos Musa a la montaña de Tür durante treinta noches y agregamos diez más para completar el término de cuarenta noches para la comunión con su Rab. (*Antes de salir*) Musa le pidió a su hermano Jarün (*Aarón*): "Tu estarás en mi lugar entre mis gentes, pon orden y no sigas el camino de los buscarruidos." [142] Cuando Musa vino a Nuestro lugar designado y su Rab le habló, él preguntó: "¡Rab mío! Deme el poder de vista para verte." Él contestó: "Tú no puedes verme. Mire a la montaña; si permanece firme en su lugar entonces pronto podrías verme." Cuando su Rab manifestó Su gloria a la montaña, se convirtió en los pedazos pequeños de polvo fino y Musa se cayó inconsciente. Cuando Musa recuperó, él dijo: "¡Gloria a Ti! Acepte mi arrepentimiento y soy el primero de los que creen." [143] Al'lá dijo: "¡Musa! Yo te he escogido de entre toda la humanidad para entregar Mi mensaje y tener la conversación conmigo: así que tomes lo que yo lo doy y sé de los agradecidos." [144]
7: [142-144]

Nosotros inscribimos para él en las lápidas todo el tipo de las instrucciones y los detalles de cada cosa, acerca de todas las ramas de la vida, y dijimos: "Observas éstos con la firmeza y mandas a sus gentes para seguirlos según el mejor de tus habilidades. Pronto les mostraré la morada de los perversos. [145] Yo les apartaré de Mis signos los ojos de aquéllos que son injustamente arrogantes en la tierra, porque sea cual sea el signo que ven, no creen en él. Si ellos ven la Vía Recta ante ellos, no lo seguirán; pero si ellos ven una vía de la perdición, ellos sí lo seguirán; esto es así porque ellos negaron Nuestras revelaciones y estaban indiferentes de ellas. [146] Vanas serán las obras de Aquéllos quienes niegan Nuestros signos y a la reunión en la Ultima Vida. ¿Debían ser premiados salvo a lo que ellos han hecho? [147]   7: [145-147]

SECCIÓN: 18

En su ausencia la nación de Musa (*Moisés*) hizo, con la joyería que tenía, un cuerpo de un ternero para el culto que producía un sonido de mugir. ¿Acaso no vieron que no podía hablarles ni podía darles la guía? Todavía ellos lo tomaron para el culto y se volvieron injustos. [148] Cuando ellos se sintieron avergonzados sobre lo que ellos habían hecho y comprendieron que ellos habían idos descaminados, dijeron: "Si nuestro

ellos todavía descreyeron en Un Dios.

La comunicación de Musa con Al'lá.

Musa se dio las lápidas escritas de Taurãt (Tora). Las personas arrogantes no pueden conseguir la guía.

Los Israelitas empezaron rendir culto al ternero incluso después de dar testimonio de su liberación milagrosa.

Rab no tiene la misericordia en nosotros y no nos perdona, seremos, por seguro, de los que pierden." [149] Cuando Musa regresó a su pueblo, él estaba sumamente enfadado y dolido, y dijo: "¡Qué mal ustedes me han sustituidos en mi ausencia! ¿Han ustedes tratando de acelerar la retribución de su Rab?" Él soltó las Lápidas Santas y asió a su hermano por el pelo de su cabeza y lo arrastró hacia sí. Jarün (*Aarón*) lloró: ¡Hijo de mi madre! Las personas me dominaron y casi me mataban; ¡No haga a mis enemigos feliz de mi desgracia! y ¡No me cuentes entre los Injustos." [150] A este Musa dijo: "¡Rab! ¡Perdóname a mí y mi hermano! Y admítenos en Su misericordia, porque Tú eres de lo más Misericordioso de los misericordiosos."[151]   7: [148-151]

SECCIÓN: 19

Los adoradores del ternero incurrieron en la ira de Al'lá.

Aquéllos que se rindieron culto al ternero han incurrido en la ira de su Rab y una humillación en esta vida; así recompensamos a aquéllos que inventan las falsedades. [152] En cuanto a aquéllos que hacen los hechos malos, luego arrepienten después de esto y vuelven ser como creyentes verdaderos, su Rab es, por seguro, el Perdonador, el Misericordioso. [153] Cuando se tranquilizó Musa de su ira, cogió las Lápidas Santas en cuya escritura era la guía y la misericordia para quienes tienen el temor de su Rab. [154] Musa escogió a setenta hombres de su nación para que acompañen a Nuestro lugar de encuentro. En su camino ellos se asieron por un terremoto violento, él oró: "¡Rab mío! Si hubiera sido Tu Voluntad, los podrías destruir desde hace tiempo incluyéndome a mí también. ¿Destruirías a nosotros para la ofensa comprometida por algunos tontos entre nosotros? Esto no es más que una prueba ordenada por Ti, para confundir a quien Tú eliges y guiar a quien Tú quieres. Tú eres nuestro Guardián, por consiguiente, perdónenos y ten la misericordia para nosotros; porque Tú eres lo mejor de todo los que perdonan. [155] ¡Al'lá! Destínate para nosotros lo que es bueno en esta vida y en el Día de la Justicia, ciertamente nosotros nos hemos vuelto a Ti" Él contestó: "Infligiré Mi castigo a quien Yo quiero; pero Mi misericordia abarca a todos. Yo destinaré la misericordia especial por aquéllos quienes hacen los hechos virtuosos, pagan el Zaká y creen en Nuestras revelaciones." [156]   7: [152-156]

El advenimiento del Profeta Mujámad (pece) se describió en la Tora y en el Evangelio.

Ahora, se asigna la misericordia especial a aquéllos que siguen el Rasúl, el Profeta iletrado (*Mujámad*) - de quien ellos encontrarán mencionado en el Taurãt (*Tora*) y en el Inÿil (*el Evangelio*). Quien manda lo que es bueno y prohíbe lo que es malo; declara para ellos, las cosas puras que son Jalãl (*lícitas*) y también las cosas impuras que son Jarãm (*ilícitas*); y les releva de sus cargas y de las cadenas que sobre ellos pesaban. Por consiguiente, aquéllos que creen en él, le sostengan, le ayudan, y sigan la Luz enviada abajo con él, serán entre los que tendrán el éxito total." [157]   7: [157]

SECCIÓN: 20

Diga: "¡Humanos! Soy el Rasúl de Al'lá hacia todos ustedes, de Aquél a Quien pertenece el reino de los cielos y de la tierra. No hay ninguna deidad excepto Él. Él trae a la vida y causas la muerte. Por consiguiente, crean en Al'lá y en Su Rasúl el Profeta iletrado (*Mujámad*) quien cree en Al'lá y Sus Palabras. Síganlo para que ustedes puedan guiarse debidamente." [158]   7: [158]

Mujámad (pece) es el Profeta para toda la humanidad

En la nación de Musa (*Moisés*) había una comunidad que se guiaba a otros según la Verdad y por eso establecieron la justicia. [159] Nosotros los dividimos en doce tribus, como las naciones; y cuando sus personas sedientas le pidieron agua, Nosotros revelamos a Musa: " Golpee la piedra con tu palo." Y brotaron de la piedra doce manantiales, cada tribu sabía de cuál debía de beber. Nosotros causamos las nubes para lanzar la sombra encima de ellos y enviamos abajo a ellos el maná y el salvá (*las codornices*), diciendo: "Coman de las puras cosas que Nosotros lo hemos proveído", Y no fueron injustos con Nosotros, sino que lo fueron consigo mismos. [160] Cuando se les dijo: "Residan en este pueblo y coman en eso cualquier cosa que ustedes les gusta y digan ' Jitatün' (*perdónenos*) y entran en la verja con una postura de humilidad; Nos perdonaremos sus pecados y aumentaremos el premio para tales personas virtuosas. [161] Pero los injustos entre ellos cambiaron por otras las palabras que se les habían dicho, como resultado enviamos abajo un castigo para ellos del cielo por haber obrado injustamente.[162]

Al'lá proporcionó la comida y el agua a la nación de Musa en el desierto.

7: [159-162]

SECCIÓN: 21

Pregúntales, acerca del pueblo que se situó en la orilla del mar, ¿Qué pasó cuando ellos transgredieron en el asunto de sábado? En los sábados, los peces aparecían ante ellos en la superficie del agua pero en otros días, fuera de sábado, casi no venían a ellos nada de pez; así les probamos por haber hechos transgresiones [163] También recuérdales acerca de la conversación entre algunos de ellos, cuando algunos de ellos preguntaron: "¿Por qué ustedes amonestan a las personas a quienes Al'lá destruirá o castigará severamente?" Ellos contestaron: "Para poder ofrecer una excusa ante nuestro Rab, que nosotros descargamos nuestro deber, y también en la esperanza que ellos puedan refrenar de Su desobediencia." [164] Sin embargo, cuando ellos desatendieron el recordatorio, Nosotros salvamos a aquéllos que prohibieron el mal y castigamos a aquéllos que eran los malhechores con el castigo duro, debido a su trasgresión. [165] Pero cuando después de eso ellos persistieron en sus maneras prohibidas, les dijimos: "¡Conviértanse en monos repugnantes!". [166] También les recuerdas cuando tu Rab declaró que Él levantaría a otros contra ellos quienes afligirían en ellos tormento doloroso hasta el Día de la Resurrección. Veloz es la retribución de tu Rab; siendo así, Él también es muy Indulgente, y muy Misericordioso. [167] Nosotros rompimos su unidad

El Sábado para los judío, su violación, y el castigo de Al'lá.

como una nación y los dispersamos en las comunidades diferentes por la tierra - algunos de ellos son virtuosos y otros son el contrario - Nosotros les probamos con bendiciones e infortunios para que ellos pudieran volverse a la Vía Recta. [168]   7: [163-168]

La creencia mala de los judíos acerca del perdón de Al'lá.

Entonces ellos fueron seguidos por una generación mala que heredó la Escritura; ellos complacieron en las vanidades de esta vida inferior, mientras diciendo: " Nosotros esperamos de ser perdonados", (asumiendo que ellos son favorito de Al'lá y de algún modo Él les salvará). Y todavía si vienen en su camino las vanidades similares, ellos seguramente les asirían de nuevo. ¿No se tomó de ellos un convenio de la Escritura, según el cual ellos no hablarían nada acerca de Al'lá excepto la verdad? Y ellos han estudiado lo que está en la escritura. Y la Morada Postrera es mejor para los temerosos de Al'lá, ¿Es que no reflexionan? [169] Ciertamente en cuanto a aquéllos que estrictamente aferran a la Escritura y establecen el Salá, seguramente no vamos a permitir nunca que pierde el premio de tales personas virtuosas. [170] Recuérdate cuando Nosotros suspendimos la montaña encima de ellos como si fuera un paraguas y ellos temieron que fuera a caerse sobre ellos y dijimos: " Sostengan firmemente la Escritura que Nosotros les hemos dado y que sean atento a de lo que está en ella, para que ustedes puedan guardarse contra el mal." [171]
7: [169-171]

SECCIÓN: 22

El testimonio de la humanidad en el momento de la creación de Adán, que Al'lá es su Rab.

¡Profeta!, Recuérdale a la humanidad acerca del incidente cuando su Rab trajo en la existencia a toda la descendencia desde los lomos de Adán y sus descendientes (virtualmente cada individuo de la humanidad) y les hizo atestiguar contra sí mismos. Al'lá les preguntó: "¿No soy Yo su Rab?" Todos ellos contestaron: " ¡Claro que sí, Nosotros atestiguamos que Tú lo eres!". Esto hicimos, para que toda la humanidad no pueda decir en el Día de la Resurrección: "Nosotros no éramos conscientes de este hecho que Tú eres nuestros Rab y que habrá un Día del Juicio. [172] O para que ustedes no puedan decir: "Nuestros antepasados empezaron la práctica de Shirk y nosotros apenas seguimos, siendo sus descendientes. ¿Nos destruirás, entonces a causa de seguir el pecado comprometido por esos falsificadores?" [173] Así Nosotros deletreamos claramente Nuestras revelaciones para que ustedes pudieran devolver a la Vía Recta. [174]
7: [172-174]

El ejemplo de aquéllos que niegan las revelaciones de Al'lá.

Cuéntales la historia de esa persona a quien enviamos nuestras revelaciones pero él deshizo de ellas, como resultado Shaitãn lo persuadió hasta que él fue de los descarriados. [175] Si hubiera sido Nuestra Voluntad, le habríamos exaltado a través de esas revelaciones; pero él se aferró a esta vida terrenal y siguió sus propios deseos. Su similitud es como de un perro: si le atacas jadea y si dejas en paz él todavía jadea. Tales son aquéllos quienes niegan Nuestras revelaciones, les dice estas parábolas, para que ellos pudieran pensar acerca de su conducta hacia

Nuestras revelaciones. [176] ¡Que mal es el ejemplo de esas personas quienes niegan Nuestras revelaciones y hacen la injusticia a sus propias almas! [177] Sólo aquel, a quien Al'lá le guía es guiado debidamente; y a quienes Él confunde, son los que pierden. [178]				7: [175-178]

Ciertamente, hemos destinado a muchos de los genios y de los seres humanos para el infierno; ésos son quienes: tienen corazones con los que no entienden, tienen ojos con los que no ven, tienen oídos con los que no oyen. Ellos son como los animales - o aun peor que ellos, porque aun teniendo todas las facultades, son extraviados por ser distraídos. [179] Al'lá tiene nombres más bellos (*arriba de noventa y nueve atributos*). Empléalos, pues, para invocarle a Él; y apártate de esas personas quienes usan la profanidad en Sus Nombres, las tales personas serán retribuidos según sus fechorías. [180] Entre aquéllos quienes hemos creado, hay algunas personas que guían a otros según la Verdad y gracia a ella, establecen la justicia. [181]				7: [179-181]

Las personas descaminadas están como los animales, aún peor.

SECCIÓN: 23

Aquéllos que niegan a Nuestras revelaciones, los atraemos paso a paso más cerca a la destrucción de las maneras que ellos no realizan, [182] aunque les concedo un plazo de tiempo; Mi estrategia es ciertamente eficaz. [183] ¿No reflexionan que su compañero no está poseído por ningún genio? Él es meramente un advertidor claro. [184] ¿Es que no se paran para reflexionar que tal vez el fin del reino de los cielos y de la tierra y de todo lo que Al'lá ha creado es muy cerca? ¿En qué mensaje, después de éste, entonces van a creer? [185] Aquél a quien Al'lá extravía, no podrá encontrar quien le dirija. El les deja que vaguen ciegamente en su trasgresión rebelde. [186] Te preguntan por la Hora: "¿Cuándo llegará?" Diga: "El conocimiento acerca de esto reside solamente con mi Rab: Él mismo lo revelara en el momento apropiado. Fuerte es su peso en los cielos y en la tierra. No vendrá gradualmente, sino de repente. Ellos te preguntan a ti como si estuvieras bien enterado. Dígales: "Sólo Al'lá tiene el conocimiento acerca de ella, aunque la mayoría de las personas no entiende." [187] Más allá les diga: "Yo no tengo el poder para adquirir el beneficio o apartar algún daño de mí mismo, sólo tanto qué Al'lá quiere. Si yo hubiera poseído el conocimiento del inadvertido, habría adquirido muchos beneficios a mí; y ningún daño me habría tocado. Yo soy nadie más que un advertidor y portador de las nuevas buenas para los verdaderos creyentes." [188]				7: [182-188]

Aquéllos que niegan las revelaciones de Al'lá están acercando a la destrucción. Y

El Profeta no tiene el poder para beneficiar a cualquiera o para apartar algún daño.

SECCIÓN: 24

Él es Quien ha creado a ustedes de un solo ser, y de eso Él creó a su cónyuge, para que él pudiera encontrar el consuelo con ella. Cuando él la cubre, ella concibe una carga ligera con la que iba de acá para allá; pero cuando crece y pesa más, los dos oran a Al'lá, su Rab: " Si nos concedes

Al'lá creó toda la humanidad a partir de una sola alma. Y

La realidad de esos dioses quienes las personas se adora al lado de Al'lá. Al'lá es el Amigo y Protector del virtuoso.

un hijo saludable, seremos verdaderamente agradecidos." [189] Pero cuando Él les da un hijo saludable, los dos de ellos empiezan a asociar compañeros con Él, en lo que Él les ha dado; pero ¡Al'lá es exaltado y por encima de lo que Le asocian! [190] ¿Le asocian esas deidades que no pueden crear nada, más bien, ellas mismas han sidas creadas? [191] Ellos no tienen; ni la habilidad de ayudarles, ni pueden ayudar a ellos mismos [192] Si ustedes les invitan a la guía, ellos no seguirán. Les da lo mismo que ustedes les llaman o que sostienen su paz. [193] La realidad es que ésos a quienes ustedes invocan además de Al'lá son siervos al igual que ustedes mismos. ¡Bien, pueden invocar pues, y dejan que les contesten, si lo que ustedes dicen es la Verdad! [194] ¿Tienen pies para andar, manos para asir, ojos para ver, oídos para oír? Diga: " Invoquen todos su shorakã (*los compañeros que ustedes han preparados además de Al'lá*) y colectivamente planean contra mí y ¡No me hagan esperar! [195] Mi protector es Al'lá Quien me ha revelado este Libro y Él es el Amigo Protector de los virtuosos. [196] Al contrario, aquéllos a quienes ustedes invocan además de Él, no tienen la habilidad de ayudar a ustedes, ni ellos pueden ayudar a sí mismos. [197] Si ustedes le llaman a la guía, ellos no pueden ni siquiera oír lo que ustedes dicen aunque aparece como que si ellos están mirándolos, ellos no lo ven. [198]   7: [189-198]

Muestre el perdón, hable para la justicia y evita a los ignorantes.

Cuando el Qur'ãn está recitándose escúchelo con el silencio completo.

Seas indulgente, prescribes el bien y evitas a los ignorantes. [199] Si Shaitãn te incita al mal, busca refugio con Al'lá; porque Él es Quien todo lo oye y todo lo sabe. [200] Aquéllos que temen a Al'lá, cuando ellos se tientan por Shaitãn, solamente tienen que recordar a Al'lá y ellos verán la luz (*el curso correcto de acción*). [201] En cuanto a los hermanos de Shaitãn, ellos los arrastran más profundo en el error y nunca se relajan sus esfuerzos. [202] Cuando tú, no les traes una revelación, ellos dicen: "¿No has inventado todavía?" Les Diga: "Yo no hago más que seguir lo que mi Rab me revela." Este Libro contiene las verdadera visiones de su Rab, una guía y misericordia para los verdaderos creyentes." [203] Y, cuando se recite el Qur'ãn, ¡Escuchen con el silencio completo para que, quizás así, ustedes puedan recibir la misericordia! [204] Y recuerda a tu Rab con el recuerdo profundo en su alma con la humildad y en la reverencia sin levantar tu voz, ambos por las mañanas y por las tardes; y no seas de aquéllos que están distraídos. [205] Ciertamente aquéllos que están cerca de su Rab no se sienten demasiado altivos para rendírselo culto a Él; ellos Le glorifican y se postran ante Él. [206]   7: [199-206]

8: AL-ANFÂL

El periodo de Revelación

Esta Süra se reveló en 2 D. J. (Después de la Jiy'ra) después de la batalla de Badr, la primera batalla entre Islam y Kufr (incredulidad y falsedad). Porque contiene una revisión comprensiva y detallada de la batalla, probablemente esa fue revelada por completo al mismo tiempo.

Incluye los siguientes principios, Leyes y Guías Divinas:

- ➤ *La batalla entre la Verdad y la falsedad.*
- ➤ *La Verdad no debe temer de ser vencida por las desigualdades contra ella.*
- ➤ *El combate no debe ser para despojos o ganancias material, sino para una causa que es justa.*
- ➤ *Leyes relacionadas a la paz y a la guerra.*
- ➤ *La relación de un estado islámico con musulmanes que viven en los países no-musulmanes.*

La batalla de Badr tuvo lugar en el segundo año de Jiy'ra (el año en que el profeta migró de la Meca hacia la Madina), por consiguiente, las reglas y las regulaciones que relacionan al paz y una revisión crítica de la guerra ha sido hecho en esta Süra. Pero esta revisión es bastante diferente de las revisiones que son normalmente hechos por los comandantes mundanos después de una gran victoria. En lugar de gozarse de la victoria, las debilidades morales que habían subidos a la superficie por causa de esa expedición han sido señalados como siguientes:

1. El hecho que la victoria era debida a la ayuda de Al'lá en lugar de a su propio valor y valentía se ha enfatizado para que los musulmanes deban aprender confiar en Él y obedecer Al'lá y Su Rasúl.

2. La lección moral del conflicto entre la Verdad y la falsedad se ha explicado.

3. Se dirigen los mushrikïn, los hipócritas, los judíos, y los prisioneros de la guerra les aconsejan que aprendieran una lección de una manera muy impresionante.

4. Se dan las instrucciones con respecto al despojos de la guerra. Los musulmanes se han dicho no considerar éstos como su derecho sino como un favor de Al'lá. Por consiguiente, ellos deben aceptar con la gratitud la porción que se concede a ellos fuera de él y de buenas ganas acceden la porción que Al'lá pone al lado por Su causa, para Su Rasúl, y para la ayuda de los necesitados.

5. También hayan instrucciones acerca de las leyes de la paz y de la guerrea, porque éstos se urgían en la fase en que el movimiento islámico había entrado. El mando en que los musulmanes deben refrenar de las vías de la

ignorancia, no obstante que es durante el periodo de la paz o de la guerra y así establecer su superioridad moral en el mundo.

6. *Esta Süra también declara algunos artículos de la Constitución Islámica en que explica la diferencia acerca del estado de los musulmanes los que viven dentro de los límites de Dar-ul-Islam (la Morada de Islam) y también acerca de los musulmanes que viven fuera de sus límites.*

Para entender las circunstancias, enfrentados por la comunidad musulmana y el Estado islámico. Para saber de cuál era la relación entre la guía Divina y la promulgación de las leyes, es importante saber cómo tuvo lugar la batalla de Badr.

La batalla de Badr

El mensaje del Islam había demostrado su firmeza y estabilidad. Sin embargo, los musulmanes aún no habían tenido una oportunidad de demostrar prácticamente las bendiciones del sistema de vida, basada en el Islam. No había ninguna cultura que parecería como islámica, ni cualquier otro tipo de sistema como social, económico o político; ni estaba allí cualquier principios establecidos de la guerra o de la paz. Por consiguiente los musulmanes no tenían ninguna oportunidad para demostrar esos principios morales en que ellos pensaban de construir un sistema de la vida en su totalidad; ni se había demostrado en la práctica que los musulmanes, como una comunidad, eran sinceros en su proclamación del mensaje. Al'lá creó las oportunidades para constituir estas deficiencias en Al-Madina.

Las gentes de la Meca habían comprendido que Mujámad (pece), quien tenía una gran personalidad y quien poseía los talentos extraordinarios, iba a ganar una fuerza fundamental en la Madina. Esto ayudaría integrar a sus seguidores - de quienes la constancia, la determinación, y la fidelidad firme al Islam habían sido probadas - en una comunidad disciplinada bajo su dirección sabiduría y la guía. Ellos sabían que esto deletrearía la muerte para sus viejos estilos de vida. Ellos también comprendieron la importancia estratégica de Al-Madina a su comercio que era su fuente principal de sustento. Los musulmanes podrían golpear a los viajes de las caravanas del comercio que se dirigía entre el Yemen y la Siria, y así podía golpear a la raíz de su economía. El valor del comercio hecho por las gentes de Meca en esta ruta sumada anualmente seria aproximadamente doscientos mil dinãres.

En Sh'abãn, 2 D. J. (febrero o marzo, 623 D.C.) una grande caravana de comercio del Quraish, en su camino de regreso desde Siria, lo que llevaba mercancías con el valor encima de 50,000 dinãres, con un guardia de treinta a cuarenta hombres, alcanzó el territorio en que pudiera ser atacada fácilmente desde Al-Madina. En cuanto la caravana entró en el territorio peligroso, Abu Suflãn, el líder de la caravana, despacho un jinete del camello al Meca con una apelación frenética para la ayuda. Este causó la gran emoción y encoleriza a los de la Meca. Un ejército de aproximadamente 1000 guerreros con la gran pompa y espectáculo marchó hacia Al-Madina. Ellos no sólo pensaron rescatar la caravana sino también acabar con el poder creciente de los musulmanes e intimidar a los clanes que rodeaban a la ruta para asegurarlo completamente para su comercio en futuro.

El Profeta que siempre estaba bien informado, se sentía que ya la hora había venido a tomar un paso intrépido; por otra parte el Movimiento islámico pondría ser inanimado sin la oportunidad de crecer de nuevo. La condición de la comunidad musulmana todavía era muy insegura porque los inmigrantes musulmanes de Meca (Mujãyirïn) no habían podido estabilizar su economía; sus auxiliadores (el Ansãr) los nativo de Madina que se hicieron musulmanes después de que el Profeta llegó en Madina y sus seguidores que emigraron allí de Meca, no habían sido todavía probados; y no podrían confiarse en los clanes judíos vecinos. Sobre todo, todos los clanes circundantes, vivían pasmados del Quraish y tenían todo sus simpatías religiosas con ellos. Por consiguiente, las consecuencias del este ataque no podrían ser favorables a los musulmanes. Un estudio cuidadoso de la situación indicó al Profeta, que él debe tomar un paso firme y debe entrar en la batalla con cualquier fuerza que él podría reunir para probar que si la comunidad musulmana tenía la habilidad de sobrevivir o era condenada a perecer.

El análisis del Profeta Santo de la situación, fue apoyado por la inspiración Divina, por consiguiente, él llamó a los Mujãyirïn y también a los Ansãr a una reunión y presentó la situación en su totalidad ante ellos, sin cualquier reservación, diciendo: "Al'lá ha prometido que ustedes confrontarán uno de los dos, la caravana de comercio que viene del norte o el ejército del Quraish que marcha del sur. Ahora, me dicen: ¡Cuál de los dos le gustarían confrontar!" La mayoría de las personas contestó que ellos deben ir por la caravana. Cuando el Profeta repitió la misma pregunta, Miqdãd bin Amr, un Mujãyir, se puso de pie y dijo: "¡Rasúl de Al'lá! Por favor marche en la dirección que Al'lá le ordena; nosotros lo acompañaremos dondequiera que usted va. Nosotros no diremos como los Israelitas: ' "Váyanse tú y tu Rab y combaten, nosotros les esperaremos aquí." en contraste con ellos nosotros decimos: "Decidan usted y su Rab; nosotros combatiremos por su lado hasta la última respiración nuestra." Aun oyendo esto, él no anunció ninguna decisión, sino esperó por una contestación del Ansãr que todavía no habían tomado ninguna parte en cualquier confrontación para el Islam. Como esto era la primera oportunidad para ellos a demostrar que ellos estaban listos para cumplir con sus promesas de combatir en la causa del Islam, él repitió la pregunta sin dirigírselos directamente. A esto, Sa'ad bin Mu'az, un Ansãr, se puso de pie y dijo: "Rasúl de Al'lá, Parece que usted está dirigiéndose esta pregunta a nosotros." Cuando el Profeta dijo, " Sí, " él contestó, "Nosotros hemos creído en usted e confirmado que lo que usted ha traído es la Verdad, y ha hecho un empeño solemne con usted que nosotros lo escucharemos y lo obedeceremos. Por consiguiente, Rasúl de Al'lá, hagas cualquier cosa que usted piensa hacer. Nosotros juramos por Al'lá Quien lo ha enviado con la Verdad que nosotros estamos listos acompañarlo aun hasta la costa del mar y si usted entra en él, nosotros nos zambulliremos en él. Nosotros le aseguramos que ni una sola persona de entre nosotros permanecerá detrás o le desampara, porque nosotros no dudamos en absoluto nada por ir a combatir, aun cuando mañana mismo usted lleva a nosotros al campo de la batalla. Nosotros queremos, Insha Al'lá (Si Al'lá quiere), permanecer firme en la batalla y sacrificar nuestras vidas para el Islam. Nosotros esperamos que por la gracia de Al'lá *nuestra conducta alegrara su corazón. Así que, confíe en las bendiciones de Al'lá, llévanos al campo de batalla." Después de esto, se decidió que ellos marcharían hacia el ejército del Quraish y no hacia la caravana del comercio.*

El número de las personas que avanzaron ir al campo de batalla sólo era un poco más de trescientos (86 Mujãyirïn, 62 de Aus, y 170 de Khazraj). Encima de eso, este ejército pequeño estaba mal armado y equipado muy escasamente para la batalla. Sólo un par de ellos tenían los caballos para montar y los otros tenían que tomar su turno en tres o cuatro por cada camello. Ellos tenían un total de 70 camellos. Encima de todos esos, ellos no tenían suficiente armas ni siquiera para la batalla; sólo 60 de ellos tenían la armadura. Ellos marcharon la recta al sudoeste, por donde el ejército del Quraish estaba viniendo. Ésta también es una indicación que, desde principio, ellos habían salidos a luchar con el ejército y no a pillar la caravana. Si ellos hubieran pensado a pillar la caravana, ellos habrían tomado la dirección de Noroeste en lugar del sudoeste. Los dos ejércitos se encontraron en el combate en un lugar llamado Badr en el decimoséptimo día de Ramadãn. Cuando los dos ejércitos confrontaron a uno y otro y el Profeta notó que el ejército de Quraish excedió en número a los musulmanes por tres a uno y estaba mucho mejor provisto, él levantó sus manos en la suplicación e hizo esta oración con la gran humildad: "¡Al'lá! Aquí son los Quraish orgullosos de su material de la guerra: ellos han venidos a demostrar que Su Rasúl es falso. ¡Al'lá! Ahora envíe la ayuda que me has prometido. ¡Al'lá! Si este ejército pequeño de Sus devotos se destruye, entonces habrá nadie en la tierra para rendírselo culto a Ti"

En este combate se pusieron los emigrantes de Meca a prueba más dura porque ellos tenían que combatir contra sus propios parientes, mientras poniendo a la espada sus padres, sus hijos, sus hermanos, y sus tíos. Es obvio que sólo tales personas pudieran hacer esto quienes habían aceptado la Verdad atentamente y habían cortado todas las relaciones con la falsedad. Semejantemente, la prueba a que los Ansãr fueron puestos no era menos difícil. Hasta ahora los Ansãr habían solamente a alienado a los poderosos Quraish y sus aliados por el causa de dar el resguardo a los musulmanes contra sus deseos pero ahora, para la primera vez, ellos iban dar el combate a ellos y sembrar las semillas de una guerra larga y amarga con ellos. Esto significó que un pueblo pequeño de unos mil habitantes iba a emprender una guerra con toda la Arabia. Es obvio que sólo tales personas pudieran tomar una posición que hayan creídos tan firmemente en la Verdad de Islam que ellos estaban listos para sacrificar cada interés personal por su causa. Al'lá aceptó estos sacrificios del Mujãyirïn y del Ansãr debido a su verdadera fe, y les premió con Su ayuda a través de los ángeles.

Los Quraish orgullosos, bien-armados fueron derrotados por estos devotos mal-provistos del Islam. Se mataron setenta hombres del ejército de Quraish y setenta fueron capturados como prisioneros de la guerra. Sus armas y equipos llegaron en las manos de los musulmanes como el despojos de la guerra. Todos sus jefes grandes que eran sus soldados más buenos y quienes habían llevado la oposición al Islam, se mataron en esta batalla. Esta victoria firme hizo al Islam como un poder a ser contado.

8: AL-ANFÃL

Esta Süra, se reveló en la Madina, tiene 10 secciones y 75 versos.

En el Nombre de Al'lá, el Compasivo, el Misericordioso

SECCIÓN: 1

Ellos te preguntan acerca del botín (*el despojos de la guerra*). Les Diga: "El Botín pertenece a Al'lá y a Su Rasúl: así que temen a Al'lá, acaben sus disputas, y corrijan las relaciones entre ustedes mismos: obedezcan a Al'lá y a Su Rasúl si ustedes son los verdaderos creyentes." [1] Los verdaderos creyentes son aquéllos cuyos corazones tiemblan con el temor, cuando el nombre de Al'lá se menciona, y la fe de quienes crece más fuerte cuando escuchan a Sus revelaciones y ellos ponen su confianza en su Rab, [2] quienes establecen el Salá y gastan en la caridad fuera del sustento que Nosotros les hemos dado. [3] Ellos son los quienes son los verdaderos creyentes; ellos habrán exaltado en las categorías con su Rab, el perdón para sus pecados, y el sustento honorable. [4] Tú Rab pidió que dejaras tu casa para luchar por la justicia, pero algunos de los creyentes eran renuentes. [5] Ellos disputan contigo sobre la Verdad que había sido hecho claro, como si ellos estuvieran ser llevados a la muerte con sus ojos pelados. [6] Recuerdan, Al'lá les prometió la victoria contra uno de los dos grupos enemigos y ustedes deseaban para el que estaba desarmado pero Al'lá quiso triunfar la Verdad según Sus palabras y cortar las raíces de los incrédulos, [7] para que la Verdad deba salir como la Verdad y falsedad que debe demostrarse como falso, aun contra deseos de los delincuentes. [8] Cuando ustedes oraron a su Rab para la ayuda, Él contestó: "Yo les ayudaré con un mil ángeles, uno tras otro." [9] Al'lá no lo hizo sino como noticias buenas y para confortar sus corazones, porque la victoria sólo viene de Al'lá; ciertamente Al'lá es Poderoso, Sabio. [10]   8: [1-10]

SECCIÓN: 2

Recuerden (*antes de la batalla de Badr*) cuando Él causó el adormecimiento que venció a ustedes para darles una sensación de seguridad venida de Él, y envió abajo el agua del cielo para purificarlos y quitarlos de ustedes las manchas causadas por Shaitãn, para fortalecer sus corazones y así sostener sus pies. [11] Entonces su Rab reveló Su santa Voluntad a los ángeles: "Yo estoy con ustedes, den valor a los creyentes. Yo lanzaré el pánico en los corazones de los incrédulos, por consiguiente, golpeen fuertemente sus cuellos y quiten de ellos todos sus dedos." [12] Esto es porque ellos desafiaron a Al'lá y a Su Rasúl. ¡Quienquiera desafía a Al'lá y a Su Rasúl deben saber que Al'lá es estricto en la retribución, [13] Aquí está la realidad, así que gusten, y habrá también la tortura del Fuego infernal para los incrédulos! [14] ¡Creyentes! Cuando encuentran a los incrédulos en una batalla, nunca volteen sus espaldas hacia ellos, [15] y

---

Mando relacionado al despojos de guerra (el botín).

La batalla de Badr, una batalla entre la verdad y falsedad.

La ayuda de Al'lá durante la Batalla de Badr.

La decisión de Al'lá entre los musulmanes y kuf'fâr

quienquiera que les dé su espalda a ellos en tal una ocasión - a menos que es una estrategia de la guerra, o para incorporarse hacia otra tropa - incurrirá en la ira de Al'lá y su morada será el infierno, y ¡Que horrible será ese vivienda! [16] De hecho, no eran ustedes quienes mataron a ellos, sino era Al'lá Quien los mató; no eras tú quién tiró el manojo de la arena, sino era Al'lá Quien lo tiró para que Él pudiera pasar a los creyentes con éxito a través de esta prueba excelente; ciertamente Al'lá todo lo oye, todo lo sabe. [17] Éste es Su trato con ustedes: En cuanto a los incrédulos, Al'lá frustrará ciertamente sus artimañas. [18] ¡Incrédulos! Ustedes quisieron una decisión; ¡Lo! La decisión, en la forma de la victoria de los creyentes, ha venido a ustedes. Ahora si ustedes desisten, será mejor para ustedes, y si ustedes repiten su acto de la guerra contra los creyentes, así que Nosotros repetiremos el acto de proporcionarlos la ayuda, y sus fuerzas, no importa que grande en el número puedan estar, será útil para nada, por una simple razón que Al'lá está con los creyentes. [19]   8: [11-19]

SECCIÓN: 3

¡Creyentes! Obedezcan a Al'lá y a su Rasúl y no se den sus espaldas a él, ahora que ustedes han oído todo. [20] No estén como aquéllos que dicen: "Nosotros lo oímos," pero sin poner la atención a lo que ellos oyen. [21] Los peores bestias en la vista de Al'lá son esas personas sordomudos que no usan su sentido común. [22] Si Al'lá hubiera percibido alguna virtud en ellos, Él les habría dotado la facultad de oír. ¡Si los hubieran oídos (aquéllos sin la virtud), habrían rechazado y habrían negados a escuchar! [23] ¡Creyentes! Responden a la llamada de Al'lá y de Su Rasúl, cuando Él les llama a algo que da vida a ustedes; y sepan que Al'lá se interpone entre el hombre y su corazón. Y que es Él, en Cuya presencia todos ustedes serán congregados. [24] Ustedes mismos deben de guardar contra la tentación. Los injustos entre ustedes no son los únicos que serán tentados; y sepan que Al'lá es estricto en la retribución. [25] ¡Recuerden, cómo Él le dio resguardo cuando ustedes eran pocos en números y eran oprimidos en la tierra, aun temiendo que el enemigo podía secuestrarlos! Él los hizo fuerte con Su ayuda y les concedió un asilo seguro y les dio cosas puras para sus sustentos; para que ustedes puedan ser agradecidos. [26] ¡Creyentes! No traicionen la confianza de Al'lá y de Su Rasúl, ni violen sus confianzas a sabiéndolos. [27] Debe saber que su riqueza y sus hijos son, en realidad, una prueba para ustedes, y es Al'lá con Quien es su recompensa magnífica. [28]   8: [20-28]

SECCIÓN: 4

¡Creyentes! Si ustedes temen a Al'lá, Él les concederá un criterio (para juzgar entre lo bueno y lo malo), anulará sus pecados y perdonará a ustedes. Al'lá es el Señor de la Gracia inmensa. [29] Recuerden, cómo los incrédulos trazaron contra ustedes. Ellos buscaron tomarlos como cautivos o matarlos o expulsarlos. Ellos planearon - y Al'lá también planeó - Al'lá

Las peores personas en la vista de Al'lá son aquéllos que no usan su sentido común.

Guardan ustedes mismos contra las tentaciones de Shaitãn.

Si ustedes se vuelven temerosos, Al'lá les

es el mejor proyectista de todos. [30] Siempre que Nuestras revelaciones se reciten a ellos dicen: "Bien, nosotros ya hemos oído esto. Si quisiéramos nosotros podríamos fabricar parecido. Éstos son nada más que los cuentos de los ancianos." [31] También recuérdate cómo ellos dijeron: "¡Al'lá! Si es esto la Verdad que procede de Ti, entonces mándenos abajo la lluvia de las piedras del cielo o inflígenos con algún látigo terrible para castigarnos." [32] Pero Al'lá no les castigaría mientras que tú estés presente en su medio. Ni Al'lá castigaría a las personas mientras que ellos están pidiendo Su perdón. [33] Pero no hay ninguna razón ahora por qué Al'lá no debe castigarlos cuando ellos están bloqueando a otros del Masyid-al-Jarãm (*Ka'ba*), considerando que ellos no son sus guardianes legales. De hecho, sus únicos guardianes son aquéllos que temen a Al'lá, aunque la mayoría de ellos no entiende. [34] Su oración en la Casa de Al'lá es nada más que silbidos y aplaude con sus manos: acerca de eso la única respuesta será, "Gusten el castigo debido, a causa de ser negado la Verdad." [35] Ciertamente los incrédulos gastan su riqueza para bloquear del camino de Al'lá y así quieren ellos continuar gastando; pero en el fin estos mismos esfuerzos volverán a ser la causa de sus pesares; a la longitud ellos se derrotarán, y en el Día del Juicio estos incrédulos se reunirán y se manejarán hacia el Infierno. [36] Para que Al'lá pueda separar al cochino del puro. Él apilará a los cochinos unos encima de otros, los amontonará a todos, y luego les lanzará en el infierno. Ellos son los que serán los perdedores. [37]   8: [29-37]

SECCIÓN: 5

Dígales a los incrédulos que si ellos desisten de la incredulidad, su pasado se perdonará; pero si ellos persisten en el pecado, pues deben reflejar como fue el destino de sus antepasados. [38] ¡Creyentes! Combaten contra ellos hasta que allí es ninguna más travesura y hasta que el Dïn de Al'lá (*estilo de la vida prescrito por Al'lá*) se establece completamente; pero si ellos detienen de la travesura, entonces, ciertamente, Al'lá está atento de todas sus acciones. [39] Si ellos no ponen la atención, entonces ustedes deben saber que Al'lá es su Protector. Él es un Protector Excelente, un Auxiliar Excelente. [40]   8: [38-40]

ŶÚZ (PARTE): 10

Sepan que el quinto del botín (*los despojos de la guerra*) es para Al'lá, para Su Rasúl, para los parientes íntimos del Rasúl, para los huérfanos, para el necesitado y para el viajero, si ustedes creen en Al'lá y en lo que revelamos a Nuestro siervo en el día del Criterio (*entre lo bueno y lo malo*), el día cuando dos ejércitos se encontraron en el combate. Al'lá tiene el poder encima de todo. [41] Recuerdan cuando ustedes estaba en este lado del valle y ellos en el lado más lejano, y la caravana estaba en la

---

concederá sabiduría a juzgar entre el derecho y el extraviado.

Los guardianes legales del Ka'ba son aquéllos que tienen temor a Al'lá.

Para los incrédulos que abrazan Islam su pasado se perdonara.

Las reglas sobre la distribución del despojos de guerra.

tierra más baja que ambos de ustedes. Si ustedes hubieran concertado una cita mutua para luchar, ustedes habrían fallados ciertamente; pero Al'lá buscó lograr lo que Él había ordenado, así que aquéllos que fueron destinados para perecer podrían morirse ante una prueba clara y aquéllos que fueron destinados para vivir podrían sobrevivir ante una prueba clara. Ciertamente, Al'lá es Quién todo lo oye y todo lo sabe. [42] Recuerda que Al'lá les hizo aparecer en tu sueño como pocos en números; si Él los hubiera mostrado a ti numerosos, tú habrías descorazonado ciertamente y habrías disputado en su decisión. Pero Al'lá lo salvó; ciertamente Él sabe los secretos más profundos de los corazones. [43] Y también recuerdan cuando ustedes encontró a ellos en la batalla, Él los mostró a ustedes como pocos en números en ojos de ustedes y Él le hizo aparecer como pocos en números en los ojos de ellos, para que Al'lá pudiera lograr lo que Él había ordenado: Finalmente todos los asuntos devuelvan a Al'lá para la decisión.[44]   8: [41-44]

SECCIÓN: 6

El orden de Al'lá para permanecer firme durante el combate contra el enemigo.

¡Creyentes! Cuando ustedes encuentran a un enemigo en cualquier combate, sean firmes y recuerden a Al'lá frecuentemente para que ustedes puedan tener el éxito. [45] Obedezcan a Al'lá y a Su Rasúl y no discuten entre sí mismos. Si no, ustedes perderán el valor y enfriarán su ardor. Muestren la paciencia, ciertamente Al'lá está en el lado de los pacientes. [46] No estén como aquéllos que empezaron imprudentemente de sus casas en el orden de ser vistos por todos y privar a otros de la Vía de Al'lá. Al'lá abarca todas sus acciones. [47] Recuerdan cuando Shaitân hizo sus acciones parecer atractivo a ellos, y dijo: "Nadie de la humanidad puede vencerlos hoy, porque yo seré con ustedes para ayudarlo." Luego cuando los dos ejércitos vinieron dentro de la vista de uno y otro, él se dio media vuelta y dijo: "Yo me hago libre de ustedes, porque yo puedo ver lo que ustedes no pueden. Yo temo a Al'lá, porque Al'lá es severo en el castigo. [48]   8: [45-48]

SECCIÓN: 7

La victoria de los creyentes y la muerte dolorosa de los incrédulos.

En ese momento los hipócritas y todos aquéllos que tenían la malicia en sus corazones estaban diciendo: "¡Su religión les ha engañado!". Pero ustedes deben saber que cualquiera que pone su confianza en Al'lá encontrará a Al'lá Poderoso, Sabio. [49] ¡Si ustedes solamente pudieran ver a los ángeles cuando ellos están llevándose las almas de los incrédulos! Ellos golpean a los incrédulos fuertemente en sus caras y en sus espaldas: " ¡Gusten el tormento del conflagración! [50] Éste es el castigo como la retribución por la causa de lo que sus manos han enviado adelante, porque Al'lá nunca es injusto a Sus siervos." [51] Esto es el mismo como pasó a las gentes de Fir'on (Faraón) y también a aquéllos que habían idos ante ellos. Ellos también rechazaron las revelaciones de

Al'lá y Al'lá les había asidos por sus pecados. Ciertamente Al'lá es Poderoso y severo en el castigo. [52]   8: [49-52]

Eso es porque Al'lá nunca ha cambiado las bendiciones que Él ha dado en un pueblo hasta que ellos mismos cambian lo que está en sí mismos; Al'lá todo lo oye y todo lo sabe. [53] Este mismo principio se aplicó a la gente de Fir'on y aquéllos que han ido ante ellos, ellos rechazaron las revelaciones de su Rab, por consiguiente Nosotros los destruimos por sus pecados, y Nosotros ahogamos a la gente de Fir'on; ellos todos eran injustos. [54]   8: [53-54]

Al'lá no cambia Sus bendiciones a ningún pueblo hasta que haya cambio en él mismo.

El peor de las bestias en la vista de Al'lá son aquéllos que rechazan la Verdad y que permanecen en su incredulidad. [55] Aquéllos que hacen los tratados contigo y tiempo después de tiempo violan sus tratados, y no tienen ningún temor de Al'lá. [56] Si los encuentras en el combate, les hace un ejemplo temeroso para otros que los seguirían para que todos ellos puedan aprender una lección. [57] Si ustedes temen la traición de cualquiera de sus aliados, pueden desquitarse justamente rompiendo el tratado con ellos (a través de notificarlos propiamente a ese efecto), porque Al'lá no ama los traicioneros. [58]   8: [55-58]

Deben honrarse los tratados a menos que hayan anulados con la notificación apropiada.

SECCIÓN: 8

No permitan a los incrédulos pensar que ellos han ganado el juego; ciertamente ellos nunca pueden frustrar a los creyentes. [59] Y reúnen contra ellos toda la fuerza militar y caballería que ustedes tienen el lujo de tenerlos para que ustedes puedan golpear el terror en los corazones de su enemigo y los enemigos de Al'lá, y otros además de ellos a quienes ustedes desconocen pero son conocidos por Al'lá. Recuerden lo que ustedes gastarán en la causa de Al'lá, se pagará por atrás por completo y ustedes no se tratarán injustamente. [60] Si el enemigo es inclinado hacia la paz, inclínate tú también hacia la paz con ellos, y pongas tu confianza en Al'lá. Él es Quien todo lo oye, todo lo sabe. [61] Si ellos piensan a engañarte, Al'lá es Todos-suficiente para ti. Él es él Quien te ha fortalecido con Su ayuda y con (la compaña de) los creyentes [62] y a través de poner el terror en sus corazones. Si tú hubieras gastado todo lo que está en la tierra, no podrías unir sus corazones así; pero Al'lá, en cambio, los ha reconciliado. Él es Poderoso, Sabio. [63] ¡Profeta! Al'lá es todos-suficiente para ti y para los creyentes que te sigan. [64]   8: [59-64]

El orden de permanecer preparado para la guerra contra los incrédulos. Haga paz si el enemigo está deseoso de hacerlo.

SECCIÓN: 9

¡Profeta! Anima a los creyentes para preparar al combate. Si hay veinte personas persistentes entre ustedes, ellos vencerán doscientos: si hay cien, vencerán a mil de los incrédulos, porque ellos son gente a quienes falta la comprensión. [65] Para ahora Al'lá ha aliviado su carga, porque Él sabe que hay todavía algunos individuos débiles entre ustedes,

La promesa de Al'lá para hacer a los creyentes

victorioso encima de los ejércitos aunque sean dos a diez veces más que los creyentes.

entonces si hay cien hombres tenaces entre ustedes, ellos vencerán a doscientos y si son un mil, ellos vencerán a dos mil con el permiso de Al'lá, porque Al'lá está con aquéllos que son tenaces. [66] No es apropiado para un Profeta que él tome a prisioneros de la guerra hasta que él haya dominado la tierra completamente. ¿Desean ustedes bienes temporales de este mundo?, mientras Al'lá desea para ustedes la Ultima Vida. Al'lá es Poderoso, Sabio. [67] Si no había estado allí una sanción anterior de Al'lá a tomar el rescate, habían ser castigados severamente para lo que ustedes han tomado. [68] Muy bien, disfruten el botín que ustedes han tomado, lícito y puro, pero en el futuro temen a Al'lá. Al'lá es Indulgente, Misericordioso. [69]   8: [65-69]

SECCIÓN: 10

El tratamiento a los prisioneros de guerra que abrazan el Islam.

¡Profeta! Dígales a los cautivo en su custodia: "Si Al'lá encuentra la bondad en sus corazones, Él aun lo dará mejor que lo que se ha tomado de ustedes, y también perdonará a ustedes. Al'lá es Indulgente, Misericordioso." [70] Pero si ellos tienen los planes traicioneros contra ti, ya han mostrados la traición contra Al'lá. Por eso Él les hizo sus cautivos. Al'lá es Omnisciente, Sabio. [71]   8: [70-71]

Los deberes y obligaciones del Estado islámico hacia los musulmanes viviendo en los países no-musulmanes.

Aquéllos que creyeron (*abrazaron al Islam*), emigraron e hicieron el Ýijãd (*ejercieron sus forcejeos sumos*) con su riqueza y con sus personas en la causa de Al'lá; así como aquéllos que les dieron asilo y les ayudaron, esos son, de hecho, amigos protectores de unos de otros. Acerca de aquéllos que creyeron (*abrazaron al Islam*) pero no emigraron (*hacia el Dar-ul-Islam, el Estado islámico*), ustedes están bajo ninguna obligación de protegerlos hasta que ellos emigren; todavía es su obligación para ayudarlos en las materias de la fe, es que si ellos piden su ayuda, exceptúe contra el pueblo con quien ustedes tienen un tratado. Al'lá está atento de todas sus acciones. [72] Los incrédulos son protectores de unos de otros. Si ustedes no hacen igualmente, habrá desorden en la tierra y la gran corrupción. [73] Aquéllos que creyeron (*abrazaron al Islam*), emigraron e hicieron el Ýijãd (*ejercieron sus forcejeos sumos*) en la causa de Al'lá, y aquéllos que les dieron el asilo y la ayuda - ellos son los verdaderos creyentes. Ellos tendrán el perdón y los sustentos honorables. [74] Aquéllos que creyeron (*abrazaron al Islam*) después y luego emigraron y unieron en el Ýijãd - ellos también son sus hermanos, aunque según la Escritura de Al'lá los parientes de las sangres tienen los derechos mayores en unos de otros. De hecho Al'lá es Omnisciente. [75]   8: [72-75]

AT-TAUBA

El periodo de la Revelación

Esta Süra se reveló en el 9 año de Jiy'ra en tres discursos diferentes. El primer discurso (los vv. 1-37) se reveló en Zil-Q'ada y puso una nueva política hacia a los mushrikïn. El segundo discurso (los vv. 38-72) se reveló en Ra'yab y trató acerca de la Campaña de Tabük. El tercer discurso (los vv. 73-129) se reveló al retorno del Profeta de la Campaña de Tabük. Hay algunos pedazos en este discurso que se envió abajo en las ocasiones diferentes durante el mismo periodo y fue consolidado después por el Profeta en esta Süra, de acuerdo con la inspiración de Al'lá.

Incluye los siguientes principios, Leyes y Guías Divinas:

> ➤ La política hacia los mushrikïn.
> ➤ Mandos que relacionan a la participación en el Ýijäd.
> ➤ Regulaciones relacionadas a la hipocresía, debilitad de fe, y negligencia.
> ➤ La campaña de Tabük.
> ➤ El establecimiento de un Dar-ul-Islam (un estado islámico).
> ➤ Extendiendo la influencia del Islam a los países vecinos.
> ➤ Aplastar la travesura de los hipócritas.
> ➤ Preparar a los musulmanes para un forcejeo en la causa del Islam.

Ahora que la administración de toda la Arabia había entrado en las manos de los creyentes, y todo los poderes opuestos se habían puesto subordinados, era necesario hacer una declaración clara de la política que sería adoptada para hacer esto recientemente formado estado islámico a un Dar-ul-Islam perfecto. Para lograr este objetiv fueron tomadas las medidas siguientes:

1. Se declararon que todos los tratados con los mushrikïn serán abolidos y los musulmanes se liberarían de las obligaciones del tratado con ellos después de expiración de este aviso que será de un plazo de cuatro meses.

2. Fue decretado; que la protección del Ka'ba va a ser tomada fuera de los manos de los mushrikïn y, que será permanentemente en las manos de los creyentes (el vv. 12-18), que deben abolirse todas las costumbres y prácticas que relacionan a la era de la " ignorancia ", y que los mushrikïn no van a ser permitidos en la vecindad del Ka'ba (v. 28). También fue decretado de aplastar los poderes de los incrédulos hasta que aceptaran la soberanía del Estado islámico. El objeto de Ýijäd no era por coercer les para que aceptaran el Islam, porque ellos eran libres para aceptarlo o no aceptarlo. El objeto era permitirles la libertad para permanecer descaminados, si ellos escogieran ser así, con tal de que ellos paguen la yizlla, que es un impuesto de la protección (v. 29), como una señal de su subyugación al Estado islámico.

3. Para asegurar la estabilidad del Estado islámico, las bandas de los hipócritas que fueron toleradas, anteriormente, a pesar de sus crímenes flagrantes, fueron aplastadas. Los musulmanes fueron dados el permiso de tratar a ellos abiertamente como incrédulos (v. 73). De acuerdo con eso, el Profeta puso al fuego la casa de Swailim dónde los hipócritas juntaban para las consultaciones para disuadir a las personas de unir a la expedición de Tabük. Cuando el Profeta volvió de Tabük, él pidió de tirar por abajo y quemar, el "masyid" que estaba usada por los hipócritas como un lugar para planear contra los verdaderos creyentes.

4. Esas personas que se quedaron detrás en la Campaña de Tabük o mostraron aun la menor negligencia, fueron tratados severamente, si ellos no tuvieran ninguna excusa creíble por no cumplir esa obligación. Porque allí no podía ser ningún peligro interna mayor a la comunidad islámica, que la debilidad de la fe, sobre todo en la víspera de un conflicto con el mundo no-musulmán.

5. 5. Una declaración fue hecho que en el futuro, el criterio de la verdadera fe de un individuo sería, el ejercicio que los individuos constituyen extendiendo la Palabra de Al'lá y el papel que ellos juegan en el conflicto entre el Islam y el Kufr. Por consiguiente, si cualquier que muestra alguna vacilación para sacrificar su vida, dinero, tiempo, y energías, su fe no se considerará como genuina. *(Los vv. 81-96)*

9: AT-TAUBA

Esta Süra, revelada en la Madina, tiene 16 secciones y 129 versos.

(Ésta es la única Süra que empieza sin las palabras de la apertura "En el nombre de Al'lá, el Compasivo, el Misericordioso", porque el Profeta no dictó así.)

SECCIÓN: 1

Una declaración de la inmunidad por el parte de Al'lá y de Su Rasúl se hace por la presente a aquéllos de los mushrikïn con quienes ustedes han hecho un tratado: [1] " Ustedes tienen cuatro meses para pasar en la tierra sin la molestia; pero ustedes deben saber que ustedes no pueden frustrar la voluntad de Al'lá, y que Al'lá humillará a los incrédulos." [2] Ésta es una proclamación pública de Al'lá y de Su Rasúl a las personas en el día del Gran Peregrinación que Al'lá y Su Rasúl disuelven las obligaciones del tratado por la presente con los mushrikïn. Por consiguiente, si se arrepienten, será mejor para ustedes pero si rechazan, entonces deben saber que ustedes no pueden frustrar la Voluntad de Al'lá. ¡Profeta!, proclame un castigo doloroso a aquéllos que son los incrédulos. [3] Excepto (*esta proclamación no aplica a*) a esos mushrikïn quienes honraron sus tratados con ustedes en cada detalle y no ayudaron a nadie contra ustedes. Así que cumplen sus tratados con ellos al fin de su término; porque Al'lá ama a los virtuosos. [4] Cuando los meses prohibidos (*10, 11,12 y 1 del calendario islámico*) han terminados, entonces combaten a los mushrikïn dondequiera que ustedes les encuentran, captúrelos, sítielos, y queden en la emboscada para ellos en cada estratagema de la guerra, pero si ellos se arrepienten, establecen el Salá y paguen el Zaká, entonces permítales ir a sus maneras: ciertamente Al'lá es Indulgente, Misericordioso. [5] Si cualquiera de los mushrikïn te pide asilo, concédele para que él pueda oír la Palabra de Al'lá, y entonces le escolta a su lugar de seguridad: esto debe hacerse porque estas personas no saben la Verdad. [6]   9: [1-6]

La proclamación para disolver el " Tratado de Judaibilla."

SECCIÓN: 2

¿Cómo puede ser un tratado con los mushrikïn por parte de Al'lá y de Su Rasúl - salvo con aquéllos con quienes ustedes ya ratificaron un tratado junto al Masyid-al-Jarãm? Mientras que ellos lo honran, ustedes también deben honrar: porque Al'lá ama a los virtuosos. [7] ¿Cómo ustedes pueden confiar en ellos? Si ellos prevalecen contra ustedes, ellos no respetan a los tratados ni a lazos de la relación. Ellos apenas lo adulan con sus lenguas, pero sus corazones se rechazan, y la mayoría es de unos perversos. [8] Ellos han vendidos las revelaciones de Al'lá por la poca ganancia mundana y ellos han impedido a otros de Su camino; indudablemente ¡Que detestable es lo que ellos han hecho! [9] Ellos ni honran a los lazos de la relación ni observan las obligaciones de tratados

El mando de Al'lá para honrar el tratado tan largo como los incrédulos lo honran.

con los creyentes; son ellos quienes transgredan. [0] Sin embargo, si ellos se arrepienten, establecen el Salá (*la oración obligatoria*) y paguen el Zaká (*el impuesto obligatorio para los pobres*), entonces ellos serán sus hermanos en Dïn (*la fe y estilo de la vida basada en la guía Divina*): así deletreamos claramente a Nuestras revelaciones para las personas que entienden. [11]   9: [7-11]

Si los incrédulos violan el tratado, entonces combaten contra sus jefes de banda.

Pero si ellos violan su tratado, después de haber jurado y han insultado su Dïn, entonces luchen con los jefes de las banda de la incredulidad - porque sus juramentos no es nada para ellos - quizás así ellos puedan detenerse. [12] ¿No combatirán ustedes contra esas personas quienes han roto sus juramentos, conspiró para expeler el Rasúl y fueron los primeros en atacarlos? ¿Ustedes les teman? Siendo así que es Al'lá Quien merece más que Le temen, si ustedes son los verdaderos creyentes. [13] Combaten contra ellos; Al'lá les castigará por sus manos y les humillará. Él concederá la victoria encima de ellos y aliviará a los corazones de las personas creyentes. [14] Él se llevará todo rencor de sus corazones. Al'lá muestra la misericordia a quien Él Le agrada, y Al'lá es Omnisciente, Sabio. [15] ¿Piensan ustedes que saldrán exclusivamente (*sin la prueba*), mientras que Al'lá no ha conocido todavía a quienes de ustedes ejercieron sus forcejeos a sumo (*en el camino de Al'lá*) y quienes no han tomados a cualquier amigo íntimo aparte de Al'lá, de Su Rasúl y de los creyentes? Al'lá es bien consciente de todas sus acciones. [16]

9: [12-16]

SECCIÓN: 3

Se prohíben los Mushrikïn que sean los conserjes de Masãyid.

No es para los mushrikïn que mantengan las mezquitas de Al'lá siendo testigos contra ellos mismos de su incredulidad. Todas sus obras van a ser anuladas y estarán en el Fuego eternamente. [17] Las mezquitas de Al'lá deben ser mantenidas por aquéllos quienes creen en Al'lá y en el Último Día, establecen el Salá (*las oraciones*), y paguen el Zaká (*la deuda de los pobres*) y no tienen miedo a nadie excepto a Al'lá. Son ellos de quienes se espera que sigan la verdadera guía. [18]   9: [17-18]

El servicio a los peregrinos no es igual que la creencia en Al'lá, en la Última Vida, y el Yijãd.

¿Han hecho ustedes a aquéllos que proporcionan el agua a los peregrinos y mantienen el Masyid-al-Jarãm, igual a los que creen en Al'lá, en el Último Día e hicieron el Ÿijãd (*esforzar en la causa de Al'lá*)? Ellos no son iguales en la vista de Al'lá, y Al'lá no guía a los injustos. [19] Aquéllos que creen (*abrazaron al Islam*), dejen sus casas (*emigran*), y hacen Ÿijãd con su riqueza y con sus personas en la causa de Al'lá, tienen la categoría más alta en la vista de Al'lá. Son ellos quienes tendrán el éxito de verdad. [20] Su Rab les da noticias buenas de Su misericordia, Su placer bueno, y paraíso con la beatitud eterna. [21] Ellos vivirán en eso para siempre. Ciertamente es Al'lá con Quien es el premio magnífico. [22]

9: [19-22]

¡Creyentes! No tomen a sus padres y a sus hermanos como sus amigos íntimos si ellos prefieren Kufr (*la incredulidad*) encima de Imán (*la creencia*); porque aquéllos que se vuelven fuera de este mando serán considerados como injustos. [23]¡Profeta! Dígales: "Si sus padres, sus hijos, sus hermanos, sus parejas, sus parientes, la riqueza que ustedes han adquirido, el negocio en que ustedes temen una pérdida, y las casas que les gusta mucho; son más estimados por ustedes que Al'lá, Su Rasúl, y hacer Ÿijãd (*el forcejeo*) en Su Camino, entonces esperan hasta que Al'lá provoque Su decisión. Al'lá no guía a los que son perversos. [24]

9: [23-24]

No tome a sus padres y hermanos como sus amigos si ellos prefieren Kufr (la incredulidad) encima de Imân (la creencia).

SECCIÓN: 4

Al'lá ha ayudado a ustedes, de hecho, en muchos campos de batallas y (*recientemente*) en el día de Junain: cuando ustedes estaban orgullosos de sus grandes números (*el ejército musulmán era 12,000 fuertes y los incrédulos tenían sólo 4,000*), pero los números no fueron útil para nada para ustedes. La tierra, con toda su inmensidad, parecía ser angosta para ustedes, y ustedes le dieron la espalda y huyeron. [25] Pero Al'lá envió abajo Su sakina (*la paz y la tranquilidad*) a Su Rasúl y a los creyentes y envió abajo su ayuda con esas fuerzas que ustedes no podrían ver, y castigó a los incrédulos. Así era la recompensa para los incrédulos. [26] Luego después de eso, ustedes también son testigos de que Al'lá guió a algunos de ellos y aceptó el arrepentimiento de quien Él quiso, porque Al'lá es Indulgente, Misericordioso. [27]

9: [25-27]

La ayuda de Al'lá está con la calidad y no con la cantidad de los creyentes.

¡Creyentes! Sepan que los mushrikïn son sucios; por consiguiente, no les permitan a venir cerca del Masyid-al-Jarãm después de la peregrinación de este año. Si ustedes temen la pobreza, pronto Al'lá - si Él así lo quiere - los enriquecerá fuera de Su generosidad. Al'lá es Omnisciente, Sabio. [28] Combaten a esas personas de la escritura (*los judíos y los cristianos*) quienes no creen en Al'lá y en el Último Día, no refrenen de lo que se han prohibidos por Al'lá y por Su Rasúl y no abrazan la religión verdadera (*Al-Islam*), hasta que ellos paguen Yizlla (*el tributo, el impuesto de la protección*) con sus propias manos y se sienten humillados. [29]

9: [28-29]

La prohibición para los Mushrikïn de entrar en Masyid-al-Jarãm.

SECCIÓN: 5

Los judíos dicen: " Uzayr (*Azra*) es el hijo de Al'lá, " y los cristianos dicen: "El Mesías (*Cristo*) es el hijo de Al'lá." Ése es lo que ellos dicen con sus bocas, imitan lo que ya antes habían dicho los incrédulos anteriores. ¡Que Al'lá les destruye! ¡Que pervertidos son ellos! [30] Ellos (*los judíos y los cristianos*) han tomado a sus rabinos y sacerdotes como sus Señores al lado de Al'lá y que así hicieron con el Mesías (*Jesús*), el hijo de Marllam (*María*), aunque fueron ordenados en la Tora y en el Evangelio para rendirse culto a ninguno sino a Un Ilãÿ (*Al'lá*); afuera de Quien no hay nadie más digno de culto. ¡Exaltado sea

Los mushrikïn son los judíos y cristianos que llaman a Ezra y Jesús como los hijos de Dios.

Él, Él es por encima de todo lo que Le asocian! [31] Ellos desean extinguir la luz de Al'lá con sus bocas pero Al'lá no le permitirá pasar, porque Él perfeccionará Su luz aunque los incrédulos detestan. [32] Es Él Quién ha enviado Su Rasúl con la guía y verdadero Dïn (*El estilo de vida*) para hacerle prevalecer encima de todo otros dïnes (*las religiones o estilos de la vida*) aunque detesten los mushrikïn. [33]   9: [30-33]

¡Creyentes! De hecho la mayoría de los rabinos y sacerdotes malversan la riqueza de las personas y les impiden del camino de Al'lá. A aquéllos que acumulan oro y plata y no lo gastan en el camino de Al'lá, anúnciales un castigo doloroso. [34] Vendrá un Día, ciertamente, cuando sus tesoros acumulados se calentarán en el fuego del infierno, y sus frentes, sus lados y sus espaldas van a ser marcados con ellos. Les dirá: "Éste es el tesoro que ustedes acumularon. ¡Ahora saboreen lo que ustedes estaban acumulándoos!" [35]   9: [34-35]

El número de meses ordenado por Al'lá es doce en la escritura de Al'lá desde el día que Él creó los cielos y la tierra. De éstos, cuatro son sagrados; ése es el principio establecido de Dïn. Por consiguiente, no hagan mal a ustedes mismos violándolos. Pero ustedes pueden combatir contra los mushrikïn en todos estos meses si ellos combaten contra ustedes. Sepan que Al'lá está con los que Le temen. [36] Transponer otro mes por un mes prohibido es solamente un incremento en la incredulidad, con lo que extravían los incrédulos. Ellos declaran cierto mes sagrado en un año y por otro año ellos hacen el mismo mes prohibido, para que ellos recuperen los meses que Al'lá ha santificado, mientras haciendo lícito así lo que Al'lá ha prohibido. Sus acciones malas parecen muy agradables a ellos. Al'lá no guía al pueblo infiel. [37]   9: [36-37]

SECCIÓN: 6

¡Creyentes! ¿Qué pasa con ustedes¿ ¡Cuándo les pide que marchen adelante en el camino de Al'lá, ustedes se aferran a la tierra! ¿Prefieren ustedes la vida de este mundo a la vida eterna? Si eso es así, entonces ustedes deben saber que los consuelos de esta vida son pocos comparado a la vida eterna. [38] Si ustedes no marcharan adelante, Él infligirá en ustedes un castigo doloroso y lo reemplazará con otras personas, y ustedes no pueden dañarlo a Él en absoluto nada, porque Al'lá tiene el poder encima de todo. [39] Si ustedes no ayudan al Profeta, no Le importa: Al'lá le ayudó cuando los incrédulos le expulsaron fuera de su pueblo, con un solo compañero, mientras los dos estaban en la cueva y (*cuando el enemigo vino a la apertura de la cueva*) él dijo a su compañero (*Abu Bakr, después fue el primero de los califas debidamente-guiados*): "No preocupes, Al'lá está con nosotros." Porque Al'lá envió abajo su serenidad en él y le fortaleció con fuerzas que ustedes no pueden ver, así, que Él hizo a la palabra de los incrédulos más bajo, mientras las palabras de Al'lá permanecen supremas. Al'lá es Todos-poderoso, Todos-Sabio. [40]

Notas al margen:

No esté como Rabinos y Sacerdotes que malversan las riquezas de las gentes.

El número de meses en la escritura de Al'lá es 12, de ellos los 4 son sagrados.

El orden de Al'lá para llevar los brazos contra los incrédulos, si es necesario

Marchen adelante aunque sean ligeramente o pesadamente provisto y hagan el Ẏijăd (*ejerza a su sumo*) en el camino de Al'lá con su riqueza y con sus personas. Eso es mejor para ustedes, si es que ustedes entienden. [41] En cuanto a los hipócritas, si la ganancia hubiera sido inmediata y la jornada hubiera sido corta, ellos le habría acompañados ciertamente, pero la jornada larga (*en la expedición de Tabük*) era demasiado duro para ellos. Para justificar por no haber acompañado a ustedes, ellos jurarían incluso por Al'lá, "Si nosotros fuéramos capaces, nosotros habríamos marchado ciertamente con ustedes."   Diciendo eso, ellos están destruyendo sus propias almas, porque Al'lá sabe que ellos son los mentirosos. [42]   9: [38-42]

SECCIÓN: 7

¡Que Al'lá te perdone! ¿Pero por qué les has dispensado para que queden por detrás? (*Tú no les debía de haber dado el permiso*) antes de que se te hubiera puesto claro quién de ellos era sincero y quién de ellos inventó las excusas falsas. [43] Aquéllos que creen en Al'lá y en el Último Día nunca te pedirán exención para combatir con su riqueza y con sus personas. Al'lá es consciente de aquéllos que son virtuosos. [44] Sólo esas personas piden exención que no creen en Al'lá ni en el Último Día y de quienes corazones están llenos de la duda, y están vacilándoos debido a sus dudas. [45] Si ellos hubieran pensado marchar adelante, ellos habrían hecho alguna preparación ciertamente para este fin; pero a Al'lá no Le gustó su marcha; así que Él les hizo retrasarse detrás y dijeron: "Quédense detrás junto con aquéllos que se quedan." [46] Si ellos hubieran ido con ustedes, habrían agregado nada más que la travesura, y habrían hecho los esfuerzos para crear el desorden entre sus líneas, y habrían sido algunos entre ustedes quienes les habrían escuchado atentamente. Al'lá conoce a los injustos. [47] De hecho ellos habían trazado la sedición antes y habían creado la perturbación para hacerte infructuoso hasta que vino la Verdad y el decreto de Al'lá prevaleció, aunque ellos lo detestaron. [48]

           9: [43-48]

Entre ellos hay alguien (*LLad-bin-Qais*) quién dijo: "¿Concédeme la exención y no me pongas a la tentación? (*de la belleza de mujeres romanas*)." Pero ¿Acaso no han caídos en la tentación (*de mentiras, contundentes, relaciones dobles e hipocresía*) ya? Ciertamente el infierno ha cercados a estos infieles. [49] Si ganas algún triunfo, les aflige, pero si te enfrentas una desgracia, ellos dicen: "Nosotros habíamos tomado nuestras medidas preventivas", y se alejan regocijándoos. [50] ¡Profeta! Dígales: "Nada pasará a nosotros excepto lo que Al'lá ya ha ordenado para nosotros; Él es nuestro protector." ¡Que los creyentes, pues, confíen en Al'lá! [51] Más allá les diga: "¿Qué podrían esperar para nosotros sino una de las dos cosas más excelentes (*victoria o martirio*)? Pero nosotros, en cambio, estamos esperando que Al'lá aflige a ustedes con el castigo de Él o por nuestras manos. Así que esperan si ustedes quieren; nosotros

Ésos que no participan en Yijăd son los hipócritas.

Las excusas de los hipócritas para no portar armas contra los incrédulos.

también estamos esperando." [52] Diga: "Si ustedes dan limosna de buena gana o con la repugnancia, no se aceptará de ustedes; porque ustedes son gentes perversas. [53] Las razones que previenen sus contribuciones de aceptarse son: que ellos descreen en Al'lá y en Su Rasúl, que ellos vienen a ofrecer el Salá sino renuentemente, y que ellos ofrecen las contribuciones pero de mala ganas. [54] ¡No te maravilles de su riqueza ni de sus hijos! En realidad Al'lá quiere castigarles con estas cosas en esta vida y que parten sus almas aun siendo incrédulos. [55] Ellos juran por Al'lá que son, en realidad, creyentes como ustedes; pero no son de ustedes; de hecho, ellos tienen miedo a aparecer a ustedes en sus verdaderos colores. [56] Si ellos pudieran encontrar un lugar de refugio o una cueva, o cualquier escondite, ellos correrían ciertamente a él con una prisa obstinada. [57] Hay algunos entre ellos quienes critican acerca de la distribución de sadaqãt (*las limosnas, el zaká*). Si ellos se dan de ella, están contentos, y si ellos no lo reciben, ¡Lo! Ellos están llenos de la rabia. [58] Habría sido mejor para ellos, si ellos sólo hubieran estado contentos con lo que Al'lá y Su Rasúl les habían dado y habían dicho: "¡Al'lá es todos-suficiente para nosotros! Pronto Al'lá nos dará de Su generosidad, y Su Rasúl también. De hecho, hacia Al'lá volvemos nuestras esperanzas." [59]   9: [49-59]

SECCIÓN: 8

Las categorías para la distribución del Zaká.

De hecho la colección de los sadaqãt (*el Zaká*) es para: los pobres, los desvalidos, aquéllos empleados para administrar los fondos, aquéllos cuyos corazones necesitan ser ganados hacia la Verdad, para rescatar a los cautivos, para ayuda de los destituidos, para el camino de Al'lá y para los viajeros. Ése es un deber impuesto por Al'lá; y Al'lá es Omnisciente, Sabio. [60]   9: [60]

El orden de Al'lá para no molestar al Profeta.

Hay algunas personas entre ellos quienes molestan al Profeta: "Él es uno que cree en todo lo que él oye." Diga: " Es bueno para ustedes que él escucha a lo que es mejor para ustedes; él cree en Al'lá, tiene la fe en los creyentes, y es una bendición para aquéllos de ustedes quienes son los verdaderos creyentes." En cuanto a aquéllos que molestan al Rasúl, tendrán un castigo doloroso. [61] Juran a ustedes por Al'lá para agradarles. Pero lo más correcto es que deben agradar a Al'lá y a Su Rasúl si ellos son los verdaderos creyentes. [62] ¿Acaso no saben que cualquiera que opone a Al'lá y a Su Rasúl vivirá para siempre en el fuego del infierno? ¡Qué humillación más enorme! [63]   9: [61-63]

El castigo para aquéllos que se burlan de la religión.

Los hipócritas temen la revelación de una Süra, revelando a los musulmanes lo que está en sus corazones. Diga: "Mófense si ustedes quieren, Al'lá, ciertamente, traerá a la luz todo lo que temen ustedes." [64] Si les preguntas, ¿Acerca de qué ustedes estaban hablando? Ellos dirán rápidamente: "Nosotros sólo estábamos bromeando y estábamos divirtiéndonos." Diga: "¿Acaso estaban mofando de Al'lá, de Sus revelaciones y de Su Rasúl?" ustedes han rechazados la fe después de su creencia; aun cuando podemos perdonar algunos de ustedes quienes no han participado seriamente, castigaremos a otros entre ustedes, por haber sido los delincuentes.[66]   9: [64-66]

SECCIÓN: 9

Los hipócritas, serán varones o hembras, todo son iguales. Ellos mandan lo que está malo, prohíben lo que está bien, y detienen sus manos (*de hacer lo que es bueno*). Ellos se han olvidados de Al'lá; así que Él se ha olvidado de ellos. De hecho los hipócritas son los transgresores. [67] Al'lá les ha prometido el Fuego del infierno a los hipócritas varones, a las mujeres hipócritas y a los incrédulos, en que vivirán para siempre. Al'lá les ha maldecido y ellos tendrán un castigo duradero. [68] Su conducta simplemente está como aquéllos que han idos antes de ustedes. Ellos eran más poderosos que ustedes en la fuerza y más prósperos en la riqueza e hijos. Ellos disfrutaron su porción de esta vida mundana; así que disfruten ustedes también su porción, como hicieron sus antepasados; y ustedes han entrado en los discursos vanos al igual como hicieron ellos. Por consiguiente sus hechos eran infructuosos en este mundo y en la Vida Eterna. Ésos son los que pierden. [69] ¿No los han oídos las noticias de aquéllos que han ido ante ellos? La gente de Nüj (*Noé*), los Aditas y de los Zamüd (*Tamudeos*); el pueblo de Ibrãjïm (*Abraham*), los hombres de Mad'llan (*Madianitas*) y las ciudades que fueron derrocados de arriba por abajo. Sus Rasúles vinieron a ellos con las advertencias claras; pero ellos no escucharon, Al'lá no fue injustos con ellos, sino ellos hicieron mal a sus propias almas. [70]   9: [67-70]

Las acciones de los hipócritas y su castigo.

Los verdaderos creyentes, hombres y mujeres, son protectores de unos y otros. Ellos mandan lo que es bien y prohíben lo que es mal; ellos establecen el Salá, pagan el Zaká, y obedecen a Al'lá y a Su Rasúl. Es ellos en quienes Al'lá tendrá Su misericordia; ciertamente Al'lá es Poderoso, Sabio. [71] Al'lá ha prometido a los creyentes, hombres y mujeres, jardines por cuyos bajo fluyen los ríos, vivirán en eso para siempre, y ellos tendrán las mansiones bonitas en estos jardines de beatitud eterna. El mejor de todos, ellos tendrán el placer de Al'lá. Ahora ése sí, es el logro más enorme. [72]   9: [71-72]

Las acciones de los creyentes y sus premios.

SECCIÓN: 10

¡Profeta! Hagas Ẏijãd contra los incrédulos y los hipócritas y seas firme contra ellos. El infierno será su refugio; y ¡Que mal refugio! [73] Ellos juran por Al'lá que ellos no dijeron nada cuando, de hecho, ellos profirieron las palabras de la incredulidad y ellos comprometieron Kufr después de aceptar el Islam. Ellos meditaron una conspiración que ellos eran incapaces de llevar a cabo. Ellos no tenían ninguna razón para ser vengativos, sólo porque Al'lá y Su Rasúl habían enriquecido a otros a través de Su generosidad. Por consiguiente, si ellos se arrepienten, será de

El orden de Al'lá para hacer Yijãd contra los hipócritas e incrédulos.

hecho, mejor para ellos; pero si ellos retroceden (*no se arrepientan*) Al'lá les castigará con un castigo doloroso en esta vida y en la otra también, y no encontrarán en la tierra nadie para protegerles o ayudarles. [74]

9: [73-74]

La conducta de los hipócritas.

Hay algunos entre ellos quienes hicieron un convenio con Al'lá diciendo: "Si Él concede a nosotros Su generosidad, nosotros gastaremos en la caridad y nos volveremos virtuosos de verdad." [75] Pero cuando Él dio de Su generosidad, se pusieron tacaños, retrocedieron de su convenio y se pusieron evasivos. [76] Él infundió la hipocresía en sus corazones hasta el día que Le encuentren, como consecuencia de su brecha del convenio con Al'lá y las mentiras que ellos dijeron. [77] ¿No son conscientes que Al'lá sabe sus pensamientos confidenciales y sus consejos confidenciales, y que Al'lá conoce a fondo todas las cosas ocultas? [78] En cuanto a aquéllos que se mofan de los creyentes que dan libremente y ridiculizan aquéllos que no encuentran nada que dar excepto las frutas de su labor; Al'lá tirará su ridículo atrás en ellos y tendrán un castigo muy doloroso. [79] ¡Profeta! Da lo mismo, si pides o no pides perdón para ellos; aun cuando pidiera perdón para ellos setenta veces, Al'lá no les perdonaría: porque ellos han descreído a Al'lá y a Su Rasúl. Al'lá no guía aquéllos que son los transgresores.[80]

9: [75-80]

SECCIÓN: 11

Los hipócritas no se metieron en la guerra contra los incrédulos. Y

La prohibición de ofrecer la oración Fúnebre para los hipócritas.

Aquéllos que permanecieron detrás (*no unieron en la expedición de Tabük*) estaban encantados para sentarse inactivo por atrás en contra del Rasúl de Al'lá, y les repugnaba hacer Ýijãd con sus bienes y con sus personas en el camino de Al'lá. Ellos dijeron uno y otro: "No vayan a la guerra con semejante calor." Dígales: " El Fuego del infierno es mucho más severo en el calor. ¡Si sólo supieran!" [81] Permítales que rían un poco; ya que llorarán y mucho, como una recompensa para lo que ellos han ganado. [82] De hoy en adelante, si Al'lá vuelve a llevarte a un grupo de ellos y cualquiera de ellos te pide permiso para ir a la guerra, diga: "No van a ser permitidos nunca, irse conmigo o combatir contra ningún enemigo en mi compañía. Ustedes escogieron sentarse inactivo en la primera ocasión, por consiguiente, ustedes se quedarán ahora con aquéllos que quedaron por detrás." [83] ¡No ores nunca por ninguno de ellos cuando muera, ni te detengas ante su tumba! Porque ellos han negado a Al'lá y a Su Rasúl y han muertos mientras que eran transgresores. [84] ¡No te maravilles de sus riquezas ni de sus hijos! Al'lá quiere castigarles, a través de éstos, en este mundo y dejar que exhalen su último suspiro siendo infieles. [85] Siempre que una Süra se revela, diciendo: "Crean en Al'lá y hagan el Ýijãd junto a Su Rasúl", las personas que son más capaces entre ellos te piden exención, diciéndote: "¡Por favor déjenos con aquéllos que se quedan!". [86] Ellos prefirieron estar con aquéllos que permanecen detrás, como resultado, han sido sellados sus corazones, para que ellos no entiendan. [87] Pero el Rasúl y aquéllos que creen con él, hacen Ýijãd con sus riquezas y con sus personas. Ellos son quienes tendrán todas las bondades, y ellos son quienes tendrán el éxito. [88] Al'lá ha preparado para ellos jardines por cuyos bajo fluyen los ríos, vivirán en eso para siempre. Ése es el logro más grande. [89]   9: [81-89]

SECCIÓN: 12

Algunos de entre los beduinos vienen también con sus excusas a que se les des permiso para quedarse detrás; así que ellos mienten a Al'lá y a Su Rasúl y se quedan en casa. Pronto un castigo doloroso alcanzará a los de ellos que no crean. [90] No hay ningún reproche para el inválido, el enfermo, y aquéllos que les faltan los medios, quedarse detrás si ellos son sinceros con Al'lá y con Su Rasúl. No hay ningún motivo (*del reproche*) contra esas personas virtuosas. Al'lá es Indulgente, Misericordioso. [91] No hay ningún reproche, Igualmente, en aquéllos que vinieron a ti pidiéndote el transporte y dijiste: "Yo soy incapaz de proporcionarlo el transporte," y que ellos volvieron con sus ojos que vertían con las lágrimas; ellos estaban llenos con el dolor que ellos tenían ningún recurso de ir adelante al campo de la batalla con sus propios medios. [92] Sólo hay motivo (*el reproche*) contra aquéllos que pidieron la exención aunque ellos son ricos. Ellos prefirieron estar con aquéllos que permanecían detrás. Al'lá ha puesto un sello sobre sus corazones; así que ellos no entienden. [93]   9: [90-93]

Las exenciones genuinas del frente de la guerra.

ÝÚZ (PARTE): 11

Ellos se disculparán a ti con todas las clases de excusas cuando devuelves a ellos. Digas: "No presenten ninguna excusa, de todos modos no los creeremos: Al'lá ya ha revelado a nosotros la verdad entera, acerca de ustedes. Ahora Al'lá y Su Rasúl vigilarían su conducta de muy cerca: al fin, ustedes regresarán a Él, Quien sabe lo que está oculto y lo que está aparente, y Él les dirá todos que ustedes han estado haciéndoos." [94] Ellos te jurarán por Al'lá cuando devuelves a ellos para que puedas dejarlos solo. Así que déjeles solo: ellos son una abominación. El infierno será su morada, un castigo para sus fechorías. [95] Ellos lo jurarán a ustedes para agradarlos, pero aun cuando ustedes se agraden con ellos (*acepten sus excusas*), Al'lá nunca se agradará con este pueblo trasgresor. [96] Los beduinos (*Árabes del desierto*) son los peor en el escepticismo e hipocresía, y no son inclinados a reconocer los límites que Al'lá ha revelado a Su Rasúl. Al'lá es Omnisciente, Sabio. [97] Alguno de los beduinos miran en cualquier cosa que ellos gastan en el camino de Al'lá,

Aquéllos que hacen las excusas para evitar servir en el forcejeo armado para la causa de Al'lá cuando hay una necesidad, son los hipócritas.

como una multa y esperan que ocurre algún infortunio a ustedes. ¡Que sean ellos los que sufran un revés! Al'lá todo lo oye y todo lo sabe. [98] Pero alguno de los beduinos creen en Al'lá y en el Último Día, y consideran en lo que ellos gastan en el camino de Al'lá y a las oraciones del Rasúl, como medios de acercarse a Al'lá. ¿No es esto para ellos un medio de acercarse? Pronto Al'lá les admitirá en Su misericordia. Al'lá es Indulgente, Misericordioso. [99]   9: [94-99]

SECCIÓN: 13

Las categorías de hipócritas. Y El mando para la colección del Zaká.

En cuanto a los primeros pioneros que aceptaron el Islam de los Mujãyirïn (*los inmigrantes*) y de los Ansãr (*los auxiliares de la Madina*) y aquéllos que les siguieron en los hechos buenos, Al'lá está bien contento con ellos y ellos están bien contentos con Él. Él ha preparado para ellos jardines por cuyos bajos fluyen los ríos, en que ellos vivirán para siempre: ¡Ése es el logro enorme! [100] Alguno de los beduinos que te rodean y también entre los residentes de Madina son fanáticos en su hipocresía. Tú no les conoces, pero Nosotros les conocemos. Pronto les daremos castigo dos veces: luego ellos serán enviados al castigo más severo. [101] Hay algunos otros que en cambio reconocen sus pecados: ellos han mezclados obras buenas con otras malas. Es muy posible que Al'lá vuelva a ellos en la misericordia, Al'lá es Indulgente, Misericordioso. [102] Tomes sadaqãt (*ese orden del sadaqãt significa - Zakát-ul-mãl*) de sus bienes, para limpiarles y purificarles con eso, y ora por ellos; porque su oración les dará consuelo. Al'lá todo lo oye y todo lo sabe. [103] ¿Acaso que no saben ellos que es Al'lá Quien acepta el arrepentimiento de Sus siervos y recibe sus sadaqãt (*la caridad*), y que, ciertamente, Al'lá es Quien acepta los Arrepentimiento y es el Misericordioso? [104] Les Diga: "¡Hagan como quieran! Al'lá, Su Rasúl y los creyentes vigilarán su conducta estrictamente; luego ustedes se traerán a Su corte, Quien es Conocedor de lo oculto y de lo expuesto, y Él les informará de todos que ustedes han hecho." [105] Hay otros cuyo caso se sostiene, todavía, en la ansiedad por la decisión de Al'lá. Él los castigará o se volverá a ellos en la misericordia; Al'lá es Conocedor, Sabio. [106] Hay otros que construyeron Masyid para los motivos traviesos (*Masyid-e-Zirar*), para extender el escepticismo y desunir a los creyentes, y como un fortín para uno (*Abu ' Amir*) quién había hecho la guerra contra Al'lá y contra Su Rasúl anteriormente. Ellos seguramente jurarán solemnemente: "¡No! quisimos sino lo mejor! pero Al'lá declara que ellos son absolutamente los mentirosos. [107] No pongas su pie nunca para ofrecer el Salá en él. Ciertamente el Masyid fundada desde el primer día en el temor de Al'lá merece más que estés de pie para ofrecer el Salá en él; porque en él hay hombres que aman a ser purificados; y Al'lá ama a aquéllos que se purifican. [108] ¿Quién es mejor: quien pone la fundación de su edificio en el temor de Al'lá y en Su placer, o quien pone la fundación de su edificio en un banco minado que se derrumbará arrastrándole al fuego del Infierno? Al'lá no guía a los tales

Los hipócritas construyeron una Masyid, llamado"Masyi d-e-Zirâr," para los motivos traviesos.

injustos. [109] Aquéllos que se han construidos esta fundación nunca serán libre de la sospecha e inestabilidad cn sus corazones hasta que sus corazones sean cortados en pedazos (*hasta que se mueren*). Al'lá es Conocedor, Sabio. [110]   9: [100-110]

SECCIÓN: 14

Indudablemente, Al'lá ha comprado de los creyentes, sus personas y sus riquezas y a cambio les ha prometido el paraíso; ellos combaten en el camino de Al'lá y matan y mueren. Esta es una verdadera promesa que Le obliga y es mencionada en la Taurãt (*Tora*), en el Inÿil (*el Evangelio*) y en el Qur'ãn; y ¿Quién es más verdadero para cumplir su promesa que Al'lá? Por consiguiente, regocijen por el trato que ustedes han cerrado con Él, y ¡Ése es un logro enorme! [111] Quienes voltean hacia Al'lá en el arrepentimiento, sirven a Al'lá, Le alaban, mueven sobre la tierra por Su causa, hacen los Rakü (*la inclinación abajo en la oración*) y los Sayüd (*prosternan en la oración*), ordenan lo que es bien y prohíben lo que es mal, y observan los límites (*los permisos y las prohibiciones*) puestos por Al'lá (*ellos son quienes hicieron tal trato con Al'lá*). ¡Profeta!, proclame las noticias buenas a los tales creyentes. [112]   9: [111-112]

No es apropiado para el Profeta y para aquéllos que creen que piden perdón por los mushrikïn, aunque sean sus parientes, después de que se ha explicado a ellos que morarán en el Fuego del Infierno. [113] Ibrãjïm (*Abraham*) sólo oró pidiendo el perdón para su padre para cumplir con una promesa que él había hecho. Pero cuando se puso claro a él que su padre era un enemigo de Al'lá se alejó de él. En realidad Ibrãjïm era muy bondadoso, benigno. [114] Al'lá nunca confunde a las personas después de que Él les ha guiado, hasta que Él hace claro a ellos de lo que deben de guardar; ciertamente Al'lá tiene el conocimiento de todo. [115] Indudablemente es Al'lá a Quien pertenece el reino de los cielos y de la tierra. Él da la vida y da la muerte. Ustedes no tienen nadie afuera de Al'lá, ni protector ni auxiliar. [116]   9: [113-116]

Al'lá perdonó al Profeta y a esos Mujãyirïn (*emigrados*) y Ansãr (*auxiliares*) que siguieron a él en el tiempo de dificultad, cuando algunos estaban en el punto de ser descorazonados. Él se volvió a ellos en la misericordia. Ciertamente Él es con ellos Muy Amable, y Misericordioso. [117] Él también se volvió en la misericordia a los tres, la decisión de cuyo caso era diferido. Así desalentados eran ellos que la tierra, con toda su inmensidad, y sus propias almas, resultaron ser muy angostas para ellos. Supieron con toda la seguridad que no había ningún refugio contra Al'lá que Él mismo. Luego Él se volvió a ellos en la misericordia para que ellos pudieran arrepentirse. Ciertamente Al'lá es el Aceptor del arrepentimiento, el Misericordioso. [118]   9: [117-118]

Al'lá ha comprado las personas y riquezas de los Creyentes al cambio a concederles el Paraíso.

No busques el perdón por los Mushrikïn.

Al'lá perdonó esas tres personas, quiénes se retrasaron detrás pero eran sinceros.

SECCIÓN: 15

Los creyentes son aquéllos que prefieren la vida del Rasúl encima de su propia vida.

El requisito de obtener comprensión de la religión.

¡Creyentes! Temen a Al'lá y estén con aquéllos que son verdadero en la palabra y en hecho. [119] No es apropiado para la gente de Madina y a los beduinos del barrio para desamparar el Rasúl de Al'lá o que arriesgan la vida de él para salvaguardar lo de suyo. Eso es porque ellos no sufrirán cualquier sed o hambre o cualquier prueba en el camino de Al'lá, o tomarán cualquier paso que puede provocar a los incrédulos, o recibirán cualquier lesión de un enemigo, sino que se apuntará como un hecho bueno a su cuenta; porque Al'lá no deja perder la remuneración de los virtuosos. [120] Igualmente, ellos no gastarán nada en el camino de Al'lá, que sea pequeño o grande, o atravesarán algún valle en el Ŷijãd, sino que está escrito a su crédito; para que Al'lá pueda premiarles basado en lo mejor de sus obras. [121] No es apropiado que los creyentes acuden todos juntos. Por consiguiente, un escuadrón de cada división que quede por detrás, para que ellos puedan obtener la comprensión de Dïn (*Al-Islam*), y para que puedan amonestar a su gente cuando devuelven a ellos, para que ellos puedan refrenar de la conducta no Islámica. [122]

9: [119-122]

SECCIÓN: 16

Los versos de Qur'ãn aumentan la fe de los creyentes.

¡Creyentes! Combaten contra los incrédulos que están cerca de ustedes, para que encuentren a ustedes muy duros; usted deben saber que Al'lá está con los que Le temen. [123] Siempre que una Süra se revele, algunos de ellos preguntan: "¿La fe de quién, de entre ustedes, ha aumentado por esto?" Ciertamente, la fe de los creyentes se aumenta y se regocijan. [124] En cuanto a aquéllos cuyos corazones contienen la malicia, agregarán la suciedad a su suciedad existente, y ellos se morirán siendo incrédulos. [125] ¿No ven que se les pone a prueba todos los años una o dos veces? Ellos, todavía, ni se arrepienten ni aprenden una lección de esto. [126] Cuando una Süra se revela, ellos miran a uno y otros como para preguntar: ¿Se ven alguien?" Luego, se marchan silenciosamente. Al'lá ha desviados sus corazones (*de la guía*), porque ellos son las personas que no quieren entender. [127]

9: [123-127]

El carácter del Profeta Mujámad (pece). Una oración enseñada por Al'lá.

Ahora, allí ha venido a ustedes un Rasúl de entre ustedes mismos, al que le aflige su pérdida y quien está excesivamente ansioso para su éxito en ambos mundos, y quien es compasivo y misericordioso hacia los creyentes. [128] Ahora, si ellos se vuelven fuera de ti, (*del Profeta*) diga: "Al'lá es todos-suficiente para mí. No hay ningún dios excepto Él. En Él he puesto mi confianza. Él es el Rab del Trono Grandioso." [129]

9: [128-129]

10: LLÜNUS

El periodo de Revelación

Esta Süra se reveló durante la última fase de la residencia del Profeta en la Meca.

Incluye los siguientes principios, Leyes y Guías Divinas:

➢ Al'lá es el único Creador de este universo.
➢ Deidades quienes los mushrikïn se rinden culto afuera de Al'lá, no tienen el poder para beneficiarlo o dañarlo a cualquiera.
➢ Las deidades afuera de Al'lá ni siquiera son conscientes que ellos están siendo adorados.
➢ A cada nación Al'lá envió un Rasúl para la guía.
➢ Al-Qur'ãn mantiene una cura para todas las problemas de la humanidad.
➢ Mushrikïn siguen nada más que las conjeturas & predican nada más que la falsedad.
➢ La historia del Profeta Nüj (Noé) y su pueblo.
➢ La historia del Profeta Musa, Fir'on, y sus jefes.
➢ La creencia después de ver el castigo inminente no benefició a ninguna nación excepto la nación del Profeta Llünus.
➢ La prohibición contra obligar a cualquiera que abrace el Islam.

En los versos introductorias de esta Süra, una invitación hacia la Vía Recta se extiende a las personas que estaban considerando como una cosa extraña que el mensaje de Al'lá estaba llevándose por un ser humano (Mujámad). Ellos estaban acusando al Profeta con la hechicería, considerando que no había nada extraño en él ni lo tenía algo que hacer con la hechicería o con la magia. El profeta está informando simplemente dos hechos a la humanidad:

1. Al'lá es Quien ha creado el universo, de hecho, es el Rab de todo ustedes, y Él Solo se titula para ser adorado.

2. Que después de la vida de este mundo, habrá otra vida en el próximo mundo dónde ustedes tendrán que dar cuenta acerca de esta vida mundial. Ustedes se premiarán o se castigarán, según si ustedes adoptaron la actitud virtuosa requerida por Al'lá después de reconocerlo como su Rab, o que actuaron contra Su Voluntad.

Los dos de estos hechos son las realidades en sí mismos, aunque reconocen como a tal o no. Si ustedes aceptan éstos, ustedes tendrán un fin muy bendito; por lo contrario ustedes se encontrarán las consecuencias malas de sus fechorías.

10: LLÜNUS

Esta Süra, revelado en la Meca, tiene 11 secciones y 109 versos.

En el nombre de Al'lá, el Compasivo, el Misericordioso.

SECCIÓN: 1

Al - Qur'ãn es la escritura de sabiduría.

Alif L'ãm Rã. Éstos son los versos de la escritura de Sabiduría. [1] ¿Parece extraño a las personas que revelamos Nuestro testamento a un hombre de entre ellos, diciendo: "Adviertes a la humanidad y des las noticias buenas a los Creyentes que ellos están en el fundamento legítimo con su Rab?" Los incrédulos dicen: "¡Este hombre es, de hecho, obviamente un mago! [2]   10: [1-2]

Al'lá es Quien creó este universo. Él es Quien origina la creación y lo repite.

El hecho es que su Rab es el mismo Al'lá Quien creó a los cielos y a la tierra en seis Allãm (*los periodos del tiempo*) y se estableció firmemente en el Trono de la autoridad, y está dirigiendo los asuntos del universo. Nadie puede interceder para ustedes sin Su permiso. Éste es Al'lá su Rab, así que ríndanselo culto a Él: ¿Es que no van a dejar ustedes amonestar? [3] El retorno de todos ustedes es hacia a Él. La promesa de Al'lá es verdadera. Él es Quién origina el proceso de la Creación y luego la repite (*automatisa este proceso*) para que Él pueda premiar a aquéllos que creyeron en Él e hicieron los hechos virtuosos justamente. En cuanto a aquéllos que descreyeron, ellos tendrán las bebidas hirvientes y sufrirán un castigo doloroso por haber rechazado la Verdad. [4] Él es Quién le dio brillo a la luna y al sol su luz, estableció sus fases para que ustedes puedan aprender a computar los años y otras cuentas (*como de días, semanas, meses*). Al'lá no ha creado todo esto sino con un fin. Él ha deletreado fuera Sus revelaciones para las personas que quieren entender. [5]   10: [3-5]

Hay señales de Su manifestación en la creación de los cielos, de la tierra, del sol, de la luna, del día y de la noche.

De hecho en la alternación de la noche y del día y lo que Al'lá ha creado en los cielos y en la tierra, hay señales para aquéllos que Le temen. [6] En cuanto a aquéllos que no esperan encontrársenos en el Día del Juicio, mientras estando bien contentos y satisfechos con esta vida mundana y aquéllos que no ponen atención a Nuestras revelaciones, [7] tendrán el Fuego como su morada, debido a lo que ellos habían ganados (*el credo erróneo y conducta mala*). [8] También es un hecho que aquéllos que creen atentamente en la Verdad, lo que se revela en este Libro, y hacen los hechos buenos, su Rab les guiará debido a su fe. Y los ríos fluirán bajo sus pies en los jardines de la beatitud. [9] Su invocación allí será: "¡Gloria a Ti, Al'lá!" Y sus saludos allí serán "Paz esté en ustedes." Y su cierre será: "¡Alabado sea Al'lá, el Rab de los Mundos!" [10]

10: [6-10]

SECCIÓN: 2

Si Al'lá fuera acelerar el castigo a causa de su mal, como ellos aceleran pidiendo el bien de este mundo, entonces el periodo del tiempo dado a ellos se habría terminado. Pero dejamos a esas personas solas, quienes no entretienen la esperanza de encontrársenos, para que sigan en su rebeldía. [11] Siempre que la aflicción toque a un humano, él invoca a Nosotros, lo mismo si está acostado en su lado, sentado, o de pie. ¡Pero en cuanto Nosotros relevemos su aflicción que él se aleja como si él nunca había invocado a Nosotros para quitar esa aflicción que le tocó! Así los hechos malos que ellos hacen, parecen justos a los transgresores. [12] Nosotros hemos destruido las generaciones que antecedieron a ustedes, cuando ellos adoptaron las actitudes injustas: ¡Sus Rasúles vinieron a ellos con las señales claras pero ellos no estaban para creer! Así, retribuimos al pueblo delincuente. [13] Luego, les hicimos a ustedes sus sucesores en la tierra para que podamos observar cómo portarán. [14] Cuando se recitan a ellos Nuestras revelaciones claras, aquéllos que entretienen ninguna esperanza de encontrársenos le dicen: "Tráiganos un Qur'ān diferente que esto o hágale algunos cambios." Dígales: " No es posible para mí cambiarlo por mi iniciativa propia. Lo único que hago es seguir lo que se me ha revelado. De hecho, yo no puedo desobedecer mi Rab, porque yo temo el castigo de un Día terrible." [15] Dígales: " Si Al'lá quisiera al contrario, yo no habría podido recitar esto (Qur'ān) a ustedes, ni lo habría dado a conocer. He permanecido entre ustedes toda una vida antes de su revelación. ¿Por qué no usan su sentido común?" [16] ¿Hay alguien que sea más injusto que quien inventa una mentira y luego le atribuye a Al'lá y desmiente Sus Revelaciones reales? De hecho, los tales delincuentes nunca pueden prosperar. [17] 10: [11-17]

La conducta de los injustos hacia Al'lá y Sus revelaciones.

Ellos se rinden culto a otras deidades además de Al'lá que no pueden ni dañarles ni beneficiarles, y ellos dicen: "Éstos son nuestros intercesores con Al'lá." Dígales: ¿Ustedes están informando a Al'lá de algo que Él no sepa, siendo así que Él sabe todo lo que está en los cielos o en la tierra? ¡Gloria a Él! ¡Él es muy encima de tener los compañeros que ellos Le atribuyen!" [18] Toda la humanidad era una vez simplemente una nación; después ellos se dividieron a través de inventar los credos diferentes. Si su Rab ya no hubiera dado Su palabra (El tiempo específico por la vida de la humanidad en la Tierra). Ciertamente se habrían decidido los asuntos en que ellos difieren. [19] Respecto a su refrán: "Por qué no se le ha revelado un signo procedente de su Rab?" Les Diga: "Sólo Al'lá tiene el conocimiento del inadvertido. Esperen si ustedes quieren: Yo también esperaré con ustedes." [20] 10: [18-20]

Las deidades afuera de Al'lá, no pueden dañar ni pueden beneficiarlo. La humanidad era una nación hasta que ellos inventaron diferente credos.

SECCIÓN: 3

¡Cuando mostramos la misericordia a la humanidad, después de que alguna calamidad les había afligido, empiezan a conspirar contra Nuestras revelaciones! Dígales: "Al'lá es más veloz en la conspiración que ustedes; de hecho Nuestros ángeles están grabando todas las conspiraciones que ustedes hacen." [21] Él es Quien les permite que ustedes viajen a través de la tierra y por el mar; hasta cuando ustedes están al

Al sufrir las personas invocan a Al'lá pero trazan contra Él cuando son cómodos.

borde de una nave, cuando están navegándoos con un viento favorable se sienten felices sobre él; pero cuando allí viene un viento tormentoso y azotan las olas por todos los lados y ellos piensan que ya llegó la hora de muerte: invocan a Al'lá con su devoción sincera, diciendo, " ¡Si nos salvas de esto, seremos Sus verdaderos devotos agradecidos! [22] Apenas, cuando Él les salva, ¡miren! Las mismas personas se ponen rebeldes injustamente en la tierra. ¡Humanidad! Su rebelión está contra sus propias almas - (*ustedes pueden disfrutar*) el placer transitorio de este mundo - al fin ustedes tienen que devolver a Nosotros, entonces les informaremos de lo que ustedes han hecho. [23]   10: [21-23]

El ejemplo de esta vida mundana.

El ejemplo de esta vida mundana (*que ustedes le aman tanto que se han descuidado incluso de Nuestras señales*) está como el agua que enviamos abajo del cielo; mezclando con la tierra produce vegetación que se convierte en la comida para los hombres y para los animales. Hasta que, cuando las cosechas se maduran y la tierra parece atractiva, las personas a quienes les pertenece piensan que ellos pueden cultivarlo, llega allí Nuestra orden, de la noche o en el pleno día, y Nosotros lo segamos completamente como si nada existió ayer en este lugar. Así Nosotros deletreamos fuera Nuestras señales para aquéllos que reflexionan. [24]
                                    10: [24]

Al'lá lo invita a la Casa de Paz. Deidades a quienes las personas adoran, ni siquiera son conscientes de su culto.

¡Al'lá invita a la Morada de la Paz y de la guía a quienes Él les agrada hacia la Vía Recta! [25] ¡Aquéllos que hacen los hechos buenos tendrán un premio bueno y aún más de lo que ellos merecen! Ni la oscuridad ni la desgracia cubrirán sus rostros. Ellos serán los habitantes del paraíso; en que vivirán para siempre. [26] En cuanto a aquéllos que han hecho los hechos malos, ellos se premiarán con un mal equivalente: la desgracia les cubrirá - ellos no tendrán a nadie para protegerlos de Al'lá - como si sus rostros se han cubierto con los parches de la oscuridad densa de la noche. Ellos se volverán los presos del Fuego; vivirán en eso para siempre. [27] En el Día cuando les reuniremos, diremos a aquéllos que comprometieron el Shirk (*asociaron otras deidades con Nosotros*): "Quédense dónde estén, ustedes y aquéllos quienes ustedes puso como los compañeros con Nosotros." Nosotros les separaremos a unos de otros, entonces los shorakã' (*los asociados*) dirán: " ¡No era nosotros que ustedes adoraban! [28] Al'lá basta como testigo entre ustedes y nosotros, (*aun cuando ustedes rindieron culto a nosotros*) nosotros éramos bastante desprevenidos de su culto." [29] Allí, cada alma sabrá lo que había enviado adelante, cuando ellos se traerán en la Corte de Al'lá, su verdadero Patrocinador, y sus falsedades inventadas les dejarán en la sacudida. [30]
                                    10: [25-30]

SECCIÓN: 4

Pregúnteles: "¿Quién proporciona su sustento del cielo y de la tierra? ¿Quién tiene el mando encima del oído y de la vista? ¿Quién saca al vivo del muerto y al muerto del vivo? ¿Quién regula el universo?"

Pronto contestarán: "Al'lá". Dígales: " ¿Por qué, entonces, no Le teman? [31] Ése es Al'lá su verdadero Rab: ¿Qué hay más allá de la verdad, sino la falsedad? ¡Cómo pueden, pues, ser tan desviados! [32] Así se ha cumplido la Palabra de su Rab que ellos no creerán. [33] Pregúnteles: "¿Hay cualquiera de sus shorakã' (*las deidades que ustedes se rinden culto además de Al'lá*) que tiene la capacidad de iniciar la creación y luego la repita de nuevo?" Si ellos no contestan, entonces les diga: " Bien, Al'lá inicia la creación y luego la repite de nuevo." ¡Como pueden ser, pues, tan desviados! [34] De nuevo pregúnteles: "¿Hay cualquiera de su shorakã' que puede guiarles a la Verdad?" Si ellos no contestan, entonces les diga: " Bien, Al'lá sí se puede guiarlo a la Verdad. Entonces ¿Quién es más digno de ser seguido?: ¿Uno que puede guiarles a la Verdad, u otro que no es solamente que no puede guiarles, sino en sí mismo es en la necesidad de la guía?" ¿Qué pasa con ustedes? ¡Qué tipo de juicio que ustedes hacen! [35] El hecho es que la mayoría de ellos siguen nada más que la conjetura y la conjetura está de ninguna manera una substitución para la Verdad.

Ciertamente Al'lá es bien consciente de todos lo que ellos hacen.[36]

10: [31-36]

Este Qur'ãn no podría producirse por cualquiera fuera de Al'lá; de hecho es la confirmación de las revelaciones anteriores (*los Salmos, la Tora, y el Evangelio*) y totalmente explica la escritura Santa (*las escrituras anteriores*); no hay ninguna duda en este hecho que eso procede del Rab de los Mundos. [37] ¡Qué dicen! : "¿Él (*el Profeta*) lo ha forjado?" Les Diga: "Si lo que ustedes dicen es verdad; pues entonces produzcan una Süra semejante y si les gusta, incluso pueden llamar a su ayuda cualquiera que ustedes quieren, fuera de Al'lá." [38] Al contrario, Ellos niegan a lo que no abarca su comprensión aún antes que les llega su interpretación. Aquéllos que pasaron ante ellos descreyeron de la misma manera. Pues, ¡Mira como fue el fin de los Injustos! [39] De ellos hay algunos que creerán en él y algunos no: y su Rab conoce el mejor a los corruptores. [40]

10: [37-40]

SECCIÓN: 5

Si ellos no te creen, diga: "¡Yo soy responsable para mis acciones y ustedes para los suyos! Ustedes no son responsable para mis acciones, ni yo soy responsable para lo que ustedes hacen." [41] Hay algunos entre ellos quienes pretenden de oír lo que dices: pero ¿Acaso puedes hacer que los sordos te escuchan, incapaz como ellos son de la comprensión? [42] Luego, hay algunos entre ellos quienes pretenden de mirarte: pero ¿Acaso puedes tú dirigir a los ciegos, privó como ellos son de la visión? [43] El hecho es, que Al'lá no hace la injusticia de ninguna forma a la humanidad: sino los mismos hombres son injustos a sus propias almas. [44] En ese Día cuando Él les reunirá, aparecerá a ellos como si ellos no se habían quedado en este mundo sino un momento de un día, se reconocerán entre ellos. En ese momento ellos comprenderán que, de hecho, los perdedores son aquéllos que negaron la reunión con Al'lá y no se guiaron debidamente. [45] Si

---

Marginal notes:

La verdad sobre Al'lá vs. Otros dioses inventados por los Mushrikïn.

Este Qur'ãn es la revelación de Al'lá.

Ésos que descreen en este Qur'ãn serán los perdedores en el La Última Vida.

Nosotros te mostramos en tu vida alguna consecuencias de lo que te hemos prometido, o te causamos a morir antes de eso, en cualquier caso ellos tendrán que devolver a Nosotros: es más, Al'lá está mirando todas sus acciones. [46]   10: [41-46]

A cada nación se envió un Rasúl para su guía.

Para cada nación se envió un Rasúl. En el Día del Juicio, cuando vendrá su Rasúl, el juicio se pasará entre ellos con toda la honradez y ellos no serán tratados injustamente ni en lo más mínimo. [47] Ellos preguntan: "¿Cuándo se cumplirá esta promesa, díganos si es verdad lo que dices?" [48] Dígales: "Yo no tengo ningún poder acerca de cualquier daño o beneficio a mí, sino tanto cuanto Al'lá quiere. Para cada nación hay un plazo fijo: cuando vence su plazo, no puede tardarse ni un momento, ni puede adelantarse. [49] Dígales: ¿Han considerados ustedes alguna vez que si Su látigo se cae de noche o de día, no van a poder hacer nada para apartarlo? ¿Por qué entonces, los delincuentes desean apurarlo? [50] ¿Acaso creerían solamente cuándo les dará alcance en realidad? Entonces ustedes le pedirían que fuera quitado aunque había sido su propio deseo de darlo prisa adelante." [51] Entonces les dirá a los injustos: "¡Gusten el castigo eterno! ¿Acaso no deben premiarse según sus hechos?" [52] Ellos te preguntan: "¿Es lo que dices es realmente verdadero?" les Diga: " ¡Sí, Por mi Rab, es completamente Verdad! Y ustedes no podrán escapar." [53]   10: [47-53]

SECCIÓN: 6

No habrá ninguna salida para los incrédulos en el Día del Juicio

Si cada persona que ha hecho la injusticia poseyera todos lo que contiene la tierra, estaría deseoso de ofrecerle todos en el rescate si él pudiera. Ellos guardarán en secreto su arrepentimiento, cuando verán el castigo del Infierno. ¡La decisión entre ellos se tomará con la justicia y no serán tratados injustamente! [54] ¡Sean conscientes! Todo lo que está en los cielos y en la tierra pertenece a Al'lá. ¡Sean también conscientes! La promesa de Al'lá es por real, todavía la mayoría de ellos no lo sabe. [55] Él es Quien da la vida y causa la muerte, y todos ustedes serán devueltos a Él. [56]   10: [54-56]

El Qur'ãn es una misericordia, bendición, y cura por los problemas de la humanidad.

¡Humanidad! Allí ha venido a ustedes una exhortación de su Rab, una cura para cualquier cosa (*la enfermedad*) que está en sus corazones, una guía y una bendición para los verdaderos creyentes. [57] Diga: " Es la gracia y misericordia de Al'lá que Él ha enviado este Qur'ãn, así que regocijen pues, con él. Eso es mucho mejor que (*las riquezas mundanas*) ellos están recogiendo. [58] ¡Profeta!, pregúnteles: "¿Han pensados acerca de su sustento que Al'lá les ha dado, ustedes han hecho Jalãl (*lícito*) a algunas cosas y a otras Jarãm (*ilícito*)? ¿Acaso Al'lá les permitió hacer eso, o ustedes atribuyen una cosa falsa a Al'lá?" [59] ¿Qué piensan acerca de tratamiento que conseguirán tales personas, quienes atribuyen las cosas falsas a Al'lá, en el Día de la Resurrección? De hecho, Al'lá está lleno de la gracia a la humanidad, pero la mayoría de ellos no agradece. [60]

10: [57-60]

SECCIÓN: 7

No importa qué asuntos que ustedes están llevando acabar, qué porción del Qur'ãn ustedes puedan estar recitando y cualquier cosa que ustedes están haciendo, Nosotros somos testigos de todo eso aun cuando ustedes están profundamente ocupado con todo eso: ¡No hay ni siquiera peso de una partícula de polvo, en la tierra o en el cielo que está oculto de su Rab, aún que sea algo más pequeño o más grande, sino que está grabado en un Libro Glorioso. [61] ¡Sean conscientes! Lo que son amigos de Al'lá, no tienen nada que temer y no sentirán tristes. [62] Aquéllos que creen y (*constantemente*) guardan contra lo malo, [63] para ellos hay noticias buenas en esta vida y en la otra - las Palabras de Al'lá no cambian - ¡Éste es el logro grandioso! [64] ¡Profeta! No permitas comentarios de ellos afligirte: ciertamente todo el honor pertenece a Al'lá: Él todo lo oye y todo lo sabe. [65]   10: [61-65]

Cualquier cosa que ustedes hacen, Al'lá es un testigo a ella.

¡Cuidado! Cualquier cosa que está en los Cielos y en la Tierra pertenece a Al'lá. Aquéllos que invocan a otras deidades además de Al'lá, siguen nada más que las conjeturas y predican nada más que la falsedad. [66] Él es Quien ha hecho la noche para que descansen y el día para que ustedes puedan ver claramente. Hay señales, ciertamente, en esto para aquéllos que escuchan a Su mensaje. [67] Ellos (*los judíos y los cristianos*) dicen: "¡Al'lá ha engendrado un hijo!" ¡Gloria a Él!, ¡Él es Autosuficiente! ¡Suyo es todo lo que está en los cielos y en la tierra! ¿Tienen alguna prueba para lo que dicen ustedes? ¿Atribuyen a Al'lá algo, acerca de cuál ustedes no tienen ningún conocimiento? [68] ¡Profeta! Dígales: " Aquéllos que atribuyen las cosas falsas a Al'lá nunca prosperarán." [69] Bien, que tengan un poco del goce en este mundo, pero en el futuro ellos tienen que devolver a Nosotros y entonces, les haremos gustar el castigo severo para su incredulidad. [70]   10: [66-70]

Los Mushrikïn siguen nada más que la conjetura, prediquen nada más que la falsedad.

SECCIÓN: 8

Cuéntales a ellos la historia de Nüj (*Noé*) cuando él dijo a su pueblo: "¡Pueblo mío! Si lo ofende mi estancia entre ustedes y les molesta que predique a ustedes las revelaciones de Al'lá, entonces sepan que yo he puesto mi confianza en Al'lá. Prosigan y que juntan ustedes y todos su shorakã' (*las deidades que ustedes le adoran*) y propongan su decisión unida. Planéelo bien para que, después, ustedes no puedan tener ninguna duda. Entonces ejecútelo contra mí y no me hagan esperar. [71] Si ustedes se den vuelta a mi mensaje, yo no perdí nada, porque no pedí ningún Salario de ustedes para mis servicios: mi recompensa sólo está con Al'lá, me ha ordenado ser de los que están musulmanes." [72] Pero ellos le descreyeron. Como resultado, le salvamos y también a aquéllos quienes

La historia del Profeta Nüj y sus personas.

estaban con él en la Arca y les hicimos sucesores en la Tierra y nos ahogamos aquéllos que rechazaron Nuestras revelaciones. Pues, ¡Miren lo que era el fin de aquéllos que fueron advertidos pero que no los hicieron caso! [73]

10: [71-73]

Se enviaron los Rasúles a los descendientes del Profeta Nüj

Semejantemente los Profetas Musa y Jarün se enviaron al Faraón.

Luego, después de él, enviamos Rasúles a sus descendientes. Ellos vinieron a sus pueblos con las señales claras pero no estaban para creer en lo que habían rechazado anteriormente. Así es como sellamos los corazones de aquéllos que (*intencionalmente*) exceden los límites. [74] Luego, después de ellos enviamos Musa (*Moisés*) y Jarün (*Aarón*) hacia el Fir'on (*Faraón*) y sus jefes con Nuestras señales. Pero ellos mostraron la arrogancia, porque ellos eran una nación culpable. [75] Cuando la Verdad vino a ellos procedente de Nosotros, dijeron: " ¡Ésta es, ciertamente, la pura magia!" [76] Musa contestó: "¿Están ustedes atreviendo de decir eso, acerca de la Verdad cuándo ha venido a ustedes? ¿Es este una magia? Los magos no prosperarán." [77] Ellos dijeron: "¿Ustedes han venidos a volvérsenos fuera de la fe de nuestros antepasados para que ambos de ustedes (*Musa y Jarün*) puedan ser los líderes en la tierra? ¡Nosotros nunca creeremos en ustedes!" [78] Fir'on dijo: " Tráigame cada mago hábil." [79] Cuando los magos vinieron, Musa les dijo: "¡Tiren lo que ustedes desean de tirar!" [80] Cuando ellos habían tirados, Musa les dijo: "La magia que ustedes han traído, Al'lá les demostrará ciertamente mal: porque Al'lá no promueve el trabajo de fabricantes de la travesura. [81] ¡Por Sus Palabras Al'lá vindica la Verdad, aun a despecho de los delincuentes!"[82]

10: [74-82]

SECCIÓN: 9

Sólo unos entre las juventud de sus propia gente creyeron en Musa (*Moisés*), debido el miedo que Fir'on (*Faraón*) y sus jefes, van a perseguirlos; y ciertamente Fir'on era muy arrogante en la tierra y era uno de los que transgredían cualquier límite. [83] Musa dijo: "¡Pueblo mío! Si ustedes creen atentamente a Al'lá, entonces pongan su confianza en Él, si es que ustedes realmente son los musulmanes." [84] Ellos contestaron: " ¡Confiamos en Al'lá! ¡Nuestro Rab! No nos permita sufrir a las manos de un pueblo injusto, [85] y nos salva a través de Su misericordia, de la nación de los incrédulos." [86] Revelamos Nuestro voluntad a Musa y su hermano, ordenando: "Tomen a sus gentes para morar en el Egipto, y hagan sus casas como su Qibla (*los lugares de culto*) y establecen el Salá y anuncia las noticias buenas a los creyentes." [87] Musa oró: "¡Nuestro Rab, Has dado al Fir'on y sus jefes el esplendor y la riqueza en esta vida mundana! ¡Nuestro Rab, Tú has hecho esto para que ellos puedan desencaminar a las personas de Su camino! ¡Nuestro Rab! Destruya su riqueza y endurece sus corazones, para que ellos no puedan creer hasta que ellos vean el castigo doloroso." [88] Al'lá contestó: "¡Ha aceptado la oración de ambos! Así que ambos de ustedes permanezcan firmes y no sigan el camino de aquéllos que no tienen el conocimiento." [89] Nosotros llevamos a los hijos de Israel por el mar. Fir'on y sus organizadores les siguieron con la maldad y opresión, hasta al ahogarse, él clamó: "Creo que no hay ningún dios excepto Él en Quien los hijos de Israel creen y yo me he vuelto uno de los musulmanes." [90] "¿Ahora?" ¿Después de haber desobedecerme y siendo anteriormente un trasgresor? [91] Nosotros preservaremos su cuerpo en este día, a fin de que sea un signo para las generaciones subsiguientes; de hecho, muchos entre la humanidad están distraídos de Nuestras señales."[92] 10: [83-92]

SECCIÓN: 10

Nosotros establecimos a los hijos de Israel en un lugar de la morada respetable y les proporcionamos las cosas buenas de la vida. Ellos no causaron la disensión hasta después de que el conocimiento había venido a ellos. Ciertamente su Rab juzgará entre ellos, en el Día de la Resurrección, acerca de lo que discrepaban. [93] Si ustedes están en la duda a lo que Nosotros hemos revelado a ti, pregúntales a aquéllos que han estado leyendo la escritura antes de ti. Indudablemente, la Verdad ha venido a ti de tu Rab: por consiguiente, ¡No seas, pues, de aquéllos que dudan! [94] Y ¡guárdate de ser de los que niegan las revelaciones de Al'lá; si no, serás entre los perdedores! [95] 10: [93-95]

> Se proporcionaron a los Hijos de Israel buenas moradas y comida.

De hecho, aquéllos contra quienes la Palabra de tu Rab se ha cumplido no los creerán, [96] Aun cuando vengan todo los signos a ellos, hasta que ellos vean el castigo doloroso. [97] No había cualquier pueblo que viendo el castigo, creyó, y su creencia les benefició exceptúe el pueblo de LLünus (*Jonás*). Cuándo ellos creyeron, Nosotros quitamos de ellos el castigo deshonroso y les permitimos disfrutar durante algún tiempo más en su vida mundana.[98] 10: [96-98]

> La creencia después de ver el castigo no benefició a ninguna nación exceptúe la nación de Llünus.

¡Si hubiera sido la voluntad de tu Rab, todos los habitantes de la tierra, absolutamente todos, habrían creído! Pues, ¿vas tú a forzar a la gente para que sean creyentes? [99] No es posible para cualquiera que cree, excepto con el permiso de Al'lá, y Él impondrá una abominación en aquéllos que no usan su sentido-común. [100] Dígales: "¡Miren! cualquier cosa que existe en los cielos y en la tierra, las Señales y las advertencias no benefician de nada a esas personas que no creen. [101] Ahora ¿Qué esperan, pues, sino algo similar a los días que ocurrieron a las personas que fallecieron ante ellos? Dígales: "Esperen si ustedes quieren; Yo también esperaré con ustedes." [102] Luego cuando el tiempo viene, siempre hemos rescatados a Nuestro Rasúles y aquéllos que creen - ésta es Nuestra manera; salvar a los creyentes es Nuestro deber. [103] 10: [99-103]

> Se prohíbe obligar a alguien para que convierta al Islam.

SECCIÓN: 11

Dígales: "¡Humanos! Duden de mi Dïn (*la religión*) si ustedes quieren, pero nunca adoraré a aquéllos que ustedes adoran además de

Nadie aparte de Al'lá puede dañar o puede beneficiarlo.

Al'lá. Yo me rindo culto a Al'lá Quien tiene el poder para causar su muerte y ha recibido el orden que sea de los creyentes." [104] Y más allá, también ha recibido el orden: "¡Dediques al Dïn (*la religión*) erguidamente y no seas de los mushrikïn! (*quienes asocian otros dioses junto a Al'lá*). [105] No invocarás a otros fuera de Al'lá lo que no pueden beneficiarte ni pueden hacerte daño, pues si lo hicieras, serás, ciertamente, de los injustos. [106] Si Al'lá te aflige con una calamidad, nadie puede quitarla sino Él; y si Él piensa darte un favor, nadie puede detener Su generosidad. Él lo concede a quien Él quiere de su siervos; Él es el Indulgente, el Misericordioso." [107]

10: [104-107]

Declare que esa guía ya ha venido - ahora seguir o no seguir es su opción.

Debes declarar: "¡Humanidad! ¡La Verdad ha venido a ustedes de su Rab! Quien sigue la guía (*la Vía Recta*) la sigue, en realidad, en su provecho propio, y quien se desvía, se extravía, en realidad, en detrimento propio; porque yo no soy un custodio encima de ustedes." [108] ¡Profeta!, sigas lo que se revela a ti y ten paciencia hasta que Al'lá pasa Su juicio, porque Él es el mejor de todos los Jueces. [109]   10: [108-109]

11: JÜD

El periodo de Revelación

Esta Süra se reveló durante la última fase de la estancia del Profeta en la Meca, y el más probablemente se reveló inmediatamente después de la Süra LLünus.

Incluye los siguientes principios, Leyes y Guías Divinas:

➢ Al'lá es el Proveedor y Sostenedor de todas las criaturas.
➢ El Qur'ãn es el puro Mensaje de Al'lá y no es falsificado por el Profeta.
➢ La historia del Profeta Nüj y su gente.
➢ El diálogo entre Nüj y Al'lá acerca de su hijo.
➢ Los profetas Jüd, Salej, Lüt y las direcciones de Shu'aib (pece) a su gente, y las consecuencias para sus personas que estaban rechazándoos sus mensajes.
➢ La ley divina: las virtudes quitan a los males.
➢ Al'lá ha dado libertad de opción a la humanidad (si creer o no creer).

Esta Süra da énfasis a la invitación al Mensaje de Al'lá. Es una advertencia a los incrédulos. La invitación es: aceptar el Mensaje de Al'lá, obedecer al Profeta de Al'lá, desechar al Shirk y dar culto a Al'lá exclusivamente. Vivir su vida en este mundo teniendo en la mente que ustedes se sostendrán responsables para todas sus acciones en el Día del Juicio. La advertencia se da a través de los ejemplos de esas personas que pusieron su fe en esta vida y usaron sus esfuerzos para esta vida mundana y rechazaron el mensaje de los Profetas. Como resultado, ellos se encontraron las consecuencias malas de su rechazo. Por consiguiente, se aconsejan a las personas que piensen en serio sobre sí mismos y no deben seguir las maneras de los arrogantes lo que la historia ha demostrado ser la vía a la destrucción. La advertencia se da a los incrédulos que ellos no deben de ser engañados por el retraso en el castigo, por sus fechorías. El retraso sólo está debido al plazo del tiempo que Al'lá les ha concedido por Su gracia, para que remiendan sus maneras. Si ellos no hacen uso de esta oportunidad, ellos se infligirán con un castigo inevitable que destruirá todos ellos exceptúe a los creyentes. Al-Qur'ãn ha usado las historias de las gentes de Nüj, de Jüd, de Salej, de Lüt, de Shu'aib y de Musa (paz esté con todos ellos) para lograr este propósito. El rasgo más prominente de estas historias es deletrear, cómo Al'lá pasa Su juicio en las personas, Él no deja de escapar ningún incrédulo aun cuando pueden ser pariente más cercano de un Profeta del tiempo. Las historias de Nüj y de Lüt indican claramente que incluso el propio hijo del Profeta y la esposa, no se escaparon del castigo por haber sido incrédulos. Por consiguiente, los creyentes deben recordar que la relación real es la relación de fe.

11: JÜD

Esta Süra, revelada en la Meca, tiene 10 secciones y 123 versos.

En el nombre de Al'lá, el Compasivo, el Misericordioso.

SECCIÓN: 1

Las enseñanzas del Qur'ãn.

Alif L'ãm R'ã. Este Libro cuyo versos están perfeccionados y explicados en detalle procedente de Uno Que es Sabio, Que está bien informado, [1] enseñan que ustedes deben rendirse culto a nadie sino a Al'lá. "Indudablemente soy un advertidor y portador de noticias buenas, por parte de Él, a ustedes. [2] Y que deben de pedir perdón a su Rab, luego vuelven hacia Él en el arrepentimiento; ¡Él concederá a ustedes, entonces, que disfruten bien hasta un término designado, y concederá Su gracia a todos que tienen el mérito! Pero si Le rechazan (*no presten la atención*), temo para ustedes el castigo de un Gran Día. [3] A Al'lá es su retorno y Él tiene el poder encima de toda las cosas. [4] ¿Acaso cubren a sus pechos para ocultar sus pensamientos de Él? ¡Cuidado! Incluso cuando ellos se cubren con sus vestidos, Él sabe lo que ellos ocultan y lo que ellos manifiestan, porque Él sabe, incluso, los más íntimo secretos de los pechos. [5]   11: [1-5]

ÝÚZ (PARTE): 12

Al'lá es el Sostenedor de todas las criaturas.

No hay ninguna criatura en toda la tierra cuyo sustento no se proporciona por Al'lá. Él sabe su madriguera y su depósito, y todo está grabado en un Libro Claro. [6] Él es Quien creó los cielos y la tierra en seis periodos - en el momento cuando Su Trono estaba en el agua - para que Él pueda probar a quien de ustedes es que comporta el mejor. Ahora si les diga: "Ustedes se resucitarán, de verdad, después de la muerte," ciertamente, los incrédulos dirían: "¡Esto será nada más que la pura magia!" [7] Y si les demoramos sus castigos hasta un tiempo designado, ellos seguramente preguntaran: "¡¿Qué es lo que detiene?! ¡Cuidado! Cuando el Día de ese castigo viene, no se les alejará de ellos y serán completamente cercados por los que estaban ridiculizando. [8]   11: [6-8]

SECCIÓN: 2

Si Nosotros permitiéramos al hombre saborear cualquiera misericordia procedente de Nosotros y luego le privamos de ella, él se vuelve completamente desesperado, ingrato. [9] Pero si le permitiéramos gustar cualquier favor, después de que le ha afligido la adversidad, entonces él dice: "Todo mis dolores se han ido de mí," y él se pone jubiloso, arrogante. [10] La excepción es para esas personas que son pacientes y hacen los hechos buenos; ellos son quienes tendrán perdón y un gran premio. [11] ¡Profeta!, estés en su guardia para que no omites de recitar algunas cosas que están revelándose a ti, sintiéndose apenado en su corazón y que ellos podrían decir: "¿Por qué ningún tesoro se ha enviado abajo a él, o por qué ningún ángel ha venido con él?" Es Al'lá Quien es el Custodio de todas las cosas. [12] O que ellos digan: " Él lo ha fabricado (*el Qur'ān*) de él mismo." Dígales: "¡Traigan diez Süras como ésas fabricadas y llamen a quienquiera lo que ustedes pueden para ayudarles, incluyendo sus dioses a quienes ustedes se rinden el culto aparte de Al'lá, si lo que ustedes dicen es verdad!" [13] Pero si esos dioses no les contestan, entonces ustedes deben saber que (*son los dioses falsos y que*) esto (*la escritura*) se revela con el conocimiento de Al'lá, y que no hay ningún dios excepto Él. ¿Luego, pues, volverán ser musulmanes? [14]   11: [9-14]

Aquéllos que desean la vida de este mundo y sus esplendores, ellos recibirán la recompensa completa de sus hechos y no serán defraudados en ella. [15] Ellos son quienes no tendrán en la otra vida excepto el Fuego. ¡Allí vendrán a saber que sus hechos eran infructuosos y sus acciones eran sin valor! [16] ¿Acaso son como aquel que se basa en una prueba clara procedente de su Rab y que un testigo de Él le recita de Su parte? Antes de él (*Qur'ān*) hubo la escritura de Musa que les servía de guía y de la bendición. Las tales personas creen en esto, pero esas facciones que no creen tendrán su lugar prometido en el Fuego del Infierno. Así que ¡Profeta! No estés en cualquier duda sobre eso; Es la Verdad venida de tu Rab, aunque la mayoría de las personas no creen. [17] ¿Quién puede estar más equivocado que quien forja una mentira contra Al'lá? Se traerán las tales personas ante su Rab, y los testigos dirán: "¡Éstos son los que mintieron contra su Rab!" ¡Ten cuidado! ¡Que la Maldición de Al'lá caiga sobre esos injustos, [18] quienes impiden a otros del camino de Al'lá y buscan como torcerlo, y quienes niegan la otra vida! [19] Estas personas no pueden frustrar Su plan en la tierra y no hay nadie para protegerlos además de Al'lá. Su castigo se doblará, porque ellos no pudieran oír a otros que hablaban la Verdad ni vieron la Verdad por ellos mismos. [20] Ellos son los que han perdido sus propias almas, y las imaginaciones que ellos inventaron les han dejado en la sacudida. [21] No cabe la duda que ellos serán los más grandes perdedores en la Ultima Vida. [22] En cuanto a aquéllos que creen y hacen los hechos buenos y se humillan ante su Rab, ellos serán residentes del paraíso para vivir en eso

La humanidad siempre es ingrata a Al'lá excepto los creyentes.

El Qur'ān no es falsificado por el Profeta Mujámad (pece).

Las Gentes de la escritura (los judíos y los cristianos) son de dos tipos: Aquéllos que pueden ver la Verdad, y aquéllos que escogen de no hacerlo.

para siempre. [23] El ejemplo de estos dos tipos de personas está como dos hombres, uno de quien es ciego y sordo, y el otro quien puede ver y puede oír. ¿Son iguales cuándo están comparados? ¿No van a querer, entonces, aprender una lección de este ejemplo? [24]   11: [15-24]

SECCIÓN: 3

La dirección de Nüj a sus personas. Las personas de Nüj lo desafiaron y pidieron el castigo de Al'lá.

Nosotros enviamos Nüj (*Noé*) a su pueblo. Él dijo: "He venido a advertirlos plenamente, [25] que no rinden culto a nadie excepto a Al'lá; al contrario, yo sí temo para ustedes el castigo de un Día doloroso. [26] En la respuesta a esto, los jefes de los incrédulos entre su pueblo dijeron: " Nosotros te vemos nada más que meramente un ser humano igual que nosotros: y vemos que nadie ha seguido a ti exceptúe los más bajos entre nosotros cuyas habilidades del juicio son inmaduras, y nosotros no encontramos nada en ti que te da la superioridad encima de nosotros: de hecho, nosotros pensamos que eres un mentiroso." [27] Él dijo: "¡Miren, gente Mío! ¡Si a mí me ha dado la prueba clara procedente de mi Rab- Quien me ha hecho objeto de una misericordia venida de Él- y que ustedes en su ceguera, no la perciben, ¿Deberemos compeler a ustedes aceptarla contra su voluntad?[28] ¡Pueblo mío! Yo no le pido riqueza para este trabajo, nadie sino Al'lá puede premiarme. Yo no voy a ahuyentar a aquéllos que creen; porque ellos se encontrarán su Rab, ciertamente. ¡Pero yo puedo ver que ustedes están actuándoos por causa de su ignorancia. [29] Y ¡Pueblo! ¿Quién me salvará de Al'lá, si yo les ahuyento? ¡¿Es que no me entienden de una cosa tan simple?! [30] Yo no digo que yo poseo los Tesoros de Al'lá, ni digo que tengo el conocimiento de lo oculto, ni yo exijo ser un ángel; ni digo acerca de aquéllos que son malo en sus ojos, que Al'lá no les concederá ningún bien - Al'lá conoce bien lo que está en sus corazones - si yo profiero cualquier cosa así, entonces, ciertamente, seria de los injustos. [31] Ellos dijeron: "¡Nüj! Has discutido con nosotros y has discutido demasiado, ahora traigas, pues, a nosotros el castigo con que nos amenazas, si lo que dices es verdad." [32] Él contestó: "Al'lá lo traerá ciertamente a ustedes si Él Le agrada y luego ustedes no podrán escapar de eso! [33] Mi consejo no les servirá de nada, aun mucho que quisiera aconsejar bien a ustedes, si Al'lá quiere dejarlo descaminados; Él es Rab de ustedes, y a Él ustedes volverán." [34] ¿Qué dicen que él ha forjado todo esto?" Dígales: "¡Si yo lo he forjado todo esto, entonces su pecado está en mí! Y yo estoy libre de los pecados que ustedes están comprometiéndoos." [35]   11: [25-35]

SECCIÓN: 4

Al'lá le ordenó a Nüj que construyera una arca.

Y se reveló a Nüj: "Nadie más de su pueblo creerá ahora, aparte de aquéllos que ya han creído. Así que no te afliges, pues, por lo que hagan. [36] ¡Construye una arca bajo Nuestra vigilancia de acuerdo con Nuestra revelación, y ten cuidado a suplicarme en nombre de aquéllos que son los injustos: porque ellos todos serán inundados en el diluvio." [37] Él empezó a construir el arca; y siempre que los jefes de su pueblo pasaban por él, se reían de él. Él dijo: " Ríanse ahora de nosotros si ustedes quieren, pronto el tiempo va a venir cuando nosotros también nos reiremos de ustedes como ustedes están riéndose de nosotros. [38] Pronto ustedes vendrán a saber, quién se asirá por un azote humillante, y sobre quién se abatirá un castigo eterno." [39]　　　　　　　　　11: [36-39]

Al'lá le ordenó a Nüj embarcar y recoger a borde los creyentes y un par de cada especie.

¡Finalmente cuando Nuestro Orden vino y el agua de Al-Tanür (*un horno particular marcado como un punto de partida para advertir a profeta Nüj para que aliste a abordar a la arca*) chorreó por fuera! Dijimos a Nüj: "Tome en la Arca una pareja de cada especie, su familia - excepto aquéllos contra quienes ya haya precedido la Palabra - y los creyentes. Pero no eran sino pocos los que creyeron con él." [40] Así que él dijo: " Embarquen en él, en el nombre de Al'lá en cuyas manos es su navegación y su detención; ciertamente mi Rab es Indulgente, Misericordioso." [41]　　　　　　　　　11: [40-41]

Cuando el arca flotó con ellos encima de las olas montañosas y Nüj convocó a su hijo que había quedado aparte: "¡Hijito! ¡Embarques con nosotros y no estés con los incrédulos!" [42] Él contestó: "Tomaré el refugio en alguna montaña que me salvará del diluvio." Nüj dijo: "¡Hoy nadie encontrará el refugio contra el juicio de Al'lá, exceptúe alguien, en que Él tiene la misericordia!" Y una ola se interpuso entre ambos y se volvió entre aquéllos que se ahogaron. [43] Finalmente, Al'lá se dijo: ¡Tierra! ¡Tragues tu agua, y "¡Cielo! Cese tu lluvia." Rebajó el agua y el juicio se llevó a cabo. El arca descansó en la Montaña Al-Yüdi (*Monte cercano a la ciudad de Mosul en Irak*) y fue dicho: "Ido es la gente mala! [44] Nüj invocó a su Rab: "¡Rab mío, mi hijo es de mi familia, y ciertamente Tu promesa es verdadera y Tú eres Quien decide mejor que todos los Jueces!" [45] Al'lá contestó: "¡Nüj! De hecho, él no es de tu familia; porque su conducta no era virtuosa. ¡Así que no me preguntes algo de que tú no tienes el conocimiento! Te amonesto, para que no seas de los ignorantes." [46] Nüj dijo: "¡Mi Rab! ¡Yo busco el refugio en Ti por preguntarte algo de lo que yo no tengo el conocimiento!; y a menos que Tú me perdonas y tienes la misericordia de mí, ¡yo sí me perderé ciertamente! [47] Fue dicho: "¡Nüj! Desembarques (*de la arca*) a salvo, con una paz procedentes de Nosotros y con bendiciones sobre ti y sobre las comunidades de los que están contigo. En cuanto a otras comunidades (*los descendentes*), Nosotros les concederemos que gocen de la vida durante algún tiempo, y si ellos no se comportan honradamente, entonces ellos tendrán un castigo doloroso de Nuestra parte." [48] Éstos son algunos de los hechos de la historia inadvertida que te hemos revelado ahora: ni tú ni tus gentes supieron acerca de eso anteriormente. Así que ten paciencia; ciertamente el fin es para los virtuosos. [49]　　　　　　　11: [42-49]

El dialogo entre Nüj, su hijo, y Al'lá.

La dirección
del Profeta Jüd
a sus personas,
su escepticismo
y las
consecuencias.

SECCIÓN: 5

Y a la nación de 'Ad, le enviamos a su hermano Jüd. Él dijo: "¡Mis gentes! Ríndanse culto a Al'lá, ustedes no tienen ningún dios excepto Él; de otra manera ustedes serán inventando las cosas. [50] ¡Gente mío! No le pido ninguna remuneración para mis servicios; nadie puede premiarme exceptúe Aquel Quien es mi Creador. ¿Por qué, entonces, no razonan? [51] Y ¡Gente mío! Busquen el perdón de su Rab y se vuelven a Él en el arrepentimiento. Él lo enviará del cielo la lluvia abundante y Él agregará la fuerza para fortalecer a ustedes aún más. Así que no rechacen como los delincuentes." [52] Ellos dijeron: "¡Jüd! Tú nos ha dado ninguna prueba clara. No vamos abandonar nuestros dioses sólo porque tú lo digas, ni tenemos fe en ti. [53] Preferimos creer que quizás algunos de nuestros dioses te han afligido con el mal." Él dijo: " Al'lá es mi testigo y también ustedes sean mis testigos que me hago libre de su acto de rendir culto a otras deidades además de Él. [54] Aparte de Él, todos ustedes pueden tramar contra mí si quieren, y me dan ninguna tregua. [55] Yo he puesto mi confianza en Al'lá Quien es mi Rab y también de ustedes. No hay ninguna criatura viviente (*en toda la Tierra*) destino de quien no esté en Su mano. De hecho, mi Rab actúa según un camino recto. [56] Ahora, aun cuando ustedes lo rechazan; yo, por lo menos he comunicado el mensaje con que fui enviado a ustedes. Desde que ustedes lo han negados, mi Rab levantará a algunas otras personas en su lugar, y ustedes no Le podrán dañar de ninguna forma. De hecho, mi Rab está vigilando a todas las cosas." [57] Cuando Nuestro juicio vino a pasar, salvamos a Jüd y a aquéllos que creyeron con él a través de una gracia especial de Nosotros - les salvamos de un castigo horroroso. [58] Tales eran las gentes del 'Ad. Ellos negaron las revelaciones de su Rab, desobedecieron a Su Rasúl, y siguieron el orden de cada opresor terco. [59] Ellos se siguieron por una maldición en este mundo, y maldito estarán en el Día de la Resurrección. ¡Tengan cuidado! La nación de 'Ad negó a su Rab. ¡Tengan cuidado! Ido es el 'Ad, las gentes de Jüd. [60]   11: [50-60]

SECCIÓN: 6

La dirección
del Profeta
Sâlej a sus
personas, su
escepticismo y
sus
consecuencias.

A las gentes de Zamüd, enviamos su hermano Salej. Él dijo: ¡Gente mía! Ríndanse culto a Al'lá, ustedes no tienen ningún dios excepto Él. Él es Quien lo creó a ustedes de la tierra y la hizo un lugar de la morada para ustedes. Así que busquen el perdón de Él y se vuelven a Él en el arrepentimiento. Ciertamente mi Rab es muy cerca, listo para contestar." [61] Ellos dijeron: "¡Salej! ¡Hasta ahora fuiste en quien nosotros teníamos las grandes expectativas! ¿Nos prohibiría ahora el culto de lo que nuestros antepasados adoraban? De hecho, nosotros dudamos fuertemente acerca de lo que está llamando." [62] Él dijo: "¡Gente mía! Me digan, si yo tengo una prueba clara de mi Rab y Él me ha concedido misericordia de Él - ¿quién entonces me ayudará contra Al'lá si yo lo desobedezco? De la otra manera ¿qué agregarían aparte de hacerme perder aún más? [63] Y

¡Gente mía! Ésa es la camella de Al'lá, que es un signo para ustedes. Déjenla pastar en la tierra de Al'lá y no la molesten, si no, un azote veloz caerá en ustedes." Así que él dijo: "¡Ustedes tienen pero tres días para disfrutar sus bienes y esa es una promesa que no se repudiará!" [65] Cuando Nuestro Juicio vino a pasar, salvamos a Salej y aquéllos que creyeron con él a través de una gracia especial, de la desgracia de ese Día. De hecho su Rab es el Fuerte, el Poderoso. [66] Una explosión terrible dio alcance a los injustos y amanecieron muertos, con sus rostros por abajo en sus casas, [67] como si nunca hubieran florecido allí. ¡Tengan cuidado! Los de Zamüd negaron su Rab. ¡Ido es la gente de Zamüd. [68]   11: [61-68]

SECCIÓN: 7

Nuestros Mensajeros vinieron a Ibrãjïm (*Abraham*) con las noticias buenas. Ellos dijeron " Paz esté contigo." Él contestó " Paz también esté con ustedes," y aceleró para entretenerlos con un ternero asado. [69] Pero cuando él vio que sus manos no estaban extendidas hacia la comida, él empezó a sospechar de ellos y empezó a tener miedo de ellos. Ellos dijeron: ¡No temas! Se nos ha enviado a la gente de Lüt (*Lot*)." [70] Su esposa que estaba estando de pie allí se rió cuando Nosotros le dimos las noticias buenas de que Al'lá va a dar un hijo llamado Isjãq (*Isaac*) y después de él un nieto LLa'qüb (*Jacob*). [71] Ella dijo: "¡Ay de mí! (*Una expresión para indicar la sorpresa*) ¿Llevaré a un hijo ahora cuándo yo me he vuelto una mujer vieja y mi marido se ha adelantado bien en su edad? ¡Ésta es, de hecho, una cosa extraña! [72] Ellos dijeron: "¿Te asombras al decreto de Al'lá?" ¡Que la misericordia de Al'lá y Sus bendiciones estén en ustedes, residentes de la casa; porque Él es, de hecho, digno de toda la alabanza, lleno de toda la gloria!" [73] Cuando se hubo ido el miedo de Ibrãjïm y con las noticias buenas (*de su hijo y de su nieto*) que vinieron a él, él empezó a suplicar con Nosotros por la gente de Lüt. [74] En realidad Ibrãjïm era indulgente, bondadoso y devoto. [75] Los ángeles dijeron: "¡Ibrãjïm! ¡Deja de defenderles! El decreto de su Rab ya se ha emitido, ahora allí llegará a ellos un castigo que no puede apartarse." [76]
      11: [69-76]

Las noticias buenas para el Profeta Ibrãjïm: él tendrá un hijo(Isaac) y más allá de él, un nieto (Jacob).

Cuando Nuestros mensajeros, (*en la forma de hombres jóvenes simpáticos*), vinieron a Lüt, él se perturbó sobre ellos, porque él se sentía impotente para ofrecerles la protección (*contra su nación que tenía hombres homosexuales*). Él dijo: " Éste es un día crítico." [77] No más que llegaron sus huéspedes, acudieron a él apresuradamente su gente, que antes habían estado cometiendo maldades. Él dijo: "¡Gente mía! Aquí son mis hijas - ellos son más puras para ustedes. Ahora, tengan temor a Al'lá y no me humillan insultando a mis huéspedes. ¿No hay ni un hombre bueno entre ustedes?" [78] Ellos dijeron: " Bien sabes, que no tenemos ningún derecho a tus hijas. Tú ya sabes totalmente bien lo que queremos." [79] Él dijo: " Ojala tuviera el poder para suprimirlo o podría encontrar un apoyo poderoso. [80] Los mensajeros dijeron: "¡Lüt! Somos los mensajeros de su

La dirección del Profeta Lüt a sus personas, su escepticismo y las consecuencias.

Rab. Ellos no podrán dañarte. Ahora, tomes a tu familia y salgas de este pueblo mientras que todavía queda una parte del resto de la noche - y no permitas a nadie de ustedes a retroceder - excepto tú esposa, que si se volverá. Ella enfrentará el mismo destino como de ellos. Su tiempo fijado de sentencia es la madrugada. ¿Acaso que la madrugada no es muy cerca?" [81] Cuándo Nuestro Juicio vino a pasar, Nos volteamos (*a los ciudades*) al revés e hicimos llover sobre ellos las piedras *duras como* de arcilla cocida, capas tras capas, [82] especialmente marcadas por tú Rab. ¡El tal castigo no está muy lejos de los injustos! [83]   11: [77-83]

SECCIÓN: 8

La dirección del Profeta Shu'aib a sus personas que eran estafando en sus transacciones comerciales.

A la gente de Mad'llan enviamos su hermano Shu'aib. Él dijo: "¡Gente mía! Ríndanse culto a Al'lá, ustedes no tienen ningún dios excepto Él. No defraudan en la medida ni en el peso. ¡Aunque yo lo veo en la prosperidad hoy, temo para ustedes el azote de un Día que sí les alcanzará. [84] ¡Gente mía! Den la medida llena y el peso equitativo. No defrauden a las personas de sus bienes y no extiendan la travesura en la tierra. [85] Lo que Al'lá les deja es mejor para ustedes, si son los verdaderos creyentes, y yo no soy designado como un guardián encima de ustedes." [86] Ellos dijeron: ¡Shu'aib! ¿Acaso tú Salá (*la oración*) te ordena a ti que dejemos todas esas deidades a quienes nuestros antepasados les rindieron culto o que tenemos ningún derecho de hacer lo que nos gusta con nuestra propia mercancías? Seguramente, eres un hombre cortés y virtuoso." [87] ¡Gente mía! ¿Cómo le ven? , si yo tengo una señal clara venida de mi Rab y Él me ha dado sustento bueno de Él- ¿Cómo puede yo, entonces, ser un partidario a sus prácticas malas e ilícitas? Yo no quiero oponerlo en lo que estoy prohibiéndoles. Deseo nada más que reformar hasta donde yo puedo manejar. Mi éxito en esta tarea depende completamente de la ayuda de Al'lá; ¡En Él yo confío y a Él me vuelvo arrepentido! [88] ¡Gente mía! No dejen que mi disputa con ustedes traiga en ustedes la sentencia similar a eso de las personas de Nüj o de Jüd o de Salej, ni está el pueblo de Lüt muy lejos de ustedes; [89] Pidan perdón a su Rab y se vuelven a Él en el arrepentimiento; porque mi Rab es de hecho Misericordioso, lleno de amor." [90]   11: [84-90]

Su contestación negativa y sus consecuencias.

Ellos dijeron: "¡Shu'aib! Nosotros no comprendemos mucho de lo que dices. De hecho, vemos que eres una persona impotente entre nosotros. Si no era por su familia, nosotros te habríamos apedreado ciertamente, porque tú no eres suficientemente fuerte para prevalecer contra nosotros." [91] Él dijo: "¡Gente mía! ¿Acaso consideran a mi familia para ser más poderosa que Al'lá, a Quien ustedes los han desatendidos totalmente como una cosa que tiran por su espalda? ¡Ciertamente mi Rab abarca todos lo que ustedes hacen! [92] ¡Gente mía! Ustedes siguen haciendo su modo, y yo mantendré el mío: ¡pronto encontrarán quién recibe el castigo deshonroso y quién es un mentiroso. ¡Esperen si ustedes quieren; Yo también estoy esperando junto con ustedes!" [93] Cuando

Nuestro juicio vino a pasar, salvamos a Shu'aib y aquéllos que creyeron con él a través de Nuestra misericordia especial. Una explosión poderosa asió a los injustos y amanecieron muertos con sus rostros por abajo en sus casas, [94] como si ellos nunca hubieran florecido allí. ¡Miren! Igual que la de Zamüd, ido es las gentes de Mad'llan! [95]   11: [91-95]

SECCIÓN: 9

Enviamos Musa con Nuestras señales y la autoridad calara [96] hacia al Fir'on (*Faraón*) y a sus jefes; pero ellos siguieron el orden de Fir'on, y el orden de Fir'on no era dirigido con rectitud. [97] Él estará delante de su pueblo en el Día de la Resurrección, y se dirigirán al Infierno. ¡Qué horrible será el lugar a que ellos serán dirigidos! [98] Una maldición les siguió en esta vida, y otra maldición les seguirá en el Día de la Resurrección. ¡Qué mal será el regalo que van a recibir! [99] Éstas son las historias de las naciones que contamos a ti; algunos de ellos están aún en pie, otros ya son extintos. [100] Nosotros no éramos injustos con ellos, sino ellos eran injustos con ellos mismos. Las deidades que ellos invocaban al lado de Al'lá no les sirvieron de nada, cuando el juicio de tu Rab vino a pasar; ellos no agregaron nada a su porción sino la perdición. [101] Así es el castigo de tu Rab cuando Él ase a un pueblo pecador; de hecho, Su castigo es terrible y doloroso. [102] Hay una señal, de hecho, en esto para aquéllos de que temen el castigo de la otra vida; ése es un Día en que la humanidad se reunirá y ése será un Día de los Testimonios. [103] Nosotros no lo retardamos sino hasta el plazo designado. [104] Cuando el Día vendrá, nadie se atreverá a hablar excepto con Su permiso. De ellos, algunos se condenarán y algunos se bendecirán. [105] Aquéllos que serán condenados estarán en el Fuego; en allí, ellos tendrán sólo suspiros y sollozos. [106] Ellos morarán en eso mientras que duren los cielos y la tierra, a menos que tu Rab ordena por otra parte; ciertamente su Rab siempre hace lo que Él piensa. [107] En cuanto a aquéllos que son benditos, estarán en el paraíso. Ellos morarán en eso mientras que duren los cielos y la tierra, a menos que tu Rab ordena por otra parte; un premio que nunca se interrumpirá. [108] Por consiguiente, no tengas ninguna duda acerca de las deidades que ellos les adoran, porque ellos imitan a sus ante pasados en su culto de esa deidades ciegamente; y ciertamente, les daremos por completo su porción de castigo sin cualquier disminución. [109]

11: [96-109]

SECCIÓN: 10

Nosotros dimos la escritura, ciertamente, a Musa (*Moisés*), pero discreparon acerca de él; si no hubiera una Palabra previa de tu Rab, la materia en que difirieron ya se habría decidido entre ellos. Es un hecho, que ellos seriamente están en la duda de él, [110] y también es un hecho que tu Rab les dará medida llena por causa de sus hechos, porque Él es totalmente consciente de lo que ellos hacen. [111] Por consiguiente, seas firme en la Vía Recta como te ha ordenado, junto con aquéllos que se han

El destino de Fir'aun y sus jefes que fueron advertidos, pero ellos no pusieron la atención.

Las diferencias se surgieron sobre Tora por la falta de creencia de los seguidores.

vuelto de la incredulidad a la creencia en Al'lá, y no transgreden; ciertamente, Él está mirando todos lo que ustedes hacen. [112] ¡No inclinen hacia aquéllos que son injustos, no sea que el Fuego les alcance!; y en este caso, no tendrán ningún protector afuera de Al'lá, ni serán ayudados. [113]

11: [110-113]

Las virtudes quitan los males, Al'lá no permite que pierda la recompensa de los virtuosos.

Establezcan el Salá (*las oraciones*) a los dos extremos del día y en la parte temprana de la noche. De hecho, las virtudes quitan los males. Éste es un recordatorio para los que recuerdan. [114] Y ten paciencia; seguramente Al'lá no permite que se pierda la recompensa de los virtuosos. [115] ¿Por qué no habían entre las generaciones que precedieron a ustedes, personas buenas que podrían prohibir a las personas de hacer la travesura en la tierra, exceptúe unos de aquéllos quienes salvamos de entre ellos? Los injustos, sin embargo, siguieron el placer mundano lo que ellos se fueron proporcionados, siendo de los que eran delincuentes. [116] No es posible que tu Rab destruyera los pueblos injústamente, mientras que sus habitantes fueran de los que ponen orden. [117]

11: [114-117]

La libertad de opción dada a la humanidad es la Voluntad de Al'lá.

Si tu Rab tuviera querido así, Él habría hecho, ciertamente, una sola nación de todos los humanos, pero ése no es lo que Él quiere, por lo tanto ellos continuarán en sus discrepancias, [118] excepto aquéllos en quienes Él ha concedido Su misericordia; y esa misma libertad de tener opción y libertad de acción, es el propósito entero de su creación. Eso es cómo la Palabra de tu Rab, que 'Él llenará el Infierno con los genios y con seres humanos', se cumplirá. [119] Todas estas historias de los Rasúles anteriores que comunicamos a ti es para fortalecer tu corazón; a través de éstos tú has recibido el conocimiento de la realidad y los creyentes han conseguidos la advertencia y un recordatorio. [120] En cuanto a aquéllos que son los incrédulos, dígales: " Hagan cualquier cosa que ustedes quieren, y nosotros también vamos hacer así. [121] ¡Esperan si ustedes quieren! Ciertamente, nosotros también esperaremos." [122] Sólo Al'lá tiene el conocimiento de lo que está oculto en los cielos y en la tierra, y todo devolverán, finalmente, a Él para la decisión. Por consiguiente, ríndaselo culto y ponga su confianza en Él, y tu Rab no es descuidadazo de lo que ustedes hacen. [123]

11: [118-123]

12: LLÜSUF

El periodo de la Revelación y ¿Por qué se Reveló?:

    Esta Süra se reveló durante la última fase de la residencia del Profeta en la Meca. Era un tiempo cuando los Quraish estaban considerando la cuestión de matar, desterrar, o encarcelarlo. Los judíos instigaron a los incrédulos para probar al Profeta Mujámad (pece), que le pregunten: "¿Por qué los Israelitas fueron a Egipto?" La historia del Israelitas no era conocida por los árabes, y el Profeta tenía ningún medio de saber sus tradiciones. Por consiguiente, ellos pensaron que el Profeta no podría dar una respuesta satisfactoria, y así, él sería totalmente expuesto. Pero, al contrario a sus expectativas, las mesas se voltearon en ellos, cuando Al'lá reveló la entera historia del Profeta LLüsuf (José) entonces y allí mismo. A su asombro, el Profeta les recitó a ellos en el mismo momento cuando le preguntaron. Esto puso el Quraish en una posición muy torpe porque, no sólo estropeó su esquema, sino también les advirtió aplicando el ejemplo de los hermanos de LLüsuf a su caso, como si para decir, " Como ustedes están comportándose hacia este Profeta, exactamente de la misma manera los hermanos del Profeta LLüsuf (pece) se comportaron hacia él; por consiguiente, ustedes deben esperar de encontrar con el mismo fin."

Incluye los siguientes principios, Leyes y Guías Divinas:

> *Todo los Rasúles eran los seres humanos.*
> *La oración de LLüsuf para vivir y morirse como un musulmán.*
> *La fe de Profetas Ibrãjïm (Abraham), Isjãq (Isaac), LLa'qüb (Jacob) y LLüsuf (José), la paz de Al'lá esté en todos ellos, estaba igual que eso del Profeta Mujámad (pece) y que ellos invitaron a las personas al mismo Mensaje a que Mujámad (pece) estaba invitándoles.*
> *Los caracteres amoldados por el Islam (basado en la adoración de Al'lá y la contabilidad en la Última Vida), se compara a caracteres amoldados por el escepticismo e ignorancia (basado en la adoración de dioses falsos y los bienes mundanos). Entonces los destinatarios se piden decidir entre estos dos modelos en si mismos.*
> *Es un hecho muy claro que, Al'lá cualquier cosa que decide, Él lo cumple, y nadie puede derrotar Su plan o puede impedirle.*
> *Los creyentes se aconsejan para permanecer dentro de los límites prescritos por la Ley Divina, siguiendo sus objetivos, porque el éxito y fracaso están completamente en las manos de Al'lá.*
> *Los creyentes se aconsejan ejercer sus esfuerzos hacia la Verdad y poner su confianza en Al'lá. Esto les ayudará a enfrentar a sus antagonistas con la confianza y valor.*
> *Al'lá enseñó a los creyentes a través de esta historia: Uno que posee el verdadero carácter islámico puede conquistar el mundo con la fuerza de su carácter. El ejemplo maravilloso del Profeta LLüsuf (pece) muestra, cómo un hombre de carácter alto y puro sale exitoso incluso bajo las circunstancias más adversas.*

Es más, la revelación de esta Süra logró a lo siguiente dos objetivos:

1. *Proporcionó la prueba del profetismo del profeta Mujámad (pece), y que su conocimiento no era basado no más en el rumor, sino se supo a través de la revelación Divina.*

2. *Aplicó el tema de esta historia al Quraish y les advirtió que finalmente el conflicto entre ellos y el Profeta acabaría en su victoria encima de ellos. Como se declara en verso 7: "Hay señales, de hecho, en esta historia de LLüsuf y sus hermanos para los averiguadores de entre el Quraish."*

De hecho, aplicando esta historia al conflicto entre el Profeta y el Quraish, el Qur'ãn había hecho una profecía clara y bien delineada que se cumplió literalmente por los eventos que pasaron en los siguientes diez años. Apenas dos años había pasados después de esta revelación cuando el Quraish, como los hermanos del Profeta LLüsuf, conspiró para matar al Profeta y le obligó a que emigrara de la Meca hacia Al-Madina, dónde él ganó el poder similar a lo que fue ganado por el Profeta LLüsuf en el Egipto. De nuevo, en el fin, el Quraish tenía que humillarse ante él así como los hermanos del Profeta LLüsuf pidiéndoos humildemente, "Muestre la misericordia a nosotros porque Al'lá les premia ricamente a aquéllos que muestran la misericordia," (Verso 88) y el Profeta LLüsuf les perdonó generosamente - aunque él tenía el poder completo para vengarse de ellos. Él dijo: "Hoy ninguna penalidad se infligirá en ustedes. Que Al'lá perdone a ustedes. Él es el más grande de entre todos aquéllos que perdonan." (El Verso: 92) La misma historia de misericordia fue repetida cuando, después de la conquista de la Meca, cuando el Quraish, derrotado, estaba de pie dócilmente ante el Profeta Mujámad (pece), quién tenía el poder completo para vengarse de ellos para cada crueldad comprometida por ellos. Pero en cambio, él les preguntó meramente: "¿Qué tratamiento ustedes esperan de mí?" Ellos contestaron, " Usted es un hermano generoso y el hijo de un hermano generoso." A esto, el Profeta Mujámad (pece) les perdonó muy generosamente, diciendo: "Yo estoy dando la misma respuesta a su demanda que LLüsuf dio a sus hermanos: " Hoy, ninguna penalidad se infligirá en ustedes: ustedes están perdonados."

12: LLÜSUF

Esta Süra, revelada en la Meca, tiene 12 secciones y 111 versos.

En el nombre de Al'lá, el Compasivo, el Misericordioso.

SECCIÓN: 1

Alif L'ãm Rã. Estos son los versos de la escritura que hace aclarar las cosas. [1] Nosotros hemos revelado este Qur'ãn en el idioma árabe para que ustedes (*los árabes*) puedan entender. [2] Relacionamos a ustedes la más bella de las historias a través de este Qur'ãn por Nuestra revelación a ti (*Mujámad*), aunque antes de esto tú era uno de aquéllos que no lo sabían. [3]   12: [1-3]

El Qur'ãn se revela en el idioma árabe.

Ésta es la narrativa del tiempo, cuando LLüsuf (*José*) dijo a su padre: "¡Padre! En un sueño yo vi once estrellas junto con el sol y la luna - les ha visto postrarse ante mí" [4] Él contestó: "¡Mi estimado hijito! No digas ninguna palabra sobre este sueño a tus hermanos, para que no vaya que ellos trazan un esquema malo contra ti; porque el Shaitãn es un enemigo abierto a los seres humanos. [5] Pasará, como has visto en tu sueño que será escogido por tu Rab para Su trabajo. Él te enseñará cómo interpretar sueños, y perfeccionará Su favor en ti y en los hijos de LLa'qüb (*Jacob*), como ya hizo anteriormente con tus antepasados Ibrãjïm (*Abraham*) e Isjãq (*Isaac*) ante de ti. Ciertamente tu Rab es Conocedor y Sabio.[6]   12: [4-6]

La historia del Profeta Llüsuf (José).

SECCIÓN: 2

Ciertamente, hay signos en la historia de LLüsuf y de sus hermanos, para los averiguadores. [7] Esto es cómo la historia empieza: sus hermanos realizaron una reunión y dijeron entre sí: " Este LLüsuf y su hermano (*Benjamín*) son amados más por nuestro padre que nosotros, aunque somos un grupo de diez y podemos ayudarlo más que ellos. De hecho, nuestro padre está claramente equivocado. [8] ¡Matemos a LLüsuf o le tiramos en alguna tierra remota para que la atención de nuestro padre se vuelva exclusivamente hacia nosotros, después de eso, volveremos de nuevo, la gente virtuosa! [9] A este, uno de ellos dijo: "No maten a LLüsuf, pero si ustedes quieren, tírenlo al fondo de algún pozo oscuro, alguna caravana, en su rumbo, recogerá a él." [10]   12: [7-10]

Hay lecciones en esta historia para los averiguadores.

Después de esta reunión, ellos le pidieron a su padre: "¡Nuestro padre! ¿Por qué no confías en nosotros respecto a LLüsuf, aunque nosotros deseamos el mejor para él? [11] ¡Envíale mañana con nosotros! para que él puede jugar y disfrutar. Nosotros, ciertamente, cuidaremos de él." [12] Su padre dijo: "Me preocuparé si ustedes se lo llevan, temo que no sea que un lobo le come, por algún descuido por parte de ustedes." [13]

Los hermanastros de Llüsuf le pidieron a su padre que le

envié con ellos en un viaje de la caza y le tiraron en un pozo oscuro.

Ellos dijeron: "¡Si un lobo pudiera comerlo a pesar de que somos tantos, entonces, ciertamente, nosotros seríamos las personas sin valor! [14] Cuando, después de la tanta persistencia, pudieron llevárselo, ellos se pusieron de acuerdo para tirarlo al fondo de un pozo. Nosotros revelamos esto (a LLüsuf): "Vendrá un tiempo, cuando tú les amonestará sobre este acto suyos, ahora ellos no perciben sus consecuencias". [15]   2: [11-15]

Ellos le dijeron a su padre que un lobo se comió a Llüsuf.

Al anochecer ellos devolvieron a su padre, mientras que lloraban. [16] Ellos dijeron: "¡Padre! Nos fuimos para competir hacer carreras entre nosotros, y dejamos a LLüsuf junto a nuestras cosas. Entonces, se lo comió un lobo. Pero no nos creerás aunque nosotros estamos diciendo la verdad." [17] Como la prueba, ellos trajeron su camisa manchada de sangre falsa. ¡No"! Él lloró, "Tus almas se han tentados algún mal. ¡Debo de tener digno paciencia! Al'lá es Único que puede ayudarme a llevar la pérdida que ustedes están hablando." [18]   12[16-18]

Una caravana lo secuestró, lo trajo a Egipto, y lo vendió a él.

Por otro lado, una caravana que estaba pasando por allí, envió a un portador de agua, que bajó el cubo. Viendo LLüsuf en él, gritó con la alegría: ¡Buenas noticias! Encontré a un muchacho joven. Ellos lo ocultaron con ánimo de venderlo. Pero Al'lá sabía bien lo que hacían. [19] Ellos (al traerlo a Egipto) lo vendieron para un precio pequeño, unos dírhams (las monedas de plata), ellos tenían una estimación baja de él. [20]
                                                                                12: [19-20]

SECCIÓN: 3

El egipcio que lo compró era un hombre bueno.

El egipcio que compró LLüsuf dijo a su esposa: "Seas amable con él. Él puede ser útil a nosotros, o podemos adoptarlo como un hijo." Así Nosotros establecimos LLüsuf en el país y acordamos enseñarle la comprensión de los asuntos. Al'lá tiene el poder completo encima de Sus asuntos, aunque la mayoría de las personas no lo sabe. [21] Cuando él alcanzó la madurez, Nosotros dimos en él la sabiduría y el conocimiento. Así premiamos a los virtuosos. [22]   12: [21-22]

La esposa de su amo intentó seducirlo pero Al'lá le salvó.

Ahora, la señora de la casa (la esposa de su amo) intentó seducirlo. Ella echó la cerradura a las puertas y dijo: "¡Ven para acá!" Él contestó: "¡Al'lá me protege de esto! Mi amo me ha proporcionado la buena residencia. ¿Debo yo traicionar su confianza? Los tales injustos no prosperarán." [23] Ella adelantó hacia él, y él también habría adelantado hacia ella, si no era por una iluminación de su Rab. Así Nosotros le escudamos del mal y de la indecencia, porque él era uno de Nuestro escogido, un devoto sincero. [24] Se apresuraron los dos hacia la puerta. Para detenerlo, ella cogió su camisa, y como resultado ella rasgó su camisa del trasero. A la puerta ellos se encontraron a su marido. Viéndolo, ella lloró: "¿Qué castigo merece alguien que pensó mal contra tu esposa, que no sea la cárcel o un castigo doloroso?" [25] LLüsuf dijo: " Era ella quién intentó seducirme." A esto cuando estaban acusando uno al otro - un miembro de su propia familia atestiguó: "Si su camisa había sido rasgada por delante, entonces, ella está hablando la verdad y él está mentiroso. [26] Pero si había rasgada por detrás, entonces, él está hablando la verdad y ella está mentirosa." [27] Pues cuando él (*su marido*) vio que la camisa de LLüsuf había sido rasgada por detrás, él dijo: "¡Es uno de los trucos de ustedes las mujeres! ¡Truco de ellas son, indudablemente, sumamente enorme! [28] ¡LLüsuf! No digas nada más sobre esto, y tú (*la esposa*) pides perdón por tu pecado, porque tú has pecado." [29]   12: [23-29]

SECCIÓN: 4

Las mujeres de la ciudad empezaron hablar acerca de esta casualidad, mientras diciendo: " La esposa de Al'Aziz ha seducido el esclavo joven, porque ella se ha enamorado locamente de él. De hecho, nosotros la vemos en el error manifiesto. [30] Cuando ella oyó hablar de estos comentarios, ella las invitó y preparó para ellas un banquete, y dio cada una de ellas un cuchillo. Mientras que ellas estaban cortándoos las frutas, ella le pidió a LLüsuf que saliera ante ellas. Cuando ellas lo vieron, ellas eran tan asombradas que cortaron sus manos y exclamaron espontáneamente: "¡Santo Al'lá! ¡Él no es ningún ser humano; él no es sino un ángel maravilloso! [31] Ella dijo: "Bien, esto es él sobre quien ustedes me culpaban. Indudablemente yo le seduje, pero él ha permanecido firme. Ahora bien, si él no hace lo que yo ordeno, él se tirará, ciertamente, en la prisión y se deshonrara." [32] LLüsuf dijo: "¡Rab! Yo iría, más bien, a la prisión que a lo que ellas me invitan; y a menos que Tú me guardas de su trampa hábil, yo puedo, en mi tontería juvenil, ceder a ellas y seré de los ignorantes." [33] Pues, entonces su Rab concedió su oración y guardó a él fuera de su trampa hábil; ciertamente, Él es Quien todo lo oye, todo lo sabe. [34] Todavía, incluso después de toda la evidencia que ellos habían visto (*de su inocencia y la culpa de sus mujeres*), ellos lo pensaron apropiado enviarlo durante algún tiempo a la prisión. [35]

12: [30-35]

SECCIÓN: 5

Dos hombres jóvenes también entraron en la prisión junto con él. Un día uno de ellos dijo: "Vi en mi sueño que yo era prensado el vino. El otro dijo: "Vi en mi sueño que yo estaba llevando el pan sobre mi cabeza de lo cual los pájaros estaban comiendo." Danos la interpretación de estos sueños, porque nosotros vemos que eres un hombre de virtud. [36] LLüsuf contestó: "Voy a, con el permiso de Al'lá, darles la interpretación de estos sueños antes de que ustedes se sirvan la comida que corresponde a ustedes, ésta es parte del conocimiento que mi Rab me ha enseñado. De hecho, he desamparado la fe de esas personas que no creen en Al'lá e incluso niegan la otra vida. [37] Sigo la fe de mis antepasados Ibrãjïm (*Abraham*), Isjãq (*Isaac*) y LLa'qüb (*Jacob*). No es digno que nosotros atribuimos a cualquier compañero con Al'lá. Es la gracia de Al'lá en nosotros y en la humanidad (*que Él no nos ha hecho los sirvientes de nadie más que de Él*), todavía la mayoría de las personas no agradece. [38]

Las mujeres del pueblo empezaron apuntar los dedos a ella. Ella invitó a ellas para un banquete y le pidió a Llüsuf que apareciera ante ellas. LLüsuf fue enviado a la prisión.

Dos presos de la prisión tenían los sueños y le preguntaron a LLüsuf por su interpretación.

¡Compañero de cárcel! ¿Dime lo que es mejor; muchos señores diferentes o un Al'lá, el Irresistible? [39] Ésos que ustedes sirven además de Él son nada más que nombres, que ustedes y sus antepasados han inventado para cual Al'lá no ha revelado ninguna sanción. El Orden pertenece a nadie sino Al'lá, Quien ha ordenado que ustedes no se rinden culto a nadie excepto a Él. ¡Ésa es la verdadera fe, todavía la mayoría de las personas no lo sabe! [40] ¡Compañeros de cárcel! *Aquí es la interpretación de sus sueños*, se escanciará uno de ustedes el vino a su señor (*el rey del Egipto*). El otro será crucificado y los pájaros comerán de su cabeza. Eso es cómo sus casos se decidirán involucrando que ustedes inquirió (*ésa es la respuesta a su pregunta*)." [41] Entonces, al que él pensó que sería salvado, él dijo: " Mencióneme a tu señor". Pero Shaitān le hizo olvidarse de mencionar (*LLüsuf*) a su señor, y que él permaneció en la prisión unos más años. [42]

12: [36-42]

SECCIÓN: 6

Un día, el rey de Egipto dijo: "He visto siete vacas gordas, en mi sueño, a las que comían siete vacas delgadas, igualmente vi siete espigas verdes (*las orejas verdes del maíz*) y siete otros los que estaban secos. ¡Dignatarios! Díganme el significado de mi sueño si ustedes pueden interpretar a los sueños." [43] Ellos contestaron: "¡Las pesadillas desconcertadas! Nosotros no somos expertos en la interpretación de los sueños." [44] Entonces, uno de los dos presos que fueron liberados recordó, después de todo ese tiempo, y dijo: " Yo le diré su interpretación;

simplemente envíeme a LLüsuf que es en la prisión." [45] Él entró a LLüsuf en la prisión y dijo: "¡LLüsuf, tú que eres veraz! Danos el significado del sueño de siete vacas gordas a las que comen siete vacas delgadas y de siete espigas verdes y otras tantas secas: para que yo, al regresar a las personas puedo darles el significado de este sueño." [46] Él contestó: "Ustedes sembrarán durante siete años consecutivos, como de costumbre. Durante este tiempo ustedes deben dejar el maíz que ustedes siegan en sus espigas, excepto lo que puede ser suficiente para su comida. [47] Luego, después de ese periodo, vendrán siete años de carestía que agotarán todos excepto un poco lo que ustedes habían almacenados específicamente como reserva. [48] Después de ese periodo vendrá un año de lluvia abundante en que las personas apretarán el vino y aceite." [49]   12: [43-49]

SECCIÓN: 7

El rey dijo: "Traigan a este hombre a mí." Cuando el mensajero vino a LLüsuf, él dijo: " Regrese a su señor y pregúntale qué intención animaba a esas mujeres que cortaron sus manos. De hecho mi Rab tiene conocimiento completo de sus trampas." [50] El rey cuestionó a esas mujeres, diciendo: "¿Qué dicen acerca de su intención, cuándo ustedes intentaron seducir a LLüsuf?" Ellas contestaron: "¡Al'lá nos libre! No supimos nada malo en su parte." La esposa de Al`Aziz dijo: "Ahora ya que la verdad ha venido a la luz, era yo quién intentó seducirlo. De hecho, él es de los que dicen pura verdad." [51] LLüsuf dijo, "Ha hecho esta pregunta para que él (*Al'Aziz*) sepa que yo no lo traicioné en su ausencia, y que Al'lá no dirige la astucia de los traidores." [52]   12: [50-52]

ÝÚZ (PARTE): 13

"No que yo soy libre del pecado - el alma de hombre exige el mal, exceptúe a quien mi Rab ha mostrado la misericordia, ciertamente mi Rab es Perdonador, Misericordioso." [53] El rey dijo: "Tráigalo a mí; lo tomaré para mi servicio especial. Cuando LLüsuf tenía una charla con el Rey, él dijo: "De hoy en adelante, tienes un lugar honorable con nosotros, y disfrutarás nuestra confianza completamente. [54] LLüsuf dijo: " Póngame encima de todos los recursos del país. Ciertamente yo sé bien cómo manejar; Yo tengo el conocimiento necesario." [55] Así establecimos a LLüsuf en el país, en el que se podía establecer donde quería. Damos Nuestra misericordia a quien agradamos y no dejamos de remunerar a quienes hacen el bien. [56] Todavía el premio de la otra vida será incluso mejore para aquéllos que creen y son virtuosos. [57]   12: [53-57]

La cita de LLüsuf como el miembro ministerial del Rey.

SECCIÓN: 8

Varios años después cuando empezó el hambre y no había comida disponible fuera del Egipto, los hermanos de LLüsuf vinieron a Egipto para la comida y entraron en su oficina. Él les reconoció pero ellos no reconocieron a él. [58] Cuando él les había suministrado sus provisiones debidas y ellos estaban a punto de salir, él dijo: "Traigan a su medio hermano a mí, la próxima vez. ¿No ven que yo doy la medida justa y que soy el mejor de los que proporcionan la hospitalidad? [59] Pero si ustedes no le traen, ustedes no tendrán más grano de mí, ni lo deben incluso venir de nuevo acerca a mí. [60] Ellos contestaron: "Intentaremos, ciertamente, nuestro mejor para traerlo de su padre. ¡Sí que lo haremos!" [61] LLüsuf les dijo a sus sirvientes que pusieran el dinero (*o la mercancía en-cambio*) de su hermanos en secreto en sus alforjas para que ellos sólo sepan acerca de eso, cuando ellos ya estén en su familia, para que ellos pudieran regresar.[62]   12: [58-62]

Los hermanos de Llüsuf vinieron a Egipto para conseguir la comida y grano. Llüsuf les pidió que trajeran a su hermano más joven, *(Benjamín - quién era el*

hermano más
joven de
Llüsuf).

Ellos le
pidieron a su
padre que
enviara a
Benjamín con
ellos en el
orden de
conseguir más
grano. Y El
consejo de
LLáqüb a sus
hijos.

Cuando los hermanos de LLüsuf regresaron a su padre, ellos dijeron: " ¡Padre! se nos ha negado el grano de aquí en adelante, a menos que nosotros tomamos a nuestro hermanastro con nosotros; por favor envíe a nuestro hermano con nosotros para que nosotros podamos conseguir nuestra medida; tomamos la responsabilidad completa por su seguridad." [63] Él dijo: ¿Confiaré en ustedes con él, después de que les confié en ustedes una vez con su hermano? Al'lá es el mejor protector y Él es el más Misericordioso de los misericordiosos." [64] Cuando ellos abrieron su equipaje, ellos descubrieron que su dinero (la mercancía en-cambio) se había devuelto a ellos. "¡Padre!" Ellos lloraron con la alegría, "¿Qué más podríamos desear? He aquí que nos ha devuelto nuestra mercancía atrás a nosotros. Nosotros compraremos más comida para nuestra familia, tendremos bien cuidado de nuestro hermano y obtendremos una carga del camello extra del grano. De este modo, será fácil de agregar otra carga del camello." [65] LLa'qüb (Jacob) contestó: "Nunca lo enviaré con ustedes hasta que ustedes empeñen en el nombre de Al'lá que ustedes le devolverán a mí, por seguro, a menos que ustedes se ponen desvalidos." Y cuando ellos habían dado su garantía, él dijo: "Al'lá es el Testigo y guardián encima de la garantía que ustedes los hicieron." [66] Entonces él dijo; "¡Hijos míos! No entren en la ciudad importante de Egipto a través de una verja, entren de las verjas diferentes. No que yo puedo serlo útil algo contra Al'lá; este consejo es simplemente una precaución, porque ninguno puede juzgar con precisión excepto Al'lá. ¡En Él confío! y ¡Que los que confían, pues, que confíen en Él!" [67] Cuando ellos entraron en la ciudad como su padre les había aconsejado, no les era útil contra la Voluntad de Al'lá. Claro, LLa'qüb hizo su mejor para apartar el miedo que él tenía en su corazón. De hecho, él poseyó el conocimiento que Nosotros le habíamos dado, pero la mayoría de las personas no lo sabe. [68]   12: [63-68]

SECCIÓN: 9

Llüsuf se
presentó a su
hermano y
formó planes
para retener a
él.

Benjamín fue
acusado de
robo para que
él pudiera ser
retenido.

Cuando estuvieron ante LLüsuf, él arrimó a su hermano (Benjamín), y dijo: " De hecho, yo soy su hermano (LLüsuf), ahora no aflijas a lo que hicieron." [69] Mientras que LLüsuf estaba colocando la carga de sus provisiones, él puso la copa del rey en la alforja de su hermano. Después un pregonero convocó: ¡Las personas de la caravana! Ustedes son ladrones." [70] Ellos retrocedieron y preguntaron: "¿Qué es que han perdidos?" [71] Los sirvientes dijeron: "Nosotros hemos perdido la copa del rey, (El líder de los sirvientes real agregó) y el que lo trae, se otorgará una carga de camello, yo lo garantizo." [72] Los hermanos de LLüsuf dijeron: "¡Por Al'lá! Ustedes deben saber, por nuestra conducta durante nuestra estancia aquí, que no vinimos aquí para hacer la travesura en la tierra y nosotros no somos ladrones." [73] Los sirvientes reales dijeron: "¿Cuál debe ser el castigo, si ustedes son mentirosos?" [74] Ellos contestaron: "El castigo de él en cuya alforja se encuentre la copa real,

será su propia persona.   Así es cómo castigamos a los Injustos." [75]
Después de este LLüsuf primero empezó a investigar los sacos de sus
hermanastros antes del saco de su propio hermano (*Benjamín*). Finalmente
él lo sacó del saco de su hermano. Así Nosotros dirigimos esta artimaña a
LLüsuf. Él no podría prender a su hermano bajo la ley del rey; pero Al'lá
legó por otra parte. Exaltamos en líneas a quienes Nosotros les agradamos,
Él es, Cuyo conocimiento es superior a los conocimiento de todos otros.
[76] A esta imputación, sus hermanos comentaron: " Esto no es extraño si él
ha comprometido un robo - porque su hermano también comprometió un
robo antes." Oyendo esto, LLüsuf suprimió sus sentimientos y no reveló
nada a ellos - él simplemente susurró a él mismo: "¡Qué personas tan
malas que son ustedes! Estando en peor situación están acusándome de
algo, la verdad de cual, Al'lá conoce el mejor." [77] - Ellos dijeron:
"¡Nuestro 'Aziz!   Él (*Benjamín*) tiene un padre muy viejo que no puede
sobrevivir sin él, por lo tanto, por favor, tome uno de nosotros en lugar de
él. Nosotros vemos que usted es uno de aquéllos que hacen bien a otros."
[78] LLüsuf contestó: "Al'lá nos libre que retengamos a otro distinto de
aquél en cuyo poder encontramos nuestra propiedad: Si hiciéramos así,
entonces, de hecho, seríamos injustos." [79]   12: [69-79]

SECCIÓN: 10

          Cuando ellos perdieron su esperanza de hacer cambiar a LLüsuf,
ellos fueron a conferir en privado en un lado. El mayor de ellos dijo: "
Ustedes saben que su padre había tomado una promesa solemne en el
nombre de Al'lá, y ustedes también saben cómo ustedes se cayeron corto
de su deber con respecto a LLüsuf. Por consiguiente, yo no voy a dejar
esta tierra hasta que mi padre me da permiso o Al'lá decide para mí, y Él
es el mejor de todos los jueces. [80] Regresan a su padre y le digan, " Su
hijo comprometió el robo. Nosotros no le vimos robar, sólo testificamos a
lo que nosotros sabemos. ¿Cómo pudimos guardar contra lo oculto? [81]
Puedes inquirir de las personas de la ciudad dónde nosotros alojamos y la
caravana en que nosotros viajamos que nosotros, de hecho, estamos
diciendo la verdad." [82] Cuando ellos regresaron y dijeron todo esto a su
padre, "¡No!" Lloró su padre, "Su imaginación ha sugerido esta historia
para ustedes. Bien, yo llevaré esto también con digna paciencia. Quizá
Al'lá me les traerá todos por atrás; de hecho Él es el Conocedor, el Sabio."
[83] Él se alejó de ellos, y dijo mientras que lloraba: "¡Qué triste estoy para
LLüsuf!" Y sus ojos, de la tristeza, se volvieron blancos mientras que
oprimía su sentimiento de la pena. [84] Ellos dijeron: "¡Por Al'lá! Aparece
que no dejarás de recordar a LLüsuf hasta que estropee tu salud o mueres."
[85] Él dijo: "Yo me quejo de mi dolor y pesar sólo a Al'lá y yo conozco de
Al'lá lo que ustedes no saben. [86] ¡Hijos míos! Vayan y busquen a LLüsuf
y su hermano. Nunca dejen la esperanza de la misericordia de Al'lá; de
hecho nadie desespera de la misericordia de Al'lá excepto las personas
descreídas. [87]   12: [80-87]

Los hermanos
de Llüsuf
regresaron y le
dijeron a su
padre acerca de
la casualidad
de Benjamín
que fue
retenido por el
robo. Y su
padre les envió
por atrás.

Ellos vinieron a LLüsuf y rogaron para la comida y alguna caridad; LLüsuf les dio conocer su identidad; y Él perdonó a sus hermanos y envió para su familia.

Cuando ellos regresaron a Egipto y estuvieron ante LLüsuf, dijeron: "¡Aziz! Nosotros y nuestra familia están en el gran dolor, nosotros apenas traemos una mercancía de poco valor, por favor denos cuota llena y haznos caridad. Ciertamente Al'lá premia a los que hacen la caridad." [88] Oyendo esto, LLüsuf que ya no podría contenerse más tiempo, contestó: ¿Saben lo que ustedes hicieron a LLüsuf y su hermano en su ignorancia?" [89] Esto les tomó por la sorpresa, y ellos lloraron: " ¡Qué! ¿Tú eres LLüsuf? "? Él dijo: " ¡Sí! yo soy LLüsuf y éste es mi hermano. Al'lá ha sido, de hecho, cortés a nosotros. Quien teme a Al'lá y es paciente; Al'lá realmente no deja de premiar a quienes hacen bien." [90] Ellos dijeron: "¡Por Al'lá! Ciertamente Al'lá te ha preferido encima de nosotros. Hemos sido culpables." [91] LLüsuf dijo: Hoy no hay ningún reproche en ustedes. ¡Al'lá les perdonará! ¡Él es el más Misericordioso de aquéllos que muestran la misericordia! [92] Váyanse, tomen esta camisa mía y échenla encima del rostro de mi padre, él recuperará su vista. Luego, regresen a mí con todos los miembros de su familia." [93]   12: [88-93]

SECCIÓN: 11

LLáqüb consiguió las noticias buenas de su hijo LLüsuf.

Cuando la caravana empezó de Egipto, su padre (*quién estaba en Ken'ãn*) dijo: " Ciertamente yo siento el olor de LLüsuf, aunque ustedes puedan pensar que yo estoy fuera de mi mente." [94] Las personas que le oyeron dijeron: "¡Por Al'lá! Todavía está padeciendo de su vieja ilusión." [95] Pero cuando el portador de las noticias buenas llegó, él echó la camisa de LLüsuf encima de su rostro y él recuperó su vista. Entonces él dijo: ¿No les ha dicho a ustedes que yo conozco de Al'lá lo que ustedes no saben?" [96] Ellos dijeron: "¡Padre! Pide a Al'lá que nos perdone por nuestros pecados. ¡Indudablemente, hemos pecado! [97] Él contestó: " Pronto pediré a mi Rab el perdón para ustedes; ciertamente Él es el Perdonador, el Misericordioso". [98]   12: [94-98]

Así su familia se mudó de Ken'ân a Egipto.

La oración de LLüsuf para vivir y morirse como un musulmán.

Cuando estuvieron ante LLüsuf, él les pidió a sus padres que alojaran con él, y dijo: " Ahora entren en Egipto. Si Al'lá quiere, ustedes vivirán aquí en paz." [99] Después de entrar en la ciudad él ayudó a sus padres a los asientos en el trono, y ellos todos se cayeron en la postración ante él. "He aquí," LLüsuf dijo a su padre, "La interpretación de mi sueño que soñé hace mucho tiempo. Mi Rab realmente le ha hecho de él una realidad. Era Su gracia que Él me sacó de prisión y los trajo a todos ustedes aquí del desierto aunque Shaitãn había sembrado la discordia entre mí y mis hermanos. Con seguridad, mi Rab cumple Su plan de las maneras misteriosas. Ciertamente Él es Quien es el Conocedor, el Sabio. [100] ¡Rab! Me has dado, de hecho, un reino y me ha enseñado la interpretación de sueños. ¡El Creador de los cielos y de la tierra, Tú eres mi Protector en este mundo y en la otra vida, hágame morirse como un musulmán y admítame entre los virtuosos!" [101] Esta historia que hemos revelado a ti, es un cuento del inadvertido; porque tú no estaba allí con (*los hermanos de*

LLüsuf) cuando ellos conspiraron colectivamente y formaron planes contra él. [102] Aunque esfuerzas como puedas, la mayoría de los hombres no van a ser creyentes, [103] aunque no exiges ninguna recompensa para esta información. Este Qur'ãn es nada más que un recordatorio para todas las personas de los mundos. [104]   12: [99-104]

SECCIÓN: 12

Hay muchas señales en los cielos y en la tierra por los cuales ellos pasan; ¡Todavía ellos no prestan la atención a ellos! [105] Como resultado la mayoría de ellos quien también cree en Al'lá compromete el Shirk. [106] Ellos se sienten seguros de que el castigo de Al'lá no se alcanzará a ellos, o que la Hora de Sentencia no les llegará de repente, sin que ellos lo sospechan. [107] Les diga simplemente: " Esto es mi camino. Lo invito a Al'lá con conocimiento seguro que yo y mis seguidores poseemos. La gloria es a Al'lá, y yo no soy de los mushrikïn". [108]   12: [105-108]

> La mayoría de las personas ignorantes que también creen en Al'lá compromete el Shirk.

Todo los Rasúles que Nosotros enviamos antes de ti, eran seres humanos a quienes enviamos Nuestras Revelaciones después de escogerlos de entre las personas de sus pueblos. ¿No han viajados estos incrédulos a través de la tierra y han visto lo que era el fin de aquéllos que fallecieron ante ellos? De su destino, ustedes deben saber que la morada de la otra vida es mejor para aquéllos que son virtuosos. ¿Por qué ustedes no entienden? [109] La tregua se concedió hasta que los Rasúles dejaban la esperanza de su gente y comprendieron que ellos estaban ser tratados como mentirosos, Nuestras ayudas vinieron a ellos y salvamos aquéllos a quienes quisimos; y Nuestro azote no se apartó de las personas delictivas.[110] Hay una lección, en estas historias de las personas anteriores, para los dotados del intelecto. Esta historia de LLüsuf revelada en el Qur'ãn no es un cuento inventado, sino una confirmación de escrituras anteriores - una exposición detallada de todas las cosas, y es una guía y misericordia para las personas que creen. [111]   12: [109-111]

> Todos los Rasúles fueron seres humanos.

> La historia de LLüsuf es confirmación de escrituras anteriores.

13: AR-RÁD

El periodo de Revelación

Esta Süra se reveló en la última fase de la residencia del Profeta en la Meca y durante el mismo periodo en que Süras LLünus, Jüd y Al-A'rãf fueron reveladas.

Incluye los siguientes principios, Leyes y Guías Divinas:

➢ El Qur'ãn es la revelación de Al'lá.
➢ Los árboles, las frutas, y las verduras están entre las señales de Al'lá.
➢ Al'lá nunca cambia la condición de un pueblo a menos que él mismo intenta a cambiarse.
➢ Aquéllos que no responden a la llamada de Al'lá, tendrán ninguna manera de escapar del Fuego del infierno.
➢ El recuerdo de Al'lá proporciona la tranquilidad a los corazones.
➢ Rasúles no tienen el poder para mostrar cualquier milagro excepto con el permiso de Al'lá.

El tema principal de esta Süra es que el Mensaje de Al'lá es la Verdad. Es un error por parte de las personas a rechazarlo. Los argumentos en la Süra, en su totalidad, se dan vuelta alrededor de este tema, y los componentes básicos del Mensaje son: Taujïd (Dios es sólo Uno), el Risãlat (Profetismo) y la Resurrección, se repiten una y otra vez. Se invitan las personas a creer en estos hechos para su bienestar propio, y si ellos no los hacen, ellos están advertidos de que incurrirán su propia ruina. Esta Süra no sólo proporciona el razonamiento para satisfacer a la mente, sino también las apelaciones al corazón para aceptar la fe. Pone los argumentos lógicos adelante en el apoyo del Verdadero Mensaje y contra las nociones malas de las gentes. Hace el uso frecuente de consejo simpático para ganar encima de los corazones de los incrédulos, advirtiéndolos sobre las consecuencias del Kufr (la incredulidad) y los resultados buenos y premios de tener la Verdadera Fe.

Esta Süra también contesta las objeciones y las dudas de los incrédulos, que podían parecer como un estorbo para aceptar el Mensaje Divino. También proporciona el consuelo, la esperanza, y el valor a los creyentes que estaban atravesando una prueba larga y dura.

13: AR-RÁD

Esta Süra, revelada en la Meca, tiene 6 secciones y 43 versos.

En el nombre de Al'lá, el Compasivo, el Misericordioso.

SECCIÓN: 1

Alif L'ãm M'ïm Rã. Éstos son los Versos de la escritura (*Qur'ãn*) que se han revelados a ti, de parte de tu Rab, es la Verdad, aunque la mayoría de las personas no cree en esto. [1] Al'lá es, Quien elevó los cielos sin pilares los que ustedes pueden ver, luego, se estableció en el trono de autoridad firmemente y sujetó el sol y la luna a Su ley - cada uno sigue su curso durante un tiempo designado. Él regula todos los asuntos. Él ha deletreado Sus revelaciones para que ustedes puedan ser convencidos del encuentro con su Rab. [2] Él es Quien ha extendido la tierra y ha puesto en ella montañas firmes y ríos, las frutas de cada tipo en los pares, dos y dos, y hace que la noche cubre el día. Hay señales ciertamente en estas cosas para aquéllos que reflexionan. [3]   13: [1-3]

Y en la tierra hay terrenos en los que hay lado a lado: los jardines de uvas, maizales y las palmas con solo y doble troncos - ellos todos son regados con la misma agua, pero hacemos que algunos de ellos sean mejores que otros en el sabor. Hay señales ciertamente en esto, para las personas que reflexionan. [4] Ahora, si te parece extraño, entonces más extraño son sus palabras: "¿¡Qué!-- Cuándo nosotros seremos polvos, podría levantarnos de nuevo a una nueva vida? Tales personas son que han negados a su Rab, ésos son que tendrán los yugos alrededor de sus cuellos y que serán los presos del Fuego y vivirán en eso para siempre. [5] Ellos te piden que aceleres en el mal (*para el castigo de Al'lá*) en lugar de hacer bien, aunque han precedidos casos ejemplares de castigos. De hecho, no obstante tu Rab es que Perdona a la gente; y también es el hecho que tu Rab es duro en la retribución. [6] Los incrédulos dicen: "¿Por qué no se envía una señal a él procedente de su Rab?" Tú eres nada más uno que advierte y cada nación se asignó quien le guía. [7]   13: [4-7]

SECCIÓN: 2

Al'lá sabe lo que cada hembra lleva en su útero. Él es totalmente consciente de qué reducción o aumento (*aborto o una espera larga*) tendrá lugar en el útero. Él tiene todo medido debidamente. [8] Él tiene el conocimiento perfecto de ambos, el visible y el invisible. Él es el Grande, el más Alto. [9] Da lo mismo a Él, si cualquiera de ustedes habla en el secreto o en voz alto, si esconde bajo la oscuridad de la noche o camina en pleno día. [10] Cada persona se ha asignado los ángeles guardianes por delante y por detrás de él, quienes le custodian por el orden de Al'lá. El hecho es que Al'lá no cambiará la condición de una nación hasta que cambie lo que tiene en sí mismo. Si Al'lá quiere afligir a alguna persona

---

El Qur'ãn se revela por Al'lá, el Creador de los cielos, y de la tierra.

Los árboles, fructifique, las verduras y sus sabores son las señales de Al'lá. Para cada nación Al'lá envió una guía (Rasúl).

Al'lá nunca cambia la condición de un personas a menos que ellos esfuerzan para cambiarse. Invoques solo a Al'lá.

con el infortunio, nadie puede evitarlo, ni ellos pueden encontrar a cualquier protector además de Él. [11] Él es Quien les muestra relámpago que causa el miedo y también la esperanza, y produce las nubes cargadas (*de la lluvia*). [12] El trueno celebra Su gloria con Sus alabanzas y así hacen los ángeles con el temor de Él. Él es Quien envía los rayos y por medio de cual golpea fuertemente a quienquiera que Él quiere. ¿Todavía estos incrédulos disputan acerca de Al'lá? Él es fuerte en el poderío. [13] La verdadera invocación es la que se dirige a Él. Las otras deidades a que ellos invocan, además de Él, no pueden contestar sus oraciones. Ellos están como un hombre que estira sus manos al agua y le pide que alcance su boca. No puede alcanzar a su boca de esta manera; igualmente la oración de los incrédulos es nada más que un esfuerzo infructuoso. [14] Cualquier cosa que está en los cielos y en la tierra postra de buenas o de malas ganas ante Al'lá únicamente, y así hacen sus sombras en las mañanas y en las tardes. [15]   13: [8-15]

Las deidades aparte de Al'lá no tienen ningún mando encima de cualquier daño o el beneficio y Aquéllos que no responden a la llamada de su Rab no van a tener ninguna manera de escaparse.

Pregúnteles: "¿Quién es el Rab de los cielos y de la tierra?" (*Si ellos tienen la hesitación para responder*), dígales: "¡Al'lá!" Luego pregúnteles: "Siendo esto la verdad, ¿Por qué ustedes toman a otras deidades como sus protectores, además de Él, quienes no tienen absolutamente nada de control acerca de algún beneficio o daño a ellos mismos?" "¿Acaso son iguales; el ciego y el que ve? ¿O pueden ser iguales la oscuridad y la luz? Si eso no es así, entonces, ¿Ya tienen sus shorakã' (*otras deidades que ellos adoran*) creado cualquier cosa semejante a Su creación y que ha hecho el asunto de creación dudoso para ellos?" Dígales: "Sólo Al'lá es el Creador de todos y Él es Uno, el Irresistible." [16] Él hace bajar el agua del cielo y cada cauce empieza fluir según su medida, y luego el torrente lleva arrastrando la espuma flotante - como la escoria que aparece sobre el metal cuando se funde en el horno para fabricar ornamentos y utensilios. Así ejemplifica Al'lá la Verdad y la falsedad. En cuanto a la escoria, se tira, siendo sin valor, pero lo que es útil para la humanidad se queda por detrás en la tierra. De esta manera Al'lá propone los ejemplos para hacer Su mensaje aclarar. [17] Hay una retribución excelente para aquéllos que responden a la llamada de su Rab. En cuanto a aquéllos que no responden a Él - aun cuando ellos tenían todo lo que está en la tierra, y otro tanto además, para ofrecer como un rescate para salvarse del castigo, sería inútil. Ellos son quienes les irán mal al ajustar las cuentas; su morada será el infierno - ¡Que lugar de descanso más malo! [18]   13: [16-18]

SECCIÓN: 3

Aquéllos que cumplen su prenda con Al'lá tendrán

¿Acaso el que sabe lo que se ha revelado a ti de tu Rab es la Verdad, será como el ciego? Sólo aquéllos que son dotados de la inteligencia, pueden beneficiarlos de este recordatorio. [19] Ellos son quienes cumplen fielmente su convenio con Al'lá y no rompen su compromiso; [20] y son ellos quienes unen lo que Al'lá ha ordenado para ser unido juntos, quienes temen a su Rab y tienen miedo que les vaya mal al ajustar sus cuentas, [21] también ellos son pacientes, buscan el placer de su Rab, establecen el Salá, gastan en la caridad en secreto y abiertamente fuera del sustento que les hemos proveído, y repelan el mal con lo que es bueno - ellos son para quienes hay la Morada Postrera, [22] - el Paraíso de beatitud perpetua: ellos entrarán en él, junto con sus antepasados, sus esposas y sus descendientes quienes eran virtuosos. Los ángeles vendrán a darles la bienvenida de todos los lados, [23] diciéndoles: " ¡Paz esté en ustedes para todos lo que ustedes soportaron firmemente en el mundo! ¡Qué excelente será la Morada Postrera!" [24] En cuanto a aquéllos que rompen su convenio con Al'lá después de haber confirmado y cortaron los lazos que Al'lá ha ordenado a ser unidos y crearon la travesura en la tierra, ellos son en quienes habrá una maldición y ellos son los que tendrán una Morada terrible. [25] Al'lá concede el sustento a quien Él quiere abundantemente, y escasamente a quien Él Le agrada. Los incrédulos regocijan en la vida de este mundo: pero en relación a la Última, esta vida no es más que un disfrute muy breve. [26]   13: [19-26]

SECCIÓN: 4

Los incrédulos dicen: "¿Por qué ningún signo se ha revelado a él que procede de su Rab?" Dígales: "De hecho, Al'lá extravía a quién Él quiere, y guía a aquéllos que se arrepienten, [27] - tales son quienes han creído y los corazones de quienes encuentran la satisfacción en el recuerdo de Al'lá. ¡Sepan, que la tranquilidad de los corazones es solamente en el recuerdo de Al'lá! [28] En cuanto a aquéllos que creen y hacen los hechos buenos, habrá la prosperidad y un lugar bonito de último retorno. [29]
13: [27-29]

Te hemos enviado entre una nación antes de cual otras naciones han fallecidas, para que puedas recitar a ellos Nuestras revelaciones que te hemos revelado; todavía ellos están rechazando al Compasivo (*Al'lá*). Dígales: "¡Él es mi Rab! No hay ningún dios excepto Él. En Él he puesto mi confianza y a Él me vuelvo arrepentido." [30] Aun cuando hubiera un Qur'ãn que podría mover las montañas, hacia hender la tierra o hacía que los muertos hablen *¿Piensan ustedes que el resultado habría sido diferente?* Ciertamente todas las cosas están sujetas al orden de Al'lá. Los que creen ¿No saben que si Al'lá quisiera, ciertamente Él habría guiado a toda la humanidad? En cuanto a los incrédulos, el desastre no dejará de afligirlos de vez en cuando o alcanzar a sus mismas puertas debido a sus fechorías, hasta que la promesa de Al'lá se cumple; Al'lá no faltará, ciertamente, a Su promesa. [31]   13: [30-31]

SECCIÓN: 5

¡Se han burlado de los Rasúles que hubo antes de ti, pero siempre ha concedido la prórroga a los incrédulos y finalmente les agarré, Que terrible era Mi castigo ejemplar! [32] ¡Eso que! ¿Ellos son tan audaces que

una morada excelente en la Ultima Vida. Y Aquéllos que rompen su prenda tendrán la maldición y una morada terrible.

Es el recuerdo de Al'lá lo que proporciona la tranquilidad a los corazones.

No hay ningún Dios excepto Él, todas las cosas están sujetas a Su Orden.

Al'lá está viendo a cada uno y a cada alma minuciosamente.

ellos atribuyen a los compañeros a Al'lá, Quien vigila minuciosamente encima de cada uno y cada alma y sabe todos lo que hacen? Pregúntales: ¿¡Si el propio Al'lá los ha preparado como Sus compañeros, entonces me digan sus nombres! ¡Ustedes quieren informarlo de algo nuevo que Él ya no sabe en esta tierra, o es sólo manera de hablar?" De hecho, sus pretensiones sucias parecen justas a los incrédulos, porque ellos se han privado de la Vía Recta; y no hay nadie que puede dirigir a aquéllos quienes Al'lá ha extraviado. [33] Ellos van a ser castigados en la vida de este mundo, todavía más doloroso es el castigo de la Otra Vida, y no hay ninguno para protegerlos de Al'lá. [34]   13: [32-34]

El Qur'ãn se revela en el árabe para la comprensión fácil.

En cuanto al paraíso que los virtuosos se han prometidos, su descripción está así: los arroyos fluyen por su suelo; eternos son sus frutas y sus sombras; ése será el fin de los que temieron de Al'lá. El premio de los incrédulos, empero, será el Fuego. [35] Algunos de aquéllos a quienes hemos dado la Escritura, regocijan a lo que se revela a ti, mientras hay algunas facciones que niegan una parte de ella. Dígales: "Ha recibido el orden de rendir culto a Al'lá y de no asociar nadie con Él. Hacia Él es que yo lo invito y hacia Él me volveré." [36] Con estas instrucciones, hemos revelado este mando en el idioma árabe. Ahora, si ustedes siguen sus deseos vanos después de que el conocimiento real ha venido a ustedes, no habrá nadie para salvarles o protegerles contra la ira de Al'lá. [37]
                     13: [35-37]

SECCIÓN: 6

El Rasúl no tiene el poder para mostrar cualquier milagro sin la sanción de Al'lá. Y Cuando Al'lá ordena, no hay nadie para invertirlo. Al'lá es el Amo de toda la planificación.

Nosotros hemos enviado otro Rasúles antes de ti y se los hemos dado las esposas y hijos y nunca estaba en poder de ningún Rasúl a mostrar cualquier milagro sin la sanción de Al'lá. Para cada periodo había un Libro: [38] Al'lá abroga y confirma lo que Él Le agrada - Junto a Él está la escritura Matriz. [39] Si te permitimos ver, dentro de tu vida, una parte de lo que les amenazamos o lo causamos tu muerte antes de que les golpeemos fuertemente, su misión sólo es entregar el Mensaje y es para Nosotros ajustar las cuentas. [40] ¿No ven que estamos reduciendo la tierra gradualmente que era en su mando a través de abreviar sus fronteras? Cuando Al'lá ordena, no hay nadie que puede invertir Su orden y Él es veloz en ajustar las cuentas. [41] Los antecesores de los incrédulos también inventaron las tramas; pero Al'lá es el Amo de toda las tramas. Él sabe las acciones de cada alma. Pronto los incrédulos vendrán a saber, a quién le pertenece la Morada Postrera. [42] Los incrédulos dicen: "Tú no has sido Rasúl." Dígales: "Al'lá basta como testigo entre mí y ustedes, y quienes tienen el conocimiento de la escritura."[43]   13: [38-43]

14: IBRÃJÏM

El periodo de Revelación

Esta Süra también pertenece al grupo de las Süras reveladas durante el último periodo de la residencia del Profeta en la Meca cuando la persecución de los musulmanes estaba en su peor fase.

Incluye los siguientes principios, Leyes y Guías Divinas:

➤ Al'lá nunca envió un Rasúl para la guía de una nación excepto que habló el idioma de esas personas.

➤ Si cada ser humano se vuelve a ser Incrédulo, da lo mismo a Al'lá.

➤ Al'lá ha basado la creación de los cielos y de la tierra en la Verdad.

➤ Shaitãn no tiene el poder, excepto seducir a los seres humanos.

➤ Saludos en el paraíso serán "Assalãm-u-Alaikum" lo que quiere decir: "paz esté en ustedes."

➤ Las oraciones del Profeta Ibrãjïm son integradas por el Profeta Mujámad (pece) como una parte del Salá de los musulmanes.

Esta Süra es una advertencia a los incrédulos que estaban rechazando el Mensaje de Al'lá y que estaban inventados las tramas hábiles para derrotar la misión del Profeta.

14: IBRÃJÏM

Esta Süra, revelada en la ciudad de Meca, tiene 7 secciones y 52 versos.

En el nombre de Al'lá, el Compasivo, el Misericordioso.

SECCIÓN: 1

Alif L'ãm Rã. Éste es un Libro que hemos revelado a ti para que puedas sacar la humanidad de la oscuridad absoluta (*de la ignorancia*) a la luz, por el permiso de tu Rab, a la Vía del Poderoso, del Digno de Alabanza, [1] del Uno a Quien pertenece todos lo que está en los cielos y en la tierra. ¡Qué penas para los incrédulos, serán castigados severamente! [2] Ellos son que aman más a la vida de este mundo en lugar de la otra, y quienes privan a otros del camino de Al'lá y buscan como hacerlo tortuoso: ellos están profundamente extraviados.[3]   14: [1-3]

Nosotros no hemos enviado ningún Rasúl que no hablaba el idioma de su propio pueblo, para que él pudiera explicarles claramente. Luego Al'lá deja en error a quien Él quiere y guía a quien Él le agrada: Él es el Poderoso, el Sabio. [4]   14: [4]

Nosotros enviamos Musa (*Moisés*) con Nuestros signos, diciéndolo: "Saca a tu pueblo de las tinieblas hacia la luz, y recuérdales que aprendan las lecciones de los Días de Al'lá (*la historia Divina*)". Hay señales Ciertamente en esto para cada persona que tenga mucha paciencia, mucha gratitud. [5] ¡Recuérdate! Cuando Musa dijo a su pueblo: "Recuerden el favor de Al'lá a ustedes cuando Él les dispensó y salvó de las gentes de Fir'on (*Faraón*), quienes sometían a ustedes a las aflicciones crueles, degollando a sus hijos varones y dejando con vida a sus hembras, y en esto había una prueba tremenda por parte de su Rab." [6]   14: [5-6]

SECCIÓN: 2

Recuerden que su Rab había prevenido: "Si ustedes agradecen, daré la abundancia a ustedes, pero si ustedes serán ingratos (*entonces ustedes deben saber que*) Mi castigo, de verdad, será terrible. [7] Musa dijo: "Si ustedes y todos los moradores de la tierra se hagan ingratos, ustedes deben saber que Él no está en la necesidad de cualquiera de ustedes, ciertamente, Al'lá es el Autosuficiente, Laudable." [8] ¿No han oídos la información acerca de aquéllos que fallecieron antes de ustedes, la gente de Nüj (*Noé*), del `Ad y del Zamüd, y aquéllos que les sucedieron; a los que sólo Al'lá conoce? Su Rasúles vinieron a ellos con las señales claras; pero ellos mordieron sus manos con sus bocas y dijeron: " Ciertamente nosotros rechazamos el Mensaje con que están enviados y ciertamente nosotros dudamos fuertemente a la fe que ustedes nos invitan." [9] Su Rasúles respondieron: "¿Ustedes están dudando la

---

Notas marginales:

Este Libro se revela para sacar la humanidad desde oscuridad hacia la luz.

Todos los Rasúles hablaban el idioma de sus propias gentes.

El Profeta Musa fue enviado para llevar a su pueblo fuera de la oscuridad hacia la luz.

Si todos los moradores de la tierra se vuelven incrédulos, no hará ninguna diferencie a Al'lá. Y Los creyentes deben poner su confianza en Al'lá.

existencia de Al'lá Quien es el Creador de los cielos y de la tierra? Él es Quien los invita para que Él pueda perdonar sus pecados y que pueda darles a ustedes su término designado. Ellos dijeron: "¡Ustedes son nada más que unos humanos como nosotros! Sólo desean volvérsenos fuera del culto de esas deidades quienes nuestros antepasados se adoraban. Tráiganos alguna señal clara." [10] sus Rasúles les dijeron: "Es verdad que nosotros somos humanos como ustedes mismos, pero Al'lá da Su gracia de asignar como Rasúl, de entre Sus siervos, a quien Él quiere. No está en nuestro poder traerlos cualquier señal excepto por el permiso de Al'lá. Y en Al'lá, pues, deben de confiar los creyentes. [11] ¿Qué razón tenemos para no poner nuestra confianza en Al'lá, cuándo Él ya nos ha guiado en nuestros caminos? Nosotros soportaremos, ciertamente, pacientemente su persecución, y aquéllos que quieren poner su confianza, deben poner su confianza en Al'lá." [12]

14: [7-12]

Los creyentes deben poner su confianza en Al'lá.

SECCIÓN: 3

Finalmente los incrédulos dijeron a sus Rasúles: "Devuelven a nuestra religión o nosotros expulsaremos a ustedes de nuestra tierra." Pero su Rab les reveló Su Voluntad: "¡Nosotros destruiremos a los malhechores [13] y daremos la tierra a ustedes para morar, después de que ellos se han idos! Éste es el premio para aquellos que tienen el miedo a Mi eminencia y temen Mis amenazas." [14] Los Rasúles pidieron el juicio, (*y cuando el juicio fue pasado*) cada opositor tirano de la Verdad fue desilusionado. [15] Luego tendrá el infierno en espera, en que se le dará una mezcla de pus y sangre para beber; [16] él beberá a sorbos, pero nunca podrá tragar. La muerte lo rodeará de todos los lados, pero él no se morirá; luego todavía más allá, habrá otro castigo horrible. [17]

14: [13-17]

Al'lá castiga a los injustos y bendice aquéllos que temen a Su Eminencia.

La parábola de los hechos de aquéllos que niegan su Rab es: que sus hechos están como cenizas que el viento esparce en un día tormentoso; ellos no ganarán nada de sus hechos, y éste es desviarse lejos de la meta de regresar al Paraíso. [18] ¿No ves que Al'lá ha creado a los cielos y a la tierra con un fin? Si Él quiere puede desaparecerlos a todos ustedes y sustituirlos por otra creación nueva. [19] Y eso no sería difícil para Al'lá. [20] Cuando todas las personas comparecerán ante Al'lá, aquéllos que eran débil en el mundo dirán a aquéllos que eran altivos: "Nosotros éramos sus seguidores. ¡Ahora! ¿Pueden ustedes hacer algo para relevarnos del castigo de Al'lá?" Ellos contestarán: "Si Al'lá nos hubiera guiado, nosotros habríamos guiado a ustedes. Ahora da lo mismo si comportamos con pánico o lo llevamos con paciencia, porque allí no hay ningún escape para nosotros." [21]

14: [18-21]

Al'lá ha basado la creación de los cielos y de la tierra en la Verdad.

SECCIÓN: 4

Una vez que el asunto se ha decidido, Shaitān dirá: "En la realidad, las promesas que Al'lá hizo a ustedes eran verdaderas; Yo

Shaitãn no tiene el poder encima de los seres humanos - él sólo invita y las personas siguen.

Los saludos en el Paraíso serán ' Paz'.

El ejemplo de una " palabra buena" y de una " palabra mala."

también hice algunas promesas a ustedes pero no cumplí cualquiera de ellas. Sin embargo, yo no tenía el poder encima de ustedes. Yo apenas lo invité, y ustedes aceptaron mi invitación. ¡Ahora! No me culpen, sino reprochen ustedes mismos. Yo no puedo ayudarlo, ni ustedes pueden ayudarme. Yo rechazo lo que ustedes hicieron previamente, de asociarme con Al'lá." Ciertamente tales injustos tendrán el castigo doloroso. [22]

14: [22]

Aquéllos que creen y hacen los hechos buenos se admitirán al Paraíso bajo cual los ríos fluyen, vivirán en eso para siempre con el permiso de su Rab, y en eso el saludo será: ¡Paz!" [23] 14: [23]

¿Acaso no ves cómo Al'lá compara una palabra buena con un árbol bueno cuyas raíces son firmes y cuyas ramas están en el cielo? [24] Rinde sus frutas en cada estación por el permiso de Al'lá. Al'lá cita estos ejemplos para los hombres para que ellos puedan aprender una lección de ellos. [25] Pero el ejemplo de una palabra mala es eso de un árbol malo que se rasga fuera de la tierra y no tiene la estabilidad. [26] Con las palabras firmes, Al'lá da la firmeza a los creyentes en la vida de este mundo y en la Ultima; pero Al'lá extravía a los injustos. Al'lá hace lo que Él Le agrada.[27] 14: [24-27]

SECCIÓN: 5

Aquéllos que muestran la ingratitud hacia los favores de Al'lá serán lanzados en el Infierno. Y

Al'lá le ha dado favores innumerables.

¿No has visto a esas personas que han respondidos a los favores de Al'lá con la ingratitud y han alojados a su pueblo en la Morada de Perdición? [28] El infierno es, en que quemarán, ¡Qué lugar más pésimo para permanecer! [29] Ellos inventaron los rivales a Al'lá para desencaminar así a otros de Su camino. Dígales: "Bien, ustedes pueden disfrutarse durante algún tiempo, pero su último destino va a ser el Fuego." [30] Dígales a Mis devotos que han creído: establezcan el Salá (*las oraciones diarias regulares, cinco veces/día*) y que gasten abiertamente y en secreto en la caridad fuera del sustento que les hemos dado, antes de la venida de ese Día en que ya no haya comercio ni cualquier amistad. [31] Al'lá es Quien ha creado los cielos y la tierra. Él envía abajo el agua del cielo, mediante cual Él saca las frutas para su sustento. Él ha hecho las naves subordinado a ustedes, para que puedan navegar a través del mar por Su orden; e igualmente ha sujetado los ríos para su beneficio. [32] El sol y la luna también fueron asignados para su servicio que firmemente siguen sus cursos. Ha sujetado la noche y el día para su servicio. [33] Él lo ha dado todos que ustedes podrían pedir y si ustedes quieren contar a los favores de Al'lá, nunca podrán contarlos. De hecho, el hombre es muy injusto y muy ingrato. [34] 14: [28-34]

SECCIÓN: 6

Recuerden cuando Ibrãjïm (*Abraham*) dijo: "¡Rab mío! Hagas esta ciudad la ciudad de paz y evita que yo y mis hijos adoremos a los ídolos. [35] ¡Rab! Ellos han extraviados muchas personas (*y ellos podrían extraviar a mis descendientes también*). Por consiguiente, sólo aquéllos que siguen mis maneras pertenecen a mí y quienes me desobedezcan, yo dejo aquéllos a Ti; ciertamente Tú eres Perdonador, Misericordioso. [36] ¡Nuestro Rab! Yo he establecido alguna de mi descendencia en un valle árido cerca de Tu Sagrada Casa. ¡Nuestro Rab! Yo he hecho esto en la esperanza que ellos establecerían el Salá, por consiguiente, dirijas a los corazones de las personas hacia ellos y les proporciona las frutas para que ellos puedan ser agradecidos. [37] ¡Nuestro Rab! Ciertamente Tú sabes lo que nosotros ocultamos y lo que nosotros revelamos. De hecho, nada en la tierra o en el cielo está oculto de Al'lá. [38] Alabado sea Al'lá que me ha regalado Isma`il (*Ismael*) e Isjãq (*Isaac*) a pesar de mi vejez. De hecho, mi Rab oye todas las oraciones. [39] ¡Rab! Haga a mí y a mis descendientes establecer el Salá. ¡Nuestro Rab! Y acepta mi invocación. [40] ¡Nuestro Rab! Perdónanos, a mí y mis padres y todos los creyentes en el Día que se ajusten cuentas." [41]　　　　　　　　14: [35-41]

La oración del Profeta Ibrãjïm para la ciudad de Meca y para sus residentes. Y La oración del Profeta Ibrãjïm la que es hecho una parte de cinco oraciones diarias para los musulmanes.

SECCIÓN: 7

Nunca piensas que Al'lá es desprevenido de lo que estas personas injustas están haciendo. Él está difiriendo su caso sólo para ese Día cuando sus miradas se quedarán fijas, [42] ellos estarán corriendo en el terror con sus rostros hacia arriba, mirando fijamente pero viendo nada y sus corazones absolutamente vacíos. [43] Prevén la humanidad del Día cuando Nuestro castigo les alcanzará; cuando los injustos dirán: "¡Nuestro Rab! Dénos un plazo poco más: ¿nosotros responderemos a Tu llamada y seguiremos a los Rasúles!" Pero les dirá, "¿No son ustedes las mismas personas que una vez juraron que nunca sufrirán un declive? [44] Cuando ustedes vivieron entre esas personas quienes fueron injustos consigo mismos, se explicó a ustedes cómo Nos tratamos a ellos y hemos puesto ejemplos para ustedes." [45] Ellos planearon bien sus tramas pero sus tramas estaban vigilados por Al'lá, aunque eran tramas como para poder mover las montañas. [46] No creas que Al'lá romperá la promesa que Él hizo a Sus Rasúles: Ciertamente Al'lá es Poderoso, el Señor de la Retribución. [47] Adviértales contra el Día cuando la tierra se sustituirá por una tierra diferente y también los cielos por otros cielos, y todos ellos comparecerán ante Al'lá, el Uno, el Irresistible; [48] y en ese Día verás a los delincuentes unidos juntos en las cadenas, [49] sus vestidos se harán de alquitrán y sus rostros se cubrirán con las llamas. [50] Para que Al'lá recompense a cada alma según lo que haya adquirido; ciertamente Al'lá es veloz en ajustar las cuentas. [51]　　　　　　　　14: [42-51]

Nunca pienses que Al'lá es desprevenido del inicuo, o que Él alguna vez romperá Su promesa hecha a Sus Rasúles.

Ésta es una proclamación para la humanidad: para advertir con ella; para que sepan que Él es Uno y Sólo - digno de culto - y para que los hombres dotados de intelecto aprendan una lección. [52]　　　　　　　　14: [52]

Al'lá es el Uno y Sólo Dios.

15: AL-JIŶ'R

El periodo de Revelación

Esta Süra se reveló a aproximadamente el mismo tiempo como esa de Süra Ibrãjïm que estaba durante el último periodo de la residencia del Profeta en la Meca. Eso aparece por las advertencias repetidas en esta Süra porque las personas no habían aceptado el Mensaje en general; más bien, ellos se habían puesto más obstinados y tercos en su antagonismo, enemistad, y de ser ridículos.

Incluye los siguientes principios, Leyes y Guías Divinas:

> ➢ El Qur'ãn es un Libro Divino.
> ➢ En el Día del Juicio, los incrédulos desearán que ellos se hubieran sido los musulmanes.
> ➢ El propio Al'lá ha tomado la responsabilidad de conservar y salvaguardar Al-Qur'ãn.
> ➢ La advertencia a través de la historia de la creación de Adán, postración de los ángeles ante él, y rechazamiento de Shaitãn para postrar ante él.
> ➢ El Profeta Ibrãjïm recibió las noticias buenas de tener un hijo por los mismos dos ángeles que fueron asignados para destruir la nación de Lüt.
> ➢ Al-Fãtijá también se nombra, " siete versos digno de la recitación a menudo."
> ➢ El orden divino para proclamar los mandos de Al'lá públicamente y alejar de los mushrikïn.

Esta Süra también contiene los argumentos breves para Taujïd en un lado, y advertencia a los incrédulos en el otro.

15: AL-JIŶ'R

Esta Süra, revelad en la Meca, tiene 6 secciones y 99 versos.

En el nombre de Al'lá, el Compasivo, el Misericordioso.

SECCIÓN: 1

Alif L'ãm Rã. Éstos son los versos de la escritura Divina, de un Qur'ãn Gloriosos que aclaran las cosas. [1]   15: [1]

ẙÚZ (PARTE): 14

Vendrá un Día, cuando los incrédulos desearán de haber sido musulmanes. [2] Déjelos solos para comer y disfrutar y que se engañen por las esperanzas falsas, porque pronto ellos averiguarán la Verdad. [3] Nunca destruimos un pueblo cuyo fin no estuviera decidido antemano. [4] Ninguna comunidad puede adelantar su plazo, ni puede posponerlo. [5] Ellos dicen: "¡Oye tú, a quién ha descendido el recordatorio (*El Qur'ãn*)! Tú eres ciertamente, un poseso. [6] ¿Por qué no nos traes los ángeles, si lo que tú dices es la verdad? [7] Dígales: "No enviamos a los ángeles sin justificación (*como para ejecutar Nuestro castigo*), y cuando ellos vienen, ya no les darán la espera. [8] Ciertamente hemos revelado este recordatorio (*El Qur'ãn*); y ciertamente Nosotros mismos le conservaremos. [9] Nos enviamos a los Rasúles ante de ti hacia las naciones previas; [10] pero siempre que viniera un Rasúl a ellos, se burlaron de él. [11] Así dejamos la duda deslizarse en los corazones de los delincuentes; [12] así que ellos no creen en él (*El Qur'ãn*), a pesar de los ejemplos de los que pasaron ante ellos. [13] Aun cuando nosotros abriéramos una verja del Cielo y ellos ascendieran a través de él, [14] todavía habrían dicho, "Nada más que nuestra vista ha sido enturbiada; más bien nosotros nos hemos embrujados." [15]   15: [2-15]

SECCIÓN: 2

Hemos engalanado los cielos con las constelaciones y les ha hecho muy agradables para los espectadores; [16] y las hemos protegido contra todo tipo de Shaitãn maldito. [17] Cualquier Shaitãn que trata de escuchar astutamente, allí lo sigue un cometa ardiente. [18] Hemos extendido la tierra y puesto firmemente las montañas en ella; y hecho crecer en ella todas las cosas en debida proporción, [19] y proveímos en ella los medios de sustento para ustedes y para muchas otras criaturas quienes no dependen de ustedes por su sostén. [20] No hay nada que no está en Nuestro tesoro inagotable. Pero no enviamos abajo sino con arreglo a una medida predeterminada. [21] Enviamos los vientos fecundantes, luego enviamos abajo el agua del cielo para que ustedes puedan beber; no son ustedes quienes sostiene el almacenamiento de esta riqueza. [22] Ciertamente estamos Nosotros Quien da la vida y la muerte, y Nosotros somos herederos de todos. [23] Ciertamente tenemos conocimiento completo de aquéllos que han ido antes de ustedes e indudablemente sabemos a aquéllos que vendrán después. [24] Ciertamente tu Rab es Quien les reunirá; ciertamente Él es Sabio, Conocedor. [25]   15: [16-25]

SECCIÓN: 3

Nosotros creamos al hombre del barro resonante de arcilla negra, moldeado en la figura; [26] antes de él habíamos creado a los genios del fuego Samüm (*el fuego sin humo, o de viento abrasador*). [27] ¡Recuerdan!

En el Día del Juicio, los incrédulos desearán que ellos fueran musulmanes. Y El propio Al'lá ha tomado la responsabilidad de conservar el Qur'ãn.

Al'lá creó y decoró los cielos. Él también creó todas las cosas conveniente para la vida humana en la tierra.

La historia de la creación de Adán; la postración de los ángeles ante él y el rechazamiento de Shaitǎn para postrar.

Se destinan Shaitǎn y sus seguidores para el infierno.

cuando tu Rab dijo a los ángeles: "Yo estoy a punto de crear a un hombre del barro resonante de arcilla negra, moldeado en la figura; [28] Cuando Yo ha completado su moldura y ha respirado en él de Mi espíritu, arrodíllense y postran ante él." [29] De acuerdo con eso, todos los ángeles postraron ante él, [30] excepto Iblïs (*El Satanás*); él se negó a unir aquéllos que postraron. [31] Al'lá preguntó: ¡Iblïs! ¿Qué te pasa, por qué no te unes a aquéllos que se postran? [32] Él contestó: "Yo no voy a postrarse ante este hombre a quien has creado del barro resonante de arcilla negra, moldeado en la figura." [33] Al'lá dijo: "¡Sáldate de aquí, ya eres maldito! [34] La maldición permanecerá en ti hasta el Día del Juicio." [35] A este Iblïs pidió: "¡Rab! Deme tregua hasta el Día de la Resurrección." [36] Al'lá dijo: "¡Bien! serás de aquéllos a quienes se ha concedido el plazo de espera [37] hasta el Día de tiempo designado." [38] Iblïs dijo: " ¡Rab! Puesto que me has descaminado, haré que los males parezcan justos a ellos en la tierra y yo los seduciré a todos [39] excepto a aquéllos de ellos quiénes son Sus devotos sinceros. [40] Al'lá dijo: "Este curso de acción está bien conmigo [41] - tú no tendrás la autoridad encima de Mis devotos exceptúe esos descaminados que te seguirán. [42] Ellos serán todos destinados para el Infierno, [43] que tiene siete verjas, cada verja se asignará a un grupo ya designado, de entre ellos." [44]   15: [26-44]

SECCIÓN: 4

El virtuoso se otorgará el paraíso.

Los virtuosos estarán en medio de los jardines y fuentes del paraíso [45] y les dirán: " Entren en éstos en paz y seguridad." [46] Les quitaremos todo el rencor que puede ser en sus pechos - ellos se volverán como los hermanos y se enfrentarán uno y otro, en los lechos, cara a cara. [47] En allí, no sentirán ninguna fatiga, ni jamás les pedirán, que salgan. [48] ¡Profeta! Dígales a Mis devotos que Yo soy, indudablemente, el Indulgente, el Misericordioso; [49] pero al mismo tiempo Mi castigo también es el castigo más doloroso. [50]   15: [45-50]

El Profeta Ibrǎjïm se da las noticias buenas por dos ángeles de tener un hijo.

Infórmales acerca de los huéspedes de Ibrǎjïm (*Abraham*). [51] Ellos entraron en donde él estaba y dijeron: "¡Paz esté contigo!" Pero él contestó: "Ciertamente tenemos miedo de ustedes." [52] Ellos contestaron: ¡No tengas miedo de nosotros! Nosotros hemos venidos a ti, con las buenas noticias de un hijo dotado del conocimiento." [53] Él dijo: ¿Ustedes están dándome buenas noticias de un hijo a pesar de mí avanzada edad? ¿Qué tipo de buenas noticias que ustedes me están dando?" [54] Ellos contestaron: "Nosotros te estamos dando la verdadera buena noticia; no debes ser de aquéllos que desesperan." [55] Él dijo: "¿Quién desesperaría de la misericordia de su Rab, exceptúe unos que son extraviados?" [56] Luego él preguntó: "¡Emisarios! ¿En qué expedición les han enviados?" [57] Ellos contestaron: "Nos ha enviado para que castiguemos una nación delictiva, [58] con la excepción de la familia de Lüt; nosotros los rescataremos todos, ciertamente, [59] excepto su esposa que se ha destinada para permanecer detrás con aquéllos que se quedarían atrás. [60]   15: [51-60]

SECCIÓN: 5

Así cuando los emisarios vinieron a la familia de Lüt, [61] él dijo: " Ustedes parecen ser gentes desconocidas." [62] Ellos dijeron: "¡No! Hemos venidos a ti por lo que estas personas tenían las dudas. [63] Hemos venido a ti con la Verdad del decreto de Al'lá y somos, ciertamente, veraces. [64] Debes, por consiguiente, partir con tu familia durante las últimas horas de la noche y tú debes seguirlos a sus trasero; no permitas a nadie que mire por atrás, siguen yendo a donde fueron ordenados que vayan." [65] Nosotros te informamos acerca de Nuestro decreto que las raíces de los pecadores de tu ciudad se cortarán por la mañana. [66] Las personas del pueblo vinieron regocijando a la casa de Lüt, (*cuando ellos oyeron las noticias de esos dos visitantes masculinos jóvenes*). [67] Lüt dijo: "Ellos son mis huéspedes, y que no me deshonren. [68] ¡Tengan temor a Al'lá y no me ponen de vergüenza!" [69] Ellos dijeron: ¿Acaso que te hemos prohibido que supliques para el resto del mundo?" [70] Él dijo: " Aquí son mis hijas, si ustedes deben actuar." [71] ¡Por tu vida, (*Profeta Mujámad*), ellos estaban equivocados locamente en su intoxicación de lujuria! [72] Porque una explosión poderosa les dio alcance a la salida del sol. [73] Así que Nosotros lo volvimos ese pueblo con su arriba por debajo e hicimos llover sobre ellos las piedras *duras como* de arcilla cocidas. [74] Ciertamente, hay gran lección en esto para aquéllos que investigan, [75] y este pueblo golpeado fuertemente, todavía es situada en la carretera que aún existe. (*En que los incrédulos viajaban durante sus viajes de negocios.*) [76] Ciertamente hay un signo en esto para los verdaderos creyentes. [77] Los habitantes de Al-Aiká (*la nación de Profeta Shu'aib*) también eran injustos. [78] Pues, Nos vengamos de ellos. Los pueblos arruinados de estas dos naciones están situados en un camino que aún se puede ver. [79]

15: [61-79]

SECCIÓN: 6

Los habitantes de Jiy'r también negaron a su Rasúl. [80] Les dimos Nuestras señales, pero ellos les ignoraron. [81] Ellos tajaron sus casas en las montañas para la seguridad. [82] Pero la explosión poderosa les asió en una mañana, y toda su labor de construir sus casas a través de tallar las piedras no les sirvieron de nada. [83] No hemos creado, sino con un fin, a los Cielos, la Tierra y todo lo que hay entre ellos. [84] La Hora de Sentencia está segura de venir, así que pases por alto su desmán, de una manera cortes. [85] Ciertamente tu Rab es el Creador de todo, el Omnisciente. [86]

15: [80-86]

Nosotros te hemos dado los Siete Versos que son dignos de recitación repetidamente (*Süra Al-Fãtijá*) y el Qur'ãn Grandioso. [87] No dirijas tu mirada hacia la riqueza mundana que hemos dado a las diferentes personas de entre ellos, ni aflijas por su condición. Déjelos solo. Y baja tus alas (*con ternura*) hacia a los creyentes, [88] y les diga a los incrédulos:

Los mismos ángeles vinieron al Profeta Lüt y ejecutaron el decreto de apedrear a la muerte la nación de homosexuales.

El castigo para las personas de Jiy'r por su escepticismo.

Al-Fãtijá también se llama: " Siete versos digno de

la recitación a menudo." Y Proclame los mandos de Al'lá públicamente y rechaza de los Mushrikïn.

"Ciertamente, yo soy solamente un advertidor claro." [89] Esta advertencia está como la advertencia que enviamos abajo a los que se dividieron. [90] Los que dividieron el Qur'ān en las partes separadas (*creyéndose en algunas partes y negándose a otras*). [91] ¡Por tu Rab! Nosotros, pronto pediremos la cuenta a todos ellos [92] acerca de lo que estaban haciéndoos. [93] Por consiguiente, proclame públicamente lo que se te ordena y apártate de los mushrikïn. [94] Ciertamente Nosotros mismos te bastamos contra los mofadores; [95] aquéllos que ponen otras deidades junto a Al'lá, vendrán a saber su tontería muy pronto. [96] Sabemos que tu corazón se angustia por lo que ellos dicen. [97] La cura del dolor de tu corazón es que debes celebrar las alabanzas de tu Rab y seas de aquéllos que se postran ante Él, [98] y que te rindes culto a tu Rab hasta que allí viene a ti lo que es cierto (*la muerte*). [99]　　　　　15: [87-99]

16: AN-NÁJL

El periodo de Revelación

Esta Süra se reveló durante el último periodo de la residencia del Profeta en la Meca. Los siete años de hambre que tenían a los de la Meca habían venido a su fin y la persecución de los incrédulos les había obligado a algunos musulmanes a que emigraran hacia Jabsha.

Incluye los siguientes principios, Leyes y Guías Divinas:

- ➤ La prueba de Taujïd y la refutación del Shirk.
- ➤ Las montañas han sido fijados en la tierra para estabilizar su equilibrio.
- ➤ Al'lá le ha enviado a los Rasúles que advirtieron contra la excusa de los incrédulos: "Si no era la Voluntad de Al'lá, no nos habríamos rendido culto a nadie más."
- ➤ La promesa de Al'lá que Él mantendrá una morada buena para aquéllos que emigran en Su causa.
- ➤ Si Al'lá fuera castigar a las personas para sus obras malas, Él no habría dejado ni siquiera un animal alrededor de ellos.
- ➤ Como el agua da la vida a la tierra muerta, así funciona El Qur'ãn para la alma humana.
- ➤ Al'lá ha proporcionado las señales en las vidas de las abejas, de los pájaros y de los animales.
- ➤ Al'lá ordena de ser justo, ser bueno con otros, y ayudar a los parientes más cercanos; y Él prohíbe la indecencia, maldad, y rebelión.
- ➤ Busca la protección de Al'lá contra Shaitãn antes de empezar a recitar El Qur'ãn.
- ➤ Jalãl (lícito) y Jarãm (ilícito) sólo provienen de Al'lá.
- ➤ Ibrãjïm era una nación en sí mismo.
- ➤ Llame hacia el camino de Al'lá con la sabiduría; aconsejo y razón en una manera atenta.

Esta Süra presenta las pruebas muy convincentes del Taujïd y refutación del Shirk, basadas en las señales simples que abundan en el universo y en la propia creación del hombre. Contesta las objeciones de los incrédulos, refuta sus argumentos y quita sus dudas. Advierta sobre las consecuencias de persistir en las maneras falsas. Presenta cambios morales necesitados para la vida práctica de los humanos. Dice a los mushrikïn que la creencia en Al'lá, en que ellos también profesan, demanda que no deben confinarse meramente al servicio labial, sino que exhiban en la vida moral y práctica. Finalmente, proporciona la guía al Profeta y a sus compañeros sobre la actitud que ellos deben adoptar para enfrentar el antagonismo y persecución a manos de los incrédulos.

16: AN-NÁJL

Esta Süra, revelada en la Meca, tiene 16 secciones y 128 versos.

En el nombre de Al'lá el Compasivo, el Misericordioso.

SECCIÓN: 1

Al'lá ha enviado abajo Sus revelaciones para advertir que no hay Dios excepto Él.

Él ha creado el ganado para el beneficio de seres humanos.

El mandamiento de Al'lá ya lo viene, pues no deben de buscar como adelantarlo. ¡La gloria es a Él y Exaltado sea Él encima del Shirk (*asociarse otros dioses con Al'lá*) que ellos cometen! [1] Él envía abajo Sus ángeles con la inspiración de Su Orden a quien Él Le agrada de Sus siervos, diciéndoles: "Adviertan a las gentes que no hay nadie digno de culto excepto Yo, por consiguiente témame a Mi" [2] Él ha creado los cielos y la tierra para manifestar la Verdad; Exaltado sea Él sobre el Shirk que ellos cometen. [3] Él ha creado al hombre partir de una gotita de semen, pues ¡ahí lo tienes un discutidor declarado! [4] Él ha creado los ganados que proporcionan a ustedes sus abrigos, comidas, y otros beneficios. [5] Y ¡Que agradable parecen ellos a ustedes cuando ustedes los traen a la casa por la tarde y les llevan a pastar por la mañana! [6] Ellos llevan sus cargas pesadas a los pueblos remotos a que ustedes no podrían alcanzar sin trabajar penosamente; de hecho su Rab es Benévolo, Misericordioso. [7] Él también ha creado los caballos, las mulas, y los asnos para que ustedes puedan montar y que sean como adorno, y Él ha creado otras cosas que todavía son más allá de su conocimiento. [8] A Al'lá Le corresponde mostrar la Vía Recta, cuando allí existen algunas vías corvas. Si Al'lá quisiera, Él podría guiarlos a todos. [9]   16: [1-9]

SECCIÓN: 2

Es Él, Quién envía abajo el agua del cielo para beber y para la agricultura. Y Él puso las montañas para estabilizar la tierra. Y Al'lá ha dado tantos favores que ustedes no pueden contar.

Es Él, Quien envía abajo el agua del cielo lo que proporciona a ustedes de qué beber y lo que trae el forraje para pastar su ganado. [10] Con él, Él hace crecer para ustedes las cosechas, las aceitunas, las palmeras, las uvas, y todo tipo de frutos: indudablemente, hay un gran signo en esto para aquéllos que reflexionan. [11] Él ha sujetado a su servicio la noche y el día, el sol y la luna: e igualmente las estrellas también están sujetas por Su orden: hay señales, ciertamente, en esto para las personas que usan su sentido común. [12] En la Tierra, Él ha puesto las criaturas de colores diferentes: ciertamente hay una señal en esto para aquéllos que quieren aprender una lección. [13] Es Él, Quien ha sujetado el mar a su servicio; para que de él, ustedes puedan comer carne fresco y delicado y que ustedes puedan sacar el ornamenta para vestir; y ustedes ven que la nave navega su curso a través de él. Él ha hecho todo esto para que ustedes puedan buscar Su Generosidad y para que ustedes puedan ser agradecidos a Él. [14] Él ha puesto las montañas en la tierra - para que no pueda menear junto con ustedes. Él también hizo ríos y caminos para que ustedes puedan encontrar su camino; [15] e igualmente hizo los hitos y las estrellas para su guía. [16] ¿Él, Quien ha creado todo esto, será entonces, como uno que no puede crear? ¿Por qué no pueden reflexionar? [17] Si ustedes quieren contar los favores de Al'lá, nunca podrán numerarlos; ciertamente Al'lá está Indulgente, Misericordioso, [18] y Al'lá sabe lo que ustedes ocultan y lo que ustedes revelan. [19] Aquéllos a quienes ellos invocan además de Al'lá no han creado nada, sino ellos mismos fueron creados. [20] Ellos están muertos, no vivos; ellos ni siquiera saben cuándo serán resucitados. [21]

16: [10-21]

SECCIÓN: 3

Su Dios es un Dios Único; pues en cuanto a aquéllos que no creen en la Ultima Vida, ellos tienen los corazones infieles y se resoplan con la arrogancia. [22] Indudablemente Al'lá sabe lo que ocultan y lo que revelan; ciertamente Él no ama a los arrogantes. [23] Cuando ellos se preguntan: "¿Qué es, lo que su Rab ha revelado?" Ellos dicen: "¡Las historias ficticias de los antiguos!" [24] Déjales llevar su propia carga por completo para el Día de la Resurrección y también de aquéllos quienes ellos han desencaminados en su ignorancia. ¡Ay! ¡Qué detestable es la responsabilidad que ellos están llevando! [25]

16: [22-25]

SECCIÓN: 4

Aquéllos ante ellos también conspiraron contra la Verdad, pero Al'lá agitó su edificio a través de su fundación, y su tejado se cayó sobre ellos; y vino el tormento a ellos de dónde ellos ni siquiera sospechaban. [26] Luego en el Día del Juicio, Él les humillará y dirá: "¿Dónde están esas deidades que ustedes asociaban conmigo, acerca de quienes ustedes disputaban con los verdaderos creyentes?" Aquéllos que han sido dados el conocimiento dirán: "Hoy, habrá la vergüenza y la desgracia para los incrédulos," [27] - aquéllos a quienes los ángeles causan la muerte mientras ellos todavía estaban comprometiendo la injusticia a sus propias almas. En el momento de la muerte, ofrecen la sumisión, diciendo: "Nosotros no estábamos haciendo nada malo." Los ángeles contestarán: ¡Claro que sí! ¡Cómo se atreven ustedes negar! Ciertamente Al'lá es consciente de lo que ustedes estaban haciendo. [28] Ahora prosiguen y entren en las verjas del Infierno, allí ustedes morarán para siempre." De hecho, ¡Que horrible será la morada de los arrogantes! [29] Por otro lado cuando se preguntarán a las personas virtuosas: "¿Qué es lo que su Rab ha revelado?" Ellos dirán: "Lo que es el mejor." Bueno es el premio para las tales personas virtuosas en este mundo y la Morada en la Ultima Vida será incluso mucho mejor. ¡Qué espléndido será la Morada para los virtuosos! [30] - entrarán en los Jardines de 'Adn (Edén) por cuyos bajos fluyen los ríos, mientras teniendo todos lo que ellos desean a tener. Así retribuye Al'lá a quienes Le temen, [31] - a tales personas pías a las que los ángeles causan morir, dicen: "¡Paz esté en ustedes! Entren en el paraíso debido a los hechos buenos que ustedes han hecho." [32] ¿Están esperando estos incrédulos por los ángeles que bajen para tomar sus almas o que venga el orden de su Rab? Así hicieron aquéllos que fueron ante ellos. No era Al'lá que era injusto a ellos, sino ellos eran injustos a ellos mismos. [33] Al final, los resultados malos de sus hechos les alcanzarán, y el mismo castigo a que ellos se mofaron, les cercará a aquellos. [34]   16: [26-34]

SECCIÓN: 5

Al'lá ha enviado a los Rasúles para que adviertan a los incrédulos para que no tengan la excusa: " Si Al'lá quisiera, nosotros no nos habríamos rendido culto a nadie más."

Los mushrikïn dicen: "Si Al'lá quisiera, ni nosotros ni nuestros antepasados se habrían rendido culto a cualquier otro que no sea Él; ni habríamos hecho algo ilícito, si no era Su Voluntad." Las tales excusas también fueron puestas por aquéllos que fueron ante ellos. Pues ¿Qué otra cosa incumbe a los Rasúles, sino la transmisión clara? [35] No hay ninguna duda que Nosotros enviamos en cada nación un Rasúl, lo que decía: "Sirvan a Al'lá y eviten a los Tãghüt (las fuerzas Satánicas)". Después de eso, Al'lá guió algunos de ellos, mientras que otros merecieron extraviarse. Así que viajen a través de la tierra y vean lo que era el fin de aquéllos que negaron Nuestro Mensaje. [36] No importa cuánto te empeña para guiarles, Al'lá no guía a aquéllos quienes Él permite a extraviarse y tales no tendrán ningún auxiliador. [37] Ellos juran por Al'lá con juramentos solemnes: "¡Al'lá nunca resucitará a quien haya muerto!" ¡Claro que sí! Es una promesa que a Él Le obliga verdaderamente, aunque la mayoría de la humanidad no lo sabe. [38] Se cumplirá eso para que Él pueda manifestar a ellos la Verdad acerca de lo que ellos discrepaban, y para que los que rechazaban la Verdad puedan saber que ellos eran, de hecho, los mentirosos. [39] En cuanto a su posibilidad, cuando pensamos hacer algo lo que queremos, Nosotros sólo necesitamos decirle, "¡Sé!", y es. [40]
16: [35-40]

SECCIÓN: 6

Al'lá ha prometido una morada excelente para aquéllos que emigran en Su causa.

Aquéllos que emigraron por causa de Al'lá después de la persecución, Nosotros les proporcionaremos una morada buena en esta vida, pero la recompensa en la Otra Vida será mayor aún, ¡Si es que supieran que feliz será el fin! [41] - aquéllos que tienen la paciencia y ponen su confianza en su Rab. [42] Los Rasúles que enviamos antes de ti, y a quienes revelamos Nuestro Mensaje, también eran los seres humanos. Ustedes (las personas de la Meca), pueden preguntar a aquéllos que tienen el Recordatorio (La gente de la escritura), si ustedes no lo saben. [43] Enviamos esos Rasúles con las señales claras y las Escrituras; y ahora hemos enviado el recordatorio a ti, para que puedas explicar claramente a la humanidad acerca de lo que se envió a ellos para que ellos puedan reflexionar sobre él. [44]   16: [41-44]

Aquéllos que conspiran maldades ¿Están seguros que Al'lá no dejará que la tierra les trague o que no vendrá el castigo a ellos de la dirección que ellos no tienen la idea? [45] ¿O que Él no les asirá en el curso de su jornada que no deja ninguna vía para su escape? [46] ¿O que Él les asirá gradualmente, después de alertarles acerca del peligro? Pues, indudablemente tu Rab es Benéfico, Misericordioso. [47] ¿No ven cómo cada objeto que Al'lá ha creado lanza su sombra hacia la derecha y hacia la izquierda, en humilde postración ante Al'lá? [48] Todas las criaturas de los cielos y de la tierra, incluso todos animales y los ángeles, se postran ante Al'lá; y no son arrogantes: [49] ellos temen a su Rab, Quien está por encima de ellos, y hacen cualquier cosa que les ordena. [49]   16: [45-50]

¿Acaso los incrédulos sienten seguros contra la ira de Al'lá?

SECTION: 7

Al'lá ha ordenado: "No se rendirán culto a dos dioses: allí existe sólo Un Dios, pues Soy Yo a Quien ustedes deben temer." [51] A Él Le pertenece cualquier cosa que está en los cielos y en la tierra y toda la adoración es debida a Él para siempre. ¿Tienen, pues, el temor a alguien diferente que no sea Al'lá? [52] Cualquier bendición que ustedes disfrutan procede de Al'lá, y cuando sufren una desgracia, Él es el Único a Quien ustedes lamentan para que ayude. [53] Pero, luego, tan pronto que aparta la desgracia de ustedes, he aquí que empiezan a asociar otros con Él, [54] ¡Como si para mostrar su ingratitud para los favores que Nosotros hemos dado a ellos! Disfruten ustedes mismos; pronto vendrán a saber las consecuencias. [55] Ellos ponen al lado, una porción de lo que les hemos proporcionado, para esas deidades acerca de quienes ellos no saben nada. ¡Por Al'lá! Serán preguntados, el más ciertamente, sobre las mentiras que ustedes han fabricados. [56] Ellos atribuyen las hijas a Al'lá - ¡Gloria a Él! - Pero para sí mismos, les gustarían tener lo que ellos desean (*los hijos varones*). [57] Siempre que se le anuncia las noticias, de una hija a cualquier de ellos, su rostro se ensombrece y se ahoga con la angustia interior. [58] Él se esconde de sus gentes debido a las noticias malas que él ha oído, mientras preguntándose si él debe conservar con la desgracia o debe enterrarla en el polvo. ¡Ten cuidado! ¡Mal es el Juicio que ellos hacen sobre Al'lá! [59] Aquéllos que no creen en la Ultima Vida, les corresponde la peor descripción, mientras a Al'lá Le corresponde la descripción más alta; porque Él es el Poderoso, el Sabio.[60] 16: [51-60]

Siempre que los incrédulos estén en el dolor, ellos invocan a Al'lá Exclusivamente; ahí no más que Él les releva ellos empiezan comprometer el Shirk.

SECCIÓN: 8

Si Al'lá fuera castigar la humanidad por su injusticia, Él no dejaría ni siquiera un animal alrededor de los injustos, sin embargo Él les da tregua durante un tiempo designado. Pero cuando ya viene su tiempo designado, ellos no pueden ni atrasarlo un momento ni pueden adelantarlo un momento. [61] Ellos atribuyen a Al'lá lo que ellos detestan. Sus lenguas inventan la mentira cuando pretenden que ellos tendrán un premio más bello. No haya ninguna duda: la única cosa que ellos tendrán es el infierno, y les enviarán delante de los otros. [62] ¡Por Al'lá! Nosotros enviamos Rasúles antes de ti a otras naciones; pero el Shaitãn hizo sus hechos parecer justo a ellos para que ellos no creyeran, él es su patrocinador hoy, y ellos tendrán un castigo doloroso. [63] No Hemos

Si Al'lá fuera castigar la humanidad por su hechos malos, Él no habría dejado ni siquiera un animal alrededor de los injustos.

Así como el agua da la vida a la tierra muerta, el Qur'ãn hace lo mismo para el alma humana.

revelado a ti la escritura (*El Qur'ãn*), sino para que puedas explicar claramente a ellos la realidad acerca de esas cosas en que ellos difieren - es una guía y bendición para las personas que creen. [64] Al'lá envía abajo el agua del cielo, por medio de cual, da la vida a la tierra después de que ha estado muerto (*este Qur'ãn ha estado enviado para servir el mismo propósito*). Ciertamente, hay una señal en este ejemplo para aquéllos que escuchan. [65]   16: [61-65]

SECCIÓN: 9

Hay una lección para la humanidad en las vidas de los animales, así como los animales producen leche y la abeja melífera.

Indudablemente hay una lección para ustedes en los ganados. Nosotros lo damos a ustedes para beber de lo que está en sus vientres, entre quimo y sangre - la leche pura - agradable para aquéllos que lo beben. [66] Igualmente hay una lección instructiva en las frutas de las palmeras y las uvas, de los cuales ustedes derivan intoxicantes y la comida sana. Ciertamente, hay una señal para esas personas que razonan. [67] Tu Rab inspiró a las abejas para construir sus colmenas en las montañas, en los árboles, y en algo que los hombres pueden construir para la apicultura, [68] y que alimenten de cada tipo de fruta y siguen dócilmente por los caminos de su Rab. De su barriga sale un jarabe de colores diferentes que contiene una cura para los hombres. Hay una señal, ciertamente, en esto para aquéllos que reflexionan. [69] Al'lá ha creado a ustedes, luego les causa a morirse; hay algunos entre ustedes a quienes se prolonga la vida hasta que llegan una vejez abyecta, para que, después de haber sabido mucho terminan no sabiendo nada. De hecho, Al'lá es el Omnisciente, el Omnipotente. [70]   16 : [66-70]

SECCIÓN: 10

Hay una lección en el proceso de su propia creación: ¿Por qué, entonces, creen en las deidades que no tienen el poder para crear algo y descreen en Al'lá, el Creador?

Al'lá ha hecho algunos de ustedes aventajar en el sustento encima de los otros; aquéllos que están tan favorecidos, no regalan tanto de su sustento a sus esclavos para hacerles iguales con ellos. ¿Se negarían, pues, a reconocer los favores de Al'lá? [71] Es Al'lá Quien lo ha concedido los compañeros de sus propias especies y Él es él Quien le da los hijos y nietos a través de esas esposas, y lo mantiene para ustedes las cosas buenas para comer: ¿Creen, pues, en lo falso, después de haber sabidos todos esos como falsedad y descreen los favores de Al'lá? [72] ¿Se rinden culto a esas deidades aparte de Al'lá que no pueden procurarles sustento de los cielos o de la tierra ni tienen algún poder? [73] Por consiguiente, no comparen nadie con Al'lá. Ciertamente Al'lá sabe, mientras que ustedes no saben. [74] Al'lá propone el ejemplo de dos hombres: uno de ellos es un esclavo, la propiedad del otro, y no tiene el poder encima de algo; y el otro hombre es uno en quien Nosotros hemos dado Nuestra generosidad de lo cual él gasta libremente en secreto y en público. ¿Son, acaso, iguales? ¡Alabado sea Al'lá! Pero, la mayoría de ellos no entiende esta cosa tan simple. [75] ¡Bien! Al'lá le proporciona otro ejemplo de dos hombres: uno de ellos es mudo y no tiene ninguna habilidad de hacer algo - una carga para su amo - siempre que él lo envíe en un mandado, él no hace nada útil. ¿Pueda ser él igual a otro quien ejecuta los órdenes propiamentc y sigue las direcciones de una Manera Correcta? [76]   16: [71-76]

SECCIÓN: 11

Solamente a Al'lá pertenece el conocimiento de las cosas ocultas de los cielos y de la tierra. En cuanto la orden cuando anuncie la Hora del Juicio, estará como un parpadeo del ojo o aún más rápido: ciertamente Al'lá tiene el poder encima de todas las cosas. [77] Al'lá hizo salir a ustedes de los úteros de sus madres cuando ustedes no sabían nada, y Él regalo a ustedes la facultad del oído, de la vista y de la inteligencia para que puedan dar gracias a Él. [78] ¿No ven a los pájaros cuando lanzan su vuelo en el aire hacia el cielo? ¿Quién más los sostiene, que no sea Al'lá? Hay señales, ciertamente, en esto para gente que cree. [79] Al'lá ha hecho sus casas el lugar para su descanso, y las pieles de los animales para las tiendas de campaña para que cuando ustedes viajan encontrarían ligeras para trasladar o al campar; mientras de su lana, de su pelo, y de su crin, Él lo provee a ustedes los artículos de la casa y artículos de conveniencia para su término prescrito de vida. [80] Al'lá lo ha proporcionado las sombras fuera de lo que Él ha creado. Él le ha concedido recursos en las montañas, le ha concedido vestidos para protegerse del calor; y chaquetas de armadura para protegerlo durante sus guerras. Así Él completa sus favores a ustedes, para que ustedes puedan volverse musulmanes. [81] Si ellos todavía no ponen atención a ti, pues a ti te incumbe sólo dar el mensaje con claridad. [82] Ellos reconocen los favores de Al'lá, aun así los niegan; la mayoría de ellos son los incrédulos ingratos. [83]   16: [77-83]

Hay también señales de Al'lá en las vidas de los pájaros y de los animales.

SECCIÓN: 12

¿Comprenden ellos lo que pasará en ese Día cuándo Nos llamaremos a un testigo de cada nación? A los incrédulos no se permitirá poner adelante cualquier excusa, ni ellos recibirán cualquier favor. [84] Cuando los injustos enfrentan el castigo, no se les mitigará, ni se les concederá un retraso. [85] Cuando los mushrikïn van a ver sus deidades a quienes ellos asociaban con Al'lá, dirán: "¡Nuestro Rab! ¡Aquí están nuestro dioses que Te habíamos asociados y a quienes nosotros invocábamos en lugar de invocar a Ti! Sus deidades echarán su declaración atrás a ellos, diciéndoles: "¡Ustedes son, ciertamente, los mentirosos!" [86] Ellos ofrecerán su sumisión a Al'lá en ese Día: y los dioses de sus propias invenciones los dejarán en la sacudida. [87] En cuanto a aquéllos que descreen y privan otros del camino de Al'lá, les infligiremos castigo tras castigo por haber cometidos las corrupciones. [88] Les adviertas acerca de ese Día cuando Nos llamaremos a un testigo de cada nación, de sí mismos, a testificar y Nosotros te llamaremos a ti para testificar contra ellos: por eso hemos enviado a ti este Libro (*El Qur'ãn*)

En el Día del Juicio se llamará un testigo de cada una nación y los incrédulos enfrentarán la realidad de su dioses falsos inventados.

como aclaración de todo - una guía, una bendición y noticias buenas para los musulmanes.[89] 16: [84-89]

SECCIÓN: 13

Al'lá ordena para hacer la justicia, hacer bien a otros, y ayudar a los parientes; y Él prohíbe indecencia, la maldad, y rebelión. Y Lo que está con ustedes es transitorio; y lo que está con Al'lá es eterno. Y

Indudablemente, Al'lá ordena que hagan la justicia, que sean buenos con otros, y que sean generosos con los parientes, y Él prohíbe la indecencia, la maldad, y la rebelión: Él lo amonesta a ustedes. Quizás, así, que dejan amonestar. [90] Cumplen el convenio con Al'lá cuando ustedes han empeñados de hacerlo, y no rompen sus juramentos después de que ustedes los han ratificados; por jurar en Su nombre ustedes han hecho Al'lá como su seguridad; ciertamente Al'lá tiene conocimiento de todas sus acciones. [91] No se comporten como esa mujer que había hilado su estambre fuertemente y luego, de nuevo, se deshacía en los pedazos a sí misma; ni toman sus juramentos para el engaño mutuo para que una comunidad pueda tomar la ventaja indebida a la otra. Porque Al'lá no hace más que probar a ustedes por medio de estos juramentos; y en el Día del Juicio, Él revelará, ciertamente, a ustedes la verdad acerca de cuál ustedes discrepaban. [92] Si Al'lá quisiera, Él podría hacerles a todos ustedes como una sola nación, pero Él extravía a quien Él quiere y guía a quien Él Le agrada: pero el más ciertamente, a ustedes se cuestionará sobre todas sus acciones. [93] ¡Creyentes! No utilicen sus juramentos para engañar uno y otro, si no, su pie le resbalará después de haber firmemente fijo en la guía; y sufrirán las consecuencias malas por haber privado a otros del camino de Al'lá y van a incurrir un castigo terrible. [94]

16: [90-94]

Cuando recitas el Qur'ãn, busque la protección de Al'lá contra Shaitãn.

No vendan el convenio de Al'lá por un precio insignificante. Ciertamente la recompensa de Al'lá es mucho mejor que todas sus ganancias, si es que ustedes lo conocen. [95] Cualquier cosa que está con ustedes es transitorio y lo que está con Al'lá es eterno. Nosotros premiaremos a aquéllos que son pacientes, una retribución que será según el más noble de sus hechos. [96] Quienquiera que hace los hechos virtuosos, sea el varón o la hembra, con tal de que es creyente, le concederemos ciertamente una nueva vida, una vida que es buena, y premiaremos a las tales personas, ciertamente, según el más noble de sus hechos en la Ultima Vida. [97] Cuando recites El Qur'ãn, pide la protección de Al'lá del Shaitãn maldito, [98] ciertamente él no tiene la autoridad encima de aquéllos que creen y que confían en su Rab. [99] Su autoridad de la tentación, sólo está encima de aquéllos que traban amistad con él y comprometen el Shirk. [100]

16: [95-100]

SECCIÓN: 14

Cuando sustituimos un verso a favor de otro para elaborar con los ejemplos diferentes - y Al'lá sabe el mejor lo que Él revela en las fases - ellos dicen: "Tú eres sino un forjador." El hecho es que la mayoría de ellos no entiende. [101] Dígales, "El espíritu santo (*arcángel Gabriel*) lo ha revelado intacto poco a poco, sistemáticamente de su Rab para fortalecer la fe de los creyentes y para guiarles, y como las noticias buenas a los musulmanes." [102] Sabemos muy bien lo que ellos dicen acerca de ti: "En realidad es un ser humano el que le enseña." Pero el hombre a que ellos aluden habla un idioma que no es árabe, mientras esto (*El Qur'ãn*) está en el árabe elocuente. [103] De hecho, Al'lá no guiará a aquéllos que no creen en Sus revelaciones y tendrán un castigo doloroso. [104] Ciertamente, aquéllos que no creen en las revelaciones de Al'lá, son los que forjan la falsedad y ellos son los que son los mentirosos. [105] Cualquiera que es obligado a negar la fe después de haber aceptado, mientras su corazón permanece fiel a la fe, se absolverá; pero cualquiera que niega la fe de buena gana después de su aceptación y abre su pecho a la incredulidad, incurrirá en la ira de Al'lá y se castigará severamente. [106] Esto es porque las tales personas aman la vida de este mundo más que de la Ultima, y Al'lá no guía a aquéllos que desechan la fe sabiéndola. [107] Ésos son aquéllos cuyos corazones, oídos y vistas se han sellados por Al'lá; y ellos son los que están distraídos. [108] No hay ninguna duda que en la Ultima Vida, ellos serán los perdedores. [109] Por otro lado, Al'lá está, el más ciertamente, Indulgente y compasivo, hacia aquéllos que tenían que dejar sus casas después de haber perseguidos debido a su fe, y de haber, luego, combatidos y permanecidos pacientes firmemente.[110]   16: [101-110]

SECCIÓN: 15

En el Día del Juicio, cada alma vendrá suplicando para sí mismo y cada alma se pagará por completo por lo que ha hecho, y nadie sea tratado injustamente. [111] Al'lá propone como parábola, un pueblo que estaba disfrutando seguridad y paz, mientras recibiendo sus comestibles en la abundancia de todos los lados, pero se puso ingrato a los favores de Al'lá. Como resultado, Al'lá hizo a sus residentes gustar las consecuencias de su conducta, a través de infligir en ellos los infortunios del hambre y del miedo. [112] Un Rasúl se envió a ellos de entre ellos, pero ellos lo negaron; así que el castigo les dio alcance porque ellos eran los injustos. [113] Pues, que comen de las cosas buenas y lícitas que Al'lá ha proveído a ustedes; y que agradecen a Al'lá para Sus favores, si ustedes son sinceros en Su culto. [114] Él les ha prohibido que coman el carroño (*la carne de un cuerpo muerto*), la sangre, la carne de cerdo, y lo que haya sacrificado en nombre de alguien que no sea de Al'lá. Pero si uno se ve compelido por la necesidad, mientras no pensando a violar la Ley Divina ni transgredir los límites, entonces ciertamente Al'lá es Perdonador, Misericordioso. [115] No declaren falsamente con sus lenguas: "Esto es lícito, y eso se prohíbe" en el orden de atribuir las cosas falsas a Al'lá, porque aquéllos que forjan las mentiras contra Al'lá nunca prosperarán. [116] Mezquino es su goce de esta vida, y tendrán un castigo doloroso. [117] A los judíos, prohibimos esas cosas que ya hemos mencionado a ti, y no éramos Nosotros Quién impuso las penalidades en ellos, sino ellos impusieron esas penalidades para ellos mismos. [118] Sin embargo, tu Rab es Indulgente y Misericordioso hacia

Los incrédulos acusaron a Mujámad (pece) de ser enseñado el Qur'ãn por un cierto hombre, pero el hombre a que ellos aluden, es no-árabe, mientras el Qur'ãn está en el árabe elocuente.

No declare con su lengua lo que es Jalãl (licito) y lo que es Jarãm (ilícito) - Jalãl y Jarãm proceden de Al'lá.

aquéllos que hacen algo mal a través de la ignorancia, pero después se arrepientan y remiendan sus comportamientos. [119]   16: [111-119]

SECCIÓN: 16

Ibrãjïm era una nación en sí mismo.

De hecho, Ibrãjïm (*Abraham*) era una nación en sí mismo, un hombre Janïf (*de tener una tendencia innata hacia la verdadera creencia*) y obediente a Al'lá, y él no era de los mushrikïn. [120] Él siempre agradecía los favores de Al'lá Que le escogió y le guió a la Vía Recta. [121] Le dimos una vida buena en este mundo, y en el Ultimo él será entre los virtuosos. [122] Y ahora te hemos revelado Nuestro testamento, diciéndote: " Sigas la fe de Ibrãjïm, que fue Janïf, él que no era de los mushrikïn." [123] En cuanto al Sábado, se ordenó (*más estricto*) para aquéllos que difirieron acerca de su observancia. Ciertamente tu Rab juzgará entre ellos en el Día del Juicio, sobre lo que ellos discrepaban [124]   16: [120-124]

Llame hacia el camino de Al'lá con la sabiduría; con mejor consejo y razone con ellos de una manera atenta.

Llama a la gente al camino de tu Rab con la sabiduría y con un consejo mejor, y razone con ellos, si tienes que hacerlo, de la manera más atenta: porque tu Rab sabe mejor que nadie, a quién se desvía de Su Vía y Él sabe mejor que nadie quién se guía debidamente. [125] Si ustedes tienen que desquitarse, permitan su venganza ser correspondiente con el mal que se hizo a ustedes; pero si ustedes soportan con paciencia, ciertamente, la mejor retribución es para aquéllos que soportan con la paciencia. [126] Seas paciente - y no podrás tener paciencia sino con la ayuda de Al'lá - no te aflijas acerca de ellos, ni te angusties por sus conspiraciones, [127] porque Al'lá está con aquéllos que Le temen y que adoptan la actitud virtuosa. [128]

16: [125-128]

ŶÚZ (PARTE): 15

17: AL-ISRÃ

El periodo de Revelación

Esta Süra se reveló un año antes de la Jiy'ra (la migración hacia la Madina) en la ocasión del M'irã'y (la Ascensión) durante el último periodo de la residencia del Profeta en la Meca.

Incluye los siguientes principios, Leyes y Guías Divinas:

➢ *Isrã' y M'irã'y (Al'lá le dio una gira del universo al Profeta).*
➢ *Los Mandos divinos:*
   1. *Adoras nadie más que a Al'lá*
   2. *Seas amable y obediente a los padres*
   3. *Dé a los parientes y el necesitado*
   4. *No seas un avaro o un derrochador*
   5. *No mates a sus hijos por el miedo de la pobreza*
   6. *No comprometas el adulterio*
   7. *No mates sin causa*
   8. *No digas nada sin el conocimiento*
   9. *No camines arrogantemente en la tierra*
   10. *Salvaguarde la propiedad de los huérfanos*
➢ *Al'lá no engendra a los hijos, y aquéllos que dicen esto, profieran una mentira monstruosa.*
➢ *Hay una vida, ciertamente, después de la muerte.*
➢ *La obligación de Cinco Salávat (Las oraciones) Diarias y la oración de Tajayúd (la oración de la noche especial).*
➢ *Se envían los humanos como Rasúles a los seres humanos.*
➢ *Realices el Salá en una voz que ni no es demasiado fuerte ni demasiado suave.*

Esta Süra es una combinación maravillosa de la información, la advertencia, e instrucción que han estados juntos mezclado en la proporción equilibrada. Se amonestan los incrédulos de la Meca tomar una lección del fin miserable de los Israelitas y de otras comunidades y remendar sus maneras. Los Israelitas con quien Islam iba a entrar en el contacto directo en el futuro cercano en la Madina, también se han advertidos que ellos deben aprender una lección de los castigos que se infligieron en ellos. Ellos se advierten para aprovecharse del Profetismo de Mujámad (pece) desde que eso será la última oportunidad que ellos van a recibir.

Es un hecho claro que ese éxito de los humanos o fracaso, ganancia o pérdida, depende en la verdadera comprensión de Taujïd (la Unidad de Dios), Risãlat (Profetismo) y la Vida después de la muerte. Se proporcionan los argumentos convincentes para demostrar que El Qur'ãn es la escritura de Al'lá y sus enseñanzas son verdaderas y genuinos.

17: AL-ISRÃ

Esta Süra, revelada en la Meca, tiene 12 secciones y 111 versos.

En el nombre de Al'lá, el Compasivo, el Misericordioso

SECCIÓN: 1

Al'lá llevó a Mujámad (pece) en una gira del universo.

La gloria es a Él Quién hizo viajar a Su siervo en una noche, desde Masyid-al-Jarãm (*en Meca*) al Masyid-al-Aqsa (*en Jerusalén*), cuyo vecindad Nosotros hemos bendecido, para que podamos mostrarle algunas de Nuestras señales: ciertamente Él es Quien todo lo oye, todo lo ve. [1]

17: [1]

Al'lá cumplió la profecía hecha en la escritura Santa de los Israelitas que ellos crearán la travesura dos veces en la tierra y cada vez serán castigados. Y El Qur'ãn guía a la Vía Recta y perfecta.

Nosotros dimos a Musa (*Moisés*) la escritura e hicimos eso como una guía para los hijos de Israel, diciendo: "No tomen a cualquier otro como protector además de Mí. [2] Ustedes son los descendientes de aquéllos quienes llevamos en el Arca con Nüj (*Noé*), y él era, de hecho, un siervo muy agradecido." [3] Además de esto, decretamos respecto a los Hijos de Israel, en su Libro Santo, que harán la travesura en la tierra dos veces a través de volverse gran transgresores arrogantes (*y cada vez se castigarán*). [4] Cuando la primera de la dos promesas, anteriormente advertidas; llegó a ser cumplida, enviamos contra ustedes Nuestros siervos (*los Asyrianos*) quienes les dio una guerra terrible: así que ellos se alborotaron a través de sus casas para llevar a cabo el castigo de que ustedes fueron prevenidos. [5] Luego después de esto, Nos permitimos a ustedes el lujo de una oportunidad para dominarlos a ellos y les ayudamos con la riqueza e hijos y les concedimos que sean numerosos. [6] Si ustedes hicieran bueno, será a su propio beneficio; pero si ustedes hicieron el mal, sería una pena para sus propios egos. Luego, cuando llegó la segunda promesa, ya prevenida de ser cumplida, enviamos otro ejército (*los romanos*) para desfigurar sus rostros y entrar en su Templo como había entrado en él anteriormente, y ellos destruyeron absolutamente todos lo que apoderaron. [7] Ahora, su Rab puede ser, de nuevo, misericordioso a ustedes; pero si ustedes repiten la misma conducta, repetiremos el castigo, y en el Día del Juicio, hemos hecho al infierno como una prisión para los tales incrédulos. [8] Ciertamente este Qur'ãn guía a la Vía que es absolutamente recta y da las noticias buenas a los creyentes que hacen bien y que ellos tendrán una retribución magnífica;[9] y al mismo tiempo da las advertencias a aquéllos que no creen el Día del Juicio, que hemos preparado para ellos un castigo doloroso. [10]

17: [2-10]

SECCIÓN: 2

En el Día del Juicio, cada individuo se dará la

El hombre invoca para el mal tan fervorosamente como él invoca para el bien, y el humano siempre es apresurado. [11] Hemos hecho la noche y el día como dos señales. Hemos hecho el señal de la noche cubierto con la oscuridad y al día le hizo brillante, para permitirles que buscan la liberalidad de su Rab, y para que ustedes puedan numerar y computar los años. Así, Nosotros hemos explicado todas las cosas en detalle. [12] Hemos atado el destino de cada hombre a su propio cuello, y en el Día de la Resurrección sacaremos para él una Escritura que encontrará ya desenrollada, [13] diciéndole: " Aquí es la Escritura de tu hechos: léalo. Hoy tú mismo eres suficiente para ajustar tu propia cuenta."[14]

17: [11-14]

escritura de sus propios hechos.

Él que sigue la Vía Recta la sigue, realmente, a su propia ventaja; pero él que desvía, realmente, hace en detrimento propio. Nadie cargará la carga de otro en el Día del Juicio. Y (*durante su vida mundana*), nunca infligimos el castigo sin haber mandado antemano un Rasúl. [15] Siempre que hayamos pensado destruir a un pueblo, era porque enviamos Nuestros mandos a su gente, los que estaban llevando las vidas fáciles pero que mostraron la desobediencia; así es como se cumple la palabra decretada en su contra, y consecuentemente, arrasamos ese pueblo de la tierra. [16] ¡Cuántas generaciones hemos destruido desde el tiempo de Nüj (*Noé*)! Suficiente es su Rab para notar y ver los pecados de Sus siervos. [17]

17: [15-17]

Él eso que busca la guía hace por su propio bien y él quién va descaminado se hace para su propia perdición.

Él que desea las cosas transitorias de esta vida, le concedemos prontamente tales cosas lo que agradamos al quienquiera que queremos, luego Nosotros lo condenamos al infierno dónde él quemará, deshonrado y desechado. [18] Él que desea la Ultima Vida y esfuerza por alcanzarla, tan mejor como él puede, con tal de que él sea un creyente, el esfuerzo de cada tal persona se le reconocerá. [19] Nosotros les concederemos en abundancia a todos - a unos y a otros - fuera de las generosidades de tu Rab; ¡Las generosidades de tu Rab no se niegan a nadie! [20] ¡Mira cómo hemos exaltado a algunos más que a otros! Y, ciertamente, la Ultima Vida será, no obstante, más exaltada en la categoría y mayor en la excelencia. [21] No asocies otra deidad con Al'lá; si no, te encontrarás humillado, desamparado. [22]

17: [18-22]

Él quién desea las cosas transitorias de esta vida se da aquí, pero en la Ultima Vida, él se condenará al infierno.

SECCIÓN: 3

Tu Rab ha decretado que: Ustedes no se rendirán culto a nadie excepto a Él, y ustedes serán amables con sus padres; si uno de ellos o ambos les llegan la vejez junto a ti, no les dirá cualquier palabra de desprecio ni los rechazarás y se les dirigirá con las palabras cariñosas. [23] Bajarás sobre ellos sus alas de la humildad, misericordiosamente, y oras: "¡Rab! Ten misericordia de ellos así como ellos me acariciaron cuando yo era un niño." [24] Tú Rab sabe mejor lo que está en sus corazones. Si ustedes hacen los hechos buenos, ciertamente, Él es Indulgente a aquéllos que se vuelven a Él en el arrepentimiento. [25] Y darás a sus parientes próximos lo que les corresponde y también al necesitado y al viajero, pero no malgastes en derrochar [26] - los derrochadores son los hermanos del Shaitän y Shaitän es el ingrato a su Rab. [27] Hablarás cortésmente a las

Algunos mandos de Al'lá por los creyentes incluyen la conducta apropiada con los padres, con los parientes, y con la comunidad a lo largo.

personas necesitadas, si tú estás esperando por la generosidad de tu Rab, y te faltan los medios para ayudarlos. [28] No atarás tus manos a tu cuello (*seas avariento*) ni los estiras adelante a tu alcance sumo (*seas pródigo*); si no, te encontrarás censurado, destituido. [29] Ciertamente tu Rab concede abundantemente a quien Él Le agrada y económicamente a quien Él Le lega, porque Él es consciente de la condición de Sus siervos y les observa estrechamente. [30]   17: [23-30]

SECCIÓN: 4

Los mandos (continuados). .

No matarás a sus hijos por el temor a la miseria, porque somos Nosotros Quien les proveemos el sustento y a ustedes también; matarles, ciertamente, es una gran equivocación. [31] No acercarás al adulterio; ciertamente es un hecho vergonzoso y un mal camino (*abriendo la puerta a otros males*). [32] No matarás a nadie que Al'lá haya prohibido, salvo sólo a causa bajo la ley. Si cualquiera se mata injustamente, hemos concedido el derecho de la retribución a su heredero, pero que éste no exceda en la venganza, (*matando al culpable a través de tomar la ley en sus propias manos*), como él se apoya por la ley. [33] No irás cerca de la propiedad de un huérfano, exceptúe con la intención buena de mejorarlo, hasta que él logre su madurez. Cumplirás tus pactos; ciertamente, se sostendrás responsable para tus pactos. [34] Darás la medida llena, cuando mides, y pesarás con la balanza exacta; ésta es la mejor manera y demostrará ser el mejor por el fin. [35] No seguirás a nadie ciegamente tras algo de lo que no tienes ningún conocimiento. Ciertamente el uso de tus oídos, de la vista y del intelecto - todos éstos, se pedirá la cuenta en el Día del Juicio. [36] No caminarás arrogantemente en la tierra, que no eres capaz de hender la tierra ni puedes lograr la altura de las montañas. [37] Todos éstos, incluyendo tus aspectos malos, son detestables en la vista de tu Rab. [38] Esto es sino una parte de la sabiduría que tu Rab ha revelado a ti. ¡No asocies otras deidades como el objeto de tu culto, si no serás lanzado en el infierno, censurado, desechado! [39] ¡Eso que! ¿Tu Rab ha preferido darle hijos varones a ustedes, iba a tomar para Sí hijas de entre los ángeles? Ciertamente ustedes están profiriendo una declaración monstruosa. [40]
                                              17: [31-40]

SECCIÓN: 5

Si había otros dioses además de Al'lá, ellos habrían intentado para destronarlo.

Nosotros hemos explicado las cosas de las varias maneras en este Qur'ãn para que ellos puedan recibir la advertencia, pero esto no hace sino sólo agregar a su aversión. [41] Les Diga: ¡Si hubieran otros dioses además de Él como los incrédulos dicen, ellos hubieran intentado, ciertamente, encontrar una manera de destronar al Amo del Trono! [42] ¡Gloria a Él! Él es muy encima de las cosas que ellos dicen sobre Él. [43] Los siete cielos, la tierra y todos los seres que están en ellos, Le glorifican. No hay nada que no celebre Sus alabanzas, pero ustedes no comprenden sus himnos de Su gloria. El hecho es que Él es Benévolo, Perdonador. [44]   17: [41-44]

Cuando recitas el Qur'ãn, ponemos una barrera oculta entre ti y aquéllos que no creen en la Ultima Vida. [45] Cubrimos sus corazones y ponemos sordera en sus oídos, para que ellos no comprendan. Cuando en el Qur'ãn mencionas Su Unidad, ellos te dan la espalda en la repugnancia. [46] Somos bastante conscientes de lo que ellos realmente desean a oír, cuando ellos te escuchan, y lo que ellos dicen cuando ellos conversan en privado. Estos injustos dicen entre sí: "¡El hombre que ustedes siguen está, ciertamente, embrujado!" ¡Mira qué tipo de comparación te hacen! Ellos han sido extraviados, ciertamente, y no pueden encontrar la Vía Recta. [48] Ellos dicen: " ¡Qué! Cuándo nosotros nos reducimos a los huesos y polvo, ¿es verdad que se nos resucitará, de nuevo, a una nueva creación?" [49] Les Diga: " (*Claro que sí, el más ciertamente ustedes se traerán a la vida*), aun cuando ustedes son piedras o hierro [50] o incluso algo más difícil en que ustedes pueden pensar. Entonces ellos preguntarán: "¿Quién es que nos restaurará?" Diga: "Él, Quien lo creó a ustedes por la primera vez." Entonces volteando sus cabezas hacia ti preguntarán: " Bien, ¿cuándo será esto?" Diga, "¡Tal vez muy pronto! [51] Estará el Día, cuándo Él les llamará, y ustedes levantarán en la contestación a Él, con Su alabanza, y ustedes pensarán que permanecieron en el estado de muerte sino un poco tiempo." [52]   17: [45-52]

La creencia en la Ultima Vida es necesario para entender el Qur'ãn. La Ultima Vida es la vida después de la muerte.

SECCIÓN: 6

Dígales a Mis siervos que ellos deben hablar de la mejor manera que puedan. Ciertamente el Shaitãn siembra la discordia entre ellos. El hecho es ese Shaitãn es un enemigo declarado para la humanidad. [53] Su Rab es totalmente consciente de sus circunstancias. Él puede ser misericordioso a ustedes si Él quiere, o puede castigarlos si a Él Le agrada. ¡Profeta!, No te hemos enviado para que seas su guardián. [54] Tu Rab es totalmente consciente de todo lo que está en los cielos y en la tierra. Nosotros hemos exaltado a algunos profetas sobre los otros y hemos dado Zabür (*los Salmos*) a Dawüd. [55]   17: [53-55]

Los creyentes sólo deben hablar palabras buenas.

Diga: "Invoquen si ustedes quieren a aquéllos quienes ustedes afirman además de Él; ellos no tienen el poder para relevarlo de cualquier dolor ni modificarlo." [56] Aquéllos a quienes ellos invocan, ellos mismos buscan los medios de acercarse a su Rab. Ellos esperan en Su Misericordia y temen Su castigo, porque el castigo de tu Rab es muy temible. [57]   17: [56-57]

Los dioses inventados no tienen el poder para relevarlo de cualquier dolor.

No hay ningún pueblo sino que lo destruiremos ante del Día de la Resurrección o lo castigaremos con un castigo severo; este hecho se ha grabado en el Registro Eterno. [58] Nos abstenemos de enviar las señales (*los milagros*) sólo porque los hombres de generaciones anteriores les trataron como falsos. Por ejemplo, enviamos La Camella a la gente de Zamüd - un milagro visible - pero ellos actuaron muy injustamente con ella. Sólo enviamos las señales por motivo de infundir temor, (*para*

Por qué las señales no se envían a Mujámad (pece) como

los profetas anteriores.

advertir y si las personas rechazan la señal después de recibirlo, entonces ellos se condenan). [59] Recuérdate cuando te dijimos que, realmente, tu Rab rodea a la humanidad. Te hemos hecho la Visión que te mostramos, como una prueba para las personas así como el maldito árbol de Zaq'qüm que se menciona en el Qur'ãn. Los atemorizamos; aunque eso no les hace sino exceder aún más en su trasgresión inmoderada.[60]   17: [58-60]

SECCIÓN: 7

Shaitãn, su enemistad con los seres humanos, y su voto para seducir a ellos.

Revoque la ocasión cuando dijimos a los ángeles: "Postren ante Adam (*Adán*)." Ellos todos postraron excepto Iblïs (*Shaitãn*), quien contestó: "¿Postraré al quien has creado de la arcilla?" [61] Entonces él preguntó: "¿Dígame, es éste a quien has honrado sobre mí? Si Tú me das plazo hasta el Día de la Resurrección, yo pondré bajo mi dominio, ciertamente, a todos menos unos de sus descendientes." [62] Al'lá dijo: "¡Vete! Pues, el infierno será un amplio premio para ti y para aquéllos que te siguen. [63] Puedes intentar de tentar a quienquiera que puedes, con tu voz seductor. ¡Atácales contra ellos con toda tu caballería e infantería! ¡Asóciate en sus riquezas y en sus hijos, y les prometes lo que tú quieres!" Sin embargo las promesas de Shaitãn son nada más que un engaño. [64] "En cuanto a Mis siervos, no tendrás ninguna autoridad encima de ellos."Tu Rab es suficiente como su Guardián."[65]   17: [61-65]

Al'lá ha creado la transporte para ustedes en la tierra y en el mar.

Su Rab es Quien hace que surquen las naves por el océano, para que ustedes puedan buscar Su generosidad; de hecho, Él es Misericordioso con ustedes. [66] Siempre que cualquier adversidad les golpee en el mar, todos aquéllos a quienes ustedes invocan además de Él lo desamparan; aun así cuando Él les salva llevándoos a la tierra firme, ustedes se vuelven la espalda a Él. De hecho, el hombre es muy ingrato. [67] ¿Están seguros que Él no hundirá la tierra bajo ustedes, o que no enviará contra ustedes un tornado mortal? Luego, ustedes no encontrarían a nadie para protegerlos. [68] ¿Están ustedes seguro que cuándo, de nuevo, ustedes regresan al mar que Él no lo golpeará con violencia con una tempestad violenta y se lo ahogará por motivo de su Incredulidad? Si eso pasa, entonces ustedes no encontrarán a nadie, en favor de ustedes, que Nos demandará con respecto a este fin suyo. [69] Es Nuestro favor que hemos honrado a los hijos de Adam (Adán), les bendijo con las transmisiones en la tierra y en el mar, les proporcionó las cosas buenas y puras y los hemos exaltado marcadamente, sobre muchas de Nuestras criaturas.[70]   17: [66-70]

SECCIÓN: 8

La responsabilidad de cada comunidad y también de sus líderes.

Simplemente imagina la escena de ese Día cuando Nosotros llamaremos a cada comunidad con sus líderes respectivos: luego aquéllos que serán dados la Escritura de sus hechos en su mano derecha, los leerán con el placer y ellos no serán tratado injustamente ni si quiera como el filamento de la ranura de un hueso de dátil. [71] Pero aquéllos que jugaron ciegos en este mundo serán ciegos en la Ultima Vida, bastante peor que un ciego, para encontrar la Vía a la Salvación. [72]   17: [71-72]

El propósito de estas personas ha sido incitarte de Nuestras revelaciones, mientras esperando que tu podría fabricar algo en Nuestro nombre. Si hubieras hecho eso, ellos te habrían tomado como amigo. [73] Si Nosotros no hubiera fortalecido tu fe, podrías haber hecho algún compromiso con ellos. [74] En tal caso, te habríamos castigado doble en esta vida y doble en la muerte. Luego no habrías encontrado a ningún auxiliador contra Nosotros. [75] El propósito de ellos era intimidarte y así expulsarte de la tierra. En ese caso ellos no podrían quedarse aquí después de ti sino por poco tiempo. [76] Éste siempre ha sido Nuestra Sün'ná (el curso de acción) al respecto a todos los Rasúles quienes Nosotros enviamos antes de ti, y no encontrarás ningún cambio en Nuestro Sün'ná (el curso de acción). [77]   17: [73-77]

SECCIÓN: 9

Establezca el Salá del declive del sol hasta la oscuridad de la noche (*Zojar, Asr, Maghrib e Isha*) y la recitación del Fayar (*el alba*); porque la recitación del Fayar queda atestiguada (*por los ángeles*). [78] Durante una parte de la noche, ores Tajayúd, una oración adicional para ti, muy pronto tu Rab puede exaltarte al Makãm-e-Majmüd (*una estación digno de encomio*). [79] Durante la oración digas: "¡Rab mío! ¡Hazme entrar, a través de la entrada de la Verdad y hazme salir, a través de la salida de la Verdad! ¡Y concédeme, de Ti, una autoridad que me auxilie!"; [80] y declaras, "La Verdad ha venido y la falsedad ha desaparecido; porque la falsedad por su naturaleza se liga a perecer." [81] Hemos revelado el Qur'ãn que es una curación y una misericordia a los creyentes, sin embargo a los injustos agrega nada más que la pérdida. [82] El Hombre es una criatura extraña: cuando concedemos Nuestros favores en el hombre, éste se desvía y se aleja (*en lugar de venir más cerca de Nosotros*) y siempre que el mal lo toque, se desespera. [83] Diga: " Cada uno actúa según su propia disposición; pero sólo tu Rab sabe bien, quién está mejor dirigido por el Camino. [84]   17: [78-84]

SECCIÓN: 10

Y te preguntan acerca del Espíritu. Les Diga: " El Espíritu procede del orden de mi Rab y no se han dados ustedes sino muy poco conocimiento acerca de esto." [85] Si quisiéramos Nos retiraríamos lo que te hemos revelado, luego no encontrarías nadie para ayudarte en esto contra Nosotros. [86] Pero tu Rab te ha bendecido con este conocimiento; ciertamente Su bondad para ti ha sido, de hecho, grande. [87] Declares: "Aun cuando todos los seres humanos y los genios unieran sus recursos

No se permite ningún compromiso acerca de las leyes islámicas y de sus principios.

Salá (las oraciones) cinco veces diario y una oración extra (llamada Taja'yúd) específicamente para el Profeta Santo. Y El Qur'ãn es una curación y misericordia por los creyentes.

Ar-Rûj (el Espíritu) es el orden de Al'lá. Nadie puede producir un Qur'ãn como éste.

para producir la semejanza de este Qur'ãn, ellos nunca podrían componerlo, aunque se ayudaran mutuamente a lo máximo." [88]

17: [85-88]

En este Qur'ãn hemos usado toda clase de ejemplos para hacer a las personas entender el Mensaje, pues aun así la mayoría de ellos persiste en la incredulidad. [89] Ellos dicen: " Nosotros no creeremos en ti hasta que nos hagas brotar un manantial de la tierra para nosotros, [90] o hasta que se cree para ti un jardín con palmeras y uvas y que hagas los ríos fluir con agua abundante por medio de ellas; [91] o hasta que causas los pedazos del cielo caerse sobre nosotros como tú nos ha amenazado; o nos traigas a Al'lá y a los ángeles ante nosotros cara a cara, [92] o que tengas una casa hecha de oro; o que asciendas al cielo - pero tampoco nosotros ni siquiera creeremos en su ascensión hasta que nos haga bajar un libro que podamos leer." Dígales: ¡La gloria es a mi Rab! ¿He exigido yo alguna vez de estar más que un Rasúl o ser humano? [93]   17: [89-93]

Al'lá ha usado diferentes métodos en el Qur'ãn para hacer a las personas entender su Mensaje.

SECCIÓN: 11

Nada ha prevenido a las gentes de la creencia, cuando la guía vino a ellos, exceptúe la excusa: "¡Qué! ¿Ha enviado Al'lá un hombre igual que nosotros como un Rasúl?" [94] Dígales: "Si hubieran estado en la tierra ángeles andando tranquilamente, habríamos hecho que les bajara del cielo un ángel que fuera un Rasúl para ellos." [95] Dígales: " Suficiente es Al'lá como un testigo entre mí y ustedes. Ciertamente Él es Quien es Consciente y Atento de Sus siervos." [96] Aquél a quien Al'lá le guía es guiado debidamente; y aquél a quien Él permite desviar, no encontrará a ningún protector fuera de Él. En el Día de la Resurrección, les congregaremos a todos prono en sus rostros, ciegos, mudos y sordos. Tendrán el infierno por morada: siempre que sus llamas se apaguen, volveremos a encender para ellos la fiereza del Fuego. [97] Así será su retribución por que ellos rechazaron Nuestras revelaciones y dijeron: " Cuándo nos reducimos a los huesos y polvos, ¿es verdad que realmente nos resucitaremos a una nueva creación?" [98] ¿Es que no pueden ver que ese Al'lá Quien ha creado los cielos y la tierra tiene el poder para crear a las personas como ellos? Él ha puesto un término fijo para sus vidas, en que no hay ninguna duda: todavía los injustos se niegan a hacer algo excepto ser infieles. [99] Dígales: "Aun cuando ustedes tuvieran todos los tesoros de las bendiciones de mi Rab a su disposición, ustedes todavía los detendrían por el miedo de gastar. ¡El hombre siempre es tan tacaño!" [100]

17: [94-100]

Al'lá ha enviado un Rasúl humano a los seres humanos; si los moradores de la tierra habían sido los Ángeles, Al'lá habría enviado un ángel como un Rasúl. Sólo incrédulos pueden dudar de la vida después de la muerte.

SECCIÓN: 12

A Musa (*Moisés*) dimos nueve señales claras. Pregunta a los Hijos de Israel qué pasó cuando él (*Moisés*) vino a ellos y Fir'on le dijo: "¡Musa! Yo pienso que eres embrujado". [101] Musa contestó: "Tú conoces muy bien que nadie excepto el Rab de los cielos y de la tierra ha hecho

Se dio a Musa nueve señales; las personas todavía no lo

bajar estas señales como los ojo-abridores, y ¡Fir'on! (*Faraón*), ciertamente pienso yo, que eres condenado a la destrucción." [102] Pues, Fir'on se resolvió para quitar Musa y los Israelitas de la tierra, pero Nosotros lo ahogamos incluyendo todos que estaban con él. [103] Después de esto dijimos a los Hijos de Israel: " Establézcanse en la tierra y cuando llega a ser cumplido la Ultima promesa, Nosotros congregaremos a todos ustedes en tropel." [104]   17: [101-104]

creyeron.

Nosotros hemos revelado el Qur'ãn con la Verdad, y con la Verdad ha descendido: y sólo te hemos enviado para dar las noticias buenas a los creyentes y advertir a los incrédulos. [105] Nosotros hemos dividido el Qur'ãn en las secciones para que puedas recitar a las personas con la deliberación, y lo hemos hecho bajar estas revelaciones en las fases. [106] Dígales: "¡Si ustedes creen en él o no, es verdad que aquéllos que fueron dotados del conocimiento antes de su revelación, cuando a ellos se les recita, caen postrándoos, rostros en la tierra [107] y dicen, "¡Gloria a nuestro Rab! La promesa de nuestro Rab se ha cumplido." [108] Ellos se caen con sus rostros en la tierra, llorando (*mientras escuchando*), y esto aumenta su humildad." [109] Dígales: "Si ustedes Le llaman Al'lá o Le llaman Rajmãn (*Compasivo*); Como quieran que Le llamen, Él posee todos los nombres más bellos." No ofrezcas tu Salá en una voz demasiado fuerte, ni demasiado baja, sino que buscas un camino moderado, [110] y digas: "La alabanza es a Al'lá, Que no ha tomado para Sí ningún hijo y Quien no tiene ningún compañero en Su Reino; ni es Él desvalido para necesitar a un protector, y glorifica Su grandeza de la mejor manera posible. [111]   17: [105-111]

El Qur'ãn se revela en la Verdad y con la Verdad ha venido abajo en secciones para satisfacer cada ocasión, para la deliberación fácil. Ni ofrezca el Salá demasiado ruidosamente ni en una voz demasiado bajo, adopte el medio curso.

18: AL-KAHF

El periodo de Revelación

Ésta es la primera de esas Süras que se revelaron en la tercera fase (del quinto al décimo año) de ser enviado como Profeta en su estancia en la Meca. Las persecuciones de los musulmanes eran severas pero la migración a Jabsha no había tenido lugar todavía.

Incluye los siguientes principios, Leyes y Guías Divinas:

➤ *La historia de los Compañeros de la Cueva que ellos fueron despertados de su sueño, después de los centenares de años.*

➤ *Siempre que prometas hacer algo en el futuro, debes de decir " Insha Al'lá (Si Al'lá quiere)."*

➤ *Semejanza de esta vida mundana y su relación con la vida después de la muerte.*

➤ *La historia del Profeta Musa como un estudiante del Profeta Jidr.*

➤ *La historia del Rey Zul-Qarnain.*

➤ *Los favores de Al'lá son innumerables y no pueden grabarse aun cuando todos los océanos serían usados como tinta aun cuando añadiera cantidad similar de tinta para rellenarlo.*

➤ *Mujámad (pece) es sino un humanos igual que ustedes.*

Esta Süra se envió, básicamente, abajo en la respuesta a lo siguiente tres preguntas que los mushrikïn de Meca, en la consultación con los judíos, habían puesto al Profeta para probarlo:

1. *¿Quién eran los Compañeros de la Cueva?*
2. *¿Cuál es la historia real de Jidr?*
3. *¿Quién era el Zul-Qarnain?*

Estas tres preguntas eran acerca de la historia de los judíos, y eran desconocidas en Arabia. La intención de hacer estas preguntas era para probar si el Profeta realmente fue guiado Divinamente o se intentaría evitar las preguntas. Al'lá no sólo proporcionó una respuesta completa a sus preguntas sino también explicó las tres historias a la desventaja de los antagonistas del Islam.

Los interrogadores fueron informados que los Compañeros de la Cueva creyeron en la misma doctrina de Taujïd (la Unidad de Dios) qué estaba expuesta en el Qur'ãn y que su condición era similar a la condición de los musulmanes perseguidos de la Meca. Por otro lado, los perseguidores de los Compañeros de la Cueva se habían comportado de la misma manera hacia ellos como los incrédulos del Quraish estaban comportándose hacia los musulmanes. Además de esto, los musulmanes se han enseñado que aun cuando un creyente se persigue por una *sociedad cruel, él no debe arquear abajo ante la falsedad, más bien él debe emigrar de ese lugar si es necesario. Se dijeron los incrédulos de Meca que la historia del 'los Compañeros de la Cueva' eran de ahora en adelante una prueba clara sobre la Ultima Vida. Al'lá tiene el poder para resucitar después de un sueño largo de muerte como Él hizo en caso de los Compañeros de la Cueva.*

La historia de los Compañeros de la Cueva también se usa para advertir a los jefes de Meca que estaban persiguiendo la comunidad musulmana recientemente formada. Al mismo tiempo, el Profeta está instruyéndose que él debe en ninguna hechura del caso comprometer con los perseguidores ni él debe considerar que son más importantes que sus seguidores pobres. Esta historia también se significa a confortar y animar a los musulmanes oprimidos y relaciona a ellos cómo las personas virtuosas en el pasado preservaron su Fe. Por otro lado, se amonestan a los jefes de Quraish que ellos no deben resoplarse con esta vida transitoria de lo cual ellos están disfrutando; más bien ellos deben buscar la excelencia de la Ultima Vida, que será permanente y eterno.

18: AL-KAHF

Esta Süra, revelada en la Meca, tiene 12 secciones y 110 versos.

En el nombre de Al'lá, el Compasivo, el Misericordioso.

SECCIÓN: 1

Aquéllos que dicen que Al'lá ha engendrado a un hijo están profiriendo una mentira monstruosa.

La alabanza es a Al'lá Quien ha revelado la escritura a Su siervo y no ha puesto en él nada de tortuosidad. [1] Sino que le ha hecho sinceramente recto para que Él pueda advertir acerca del castigo terrible (*para los incrédulos*) que procede de Él y dar las noticias buenas a los creyentes que hacen los hechos buenos que ellos tendrán un buen premio, [2] lo que ellos disfrutarán para siempre. [3] Y más allá, para advertir a aquéllos que dicen "Al'lá ha engendrado un hijo." [4] Ellos no tienen el conocimiento sobre él, ni tenían sus antepasados, ésta es una palabra monstruosa que viene de sus bocas. Ellos hablan nada más que una mentira. [5] Pues tal vez te matarás con el pesar encima de ellos, si ellos no creen en este Mensaje (*El Qur'ãn*). [6]   18: [1-6]

La historia de los Compañeros de la Cueva.

Hemos engalanado la tierra con todos los tipos de ornamentos para probarles y ver quién de ellos se hace mejor de los hechos. [7] En el fin, reduciremos todo lo que está en su superficie a un baldío yermo. [8] ¿Crees que los Compañeros de la Cueva y de Ar-Raqim (*Inscripción: esto puede referirse la lápida en que sus nombres fueron inscritos o al nombre de su perro, o la montaña en qué la cueva se sitúa*) constituyen entre Nuestras señales maravillosas? [9] Cuando esos jóvenes tomaron el refugio en la cueva, ellos dijeron "Nuestro Rab! ¡Tenga la misericordia en nosotros de Ti y guíenos que nos conduzcamos correctamente!" [10] Pues, trazamos una vela sobre sus oídos (*dejamos en un sueño profundo*) durante varios años en la cueva, [11] y luego les despertamos para saber cuál de los dos grupos (*los creyentes y los incrédulos que estaban discutiéndoos acerca del hecho de la vida después de la muerte*) podría decir el mejor, la longitud de su estancia (*en el sueño*). [12]   18: [7-12]

SECCIÓN: 2

Ellos eran hombres jóvenes quienes declararon la verdad de la unidad de Al'lá. Ellos tenían que

Ahora Nosotros te contamos su historia real. Ellos eran hombres jóvenes que creían en su Rab, y a ellos habíamos concedido Nuestra guía. [13] Fortalecimos sus corazones cuando se levantaron y declararon: " Nuestro Rab es el Rab de los cielos y de la tierra, nunca invocaremos cualquier otra deidad excepto Él, porque si nos diríamos al contrario, estaríamos diciendo algo impropio. [14] Estas personas de nuestro pueblo han tomado otros dioses además de Él. Si ellos tienen razón, ¿por qué no traen alguna prueba convincente de su divinidad? ¿Hay alguien que es peor que quien inventa una mentira contra Al'lá?" [15] Entonces en su consultación mutua ellos dijeron: "Ahora que nosotros hemos retirado de ellos y hemos denunciado esas deidades quienes ellos se adoran al lado de

Al'lá, vamos tomar el refugio en alguna cueva; nuestro Rab se extenderá a nosotros Su misericordia y nos facilitará para disponer de nuestros asuntos." [16] Si pudieras mirarlos en la cueva, te aparecería que el creciente del sol estaría a lado derecho de su caverna, y al ponerse, les pasaría en la izquierda, mientras ellos estarán en un espacio abierto. Ésa es una de las señales de Al'lá. A quien Al'lá se guía es guiado debidamente; pero a quien Él permite ser desviado, encontrará ningún guardián para llevarlo a la Vía Recta. [17]   18: [13-17]

SECCIÓN: 3

Si pudieras verlos, podrías haber pensado que son despiertos, aunque, realmente, ellos dormían. Les volteamos a sus lados derechos e izquierdos, mientras disposición de su perro estaría con sus patas delanteras extendidas junto a la entrada. Si les hubieras mirado, te habría escapado de ellos ciertamente, y su vista te habría hecho huir en el terror. [18] De la misma manera milagrosa Nosotros les despertamos del sueño para que ellos pudieran preguntar entre sí. Uno de ellos preguntó: "¿Cuánto tiempo han estado aquí?" Los otros contestaron: "Quizás hemos estado aquí para un día o parte del día." Finalmente ellos concluyeron: "Nuestro Rab sabe el mejor cuánto tiempo nos hemos quedado aquí. Sin embargo, permitan que uno de nosotros vaya a la ciudad con su dinero, y que halle quién tiene la comida más pura y que nos traiga del mismo, algo que comer. Que debe comportar prudencialmente para que nadie descubra nuestro paradero. [19] Porque si ellos se averiguan de su existencia, apedrearán a ustedes a la muerte, u obligarán a ustedes de volver atrás en su fe y en ese caso ustedes nunca lograrán la felicidad." [20]
18: [18-20]

Así Nos revelamos su secreto a la gente para que ellos pudieran saber que la promesa de Al'lá es Verdadera y que no hay ninguna duda sobre la venida de la Hora del Juicio. (*Pero qué lástima que en lugar de considerar la Hora del Juicio*) ellos empezaron argumentar entre ellos acerca de los compañeros de la cueva. Algunos dijeron: "Erijan un edificio sobre ellos." Su Rab les conoce bien. Aquéllos que finalmente prevalecieron encima de su asunto dijeron: "Edificamos un lugar de culto encima de ellos." [21] Ahora algunos dirán: "Ellos eran tres y su perro fue el cuarto." Los otros supondrán: "Ellos eran cinco y su perro fue el sexto," y hay todavía otros que dirán: "Ellos eran siete y su perro fue el octavo." Dígales: "Sólo mi Rab sabe bien su número. Solamente unos pocos realmente saben su número correcto. Por consiguiente, no entres en la discusión con ellos sobre su número excepto de una manera superficial, ni preguntes a nadie por los compañeros de la cueva. [22]   18: [21-22]

SECCIÓN: 4

Nunca digas a propósito de nada "Lo haré mañana" [23] sin agregar: "Si Al'lá quiere" Y si te olvidas de decir esto, entonces

---

Notas al margen:

correr lejos y tomar el refugio en una cueva.

Ellos estaban en un estado de sueño. Al'lá despertó a ellos después de los centenares de años.

Su identidad fue descubierta para resolverse el problema disputado de vida después de la muerte: desafortunadamente en lugar de aprender eso, las personas estaban disputando sobre sus números.

Siempre que prometas hacer algo en el futuro, siempre, diga: " Insha Al'lá (Si Al'lá quiere)."

Nadie es autorizado para cambiar la Palabra de Al'lá, Proclame: "la Verdad de Al'lá ha venido, la opción es suya: creerlo o descreerlo."

La parábola de un creyente y de un incrédulo.

recordándose de tu Rab diga: "Espero que mi Rab me guiará y me traerá de lo que está más cerca a la recta guía." [24] Algunos dicen que ellos se quedaron en su cueva trescientos años a los que se agregan otro nueve. [25] Dígales: " Al'lá sabe mejor cuánto tiempo ellos permanecieron; Él es Quien sabe los secretos de los cielos y de la tierra; ¡Qué bien es Su vista y qué perspicaz es Su oído! Ellos no tienen ningún protector además de Él y Él no permite a nadie que asocie en Su orden. [26]   18: [23-26]

¡Profeta! Recita lo que se te ha revelado la escritura de tu Rab: nadie es autorizado para cambiar Sus Palabras y si se atreve a hacer cualquier cambio, no encontrarás ningún refugio para protegerlo de Él. [27] Seas satisfecho junto con aquéllos que invocan a su Rab por la mañana y por la tarde deseando de agradarle; y no permitas sus ojos que aparten de ellos por deseo de la Vida Mundana; ni obedezcas a aquél cuyo corazón hemos hecho que se descuide de Nuestro recuerdo, que sigue sus propios deseos y excede los límites en la conducta de sus asuntos. [28] Y proclames: "Ésta es la Verdad de su Rab. Ahora quién quiere, crea en él, y quién quiere negarse a creer, que no crea. En cuanto a aquéllos injustos que la rechazan, hemos preparado un Fuego cuyas llamas les dobladillarán como las paredes y techo de una tienda. Cuando ellos llorarán para la ayuda, ellos se lloverán con el agua tan caliente como el bronce fundido que escaldará sus rostros. ¡Qué bebida tan terrible y qué residencia tan horrible! [29] En cuanto a aquéllos que creen y hacen los hechos buenos, descansen con seguridad que Nosotros no dejamos perder el premio de él, quien actúe haciendo el bien. [30] Ellos son para quien habrán los Jardines de Edén por cuyo bajo fluyen los ríos; ellos se adornarán en eso con las pulseras de oro; ellos llevarán vestidos verdes de seda fina y el brocado rico y ellos reclinarán en las divanes suaves. ¡Qué premio más excelente y qué residencia más bonita! [31]   18: [27-31]

SECCIÓN: 5

Proponles esta parábola. Había dos hombres. A uno de ellos habíamos dado dos jardines de vides rodeados con las palmeras y habíamos puesto entre ellos la tierra para el cultivo. [32] Los dos de esos jardines rindieron los productos abundante y no fallaron de rendir a su máximo. Habíamos causado, incluso, un río para fluir entre los dos jardines. [33] Uno que tenía el producto abundante, dijo a su compañero mientras que conversaba con él: "Yo soy más rico que tú y mi clan es más poderoso que suyo." [34] Pues así, habiendo hecho mal a su alma, él entró en su jardín y dijo: "¡Pienso yo que este jardín jamás se perecerá! [35] Ni creo que vendrá la Hora del Juicio. Aun cuando yo me devuelvo a mi Rab, encontraré, ciertamente, incluso un lugar mejor que esto." [36] Su compañero contestó mientras que todavía conversaba con él: "¿Descree en Él Quien te creó de la tierra, luego de una gota de semen, y te formó en un hombre perfecto? [37] En cuanto a mí, Al'lá es el Quien es mi Rab y yo no asocio a nadie con Él. [38] Más te habría valido si al entrar en tu jardín hubieras dicho: '¡Que sea lo que Al'lá Le agrada; nadie tiene el poder excepto Al'lá!' Aunque me ves más pobre que tú en la riqueza e hijos, [39] Todavía mi Rab puede darme un jardín mejor que suyo, y puede lanzar los rayos del cielo en su jardín, convirtiéndolo en un baldío yermo. [40] o que su agua se pierda bajo la tierra sin que puedas encontrarla." [41] Lo que pasó fue que él amaneció con todos su producto de fruta destruido y las vides dadas volteretas hacia sus espalderas, y él retorcía sus manos con el pesar por todos que él había gastado en él. Él lloró: "¡Ojala que yo no hubiera asociado a nadie con mi Rab!" [42] Él estaba tan desvalido que él no podía encontrar alguien para ayudarle además de Al'lá, ni él mismo podía apartar esa catástrofe [43] - era entonces que comprendió que la protección real sólo viene de Al'lá. Suyo es la mejor recompensa y Suyo es el mejor fin. [44]   18: [32-44]

SECCIÓN: 6

Proponles la parábola de la vida de este mundo. Es como la vegetación de la tierra que florece con la lluvia del cielo, pero después la misma vegetación se convierte en hierba seca y partida que se sopla lejos por los vientos. Al'lá es Quien tiene el poder encima de todas las cosas. [45] Igualmente, la riqueza y los hijos son una atracción de esta vida mundana; pero las obras honorables que duran para siempre son premiadas bien por su Rab y sostienen para ustedes una mejor esperanza de la salvación. [46] Ustedes deben preparar para ese Día cuando pondremos las montañas en marcha y verán la tierra como una pérdida yerma; cuando Nos congregaremos a toda la humanidad junta, dejándose ni siquiera una sola alma atrás. [47] Todos ellos se traerán ante su Rab de pie en las filas y Al'lá dirá: "¡Bien! Ya ven que han devueltos a Nosotros como los creamos a ustedes al principio: ¡aunque ustedes exigían que no habíamos arreglado para cumplir con esta promesa de encontrarse con Nosotros!" [48] Luego, la escritura de sus obras se pondrá ante ellos. En ese momento verás a los pecadores en el gran terror, debido a lo que es grabado en eso. Ellos dirán: "¡Ay de nosotros! ¿Qué tipo de libro es esto? No omite nada, ni pequeño ni grande: ¡Todo está notado en esto! Allí encontrarán, todos lo que hicieron, ante ellos. Y tu Rab no será, en lo más mínimo, injusto con nadie. [49]   18: [45-49]

Similitud de la vida mundana y su relación con la vida después de la muerte.

SECCIÓN: 7

Y cuando dijimos a los ángeles: "Postren ante Adán," todos se postraron excepto Iblïs (*Shaitãn*), quien era uno de los genios y escogió desobedecer el orden de su Rab. ¿Tomarían ustedes, a él y sus descendientes, entonces, como amigos íntimos en lugar de tomarme a Mí, aun cuando ellos son Sus enemigos? ¡Qué mal permutación será para los injustos! [50] No les ha llamado para dar testimonio de la creación de los cielos y de la tierra, ni si quiera a su propia creación, ni Yo tomo a aquéllos que llevan la humanidad descaminado como Mis partidarios. [51]

El destino de aquéllos que siguen el Shaitãn y comprometen el Shirk.

En el Día del Juicio Al'lá les dirá: "Llamen a aquéllos quienes ustedes pensaban de ser Mis compañeros." Ellos les llamarán pero no recibirán ninguna respuesta; y causaremos un abismo entre ellos. [52] Los delincuentes verán el Fuego y sabrán que ellos van a entrar en él; pero no encontrarán ningún modo de escapar. [53] 18: [50-53]

SECCIÓN: 8

Al'lá ha dado todos tipos de ejemplos en el Qur'ãn para que las personas pueden entender Su Mensaje.

Nosotros hemos expuesto toda clase de ejemplos en este Qur'ãn para que la gente pudieran entender este Mensaje, pero el hombre es sumamente contencioso. [54] Nada puede impedir a los hombres de creer y buscar el perdón de su Rab ahora que esta Guía ha venido a ellos, a menos que ellos están esperando por el destino que dio alcance a las gentes anteriores o por el castigo que sea traído a ellos cara a cara. [55] Nosotros sólo les enviamos a los Rasúles proclamar las noticias buenas y dar las advertencias, pero los incrédulos con los argumentos falsos buscan derrotar la Verdad, a través de mofarse a Mis revelaciones y Mis advertencias. [56] ¿Quién es más injusto que aquel que habiendo sido recordado de las revelaciones de su Rab, se aparta de ellos y se olvida de lo que sus propias manos tendrán que presentar? Respecto a las tales personas, Nosotros hemos lanzado los velos encima de sus corazones, para que ellos no entienden este Qur'ãn, y se han puestos duro de oído. Llámenlos como ustedes puedan hacia la guía, ellos nunca se guiarán. [57] Tu Rab es Perdonador, el Señor de la Misericordia. Si hubiera sido Su Voluntad para asirlos por sus pecados, Él habría acelerado su castigo, pero para eso hay un tiempo designado después de cual ellos no encontrarán ningún refugio. [58] Se dieron todas esas naciones a quienes destruimos para sus males la plaza de un tiempo designado por su destrucción. [59]

18: [54-59]

SECCIÓN: 9

El Profeta Musa viajó para encontrar Jizr para aprender algunos de los conocimiento dados a él por el Al'lá Todos Poderoso y Jizr advirtió a Musa que él no podría llevar con él.

Ahora dígales sobre la historia de Al-Jidr a quien Al'lá ha dado el conocimiento especial. El Profeta Musa (Moisés) fue pedido ir a él y aprender de él. Cuando Musa partió para encontrárselo a un lugar designado, él dijo a su sirviente joven: "Yo no dejaré mi jornada hasta alcanzar la unión de los dos grandes masas de agua, aun cuando yo tengo que andar mucho años en el viaje." [60] Pues lo que pasó fue que cuando por fin ellos alcanzaron la unión de los dos grandes masas de agua, ellos se olvidaron del pez que ellos estaban llevando y esté tomo su camino hacia la gran masa de agua como a través de un túnel, y desapareció. [61] Cuando ellos habían pasado un poco de distancia, Musa le pedio a su sirviente joven: "Tráeme nuestra comida, realmente nosotros estamos cansados con este viaje." [62] Él contestó: "¡Sabes qué! Cuando nosotros estábamos descansando al lado de esa roca, yo me olvidé de decirte sobre el pez y era Shaitãn que me hizo olvidar de mencionar esta casualidad, y que éste se emprendió su camino hacia la gran masa de agua asombrosamente." [63] Musa dijo: "Eso es lo que estábamos buscando y regresaron volviendo sobre sus pasos. [64] Allí encontraron uno de Nuestros siervos (*Al-Jidr*) a quien habíamos bendecido con el favor especial venido de Nosotros y a quien habíamos dado el conocimiento especial venido propiamente de Nosotros. [65] Musa pidió de él: "¿Puedo seguirte para que me enseñes de ese Verdadero Conocimiento de lo que se te ha enseñado?" [66] Él contestó: " Ciertamente tu no podrás tener paciencia conmigo, [67] ¿Y cómo podrías tener paciencia sobre lo que es más allá de su pleno conocimiento?" [68] Musa dijo: " Si Al'lá quiere, me encontrarás paciente y yo no lo desobedeceré tus ordenes de ninguna forma." [69] Él dijo: "Si quieres seguirme, entonces no me preguntes nada sobre algo hasta que yo mismo te diga acerca de él." [70]   18: [60-70]

SECCIÓN: 10

Así se partieron ambos hasta que, cuando habían subido en una embarcación para cruzar el río, él (*Al-Jidr*) le hizo un agujero en él. Musa clamó: ¿Lo has hecho un agujero para ahogarse a sus pasajeros? ¡Has hecho, realmente, una cosa muy rara! [71] Él dijo: "¿No te dije que no podrías tener paciencia conmigo?" [72] Musa dijo: " Perdones mi olvido, no estés enfadado conmigo a causa de este error." [73] Pues, reanudaron ambos el viaje hasta que se encontraron a un muchacho, y (*Jidr*) lo mató. Musa dijo: "¿Has matado a una persona inocente aunque él no había matado a nadie? ¡Ciertamente has hecho algo horrible! [74]   18: [71-74]

El Profeta Musa no pudo resistirse preguntar cuando él hizo un agujero en el barco, y cuando él mató a un muchacho sin una razón clara.

ŶÚZ (PARTE): 16

Él (*Al-Jidr*) dijo: "¿No te dije que no podrías tener paciencia conmigo?" [75] Musa contestó: " Si yo te pregunto por algo después de esto, no me tengas más en tus compañía; porque entonces mí excusas ante ti serán agotados." [76] Y con eso, se pusieron de nuevo en camino hasta que llegaron a la gente de un pueblo. Ellos les pidieron algo para comer, pero los habitantes les negaron la hospitalidad. Allí encontraron, luego, una pared que era al punto de caerse, pues él lo restauró. Musa dijo: "Si hubieras querido, podrías exigir algún pago por eso." [77] Él (Jidr) contestó: "Ha llegado el momento de la separación entre tú y yo. Pero primero te explicaré esos actos míos en que tú no has podido tener paciencia. [78] En cuanto a la nave, pertenecía a algunos pescadores pobres que trabajaban en el mar. Yo quise dañarla porque detrás de ellos venía un rey que se

La historia del Profeta Musa y Jizr.

apropiaba a la fuerza de todas las naves. [79] En cuanto al muchacho, sus padres son los verdaderos creyentes, y nosotros temimos que él les afligiría con su rebeldía e incredulidad. [80] Era nuestro deseo que el Rab de ambos debe concederles en su lugar, un hijo más virtuoso y más afectuoso. [81] Y en cuanto a la pared, pertenecía a dos muchachos huérfanos de la ciudad y debajo de él había un tesoro que les pertenecía. Desde que su padre era un hombre virtuoso, su Rab quiso que estos niños, cuando alcanzaran su madurez descubrieran su tesoro. Todo esto se hizo como una misericordia vendida de tu Rab. Lo que hice no fue por mi propia cuenta. Ésta es la interpretación de aquellas acciones que no pudiste tener paciencia." [82]

18: [75-82]

SECCIÓN: 11

La historia de rey Zul-Qarnain.

Y te preguntan por el Zul-Qarnain (*Bicorne*). Dígales "Recitaré a ustedes alguna de su historia." [83] De hecho, le establecimos su poder en la tierra y de cada cosa le dimos todos los tipos de maneras y medios. [84] Pues, un tiempo él siguió una cierta expedición hacia el Oeste y él marchó adelante [85] hasta que él alcanzó al poniente del Sol (*El poniente*), encontró que éste se ponía en un manantial cenagoso, y junto a lo cual encontró a una gente. Dijimos: "¡Zul-Qarnain! Tienes la opción para castigarles o mostrarles bondad." [86] Él dijo: " Cualquiera que obre injustamente le castigaremos; luego volverá a su Rab que le castigará severamente. [87] En cuanto a él quién cree y hace los hechos buenos, tendrá un premio de lo más bello y se asignará una tarea fácil por nuestro orden." [88] Luego, él partió en otra expedición hacia el Este y marchó adelante [89] hasta que él vino a la salida del Sol (*El oriente*), él lo notó que salía sobre las personas a quienes no habíamos proporcionado ninguna protección de él (*del Sol; ellos eran tan primitivos que no sabían hacer ni siquiera casas o tiendas para vivir*). [90] Él les dejó (*en paz*) como estaban: Nosotros teníamos el conocimiento lleno de qué prioridad estaba ante él. [91] Luego, él partió en otra expedición y marchó adelante [92] hasta que él alcanzó entre dos montañas dónde él encontró a un pueblo que apenas podrían entender su idioma. [93] Ellos pidieron: "¡Zul-Qarnain! La gente de Llá'yuy (*Gog*) y Má'yuy (*Magog*) corrompen en la tierra; podemos pagarte tributo a cambio de que construirías una barrera (*de muralla*) entre nosotros y ellos." [94] Zul-Qarnain dijo: "El poderío que mi Rab me ha concedido está más que suficiente, simplemente ayúdenme con la mano de obra y erigiré una barrera fortificada entre ustedes y ellos. [95] Tráiganme los tableros de hierro." Finalmente cuando él había represado al espacio entre vertientes empinadas de las dos montañas, él dijo: "Soplen (*sus bramidos*)." Ellos hicieron así hasta que la pared férrica se pusiera roja viva, luego él dijo: " Tráiganme algún latón fundido para verter encima de él." [96] Ésta se volvió tal una barrera que Gog y Magog no pudieran escalarla o excavar a través de él. [97] él dijo: "Ésta es una bendición de mi Rab. Pero deben saber que cuando la promesa de mi Rab vendrá a pasar,

Él lo nivelará a la tierra, porque la promesa de mi Rab es eternamente Verdadera." [98] En ese Día Nosotros dejaremos a la gente mezclar entre si como olas tras olas. La trompeta se soplará y congregaremos a la humanidad toda junta. [99] Nos mostraremos el Infierno desplegado plenamente ante los incrédulos, [100] quienes se habían vuelto, a Mi advertencia, su ojo ciego y oído sordo. [101]   18: [83-101]

SECCIÓN: 12

¿Acaso los incrédulos piensan que pueden tomar a mis siervos como sus protectores para salvarse del Infierno, en lugar de Mí? Ciertamente hemos preparado el Infierno como entretenimiento para tales incrédulos. [102] Dígales: ¿Quieres saber quiénes serán peor tipo de perdedores en relación a sus hechos? [103] Aquéllos cuyos todos los esfuerzos, en esta vida mundana, habían ido extraviado de la Vía Recta, pero todo el tiempo, estaban bajo la impresión que ellos estaban haciendo, los que ellos pensaban, hechos buenos; [104] Ellos serán quienes habían negados las revelaciones de su Rab y que encontrarán a Él para dar la contabilidad de sus hechos en el Ultimo Día, consecuentemente todos sus hechos buenos se pondrán nulos y no llevarán ningún peso en el Día del Juicio. [105] Así el premio de tales personas será el Infierno; por no haber creído y por haber tomado a Mis revelaciones y a Mis Rasúles como un chiste. [106] Sin embargo, aquéllos que creen y hacen los hechos buenos, ellos se entretendrán con los Jardines del Paraíso [107] en que vivirán para siempre y nunca desearán ir en cualquier otra parte. [108] 18: [102-108]

Destinos de los Mushrikïn y de los creyentes en el Día del Juicio.

Dígales: "Si el océano fuera la tinta con que puedas escribir las palabras de mi Rab, el océano se agotaría, ciertamente, antes de que las palabras de mi Rab se acabaran, aun cuando añadiéramos cantidad similar de tinta para rellenarlo. [109]   18: [109]

Dígales: "No soy más que un ser humano como ustedes; me ha sido revelado a declarar que su Dios es un Dios Uno; por consiguiente, quienquiera que espera encontrarse a su Rab, debe hacer los hechos buenos y que no Le asocie ninguna otra deidad en el culto de su Rab." [110]
    18: [110]

Las palabras de Al'lá son innumerables y no pueden grabarse. Mujámad (pece) es un humano al igual que ustedes.

19: MARLLÁM

El periodo de Revelación

Esta Süra se reveló antes de la migración hacia el Jabash (Abisinia) durante la tercera fase de la residencia del Profeta en la Meca. Las tradiciones auténticas indican que Sallidunã Y'afar recitó los vv. 1-40 de esta Süra en la corte de Negus, el rey de Jabash, cuando él les llamó a los inmigrantes a su corte por la demanda del Quraish para su extradición.

Incluye los siguientes principios, Leyes y Guías Divinas:

- ➢ *La historia de Zakárílla (Zacarías) y el nacimiento del Profeta LLáj'lla (Juan) la paz esté con ellos.*
- ➢ *La historia de Marllam (María) y el nacimiento milagroso del Profeta Isa (Jesús) la paz esté con ellos.*
- ➢ *El profeta Isa tuvo un discurso con sus gentes siendo en la cuna.*
- ➢ *El hecho que Isa (Jesús) la paz esté con él, no es el hijo de Al'lá (Dios), y que no está merecido al Majestad de Al'lá ya que Él no es en la necesidad de tener un hijo (es decir para continuidad de Su nombre, fama, ayuda o de la raza).*
- ➢ *La historia del Profeta Ibrãjïm (pece) y su padre que era un mushrik.*
- ➢ *El hecho que todos los Profetas de Al'lá eran guiados divinamente y que eran las personas escogidas.*
- ➢ *La vida de los creyentes y los incrédulos en este mundo y en el Día de la Justicia.*
- ➢ *Aquéllos que dicen, "Al'lá ha engendrado a un hijo", predica tal una mentira monstruosa que si ellos pudieran oírlo, los cielos crujirían, la tierra se hendería y las montañas desmenuzarían a los pedazos.*
- ➢ *Al'lá ha hecho el Qur'ãn fácil para la humanidad.*

Los primeros musulmanes, la Migración y su Fondo Histórico:

Los jefes del Quraish no pudieron suprimir el movimiento islámico a través de la burla, sarcasmo, y amenazas, entonces ellos acudieron a la persecución y a la presión económica. Ellos les persiguieron, hicieron que sean hambrientos, les torturaron físicamente, y les coercieron a los musulmanes para que dejen el Islam. Las víctimas más lastimosas de su persecución eran las personas pobres y los esclavos. No es solamente que no eran pagados por el Quraish por sus manos de obra y el trabajo profesional, sino también sufrían de ser pegados, encarcelados, guardados sedientos y hambrientos e incluso eran arrastrados en la arena ardiente.

La condición de los musulmanes se había puesto tan intolerable que en el quinto año de la misión del Profeta, él aconsejó a sus seguidores en las palabras siguientes: "Ustedes pueden emigrar hacia el Jabash, porque allí hay un rey que no permite la injusticia a cualquiera. Ustedes deben permanecer allí hasta que Al'lá mande un remedio para su aflicción."

Tomándose la ventaja de este permiso, once hombres y cuatro mujeres salieron inmediatamente para Jabash. El Quraish les siguió a la costa pero afortunadamente ellos escaparon siguiendo un barco que salía para Jabash en el puerto del mar de Shu'aibah. Después de unos meses, otras personas siguieron a sus pasos y sus números subieron a ochenta y tres hombres y once mujeres de los Quraish y siete de los otros clanes. Se quedaron sólo cuarenta musulmanes con el Profeta en la Meca. Esta migración causó una gran agitación en la Meca, porque allí no era casi ninguna familia del Quraish que no había perdido un hijo, un yerno, una hija, un hermano o una hermana. Incluían en esto los parientes cercanos de Abu Yajal, Abu Sufllãn y otros jefes del Quraish que eran notorios por su persecución de los musulmanes. Como resultado, algunos de ellos se pusieron más amargos en su enemistad hacia Islam, mientras otros se movieron tantos que, viendo esto, abrazaron el Islam.

El Quraish celebró una reunión y decidió a enviar Abdula bin Abi Rabiá, el medio hermano de Abu Yajal, y Amr bin Al Á's con algunos regalos preciosos al rey de Jabash para persuadirlo de extraditar a los trabajadores migratorios por atrás a la Meca. Sallidá Úme Salmá que después se fue como una esposa del Profeta, estaba entre los trabajadores migratorios y que contó su historia en detalle. Ella dijo: "Cuando estos dos estadistas diestros del Quraish llegaron a Jabash, ellos distribuyeron los regalos entre los cortesanos del rey y los persuadieron de apoyar su demanda de extraditar a los trabajadores migratorios a la Meca. Entonces ellos se acercaron a Negus, el rey de Jabash, después de haber presentado los regalos preciosos, dijeron: "Algunos mocosos cabezudos de nuestra ciudad han venido a tierra de usted, por eso nuestros jefes nos han enviado a usted con la demanda que usted les envía amablemente por atrás. Estos mocosos han desamparado nuestra fe, no han abrazado el suyo, y han inventado una fe nueva." En cuanto ellos hicieran su demanda, todos los cortesanos apoyaron su caso, mientras diciendo: " Nosotros debemos enviar a las tales personas por atrás. No es apropiado para nosotros dejarlos aquí." A este el rey que se molestó dijo: "Yo no voy a enviarlos atrás sin el investigación apropiado. Desde que esas personas han puesto su confianza en nosotros a través de venir y tomar el resguardo en nuestro país en lugar de yendo a algún otro país, yo no les traicionaré. Enviaré para ellos e investigaré las alegaciones que estas personas han hecho contra ellos. Entonces yo tomaré mi propia decisión." Luego el rey ordenó a los inmigrantes para venir a su corte.

Cuando los inmigrantes recibieron los citatorios del rey, ellos reunieron y después de las discusiones largas decidieron: "'Nosotros presentaremos las enseñanzas del Profeta al rey sin agregar o detener algo, sin tener en cuenta si él nos permite permanecer aquí o nos expulsa de su país." Cuando ellos vinieron a la corte, el rey puso esta pregunta abruptamente: "Tengo entendido que ustedes han dejado la fe de sus propios gentes y ni tampoco han abrazado el fe mío, ni cualquier otra fe existente pero que han inventado una nueva fe. Me gustaría saber acerca de su nueva fe." A esto, Y'afar bin Abi Tãlib respondió en nombre de los inmigrantes, con estas palabras: "¡El rey! Nosotros éramos hundidos profundamente en la ignorancia y nos *habíamos vueltos muy corruptos; entonces Mujámad (pece) vino a nosotros como Mensajero de Al'lá y nos reformó, pero los Quraish empezaron a perseguirnos, por lo tanto hemos entrado a su país en la esperanza que aquí nosotros estaremos libres de la persecución." Oyendo esta declaración, el rey preguntó: "Por favor reciten una parte de la Revelación que su Profeta ha recibido de Al'lá." En la contestación, Sallidunã Y'afar recitó una porción de esta Süra que relaciona a la historia de Profetas LLáj'lla (Juan) e Isa (Jesús) (paz esté en ellos.) Cuando el rey escuchó, él empezó llorar y lloró tanto que su barba se mojó con las lágrimas. Cuando Sallidunã Y'afar terminó la recitación, él dijo: "El más ciertamente esta Revelación y el Mensaje que trajo Jesús han venidos de la misma fuente. Por Dios, yo no les pondré en las manos de estas personas."*

Próximo día Amr bin Al Á's hizo a otro esfuerzo. Él fue al rey y dijo: "Por favor pidas de nuevo por ellos y les pregunta acerca de la creencia que ellos sostienen sobre Jesús, porque ellos dicen una cosa horrible sobre él. "El rey ordenó de nuevo para traer a los inmigrantes los que ya habían ser informados sobre el esquema de Amr. Ellos reunieron de nuevo para discutir la respuesta que ellos deben dar al rey, si él pregunta por la creencia que ellos sostienen sobre el Profeta Jesús. Era una situación muy crítica y todos ellos estaban intranquilos sobre él; sin embargo, ellos decidieron que ellos dirían lo que Al'lá y Su Rasúl habían dicho sobre Jesús. El próximo día, cuando ellos fueron a la corte del rey, él les hizo la pregunta que se había sugerido por Amr bin Al Á's. Sallidunã Y'afar Abi Tãlib se puso de pie y contestó sin cualquier vacilación: "Jesús era un siervo de Al'lá y Su Mensajero. Él era un Espíritu y una Palabra de Al'lá que se había enviado a la virgen María." A este el rey recogió una paja desde la tierra y dijo, "Por Dios, Jesús estaba nada diferente (así como aun esta paja) de lo que ustedes han dicho sobre él." Después de este el rey devolvió los regalos del Quraish, diciéndoles: "Yo no acepto los sobornos." Entonces él se dirigió a los inmigrantes: "Ustedes son bienvenido en nuestro país y ustedes pueden quedarse aquí en paz."

Estas casualidades indican que Al'lá envió esta Süra como una "provisión" para los inmigrantes por su jornada hacia el Jabash. Siguiendo la historia de Profetas LLáj'lla e Isa, la historia del Profeta Ibrãjïm también está relacionada para el beneficio de los inmigrantes como que él también fue obligado a dejar su país por la persecución de su padre, su familia y sus compatriotas al igual que ellos. Por un lado se trataba de consolar a los inmigrantes, que su emigración estaría como seguir la tradición del Profeta Ibrãjïm, para que ellos pudieran esperar a un fin bueno similar al del él. Por otro lado, se intentaba de advertir a los incrédulos de la Meca que ellos eran similares a esas personas crueles que persiguieron a su antepasado y líder, Ibrãjïm, mientras los musulmanes estaban en una posición similar a eso de Profeta Ibrãjïm (pece).

19: MARLLÁM

Esta Süra se reveló en la Meca, con excepción del verso 58 que se reveló en la Madina, tiene 6 secciones y 98 versos.

En el nombre de Al'lá, el Compasivo, el Misericordioso.

SECCIÓN: 1

Kãf Jã' Llã' ' Ayn Suãd. [1] Éste es un recordatorio de las bendiciones que su Rab concedió en Su siervo Zakarílla, [2] cuando él invocó a su Rab en el secreto, [3] diciendo: "¡Rab! ¡Ciertamente mis huesos se han debilitado y mis cabellos han encanecido, Rab mío, cualquier tiempo que Te he invocado, nunca me has decepcionado! [4] Ciertamente, temo acerca de la conducta de mis parientes después de mí, porque mi esposa es estéril, ¡concédame un heredero, pues, de Tu parte; [5] quien me herede a mí y herede la posteridad de Lla'qüb, y hazle, Rab mío, una persona deseable!" [6] Nosotros contestamos su refrán de la oración: "¡Zakarílla! Te damos las noticias buenas de un hijo, su nombre será Lláj'lla (*Juan*): un nombre que nadie ha tenido antes de él." [7] Él preguntó: "¡Rab mío! ¿Cómo yo tendré un hijo cuándo mi esposa es estéril y yo me he quedado impotente por motivo de la vejez?" [8] La respuesta vino: "Así será." Su Rab dices: "¡No será una tarea difícil para Mí, así como Yo te he creado antes, cuando eras nada en absoluto!" [9] Zakarílla Le dijo "Rab! ¡Dame una Señal!" Él dijo: "Tu señal será que, durante tres noches no podrás hablar a las gentes estando muy bien de la salud." [10] Después, Zakarílla salió de su recámara y les dijo a su gente, a través de señas, que glorificaran a Al'lá por la mañana y por la tarde. [11] Al Lláj'lla, cuando él se creció, Nosotros dijimos: "Sostenga firmemente al Libro." Nosotros le concedimos sabiduría, aun cuando él era todavía un niño, [12] y también le concedimos la ternura y pureza por Nuestra gracia, y él creció a un hombre pío; [13] obediente a sus padres - él no era ni arrogante ni desobediente. [14] ¡Paz esté en él, el día que él nació, el día de su muerte y el Día que él se levantará de nuevo a la vida! [15]   19: [1-15]

La historia de Zakarilla y el nacimiento y juventud de LLáj'lla(Juan).

SECCIÓN: 2

Relacione a ellos la historia de Marllam en la escritura (*El Qur'ãn*) cuando ella retiró de su familia a un lugar en el Este. [16] Ella escogió ser ocultada de ellos con un velo. Enviamos a ella Nuestro ángel y él aparecía antes ella como un hombre en todo el aspecto. [17] Ella dijo: " Yo busco la protección del Rajmãn (*el Compasivo, Al'lá*) contra ti, déjame sola si es que temes a Al'lá." [18] Él dijo: "No tengas miedo, yo soy meramente un mensajero de tu Rab y llegue para decirte sobre el regalo de un hijo santo." [19] Ella dijo: "¿Cómo llevaré a un hijo, cuando ningún hombre me ha tocado ni soy impúdica?" [20] El ángel contestó: "Así será" Tu Rab dice: "Eso es fácil para Mí. Deseamos hacer a él como una Señal

La historia de Marllam y el nacimiento milagroso de Isa (Jesús).

para la humanidad y una bendición venida de Nosotros. Y este asunto ya se ha decretado." [21] Pues, ella concibió al niño y ella se retiró con él a un lugar remoto. [22] Entonces los dolores del parto la empujaron hacia el tronco de una palmera. Ella lloró en su angustia: "¡Ojala que hubiera muerto antes de esto, desapareciendo en el olvido!" [23] Un ángel la consoló desde abajo, diciéndola: "¡No te aflijas! Tu Rab ha proporcionado un arroyo a tus pies. [24] Si sacudes hacia ti el tronco de esta palmera, dejará caer, sobre ti, las dátiles frescas, maduras. [25] Para que comes, bebes y refresques tus ojos. Si ves a cualquiera, le digas: "He jurado un ayuno al Rajmãn (*el Compasivo*), pues, hoy no hablaré con nadie." [26]

19: [16-26]

Marllam trajo a su bebé (Jesús) a su gente, y el bebé hablo con su gente en la cuna para defender a su madre y proclamar su asignación para ser su Profeta

Llevándolo su bebé, ella regresó a sus gentes. Ellos dijeron: "¡Marllam! ¡Has traído algo raro para creer! [27] ¡Hermana de Jarün! (*una mujer de la familia noble*). Tu padre no era un hombre malo ni tu madre una mujer impúdica." [28] En la contestación ella meramente apuntó hacia el bebé. Ellos dijeron: "¿Cómo podemos hablar con un bebé en la cuna?" [29] Después de lo cual el bebé dijo: "Yo soy, de hecho, un siervo de Al'lá. Él me ha dado la escritura y me ha hecho un Profeta. [30] Me ha bendecido dondequiera que estoy. Y Él me ha ordenado para establecer el Salá y dar el Zaká mientras que viva. [31] Él me ha exhortado honrar a mi madre y no me ha hecho ni insolente ni tenaz. [32] Paz esté conmigo el día que yo nací, el día que me muera y el Día que me levantaré de nuevo a la vida. [33] Tal es Isa (*Jesús*) el hijo de Marllam, y ésta es la Verdadera declaración sobre él en relación a que ellos dudan. [34]   19: [27-34]

Isa (Jesús) no es el hijo de Dios, no está conviniendo al Majestad de Dios que Él engendre a un hijo.

¡No está apropiado a la majestad de Al'lá de engendrar (*tomar*) un hijo! ¡Gloria a Él! Cuando Él decreta algo, Él tan sólo le dice: "¡Sé!" y es. [35] Isa Mismamente declaró, "Al'lá es mi Rab y Rab de todos ustedes: por consiguiente sírvalo. Ésta es la Vía Recta. [36] Aun así, las sectas de entre ellos discreparon acerca de Jesús. ¡Ay de los incrédulos que serán castigados después de atestiguar esta Verdad en el Gran Día del Juicio! [37] ¡Qué bien podrán ver y oirán muy claramente en ese Día cuando ellos aparecerán ante Nosotros! Pero hoy estos injustos, no quieren ni oír ni ver la Verdad y están evidentemente extraviados. [38] ¡Prevenles contra el día del pesar intenso, cuando este asunto se decidirá, aunque en la actualidad ellos no están ni prestando la atención y ni lo creen! [39] Finalmente, todas las cosas perecerán y Nos heredaremos la tierra y todo lo que está en él, y todos ellos serán devueltos hacia Nosotros.[40]   19: [35-40]

SECCIÓN: 3

La historia de Ibrãjïm y de su padre idólatra.

Relaciones a ellos la historia de Ibrãjïm en la escritura (*El Qur'ãn*), él era un Profeta veraz. [41] Cuando dijo a su padre: "¡Padre mío! ¿Por qué rindes culto a lo que ni puede oír ni ver, ni te sirve de nada? [42] ¡Padre mío! Yo he recibido un conocimiento que no ha venido a ti, así que si me sigues: Yo te guiaré a la Vía Llana. ¡[43] ¡Padre mío! No se rinda culto al Shaitãn: porque Shaitãn es desobediente al Compasivo (*Al'lá*). [44] ¡Padre mío! Yo temo que algún castigo del Benéfico te puedes alcanzar, y que te hagas así un amigo del Shaitãn." [45] Su padre contestó: "¡Ibrãjïm! ¿Cómo te atreves renunciar mis dioses? Si no te detienes esta tontería, yo te apedrearé de hecho a la muerte: así que aléjate de mí por mucho tiempo." [46] Ibrãjïm dijo: "Paz esté contigo: Oraré a mi Rab por tu perdón, ciertamente Él ha sido muy Amable conmigo. [47] Estoy dejándolo a ustedes y a aquéllos quienes ustedes invocan además de Al'lá: Invocaré a mi Rab, tal vez mi Rab no se ignorará a mis oraciones." [48] Y cuando él dejó a ellos y a las deidades a quienes ellos se rendían culto además de Al'lá, le concedimos Isjãq y Lla'qüb, y los hicimos cada uno de ellos un Profeta. [49] Concedimos en ellos Nuestra Misericordia y el honor de ser mencionados con el buenísimo verdadero respeto. [50]   19: [41-50]

SECCIÓN: 4

Relaciones a ellos la historia de Musa en la escritura; ciertamente él era un hombre escogido y era un Rasúl y Profeta. [51] Le llamamos del lado derecho de la Montaña Tür (*Sinai*) y le honramos a acercarse para la conversación exclusiva. [52] Le hicimos a su hermano Jarün (*Aarón*) un Profeta con Nuestra bendición y lo asignamos como su ayudante. [53] También relaciones a ellos la historia de Isma`il en la escritura; él era un hombre de su palabra y era un Rasúl y Profeta. [54] Prescribía a su gente a establecer el Salá y dar el Zaká, y fue él con quien su Rab estaba bien contento. [55] Y también relaciones a ellos la historia de Idrïs en la escritura; él era un hombre Veraz y Profeta, [56] y a quien Nosotros elevamos a un lugar eminente. [57]   19: [51-57]

El Profetismo de Musa, Isma`il e Idrïs. (pece).

Éstos son algunos de los Profetas en quienes Al'lá concedió Sus favores de entre los descendientes de Adán y de aquéllos a quienes Nos llevamos en el Arca con Nüj, y de los descendientes de Ibrãjïm e Israel, y de aquéllos a quienes Nos guiamos y elegimos. Siempre que las aleyas del Compasivo (*Al'lá*) se recitaban a ellos, caían postrados llorando. [58] Pero las generaciones que les siguieron abandonaron el Salá y empezaron a seguir sus propias lujurias; así que ellos enfrentarán, muy pronto, las consecuencias de su desviación. [59] Sin embargo, aquéllos que se arrepienten, vuelvan a ser creyentes y hagan los hechos buenos, se admitirán al Paraíso y no se les hará mal en lo más mínimo. [60] Ellos se concederán los Jardines del Edén, lo que el Misericordioso ha prometido a Sus siervos, aunque ellos no los han visto, y Su promesa se cumplirá. [61] Allí ellos no oirán ninguna frivolidad, sino sólo las palabras de paz; y a ellos se proporcionará su sustento mañana y tarde. [62] Ése es el Paraíso que daremos como una herencia a aquéllos de Nuestros Siervos que hayan llevados una vida pía. [63] (*El arcángel Yibrïl (Gabriel) que trajo esta revelación después de un intervalo largo dijo*): "No descendemos del cielo excepto por el orden de tu Rab; a Él pertenece cualquier cosa que está ante nosotros (*pasado*) y cualquier cosa que está detrás de nosotros (*futuro*) y

Todos los profetas de Al'lá fueron guiados Divinamente y fueron escogidos por Al'lá.

todos lo que está en medio (*presente*). Tu Rab nunca se olvida de nada. [64] Él es el Rab de los cielos y de la tierra, y de todo lo que hay entre ambos, así que ríndaselo culto a Él, y que seas firme en Su culto. ¿Conoces a cualquier otro ser que merece ser Su homónimo?" [65]

19: [58-65]

SECCIÓN: 5

La vida de los creyentes y de los incrédulos en este mundo y en La Ultima.

El hombre dice: ¡Qué! ¡Una vez que soy muerto, ¿me levantaré de nuevo a la vida?! [66] ¿No se recuerda que anteriormente lo creamos fuera de nada? [67] Por tu Rab, los congregaremos en la compañía de todos sus Shaitãnes y luego, les arrodillaremos compareciendo alrededor del Fuego del Infierno; [68] luego de cada secta, ciertamente, arrastraremos fuera sus rebeldes más robustos contra el Compasivo (Al'lá). [69] Ciertamente, sabemos muy bien quiénes son los que más merecen de ser quemado en eso. [70] No hay ninguno entre ustedes, quien no pasará encima de él, este decreto absoluto de su Rab es inevitable; [71] luego, salvaremos a aquéllos que eran píos durante su vida en la tierra y abandonaremos a los injustos en eso, humillados y arrodillados. [72] Cuando Nuestras Revelaciones Claras se les recitan, dicen los incrédulos a los creyentes: "¿Quién, entre los dos de nosotros, está mejor situado y mejor acompañado?" [73] ¿No ven, cuántas generaciones hemos destruido antes de ellos, quiénes eran mucho mejor que ellos en las riquezas y en el esplendor? [74] Les diga: "Cualquiera que ha extraviado, el Compasivo (*Al'lá*) hace prolongar su tregua y extiende una oportunidad hasta que cuando vean a lo que ellos fueron advertidos; el castigo en este mundo o la Hora de Condenar - entonces pronto comprenderán a quien le pertenece la peor situación y a quien le pertenecen las tropas más débiles? [75] Indudablemente, Al'lá aumenta en la guía a aquéllos quienes buscan la guía; los hechos perdurables, las obras buenas, son mejor en la vista de su Rab para ganar una recompensa mejor y para rendir el resultado mejor. [76] Lo tienes notado las palabras de esa persona quien se rechaza a Nuestras Revelaciones y todavía alardea: "¡Yo siempre me recibiré riquezas e hijos!" [77] ¿Es que acaso tiene ganado el conocimiento de lo oculto o ha concertado un contrato con el Compasivo (*Al'lá*)? [78] ¡De ninguna manera! Tomaremos nota de lo que él dice y prolongaremos más y más su castigo. [79] Heredaremos todos de lo que él alardea, y él regresará a Nosotros, todo solo, dejando todas estas cosas por detrás. [80] Ellos han tomados otras deidades por el culto además de Al'lá, para que éstas serán como una fuente de fuerza para ellos. [81] ¡De ninguna manera! Esas mismas deidades renunciarán a sus cultos y se volverán contra ellos en el Día del Juicio.[82]

19: [66-82]

SECCIÓN: 6

Ningún dios aparte de Al'lá podrá salvarlo

¿No ves que hemos enviado a los Shaitãnes contra los incrédulos para que les instiguen contra la Verdad? [83] Por consiguiente no estés de prisa contra ellos, porque Nos tenemos sus días contados. [84] Vendrá, ciertamente, el Día cuando congregaremos a los virtuosos como invitados honrados antes el Compasivo, [85] y manejaremos a los delincuentes al Infierno como el ganado sediento se maneja hacia al abrevadero. [86] Ninguno tendrá el poder para interceder excepto él lo que puede recibir la sanción del Compasivo. [87] Aquéllos que dicen: " El Compasivo (*Dios*) ha engendrado un hijo," [88] Ciertamente prediquen tal una falsedad monstruosa, [89] que los mismos Cielos podrían crujir, la tierra podría partir y las montañas podrían demoler a los pedazos [90] - a su acto de atribuir un hijo al Compasivo, [91] no es consonante con la majestad del Compasivo (*Dios*) que se engendre un hijo. [92] No hay nadie en los cielos ni en la tierra que no venga al Compasivo (*Al'lá*) sino como Su siervo. [93] Él tiene conocimiento comprensivo y ha guardado cuenta estricta de todas Sus criaturas, [94] y cada uno de ellos vendrá individualmente a Él en el Día de la Resurrección. [95] Ciertamente, el Benéfico les conferirá el amor a aquéllos que creen y hacen los hechos buenos. [96] Hemos hecho, en realidad, este Qur'ãn muy fácil en tu propio idioma para que puedas dar las noticias buenas a los virtuosos y adviertes a la gente contenciosa cabezuda. [97] ¡Cuántas generaciones hemos destruido ante ellos! ¿Percibes a cualquiera de ellos, u oye de ellos, incluso, un murmullo? [98]

19: [83-98]

en el Día del Juicio y Aquéllos que dicen que Al'lá ha engendrado a un hijo, predican tal una mentira monstruosa que incluso los cielos pueden crujir, la tierra puede hender y las montañas pueden desmenuzar en pedazos. Y que Al'lá ha hecho el Qur'ãn fácil para la humanidad.

20: TUÃ-JÃ

El periodo de Revelación

El periodo de la revelación de esta Süra está igual que eso de la Süra Marllam. Simplemente es posible que se reveló durante la migración hacia el Jabash o poco después. Algunas tradiciones auténticas indican que esta Süra fue revelada antes de que Umar bin Al-Jatãb abrazara el Islam.

Incluye los siguientes principios, Leyes y Guías Divinas:

> ➢ El Qur'ãn es sino un recordatorio para aquéllos que temen a Al'lá.
> ➢ En el Último Día, la vida de este mundo parecerá ser nada más que de un día o una parte de un día.
> ➢ La historia del Profeta Musa (pece) como un Rasúl hacia el Fir'on y sus jefes.
> ➢ La famosa oración del Profeta Musa (pece) antes de empezar su misión.
> ➢ El diálogo entre el Profeta Musa (pece) y el Fir'on.
> ➢ La confrontación del Profeta Musa (pece) y los magos del Fir'on que después de haber atestiguado a los milagros aceptaron el Islam.
> ➢ Una escena del Día del Juicio.
> ➢ El Qur'ãn se envía en el idioma árabe para la comprensión fácil, así que hay que recitar y decir: "¡Rab! hágame aumentar mi conocimientos."
> ➢ La historia de la creación de Adán y las tentaciones del Shaitãn.
> ➢ Aquéllos que no leen El Qur'ãn y siguen sus direcciones, se levantarán en el Día de la Resurrección como ciegos.
> ➢ No envidies a otros por sus riquezas mundanas.

Esta Süra empieza con el objeto de la revelación del Qur'ãn que es meramente una advertencia y guía a la Vía Recta para aquéllos que temen a Al'lá y quieren salvarse de Su castigo. Este Qur'ãn es la Palabra de Al'lá Quien es el Creador de los cielos y de la tierra y la Deidad pertenece a Él solamente. Éstos son las realidades aunque uno les cree o no. Después de esta introducción, la historia del Profeta Musa (pece) se relaciona para amonestar a las personas de la Meca que sabían acerca de Musa (pece) como un Profeta de Al'lá debido a sus relaciones con los judíos y los reinos cristianos vecinos. Esta historia ha identificado los hechos siguientes:

1. Los principios fundamentales de Taujïd y de la Última Vida que fueron presentándoos por el Profeta Mujámad (pece), son iguales a los que trajo el Profeta Musa (pece) a su gente.

2. El Profeta Mujámad (pece) ha sido un Rasúl para traer el Mensaje de Al'lá a las personas de Quraish sin los medios mundanos, así como el Profeta Musa

(pece) ha sido un Rasúl sin medios mundanos para llevar el Mensaje de Al'lá a un rey tirano, Fir'on.

3. *La gente de la Meca estaban empleando los mismos trucos contra el Profeta Mujámad (pece) como Fir'on hizo contra el Profeta Musa (pece), es decir, objeciones frívolas, acusaciones, y las persecuciones crueles. Así como el Profeta Musa (pece) salió victorioso encima de Fir'on, Profeta Mujámad (pece) también venció a los Quraish, porque la misión que es apoyado por Al'lá siempre es victoriosa en el fin.*

4. *Los musulmanes se aconsejan para seguir el excelente ejemplo de los magos que permanecían firme en su fe aunque Fir'on los amenazó con la venganza horrible.*

Después de este, la historia de Adán está relacionada, como si para decirle al Quraish, "La vía que ustedes están siguiendo es la vía de Shaitãn, considerando que la Vía Recta para un hombre es seguir a su antepasado Adán que fue seducido por el Shaitãn pero cuando él comprendió su error, él simplemente confesó, se arrepintió y devolvió al servicio de Al'lá."

20: TUÃJÃ

Esta Süra, revelada en la Meca, tiene 8 secciones y 135 versos.

En el nombre de Al'lá, el Compasivo, el Misericordioso.

SECCIÓN: 1

El Qur'ãn es un recordatorio para aquéllos que temen a Al'lá, el Creador de los cielos y de la tierra.

Tuã Jã. [1] No te hemos revelado este Qur'ãn para afligirte, [2] sino como un recordatorio a aquéllos que temen a Al'lá. [3] Ésta es una revelación de Él Quien ha creado la tierra y los cielos altos, [4] El Benéfico (*Al'lá*) Quien se ha establecido firmemente en el trono de la autoridad, [5] A Él pertenece cualquier cosa que está en los cielos y en la tierra, y todo lo que hay entre ellos, incluyendo todo lo que está bajo la tierra. [6] Él, a Quien no tienes la necesidad de hablar en voz alta; porque Él sabe lo que Le dices en el secreto y lo que Le escondes todavía más recóndito. [7] ¡Eso es Al'lá! ¡No hay ninguna deidad digna de culto excepto Él! A Él Le pertenecen los Nombres más bonitos. [8]   20: [1-8]

El Profeta Musa fue al sagrado valle de ' Tuwa' en la montaña Tür.

¿Has oído la historia de Musa? [9] Cuando él vio un fuego, él dijo a su familia: "¡Esperen! yo ha observado un fuego. Quizá pueda yo traer a ustedes un poco de fuego o que hallazgo al lado del fuego alguien para guiarnos hacia la dirección correcta. [10] Cuando él alcanzó allí, él fue llamado: "¡Musa! [11] ¡Yo soy, ciertamente, tu Rab! Quítate los zapatos, pues eres en el sagrado valle de Tuwa. [12] Te he escogido, así que escuches a lo que yo estoy a punto de revelar. [13] Yo soy Al'lá, no hay nadie digno de culto excepto Yo, así que adórame a Mí y establezcas el Salá para recordarme. [14] La última Hora está de venir por seguro a lo que escogí guardarlo oculto, para que cada alma pueda premiarse según sus esfuerzos. [15] Por consiguiente, no permitas a cualquiera, quien no cree en este hecho y sigue sus propios deseos, que te desvíe de ella, pues entonces perecerás." [16]   20: [9-16]

Al'lá escogió a Musa como Su Rasúl y lo asignó hacia el Fir'aun (Faraón).

"¡Musa! ¿Qué es lo que tienes en tu mano derecha?" [17] Musa contestó: " Es mi bastón; me apoyo en él, pego abajo el forraje con él para mis rebaños y también lo empleo para otros usos." [18] Al'lá dijo "¡Tíralo abajo, Musa!" [19] Lo tiró y ahí no más convirtió en una serpiente que empezó reptar con rapidez. [20] Al'lá le dijo: "Cójalo y no tengas miedo, Nosotros lo cambiaremos a su forma original. [21] Ahora pongas tu mano bajo tu sobaco, te volverá brillante blanco sin dañarte, ésta será otra Señal. [22] Estos milagros te se dan para mostrarte como parte de algunas de Nuestras tan Grandes Señales. [23] Ahora vállate al Fir'on (*Faraón*) porque, de hecho, él ha transgredido todos los límites. [24]   20: [17-24]

SECCIÓN: 2

Musa oró: "¡Rab mío! Abre mi corazón, [25] haz fácil mi tarea [26] y quítame el impedimento de mi lengua (*conversación*) [27] para que la gente puedan entender a lo que yo digo [28] y concédeme un asistente de mi familia; [29] A mi hermano Jarün. [30] concédame fuerza a través de él [31] y asóciale a mi tarea, [32] para que nosotros podamos glorificarte frecuentemente, [33] y te mencionamos a menudo; [34] porque eres Tú Quien siempre ha estado mirando encima de nosotros. [35] Al'lá respondió: "¡Musa! Tu ruego ha sido escuchado." [36] Ya habíamos concedido, de hecho, nuestro favor en ti antes, [37] cuando Nos revelamos lo siguiente voluntad a tu madre: [38] " Ponga a tu hijo en la canasta y déjalo en el río. El río lo lanzará adelante al banco y será recogido por uno que es un enemigo Mío y suyo." Yo te hice un objeto de Mi amor y ha arreglado tales condiciones en que podía desarrollar bajo Mi vigilancia. [39] Cuando tu hermana fue a ellos y dijo: " ¿Quieren que le digo a ustedes quien podría encargar de este niño? ' Así te devolvimos atrás a tu madre para consuelo de sus ojos y para que ella no estuviera triste. De nuevo cuando mataste a un hombre, te salvamos del gran dolor y te probamos a través de los varios ensayos. Quedaste varios años con la gente de Mad'llan. ¡Musa! Has venido aquí por Nuestra preordinación. [40] Yo te he amoldado para Mi servicio. [41] ¡Váyanse tú y tu hermano con Mis Señales y no descuidan de mencionarme! [42] Vayan los dos de ustedes al Fir'on, porque él ha transgredido todos los límites. [43] Háblenle en las palabras mansas; quizás él puede poner atención al recordatorio o puede temer Nuestro castigo." [44] Musa y Jarün dijeron: "¡Nuestro Rab! Tememos que él pueda comportarse injustamente hacia nosotros o puede cruzar todos los límites." [45] Al'lá dijo: "No tengan miedo, Yo estaré con ambos de ustedes, oyendo y viendo todo. [46] Vayan, pues, a él y digan: "Los dos de nosotros somos enviados de tu Rab. ¡Permítales a los Hijos de Israel ir con nosotros y no los oprimes nada más! Te hemos traído una Señal de tu Rab; paz esté con él quien sigue la guía. [47] De hecho, se ha revelado a nosotros que el castigo caerá sobre el que se niega este hecho o que se desvíe. [48]

20: [25-48]

(*Cuando Musa y Jarün fueron a Fir'on y entregaron este mensaje*), él dijo: "Bien, y ¿quién es tu Rab, Musa? [49] Musa contestó: "Nuestro Rab es Él, Quien ha dado una forma distintiva a todas las criaturas y luego les ha guiado debidamente." [50] Fir'on preguntó: "¿Qué dices sobre la condición de generaciones anteriores? [51] Musa contestó: "Ese conocimiento está con mi Rab, debidamente grabado en un Libro. Él nunca comete un error ni Él se olvida." [52] Él es Él, Quien ha hecho la tierra como una cuna para ustedes, ha trazado los caminos en ella para ustedes; y hace descender agua desde el cielo." Con eso Nos brotamos las pares de varios tipos de vegetaciones [53] - de éstos ustedes mismos comen y pasten su ganado. Hay, ciertamente, Señales en eso para aquéllos que usan sus inteligencias. [54]

20: [49-54]

El Profeta Musa oró a Al'lá para abrir su corazón, facilitar su tarea y quitar el impedimento de su discurso para que las personas pueden entender lo que él dice. Al'lá concedió su demanda y le recordó Sus favores sobre él.

Dialogo entre Musa y Fir'aun.

SECCIÓN: 3

El ciclo de la vida humana. Fir'aun descreyó a Musa llamando sus milagros como truco de una magia y lo desafió confrontar a sus magos en público - Musa aceptó el desafío.

De la tierra hemos creado, a ella haremos devolver y de ella haremos salir de nuevo a todos ustedes. [55] Le mostramos todos los tipos de Nuestras Señales a Fir'on, pero él les negó y rehusó creer. [56] Él dijo: "¡Musa! ¿Has venido a nosotros para sacarnos fuera de nuestra tierra con tu magia? [57] ¡Muy bien, pues te confrontaremos con la magia para emparejar el suyo! Permítanos arreglar un día cuando los dos de nosotros encontramos, a la que ni nosotros ni tú debemos faltar, en un lugar dónde ambos de nosotros tendremos igual de riesgos." [58] Musa contestó: "Dejamos que sea el Día de la Gran Fiesta y que la gente se congregue antes del mediodía." [59] Fir'on se retiró entonces, y después de planear su estrategia, regresó. [60] Musa se dirigió diciéndoles: "¡Ay de ustedes para este desafío! No se forjen una mentira contra Al'lá llamándolo una magia, si no, Él destruirá a ustedes con un castigo; porque seguramente, todos los que fabrican falsedades fracasan. [61] Oyendo esto, debatieron su caso entre ellos, mientras susurrando entre sí mismos. [62] Finalmente ellos dijeron: "Estos dos (*Musa y Jarün*) son ciertamente magos especialistas que piensan sacar a ustedes fuera de su tierra con su magia y acabar con sus tradiciones más apreciadas. [63] Por consiguiente, reúnen su astucia y enfréntelos con un frente unido. (*Finalmente cuando el día de confrontación vino*), Fir'on dijo: " Quienquiera que sale victorioso este día prevalecerá."[64]   20: [55-64]

La confrontación entre Musa y los magos de Fir'aun. Después de dar el testimonio del milagro de Musa los magos aceptaron el Islam. Dialogo entre los magos y Fir'aun.

Los magos dijeron: "¡Musa! ¿Quién tirará primero, tú o nosotros?" [65] Musa contestó: " Prosigan ustedes, pues."De repente aparecía a Musa como si sus cordones y bastones estuvieran reptando, debido a su magia, [66] y Musa concibió el miedo en su interior. [67] Dijimos: "¡No tengas miedo! Saldrás tú, ciertamente, en la cima." [68] Tirase lo que está en tu mano derecha. Tragará a todos lo que ellos han producido. Lo que ellos han producido es nada más que el truco de un mago; y no importa qué hábil él puede ser, un mago nunca puede tener éxito contra un milagro." [69] Cuando los magos vieron la serpiente de Musa que se tragó a todos sus despliegues, (*siendo los profesionales ellos ya sabían que eso no era un acto mágico*), por eso los magos se humillaron y postrándose dijeron: " Nosotros creemos en el Rab de Jarün y de Musa." [70] Fir'on dijo: "¿Cómo les atreve a ustedes de creer en Él sin mi permiso? Ahora veo que este hombre es su maestro que les ha enseñado la magia. Bien, yo amputaré sus manos y pies en los lados opuestos y crucificaré a todos ustedes en los troncos de palmeras; así ustedes sabrán, ciertamente, quién de nosotros puede infligir un castigo más cruel y más duradero." [71] Los magos contestaron: "No te podemos preferir, más bien nosotros preferimos al milagro que nosotros hemos atestiguado y a Él Quien nos ha creado. Por consiguiente, haga cualquier cosa que a ti te antoja; pues sólo puedes decidir sobre esta vida mundana. [72] En cuanto a nosotros, hemos creído en nuestro Rab para que nos perdone nuestros pecados y la magia a que nos has obligado. Al'lá es mejor y más duradero." [73] Ciertamente él quien vendrá a su Rab siendo culpable se consignará al Infierno - en que no podrá morir ni vivir. [74] Mientras él, quien vendrá a Él como un creyente y habiendo practicado los hechos buenos, tendrá la categoría más alta [75] - los Jardines de Edén por cuyos bajo fluyen los ríos, vivirá en eso para siempre, así es el premio de aquello que se purifica del mal. [76]   20: [65-76]

SECCIÓN: 4

Enviamos Nuestra inspiración a Musa, diciéndole: "Parta por la noche con mis siervos y ábreles un camino seco para ellos a través del mar sin el miedo de darse alcance por Fir'on y sin cualquier temor mientras que estas atravesando el mar." [77] Fir'on les siguió con todo sus ejércitos pero las aguas del mar les agobió y cubrió por completo. [78] Así que Fir'on desencaminó a su gente en lugar de guiarlos bien. [79] ¡Hijos de Israel! Nos salvamos a ustedes de su enemigo, arreglamos una cita para concederles El Taurãt en el lado derecho de la Montaña Tür y enviamos abajo a ustedes el Maná (*el plato dulce*) y la Salwa (*la carne de la codorniz*) [80] - diciéndoles: "Coman de las cosas buenas fuera de lo que hemos proveído, pero sin transgredir. Si no, incurrirán en Mi ira, y quienquiera incurre en Mi ira, se perecerá ciertamente. [81] Yo soy, ciertamente, Indulgente con que se arrepiente, se vuelve un creyente, hace los hechos buenos y luego sigue la Vía Recta." [82]   20: [77-82]

> La liberación de los Hijos de Israel de la esclavitud de Fir'aun.

Cuando Musa vino a la montaña Tür, Al'lá dijo: "Pero, ¿por qué has venido con tanta prisa en alejarte de tu pueblo, Musa?" [83] Él contestó: " Ellos estaban siguiendo detrás de mí, yo aceleré a Tu encuentro, Rab mío, para buscar Tu complacencia." [84] Al'lá dijo: "¡Bien, entonces escuches! Probamos a tu pueblo en tu ausencia y el Samirí (*Samaritano*) los ha llevado descaminado." [85] Pues entonces Musa regresó a su gente en un estado de enojo y de dolor. Él dijo: "¡Pueblo mío! ¿No había prometido su Rab una promesa bondadosa a ustedes? ¿Acaso mi ausencia parecía demasiado larga para ustedes? O ¿Es que les gustaría que caiga el enojo de su Rab a ustedes por motivo de romper su promesa conmigo?" [86] Ellos contestaron: "No hemos faltado la promesa lo que te habíamos hecho, por ninguna falta por nuestra parte. Nosotros fuimos obligados llevar la carga de los ornamentos del pueblo y los tiramos en el fuego, así Samirí sugirió, quién tiró en el algo [87] y les hizo en la forma de un ternero que produjo el sonido de mugir. Entonces ellos clamaron: "¡Éste es su dios y el dios de Musa, pero que Musa ha olvidado!" [88] ¡Eso qué! ¿No podrían ver que no les daba ninguna contestación y que no pudiera ni dañarles ni ayudarles? [89]   20: [83-89]

> Cuando el Profeta Musa fue a Montaña Tür para la comunión con Al'lá - Israelitas empezaron adorar al ternero en su ausencia.

SECCIÓN: 5

La investigación de Musa acerca de la adoración, su decisión sobre Sâmiri, Ternero Dorado y su dirección a su gente.

Jarün ya les había dicho: "¡Pueblo mío! Esto es pero una prueba para ustedes; realmente su Rab es el Compasivo (*Al'lá*): pues deben de seguir a mí y hagan lo que yo lo ordeno." [90] Ellos habían contestado: " No abandonaremos a su culto hasta el retorno de Musa. [91] Entonces Musa se dirigió hacia Jarün: "¡Jarün! ¿Qué es lo que te ha impedido a seguirme, cuándo les vio que se extraviaban? ¿Desobedeciste mis órdenes?" [92] Jarün contestó: ¡Hijo de mi madre! No me agarres por mi barba ni por los pelos de mi cabeza, en realidad tuve miedo que me dijeras: "Has causado una división, a través de la guerra civil, entre los Hijos de Israel y que no has respetado lo que te dije." [93] Entonces Musa se dirigió hacia Samirí: "Y tú Samirí, ¿Qué es lo que tienes que decirme sobre esto?" [94] Él contestó: " Yo ha visto lo que ellos no lo vieron, porque yo tomé un manojo de polvo de la huella del enviado (*el Ángel Gabriel*) y lo he arrojado en la fundición del ternero: así incitó mi alma a mí." [95] Musa le maldijo: "¡Sálgase de aquí! Ahora durante toda tu vida, dirás gritando: 'No me toques'; y no escaparás de tu sentencia designada. Mírelo a este dios a quien te había vuelto un adorador consagrado: lo quemaremos y esparciremos sus cenizas en el mar." [96] Luego, él se dirigió a su gente: "¡Gente mía! Su único Dios verdadero es Al'lá, aparte de Quien no hay ningún otro dios. Su conocimiento abarca todas las cosas." [97]

20: [90-98]

El Qur'ãn es sino un recordatorio y la vida de este mundo parecerá nada más que un día en el Ultimo Día.

Así es como te contamos algunos de los eventos pasados; y de hecho te hemos enviado este Recordatorio (*El Qur'ãn*) procedente de Nosotros mismo. [99] Él que lo rechaza, llevará una carga pesada en el Día de la Resurrección. [100] Pues eternamente se llevarán, ¡Qué carga más pesada que tendrán en el Día de la Resurrección! [101] El Día, cuando la Trompeta se soplará y congregaremos a todos los pecadores, sus ojos se pondrán azules con el terror. [102] Murmurarán entre ellos: "Apenas habían permanecidos diez días en la tierra." [103] Sabemos totalmente bien lo que ellos van a decir; lo más sutil para la estimación entre ellos dirá: "No permanecieron nada más que un día." [104]

20: [99-104]

SECCIÓN: 6

Una escena del Día del Juicio.

Ellos te preguntan acerca de las montañas. Dígales: " Mi Rab les aplastará y esparcirá como un polvo fino. [105] Convertirá la tierra en una llanura nivelada [106] en que ustedes no verán ni si quiera una curva ni pliegue." [107] - En ese Día las personas seguirán la llamada del Pregonero, nadie se atreverá de mostrar cualquier desviación; sus voces callarán antes el Benéfico (*Al'lá*), y no se oirá nada más que el susurro de los pies en la marcha. [108] En ese Día, no estará ninguna intercesión excepto del uno a quien el Benéfico (*Al'lá*) concederá Su permiso y cuya palabra fuera aceptable para Él. [109] Él sabe lo que tienen por delante y lo que tienen por detrás, mientras ellos no abarcan el conocimiento sobre Él. [110] Todos los rostros se humillarán ante el Viviente, el Subsistente (*Al'lá*). Se condenará lo que está llevando la carga de iniquidad: [111] pero el que es un creyente y hace los hechos buenos no temerá ninguna tiranía o injusticia. [112]

20: [105-112]

Así que hemos enviado este Qur'ãn en el árabe y ha proclamado en él, muy claramente, algunas de las advertencias para que ellos puedan poner la atención o que les pueda servir como un recordatorio. [113] ¡Exaltado sea Al'lá, el Rey verdadero! No aceleres para recitar el Qur'ãn antes de que su revelación es completamente llevado a ti, y luego digas: "¡Rab! Auméntame en mi conocimiento." [114] Ya habíamos tomado antes un convenio de Adán, pero él se olvidó. Nosotros no encontramos en él la determinación firme. [115]

20: [113-115]

SECCIÓN: 7

Y cuando dijimos a los ángeles "Postren ante Adán," todos ellos se postraron excepto Iblïs (*Shaitãn*), quien se negó. [116] entonces dijimos: ¡Adán! Éste es un enemigo real para ti y para tu esposa. No le permitas que saque a los ambos de ustedes afuera del Paraíso, pues vas a encontrarte en la miseria." [117] En el Paraíso no sufrirás hambre ni desnudez; [118] No padecerás de la sed ni ardor del sol. [119] - Pero Shaitãn lo sedujo diciéndole: "¡Adán! ¡Déjame mostrarte el Árbol de la Inmortalidad y de un reino eterno! [120] Los dos de ellos terminaron comiendo la fruta del árbol prohibido. Como resultado sus partes privadas se revelaron a los dos y empezaron a cubrirse con las hojas del Jardín. Así fue que Adán desobedeció su Rab y se cayó en el error. [121] Después Adán se arrepintió y su Rab le escogió (*para Su misericordia*), aceptó su arrepentimiento y le guió, [122] diciendo: " ¡Bajen de aquí ustedes los dos! ¡Todos! (*Adán, Eva e Iblïs*); seguirán siendo los enemigos entre sí. Pues sí venga a ustedes la guía por parte Mía y el que seguirá esta guía no se extraviará ni será desgraciado; [123] pero el que se aparte de Mi recordatorio, vivirá una vida de miseria y le resucitaremos como una persona ciega en el Día de la Resurrección." [124] Él dirá: "¡Rab! ¿Por qué me has resucitado ciego, siendo así que yo podía ver antes? [125] Al'lá dirá: "Del mismo modo como Nuestra revelaciones llegaron a ti y olvidaste; así hoy eres tú olvidado." [126] Así retribuiremos a quien haya cometido transgresiones y no haya creído en las revelaciones de su Rab. El castigo de la Vida Eterna será más terrible y más duradero. [127] ¿Es que a estas personas no les sirve de guía para ver, cómo antes de ellos hemos destruido generaciones enteras a través de cuyas ruinas ellos caminan? Hay Señales ciertamente en estas ruinas para las personas dotadas de inteligencia. [128]

20: [116-128]

El Qur'ãn se envía en el árabe para enseñar y recordar, pues leas y diga: "¡Rab mío!, auménteme mis conocimientos."

La historia de la creación de Adán y la tentación de Shaitãn. Al'lá perdonó el pecado de Adán, lo escogió y lo guió a la Vía Recta. Aquéllos que no leen el Qur'ãn y siguen su guía, se levantarán ciegos en el Día de la Resurrección.

SECCIÓN: 8

No envidies a otros en los beneficios mundanos, más bien busques el placer de Al'lá si quieres lograr el fin bendito.

Si ya no tenía decretado su Rab anteriormente y por la existencia de un plazo ya designado, habrían sido necesariamente castigados. [129] Por consiguiente, seas paciente con lo que ellos dicen. Glorifiques tu Rab con Sus alabanzas antes de la salida del sol y antes del ocaso, glorifíquelo durante las horas de la noche y también en las horas extremas del día, para que puedas encontrar la satisfacción. [130] No fatigues tus ojos viendo a los beneficios mundanos que hemos dado a algunos entre ellos, porque el propósito de esto es ponerlos a prueba. La provisión lícita procedente de tu Rab es mucho mejor y más duradera. [131] Ordena a tu gente el Salá y seas diligente en su observancia. No exigimos nada de ti; en cambio Somos Nosotros Quienes proporcionamos el sustento a ti. El buen fin está destinado a los que temen a Al'lá. [132]   20: [129-132]

El Qur'ãn es una señal de Al'lá para que no puede haber ninguna excusa para los incrédulos en el Día del Juicio.

Dicen: "¿Por qué no nos trae una Señal de tu Rab?" ¿Acaso no ha llegado a ellos una Señal clara (*El Qur'ãn*) conteniendo todas las enseñanzas de las Escrituras anteriores? [133] Si les hubiéramos destruido por medio de un castigo, ellos habrían dicho: "¡Nuestro Rab! Si sólo nos hubieras enviado un Rasúl, habríamos seguido Sus revelaciones ciertamente, antes de haber caído en la humillación y en la vergüenza." [134] Dígales: "Todos están esperando: así que ustedes también esperan si quieren. Muy pronto ustedes averiguarán, quién está siguiendo la Vía Recta y quién se ha guiado debidamente. [135]   20: [133-135]

ÝÚZ (PARTE): 17

21: AL-ANBILLÂ

El periodo de Revelación

El contendido y el estilo de la Süra indican que se fue revelada en la tercera fase de la residencia del Profeta en la Meca.

Incluye los siguientes principios, Leyes y Guías Divinas:

➢ La consideración principal para las personas debe ser el Mensaje de Al'lá en lugar de discutir que si un humano puede ser un Rasúl o no.
➢ La creación de los cielos y de la tierra no es un juego.
➢ Si habían más dioses que Solo Uno, los cielos y la tierra habrían estado en un estado de desorden.
➢ Hubo un tiempo que los cielos y la tierra eran sólo una masa; Al'lá se los hendió y creó las diferentes estrellas y planetas.
➢ Al'lá ha creado a todos los seres vivientes del agua.
➢ Al'lá no ha concedido la inmortalidad a cualquier ser humano.
➢ Los dioses inventados por los humanos no pueden ni siquiera defenderse a ellos mismos; por lo tanto ¿cómo pueden defender a sus adoradores?
➢ El profeta Musa (paz esté en él) se dio Al-Furqân, igualmente este Al-Qur'ãn (el Qur'ãn) lo que también se llama Al-Furqân fue dado al Profeta Mujámad (paz esté en él).
➢ El profeta Ibrãjïm (paz esté en él) no era un adorador de los ídolos sino uno que rompía a los ídolos.
➢ La humanidad es sino una sola hermandad.
➢ Quienquiera que hace los hechos buenos con tal de que él es un creyente, no se rechazarán sus esfuerzos.
➢ Al'lá ha enviado el Profeta Mujámad (paz esté en él) como una bendición para todos los mundos (los humanos, los genios etc.).

Se ha refutado la objeción de los incrédulos que un ser humano no pudiera ser un Rasúl de Al'lá, y que ellos no pudieran aceptar Mujámad (paz esté en él) como un Profeta. Se han citado los ejemplos a través de las historias de la vida de los varios Profetas para mostrar que todos los profetas que fueron enviados por Al'lá eran los seres humanos. Ellos no tenían ninguna porción en la deidad y ellos tenían que implorar a Al'lá para cumplir cada una de la necesidad de sus vidas. Todos los profetas tenían que atravesar el dolor y la aflicción; sus antagonistas hicieron su mejor para frustrar sus misiones, pero a pesar de esto, ellos salieron exitosos con la ayuda de Al'lá. Finalmente, todos los profetas tenían una y la misma Dïn (la religión y el estilo de vida) Al-Islam que está presentado por Mujámad (paz esté en él), y ésa es la única Vía Recta, mientras todas las otras vías inventadas por los seres humanos están absolutamente equivocadas.

21: AL-ANBILLÂ

Esta Süra se reveló en la Meca, tiene 7 secciones y 112 versos.

En el nombre de Al'lá, el Compasivo, el Misericordioso.

SECCIÓN: 1

El Día de
Contabilidad
está
acercándose,
pero los
incrédulos
todavía están
distraídos a la
advertencia y
disputan acerca
de¿cómo un
Rasúl puede
ser un
humano?

El Día de la Contabilidad para la humanidad está acercándose, aun así, ellos están distraídos y están alejándoos de la advertencia. [1] Cada vez que reciben una nueva advertencia que viene a ellos de su Rab, la escuchan con una ridiculez y permanecen comprometidos en sus placeres. [2] Sus corazones están distraídos con los asuntos mundanos; estos injustos se dicen entre sí, en privado: "¿Quién es éste sino un ser humano como todos ustedes? ¿Seguirían la brujería con sus ojos abiertos?" [3] Diga: "Mi Rab tiene conocimiento total de cada palabra que se habla en los cielos y en la tierra, y Él oye todo y sabe todo." [4] "Más bien," Algunos de ellos dicen, "¡Este Qur'ãn es mezcla de los delirios confusos!" Otros dicen: "¡Él lo ha inventado!" Y todavía, otros dicen: "¡Él es un poeta!" "Que nos traiga una señal como a los que trajeron Rasúles anteriores." [5] Sin embargo, la realidad es que aunque mostramos las Señales a las personas anteriores, ni un solo pueblo que hemos destruido ante ellos creía. ¿Ellos creerán? [6] Antes de ti, no enviamos sino hombres a los que hicimos revelaciones. Si ustedes no lo sabe esto, entonces pregúntele a la gente del Recordatorio *(los judíos y los cristianos)*. [7] No les dimos cuerpos que podrían sobrevivir sin la comida, ni eran ellos inmortales. [8] Luego cumplimos Nuestra promesa con ellos: Salvamos aquéllos a quienes agradamos salvar, mientras que destruimos a los transgresores. [9] Ahora, ¡Humanos!, hemos enviado a ustedes un Libro (*el Qur'ãn*) que trata de los asuntos en que hay amonestación para ustedes. ¿Por qué no entienden? [10]   21: [1-10]

SECCIÓN: 2

Se destruyeron
las naciones
anteriores
debido a las
similares
iniquidades.

¡Cuántos pueblos hemos destruido quienes eran injustos y les hemos reemplazados por otros! [11] Cuando sintieron que Nuestro castigo estaba por venir; huyeron precipitadamente de él, tratando de escapar. [12] Les dijeron: "No corren lejos, devuelvan a sus lujos de vida y a sus mansiones, tal vez les pidan las explicaciones." [13] Ellos contestaron: ¡Ay de nosotros! De hecho, éramos los injustos." [14] Ellos siguieron repitiendo esa declaración hasta que les segamos, mientras no dejando ninguna chispa de vida en ellos. [15]   21: [11-15]

La creación de
los cielos y

Nuestra creación de los cielos y de la tierra y todos lo que hay entre los dos no son como un juego. [16] Si teníamos pensado complacer en un pasatiempo, lo habríamos hecho, ciertamente, por Nuestro ego - si así hubiera sido propuesta Nuestra Voluntad. [17] ¡No! Al contrario, damos un soplo violento a la falsedad con la Verdad para golpearlo fuera y ¡Mira! La falsedad desaparece. ¡Ay de ustedes, por lo que ustedes atribuyen! (*que Al'lá tiene una esposa y un hijo*) [18]   21: [16-18]

A Él Le pertenece todo lo que existe en los cielos y en la tierra; y (*los ángeles*) que están en la presencia de Su Eminencia no están demasiado arrogantes para servirlo, ni ellos se cansan de Su servicio. [19] Ellos lo glorifican día y noche; y no se fatigan. [20] ¿Acaso las deidades terrenales que ellos han tomado para culto, tienen el poder de levantar al muerto? [21] Si hubieran estado allí, (*en los cielos o en la tierra*), otros dioses además de Al'lá, (*los cielos y la tierra*) hubieran estado en un estado de desorden. La gloria es a Al'lá, el Señor del Trono Quien es completamente libre de la falsedad que ellos atribuyen a Él. [22] Él no tiene que explicar a nadie sobre lo que Él hace, pero ellos si serán preguntados por lo que hacen. [23] Aun siendo así, ¿Han tomado otras deidades para el culto en lugar de tomarle a Él? Dígales: "Muestran su prueba." Esto (*Al-Qur'ân*) es un recordatorio por parte de aquéllos que son conmigo (*Musulmanes*) y también de aquéllos que fueron antes de mí (*Los de La Escritura*). Sin embargo la mayoría de ellos no tiene ningún conocimiento de la Verdad, y se desvía. [24]   21: [19-24]

El hecho es que a cada Rasúl a quien le enviamos antes de ti, revelamos el mismo Mensaje: "No hay nadie digno de culto excepto Yo, así que rinden el culto sólo a Mí." [25] A pesar de recibir ese mensaje, ellos todavía dicen: "¡El Benéfico (*Al'lá*) ha tomado un hijo!" ¡Gloria a Él! Por el contrario, son nada más que Sus siervos honrados. [26] No se Le precedan en la palabra y actúan según Su mando. [27] Él sabe lo que tienen delante y lo que tienen detrás y no interceden sino por aquéllos de quienes Él se aprueba, y por el temor de Él, ellos tiemblan. [28] Si cualquiera de ellos fuera decir: "Yo también soy una deidad además de Él," Le retribuiremos con el infierno, así premiamos a los injustos. [29]

21: [25-29]

SECCIÓN: 3

¿Han considerado los incrédulos, alguna vez, que en un tiempo los cielos y la tierra eran una sola masa, luego la separamos y que hemos creado todos seres vivientes partir del agua? ¿Ellos todavía no creerán? [30] Y hemos puesto en la tierra cordilleras para que no menee junto con ellos y dejamos entre ellos los pasajes abiertos para que puedan encontrar su camino. [31] Y hemos hecho al cielo como un dosel seguro: aun así, ellos están distraídos a estas señales. [32] Él es Quien ha creado la noche y el día, el sol y la luna: todos estos (*los cuerpos celestiales*) están girándoos alrededor de su propias órbitas. [33]   21: [30-33]

No hemos concedido la inmortalidad a cualquier humano antes de ti: así que ¿si tú mueres, estos incrédulos vivirán para siempre? [34] Cada alma se liga a tener el sabor de muerte. Estamos poniendo a todos ustedes

de la tierra no es un juego.

Si había más de Un Dios, los cielos y la tierra habrían estado en un estado de desorden.

Todos los Rasúles se enviaron con el mismo Mensaje; que no hay dios sino Al'lá, así que ríndaselo culto Solo a Él."

Los cielos y la tierra eran una vez una sola masa, Al'lá se los hendió separadamente, y Él creó todas las cosas vivientes del agua.

Al'lá no ha
concedido la
inmortalidad a
cualquier ser
humano. Si se
destinan los
Rasúles para
morirse, cómo
es que los
incrédulos
desean ¡vivir
para siempre!

a prueba por medio de pasar a través de las condiciones malas y buenas, y finalmente ustedes devolverán a Nosotros. [35] Cuando los incrédulos te ven, no hacen sino tomarte a burla diciendo: "¿Es éste el que se habla contra sus dioses?" Mientras ellos reniegan la mención del Compasivo (*Al'lá*). [36] El hombre es una criatura de prisa (es impaciente). Pronto les mostraré Mis señales, por consiguiente, no Me apresuren. [37] Ellos preguntan: "¿Cuándo se cumplirá esta promesa, si estás diciendo la verdad?" [38] Ellos no habrían hecho esta pregunta si sólo los incrédulos conocieran el Día cuando ellos no podrán proteger sus rostros del fuego del infierno ni sus espaldas, ni serán ayudados. [39] Pero ¡No!, vendrá a ellos de repente y les predominara tan abruptamente que ellos no podrán apartarlo ni ellos conseguirán cualquier tregua. [40] También se burlaron de otros Rasúles que te precedieron; pero sus mofadores se dobladillaron por la misma cosa a que ellos se mofaban. [41]   21: [34-41]

SECCIÓN: 4

Pregúnteles, "¿Quién es allí para protegerles, noche y día, contra ira del Compasivo?" Aun así no hacen caso de la advertencia de su Rab. [42] ¿Acaso tienen tales dioses, aparte de Nosotros, quiénes puedan ayudarlos? Sus dioses ni siquiera pueden ayudarse a sí mismos y menos aún que podrán protegerse de Nosotros. [43] No obstante les hemos dados las cosas buenas de esta vida y también a sus antepasados, hasta que ellos se acostumbraron a estas cosas debido a sus vidas prolongadas; ¿No pueden ver cómo reducimos la tierra que estaba en su mando y gradualmente la abreviamos de todos los lados? ¿Ellos todavía esperan de ser victoriosos contra Nosotros? [44] Les diga, "Estoy advirtiéndolos por la autoridad de la Revelación," pero el sordo (*quien sigue a sus líderes ciegamente*) no oye la llamada aun cuando se advierte. [45] Aun cuando un soplo de la Ira de su Rab se les toca, ellos dirán ciertamente, "¡Ay de nosotros! No hay ninguna duda que éramos los injustos." [46] En el Día del Juicio prepararemos balanzas de justicia con que nadie se repartiera injustamente de ninguna forma; aun cuando alguien tiene un acto tan pequeño como un grano de semilla de mostaza, lo tendremos en cuenta, y Somos suficiente para ajustar cuentas. [47]   21: [42-47]

Los dioses
inventados no
pueden ni
siquiera
defenderse,
¿cómo quieren
que ellos
defenderán a
los incrédulos
contra Al'lá?
La balanza de
justicia se
preparará en el
Día del Juicio.

Ciertamente, concedimos a Musa (*Moisés*) y Jarün (*Aarón*) el Criterio, una luz y un recordatorio para las personas virtuosas [48] quienes temen a su Rab aunque ellos no lo han visto, y están temerosos de la Hora del Juicio. [49] Y ahora hemos revelado este bendito Recordatorio (*el Qur'ãn*). "¿Lo negarían entonces? [50]   21: [48-50]

Musa fue dado
Al-Furqân (el
criterio entre lo
bueno y lo
malo), este
Qur'ãn también
es así.

SECCIÓN: 5

Incluso antes de eso, bendijimos a Ibrãjïm (*Abraham*) con la rectitud, porque Nosotros lo conocimos bien. [51] Recuérdate de esa ocasión cuándo Ibrãjïm preguntó a su padre y a sus gentes, "¿Qué son estas imágenes a las qué ustedes son tan dedicados? [52] Ellos contestaron, " Encontramos a nuestros antepasados que se les adoraban." [53] Él dijo "Entonces ciertamente ustedes y sus antepasados han estado evidentemente extraviados." [54] Ellos preguntaron, "¿Has traído a nosotros la Verdad o eres uno de los que burlan?" [55] Él contestó, "¡No! Su Rab es el Señor de los cielos y de la tierra. Es Él Quien los ha creado; y yo soy de aquéllos que llevan al testigo a esto. [56] ¡Por Al'lá! Yo planearé, ciertamente, contra sus ídolos una vez que hayan dado la espalda. [57] Pues, él los rompió todos en pedazos con la excepción del más grande de ellos, para que ellos pudieran volver su atención hacia él. [58] (*Al volver, cuándo ellos vieron la condición de sus ídolos*), algunos preguntaron, "¿Quién ha hecho esto a nuestros dioses? ¡Él debe ser ciertamente una persona muy mala! [59] Otros contestaron, "Nosotros oímos un joven, llamado Ibrãjïm, hablando mal acerca de ellos." [60] Dijeron, "Entonces tráigalo aquí a vista de la gente, para que ellos puedan atestiguar al castigo que él recibirá." [61] Cuándo Ibrãjïm vino, ellos preguntaron, "¡Ibrãjïm!, ¿eres tú quien ha hecho esto a nuestros dioses?" [62] Él contestó, "Más bien este jefe suyo es quien lo hizo. ¡Pregúnteles, si es que pueden hablar! [63] Consiguientemente, ellos se volvieron a sí mismos, y dijeron, "¡Ciertamente, ustedes son muy injustos! [64] Perplejos como ellos eran, mientras bajando sus cabezas, dijeron, "Sabes muy bien que ellos no pueden hablar." [65] A este Ibrãjïm dijo, "¿Entonces están adorándoos a estas deidades, en lugar de Al'lá, quienes no pueden ni beneficiar ni dañar? [66] ¡Qué lástima a ustedes y también a esas deidades de ustedes, a quienes ustedes adoran además de Al'lá! ¿Es que no pueden razonar? [67] Ellos dijeron, "Quémelo vivo y así vengarán de sus dioses, si es que quieren hacerlo." [68] Cuando ellos le tiraron en el fuego, ordenamos al fuego: "¡Sé fresco y cómodo para Ibrãjïm!" [69] Ellos buscaron dañarlo, pero Nosotros les hicimos que sean más perdedores. [70] Salvamos a él y a su sobrino Lüt (*Lot*) a la tierra que hemos bendecido para todas las personas del mundo.[71]

21: [51-71]

Y le concedimos un hijo Isjãq (*Isaac*) y luego como obsequio un nieto Lla'qüb (*Jacob*); e hicimos virtuosos cada uno de ellos. [72] Les hicimos líderes que guiaron a otra gente por Nuestro orden y les enviamos revelaciones para que hagan los hechos buenos, establezcan el Salá (*las oraciones*) y pagan el Zaká (*la caridad obligatoria*). Y a solo Nosotros rindieron culto. [73] A Lüt (*Lot*) le dimos juicio y conocimiento, y le salvamos del pueblo que practicaba en las abominaciones - ciertamente, sus habitantes eran malvados, muy perversos, [74] - y le admitimos a Nuestra misericordia: porque él era de las personas virtuosas. [75]

21: [72-75]

SECCIÓN: 6

Antes de ellos cuando Nüj (*Noé*) invocó a Nosotros, aceptamos su oración y salvamos a él y a su familia de la gran calamidad. [76] Y le ayudamos contra esas personas que habían negado Nuestras revelaciones;

Ibrãjïm cuestionó la adoración de los ídolos de su padre y de sus gentes. Ibrãjïm rompió todos sus ídolos para mostrar, que los dioses que ni siquiera pueden defender a ellos mismos, cómo podrán ser útil para ellos. Ellos decidieron quemarlo vivo pero Al'lá ordenó al fuego para estar fresco y cómodo para Ibrãjïm.

Al'lá bendijo Ibrãjïm con un hijo (Isjãq) y luego un nieto(LLáqüb) e hizo cada uno de ellos como Profetas.

Al'lá aceptó la oración de Nüj contra los incrédulos.

ciertamente, eran gente mala, pues ahogamos a todos en el Gran Diluvio.[77]   21: [76-77]

Al'lá bendijo a los Profetas Dawüd y Sulaimãn con la sabiduría, el conocimiento y los reinos.

Y recuerda a Dawüd (*David*) y Sulaimãn (*Salomón*): cuando los dos estaban juzgando un caso con respecto al sembrado en que las ovejas de ciertas personas se habían desviados por la noche, y Nosotros estábamos mirándolos llegar al juicio, [78] En ese momento le dimos la visión a Sulaimãn para llegar a la decisión correcta, aunque habíamos dado juicio y conocimiento a los dos. Sujetamos junto con Dawüd las montañas y los pájaros para celebrar Nuestras alabanzas; éramos Nosotros Quién hizo que sea así. [79] Le enseñamos la destreza de la armadura, para que ustedes pudieran protegerlos en sus guerras: ¿Todavía, ustedes no agradecerán? [80] Hicimos los vientos rabiosos subordinado a Sulaimãn, que seguían su curso por su orden a la tierra que habíamos bendecido; y Nosotros tenemos conocimiento de todo. [81] y habíamos sujetado a él muchos de los Shaitãnes (*genios*) que buceaban para él en el mar y realizaban otros deberes además de esto; y Nosotros le vigilábamos. [82]
21: [78-82]

Al'lá aceptó la oración del Profeta Allüb y quitó su aflicción.

Semejantemente bendijimos a Allüb (*Job*), cuando él invocó a su Rab diciendo, "Me ha afligido el mal: pero Tú eres más Misericordioso de todos aquéllos que muestran la misericordia. [83] Aceptamos su oración y relevamos su aflicción, y no sólo restauramos a su familia sino también a otros tantos más que eran junto con ellos como un favor Nuestro para que pudiera servir como un recordatorio a Nuestros adoradores. [84]
21: [83-84]

Al'lá acepto las oraciones y bendijo a los Profetas Isma`il, Zulkifl, Llünus, Zakarilla y también al Marllam. (pece)

Igualmente, bendijimos a Isma'il (*Ishmael*), Idrïs y Zul-kifl, porque todos ellos practicaron la paciencia. [85] Les admitimos a Nuestra Misericordia, porque ellos eran de las personas virtuosas. [86] Bendijimos a Zun-Nûn (*Llünus / Jonás*), cuando él partió en el enojo, mientras pensando que Nosotros no lo tomaríamos atarear para esto, pero después él invocó a Nosotros desde las profundidades de la oscuridad (*del vientre de la ballena*), ¡No hay nadie digno de culto sino Tú, la gloria es a Ti! De hecho yo fui el que comprometí la injusticia." [87] Aceptamos su oración y le salvamos de la tribulación; así es que salvamos a los creyentes. [88] También bendijimos a Zakarilla, cuando él invocó a su Rab, "¡Rab mío! No me dejes permanecer sin hijos aunque Tú eres el mejor de los herederos." [89] Aceptamos su oración y le regalamos Lláj'lla (*Juan*), e hicimos que su esposa pueda concebir un hijo para él. Ellos eran siempre rivalizándoos en hacer los hechos buenos e invocaban a Nosotros con la esperanza, temor y humillación ante Nosotros. [90] Y la (*María*) bendijimos, quién guardaba su castidad, soplamos en ella de Nuestro Espíritu e hicimos a ella y a su hijo como un signo para el mundo entero.[91]
21: [85-91]

La humanidad es pero una hermandad.

Mismamente esta Um'ma (*comunidad*) suya es una sola Um'ma y Yo soy su único Rab, por consiguiente, se me rinden solamente culto a Mi.

[92] Pero las personas han dividido la religión en las sectas entre ellos - pero todos ellos volverán a Nosotros. [93]   21: [92-93]

SECCIÓN: 7

Quienquiera que hará los hechos buenos, con tal de que él es un creyente, sus esfuerzos no se rechazarán: Nosotros estamos grabándolo todos para él. [94] No es posible que un pueblo que hemos destruido pueda volver de nuevo. [95] Hasta que sueltan a los Gog y Magog y que pulularán rápidamente de cada altura, [96] y el tiempo para el cumplimiento de la Verdadera Promesa casi ya está llegando, pues entonces ¡mire! Los ojos de los incrédulos mirarán fijamente en el horror: "¡Ay de nosotros! Estábamos de hecho distraídos de esta advertencia; ¡No!, nosotros éramos los injustos."[97]   21: [94-97]

Ciertamente, ustedes (*los mushrikïn*) y sus deidades que ustedes se rendían culto además de Al'lá, serán el combustible del infierno; ¡en eso entrarán todos ustedes! [98] Si esas deidades hubieran sido los verdaderos dioses, ellos no habrían entrado en el infierno allí. Estarán todos en ella para siempre. [99] Allí, sollozar será su porción, y no podrán oír nada más. [100] Ciertamente aquéllos para quien el premio más bello ya estaba decretado por Nuestra parte, se mantendrán lejos de ella. [101] No oirán ni siquiera más ligero de su sonido, y ellos morarán eternamente en cualquier lugar que sus almas desearan. [102] El tiempo del Gran Terror (*Día del Juicio*) no les afligirá, y los ángeles les recibirán con los saludos: "Éste es su Día que ustedes fueron prometidos." [103] En ese Día enrollaremos los cielos como un pergamino de escrituras; así como originamos la creación por primera vez, así reproduciremos de nuevo - ésa es Nuestra promesa, y lo cumpliremos. [104] Nosotros escribimos en El Zabür (*el xxxvii de los Salmos, 29*) después del recordatorio (*Tora dado a Moisés*): 'esa tierra se heredará por Mis siervos virtuosos.' [105] Ciertamente, en esto es las grandes noticias para esas personas que se rinden culto a Nosotros. [106]   21: [98-106]

Nosotros no te hemos enviado sino como una bendición para todos los mundos. [107] Les diga: "Se ha revelado a mí que su dios es sino un Dios Uno *(Al'lá)* - pues ¿Volverán de ser Musulmanes? [108] Si se rechazan, les diga: "Yo lo he advertido a todos con equidad completa; ahora yo no sé si está cercano o lejos lo que ustedes fueron amenazados. [109] Es Él Quién sabe sus palabras habladas y los pensamientos ocultos. [110] Yo no sé si este retraso es un ensayo para ustedes o que ustedes están dándose la tregua durante un tiempo designado." [111] Finalmente diga: "¡Rab mío! Pase Tu Juicio en la Verdad. ¡Gentes! Nuestro Rab es muy Compasivo Cuya ayuda nosotros buscamos contra las blasfemias que ustedes profieren." [112]   21: [107-112]

Quienquiera que hace los hechos buenos, con tal de que él es un creyente, suyo esfuerzo no se rechazará.

El Día del Juicio, y el destino de los incrédulos y de los creyentes.

Al'lá ha enviado Mujámad (pece) como una bendición para todos los mundos (los Humanos, Genios y otros).

22: AL-JÁ'Ÿ

El periodo de Revelación

Puesto que esta Süra contiene las características de los Süras que pueden ser de la Meca o de la Madina, los comentaristas han diferido acerca de su periodo de revelación. De su estilo aparece que una parte de él (los versículos. 1-24) se envió abajo en la última fase de la residencia del Profeta en la Meca, poco antes de la migración y el resto (los vv. 25-78) después de la migración, el más probablemente en el mes de Zul-Jiyá, durante el primer año de su residencia en la Madina. Por esta Süra combina las características de las Süras que son de la Meca o de la Madina.

Incluye los siguientes principios, Leyes y Guías Divinas:

➤ Una escena de la Hora de la Sentencia.
➤ El ciclo de la vida humano: la vida en este mundo y la vida Eterna.
➤ La conducta de esos individuos que estaban al borde de aceptar la fe, se identifica.
➤ Al'lá siempre ha ayudado a Sus Rasúles.
➤ Ley divina que concede los derechos iguales a todos los musulmanes en Al-Masyid-al-Jarâm, sean ellos nativos o extranjeros.
➤ El propio Al'lá identificó el sitio y ordenó al Profeta Ibrãjïm (paz esté en él) para construir el Ka'ba y llamar a la humanidad para que vengan a la Peregrinación.
➤ Alguien que compromete el Shirk está como alguien que se cae del cielo y su cuerpo se agarra precipitadamente por los pájaros.
➤ El hecho que no es la sangre o la carne de un animal sacrificado que llega a Al'lá sino la piedad del individuo que está ofreciendo el sacrificio.
➤ El Mando de Al'lá que concede el permiso a los creyentes para defenderse y luchar contra los incrédulos y los mushrikïn.
➤ En el Día del Juicio, el propio Al'lá será el Juez para todos.
➤ La promesa de Al'lá a aquéllos que emigran en Su causa, que Él les premiará generosamente.
➤ El hecho que Al'lá llamó a los creyentes 'musulmanes', en las escrituras anteriores y también en el Qur'ãn.

Parece que después de la migración, cuando el mes de Zul-Hiyá llegó, eso trajo a los inmigrantes los recuerdos de sus casas en la Meca, y naturalmente ellos deben de haber pensado acerca del Ka'ba y la congregación de la Peregrinación. Estos recuerdos les afligieron pensando que los mushrikïn de Quraish les habían privado de visitar la Sagrada Masyid. Por consiguiente, ellos podrían haber estado orando y esperando por el permiso Divino para emprender la guerra contra esos tiranos que les habían expulsado de sus casas y les habían impedido visitar la Casa de Al'lá. Esta Süra especifica el propósito para cual el Ka'ba fue construido y claramente menciona que la peregrinación es para el culto de Un Dios (Al'lá). Pero es una ironía de que se había dedicado a los rituales del Shirk, el culto de 360 ídolos y que los adoradores reales de Un Dios (Al'lá) se habían privado de visitarlo. A través de esta Süra, Al'lá concedió también el permiso a los musulmanes para emprender la guerra contra los mushrikïn tiranos, en el orden de echarlos fuera y establecer el *estilo de vida virtuosa. Según Ibn Abbâs, Muyâjid, Úrwá bin Zubair, Zaid bi Aslam, Muqatil bi Jallan, Qatadá y otros grandes comentaristas, v. 39 es el primer verso en que concedió el permiso a los musulmanes para emprender la guerra.*

Esta Süra también se ha dirigido a los mushrikïn de la Meca, a los musulmanes vacilantes, y a los verdaderos creyentes como sigue:

Los mushrikïn se advierten de una manera poderosa en estas palabras: "Ustedes han persistidos en su ignorancia y han confiados en sus deidades en lugar de Al'lá, aunque ellos no poseen el poder para protegerles." Ellos también se amonestan repetitivamente para su credo del Shirk a través de proporcionar los argumentos legítimos a favor de la Taujïd (la Unidad de Dios) y de la Vida Eterna.

Los musulmanes vacilantes que habían abrazado el Islam pero no habían preparado soportar cualquier penalidad en su camino, se han amonestados en estas palabras: "¿Cuál es esta fe suya? ¿Están ustedes listos para creer en Al'lá y hacerse Sus siervos con tal de que ustedes se tengan la paz y la prosperidad? Pero si ustedes se encuentran las aflicciones y penalidades en Su camino, ¿desechan a Al'lá y dejan de seguir siendo Sus siervos? Ten presente que esta actitud vacilante suyo no puede apartar esos infortunios y pérdidas que Al'lá ha ordenado para ustedes."

Se dice a los verdaderos creyentes que los mushrikïn del Meca no tienen ningún razón para privarlos de visitar el Ka'ba. Ellos no tienen ningún razón para impedir a cualquiera para realizar la peregrinación mayor porque el Ka'ba no es su propiedad privada. Esta objeción actuó como una arma política eficaz contra el Quraish porque propuso esta pregunta: "¿Están los Quraish nada más que como sirvientes del Ka'ba o son sus dueños?" Esta pregunta implicó que si el Quraish tuviera éxito privando a los musulmanes de la peregrinación sin cualquier protesta por parte de otros, ellos se sentirían animados en el futuro para privar a otros que no tuvieran buenas relaciones con el Quraish. Para dar énfasis a este punto, se cita la historia de la construcción del Ka'ba para mostrar que se fue construido por el Profeta Ibrãjïm (paz esté en él) según el mando de Al'lá y él había invitado a toda humanidad para realizar la peregrinación. Por eso las personas que venían del exterior de la Meca habían disfrutados los derechos iguales con las personas locales por este mismo principio. También es hecho claro que la Casa no se había construido para los rituales del Shirk, sino para el culto de Un Al'lá. Así que era pura tiranía de que el culto de Al'lá fuera prohibido allí mientras que el culto de los ídolos disfrutaba con la licencia total.

22: AL-JÁ'Ÿ

Esta Süra, revelada en la Madina, tiene 10 secciones y 78 versos.

En el nombre de Al'lá, el Compasivo, el Misericordioso.

SECCIÓN: 1

Una escena de la Hora de la Sentencia.

¡Humanidad! Tenga temor de su Rab; los temblores catastróficos de la Hora de Sentencia serán realmente terribles. [1] En ese Día, ustedes verán que cada madre lactante se olvidará de su bebé lactante y cada hembra embarazada abortará, y verán a las personas como si ellos fueran intoxicados, aunque no serán borrachos: así será el horror del castigo de Al'lá. [2] Hay todavía, entre las personas algunos que, en su ignorancia, discuten sobre Al'lá y siguen a cada diablo rebelde, [3] en relación a él, se decreta que quienquiera que le tomará como su amigo, será extraviado y lo manejará al castigo del fuego ardiente. [4]   22: [1-4]

El ciclo de la vida, la vida en este mundo y la Ultima Vida.

¡Humanidad! Si ustedes tienen la duda sobre la vida después de la muerte, recuerdan que Nosotros lo creamos a ustedes por primera vez de la tierra, luego de una esperma, luego de un coagulo que parece como sanguijuela - luego de un embrión parte formado y parte no formado, para que podamos manifestar a ustedes Nuestro poder. Causamos permanecer en el útero a quien deseamos para un término designado y luego hacemos salir a ustedes como infantes; luego lo nutrimos para que ustedes puedan alcanzar su edad de fuerza llena. Hay algunos de entre ustedes quienes se mueren joven y algunos a quienes dejamos llegar hasta la edad más avanzada en que, después de haber sabido, terminan no sabiendo nada. A veces ves la tierra reseca y yerma; pero tan pronto que hacemos que el agua baje sobre ella, se agita, se hincha y hace brotar toda clase de especies espléndidas. [5] Esto es porque Al'lá es la Última Verdad: es Él Quién da la vida al muerto y es Él Quién tiene el poder encima de todas las cosas, [6] y que la Hora de Sentencia está segura de venir - no hay ninguna duda sobre eso; y que Al'lá levantará a aquéllos que están en las tumbas. [7]   22: [5-7]

Las personas invocan otras deidades además de Al'lá, sin el conocimiento, y guía.

Hay todavía otros, entre las personas, que discuten sobre Al'lá, aunque ellos no tienen ni conocimiento ni guía, ni un Libro iluminando, [8] torciendo su cuello en la arrogancia extravían a otros afuera del Camino de Al'lá - hay desgracia en esta vida para las tales personas, y en el Día de la Resurrección les haremos gustar el castigo de un fuego ardiente, [9] diciéndoles: "Esto es lo que ustedes prepararon y enviaron adelante con sus propias manos." Al'lá no es injusto, en absoluto, con Sus siervos. [10]   22: [8-10]

SECCIÓN: 2

Hay entre la gente quien se rinde culto a Al'lá, que está parado al borde de la fe y del escepticismo. Cuando tal una persona es bendita con la buena fortuna pues entonces él está satisfecho; pero si él encuentra una tentación entonces él retrocede precipitado; así perdiendo este mundo y el Ultimo. Esa es una perdición auténtica. [11] Luego en lugar de Al'lá, él empieza invocar esas deidades que no pueden ni dañarle ni beneficiarle; ahora eso sí es un extravío profundo de la Vía Recta. [12] Él está invocando a aquéllos que más bien pueden dañarle en lugar de ayudarle; ¡Qué amo más malo! Y ¡Qué mal compañero que él escoge para la ayuda! [13] En cuanto a aquéllos que creen y hacen los hechos buenos, Al'lá les admitirá a los jardines por cuyos bajos fluyen los ríos. Ciertamente Al'lá hace lo que Él quiere. [14]   22: [11-14]

La conducta de aquéllos que están al borde de la fe.

Quien piensa que Al'lá no ayudará a él (*al Rasúl*) en este mundo y en lo Último, que eche una cuerda al cielo, si él puede, y luego que intente a cortar la ayuda de Él para ver si su artimaña puede apartar lo que a él le irrita. [15] Así hemos revelado este Qur'ãn en los versos claros; y ciertamente Al'lá guía a quien Él quiere. [16] En cuanto a aquéllos que son los verdaderos creyentes (*los musulmanes*), los judíos, los Sabeos, los cristianos, los Zoroastrianos y los que comprometen el Shirk (*los politeístas*) - Al'lá indudablemente juzgará entre ellos en el Día de la Resurrección; porque Al'lá es Testigo encima de toda las cosas. [17] ¿No ves cómo todos los que están en los cielos y en la tierra se postran en la adoración a Al'lá, incluso el sol, la luna, las estrellas, las montañas, los árboles, los animales y un gran número de la gente? Pero, no obstante, hay muchos que merecen el castigo. Él, quién esta deshonrado por Al'lá, no hay quien puede honrarlo; ciertamente, Al'lá hace lo que a Él Le agrada.[18]
                       22: [15-18]

Al'lá siempre ayuda a Su Rasúles. Todos los moradores de los cielos y de la tierra postran ante Al'lá

Éstos son los dos adversarios (*los creyentes y los incrédulos*) quiénes disputan entre sí sobre su Rab: en cuanto a los incrédulos, se les cortarán vestidos del Fuego, se les verterá el agua hirviente encima de sus cabezas, [19] que no sólo fundirá sus pieles sino también las partes internas de sus barrigas, [20] además habrá mazas de hierro para azotarlos. [21] Siempre que, en su angustia, intentarán escapar de ella, se forzarán volver por atrás en eso, y se dirá: "¡Gusten el castigo del Jarïq!" [22]   22: [19-22]

Los incrédulos tendrán vestidos de Fuego, el agua hirviente como la bebida y mazas de hierro con que azotarlos.

SECCIÓN: 3

En cuanto a aquéllos que tienen la fe y hacen los hechos buenos, Al'lá les admitirá, ciertamente, a los jardines por cuyos bajos fluyen los ríos. Ellos se engalanarán con las perlas y pulseras de oro, y sus vestidos serán de seda. [23] Esto es porque durante su vida en la tierra, ellos fueron guiados para aceptar las bellas palabras de Al'lá y habían sido guiados hacia el camino del Digno de Alabanza.[24] En cuanto a aquéllos que son los incrédulos y privan a otros del camino de Al'lá y del Masyid-al-Jarâm a que hemos asignado para toda la humanidad teniendo mismo derechos aunque sean nativos o extranjeros, y quienquiera piensa desviarse de la

Al'lá ha dado mismos derechos a todos los creyentes para el Masyid-al-Jarâm, si ellos son nativo o extranjeros.

rectitud hacia el mal en su vecindad, le haremos gustar un castigo doloroso. [25]   22: [23-25]

SECCIÓN: 4

Al'lá identificó el sitio de Sagrada Casa a Ibrãjïm, le ordenado a construir el Ka'ba, luego llamar a la humanidad para venir para la Peregrinación.

¡Recuerden! Nosotros identificamos el sitio de la Sagrada Casa para Ibrãjïm (*Abraham*), diciendo, "No adoras a nadie además de Mí, purifica Mi Casa para esos adoradores que hacen Tawâf (*dar vueltas en sentido contrario del reloj como la parte de la Umrá o rituales de la peregrinación mayor*), o que estén de pie en la oración, o se arqueen y se postren. [26] ¡Ibrãjïm! Hágale una proclamación de la peregrinación mayor (*Já'ÿ - la Peregrinación*) a la humanidad: vendrán a ti de pie o en los camellos delgados (*por el motivo del viaje*) desde cada cuarto distante, [27] para que ellos puedan dar testimonio de los beneficios que son hecho disponible aquí para ellos. E invoques el nombre de Al'lá encima del ganado que les hemos proveído para su consunción, en los días designados: comen, entonces, ustedes mismos de su carne y alimenten a los que son necesitados y a los pobres. [28] Luego, deben lograr sus actos necesarios (*de afeitar o cortar sus pelos y bañarse*), deben cumplir sus votos y deben realizar el Tawâf de la Casa Antigua. [29] Éste era el objeto (*para que el Ka'ba fue construido*), y quienquiera honra los sagrados ritos de Al'lá, es bueno para él en la vista de su Rab. La carne de los ganados es lícita para ustedes, excepto lo que ya se ha mencionado a ustedes; por consiguiente, huyan de la abominación de los ídolos y huyan de todas las declaraciones falsas.[30]   22: [26-30]

Comprometer el Shirk es como si él se hubiera caído del cielo y su cuerpo fue consumidos por los pájaros.

Dediquen a ustedes mismos a Al'lá y no comprometan el Shirk con Él: porque cualquiera que compromete el Shirk, es como si él se hubiera caído del cielo; luego su cuerpo es llevado por los pájaros o por el viento a algún lugar remoto; [31] y por otro lado él, quién honra los ritos de Al'lá, ciertamente, muestra la piedad de su corazón. [32] Ustedes pueden beneficiar (*usar su leche o montar en caso de los camellos)* del ganado dedicado para el sacrificio hasta el tiempo de su sacrificio, su lugar de sacrificio está cercano la Casa Antigua. [33]   22: [31-33]

SECCIÓN: 5

No es la carne o la sangre de los animales sacrificados que alcanza a Al'lá, es su piedad que Le llega.

Para cada nación prescribimos una manera de sacrificio para que ellos puedan invocar el nombre de Al'lá encima del ganado que Él les ha proveído, pero el objeto sigue siendo lo mismo: para recordar que su dios es sólo Un Dios; así que se someten a Él como los musulmanes, y anuncia las buenas noticias a los humildes, [34] cuyos corazones tiemblan a la mención de Al'lá; quienes soportan la adversidad con la paciencia, quienes establecen el Salá (*las oraciones)* y gastan en la caridad fuera de lo que les hemos proveído. [35] Hemos hecho el sacrificio de camellos entre los ritos de Al'lá, porque en ellos hay mucho bien para ustedes. Por consiguiente, invoquen el nombre de Al'lá encima de ellos mientras que están de pie en fila, y cuando ellos se caen en sus lados después del sacrificio y cuando ha parado su movimiento completamente, entonces coma de su carne, alimenten a los contentos (*los pobres que no piden*) y los mendigos (*los pobres que sí piden*). Así les hemos sujetado a ustedes para que ustedes puedan agradecer. [36] Ni su carne ni su sangre llegan a Al'lá; sino es su piedad lo que Le llega. Así, Él ha sujetado estos animales a ustedes para que puedan ensalzar a Al'lá por haberles dirigidos, y anuncia las buenas noticias a quienes hacen el bien. [37] Ciertamente, Al'lá guarda del mal a aquéllos que son los verdaderos creyentes: porque, ciertamente, Al'lá no ama a cualquiera que sea traicionero, ingrato.[38]   22: [34-38]

SECCIÓN: 6

     Por la presente, se concede el permiso a los creyentes para combatir contra aquéllos que emprenden la guerra contra ustedes y porque ustedes han sido oprimidos (*antes de esta revelación, los musulmanes no eran permitidos incluso luchar para defenderse*); ciertamente Al'lá tiene el poder para auxiliarles [39] - aquéllos que han sido expulsados injustamente de sus casas sólo porque ellos dijeron, "¡Nuestro Señor es Al'lá!" Si Al'lá no hubiera rechazado a algunas personas por el poderío de los otros, habrían sido absolutamente demolidos los monasterios, iglesias, sinagogas, y Masãyid (*Mezquitas*), donde se menciona el nombre de Al'lá en abundancia. Al'lá ayudará, ciertamente, a aquéllos que ayudan a Su causa; el más ciertamente, Al'lá es Fuerte y Poderoso. [40] Éstas son las personas que, si Nosotros les damos autoridad en la tierra, establecerán el Salá (*las oraciones*) y pagarán el Zaká (*la caridad obligatoria*), mandarán la justicia y prohibirán el mal; la última decisión de todos los asuntos está en las manos de Al'lá. [41]
22: [39-41]

     Si ellos te niegan, pues recuérdate que también negaron antes el pueblo de Nüj (*Noé*), de Ád y de Zamüd; [42] el pueblo de Ibrãjïm (*Abraham*) y de Lüt (*Lot*); [43] así como los residentes de Mad'llan habían negado a sus Profetas. Igualmente, Musa (*Moisés*) también fue tachado de mentiroso. Inicialmente, Yo concedí la tregua a todos esos incrédulos y luego les así: ¡viera qué terrible era Mi reproche! [44] ¡Cuántos municipios, vertiendo con el mal, hemos destruidos totalmente, quedándose en ruinas con sus tejados desplomados, sus pozos abandonados, y sus elevados palacios desertados! [45]   22:[42-45]

     ¿No han viajado a través de la tierra? ¿No tienen el corazón con que puedan aprender la sabiduría, u oídos para escuchar la Verdad? Ciertamente, no son sus ojos que se han puesto ciegos, sino son los corazones en sus pechos los que están ciegos. [46] Estas personas te piden que aceleres el castigo amenazado. Bien, Al'lá nunca faltará a Su promesa. De hecho, un día de tu Rab es como mil años de su cálculo. [47] Han sido muchos pueblos, que eran impíos, a quien al principio concedí la

---

El permiso se concede a los creyentes para combatir en la defensa propia y para la causa de Al'lá.

¡Mujámad! No eres el único quien es negado, todos los profetas fueron negados antes de ti."

Un día de tu Rab es igual a mil años de tu cálculo.

tregua y al final castigue. Hacia mí está el destino de todos. [48]

22: [46-48]

SECCIÓN: 7

Aceptadores de Verdad se perdonarán, mientras otros serán castigados.

Dígales: ¡Humanidad! Yo soy meramente un claro advertidor para ustedes; [49] aquéllos que aceptan la verdadera fe y hacen los hechos buenos se perdonarán y se proporcionarán el sustento honorable; [50] pero aquéllos que se esfuerzan contra Nuestras revelaciones, serán los presos del Fuego ardiente. [51] 22: [49-51]

Shaitãn manoseó con los deseos de todo los Rasúles pero Al'lá abrogo tal interjección y en el Día del Juicio, el propio Al'lá estará el Juez para todos.

Nunca hemos enviado a un Rasúl o un Profeta ante de ti, en cuyas recitación de las Revelaciones, el Shaitãn no interpusiera algo de falsedad; pero Al'lá anula lo que el Shaitãn inspira, luego afirma Sus propias Revelaciones, porque Al'lá es Conocedor, Sabio. [52] Él hace las sugestiones del Shaitãn como una prueba para aquéllos cuyos corazones padecen de la enfermedad de hipocresía y cuyos corazones están endurecidos - por eso los injustos están en tal una disensión extrema [53] - para que aquéllos que son dotados del conocimiento puedan comprender que esto (*Qur'ãn*) es la Verdad de su Rab y así se creen en él y se humillen sus corazones hacia Él, y ciertamente, Al'lá guiará a los creyentes a la Vía Recta. [54] En cuanto a los incrédulos, ellos nunca dejarán de dudar la revelación, hasta que de repente la Hora de Sentencia les da alcance o allí viene en ellos el castigo del Día del Desastre. [55] En ese Día la Soberanía será de Al'lá; Él juzgará entre ellos; así aquéllos que han abrazado la verdadera fe y han hechos buenos acciones entrarán en los jardines de deleite; [56] pero los incrédulos que han negado Nuestras revelaciones recibirán un castigo deshonroso. [57] 22: [52-57]

SECCIÓN: 8

Aquéllos que emigraron por causa de Al'lá serán generosamente premiados y Al'lá es el Único Quien es Real, todas otras deidades son falsas.

En cuanto a aquéllos que emigraron por causa de Al'lá y luego fueron matados o se murieron, Al'lá hará una buena provisión para ellos; ciertamente Al'lá es el Que es el Mejor Proveedor. [58] Él los admitirá a un lugar con que ellos se agradarán bien; porque Al'lá es, ciertamente, Omnisciente, Benévolo. [59] ¡Así es! Él que se desquita la injusticia al igual que él recibió y luego, de nuevo, es tratado injustamente, indudablemente Al'lá le ayudará, Al'lá es Quien perdona mucho y es Indulgente. [60] Eso es porque es Al'lá Quien causa la noche para que entre en el día, y el día que entre en la noche, Al'lá todo lo oye, todo lo ve. [61] Eso es porque Al'lá es la Verdad; y todas esas deidades además de Él a quienes ellos invocan, son falsedades; de hecho, Al'lá es el Supremo, el Grande. [62] ¿No ves como Al'lá hace bajar agua del cielo para que la tierra se pone verde? Ciertamente, Al'lá es el Benigno, Bien Informado. [63] Todos que están en los cielos y en la tierra pertenecen a Él; ciertamente, Al'lá es el Autosuficiente, el Laudable. [64] 22: [58-64]

SECCIÓN: 9

¿No ves que Al'lá ha sujetado para ustedes todo lo que está en la tierra así como las naves que navegan a través del mar gracias a Su orden? Él está deteniendo el cielo en cierto modo en que no puede caerse sobre la tierra sin Su permiso; ciertamente, Al'lá es muy Manso y misericordioso a la humanidad. [65] Él es él Quien dio la vida a ustedes, luego, hará morir y luego devolverá a ustedes de nuevo a la vida - todavía, el hombre es de hecho muy ingrato. [66] A cada nación hemos prescrito los ritos de culto que ellos observan, por consiguiente, que no discutan contigo acerca de este asunto - sigues llamando a ellos a la Vía de tu Rab; porque el más ciertamente, tú eres guiado debidamente. [67]   22: [65-67]

Al'lá es Quien les ha dado la vida, causa la muerte y devolverá a ustedes la vida para pasar Su Juicio.

Y, si discuten contigo, dígales: "Al'lá sabe bien, todos lo que ustedes hacen." [68] Al'lá juzgará entre ustedes en el Día de la Resurrección acerca de aquellos en que ustedes discrepaban. [69] ¿No sabes que Al'lá es consciente de todos lo que está en el cielo y en la tierra? Ciertamente todo está grabado en un Libro y es una cosa muy fácil para Al'lá. [70] Todavía, ellos se rinden culto, además de Al'lá, a esas deidades para quienes Él no ha revelado ninguna sanción, y de lo que no tienen ningún conocimiento; ciertamente los injustos no tendrán ningún auxiliador. [71] Cuando se recitan Nuestras revelaciones a ellos con toda su claridad, puedes notar un rechazo en los rostros de los incrédulos. Ellos apenas pueden refrenarse de asaltar a aquéllos que recitan Nuestras revelaciones. Dígales: ¿No sé si debo decirles de algo peor aún que eso? Es el fuego del infierno que Al'lá ha prometido a aquéllos que rechazan la Verdad; ¡Qué morada más mala que será!" [72]   22: [68-72]

Al'lá juzgará entre ustedes involucrando esas materias en que usted difieren.

SECCIÓN: 10

¡Humanidad! Aquí es un ejemplo para su comprensión, así que escúchelo cuidadosamente. Esas deidades a quienes ustedes invocan además de Al'lá, no pueden crear ni una sola mosca, aun cuando todos ellos junten sus fuerzas, más bien, que si una mosca se les llevara algo, ellos no pudieran ni siquiera recuperarlo; ¡Qué débiles son los suplicantes y qué impotentes son aquéllos quienes ellos suplican! [73] No dan a Al'lá el homenaje debido a Él; de hecho, Al'lá es Fuerte, Todo poderoso.[74]
           22: [73-74]

Los dioses que son invocados además de Al'lá no tienen el poder para incluso crear una criatura como una mosca.

¡Al'lá escoge a Sus mensajeros de entre los ángeles y de entre los seres humanos, porque, ciertamente, Al'lá todo lo oye, todo lo ve! [75] Él sabe lo que está ante ellos y lo que está detrás de ellos, y todo será devuelto a Al'lá para Su decisión. [76] ¡Creyentes! Arqueen abajo, postren ustedes mismos, ríndanse culto a su Rab y hagan los hechos buenos para que ustedes puedan lograr la salvación. [77] Hagan esfuerzos en el camino de Al'lá como ustedes deben esforzar (*con la sinceridad y disciplina*); Él ha escogido a ustedes y no ha puesto en ustedes ninguna penalidad en la observancia de su fe - la fe de su padre Ibrãjïm (*Abraham*). Él nombró a ustedes 'musulmanes' anteriormente en las escrituras anteriores y en esto

Al'lá nombró a los creyentes como los musulmanes en las Escrituras anteriores y también en esto (en el Qur'ãn).

(*Qur'ãn*), para que el Rasúl puede testificar contra ustedes y ustedes pueden testificar contra el resto de la humanidad. Por consiguiente, establezcan el Salá (*las oraciones*), y paguen el Zaká (*la caridad obligatoria*) y sostengan fuertemente a Al'lá. Él es su Protector - es un Protector excelente y un Auxiliar espléndido. [78]   22: [75-78]

ÝÚZ (PART): 18

23:　AL-MU'MINÜN

El periodo de Revelación

　　　Esta Süra se reveló durante la fase media de la residencia del Profeta en la Meca. Era el clímax del hambre en esa región (vv. 75-76). Viendo los contenidos de esta Süra, aparece que un conflicto amargo había empezado entre el Profeta Mujámad y los incrédulos aunque la persecución todavía no había empezado.

Incluye los siguientes principios, Leyes y Guías Divinas:

> ➢ *Las características de los "verdaderos creyentes."*
> ➢ *Las fases de la creación humana.*
> ➢ *La historia del Profeta Nüj (paz esté en él) y el gran diluvio.*
> ➢ *La historia del Profeta Jüd (paz esté en él) y la explosión que destruyó a los incrédulos.*
> ➢ *Al'lá no ha encargado ninguna alma más de lo que él puede llevar.*
> ➢ *La guía para rechazar el mal con el bien y como buscar la protección de Al'lá contra las tentaciones del Shaitãn.*
> ➢ *En el Día del Juicio, aparecerá como si la vida de este mundo estaba menos de un día.*
> ➢ *El hecho que los incrédulos nunca conseguirán la salvación.*

　　　Esta Süra invita a las personas a aceptar y seguir el Mensaje del Profeta Mujámad, la entera Süra revuelve alrededor de este tema. Según una tradición auténtica relacionada por Urwa bin Zubair, Sallidunã Umar, quien ya había abrazado el Islam por ese tiempo dijo, "Esta Süra se reveló en mi presencia y yo observé el estado del Profeta durante su revelación. Cuando la revelación acabó, el Profeta comentó, 'En esta ocasión diez tales versos se han enviado a mí quien cumple con ellos irá el más ciertamente al paraíso.' Luego, él recitó los primeros diez versos de esta Süra."

23: AL-MU'MINÜN

Esta Süra, fue revelada en la Meca, tiene 6 secciones y 118 versos.

En el nombre de Al'lá, el Compasivo, el Misericordioso

SECCIÓN: 1

Las características de los verdaderos creyentes.

¡De hecho, Exitosos son tales creyentes [1] quienes son humilde en su Salá (*las oraciones*), [2] quienes evitan la charla vana, [3] quienes son puntuales en el pago del Zaká (*la caridad*), [4] quienes guardan sus partes privadas [5] excepto de sus esposos/esposas o de aquéllas que están legalmente en su posesión, porque en cuyo caso ellos no se culparán [6] - sin embargo aquéllos que buscan ir más allá en lujuria serían entre los transgresores [7] - quienes son verdaderos en los depósitos que se les confían y cumplen con los convenios que hacen, [8] y quienes son diligente sobre su Salá *(las oraciones)*! [9] Éstos son los herederos [10] quienes heredarán el paraíso; y vivirán en eso para siempre. [11]   23: [1-11]

Las fases de creación humana.

¡De hecho, hemos creado al hombre de un extracto de arcilla! [12] Luego, le clocamos como una gotita en un receptáculo firme. [13] Luego, creamos de esta gotita una masa que parece sanguijuela. Luego, de este sanguijuela creamos el embrión. Luego, de este embrión creamos los huesos. Luego, vestimos los huesos con la carne, y luego, le traemos adelante como una criatura muy diferente lo del embrión - ¡Bendito sea Al'lá, el Mejor de todos los creadores! [14] Luego, después de vivirlo durante algún tiempo tienen que morir, [15] luego el más ciertamente, ustedes se resucitarán de nuevo en el Día de la Resurrección. [16]

23: [12-16]

Al'lá ha constituido el cielo, vegetación, árboles y animales para el beneficio de seres humanos.

Hemos hecho siete vías (*los cielos*) sobre ustedes; y nunca hemos descuidado de Nuestra creación. [17] Hemos hecho bajar el agua del cielo según una medida debida, luego, lo asentamos en la tierra - ustedes deben saber que si Nosotros agradamos, podemos ciertamente llevárselo [18] - luego, por medio de él causamos crecer jardines de las palmeras y vides de los que ustedes obtienen muchos frutos para su consunción; [19] y también un árbol que crece de la Montaña Sinaí que produce el aceite y condimento para aquéllos que gustan comerlo. [20] En el ganado, también, hay una lección para ustedes: desde dentro de sus cuerpos producimos para ustedes la leche para tomar, además de esto ustedes derivan numerosos otros beneficios de ellos; algunos de ellos ustedes comen, [21] y algunos, junto con las naves sirven para ustedes como medios de transporte.[22]   23: [17-22]

SECCIÓN: 2

Enviamos Nüj (*Noé*) a su pueblo. Él dijo, "¡Pueblo! Ríndanse culto a Al'lá, ustedes no tienen nadie digno de culto sino Él, ¿No temerán a Él (*por su acto de cometer el Shirk*)? [23] Los jefes de los incrédulos entre su pueblo dijeron, "Éste no es sino un humano como ustedes; él desca afirmar su superioridad encima de ustedes. Si Al'lá quisiera enviar a los Rasúles, Él podría enviar a los ángeles; nunca hemos oído que ocurriera tal cosa, como él dice, en tiempo de nuestros antepasados." [24] Algunos de ellos dijeron: "Él es simplemente un hombre poseído, así que lleven con él por algún tiempo. [25] Nüj dijo, "¡Rab mío, Ayúdame contra ellos porque ya me tratan de mentiroso!" [26] Pues revelamos Nuestra Voluntad a él, diciendo: "Construye un arca bajo Nuestra mirada y según Nuestra inspiración; y cuando venga a pasar Nuestro juicio y el horno se inunde, embarca un par (*un varón y una hembra*) de cada especie y embarca a tu familia, excepto aquéllos de ellos contra quienes el juicio ya se ha pasado; y no supliques Mi favor para los injustos, porque ellos están condenados para ser inundados en el diluvio. [27] Luego, cuando has embarcado en el arca junto con tus compañeros, diga: ¡Alabado sea Al'lá! Que nos ha salvado de un pueblo injusto," [28] y ora, "¡Rab mío! Bendiga mi desembarco de este Arca, porque Tú eres Quien mejor puede hacerlo." [29] Hay muchas señales en esta historia, y ciertamente, Nosotros probamos a las personas. [30]   23: [23-30]

Luego, suscitamos después de ellos una nueva generación (*el pueblo de 'Ad*), [31] y les enviamos un Rasúl (*Jüd*) de entre ellos, quién les dijo: "¡Ríndase culto a Al'lá! Ustedes no tienen nadie digno de culto sino Él. ¿Ustedes no Le temerán (*comprometiendo el Shirk*)?" [32]

23: [31-32]

SECCIÓN: 3

Pero los jefes de su pueblo- quienes descreían el mensaje y negaban la Reunión en la Ultima Vida, - a quienes habíamos concedido la afluencia en esta vida mundana, dijeron: "Esta persona no es sino un humano como ustedes; él come de lo mismo que ustedes comen y bebe de lo mismo que ustedes beben." [33] Si ustedes obedecen a un humano como ustedes mismos, entonces ustedes ya están perdidos. [34] ¡Eso que! ¿Está reclamando que cuándo ustedes ya están muertos y hechos polvo y huesos, se sacaría, nuevamente a la vida desde sus tumbas? [35] ¡Imposible! ¡Simplemente imposible es lo que él está prometiendo! [36] No hay ninguna otra vida afuera de nuestra vida de este mundo: vivimos y morimos aquí, y nunca se nos resucitará de nuevo a otra vida. [37] Este hombre es sino un impostor, forjando una mentira contra Al'lá, y nosotros no vamos a creerlo." [38] A esto, el Rasúl oró: "¡Rab mío! Ayúdeme, ya que me tratan de mentiroso." [39] Al'lá respondió: "Un poco más y, por seguro, se arrepentirán. [40] Pues una Explosión les dio alcance merecidamente y los barrimos como la basura de hojas muertas - pues ido es la nación de los malhechores. [41] Luego, después de ellos suscitamos otras generaciones [42] - ninguna nación puede acelerar su término ni puede posponerlo [43] - luego, enviamos Nuestro Rasúles, uno tras otro: cada vez que vino un Rasúl a su pueblo, lo descreían, para que Nosotros les

El Profeta Nüj fue enviado para guiar a sus personas, ellos lo descreyeron, y como resultado, Al'lá ahogó a todo los incrédulos en el gran diluvio.

Después del profeta Nüj, Al'lá les envió a Jüd para guiar a sus gentes.

Ellos llamaron Jüd como un impostor; como resultado, Al'lá destruyó a todos ellos en una explosión poderosa. Después de Jüd, Al'lá envió otros Rasúles a otras personas, ellos, también negaron, pues enfrentaron un castigo similar.

castigamos uno después de otro y les hicimos como casos ejemplares; así que ido es la nación de los incrédulos. [44]   23: [33-44]

Luego, enviamos Musa (*Moisés*) y su hermano Jarün (*Aarón*) con Nuestras señales y con una autoridad clara, [45] hacia Fir'aun (*Faraón*) y sus dignatarios: pero ellos se comportaron arrogantemente, porque ellos eran gentes muy altivas. [46] Ellos dijeron: "¡Qué! ¿Vamos creer en dos seres humanos igual a nosotros, y cuyos pueblo es nuestros esclavo?" [47] Pues descreyeron a los dos de ellos y consecuentemente, se volvieron entre aquéllos que fueron destruidos. [48] Y dimos la escritura a Musa, para que su pueblo pudiera guiarse debidamente. [49] Y hicimos al hijo de Marllam (*Jesús*) y su madre una señal para la humanidad, y les dimos un resguardo en una tierra alta pacífica, proporcionada con agua corriente. [50]
23: [45-50]

Musa fue enviado a Fir'aun y a sus jefes; ellos también descreyeron y enfrentaron la misma suerte

SECCIÓN: 4

¡Rasúles! Coman de las cosas puras y hagan los hechos buenos, ciertamente, Yo tengo conocimiento de todas sus acciones. [51] De hecho, su Um'má (*la religión, la comunidad*) es una sola Um'má, y Yo soy su único Rab: ¡Así que temen sólo a Mí! [52] Aun así, las gentes se han dividido en las facciones y cada facción regocija con sus propias doctrinas [53] - ¡Bien! déjales en su abismo durante un tiempo designado. [54] ¿Piensan que, dándoles la riqueza y los hijos, [55] estamos ávidos para su bienestar? ¡De ninguna manera! Ellos no entienden la realidad del asunto. [56] Ciertamente, aquéllos que viven cautamente por el temor de su Rab, [57] quienes creen en las revelaciones de su Rab; [58] quienes no comprometen el Shirk con su Rab, [59] quienes se dan en la caridad cualquier cosa que ellos pueden dar, y sus corazones están llenos de temor por la misma idea que ellos tendrán que devolver a su Rab, [60] son ellos quienes se apresuran haciendo los hechos buenos e intentan ser de los primeros para lograrlo. [61]
23: [51-61]

Al'lá ha dicho: "De hecho, su religión es una religión; Yo soy su Rab, así que teman a Mí, Exclusivamente."

Nosotros no pedimos a ninguna alma más de lo que ella puede llevar; tenemos un Libro de registro lo que dirá la verdad claramente, y ellos no se tratarán injustamente. [62] Pero sus corazones son ciegos a todo esto; y sus hechos también son diferentes que a los de creyentes. Ellos continuarán haciendo sus fechorías [63] hasta cuando Nosotros asimos a aquéllos de ellos, quienes viven en el consuelo, con el castigo. ¡Lo! Entonces ellos empiezan a llorar pidiendo Su ayuda en sus súplicas. [64] Nosotros diremos: "¿No lloren por Mi ayuda este Día, porque ciertamente, ustedes no recibirán la ayuda por Nuestra parte. [65] Se recitaron a ustedes Mis revelaciones, pero ustedes se retrocedían en sus talones. [66] Hablaban las cosas sin sentido acerca del Qur'ãn en las reuniones nocturnas como contar las fábulas, contundentes en la arrogancia. [67] ¿Es que no ponderan sobre la Palabra de Al'lá; para ver si ellos tienen algo nuevo, lo que no había venidos a sus antepasados? [68] ¿O será porque ellos no reconocieron a Su Rasúl, quien es un miembro de su propia comunidad, para que le

Al'lá no ha cobrado a ninguna alma con más de que él puede llevar. Aquéllos que no creen en La Ultima Vida son desviados del Camino Recto.

nieguen? [69] ¿O scrá porque realmente son convencidos de lo que ellos dicen que 'él está poseído'? ¡No! De hecho, él les ha traído la Verdad y que la mayoría de ellos detesta la Verdad. [70] - Si la Verdad se hubiera seguido a sus apetitos, los cielos, la tierra y todo lo que hay entre los dos, se habrían sido corrompidos. ¡No! En cambio, les hemos traído su recordatorio *(el Qur'ãn)*, pero ellos están distraídos a su recordatorio. [71] ¿Acaso estás pidiéndoles alguna recompensa? La recompensa de tu Rab es el mejor, porque Él es el mejor de los proveedores. [72] De hecho, tú estás llamándolos a la Vía Recta; [73] y ciertamente, aquéllos que no creen en la Ultima Vida están desviándose de la Vía Recta. [74] Si Nosotros les mostramos misericordia y les relevamos de sus aflicciones, ellos persistirían obstinadamente en su rebelión, mientras vagando ciegamente por adelante y por atrás; [75] porque aun ahora, cuando hemos infligido el castigo en ellos, ellos no han sometidos a su Rab ni ellos suplicaron humildemente. [76] Hasta que abramos contra ellos una verja de castigo severo, verás que ellos se sumergen en la desesperación absoluta. [77]

23: [62-77]

SECCIÓN: 5

Es Al'lá Que le ha dado el oído, la vista y el intelecto - aun así, raramente ustedes muestran la gratitud [78] - es Él Quien ha multiplicados a ustedes en la tierra y todos ustedes serán congregados ante Él en el Día del Juicio. [79] Es Él Quien da la vida y la muerte, y la alternación de la noche y del día está en Su mando: Pues, ¿por qué no lo entienden ustedes? [80] Al contrario dicen lo mismo que sus antepasados dijeron ante ellos; [81] dijeron: "¡Qué! Después de la muerte cuándo nuestros cuerpos se habrían sido polvo y huesos, ¿Resucitaríamos, de nuevo a la vida, de verdad? [82] Ya hemos oídos muchas tales promesas que se hizo a nosotros y a nuestros antepasados ante nosotros. Éstas son nada más que las leyendas de las personas anteriores." [83]

23: [78-83]

Al'lá ha otorgado los oídos, ojos, y corazón, pero ustedes raramente muestran la gratitud.

Dígales: "¿A quién le pertenece la tierra y todo lo que hay en eso? ¿Díganme, si ustedes lo saben? [84] Ellos contestarán rápidamente: "¡A Al'lá! Di: "¿Entonces por qué ustedes no usan su sentido común y creen en Él?" [85] Dígales: "¿Quién es el Rab de los siete cielos y el Rab del Gran Trono?" [86] En seguida ellos dirán: "¡Al'lá!". Pregúnteles: "¿Entonces por qué no Le teman ustedes?" [87] Dígales: "¿En mano de quién es la soberanía de todas las cosas, protegiendo todos, mientras que no hay ninguna protección contra Él? Díganme, si es que ustedes lo saben." [88] Rápidamente ellos contestarán: "¡Al'lá!". Pregúnteles: "¿Entonces cómo pueden estar tan sugestionados?" [89] En realidad, les hemos traído la Verdad, e indudablemente ellos son los mentirosos. [90]

23: [84-90]

Incluso los incrédulos reconocen la existencia de Al'lá.

Al'lá nunca ha engendrado a un hijo, ni está allí cualquier otro dios junto con Él. Si hubiera sido así, cada dios gobernaría su propia creación, y cada uno se habría intentado predominar a los de más. ¡Exaltado sea Al'lá, sobre la clase de cosas que ellos atribuyen a Él! [91] él

Al'lá nunca ha engendrado a un hijo, ni está allí cualquier.

otro dios
además de Él

sabe lo que está oculto y lo que está aparente: ¡Está por encima de lo que Le asocian! [92]　　　　　　　　　　　　　　　　　　　23: [91-92]

SECCIÓN: 6

Rechacen el mal con el bien y busquen el refugio con Al'lá contra las tentaciones de Shaitãn.

Debes orar: "¡Rab mío! ¡Si me muestras en mi vida el castigo con que les ha amenazado, [93] entonces Rab mío, no me pongas entre este pueblo injusto." [94] Ciertamente, tenemos el poder para permitirle ver el castigo con que les hemos amenazado. [95] Responde a la maldad con el bien, somos totalmente conscientes de todas sus calumnias. [96] Y diga, "¡Rab mío! Busco el refugio contigo contra las sugestiones de los Shaitãnes, [97] y ¡Rab mío! Busco incluso el refugio contigo de su presencia." [98]　　　　　　　　　　　　　　　　23: [93-98]

Los malhechores desearán que pudieran regresar a este mundo para adoptar la Vía Recta, pero será demasiado tarde.

Estas personas nunca refrenarán del mal hasta que llegará la muerte a uno de ellos y dirá: "¡Rab mío! ¡Envíeme atrás, [99] para que yo pueda hacer los hechos buenos en el mundo que dejé detrás! ¡Nunca! Ésta es simplemente una declaración que no lleva el valor, será demasiado tarde porque habrá una barrera entre ellos y el mundo que dejaron detrás hasta el Día que ellos se suscitarán de nuevo. [100] En el Día, cuando la Trompeta se soplará, ellos no tendrán cualquier relación entre ellos, ni ellos preguntarán unos a otros. [101] Entonces sólo aquéllos cuyos buenos hechos pesarán más, lograrán la salvación. [102] En cuanto a aquéllos cuyos buenos hechos pesarán menos, serán los que se hayan perdido sus almas y vivirán en el infierno para siempre. [103] El Fuego quemará sus rostros y tendrán la mueca con sus labios desplazados. [104] Nosotros les diremos: "¿No se recitaron a ustedes Mis revelaciones, y ustedes negaron su verdad?" [105] Ellos dirán: "¡Nuestro Rab! Nuestro infortunio nos agobió y por eso fuimos gente extraviada." [106] ¡Nuestro Rab! Sáquenos de aquí; si volveremos a pecar, entonces seremos de hecho los malhechores." [107] En la respuesta a este Al'lá dirá: "¡Quédense aquí en la vergüenza y no supliquen a Mí! [108] Porque ustedes son los mismos que se burlaban de algunos de Mis adoradores quienes oraban: '¡Nuestro Rab!, ¡Nosotros creemos en Ti; por favor perdónenos y ten la misericordia en nosotros, porque Tú eres el Mejor entre aquéllos que muestran la misericordia!' [109] Pero ustedes se ridiculizaron tanto, que ustedes incluso se olvidaron de Mi misma existencia, y siguieron riéndose de ellos. [110] Hoy, les hemos premiado para su fortaleza, y ellos son los que tienen el éxito. [111]
　　　　　　　　　　　　　　　　　　　23: [99-111]

El Día del Juicio, aparecerá como si la vida de este mundo estaba menos de un día.

Ellos se preguntarán: "¿Cuántos años ustedes permanecieron en la tierra?" [112] Contestarán: "Vivimos allí un día o parte de un día; puede preguntar a aquéllos que guardaron la cuenta." [113] Se dirá: "¡Bien!, ahora ustedes saben que su estancia simplemente era muy poco - ¡qué lástima, si sólo hubieran comprendido!" [114] ¿Pensaron ustedes que lo habíamos creado sin cualquier propósito y que ustedes nunca devolverían a Nosotros para rendir la cuenta?" [115]　　　　　　　　　　23: [112-115]

Por consiguiente, ¡Exaltado sea Al'lá, el Rey Verdadero; no hay ninguno digno de culto sino Él, el Señor del Trono Honorable! [116] Quienquiera que invoca cualquier otro dios además de Al'lá - sobre cuya divinidad él no tiene ninguna prueba - él tendrá que dar una cuenta a su Rab. Ciertamente, los tales incrédulos nunca lograrán la salvación. [117] Diga: "¡Rab mío! ¡Perdona y ten Misericordia! ¡Tú eres el Mejor entre aquéllos que muestran la misericordia!" [118]   23: [116-118]

Los incrédulos nunca lograrán la salvación.

24: AN-NÜR

El periodo de Revelación

De acuerdo con el consenso general de la opinión entre los comentaristas del Qur'ãn, esta Süra se reveló después de la campaña contra Bani Al-Mustaliq; que tuvo lugar después de la Batalla de la Trinchera en 6 D.J. (después de la Jiy'rá), a la ocasión de calumnia contra la esposa del Profeta Mujámad (paz esté en él), Sallidá Aisha (Al'lá se agrade con ella), quién le acompañó en esta campaña.

Incluye los siguientes principios, Leyes y Guías Divinas:

> Leyes que relacionan a:
>> a. el castigo para la violación, la fornicación y el adulterio.
>> b. el castigo para atestiguar falsamente que relaciona a cualquiera de estos crímenes.
>> c. Li'ân (atestiguar contra la propia esposa de uno cuando no hay ningún otro testigo en un caso de adulterio).
> La calumnia contra la esposa del Profeta Mujámad (paz esté en él), la declaración de Al'lá de su inocencia, y advertencia a aquéllos que estaban envuelto en ese escándalo.
> Regulaciones que relacionan a entrada de uno, en las casas ajenas.
> Regulaciones que relacionan a las recolecciones mixtas de varones y hembras.
> El mando de Al'lá para los solteros que deben de casarse.
> El mando de Al'lá para ayudar a los esclavos conseguir su libertad.
> Al'lá es la Luz de los cielos y de la tierra.
> Al'lá ha creado todas las criaturas vivientes, del agua.
> Los verdaderos creyentes son aquéllos que, cuando se llaman hacia Al'lá y hacia Su Rasúl, dicen: "Oímos y obedecemos."
> Regulaciones que relacionan a:
>> a. entrada en el cuarto de un matrimonio.
>> b. comer en las casas ajenas.
> El mando de Al'lá por asistir las reuniones cuando se llaman para las discusiones y decisiones que son acerca de tomar las acciones colectivas.

Las Reformas sociales que promulgaron en esta Süra y su fondo:

Después de la victoria a la batalla de Badr, el movimiento islámico empezó a ganar la fuerza y a la Batalla de Trinchera, se había puesto claro que las fuerzas unidas de los incrédulos, aun numerando encima de diez mil, no podrían aplastar el movimiento islámico. Los judíos, los Hipócritas y los Mushrikïn entendieron bien, que la guerra de la agresión, que los incrédulos habían estado emprendiendo contra los musulmanes durante varios años, se había acabado. En esa ocasión el Profeta dijo a los creyentes:

"Después de este año, el Quraish no podrá atacarnos; ustedes tomarán la ofensiva contra ellos."

Después de la derrota en la Batalla de la Trinchera, los incrédulos comprendieron que los musulmanes no pudieran derrotarse en el campo de batalla y que el levantamiento de Islam no era debido a la fuerza numérica de los musulmanes ni a sus brazos superiores y los recursos materiales, porque los musulmanes estaban combatiendo contra ellos con todas estas tremendas desigualdades en todos estos frentes. Es que su éxito era debido a su superioridad moral. Las nobles y puras calidades del Profeta y sus seguidores estaban capturando los corazones de la gente, y también estaba ligándolos juntos en una comunidad sumamente disciplinada. Como resultado, ellos estaban derrotándoos a los mushrikïn y a los judíos, por consiguiente, ellos escogieron el frente moral para continuar el conflicto.

Ellos consiguieron la primera oportunidad cuando en Zul-Qa'dá 5 D.J. el Profeta se casó con Zainab (Al'lá sea complacido con ella - asce), la esposa divorciada de su hijo adoptado, Zaid bin Hâris (que Al'lá sea complacido con él - asce). El Profeta se casó con Zainab de acuerdo con el mando de Al'lá para acabar con una costumbre de ignorancia que había dado el mismo estado al hijo adoptado como eso de su hijo real. Los hipócritas, los judíos, y los mushrikïn lo consideraron como una oportunidad dorada de aprovecharse de la situación para difamar al Profeta y estropear su reputación alta con una calumnia malévola a través de preparar una historia en las palabras siguientes: "Un día Mujámad (paz esté en él) pasó ver a la esposa de su hijo adoptado y se enamoró de ella; luego él maniobró su divorcio y se la casó." Aunque ésta era una ficción absurda, se extendió con tal una habilidad y destreza que tuvo éxito en su propósito a la magnitud que algunos comentaristas musulmanes también han citado algunas partes de él en sus escrituras, y los orientalistas sabiéndolo aprovecharon para difamar al Profeta. El hecho es que ese Zainab (asce) nunca era una extraña al Profeta. Ella era su prima, siendo la hija de su tía paternal real, Umaimá, la hija de Abdul Muttâlib, su gran padre real. Él la había conocido de su niñez a su juventud. Simplemente un año antes de esta casualidad, él la había persuadido a casarse con Zaid (asce), quién era un esclavo y quien el Profeta había librado y luego había adoptado como su hijo, éste era para demostrar que en Islam, incluso un esclavo librado tiene los mismos derechos que lo del Quraish. Pero Zainab (asce) no pudo reconciliársela la reservación psicológica sobre el matrimonio con un esclavo liberado. Por consiguiente, ella y su marido no pudieron continuar juntos para largo, y eso inevitablemente resultó a su divorcio.

La segunda calumnia fue hecha en el honor de Sallidá Aisha (asce), una esposa del Profeta, en relación con una casualidad que ocurrió mientras él estaba volviendo de la Campaña contra el Bani Al-Mustaliq. Este ataque era aún más severo que el primero y era la razón principal para la revelación de esta Süra. La travesura que fue diseñada por Abdulá bin Ubaí. A través de esta calumnia, el propósito era atacar el honor del Profeta y Sallidiná Abu Bakr Siddïk (asce), quién era el padre de la Sallidá Aisha (asce), para minar la superioridad moral alta que era el recurso más grande del

Movimiento islámico y encender la guerra civil entre los Mujâyirïn y los Ansâr, y entre Aus y Khazraj, los dos clanes del Ansâr.

Esta Süra fue revelada para fortalecer la fibra moral de la sociedad musulmana que se había agitado por la calumnia contra Sallidá Aisha (asce). Se dan las leyes siguientes y guía para reformar la comunidad musulmana:

1. La violación, el adulterio y la fornicación que ya habían sido declaradas para ser los crímenes sociales en Süra Al-Ajzâb (los vv. 15,16) han hechos ahora ofensas delictivas y el uno que es probado culpable será castigado.
2. Se mandan los musulmanes para boicotear a los hombres adúlteros y las mujeres adúlteras y se prohíben para tener cualquier relación matrimonial con ellos.
3. Uno que acusa a otro de adulterio pero no produce cuatro testigos, será castigado con ochenta azotes.
4. La ley de Li'ân se promulga para proveer el método a un marido para llevar el testimonio contra su propia esposa en un caso de adulterio cuando no hay ningún otro testigo, y también proporciona a la esposa con un método para refutar su testimonio.
5. Los musulmanes se mandan para aprender una lección de la casualidad de la calumnia contra Sallidá Aisha (asce). Los musulmanes se aconsejan que deban ser muy cautos acerca de los cargos de adulterio contra las personas de buena reputación, y en lugar de desparramar tal un rumor, ellos deben refutar y deben suprimirlos inmediatamente. En esta conexión, un principio general se enuncia que el esposo apropiado para un hombre puro es una mujer pura, porque es difícil que un hombre puro puede llevar bien con una mujer mala a lo largo, y el mismo es cierto en caso de una mujer pura. Los musulmanes se amonestan como sigue: "Sabiéndolo que el Profeta es el más puro de todos los seres humanos, ¿Cómo pudieran creer que él pudiera vivir con una mujer mala y podría exaltarla como el más querida de sus esposas? Obviamente una mujer adúltera no pudiera engañar a un hombre puro como el Profeta. Debían de haber considerado el hecho que el acusador es una persona mala mientras la acusada es una mujer pura. Debía de haber sido bastante para convencerlos que la imputación no merece la pena de su atención."
6. Aquéllos que desparraman los rumores malos y propagan la maldad en la comunidad musulmana merecen el castigo.
7. Las relaciones en la comunidad musulmana deben ser basadas en la buena fe y no en la sospecha: todos somos inocentes hasta que él/ella es probado culpable.
8. Se prohíben a las personas que entren en las casas ajenas que no sean su propia sin pedir permiso.
9. Se dicen a los hombres y a las mujeres que bajen su mirada cuando ellos entran en el contacto entre sí.
10. Se mandan las mujeres para cubrir sus cabezas y pechos, no desplegar su belleza ante otros hombres, exceptúe sus sirvientes o los tales parientes con

quienes su matrimonio se prohíbe, de esconder sus encantos y de no tintinear los ornamentos cuando salen de sus casas.

11. *El matrimonio se anima e incluso es ordenado aún para los esclavos, porque las personas solteras son más pronas a la indecencia.*

12. *La institución de esclavitud se descorazona. Los amos de los esclavo y otros se animan para dar ayuda financiera a los esclavos para que ganen su libertad bajo la ley de Mukatabat (el contrato).*

13. *La prostitución por las muchachas esclavas se prohíbe, porque la prostitución en Arabia se confinaba exclusivamente a esta clase.*

14. *El respeto a la privacidad se manda aun para sirvientes y niños, aun incluyendo uno de su propio. Ellos se mandan para no entrar en los cuartos privados de matrimonio sin el permiso; sobre todo en el principio de la mañana, a mediodía y por la noche.*

15. *Se dan a las mujeres ancianas la concesión que ellas pueden poner sus tapas de cabeza al lado cuando ellas están dentro de sus casas pero deben refrenar del despliegue de adornos.*

16. *Los musulmanes se animan que desarrollan las relaciones íntimas tomando sus comidas juntas. Se permiten a los parientes cercanos y a los amigos íntimos que toman sus comidas en casas de uno y otro sin cualquier invitación formal.*

17. *Se clarifican las diferencias claras entre los creyentes e hipócritas para permitir a cada musulmán a diferenciar entre los dos. Al mismo tiempo la comunidad se fortalece a través de adoptar las medidas disciplinarias para descorazonar a los enemigos de crear la travesura en ella.*

La cosa más eminente sobre esta Süra es que es libre de la amargura que inevitablemente sigue a los tales ataques vergonzosos y absurdos como circular las mentiras sobre la esposa del Profeta. En lugar de mostrar alguna ira a esta provocación, se prescribe leyes y regulaciones. Contiene los mandos reformatorios y las instrucciones sabias que se necesitaron en ese momento por la educación y adiestramiento de la comunidad musulmana formada recientemente.

24: AN-NÜR

Esta Süra se reveló, en la Madina, tiene 9 secciones y 64 versos.

En el nombre de Al'lá, el Compasivo, el Misericordioso.

SECCIÓN: 1

El castigo para violación o fornicación.

Ésta es un Süra que hemos revelado y hecho su legislación obligatoria; en ella hemos revelado los versos claros, para que ustedes puedan poner la atención. [1] En cuanto a la fornicadora y el fornicador (*la hembra y el varón culpable del acto sexual ilícito*), que les apliquen cada uno de ellos cien azotes y que no debe tomar la piedad para cumplir la ley ordenada por Al'lá, si ustedes creen en Al'lá y en el Último Día, y que un grupo de los creyentes sea testigo de su castigo. [2]   24: [1-2]

El castigo para dar el testimonio falso.

El fornicador no se casaría cualquiera sino con fornicadora o con la mushriká, y ninguna fornicadora se la casaría excepto con fornicador o un mushrik: se prohíben los tales matrimonios a los creyentes. [3] Aquéllos que acusan a una mujer casta de la fornicación y no producen cuatro testigos para apoyar su alegación, se flagelará con ochenta azotes y su testimonio nunca se aceptará después, porque ellos son los perversos [4] - excepto aquéllos que se arrepienten después de esto y remiendan su conducta; pues Al'lá es, ciertamente, Indulgente Misericordioso. [5]

24: [3-5]

Li'ân (acusar la esposa cuando no hay ningún otro testigo en un caso de adulterio).

Esos hombres que acusan a sus propias esposas pero no tienen ningún testigo excepto ellos mismos, se hará cada uno de ellos jurar cuatro veces por Al'lá que su cargo es verdadero, [6] y una quinta pidiendo que caiga la maldición de Al'lá sobre él, si él está de mentiroso. [7] En cuanto a la esposa, el castigo se apartará de ella si ella jura cuatro veces por Al'lá que el cargo de él (*de su marido*) es falso [8] y una quinta pidiendo que caiga la ira de Al'lá sobre ella, si su cargo es verdadero. [9] Si no fuera para la gracia de Al'lá y Su misericordia en ustedes, ustedes tendrían ningún método para solucionar estas situaciones. Al'lá es el Aceptador del arrepentimiento, Sabio. [10]   24: [6-10]

SECCIÓN: 2

La calumnia contra una esposa del Profeta. Al'lá declaró la inocencia de la esposa del Profeta.

Ciertamente, aquéllos que prepararon la calumnia (*contra Aisha - una esposa del Profeta*) son una pandilla de entre ustedes. No lo consideres esta casualidad como sólo un mal, porque eso también contiene una buena lección para ustedes. Quienquiera que tomó cualquier parte en este pecado, ha ganado su porción de acuerdo con que haya adquirido, y el que se asumió la parte principal, tendrá un castigo terrible. [11] ¿Por qué los hombres creyentes y las mujeres creyentes, cuando oyeron hablar de esta calumnia, no pensaron bien de sus propias personas, y dijeron: "Ésta es claramente una imputación falsa"? [12] ¿Por qué ellos no produjeron cuatro testigos? Si ellos no pueden producir los testigos que requerimos, entonces ellos son los mentirosos en la vista de Al'lá. [13] Si no era por la gracia y misericordia de Al'lá hacia ustedes en este mundo y en el Otro, ustedes se habrían castigados severamente por ser enredados en este escándalo; [14] cuando ustedes pasaron eso adelante con sus lenguas y profirieron con sus bocas sobre algo que ustedes no tenían el conocimiento. Ustedes la tomaron como muy ligera mientras era una ofensa muy grave en la vista de Al'lá. [15] ¿Por qué no lo dijeron, cuando ustedes oyeron hablar: "¡No es propio de nosotros hablar sobre esto!?" ¡Gloria a Ti! Esto es una calumnia monstruosa. [16] Al'lá lo amonesta a ustedes que no vuelvan jamás a repetir un error así, si ustedes son los verdaderos creyentes. [17] Al'lá ha hecho Sus revelaciones aclarar a ustedes, Al'lá es Omnisciente, Sabio. [18] Aquéllos que aman a propagar las calumnias entre los creyentes tendrán un castigo doloroso en esta vida y también en la Otra. Al'lá sabe, mientras que ustedes no saben. [19] Si no era por la gracia y misericordia de Al'lá hacia ustedes, este escándalo habría producido los resultados muy malos para ustedes. Y porque Al'lá es de hecho Clemente, Misericordioso.[20]   24: [11-20]

SECCIÓN: 3

¡Creyentes! No sigan los pasos del Shaitãn: porque cualquiera que sigue los pasos de Shaitãn, se seduce por él, para comprometer actos de indecencia y maldad. Si no había sido la gracia y misericordia de Al'lá con ustedes, ninguno de ustedes se habría purificado jamás de este pecado, pero Al'lá purifica a quien Él Le agrada, y Al'lá todo lo oye, todo lo sabe. [21] Aquéllos entre ustedes quienes son dotados de la gracia y amplitud de medios no deben de jurar a detener su ayuda de sus parientes, de los indigentes y de aquéllos que emigraron en el camino de Al'lá - más bien deben perdonar y pasar por alto - ¿No gustaría a ustedes que Al'lá perdone a ustedes? Al'lá es Perdonador, Misericordioso. [22] Aquéllos que acusan a las mujeres que son castas y creyentes, en la buena fe, desprevenidas de lo que se traza contra ellas, son malditos en esta vida, y en la Otra ellos tendrán un castigo doloroso. [23] Las tales personas no deben olvidarse de ese Día cuando sus propias lenguas, sus propios manos y sus propios pies testificarán contra sus fechorías. [24] En ese Día, Al'lá les retribuirá el premio merecido, entonces ellos comprenderán que es Al'lá Quien es la Verdad Manifiesta *(perfecto en la justicia)*. [25] Las mujeres Impuras son para los hombres impuros, y los hombres impuros son para las mujeres impuras; las mujeres puras son para los hombres puros, y los hombres puros son para las mujeres puras. Ellos son libres de estas imputaciones del calumniador; y para ellos habrá perdón y la provisión honorable de Al'lá. [26]   24: [21-26]

Al'lá ordenó a los creyentes que no siguieran Shaitãn y de no tomar parte en las imputaciones falsas y calumnias.

SECCIÓN: 4

Las etiquetas por entrar en las casas ajenas.

¡Creyentes! No entren en las casas ajenas hasta que ustedes hayan pedido el permiso y han dicho los saludos de paz a los ocupantes; esto es mejor para ustedes, para que ustedes puedan recapacitar. [27] Si ustedes no encuentran a nadie, pues, no deben entrar hasta que se dé el permiso a ustedes; y si le piden que se vayan, entonces se regresen por atrás; esto es más digno para ustedes; y Al'lá es Sabedor de lo que ustedes hacen. [28] No hay ningún reproche en ustedes si ustedes entran en casas deshabitadas y en que ustedes tienen algo que pertenece a ustedes; y Al'lá sabe lo que ustedes revelan y lo que ustedes ocultan.[29]   24: [27-29]

La conducta requerida de un musulmán en el tráfico mixto de varones y hembras.

Mandes a los hombres creyentes que bajen la mirada y guarden sus partes privadas; eso es más casto para ellos. Ciertamente, Al'lá es bien consciente de sus acciones. [30] Igualmente, mandes a las mujeres creyentes que bajen la mirada y guarden sus partes privadas; que no desplieguen sus bellezas y ornamentos excepto lo que aparece normalmente de eso; que tracen sus velos encima de sus pechos y no desplieguen sus adornos excepto a sus maridos, a sus padres, a sus suegros, a sus propios hijos, a sus hijastros, a sus propios hermanos, a sus sobrinos por parte de los lados de hermanos o hermanas, sus propias mujeres, sus propios esclavos, sirvientes masculinos que faltan deseos sexuales o los niños pequeños que aún no tienen ningún conocimiento carnal de las mujeres. También mándelas de no golpear sus pies para atraer la atención a sus adornos ocultos. ¡Ustedes que son creyentes! Vuélvanse a Al'lá en el arrepentimiento, todos ustedes acerca de sus errores pasados para que ustedes puedan lograr la salvación. [31]   24: [30-31]

El orden de Al'lá para los solteros a casarse. El orden de Al'lá para conceder libertad a esos esclavos los que buscan comprar su libertad.

Deben casarse los individuos que son solteros entre ustedes y entre sus esclavos masculinos y las esclavas hembras que son en buena salud para el matrimonio. Si son pobres, Al'lá les librará de la necesidad con Su Gracia: porque Al'lá tiene los recursos ilimitados, es Conocedor. [32] Pero los que no encuentren la subsistencia para casarse, pues que sean castos hasta que Al'lá les enriquezca fuera de Su generosidad. En cuanto a aquéllos de sus esclavos que desean la escritura para su emancipación, ejecuten la escritura de emancipación para ellos si ustedes les encuentran que se merecen, y les den alguna de la riqueza que Al'lá ha dado a ustedes. No fuercen a sus esclavas en la prostitución para sus propias ganancias mundanas, cuando ellas desean conservar su castidad; y si cualquiera les fuerza en esto, entonces ciertamente, después de tal una compulsión, Al'lá estará Perdonador y misericordioso a ellas (*las esclavas*). [33] Nosotros ya hemos enviado a ustedes las revelaciones aclaratorias y los ejemplos citados de tales personas que fallecieron antes de ustedes, son como una advertencia a los virtuosos. [34]   24: [32-34]

SECCIÓN: 5

Al'lá es la Luz de los cielos y de la tierra. La parábola de Su Luz es como si había un nicho en que hay una lámpara, la lámpara está dentro de un cristal, el cristal es como fuera un astro brillante, se enciende con el aceite de un olivo bendito que no es de Oriente ni del Occidente, cuyo aceite casi sería luminoso aun sin haber sido tocado por el fuego - como si hubieran proporcionados todos los medios de Luz sobre la Luz - Al'lá guía a Su Luz a quien Él quiere. Al'lá cita las tales parábolas para aclarar Su mensaje a las personas; y Al'lá tiene conocimiento de todas las cosas. [35]

24: [35]

Su Luz se encuentra en esas casas que Al'lá ha sancionado para ser construidos para el recuerdo de Su nombre; donde Su nombre se glorifica por las mañanas y por las tardes, [36] por las tales personas a quienes ninguna ganancia comercial ni los negocios pueden desviar del recuerdo de Al'lá, ni de establecer el Salá (*las oraciones*) y ni de pagar el Zaká (*la caridad obligatoria*), porque ellos temen el Día del Juicio cuando serán puestos del revés los corazones y las miradas, [37] para que Al'lá les retribuya según el mejor de sus hechos y que agregue más aun para ellos fuera de Su gracia: porque Al'lá provee sin medida a quien Él quiere. [38]

24: [36-38]

En cuanto a los incrédulos, sus hechos desaparecerán como un espejismo en un desierto arenoso que el viajero sediento piensa que es agua, pero cuando él viene casi llegando, no encuentra nada, en cambio él encuentra a Al'lá para ajustar su cuenta - Al'lá es veloz en ajustar cuentas. [39] U otra parábola de un incrédulo será como tinieblas en un océano sin fondo agobiado con las olas, unas encima de la otras, con las nubes oscuras por encima - las capas de la oscuridad absoluta, unas sobre las otras - tanto que si se estira su mano, apenas se puede verlo. ¡Él, a quien Al'lá no le da luz, no tendrá ninguna luz! [40]　　　24: [39-40]

SECCIÓN: 6

¿No ves que todos los que están en los cielos y en la tierra glorifican a Al'lá? Aun hasta los pájaros Le alaban, desplegando sus alas. Cada uno sabe sus propias oraciones y su forma de glorificarle, y Al'lá tiene conocimiento completo de todas sus acciones. [41] A Al'lá Le pertenece el reino de los cielos y de la tierra; y hacia Al'lá es su retorno. [42] ¿No ves que Al'lá hace a las nubes mover suavemente, luego les une juntos, luego les amontona en las masas, luego ves que el chaparrón sale desde dentro de ellos? Él también envía abajo el granizo de las nubes que se parecen las montañas en el cielo, mientras afligiendo con ellos a quien Él lega y librando a quien Él Le agrada; el resplandor del relámpago que acompaña casi se lleva la vista. [43] Al'lá es Quien alterna la noche y el día; indudablemente en eso hay un motivo de reflexión para los que son dotados con la visión. [44] Al'lá ha creado todos seres vivientes a partir de

---

Al'lá es la Luz de los cielos y de la tierra.

La Luz de Al'lá se encuentra en los lugares de culto que se construyen para Su recuerdo por Sus devotos.

Los hechos de los incrédulos están como un espejismo en un desierto arenoso.

Cada cosa en los cielos y en la tierra glorifica y alaba a Al'lá. Al'lá ha creado cada criatura viviente del agua.

agua: de ellos hay algunos que se arrastran sobre sus barrigas, algunos de ellos que caminan sobre dos patas, y todavía otros que caminan sobre cuatro; Al'lá crea lo que Él Le agrada; ciertamente, Al'lá tiene el poder encima de todas las cosas. [45]   24: [41-45]

Aquéllos que exigen ser creyentes pero no demuestran su creencia a través de las acciones no son los verdaderos creyentes.

Hemos hecho descender, de hecho, las revelaciones muy claras, y Al'lá guía a la Vía Recta a quien Él quiere. [46] Ellos dicen: "¡Creemos en Al'lá y en el Rasúl y obedecemos!" Pero luego, después de haberlo dicho, algunos de ellos vuelven la espalda; esos tales no son creyentes. [47] Cuando se les llama las tales personas a Al'lá y a Su Rasúl que él puede juzgar entre ellos, ¡mire! he aquí que una parte de ellos se aleja. [48] Sin embargo, si ellos tienen la verdad a su lado, vienen voluntariamente a él. [49] ¿Acaso hay una enfermedad en sus corazones? O ¿Son escépticos?, o ¿Temen, acaso que Al'lá y Su Rasúl les negarán la justicia? ¡No! De hecho, ellos mismos son los injustos. [50]   24: [46-50]

SECCIÓN: 7

Los verdaderos creyentes son aquéllos que, cuando son llamados hacia Al'lá y a Su Rasúl, dicen: "Oímos y obedecemos."

La contestación de los verdaderos creyentes, cuando se les llama a Al'lá y a Su Rasúl para juzgar entre ellos, sólo es: "Oímos y obedecemos." Y tales son los que lograrán la felicidad. [51] Sólo aquéllos que obedecen a Al'lá y a Su Rasúl, que tienen temor a Al'lá y son cuidadosos para no incurrir Su disgusto, son los que serán exitosos. [52] Ellos juran solemnemente por Al'lá que si tú se lo ordenas, sí que ellos saldarían (*a luchar en el camino de Al'lá*) dejando sus casas. Les diga: "Pues no hay que jurar; es su obediencia y no sus juramentos que contarán; ciertamente, Al'lá es totalmente consciente de lo que ustedes hacen." [53] Diga: "Obedezca a Al'lá y obedezca al Rasúl. Si ustedes dan la espalda, pues él (*el Rasúl*) sólo es responsable para cumplir con su deber, asi como ustedes son responsables para cumplir con el suyo; y si ustedes le obedecen, se guiarán debidamente. Nótelo bien, que la responsabilidad del Rasúl es solamente a entregar el mensaje de Al'lá claramente." [54] Al'lá ha prometido a aquéllos de ustedes quienes creen y hacen los hechos buenos que Él les hará, el más ciertamente, los sucesores de los gobernantes que son actualmente en la tierra; así como Él hizo a sus antepasados ante ellos. Y que Él establecerá para ellos su religión lo que Él ha escogido para ellos, y que Él cambiará su presente estado de miedo con paz y seguridad. Me adorarán sólo a Mí y no comprometerán Shirk conmigo; y si cualquiera que rechazará la fe después de esto, son esos que serán los transgresores. [55] Por consiguiente, establezcan el Salá (*las oraciones*), paguen el Zaká (*la caridad obligatoria*) y obedezcan al Rasúl, para que puedan ser mostrados la misericordia. [56] Nunca piensas que los incrédulos pueden escapar en la tierra. En cuanto a ellos, el fuego será su hogar. ¡Qué mal morada para estar! [57]   24: [51-57]

SECCIÓN: 8

¡Creyentes! Permitan aquéllos a quienes poseen sus manos derechas (*sus sirvientes*) y a esos niños que todavía no han logrado la pubertad que piden su permiso en tres ocasiones: antes del Salát-ul-Fayar (*la oración del alba*), al mediodía cuando ustedes aligeran sus vestidos, y después del Salát-ul-Isha (*la oración nocturna*). Éstos son sus tres tiempos íntimos. En otros momentos, no hay ningún reproche en ustedes si frecuentan unos a otros. Así Al'lá hace Sus revelaciones aclarar a ustedes, porque Al'lá es Omnisciente, Sabio. [58] Y cuando sus niños alcanzan la edad de pubertad, pues deben pedir su permiso al igual que los otros adultos. Así Al'lá hace Sus revelaciones aclarar a ustedes, porque Al'lá es Omnisciente, Sabio. [59]   24: [58-59]

Las etiquetas de buscar el permiso para entrar en el cuarto de una pareja casada.

No hay ningún reproche en tales mujeres con edad avanzada y que han pasado el prospecto de casarse, si ellas pusieran sus mantos al lado sin desplegar sus adornos, pero es mejor para ellas si se abstienen. Al'lá es Quien todo lo oye y todo lo sabe.[60] No hay ningún reproche en los ciegos, ni está allí ningún reproche en los cojos, ni está allí ningún reproche en los enfermos, ni en ustedes mismos, para comer en sus casas o en las casas de sus padres, o sus madres, o sus hermanos, o sus hermanas, o sus tíos paternales, o sus tías paternales, o sus tíos maternales, o sus tías maternales, o en las casas que ustedes son confiados con las llaves, o de sus amigos sinceros. No hay ningún reproche en ustedes si comen juntos o separadamente; sin embargo, cuando entran en las casas, ustedes deben saludarse entre sí con el saludo de paz prescrito por Al'lá, bendito y puro. Así Al'lá hace Sus revelaciones aclarar a ustedes, para que puedan comprender.[61]   24: [60-61]

Las etiquetas de comer en las casas ajenas.

SECCIÓN: 9

Los verdaderos creyentes son sólo aquéllos que creen en Al'lá y en Su Rasúl, y quienes, cuando estén con él para un asunto que requiere la acción colectiva, no parten hasta que hayan obtenido su permiso - sólo ésos que piden tu permiso son los que de verdad creen en Al'lá y en Su Rasúl - cuando ellos piden su permiso para sus negocios privados, puedes conceder a aquéllos a quienes juzgas apropiado y les implora a Al'lá que les perdone; ciertamente, Al'lá es Perdonador, Misericordioso. [62] No consideren la convocación del Rasúl de la misma manera, como una convocación entre ustedes mismos. Al'lá conoce a aquéllos quienes se retiran con disimulo. ¡Que tengan cuidado los que desobedecen sus órdenes, no sea que les aflija una prueba o que les aflija un castigo doloroso! [63] ¡Cuidado! Cualquier cosa que está en los cielos y en la tierra pertenece a Al'lá. Él sabe todos sus pensamientos y acciones. En el Día del Juicio cuando ellos se traerán a Él, Él les dirá todos lo que ellos han hecho. Al'lá tiene el conocimiento de todas las cosas. [64]   24: [62-64]

El requisito para asistir a reuniones que requieren la colectividad de la acción.

25: AL-FURQÂN

El periodo de Revelación

Viendo su estilo y contendido parece igual a la Süra Al-Mu'minûn, esta Süra se reveló durante la tercera fase de la residencia del Profeta en la Meca.

Incluye los siguientes principios, Leyes y Guías Divinas:

> *El Qur'ân es el criterio para distinguir entre la Vía Recta y el extravío.*
> *Los malhechores son aquéllos que rechazan la Verdad, descrean el Rasúl, niegan el Día del Juicio y la vida después de la muerte.*
> *En el Día del Juicio, esas deidades quienes los mushrikïn invocan al lado de Al'lá negarán cualquier reclamación de ser divino y sostendrán a los mushrikïn responsable para su Shirk.*
> *En el Día del Juicio, los incrédulos lamentarán por no adoptar la Vía Recta.*
> *Se explica la sabiduría detrás del envío del Qur'ân parte por parte y de la revelación sistemática de los versos.*
> *El mando de Al'lá de hacer Ÿijâd contra la incredulidad con este Qur'ân.*
> *Se describen las características de los verdaderos creyentes.*

La materia y temas de esta Süra incluyen las dudas y objeciones que estaban propuestas por los incrédulos de Meca contra: el Qur'ân, el Profetismo de Mujámad (paz esté con él) y sus enseñanzas. Se dan respuestas apropiadas a esas objeciones y se advierten las personas acerca de las consecuencias de rechazar la Verdad.

Al final de la Süra se da una descripción del carácter de un verdadero creyente. Esta descripción podría resumirse como siguiente: " Aquí es el criterio con que puede distinguir entre el genuino de la falsificación: Fíjense del carácter noble de esas personas que han creído y han seguidos las enseñanzas del Profeta y el tipo de las personas que el Profeta está intentando producir a través de su entrenamiento. Comparen a estos creyentes con esos árabes que no han aceptado el Mensaje y que están aferrándose a su ignorancia y están haciendo su sumo para derrotar la Verdad. Ahora ustedes mismos pueden decidir, cuál de los dos es mejor."

25: AL-FURQÂN

Esta Süra, revelada en la Meca, tiene 6 secciones y 77 versos.

En el nombre de Al'lá, el Compasivo, el Misericordioso.

SECCIÓN: 1

¡Bendito sea Quien ha revelado Al-Furqân (*el criterio para distinguir entre bien y mal: El Qur'ãn*) a Su siervo, a fin de que sea un advertidor para todos los mundos! [1] Él es a Quien pertenece el reino de los cielos y de la tierra, ha engendrado a ningún hijo y ni tiene ningún compañero en Su reino. Él ha creado todo y lo ha ordenado en las proporciones debidas. [2] Siendo así, los incrédulos han tomado otros dioses fuera de Él que no crean nada, más bien son creados; e incluso no pueden dañar ni pueden ayudar, ni siquiera a sí mismos. Y no poseen ningún poder de causar la muerte o para dar la vida, ni tampoco sobre la resurrección. [3] Aquéllos que niegan la Verdad dicen: "¡Este Qur'ãn es sino una falsificación que él (*Mujámad*) ha inventado y algunas otras personas lo han ayudado!" ¡Inicuo es lo que ellos hacen y la falsedad es lo que ellos profieren! [4] Y dicen: "Éstas son las historias de los antiguos que él ha apuntado, de lo cual se lee día y noche." [5] Les diga: "Esto (*Qur'ãn*) se revela por Él, Quién sabe los secretos de los cielos y de la tierra; ciertamente, Él está siempre Perdonador, Misericordioso." [6] Y dicen: "¿Qué clase de Rasúl es éste que se alimenta y anda por los mercados? ¿Por qué ningún ángel se ha enviado con él para que le acompañe en su misión de advertir? [7] ¿Por qué él no se le ha dado un tesoro o por lo menos un jardín de lo cual él pudiera comer?" Y estas personas malas llevan más allá diciendo: "Ustedes están siguiéndoos a sólo un hombre que es embrujado." [8] ¡Ves qué clase de ejemplos aplican a ti! Es porque ellos están perdidos y no pueden encontrar la manera de refutar (*la Verdad de Taujïd y de la vida después de la muerte*).[9]

25: [1-9]

Bendecido es Al'lá Que reveló este Qur'ãn, el criterio para distinguir entre el bien y el mal.
Los injustos son aquéllos que rechazan la Verdad y descreen al Rasúl porque él es un ser humano.

SECCIÓN: 2

Bendecido es Él, Quien, si Él lega, podría darte muchas mejor cosas que lo que ellos proponen para ti: no sólo uno sino muchos jardines bajo cual fluyen los ríos; y constituirte los palacios también. [10] Pero de hecho, ellos niegan la Hora - y hemos preparado un fuego llameante para quien niegue la venida de la Hora. [11] Cuando éste lo verán desde un lugar distante, lo oirán su furor y su rabia. [12] Y cuando, encadenados juntos, se echarán en algún espacio estrecho, ellos suplicarán fervorosamente para la muerte. [13] Pero les dirán: "No supliquen para una muerte hoy, sino supliquen para muchas muertes." [14] Pregúnteles: "¿Qué es mejor, este infierno o el paraíso eterno que se ha prometido a los virtuosos que será el premio de sus hechos buenos y también su último destino; [15] en que ellos

Aquéllos que niegan la Hora y la vida después de la muerte se lanzarán en el Fuego llameante.

vivirán para siempre y conseguirán todo lo que ellos desearán?" (*Y éste sí merece la pena*). [16]   25: [10-16]

En el Día del Juicio, esas deidades a quienes los Mushrikïn invocan negarán cualquier demanda de divinidad y sostendrán los Mushrikïn responsable para su Shirk.

En ese Día, Él reunirá a todas estas personas, junto con las deidades a quienes ellos se rindieron culto además de Al'lá, y preguntará: "¿Fueron ustedes quiénes desencaminó a estos siervos Míos, o era que ellos mismos escogieron irse descaminados? [17] Esas deidades contestarán: "¡Gloria a Usted! No pertenecía a nosotros que pudiéramos tomar cualquier guardián fuera de Usted, pero Usted permitió a ellos y a sus antepasados disfrutar los consuelos de vida mundana hasta que ellos se olvidaron del Recordatorio, y por eso se volvieron las personas sin valor." [18] Así que sus dioses negarán todo lo que ustedes profesan hoy. Ustedes no podrán, entonces, apartar su castigo ni conseguirá alguna ayuda de cualquier parte; y todos entre ustedes quienes son culpables del mal, les haremos gustar el castigo poderoso. [19] No hemos enviado ningún Rasúl antes de ti, quién no comiera alimentos y anduviera por los mercados. De hecho, les hemos constituido algunos de ustedes una prueba para los otros, a ver si muestrearán la paciencia. Tu Rab todo lo ve. [20]   25: [17-20]

ŶÚZ (PARTE): 19

SECCIÓN: 3

Los incrédulos que piden por ángeles hoy, pedirán una barrera de piedra entre ellos y de los ángeles de castigo.

Aquéllos que no esperan encontrársenos en el Día del Juicio dicen: "¿Por qué no se nos han hecho descender ángeles o por qué no vemos a nuestro Rab?" Ciertamente ellos se han puesto demasiado arrogantes a sí mismos y han sido despreciativos por esa gran arrogancia. [21] En el Día, cuándo ellos vean a los ángeles, no será un Día de regocijar para los delincuentes; más bien llorarán: Ojala que sea allí una barrera de las piedras entre nosotros y los ángeles de castigo." [22] Entonces examinaremos a los hechos que hicieron, basado en sus opiniones malas, y les consideraremos vanos como fueran el polvo soplado. [23] En el contraste, en ese Día, los herederos del paraíso tendrán una residencia excelente y el alojamiento más fino. [24]   25: [21-24]

Incrédulos no arrepentirán en el Día del Juicio por no

En ese Día cuando el cielo se rajará con las nubes y los ángeles se enviarán abajo como líneas tras líneas, [25] el Reino real sólo pertenecerá al Compasivo (*Al'lá*), será un Día duro para los incrédulos. [26] En ese Día, el malhechor morderá sus manos: "¡Ojala que hubiera seguido el mismo camino junto al Rasúl! [27] ¡Ay de mí! ¡Ojala que yo nunca había escogido el fulano como mi amigo! [28] Él fue quién me llevó descaminado aun después de haber recibido la advertencia." Shaitãn siempre es un traicionero para el humano. [29] El Rasúl dirá: "¡Rab mío! Ciertamente, mis gentes abandonaron este Qur'ãn (*ni aprendieron ni actuaron en su guía*)." [30] Así es cómo constituimos para cada Rasúl un enemigo entre los delincuentes, pero tu Rab es suficiente para ti como una Guía y Auxiliador. [31] 25: [25-31]

adoptar la Vía Recta.

Los incrédulos preguntan: "¿Por qué no se revela a él, todo el Qur'ãn de una sola vez?" Este método de las revelaciones: lentas, bien colocadas, por partes; son para fortalecer su corazón. [32] La otra razón para usar este método es que cualquier momento que ellos vienen a ti con un argumento, te revelamos la Verdad y una explicación mejor. [33] Aquéllos que serán arrastrados precipitadamente, boca abajo, en el infierno tendrán un lugar malo para morar, porque ellos habían perdido el Camino, tomando una posición absolutamente mala. [34] 25: [32-34]

Al'lá explica la sabiduría detrás de revelar el Qur'ãn gradualmente en lugar de de una sola vez.

SECCIÓN: 4

Dimos a Musa (*Moisés*) la escritura y designamos a su hermano Jarün (*Aarón*) como diputado con él, [35] y les dijimos: "Ambos de ustedes vayan a las gentes que han negado Nuestras Revelaciones." Pero esas gentes rechazaron Nuestro Rasúles, como resultado, Nos aniquilamos a ellos, una aniquilación absoluta. [36] En cuanto a las personas de Nüj (*Noé*) Anegamos a ellos, cuando rechazaron a los Rasúles e hicimos de ellos un ejemplo para la humanidad; y hemos preparado un castigo doloroso para los tales injustos. [37] Las naciones de 'Ad y de Zamüd, los moradores de Ar-Rass, y muchas generaciones entre ellos, [38] Nos amonestamos cada uno de ellos citando ejemplos de aquéllos que fueron destruidos ante ellos, aun así, ellos rechazaron Nuestras revelaciones, pues exterminamos a cada uno de ellos. [39] Estos incrédulos deben de haber pasado por ese pueblo que se destruyó por una lluvia fatal; ¿Acaso no habían visto sus ruinas? Pero el hecho es que ellos no creen en la resurrección. [40] Siempre que ellos te ven, no hacen sino mofarte, mientras diciendo: "¿Es éste el que Al'lá ha enviado como un Rasúl? [41] Si no llega a ser porque nos hemos mantenidos fieles a nuestros dioses, nos habría casi desviado de ellos." Pues muy pronto, cuándo van a enfrentar el castigo, comprenderán quién realmente se desvió de la Vía Recta. [42] ¿Has visto a él que ha tomado sus propios deseos como su dios en la vida? ¿Tomarías la responsabilidad de guiarles? [43] O ¿Piensas que la mayoría de ellos escucha o intenta a entender? ¡No son sino como los animales - ¡No!, son incluso aún más extraviados del Camino! [44] 25: [35-44]

Todas las naciones que rechazaron las revelaciones de Al'lá y Sus Rasúles fueron absolutamente destruidos.

Aquéllos que han tomado sus deseos como sus dioses son nada más que los animales.

SECCIÓN: 5

Al'lá ha hecho la noche como un manto, para dormir y para descansar, y el día para trabajar.

¿No has visto cómo tu Rab deslice la sombra? Si Él quisiera, Él podría hacerlo estacionario. Luego, hemos hecho del sol guía para ella; [45] con la subida del sol, la retiramos gradualmente hacia Nosotros. [46] Él es Quien ha hecho la noche como una vestidura para ustedes, y el sueño como descanso, e hizo el día como resurrección. [47] Él es Quien envía los vientos como heraldos que anuncian Su Misericordia y envía del cielo agua pura, [48] para que con él, damos la vida a una tierra muerta, y apagamos la sed de innumerables animales y hombres que hemos creado. [49] Distribuimos este agua entre ellos para que ellos puedan glorificarnos, aun así, la mayoría de las personas se niega arrogantemente a hacer algo excepto de mostrar la ingratitud. [50   25: [45-50]

No rindas a los incrédulos; hagas Yijâd contra ellos con el Qur'ân Pongas tu confianza en El Viviente (Al'lá), Quién nunca se morirá.

¡Si hubiera sido Nuestra Voluntad, podríamos enviar un advertidor a cada pueblo, [51] por consiguiente, no rindas a los incrédulos, y hagas Ẏijâd (*esfuerza energética*) contra ellos con este Qur'ân, un Ẏijâd poderoso (*esfuerzos vigorosos*)! [52] Es Él, Quien ha soltado los dos mares (*los dos cuerpos de agua*): una dulce y agradable y otro Salado y amargo, y puso un baluarte entre ellos, una barrera insuperable. [53] Es Él, Quien ha creado del agua un ser humano, luego le constituyó las relaciones de sangre y relaciones políticas, tu Rab es, de hecho, Todos-Poderoso. [54] Aun así ellos se rinden culto a esas deidades además de Al'lá que ni si quiera pueden ayudarles ni pueden dañarles, encima de todo esto, el incrédulo se ha vuelto un auxiliador de cada rebelde contra su propio Rab. [55] Pero Nosotros no te hemos enviado sino para proclamar las buenas noticias y para dar la advertencia. [56] Dígales: "Yo no pido de ustedes ninguna recompensa para este trabajo. Sólo que, quién quiera, puede tomar la Vía Recta hacia su Rab." [57] Pongas tu confianza en el Viviente (*Al'lá*) Quién nunca muere: celebras Sus alabanzas, porque Él Solito es suficiente para ser consciente de los pecados de Sus siervos. [58] Él es Quien creó los cielos y la tierra y todos que están entre ellos en seis Alläm (*los periodos del tiempo, días, o fases*), y luego se estableció en el Trono de una manera que satisface a Su majestad; el Compasivo (*Al'lá*): pregunta a quien esté bien informado acerca de Su Gloria. [59] Cuando se les dice, "Postren ante el más Compasivo," Preguntan: "¿Quién es ese más Compasivo? ¿Vamos simplemente postrar porque tú nos pides?" Y esto, meramente, aumenta su desdén. [60]   25: [51-60]

SECCIÓN: 6

Bendecido es El, Quien ha engalanado el cielo con las constelaciones y ha puesto en él una lámpara (*el sol*) y una luna brillante. [61] Él es Quien ha causado que sucedan la noche y el día, para quién desea de aprender una lección o desea de dar gracias. [62] Los Verdaderos siervos del Compasivo (*Al'lá*) son aquéllos que caminan en la tierra en la humildad y cuando las personas ignorantes se les dirigen la palabra, ellos dicen: "¡Paz!" [63] Quienes pasan la noche postrando ante su Rab y estando de pie en las oraciones. [64] Quienes dicen: "¡Nuestro Rab! Guárdenos fuera del castigo del infierno, porque su castigo es un tormento permanente [65] - ciertamente es una morada mala y un lugar de residencia fea. [66] Quienes, cuando gastan, no son extravagantes ni tacaños, sino guardan el equilibrio entre esos dos extremos. [67] Quienes no invocan ningún otro dios además de Al'lá, ni matan a cualquier alma que Al'lá ha hecho sagrado salvo con un motivo justo, ni comprometen la fornicación - quien hace esto se castigará por su pecado, [68] y su castigo se doblará en el Día de la Resurrección y morará en la desgracia para siempre, [69] excepto el que se arrepiente, se vuelve un verdadero creyente, y empieza ser los hechos buenos, pues entonces Al'lá cambiará sus hechos malos en buenos, y Al'lá es Mejor Perdonador, más Misericordioso. [70] Quien se arrepienta y hace los hechos buenos, se ha vuelto a Al'lá de verdad en la buena fe. [71] Ésos son que no prestan los testimonios falsos, y si ellos pasan alguna vez por la futileza, pasan con la dignidad. [72] Quienes, cuando se les amonesta con las revelaciones de su Rab, no se vuelvan un ojo ciego y una oreja sorda a ellas. [73] Quienes oran: "¡Nuestro Rab! Haznos a nuestras esposas y a nuestros hijos el consuelo de nuestros ojos, y haz que seamos líderes de los virtuosos." [74] Tales son que serán premiados con los lugares altos en el paraíso por su paciencia, en que ellos se darán la bienvenida con palabras de salutación y de paz. [75] Ellos vivirán para siempre en esa morada excelente y excelente lugar de descanso. [76] Dígales: "Mi Rab no tendría ningún cuidado para aquellos que no invocan a Él. Ahora que ustedes han rechazados Sus revelaciones, pronto enfrentarán el castigo inevitable." [77]

25: [61-77]

Las características de los Verdaderos Siervos (los creyentes) de Al'lá.

26: ASH-SHU'ARÂ

El periodo de Revelación

Esta Süra se reveló durante la fase media de la residencia del Profeta en Meca. Según Ibn Abbâs, Sûra Tâ-Jâ se reveló primero, luego Süra Al-Wâqiá, y luego Süra Ash-Shu'arâ. (Rûh-ul-Ma'âni, Vol. 19, pág. 64). Acerca de Süra Tuwâ-Jâ se conoce bien que se reveló antes de que Sayidunâ Umar abrazara el Islam.

Incluye los siguientes principios, Leyes y Guías divinas

> *La dirección de Al'lá al Profeta Mujámad (paz esté en él) que él no debe preocuparse a la muerte con el pesar por el escepticismo de las personas.*
> *La historia de Moisés, de Fir'aun, y liberación de los hijos de Israel.*
> *La historia de Ibrãjïm y sus argumentos contra rendirse culto a los ídolos.*
> *Los mushrikïn y sus dioses: los dos se derribarán en el infierno.*
> *Las historias de Profetas Nüj, Jüd, Sâlej, Lüt, Shu'aib (pecte) y sus gentes.*
> *El Qur'ãn se revela en el idioma árabe y no se trae por el Shaitãn; porque eso no está en su interés ni es en su poder para hacerlo.*
> *Los Shaitãnes descienden hacia esos pecadores que calumnian y que escuchan a los rumores y que son mentirosos.*

Esta Süra empieza con las palabras de consuelo al Profeta, como si para decir: "¿Por qué estás preocupado para causa de ellos? Si estas personas no han creído, no es porque ellos no han visto ninguna señal, sino porque ellos son obstinados. La tierra entera está llena de señales que pueden guiar a un buscador de la Verdad hacia la realidad, pero tercos y descaminados tales personas nunca han creído aun después de ver las señales, aunque éstas sean las señales de fenómenos naturales o a través de los milagros de profetas. Las tales personas siempre pegan realmente a sus credos erróneos hasta el castigo Divino les da alcance a ellos." Luego la discusión se resume, mientras diciendo " ¡Incrédulos!, si ustedes realmente quieren ver las señales, entonces ¿Por qué insisten para ver esas señales horribles que habían visto las naciones condenadas del tiempo pasado? ¿Por qué ustedes no aprecian el Qur'ãn que está presentándose en su propio idioma? ¿Por qué ustedes no aprecian Mujámad (paz esté en él) y sus compañeros? ¿Puedan que las revelaciones del Qur'ãn sean el trabajo de un Shaitãn o un Genio? ¿Aparece el destinatario del Qur'ãn como un hechicero para ustedes? ¿Es Mujámad (paz esté en él) y sus compañeros ningún diferente que un poeta y sus admiradores? ¿Por qué ustedes no dejan el escepticismo e investigan y ven dentro de sus propios corazones para encontrar la Verdad? Cuando ven que en realidad las revelaciones del Qur'ãn no tienen nada en común con la hechicería y poesía, entonces ustedes deben saber que ustedes están equivocados e injustos."

26: ASH-SHU'ARÂ

Esta Süra, revelada en Meca, tiene 11 secciones y 227 versos.

En el nombre de Al'lá, el Compasivo, el Misericordioso

SECCIÓN: 1

Tâ Sïn Mïm. [1] Éstos son versos de la Escritura Manifiesta. [2] Tú, ¿porque estas muriendo de la pena a causa de que ellos no creen? [3] Si quisiéramos, podríamos bajar para ellos una señal del cielo antes cual doblarían sus cuellos en la sumisión (*pero ése no es lo que queremos*). [4] Ellos han estado dándose sus espaldas a cada una de la advertencia fresca que viene a ellos del Compasivo (*Al'lá*). [5] Pero ahora que ellos han rechazado la advertencia, pronto ellos vendrán a saber la realidad de lo que ellos han estado mofándose. [6] ¿No ponen la mirada hacia la tierra para ver cómo hemos causado todos los tipos de noble especies para crecer en ella? [7] Ciertamente en esto hay una señal, aun así, la mayoría de ellos no cree. [8] Ciertamente, tu Rab es el Todos-poderoso, el más Misericordioso.[9]   26: [1-9]

La dedicación del Profeta Mujámad (pece) a la guía de la humanidad.

SECCIÓN: 2

Recuérdelos la historia cuando tu Rab llamó a Musa (*Moisés*) y dijo: " Vállate hacia las gentes impías [10] A los gentes del Fir'aun (*Faraón*). Es que ¿No van a temerme? [11] Musa sometió, mientras diciendo: "Temo que ellos me rechazarán." [12] como resultado mi pecho siente apiñado, mientras mi lengua se me traba; por consiguiente, envíe a Jarün (*Aarón*) conmigo. [13] Ellos tienen un cargo de homicidio involuntario contra mí y yo temo que ellos me pueden matar." [14] Al'lá dijo: "¡De hecho no! Procedan, los dos de ustedes, con Nuestras señales, ciertamente, Nos estamos con ustedes, escuchando." [15] Váyanse al Fir'aun y le digan: "Somos los Rasúles del Rab de los Mundos. [16] Debes enviar con nosotros los Hijos de Israel." [17] (*Cuando ellos llegaron a Fir'aun y llevaron el Mensaje de Al'lá*), él dijo: ¿No te acariciamos cuándo eras un niño, entre nosotros? ¿De hecho no quedaste entre nosotros varios años de tu vida? [18] Luego hiciste lo que hiciste; ¡eres un renegado!" [19] Musa contestó: "Hice cuando yo era un joven descaminado. [20] Huí porque tuve miedo de ustedes; pero ahora mi Rab me ha concedido juicio (*la sabiduría*) y me hizo uno de Sus Rasúles. [21] ¿Acaso es un favor que me hiciste, esclavizando a los Hijos de Israel?" [22] Fir'aun dijo: "¿Quién es este Rab de los Mundos?" [23] Musa contestó: " Él es Rab de los cielos y de la tierra y todos lo que es entre ellos, si realmente estuvieran convencidos." [24] Fir'aun dijo a aquéllos que eran alrededor de él, "¿Ya oyeron? [25] Musa continuó: " Él es tu Rab y el Rab de tus antepasados". [26] Fir'aun interpuso: " Este Rasúl suyo quien se ha enviado a ustedes, ciertamente es poseso." [27] Musa continuó " Él es el Rab del Oriente y del

La asignación de Musa como un Rasúl y su diálogo con el Fir'aun y milagros del Profeta Musa.

Occidente, y todos que hay entre ambos. Si sólo intentarían a entender." [28] (*A esto, Fir'aun que no quiso escuchar más*) dijo: " Si tomaras cualquier otro dios aparte de mí, te mandare a la prisión." [29] A esto, Musa dijo: "¿Y si yo te muestro una señal convincente? [30] Fir'aun dijo: "Pues prosiga, y muestra si lo que dices es verdadero." [31] Oyendo esto, Musa tiró abajo su bastón, y eso convirtió en una verdadera serpiente. [32] Luego él sacó su mano y he aquí que se volvió brillante luminoso para los espectadores. [33]   26: [10-33]

SECCIÓN: 3

Fir'aun tomó a los milagros de Profeta Musa como la magia y convocó a los magos para competir.

(*Después de dar testimonio de ambos milagros*), Fir'aun (*Faraón*) dijo a los dignatarios que eran alrededor de él: " ¡Indudablemente, él es un mago experto! [34] quien quiere expulsarlo a ustedes fuera de su tierra por la fuerza de su magia. Ahora ¿Qué es su consejo?" [35] Ellos sometieron: "Dales un plazo a él y su hermano para algún tiempo, y despachas agentes hacia varios pueblos [36] para traerte todos los magos expertos. [37] Los magos se reunieron en el momento designado en un día fijo. [38] Se dijo a las gentes:"¿Vendrían ustedes para la reunión? [39] Tal vez podamos seguir a los magos si ellos son dominantes." [40] Cuándo los magos llegaron, ellos preguntaron a Fir'aun: ¿Conseguiremos un premio si somos dominantes?" [41] Fir'aun contestó: "¡Claro que sí! Se harían mis cortesanos. [42] Musa les dijo: "Lancen lo que ustedes van a lanzar." [43] Pues, ellos lanzaron sus cuerdas y varas, mientras diciéndole: "¡Por el poderío de Fir'aun, seremos los vencedores!" [44] Entonces Musa tiró su bastón, y ¡lo! Tragó a todos lo que ellos produjeron. [45] A esto, todos los magos cayeron postrados, [46] diciendo: " Creemos en el Rab de los mundos, [47] el Rab de Musa (*Moisés*) y de Jarün (*Aarón*)." [48] Fir'aun gritó: "¿Cómo se atreven ustedes creer en él, antes de que yo le dé permiso? ¡Él debe ser su maestro que le ha enseñado la magia! Pero pronto averiguarán. Cortaré sus manos y sus pies opuestos y crucificaré a todos ustedes." [49] Ellos contestaron: "¡No importa! Nos vamos a volver, sin embargo, a nuestro Rab. [50] Sólo deseamos que nuestro Rab puede perdonarnos nuestros pecados, ya que hemos sido los primeros en creer." [51]   26: [34-51]

Después de dar testimonio de un milagro, todos los magos abrazaron el Islam.

SECCIÓN: 4

La liberación de los Hijos de Israel y la destrucción de Fir'aun y sus jefes.

Revelamos a Musa (*Moisés*), diciendo: "Sal de noche con mis siervos y ten cuidado porque serán perseguidos." [52] Fir'aun (*Faraón*) envió agentes a todo los pueblos, [53] y para movilizar a sus gentes dijo: "Estos Israelitas son sino una banda insignificante, [54] quienes ciertamente nos han provocados; [55] mientras nosotros, en cambio, tenemos un ejército grande, bien preparado." [56] Pues así les expulsamos de sus jardines y de sus fuentes de agua [57] Y de sus tesoros y de las moradas suntuosas. [58] Esto es cómo ellos fueron hechos a perder, mientras, por otro lado, hicimos a los Hijos de Israel herederos de tales cosas. [59] A la salida del sol los egipcios les persiguieron. [60] Cuando los dos grupos vinieron cara a cara, los compañeros de Musa clamaron: "¡Hemos sido alcanzados!" [61] Musa dijo: "¡No! Mi Rab está conmigo; Él me mostrará una salida." [62] Entonces revelamos Nuestro Voluntad a Musa: "Golpee el mar con tu bastón," pues el mar se partió, y cada parte estaba como una montaña imponente. [63] Hicimos que los otros se acercaran (*Fir'aun y su ejército*) allá. [64] Y salvamos a Musa y todos que estaban con él; [65] Luego, ahogamos a todos los otros. [66] Ciertamente hay una lección, en esto: todavía, la mayoría de estas personas no aprende esta lección para que sean creyentes. [67] Ciertamente, su Rab es el Todos-poderoso, el más Misericordioso. [68]   26: [52-68]

SECCIÓN: 5

Narre a ellos la historia de Ibrãjïm, [69] cuando él preguntó a su padre y a sus gentes: " ¿Qué es lo que ustedes adoran?" [70] Contestaron: " Nos rendimos culto a los ídolos, y sentamos al lado de ellos con toda la devoción." [71] Ibrãjïm preguntó: "¿Les oyen a ustedes cuándo les invocan? [72] ¿Acaso pueden ayudar o dañar?" [73] Ellos contestaron: " ¡No, Pero encontramos a nuestros antepasados que hacían los mismo." [75] Ibrãjïm dijo: "¿Habían visto con la mente abierta a lo que han sido adorando [74] - ustedes y sus antepasados? [76] Ellos todos son mis enemigos; exceptúe el Rab de los mundos, [77] Quien me creó y me guía. [78] Él es Quien me da de comer y de beber, [79] Quien me da salud cuando me enfermo, [80] Quien me hará morir y luego me volverá a la vida, [81] Quien, espero con anhelo que perdonará mis errores en el Día del Juicio." [82] Después de esto, Ibrãjïm oró: "¡Rab mío! Regálame la sabiduría y admítame entre los justos, [83] concédame una reputación de veracidad en las generaciones que vengan más tarde, [84] cuénteme entre los herederos del paraíso de Delicia; [85] perdona a mi padre, porque él era entre aquéllos que han idos extraviados. [86] Y no me avergüences en el Día de la Resurrección [87] - el Día cuando ni riqueza ni hijos serán útil a nadie, [88] y cuando ninguno se salvará excepto él quien vendrá ante Al'lá con un corazón puro, [89] cuando el paraíso se traerá en la vista a los temerosos de Al'lá; [90] y el infierno se extenderá antes los descarriados [91] y se preguntarán: "¿Ahora, dónde están los que adoraban [92] además de Al'lá? ¿Pueden ayudarlo o incluso pueden ayudarse a sí mismos? [93] Luego, ellos y los descarriados serán lanzados en él, unos encima de otros, [94] junto con todos los ejércitos de Iblïs (*el Shaitãn*), [95] en que ellos dirán mientras [96] discutiendo: " Por Al'lá, nosotros de hecho estábamos evidentemente extraviados [97] cuando les hicimos iguales con el Rab de los Mundos. [98] Eran los delincuentes que nos llevaron descaminado. [99] Ahora nosotros no tenemos ningún intercesor, [100] ni tampoco ningún amigo ferviente. [101] Si pudiéramos devolver a nuestra vida mundana, seríamos de los verdaderos creyentes." [102] Ciertamente en esta narración hay una gran lección, pero la mayoría de estas personas no aprende, para volverse los creyentes. [103]

La historia del Profeta Ibrãjïm y sus argumentos contra rendir culto a los ídolos y la oración del Profeta Ibrãjïm para esta vida y la Vida Después de la Muerte.

Los mushrikïn y sus dioses, los dos se volcarán en el infierno.

Ciertamente, su Rab es el Todos-poderoso, el más Misericordioso. [104]

26: [69-104]

SECCIÓN: 6

La historia del Profeta Nüj, su diálogo con su gente; ellos descreyeron y como resultado enfrentaron la destrucción.

El pueblo de Nüj, también, desmintió a los Rasúles. [105] Cuando su hermano Nüj les preguntó: "¿No tendrán el temor a Al'lá? [106] Aseguró que soy un fidedigno Rasúl de Al'lá hacia ustedes, [107] para que tengan el temor a Al'lá y obedecen a mí. [108] Yo no les pido ningún premio para mis servicios, mi recompensa será con el Rab de los Mundos, [109] Pues, tengan temor a Al'lá y obedecen a mí." [110] Ellos contestaron: "¿Vamos a creerte a ti, considerando que sus seguidores son pero los más bajos de los bajos?" [111] Él dijo: " Yo no tengo el conocimiento acerca de lo que ellos han sido haciéndoos; [112] sus cuentas son la preocupación de mi Rab, ¡Si pudieran usar su sentido común! [113] yo no voy a ahuyentar a cualquier creyente. [114] yo soy nada más que un advertidor explícito. [115] Ellos dijeron: " ¡Nüj! Si no vas a detener, se apedrearás a la muerte." [116] Nüj oró: "¡Rab mío! Mis gentes me han negado. [117] Dicta un juicio abierto entre mí y ellos. Sálvame a mí y a los creyentes que están conmigo." [118] Concedimos su oración, pues salvamos a él y aquéllos quienes eran con él en la arca abarrotada, [119] Luego, ahogamos a los resto en el diluvio. [120] Ciertamente, en esta historia hay una gran lección, pero la mayoría de estas personas no aprende para ser creyentes. [121] Ciertamente, tu Rab es Quien es el Todos-poderoso, el más Misericordioso. [122]

26: [105-122]

SECCIÓN: 7

La historia del Profeta Jüd, su dirección a su pueblo; ellos descreyeron y como resultado enfrentaron la destrucción.

El pueblo de 'Ad, también, descreyó a los Rasúles. [123] Recuérdales cuando su hermano Jüd les preguntó: " ¿No van a temer a Al'lá? [124] Aseguró que soy un fidedigno Rasúl de Al'lá hacia ustedes. [125] Para que tengan el temor a Al'lá y obedecen a mí.[126] No les pido ningún premio para mis servicios, porque mi recompensa será con el Rab de los Mundos. [127] ¿Están erigiendo monumentos en cada colina para divertirse? [128] ¿Están construyendo las fortalezas fuertes como si ustedes van a vivir aquí para siempre? [129] Siempre que ustedes atacan, actúan como los tiranos crueles. [130] Tengan temor a Al'lá y obedezcan a mí. [131] Temen a Él Quien le ha dado todos los conocimientos que ustedes tienen. [132] Él le ha agraciado con los ganados e hijos, [133] con los jardines y fuentes. [134] De verdad, temo para ustedes el tormento de un Día terrible." [135] Ellos contestaron: "Nos da lo mismo si predicas o que te quedes sin predicarnos. [136] Ésta es nada más que la costumbre de los antiguos, [137] y nosotros no vamos a ser castigados." [138] Le descreyeron, pues destruimos a ellos absolutamente. Ciertamente, en esta historia hay una gran lección, pero la mayoría no quiere creerlo. [139] Ciertamente, tu Rab es Quien es el Todos-poderoso, el más Misericordioso. [140]

26: [123-140]

SECCIÓN: 8

Las gentes de Zamüd también descreyeron a los Rasúles.[141] Recuérdales cuando su hermano Sâlej les preguntó: " ¿No van a temer a Al'lá? [142] Aseguró que soy un fidedigno Rasúl de Al'lá hacia ustedes. [143] Temen a Al'lá y obedezcan a mí. [144] No les pido ningún premio para mis servicios, porque mi recompensa será con el Rab de los Mundos. [145] ¿Acaso serían dejados en paz para disfrutar todos los que ustedes tienen aquí para siempre? [146] Los Jardines y fuentes, [147] las cosechas y árboles de las palmeras abrumadas con frutas jugosas, [148] tallando sus moradas en las montañas y llevando una vida feliz. [149] Tengan temor a Al'lá y obedézcanme a mí. [150] No sigan a los órdenes de los extravagantes,[151] quienes crean la corrupción en la tierra y reforman nada." [152] Ellos contestaron: " ¡Eres, sino uno de los hechizados! [153] Eres nada más que un ser humano igual que nosotros. Traigas una señal si eres uno de los verdaderos." [154] Sâlej dijo: "Bien, aquí es el la camella (*la señal que ustedes pidieron*). Ella tendrá su cuota de agua, un día le tocará beber a ella y otro día a todos ustedes. [155] No le tocan con el mal. Si no, el castigo de un Día terrible puede dar alcance a ustedes." [156] Aún así, ellos la desjarretaron, y luego amanecieron arrepentidos; [157] porque el castigo les dio alcance a ellos. Ciertamente en esta historia hay una gran lección, aunque la mayoría de ellos no aprende y no era creyente. [158] Ciertamente, tu Rab es el Todos-poderoso, el más Misericordioso. [159]

26: [141-159]

SECCIÓN: 9

La nación de Lüt (*Lot*), también, descreyó a los Rasúles. [160] Recuérdales cuando su hermano Lüt les preguntó: "¿No van a temer a Al'lá? [161] Además aseguró que soy un fidedigno Rasúl de Al'lá hacia ustedes. [162] Aseguró que soy un fidedigno Rasúl de Al'lá hacia ustedes. [163] No les pido ningún premio para mis servicios, porque mi recompensa será con el Rab de los Mundos.[164] ¿Fornicarán con los varones de entre las criaturas del mundo[165] y dejarán a aquéllas a quienes su Rab ha creado como sus parejas? ¡No! Ustedes son un pueblo que ha transgredido todos los límites."[166] Ellos contestaron: "¡Lüt! Si tú no paras, ciertamente serás expulsado." [167] Lüt dijo: "¡Soy ciertamente uno de aquéllos que aborrecen sus acciones! [168] ¡Rab mío! Sálvanos a mí y mi familia de sus hechos malos. [169] Pues salvamos a él y su familia, a todos,[170] excepto una vieja que fue entre aquéllos que permanecían detrás. [171] Luego, destruimos el resto en absoluto. [172] Mandamos en ellos la lluvia (*de las roquitas de azufre*): ¡Que mal era la lluvia que se cayó en aquéllos que habían sido advertidos! [173] Ciertamente en esta narración hay una gran lección, pero la mayoría de estas personas no aprende para volverse creyentes. [174] Ciertamente, tu Rab es Todos-poderoso, el más Misericordioso. [175]

26: [160-175]

La historia del Profeta Sâlej, su dirección a su pueblo; ellos descreyeron y como resultado enfrentó la destrucción.

La historia del Profeta Lüt, su dirección a su pueblo; ellos descreyeron y como resultado enfrentó la destrucción.

SECCIÓN: 10

La historia del Profeta Shu'aib, su dirección a su pueblo; ellos descreyeron y como resultado enfrentó la destrucción.

Los habitantes de Aiyká, también, descreyeron a los Rasúles. [176] Cuando Shu'aib les preguntó: "¿No van a temer a Al'lá? [177] Además aseguró que soy un fidedigno Rasúl de Al'lá hacia ustedes. [178] Temen a Al'lá y obedezcan a mí. [179] No les pido ningún premio para mis servicios, porque mi recompensa será con el Rab de los Mundos. [180] Den la medida justa y no sean entre aquéllos que causan pérdidas a otros fraudulentamente. [181] Deben pesar con la balanza equilibrada. [182] y no estafan a sus compañeros de lo que es legítimamente de ellos: ni deben desparramar la maldad en la tierra corrompiéndola. [183] Deben temer a Quien ha creado a ustedes y a las generaciones anteriores." [184] Ellos contestaron: "No eres, ciertamente, más que uno de los hechizados. [185] Eres nada más que un ser humano como nosotros, pensamos que eres como uno de los mentirosos. [186] Haz que caiga un trazo de cielo sobre nosotros, si es verdad lo que dices." [187] Shu'aib dijo: "Mi Rab tiene mejor conocimiento de todas sus acciones." [188] Pues ellos lo descreyeron, y el tormento del día de sombra (*nubes oscuras que llevaban el castigo de Al'lá*) les asió. Indudablemente era el tormento de un día sumamente terrible. [189] Ciertamente en esta historia hay una gran lección, aunque la mayoría de ellos no aprendió y no era creyente. [190] Ciertamente, tu Rab es el Todos-poderoso, el más Misericordioso. [191]   26: [176-191]

SECCIÓN: 11

El Qur'ãn se revela en el árabe llano por Al'lá a través del ángel Gabriel; esas personas que no quieren creer el testamento no creerán.

Ciertamente, este (*Al-Qur'ãn*) es una revelación del Rab de los Mundos. [192] El Espíritu fidedigno (*el Ángel Gabriel*) lo ha bajado [193] a tu corazón para que seas uno entre aquéllos que son designado por Al'lá para advertir a los gentes [194] en idioma árabe claro. [195] Este hecho se predijo en las escrituras de los anteriores. [196] ¿Acaso esta no es la prueba suficiente para las personas que los sabios de los Hijos de Israel lo conozcan (*como veraz*)? [197] Si lo hubiéramos revelado a uno no árabe, [198] y él lo había recitado a ellos en el árabe fluente, no habrían creído en él. [199] Hemos causado la incredulidad así en los corazones de los delincuentes. [200] Ellos no van a creer en él hasta que vean el castigo doloroso; [201] lo que vendrá a ellos, de repente, sin que se den cuenta. [202] Entonces pedirán: "¿Podría darnos un poco de tregua?" [203] ¿Desean adelantar Nuestro castigo? [204] ¡Sólo piensan! Si Nos les permitiéramos disfrutar esta vida para muchos años, [205] y luego les llega el castigo, con que ellos fueron amenazados, [206] ¿De qué provecho serán sus goces pasados para ellos? [207]   26: [192-207]

El Qur'ãn no es revelado por el Shaitãn s; ni es en

Nunca hemos destruido una población a quien no hemos enviado un advertidor; [208] ellos fueron advertidos, y Nunca hemos sido injustos. [209] Y los demonios no lo han hecho descender (*este Qur'ãn*). [210] No está en su interés ni en su poder para producir tal una obra maestra. [211] Ellos se mantienen, incluso, demasiado lejanos para oírlo. [212] No invoques a otros dioses además de Al'lá, porque serias de los que han de sufrir el castigo. [213] Amonestes a tu parentescos [214] y bajes tus alas de bondad a aquéllos que son creyentes y que te siguen. [215] Pero si ellos desobedecen, les diga: " No soy responsable para lo que ustedes hacen." [216] Pongas tu confianza en el Todos-poderoso, el Misericordioso, [217] Quien te observa cuando estás de pie [218] y ve las posturas que adoptas entre aquéllos que se postran en el culto. [219] Él es Quien todo lo oye, Quien todo lo sabe. [220]

26: [208-220]

su interés ni en su poder.

¿Quieren que diga sobre quién descienden los demonios? [221] Descienden en cada calumnioso pecador [222] aquéllos que pasan en lo que se oyen - y la mayoría de ellos es mentirosa [223] - y los poetas se siguen por aquéllos que van descaminados. [224] ¿No ves, cómo vagan en cada valle (*hablando sobre cada asunto - bueno o malo - en su poesía*), [225] y que dicen lo que no hacen? [226] Sin embargo, una excepción es hecho para aquéllos poetas quienes creen, hacen los hechos buenos, comprometen mucho en el recuerdo de Al'lá y se defienden cuando son tratado injustamente. ¡Los injustos averiguarán pronto la suerte que les espera! [227]

26: [221-227]

Shaitãn desciende a los calumniadores y pecadores que escuchan a los rumores y son los mentirosos.

27: AN-NÁML

El periodo de Revelación

Esta Süra se reveló durante la fase media de la residencia del Profeta en Meca. Según las tradiciones narradas por Sallidunâ Ibn Abâs y Sayyidunâ Yâbir bin Zaid, " Primero, la Süra A-Shu'arâ fue revelada, luego Süra An-Náml, y luego Süra Al-Qasas."

Incluye los siguientes principios, Leyes y Guías divinas:

> ➤ El Qur'ãn es una guía y las noticias buenas a los creyentes.
> ➤ El profeta Musa (paz esté en él) y sus nueve milagros que se mostraron a Fir'aun y a sus gentes.
> ➤ La historia de Profeta Sulaimãn (Salomón, paz esté en él) y la Reina de Sheba.
> ➤ Las historias de Profetas Sâlej y Lüt (paz esté en ellos) y sus gentes.
> ➤ Los incrédulos realmente dudan el poder de creación de Al'lá.
> ➤ Una señal de entre otras señales, y una escena de las escenas de Día del Juicio Final.
> ➤ Aquéllos que aceptan la guía hacen para su propio beneficio y aquéllos que rechazan y van descaminado, hacen para su propio riesgo.

Esta Süra contiene los siguientes dos discursos.

El tema del primer discurso es que las únicas personas que pueden beneficiar de la guía del Qur'ãn y pueden ponerse digno de las promesas que fueron hechos en él, son aquéllos que aceptan las realidades del universo presentados en este Libro, y luego muestran obediencia y sumisión a Al'lá en sus vidas prácticas. Pero el estorbo más grande para el hombre para seguir este camino, es el rechazo del Día del Juicio. Porque eso le hace irresponsable, egoísta, y ávido en esta vida mundana que a su vez, lo hace imposible para él someterse a la Voluntad de Al'lá y aceptar las restricciones morales en sus lujurias y en sus deseos.

Después de esta introducción, se han presentado tres tipos de caracteres: Los ejemplos del primer tipo son Fir'aun (Faraón), sus jefes, la nación de Zamüd y las gentes de Profeta Lüt (paz esté en él) quienes estaban distraídos del Día del Juicio y por consiguiente se habían vueltos como esclavos de sus propios deseos. Por eso ellos, incluso, no creyeron aún después de ver los milagros. Más bien, ellos se volvieron contra aquéllos que les invitaron a la bondad y piedad. Ellos persistieron en sus maneras malas que se aborrecía por cada persona sensata. Ellos no consideraron la advertencia, incluso los momentos antes, de que ellos se dieran alcance por el castigo de Al'lá.

Un ejemplo del segundo tipo es el Profeta Sulaimãn (Salomón) (paz esté en él), quién había sido bendito por Al'lá con la riqueza, reino y grandeza mucho mayor que los jefes de los incrédulos de Meca. Pero, desde que él se consideró responsable ante Al'lá y reconoció que lo que él tenía sólo era debido a la generosidad de Al'lá, él adoptó la rectitud y la actitud de obediencia.

Un ejemplo del tercer tipo es la Reina de Sheba que gobernó encima de las personas más adineradas y muy conocidas en la historia de Arabia. Ellos poseyeron todos esos medios de vida que podría causar a una persona para ponerse orgulloso y arrogante. Su riqueza y posesiones excedieron la riqueza y posesiones comparado al de Quraish. Ella profesó Shirk, que no sólo era un estilo de vida hereditario para ella, sino ella tenía que seguirlo para mantener su posición como un gobernante. Por consiguiente, era mucho más difícil para ella dejarse Shirk y adoptar la manera de Taujïd que podría ser para un mushrik común. Pero cuando la Verdad se puso evidente a ella, nada podría detenerla de aceptarlo. Su desviación era, de hecho, debido a su nacer y plantarse en un ambiente politeísta, no debido a su ser un esclavo a sus lujurias y deseos. Su conciencia no estaba desprovista del sentido de responsabilidad ante Al'lá.

El tema del segundo discurso es atraer la atención de las gentes a algunas de las realidades más brillantes y visibles del universo haciendo las preguntas como: ¿Testifican las realidades del universo al credo de Shirk que ustedes están siguiendo, o a la verdad de Taujïd a lo que el Qur'ãn le invita? Después de esta enfermedad real de los incrédulos, que está señalado diciendo, " La cosa que les ha deslumbrado y les ha hecho insensible a cada realidad es, su rechazo del Día del Juicio. Esta misma cosa ha dado cada materia y asunto de vida como non-serio para ellos. Porque, según ellos, si finalmente todo tiene que volverse el polvo, y el forcejeo entero de existencia es disfrutar; entonces esta vida mundana, la verdad y la falsedad son iguales y mismas. Por consiguiente, la pregunta de que si el sistema de vida de uno es basado en el bien o el mal se pone sin sentido."

En la conclusión, la invitación del Qur'ãn para servir a Un Dios (Al'lá) se presenta de una manera concisa pero poderosa, y las personas se amonestan para aceptar esta invitación porque aceptándolo, es a su propia ventaja y rechazándolo, será a su propia desventaja. Pues si ellos difirieran su fe hasta que ellos vieron esas señales de Al'lá, pues después de su apariencia ellos se saldrían sin la opción de creer y someter y será demasiado tarde para ganar cualquier beneficio de él.

27: AN-NÁML

Esta Süra, revelada en Meca, tiene 7 secciones y 93 versos.

En el nombre de Al'lá, el Compasivo, el Misericordioso

SECCIÓN: 1

El Qur'ãn es una Guía y las Noticias Buenas para los Creyentes.

Tâ Sïn. Éstos son versos del Qur'ãn, la escritura que aclara las cosas. [1] Una guía y las noticias buenas para los creyentes, [2] quienes establecen el Salá (*la oración*) y pagan el Zaká (*la caridad obligatoria*) y firmemente creen en el Día del Juicio. [3] En cuanto a aquéllos que no creen en el Día del Juicio, hacemos sus hechos parecer justos a ellos, por consiguiente ellos se equivocan sobre cualquier tontería. [4] Estos tales son para quien hay un castigo peor, y en el Día del Juicio, serán los más grandes perdedores. [5] E indudablemente estás recibiendo este Qur'ãn de Uno que es Sabio y Omnisciente. [6]   27: [1-6]

La historia de la selección del Profeta Musa como un Rasúl.

Se mostraron nueve señales a Fir'aun (Faraón) pero él todavía descreyó y el castigo de Al'lá incurrió en él.

Relacione a ellos la historia de Musa (*Moisés*), cuando él dijo a su familia: " He visto un fuego; podría traer de allí algún información sobre la dirección correcta o una antorcha encendida con que podría calentarse." [7] Pues cuando llegó a él, una voz convocó a él: "¡Bendecido sea Él, Quien está en este fuego y Quien está en su alrededor! ¡Gloria a Al'lá, el Rab de los Mundos! [8] ¡Musa!, Yo soy Al'lá, el Todos-poderoso, el Sabio." [9] Tirase tu bastón." Pues cuando lo vio reptar como si fuera una serpiente, él retrocedió y huyó sin dar espalda. "¡Musa!, No tengas miedo, " Dijo, " Mis Rasúles no necesitan tener miedo en Mi presencia, [10] excepto él, quien es culpable de ser injusto; a menos que reemplace ese mal con un hecho bueno, pues Soy Perdonador, Misericordioso. [11] Ahora pongas tu mano en tu bolsillo, saldrá brillante blanco sin cualquier daño. Estas dos señales son de las nueve señales dirigidos a Fir'aun (*Faraón*) y a su gente. Verdaderamente, ellos son una nación de transgresores." [12] Pero, cuando nuestras señales se mostraron a ellos, dijeron: " Ésta es la hechicería clara." [13] (*Estaban convencidos en sus corazones sobre la verdad de esos milagros*), todavía, ellos negaron esas señales injustamente y arrogantemente. Así que mira, lo que era el fin de esos corruptores. [14]

27: [7-14]

SECCIÓN: 2

La historia del Profeta Sulaimãn a quien Al'lá dio el mando

Nosotros conferimos la sabiduría a Dawüd (*David*) y a Sulaimãn (*Salomón*). Quienes dijeron: "¡Alabado sea Al'lá que nos ha exaltado sobre muchos de Sus siervos creyentes!" [15] Sulaimãn fue el heredero de Dawüd. Él dijo: ¡Pueblo! Se nos has enseñado lenguajes de los pájaros y nos has dado todas las clases de cosas. Ésta es, de hecho, una gracia evidente de Al'lá." [16] Un ejército reunido para Sulaimãn se comprendió de los genios, de los hombres y de los pájaros; pues todos ellos fueron puestos bajo la disciplina estricta. [17] Una vez en una expedición, él estaba marchando con su ejército cuando ellos se encontraron con un valle de hormigas, una de las hormigas dijo: ¡Hormigas!, entren en sus viviendas, no vaya a ser que Sulaimãn y su ejército nos aplasten bajo sus pies sin darse cuenta." [18] Pues, Sulaimãn sonrió, al oír lo que ella decía, y dijo: " ¡Rab! Inspíreme dar gracias por Sus favores que has dado en mí y en mis padres, y a que actué con una rectitud que Te agradará; y admítame, por Tu misericordia, entre Tus siervos virtuosos". [19]   27: [15-19]

encima de los genios, hombres, pájaros y vientos.

Él pasó revista a los pájaros y dijo: "¿Adónde esta la abubilla que no lo veo? ¿Acaso es uno de los que están ausentes? [20] La castigaré, ciertamente, severamente o incluso la degollaré, a menos que me ofrece una razón fuerte para su ausencia." [21] La abubilla, que no tardó mucho en regresar, dijo: "Yo simplemente he averiguado algo que ustedes no saben. Yo les he traído información fiable acerca de las gentes de Saba' (*Sheba*). [22] Encontré a una mujer que gobierna sobre ellos; ella se ha dado todo y posee un trono magnífico. [23] Encontré que ella y sus gentes se postran ante el sol en lugar de Al'lá. ¡Shaitãn ha engalanado sus acciones y así se los volvió fuera del Camino Recto, y no están bien dirigidos, [24] de modo que no prosternan ante Al'lá, el Quien ilumina todos los que están oculto en los cielos y en la tierra y sabe exactamente lo que esconden y lo que revelan! [25] ¡Al'lá! No hay ninguno digno de culto sino Él. Él es el Señor del Trono inmenso. [26] Sulaimãn dijo: " Pronto averiguaremos si lo que dices es verdad o si eres de los que mienten. [27] Váyase y entregue a ellos esta carta mía, luego apártate y espera por su respuesta." [28] La Reina dijo: " ¡Jefes! Me han echado una carta muy importante; [29] es de Sulaimãn, y empieza con el nombre de Al'lá, el Compasivo, el Misericordioso. [30] No seas arrogante conmigo y vengas a mí en la sumisión completa (*como los musulmanes*)." [31]   27: [20-31]

La abubilla le trajo las noticias sobre la Reina de Sheba.

La carta de Rey Sulaimãn a la Reina de Sheba.

SECCIÓN: 3

Luego ella dijo: "¡Jefes! Permítanme oír su consejo, porque no tomaré ninguna decisión sin consejo suyo". [32] Ellos contestaron: " Somos una nación valiente y poderosa y a ti te toca ordenar, así que consideras lo que vas a ordenar." [33] La reina dijo: "Cuando los reyes invaden a un pueblo, estropean por completo humillando a sus habitantes honorables; y ellos siempre hacen así. [34] Por consiguiente, les enviaré un regalo y esperaré lo que traigan de vuelta mis enviados." [35] Cuando los enviados de la reina vinieron a Sulaimãn, él dijo: ¿Acaso quieren proporcionarme la riqueza? Lo que Al'lá me ha dado vale más que lo que Él le ha dado a ustedes. Más bien, son ustedes quiénes se regocijan con sus regalos. [36] Regresa a sus gentes: si sus gentes no someten, marcharemos contra ellos con tal un ejército que ellos nunca podrán enfrentar, y los expulsaremos fuera de su tierra humillados y quedarán empequeñecidos." [37]

27: [32-37]

Las comunicaciones entre Reina de Sheba y Sulaimãn.

(*Después, cuando Sulaimãn (Salomón) oyó que la Reina de Sheba llegaba en sumisión*), él preguntó: "¡Dignatarios! ¿Quién de ustedes puede

Un hombre que tenía 'el Conocimiento de la escritura' trajo el Trono de la Reina a rey Sulaimãn centello de un ojo.

Reina de Sheba y sus personas abrazaron el Islam.

traer a mí su trono antes de que vengan a mí sometidos?" [38] Un poderoso genio dijo: "Yo lo traeré a ti antes de que aplaces tu corte; y seguramente tengo la fuerza necesaria y soy fidedigno." [39] Una persona que tenía conocimiento de la escritura dijo: "Yo puedo traerlo a ti en el centelleo del ojo." En cuando Sulaimãn vio el trono puesto ante él, exclamó: " Esto está por la gracia de mi Rab, para probarme si voy o no ser agradecido. Cualquiera que agradece, ciertamente su gratitud es una ganancia para su propia alma, y cualquiera que es ingrato debe saber que ciertamente, mi Rab está libre de todo las necesidades y es Generoso." [40] Luego él dijo: "Enmascaremos su trono para ella para ver si ella lo reconoce o ella es de aquéllos que no pueden reconocer la Verdad." [41] Pues cuando la reina llegó, ella fue preguntada: " ¿Es así su trono?" Ella contestó: " Simplemente es lo mismo; incluso antes de dar testimonio de este milagro de traer mi trono aquí, nos habíamos dado el conocimiento que Sulaimãn no sólo era un rey sino también un Profeta de Al'lá, y nos habíamos vuelto musulmanes." [42] El impidió a ella de adorar otras deidades además de Al'lá, porque ella pertenecía a un pueblo de incrédulos. [43] Luego la pidieron que entrara en el palacio. Cuando ella vio su suelo, ella pensó que era una piscina de agua, por consiguiente envolvió sus faldas para destapar sus piernas. Sulaimãn dijo: "Es un palacio cuyo suelo es pavimentada de cristal." A esto ella exclamó: "¡Rab mío! He sido injusta conmigo misma, ahora como Sulaimãn, me someto en Islam a Al'lá, el Rab de los Mundos."[44]   27: [38-44]

SECCIÓN: 4

La historia del Profeta Sâlej y su dirección a su gente.

Las personas de Sâlej trazaron para matarlo, pero Al'lá le salvó y destruyó a los incrédulos.

A la nación de Zamüd, enviamos su hermano Sâlej, diciéndole: " Ríndanse culto a Al'lá, " pero ellos se dividieron en dos facciones discordantes. [45] Sâlej dijo: "¡Gente mía! ¿Por qué desean ustedes acelerar hacia el mal en lugar del bien? ¿Por qué no piden perdón de Al'lá para que podrían recibir Su misericordia?" [46] Ellos dijeron: "Nosotros consideramos a ti y tus compañeros como un agüero de mala suerte. Él dijo: "Su suerte está con Al'lá; de hecho, ustedes son gente quienes están siendo puesto a la prueba." [47] Habían un grupo de nueve individuos en la ciudad que creaban la travesura en la tierra y no la reformaban. [48] Ellos dijeron entre sí: " Vamos comprometer y jurar por Al'lá, que haremos un ataque nocturno confidencial contra él y su familia, luego, le diremos a su parientes próximos que no éramos incluso presente en el momento que su familia fue matada, y que nosotros estamos diciendo la verdad." [49] Así que ellos trazaron un plan, sin darse cuenta que Nosotros teníamos un plan opuesto. [50] ¡Sólo vea lo que era el resultado de su plan! Nosotros los aniquilamos completamente, junto con todas sus gentes. [51] Allí quedaron sus casas en las ruinas desoladas como resultado de sus injusticias. Indudablemente hay una lección en esta historia para esas personas que saben. [52] Es más, Nosotros salvamos a los verdaderos creyentes que eran virtuosos. [53]   27: [45-53]

También mencione a ellos la historia de Lüt (*Lot*), cuando él dijo a su pueblo: ¿Comprometen la indecencia aun sabiéndolo? [54] ¿Acercan a los hombres para sus deseos sexuales en lugar de las mujeres? El hecho es que ustedes son un pueblo empapado en la ignorancia." [55] Pero la única respuesta de su gente fue decir: " Hay que expulsar la familia de Lüt de su ciudad. Ciertamente, ellos son personas que se las dan de puros [56] Pues salvamos a él y su familia excepto su esposa - acerca de quién habíamos decretado que será de aquéllos que permanecerán detrás [57] - E hicimos caer sobre ellos una lluvia. ¡Qué mal era la lluvia que se cayó en aquéllos que fueron advertidos! [58]   27: [54-58]

El Profeta Lüt amonestó a su gente pero ellos no prestaron su atención, pues enfrentaron el castigo de Al'lá.

SECCIÓN: 5

Diga: "¡Alabado sea Al'lá! Y paz esté en Sus siervos a quienes Él ha escogido (*para entregar Su mensaje*). Pregúnteles: "¿Quién es mejor? ¿Al'lá o las deidades que ellos asocian con Él?"[59]   27: [59]

Alabado sea Al'lá y paz esté en Sus Rasúles.

ỸÚZ (PARTE): 20

¿Acaso no es Él (*Al'lá*), Quién ha creado los cielos y la tierra, envía abajo la lluvia del cielo mediante lo cual hace crecer los jardines espléndidos cuyo árboles ustedes no podrían hacer crecer? ¿Hay otro dios además de Al'lá que podría hacer eso? ¡No! indudablemente son gente que han desviado de la justicia (*atribuyendo a los iguales a Él*). [60] Piensen por el momento ¿Quién ha hecho esta tierra como un lugar para su residencia, y ha intercalado los ríos, le ha puesto las montañas fijas en él y puso una barrera entre los dos mares? ¿Hay otro dios además de Al'lá? ¡No!, pero la mayoría de ellos no tiene el conocimiento. [61] ¿Quién le contesta a la persona oprimida cuándo él clama a Él y releva su aflicción, y lo hace a ustedes (*la humanidad*) como herederos de la tierra? ¿Hay otro dios junto con Al'lá? ¡Que poco es lo que reflejan! [62] Sólo piensan ¿quién le guía en la oscuridad de la tierra y del mar, y quién envía a los vientos como los heraldos de noticias buenas de Su misericordia? ¿Hay otro dios además de Al'lá? ¡Exaltado sea Al'lá sobre lo que Le asocian! [63] ¡Piensan! ¿Quién origina la creación y luego hace que repite su producción, y quién les da sustento del cielo y de la tierra? ¿Hay otro dios junto con Al'lá? Diga: "¡Muestran su prueba si lo que están diciendo es la verdad!" [64] Diga: "Nadie, en los cielos o en la tierra, tiene el

Simplemente piense, ¿Está allí cualquier dios además de Al'lá Que ha creado algo en el universo, responde a los oprimidos o que guíe a la Vía Recta?

conocimiento de lo oculto excepto Al'lá" y ellos no saben cuándo se levantarán de nuevo a la vida. [65] Al contrario, su ciencia no alcanza al día de la justicia. ¡No!, ellos están en la duda acerca de él. ¡Más bien, ellos son ciegos sobre él! [66]   27: [60-66]

SECCIÓN: 6

Los incrédulos dudan el poder de Al'lá de creación. El Qur'ãn clarifica esas materias en que los Israelitas difieren y Una señal de las señales de Día del Juicio Final.

    Los incrédulos dicen: ¡Qué! Cuándo nosotros y nuestros padres se han vuelto el polvo, ¿Se nos realmente levantará del muerto? [67] Esta promesa que se hace a nosotros también se hizo a nuestras antepasadas ante nosotros; éstas son nada más que las leyendas de los antiguos." [68] Diga: "Viajen a través de la tierra y vean lo que ha sido el fin de los delincuentes." [69] No te preocupes por ellos ni angusties debido a sus conspiraciones. [70] Ellos también preguntan: "¿Cuándo cumplirás esta promesa si lo que dices es verdad?" [71] Diga: " Puede ser que una parte de lo que ustedes están deseando acelerar, ya está pisando los talones. [72] Ciertamente, tu Rab es muy cortés a la humanidad: aunque, la mayoría de ellos es ingrato. [73] De hecho tu Rab sabe lo que sus pechos ocultan y lo que revelan. [74] No hay nada oculto en el cielo ni en la tierra que no esté grabado en un Libro claro. [75] De hecho, este Qur'ãn clarifica para los Hijos de Israel la mayoría de esas materias en que ellos difieren. [76] Y eso es ciertamente una guía y bendición para los creyentes verdaderos. [77] Ciertamente, su Rab decidirá entre ellos por Su juicio, Él es el Todos-poderoso, el Omnisciente. [78] Por consiguiente, pongas tú confianza en Al'lá, porque eres, ciertamente, en la Verdad manifiesta. [79] El hecho es que tu no puedes hacer que los muertos oigan, ni que los sordos escuchan la llamada, sobre todo cuando ellos se vuelven sus espalda y no prestan la atención, [80] Ni puedes guiar a los ciegos para impedirles que desvíen; nadie te escuchará a menos que cree en Nuestras revelaciones y los que sean musulmanes. [81] Cuando el tiempo para cumplir Nuestra palabra viene a pasar, sacaremos de la tierra una bestia que les hablará acerca de lo que no habían creído en Nuestras revelaciones. [82]   27: [67-82]

SECCIÓN: 7

No niegue las revelaciones de Al'lá sin tener los conocimientos comprensivos.

    En ese Día recogeremos de cada nación una multitud de aquéllos que descreyeron Nuestras revelaciones; luego colocaremos en las clasificaciones según sus méritos, [83] hasta que van a llegar todos, entonces su Rab preguntará: ¿Habían negado ustedes Mis revelaciones sin tener conocimiento comprensivo? ¿Si no, qué resto estuvieran haciendo? [84] La sentencia se pronunciará contra ellos por consecuencia de haber sido injustos y no podrán proferir una palabra. [85] ¿No lo ven que hemos hecho la noche en que pueden descansar, y el día para que puedan ver claro? Indudablemente hay señales en esto para los verdaderos creyentes.[86]   27: [83-86]

El día, en que la trompeta se soplará y todos que moran en los cielos y en la tierra se aterrorizarán excepto aquéllos quienes Al'lá escogerá, y todos vendrán a Él en la humillación absoluta. [87] Verás las montañas, a lo que piensas que son firmemente fijas, pasar como pasan las nubes. Así es el talento artístico de Al'lá Quien ha perfeccionado todas las cosas. Él está bien informado de lo que ustedes hacen. [88] Aquél que ha hecho los hechos buenos se premiará con lo que es mejor aún y estará protegido del terror de ese Día. [89] Y aquél que ha hecho los hechos malos, se echará de cara en el Fuego. ¿Acaso que estamos retribuyendo por algo que no hayan cometidos? [90] Dígales: "He recibidos el orden de rendir culto al Rab de esta ciudad (*Meca*), que Él ha santificado y Quien es el Dueño de todas las cosas; y he recibido el orden de que sea de aquéllos que son musulmanes, [91] y que debo recitar el Qur'ãn. Ahora, quienquiera que sigue esta guía se guiará para su provecho propio, pero a él quién va descaminado, dígale: " Yo soy meramente uno de los advertidores." [92] También proclame: "¡Alabado sea Al'lá!, muy pronto Él mostrará Sus señales y ustedes los reconocerán. Su Rab no es desprevenido de lo que ustedes hacen."[93]   27: [87-93]

Una escena del Día del Juicio Final.

Aquéllos que aceptan la guía, hacen por aprovecho propio y aquéllos que van descaminados, hacen por su detrimento propio.

28: AL-QASAS

El periodo de Revelación

Como fue mencionado en la introducción a la Süra An-Náml, según Ibn Abbâs y Yâbir bin Zaid, Süras Ash-Shu'arâ, An-Naml y Al-Qasas fueron reveladas una tras otra, durante la fase media de la residencia del Profeta en Meca.

Incluye los siguientes principios, Leyes y Guías divinas

 ➢ La historia de Fir'aun (Faraón) quien trazó para matar a todos los niños masculinos de los Israelitas y cómo Al'lá salvó a Musa (paz esté en él) y arregló para que él sea creado en la propia casa del Fir'aun.
 ➢ La juventud de Profeta Musa (paz esté en él), su acción de matar a un hombre, su escape a Mad'llan, su matrimonio, su vista de un fuego en la Montaña Tür, y su asignación como un Rasúl hacia Fir'aun.
 ➢ Las historias de generaciones anteriores están relacionadas en el Qur'ãn como un abridor del ojo para los incrédulos y para que sirva como una lección.
 ➢ Los judíos imparciales y los cristianos - cuando ellos oyen el Qur'ãn, pueden reconocer la Verdad y pueden sentirse que ellos eran musulmanes aun antes de oírlo.
 ➢ La guía no está en las manos de los Profetas; es Al'lá Quien da la guía.
 ➢ El hecho que en el Día del Juicio, los incrédulos desearán que ellos habían aceptado la guía y se habían vuelto musulmanes.
 ➢ Al'lá no ha permitido a los mushrikïn para asignar Sus poderes a quienes ellos quieren.
 ➢ La historia de Qarün, el hombre rico legendario.
 ➢ Al'lá dice que la revelación del Qur'ãn es Su misericordia; un creyente debe permitir a nadie volvérselo fuera de él.

Esta Süra quita las dudas y objeciones que estaban levantándose contra la asignación del Profeta Mujámad (paz esté en él) como Profeta de Al'lá e invalida las excusas que los incrédulos tenían por no creer en él. Luego la historia del Profeta Musa (paz esté en él) se relaciona para dar énfasis que Al'lá es Todo poderoso y puede promover los medios necesarios para cualquier cosa que Él quiere hacer. Él arregló para el niño (Musa), a través de quien Fir'aun sería quitado del poder, para ser planteado en la propia casa de Fir'aun sin que sepa a quien él estaba criando.

Los incrédulos preguntaban al Profeta Mujámad (paz esté en él) - cómo él pudiera bendecirse, de repente, como ser un Profeta. Esto se explica a través del ejemplo del Profeta Musa (paz esté en él) quién fue asignado como Profeta, inesperadamente durante una jornada, mientras él no supo con lo que él iba a ser bendecido. De hecho, él había ido a traer un poco de fuego, pero volvió con el regalo de ser un Profeta.

Los incrédulos estaban preguntándose ¿¿Por qué Al'lá le asignaría a Mujámad (paz esté en él) como el Profeta a esta misión sin que haya cualquier ayuda especial o sobrenatural!? De nuevo, el ejemplo del Profeta Musa (paz esté en él) se usa para explicar que una persona de quien Al'lá quiere siempre tomar algún servicio aparece sin cualquier auxiliador claro o fuerza detrás de él, y que él puede aguantar a los antagonistas mucho más fuertes y bien-provistos. El contraste entre las fuerzas de Musa (paz esté en él) y lo del Fir'aun es mucho más que entre Mujámad (paz esté en él) y el Quraish; todavía el mundo entero sabe quién es que fue victorioso en el fin y quién se derrotó.

Los incrédulos estaban refiriéndose al Profeta Musa (paz esté en él) repetitivamente, diciendo: " ¿Por qué Mujámad no se ha dado el mismo qué se dio a Musa (paz esté en él)?" es decir, los milagros del bastón y la de Mano Brillante; como si para sugerir que ellos creerían prontamente sólo si ellos se mostraran el tipo de milagros que Musa (paz esté en él) mostró al Fir'aun. Los incrédulos se amonestan, que aquéllos que fueron mostrados esos milagros ni siquiera creyeron después de ver estos milagros. En cambio ellos dijeron: " ¡Esto es nada más que la magia!" Porque ellos sólo estaban llenos de la obstinación y de la hostilidad a la Verdad, así como los incrédulos de Meca. Luego una advertencia se da citando el destino de aquéllos que descreyeron después de dar testimonio de esos milagros. Éste era el fondo contra cual la historia del Profeta Musa fue narrado y una analogía perfecta es hecho en cada detalle entre las condiciones que prevalecían entonces en Meca y aquéllos que estaban existiendo en el tiempo del Profeta Musa (paz esté en él).

En la conclusión, se amonestan los incrédulos de Meca por maltratar esos cristianos que vinieron a Meca y abrazaron Islam después de oír a los versos del Qur'ãn que fueron recetados por el Profeta. En lugar de aprender una lección de su aceptación del Islam, el líder de Meca, Abu Yajal, les humilló públicamente. Luego la razón real por no creer en el Profeta se menciona. Los incrédulos estaban pensando, "Si nosotros dejamos el credo politeísta del árabe y aceptamos la doctrina de Taujïd (la Unidad de Dios), será un fin a nuestra supremacía en religión, en los campos políticos y económicos. Como resultado, nuestra posición como la tribu más influyente de Arabia se destruirá y nos saldremos en cualquier parte sin el refugio en la tierra." Éste era el motivo real de los jefes del Quraish para su antagonismo hacia la Verdad, y sus dudas y objeciones eran sólo una pretensión inventada para engañar a la gente vulgar.

28: AL-QASAS

Esta Süra, revelada en Meca, tiene 9 secciones y 88 versos.

En el nombre de Al'lá, el Compasivo, el Misericordioso

SECCIÓN: 1

La historia del
Profeta Musa.

Tuwâ Sïn Mïm. [1] Éstos son los versos de la escritura que aclaran las cosas. [2] En toda la verdad, narramos a ti un poco de información acerca de Musa (*Moisés*) y acerca de Fir'aun (*Faraón*) para la instrucción de los creyentes. [3]   28: [1-3]

Fir'aun trazó
para matar a
los Hijos de
Israel para
salvar su
propia
majestad,
mientras Al'lá
planeó traer
uno de ellos en
la propia casa
de Fir'aun.

Es un hecho que Fir'aun (*Faraón*) se condujo arrogantemente en la tierra y había dividido sus residentes en clanes, a un grupo él oprimió, poniendo sus hijos varones a la muerte y dejando con vida sólo a sus hembras. De hecho él era uno de los buscarruidos. [4] Pero Nosotros quisimos favorecer aquéllos que fueron oprimidos en la tierra, hacerles líderes, hacerles los herederos, [5] Establecerlos en la tierra y mostrar a Fir'aun y Jämän y sus guerreros lo que se temían. [6] Inspiramos a la madre de Musa: " Amamántelo, y cuando sientes cualquier peligro a su vida, láncelo en el río sin cualquier miedo o pesar; porque te lo devolveremos ciertamente y le haremos uno de Nuestro Rasúles." [7] Hicimos a la familia de Fir'aun recogerlo del río: para que sea para ellos como su adversario y una causa de tristeza; ciertamente, Fir'aun, Jämän y sus guerreros eran pecadores. [8] La esposa de Fir'aun dijo: " Este niño puede que será el consuelo de mis ojos y también a los tuyos. No le mates. Él puede ser útil a nosotros o puede ser que le adoptaremos como nuestro hijo." Ellos eran desprevenidos del resultado de lo que ellos estaban haciendo. [9] Por otro lado, el corazón de la madre de Musa era penosamente afligida. Ella estuvo a punto de revelar acerca de quién era él, si no habíamos fortalecido su corazón para que quedara de los que tienen fe. [10] Ella dijo a la hermana de Musa: " Vaya, y sígalo". Pues ella (*la hermana de Musa*) lo miró de una distancia de tal una manera que los otros no se dieran cuenta. [11] Nosotros ya habíamos ordenado que él se negara a chupar a cualquier madre adoptiva. Su hermana vino a la esposa de Fir'aun y dijo: ¿Quieren que señalo a ustedes una casa cuyas personas cuidarán a él, criándolo bien para ustedes?" [12] Y así se lo devolvimos a su madre para consuelo de sus ojos y para que no se afligiera y supiera que la promesa de Al'lá es verídica. Sin embargo, la mayoría de ellos no entiende. [13]   28 : [4-13]

SECCIÓN: 2

La juventud de
Musa, su
tontería de
matar a un
hombre, y su

Cuando él alcanzó la madurez y se puso maduro, le dimos la sabiduría y conocimiento. Así premiamos a los virtuosos. [14] Un día él entró en la ciudad sin que supieran sus habitantes, él encontró a dos hombres luchando con uno y otro; uno era de su propia raza y el otro de sus enemigos. El hombre de su propia raza apeló para su ayuda contra su enemigo, después de lo cual Musa le dio un puñetazo y le mató. En ver lo que él ha hecho dijo: " Esto es del trabajo de Shaitãn; ciertamente, él es un enemigo engañoso jurado. [15] Luego él oró: "¡Rab mío! He sido injusto conmigo mismo, por favor perdóneme." Pues Al'lá le perdonó, ciertamente, Él es el Perdonador, el Misericordioso. [16] Musa dijo: "¡Rab mío! Después de este favor que me has dado, seré nunca un auxiliador de los delincuentes." [17] Y amaneció el día siguiente en la ciudad temeroso y vigilante, de repente él vio al mismo hombre a lo quien él había ayudado el día anterior, que de nuevo le pedía su ayuda. Musa le dijo: " Eres ciertamente una persona descarriada." [18] Luego cuando Musa disponía a agredir al que era enemigo de ambos, él clamó: "¡Musa! ¿Piensas matarme como ya mataste a una persona ayer? Es que sólo quieres ser un tirano en la tierra en vez de mejorar las cosas." [19] En ese momento, allí vino un hombre corriendo desde otro extremo de la ciudad y dijo: "¡Musa! Los jefes están trazando para matarte, por consiguiente, vete lejos, ciertamente, yo soy para ti un consejero." [20] Oyendo esto, Musa salió de este lugar en el miedo y alerto, mientras orando: "¡Rab mío! Entrégueme de la nación de los injustos." [21]

escape de la retribución de Fir'aun.

28: [14-21]

SECCIÓN: 3

Y mientras iba en la dirección de Mad'llan, él dijo: " Quizá mi Rab me guiará a un camino recto." [22] Cuando llegó a la aguada del Mad'llan, él vio una multitud de hombres que abrevaban sus rebaños, y encontró además de ellos dos mujeres que estaban guardando sus rebaños alejados. Él preguntó: "¿Que paso a ustedes?" Ellas contestaron: " Nosotros no podemos regar nuestros rebaños hasta que los pastores se llevan sus rebaños del agua, porque somos débiles y nuestro padre es un hombre muy viejo." [23] Pues él regó sus rebaños para ellas y retiró a la sombra y oró: "¡Rab mío! Ciertamente, yo estoy en la necesidad desesperada de lo que puedes mandarme de bien." [24] Poco después, una de las dos mujeres vino a él caminando tímidamente y dijo: " Mi padre te está llamando. Él desea premiarte por haberlo abrevado los rebaños para nosotros." Cuando Musa vino a él y narró su historia, dijo: "No tengas el miedo. Estás a salvo de esas personas injustas. [25] Una de ellas dijo: " ¡Padre!, contrátelo. No podrás contratar a nadie mejor que este hombre, que es fuerte y fidedigno." [26] El viejo dijo a Musa: " Quiero casarte con una de mis hijas si te quedas en mi servicio durante ocho años; pero si completas diez, sería cortés de tu parte; porque yo no quiero imponerte cualquier penalidad; Si Al'lá quiere, me encontrarás uno de los virtuosos." [27] Musa contestó: " Así sea un acuerdo entre tú y yo. Cualquier de las dos condiciones que cumplo, no seré objeto de hostilidad. Al'lá es Garante acerca de lo que hemos hablado. [28]

Su llegada a Mad'llan, aceptación de término de diez años de empleo, y su matrimonio.

28: [22-28]

SECCIÓN: 4

Su llegada en la Montaña Tür, vista de un fuego, la conversación con Al'lá, su designación como un Rasúl hacia el Fir'aun y a sus jefes.

Después de completar el término de su acuerdo, cuando Musa (*Moisés*) era en un viaje con su familia, vio un fuego en la dirección de Montaña Tür. Él dijo a su familia: " Quédense aquí, yo vi un fuego y espero traer un poco de información de allí o una antorcha encendida con que pueden calentarse." [29] Pero cuando él alcanzó allí, una voz convocó a él del lado derecho del valle desde el sitio bendito, desde un árbol, diciendo: " ¡Musa!, ciertamente, ¡Soy Al'lá, el Rab de los Mundos!" [30] Luego Al'lá ordenó, " ¡Tires tu bastón!" Y al verlo reptar como una víbora Musa se huyó espantado por atrás sin dar su espalda. Al'lá dijo, " ¡Musa!, Ven y no temas; tú eres de los que están a salvo. [31] Ahora pongas tu mano en tu bolsillo: saldrá blanca brillante sin cualquier daño a ti - llevas tu mano hacia tu lado para vencer el miedo - éstas son dos pruebas de tu Rab destinadas a Fir'aun y sus dignatarios, ciertamente, ellos son gente perversa. [32] Musa sometió: "¡Rab! He matado uno de ellos: temo que me maten. [33] Mi hermano Jarün (*Aarón*), es más elocuente en el discurso que yo: Envíale conmigo como un auxiliador para confirmar mis palabras; Temo que ellos me tratarán como un mentiroso." [34] Al'lá contestó: " Fortaleceremos, ciertamente, tu brazo con tu hermano y daremos la autoridad a los ambos para que ellos no podrán dañarlos. Gracias a Nuestras señales, ustedes dos así como aquéllos que seguirán a ustedes triunfarán ciertamente. [35]   28: [29-35]

Fir'aun y sus jefes descreyeron; como resultado Al'lá destruyó a ellos pero salvó a los Hijos de Israel.

Cuando Musa (*Moisés*) vino a ellos (*Fir'aun y sus dignatarios*) con Nuestras señales claras (*y les invitó al Islam*), ellos dijeron: " Ésta es nada más que la hechicería inventada; nunca oímos a nuestros antepasados hablar de tal una cosa." [36] Musa declaró: " Mi Rab sabe el mejor quién ha traído la guía de Él y quién ganará el premio en el Día del Juicio; ciertamente, los injustos no lograrán la felicidad." [37] Fir'aun dijo: "¡Dignatarios! No conozco ningún otro dios aparte de mí. ¡Jämän! Cueza para mí los ladrillos de la arcilla y constrúyame una torre alta para que yo pueda subirlo para ver el dios de Musa; pienso que lo más seguro es que él es uno de los mentirosos." [38] Él y sus guerreros eran arrogantes en la tierra sin cualquier derecho; pensaron que ellos nunca se devolverían a Nosotros. [39] Pues asimos a él y a sus guerreros, y les arrojamos al mar. ¿Vea lo que era el fin de los injustos? [40] Hicimos a ellos líderes, cuya llamada conducía al Fuego, pero en el Día de la Resurrección no serán auxiliados. [41] Hemos hecho que sean perseguidos por una maldición en este mundo, y en el Día de la Resurrección ellos serán de los despreciados.[42]   28: [36-42]

SECCIÓN: 5

Dimos Musa (*Moisés*) la escritura (*tora*); después de que habíamos destruido las generaciones anteriores; un abridor del ojo, una guía, y una bendición para que puedan recordarles. [43] No estabas presente en lado occidental de la montaña cuando le dimos la Ley a Musa, ni siquiera eras uno de los que estaban presentes. [44] Sin embargo suscitamos muchas generaciones y un tiempo largo ha pasado encima de ellos; tampoco estaba viviendo entre las personas de Mad'llan, recitando a ellos Nuestras revelaciones; pero es Nosotros Quién está enviándote las noticias de ese tiempo. [45] Ni eras al lado de la montaña de Tür cuando convocamos a Musa, pero es la misericordia de tu Rab que estás dándose esta información para que puedas prevenir una nación a quien ningún advertidor les ha llegado antes de ti. Quizá, así pondrán la atención. [46] Si como castigo a sus obras les alcance un desastre, no tengan el pretexto de decir, " ¡Nuestro Rab!, ¿Por qué no nos has enviado un Rasúl? Habríamos seguido Sus revelaciones y habríamos estado entre los creyentes." [47] Pues, ahora que la Verdad ha venido a ellos por Nuestra parte, están diciendo: "¿Por qué no se le ha dado parecido de lo que se dio a Musa?" ¿Acaso que no rechazaron antes lo que fue dado a Musa? Ellos exigen: " ¡Éstos (*tora y Al-Qur'ãn*) son dos trabajos de hechicería que se respaldan mutuamente! Y también dicen: " Nosotros descreemos en ambos." [48] Pídeles: "¡Tráiganme un Libro por parte de Al'lá que contenga mejor guía que estos dos, lo seguiré, si lo que ustedes dicen es verdad!" [49] Y si no te cumplen con esta demanda, pues debe saber que ellos sólo siguen sus propios deseos. ¿Y quién se descamina más que aquel que sigue sus propios deseos sin cualquier guía por parte de Al'lá? De hecho, Al'lá no guía al pueblo injusto. [50]   28: [43-50]

La información sobre la destrucción de generaciones anteriores se da para enseñar una lección.

SECCIÓN: 6

Hemos comunicado Nuestra Palabra una y otra vez a ellos para que puedan poner la atención. [51] Aquéllos a quienes hemos dado la Escritura antes de esto (*los judíos y cristianos*), reconocen la Verdad y creen en esto (*Qur'ãn*). [52] Cuando se recita a ellos, dicen: "Nosotros creemos en él, ciertamente, que ésta es la Verdad de nuestro Rab: de hecho, ya éramos musulmanes aun antes de esto." [53] Ellos son quienes serán dados su recompensa dos veces, por haber soportado con la fortaleza, mientras rechazando el mal con el bien y repartiendo en la caridad de lo que les hemos dado. [54] Cuando ellos oyen la charla vana, retiran de él diciendo: "Nuestros hechos son para nosotros y suyo para ustedes; paz esté en ustedes: nosotros no deseamos el camino de los ignorantes." [55]   28: [51-55]

Los judíos virtuosos y los cristianos pueden reconocer la verdad del Qur'ãn y se sienten que ellos ya eran musulmanes antemano oyéndolo.

Tú no puedes dar la guía a quien amas, es Al'lá Quien da la guía a quien Él quiere, y Él es bastante consciente de aquéllos que son bien dirigidos. [56] Aquéllos que no desean ser guiado dicen: "¡Si estamos de acuerdo contigo y aceptamos esta guía, seremos expulsado de nuestra tierra!" ¿Acaso no les hemos dado un santuario seguro a qué se trae las frutas de todos los tipos como una provisión por Nuestra parte? Pero la mayoría de ellos no tiene el conocimiento. [57] ¿Cuántos pueblos hemos destruido qué florecían en su economía? Simplemente vea esas moradas

Los profetas no pueden dar la guía, es Al'lá que da la guía.

suyas, sólo unos han habitado después de ellos; por fin Nosotros Solo fuimos sus herederos. [58] Su Rab nunca destruiría ésos pueblos hasta que Él hubiera enviado en su metrópoli un Rasúl, recitando a ellos Nuestras revelaciones; y no destruiríamos los pueblos exceptúe cuando sus moradores se habían vuelto injustos. [59] Las cosas que ustedes se han dado son sino comestibles y adornos de esta vida mundana; y lo que está con Al'lá es mejor y más duradero. ¿Es que no tienen ningún sentido común?[60]

28: [52-60]

SECCIÓN: 7

En el Día del Juicio, los incrédulos desearán que tuvieran la Guía aceptable a Al'lá.

¿Acaso una persona a quien hemos hecho una excelente promesa y él está seguro de recibirlo esté comparable a aquél otro a quien hemos dado el breve disfrute de las provisiones de este mundo y él ya está programado para ser presentado en el Día de la Resurrección para ser castigado? [61] No se olvidan de ese Día cuando les llamaremos y preguntaremos: "¿Dónde están aquéllos a quienes ustedes consideraban de ser Mis socios?" [62] Aquéllos quienes ya serán comprobado culpables, dirán: "¡Nuestro Rab! Éstos a quienes nos llevamos descaminado; llevamos descaminado igual que nosotros mismos fuimos descaminados. Sin embargo, declaramos nuestra inocencia ante Ti; no era a nosotros a quienes adoraban." [63] Entonces les dirán: " Llamen a sus shorakā (los dioses asociados), " pues ellos les llamarán, pero no conseguirán ninguna respuesta. Verán el castigo y desearán ¡si sólo hubieran seguido la guía! [64] También no permitas que olviden de ese Día cuando se llamará y se preguntará: "¿Cómo ustedes respondieron a Nuestro Rasúles?" [65] Ése Día serán tan confundidos que no sabrán qué responder, incluso ni si quiera preguntarán entre sí. [66] Sin embargo, el que se ha arrepentido en esta vida, y creyó, e hizo los hechos buenos puede esperar de estar entre aquéllos que lograrán la salvación. [67]

28: [61-67]

Al'lá no le ha permitido a los Mushrikïn asignar Sus poderes a quienquiera que ellos quieren.

Tu Rab crea cualquier cosa que Él lega y escoge para Su trabajo a quien Él agrada. No corresponde a ellos (los mushrikïn) de escoger y asignar los poderes de Al'lá a quien ellos quieren. ¡Gloria a Al'lá! Él está por encima de lo que Le asocian. [68] Tú Rab sabe todo lo que ellos ocultan en sus corazones y todo lo que manifiestan. [69] Él es Al'lá; no hay ningún dios sino Él. Suyas son las alabanzas en la Primera Vida y en la Última y Suyo es el Juicio y todos ustedes se volverán hacia Él. [70] Pregúnteles: ¿Han considerado alguna vez que si Al'lá hiciera que para ustedes se impusiera una noche perpetua hasta el Día de la Resurrección; qué otra deidad, fuera de Al'lá, podría traer luz para ustedes? ¿Es que no prestarán su atención? [71] Pregúnteles de nuevo: ¿Han considerado alguna vez que si Al'lá quisiera que sea un día perpetuo hasta el Día de la Resurrección; qué otra deidad fuera de Al'lá podría traer para ustedes la noche en que pudieran descansar? ¿Es que no van a ver?[72] Como parte de Su misericordia Él ha constituido la noche en que ustedes pueden descansar, y el día en que ustedes pueden buscar Su generosidad, quizás así, sean agradecidos. [73] Ellos deben estar atentos de ese Día, cuando Él los llamará y preguntará: "¿Dónde están esas deidades a quienes ustedes consideraban que eran Mis asociados?" [74] Y traeremos adelante un testigo de cada nación y preguntaremos: "Traigan su prueba sobre otras deidades además de Mí." Entonces ellos vendrán a saber que en la realidad hay sólo Un Dios, Al'lá, y que los dioses de sus propias invenciones les han dejado en la sacudida." [75]

28: [68-75]

SECCIÓN: 8

Es un hecho que Qarün (*Coré*) era uno del pueblo de Musa, pero él se rebeló contra ellos. Le habíamos dado tantos tesoros, que sus llaves eran una carga pesada para un grupo de hombres fuertes. Cuando sus gentes le dijeron: "No te regocijes, porque Al'lá no ama a los que se regocijan. [76] Más bien busque, por medio de lo que Al'lá te ha dado, para lograr la morada de la Ultima Vida, mientras no descuidando tu porción en este mundo. Sea bueno con otros como Al'lá ha sido bueno contigo, y no busques la travesura en la tierra, porque Al'lá no ama a los que hacen la travesura. [77] Él contestó: "¿Todo lo que se me ha dado lo debo por virtud del conocimiento que yo poseo?" ¿Acaso no sabía que Al'lá había destruido a muchas personas antes, quiénes eran más poderoso en la fuerza y mayor en las riquezas que él? Pero los delincuentes no se preguntarán por sus pecados porque Al'lá los conoce bien. [78] Un día él salió fuera ante su pueblo en su lustre adorno, aquéllos que buscaban la vida de este mundo dijeron: "¡Ojala que tuviéramos lo mismo que se le ha dado a Qarün! Él es, de hecho, un hombre muy afortunado." [79] Pero aquéllos que fueron dotados del conocimiento dijeron: "¡Ay de ustedes! La recompensa de Al'lá es mucho mejor para él que tiene la fe y hace los hechos buenos; pero no lo lograrán excepto aquéllos que soportaron con la paciencia." [80] Luego causamos que la tierra se tragara a él, junto con su casa, y él no tuvo ningún grupo para ayudarle contra Al'lá; ni él era capaz de defenderse a sí mismo. [81] Ahora las mismas personas que desearon para una posición como suyo, el día antes empezaron a decir: " ¡Ah! Nos habíamos olvidado que realmente es Al'lá Quien acrecienta la provisión a quien Él lega de Sus siervos y la restringe de quien Él quiere. Si Al'lá no hubiera sido cortés a nosotros, Él podría causar la tierra para tragarnos también. ¡Ah! No recordamos que los incrédulos nunca logran la felicidad." [82]

28: [76-82]

La historia de Qarün, el hombre rico entre las gentes de Musa pero él se rebeló contra la guía de Al'lá.

SECCIÓN: 9

En cuanto a la morada de la Ultima Vida, Nosotros lo hemos reservado para aquéllos que no buscan ni exaltación ni corrupción en la tierra; el último bien es para el virtuoso. [83] cualquiera que trae un hecho bueno tendrá como recompensa algo aún mejor; mientras cualquiera que trae un hecho malo encontrará que aquéllos que realizan los hechos malos

La revelación del Qur'ãn es la misericordia de Al'lá, no permitas

a nadie que
desvié fuera de
él.

sólo se castigarán a la magnitud de sus hechos. [84] Indudablemente, Él Quién te ha mandado el Qur'ãn, te devolverá a un lugar de regreso (*Meca*). Diga: "Mi Rab conoce mejor quién ha traído la guía y quién está en el error manifiesto." [85] Nunca esperaste que un Libro se revelaría a ti. Sólo a través de la misericordia de tu Rab se ha revelado a ti: por consiguiente no seas de algún modo un auxiliador a los incrédulos. [86] Y que no te impiden de las revelaciones de Al'lá una vez que se te han hecho descender. Y invitas hacia tu Rab y no sea de los mushrikïn (*quienes unen otras deidades con Al'lá*). [87] Y no Invoques a ningún otro dios además de Al'lá. No hay ninguno digno de culto sino Él. Todo se destruirá excepto Su Faz. Suyo es el juicio y a Él se devolverán todos. [88]　　　28: [83-88]

29: AL-'ANKABÜT

El periodo de Revelación

Esta Süra fue revelada poco antes de la migración de los musulmanes a Jabash, la fase media de la residencia del Profeta en Meca, cuando había persecución extrema de los musulmanes.

Incluye los siguientes principios, Leyes y Guías divinas

> ➢ *Al'lá prueba a los Creyentes para ver quién es verdadero y quién es un mentiroso.*
> ➢ *Seas amable con tus padres pero no les obedezcas en las materias de Shirk (asociarse alguien o algo con Al'lá como Su igual).*
> ➢ *Aquéllos que dicen: " Síganos, nosotros afectaremos su carga en el Día del Juicio," son mentirosos.*
> ➢ *El Profeta Nüj amonestó a sus personas durante 950 años de no comprometer el Shirk.*
> ➢ *El Profeta Ibrãjïm amonestó a su gente para no comprometer el Shirk por lo que ellos intentaron quemarlo vivo, pero Al'lá le salvó.*
> ➢ *Las Naciones de 'Ad, de Zamüd, de Mad'llan y de Fir'aun rechazaron a los Rasúles de Al'lá, como resultado Al'lá les destruyó a todos.*
> ➢ *La parábola de aquéllos que toman protectores a cualquier otro que no sea Al'lá, es eso de la casa de una araña y de hecho el más débil de todas las casas es la casa de una araña.*

Esta Süra fortalece la fe de los musulmanes sinceros y amonesta aquéllos que estaban mostrando la debilidad en su fe. Esta Süra también se dirige esas preguntas que algunos hombres jóvenes estaban enfrentando por esos días cuyos padres estaban instándoles abandonar el Islam y devolver a su religión hereditaria.

Los musulmanes se instruyen: " Si ustedes se sienten que la persecución se ha puesto insufrible para ustedes, pues deben dejar sus casas en lugar de dejar su fe. La tierra de Al'lá es inmensa: busquen un nuevo lugar dónde ustedes pueden rendirse culto a a Al'lá con paz mental."

Los incrédulos se instan para entender el Islam. Las realidades de Taujïd (la Unidad de Dios) y de la Ultima Vida se presenta con los argumentos racionales, el Shirk se refuta, y su atención es arrastrado hacia las señales en el universo; les dice que todas estas señales conforman a las enseñanzas del Profeta Mujámad (paz esté en él).

29: AL - ' ANKABÜT

Este Süra, revelada en Meca, tiene 7 secciones y 69 versos.

En el nombre de Al'lá, el Compasivo, el Misericordioso

SECCIÓN: 1

Al'lá prueba a los creyentes para ver, ¿quién es verdadero y quién es un mentiroso?

Alif Lâm Mïm. [1] ¿Piensan los hombres que se les dejarán solos, por sólo que digan: " Nosotros creemos," y que no serán puestos a prueba? [2] Nosotros probamos aquéllos que han ido ante ellos. Al'lá tiene que ver (*con el propósito de la recompensa y el castigo*) quién es el verdadero y quiénes son los mentirosos. [3] ¿Acaso piensan los que hacen el mal que ellos escaparán de Nuestro alcance? ¡Qué malo es su discernimiento! [4] Alguien que espera encontrarse a Al'lá debe saber que el tiempo designado está seguro por venir y que Él todo lo oye y todo lo sabe. [5] Él quien se esfuerza, hace por su propia alma; pues Al'lá es ciertamente trascendente y más allá de cualquier necesidad de los mundos. [6] En cuanto a aquéllos que creen y hacen los hechos buenos, Nos cubriremos sus pecados y premiaremos según el mejor de sus hechos. [7]   29: [1-7]

Seas amable con tus padres pero no les obedezca en el asunto de Shirk.

Aquéllos que dicen, " Síganos, nosotros llevaremos su carga," son los mentirosos.

Hemos ordenado al hombre para mostrar la bondad a sus padres; pero si ellos (*sus padres*) esfuerzan a ti para que comprometas el Shirk conmigo de lo que tú no tienes el conocimiento, pues no les obedezcas. Hacia Mí es su retorno y lo informaré a ustedes de lo que han hecho. [8] Aquéllos que han aceptado la verdadera fe y han hecho los hechos buenos, se incluirán entre los virtuosos. [9] Hay algunos entre las personas que dicen: "Creemos en Al'lá"; pero cuando ellos sufren algo en la causa de Al'lá, confunden la persecución de las personas con el castigo de Al'lá. Pero cuando allí viene la ayuda en la forma de una victoria por parte de su Rab, seguramente dirían: " Nosotros siempre hemos estado con ustedes." ¿Acaso Al'lá no es totalmente consciente de lo que está en los corazones de las personas de todo el mundo? [10] El más ciertamente, Al'lá conoce perfectamente a aquéllos que creen, y aquéllos que son hipócritas. [11] Los incrédulos dicen a los creyentes: "Síganos, y nosotros llevaremos la carga de sus pecados." Al contrario, ellos no podrán llevar cualquier carga de sus pecados; ellos están ciertamente mentirosos. [12] Claro, ellos llevarán sus propias cargas así como las cargas de otros además de la suya; y en el Día de la Resurrección ellos se cuestionarán sobre sus mentiras inventadas. [13]   29: [8-13]

SECCIÓN: 2

Enviamos Nüj (*Noé*) a su pueblo y él vivió entre ellos mil años menos cincuenta. Entonces debido a sus injusticias, les dio alcance el diluvio. [14] Pero salvamos a él y todos que estaban en el arca e hicimos una señal a ese arca para todo el mundo. [15] Igualmente a Ibrãjïm

(*Abraham*), cuando él dijo a su gente: "Ríndanse culto a Al'lá y que Le temen; esto es mejor para ustedes si entienden. [16] Ustedes adoran a los ídolos además de Al'lá y fabrican la falsedad. De hecho, aquéllos a quienes ustedes se rinde culto además de Al'lá, no tienen el poder para darles su sustento; por consiguiente, busquen su sustento junto a Al'lá, adoren y den gracias a Él; todos ustedes se volverán a Él. [17] Si ustedes niegan el Mensaje, entonces otras naciones han negado antes de ustedes. ¿El único deber que un Rasúl tiene, es entregar el Mensaje de Al'lá claramente." [18] ¿Acaso no ven cómo Al'lá origina la creación, luego esa creación repite su proceso? Ciertamente, es fácil para Al'lá. [19] Dígales: "Viajen a través de la tierra y vean cómo Al'lá originó la creación; luego recreará la última creación (en la Ultima Vida). Ciertamente, Al'lá tiene el poder encima de todo. [20] Él castiga a quien Él lega y muestra misericordia a quien Él agrada; y hacia Él retrocederán todos ustedes. [21] Ustedes no pueden hacerlo imposibilitado ni en la tierra ni en el cielo; ni tienen cualquier protector o auxiliador además de Al'lá." [22]

29: [14-22]

SECCIÓN: 3

En cuanto a aquéllos que descreen las revelaciones de Al'lá y niegan su encuentro con Él, ésos son que desesperarán de Mi misericordia y ésos son quienes tendrán un castigo doloroso. [23] El pueblo de Ibrãjïm (*Abraham*) no tenía ninguna respuesta excepto decir: "¡Mátenlo O Quémenlo!" Pero Al'lá lo salvó del fuego cuando ellos intentaron quemarlo. En esta casualidad, hay señales ciertamente, para aquéllos que creen. [24] Ibrãjïm se los dirigió: "Hoy ustedes han hecho ídolos, en lugar de Al'lá, un medio de afecto entre ustedes mismos en esta vida mundana, pero, en el Día de la Resurrección repudiarán y maldecirán entre sí. El Fuego será su morada y ustedes no tendrán ningún auxiliador." [25] Dando testimonio de esta casualidad entera, Lüt (*Lot*) creyó en él (*Ibrãjïm*). Finalmente Ibrãjïm dijo: "Yo emigraré hacia mi Rab (voy por donde mi Rab me quiere). Él es el Poderoso, el Sabio." [26] Nosotros le regalamos Isjãq (*Isaac - un hijo*) y Lla'qüb (*Jacob - un nieto*), y puso el Profetismo y la escritura en su descendencia - así le dimos su premio en esta vida, y en la Ultima Vida, él será ciertamente entre los virtuosos. [27] 29: [23-27]

Cuando Lüt (*Lot*) dijo a su gente: " Ciertamente, ustedes están comprometiendo la tal mala conducta sexual como nadie en los mundos ha intentado alguna vez antes de ustedes. [28] Ustedes cometen la lujuria con los varones, asaltan los caminos y comprometen hechos malos aun en sus asambleas." Su gente no tenían ninguna respuesta excepto decir: "Tráiganos el castigo de Al'lá si tú eres verdadero." [29] Lüt oró: ¡Rab mío! Ayúdeme contra esta nación corrupta." [30] 29: [28-30]

Nüj amonestó a su pueblo durante 950 años de no comprometer el Shirk. Igualmente, Ibrãjïm amonestó a su pueblo para no comprometer Shirk.

El pueblo de Ibrãjïm intentó incluso a quemarlo vivo pero Al'lá le salvó.

Lüt (su sobrino) es el único que afirmó su creencia con él.

Lüt era designado como un Rasúl hacia la nación de los homosexuales.

SECCIÓN: 4

Ellos rechazaron la guía de Al'lá; como resultado Al'lá destruyó a todos ellos.

Cuando Nuestros Mensajeros (*los ángeles*) vinieron a Ibrãjïm (*Abraham*) con las noticias buenas (*el nacimiento de un hijo en su vejez*), ellos dijeron: "Vamos destruir a los habitantes de ese municipio, porque ellos son, de hecho, unos injustos. [31] Ibrãjïm dijo: "Pero Lüt está en allí." Los ángeles contestaron: "Nosotros ya sabemos quién está en allí: salvaremos a él y a su familia ciertamente, exceptúe a su esposa que permanecerá detrás." [32] Y cuando Nuestros Mensajeros (*los ángeles*) vinieron a Lüt, él se puso triste y ansioso en su cuenta, porque él se sentía impotente para protegerlos. Pero ellos dijeron "No temas ni aflijas (*somos los ángeles asignados para atormentar a ellos*): salvaremos a ti y tu familia excepto tu esposa; ella será de aquéllos que permanecerán detrás. [33] Vamos derrumbar un castigo del cielo en las personas de este pueblo a causa de su trasgresión." [34] Ciertamente, hemos dejado una señal clara de él (*las ruinas de este pueblo*) para las personas que cuidan para entender. [35]

29: [31-35]

Igualmente las Naciones de 'Ad, Zamüd, Mad'llan y Fir'aun rechazaron a los Rasúles de Al'lá que resultó en su destrucción.

A la gente de Mad'llan, enviamos su hermano Shu'aib que dijo: "¡Gente mía! Ríndanse culto a Al'lá y estén a la espera del Último Día, y no transgredan perversamente en la tierra." [36] Pero ellos lo negaron, pues un terremoto severo les agarró la Sacudida y amanecieron muertos en sus casas. [37] Igualmente, Nos destruimos a las personas de 'Ad y el de Zamüd: ustedes han visto los rastros de sus moradas. Shaitãn había hecho sus hechos sucios parecer justos a ellos y los desvió de la Vía Recta, aunque ellos eran las personas inteligentes. [38] También menciónales acerca de Qarün (*Coré*), Fir'aun (*Faraón*) y Jâmân. De hecho Musa (*Moisés*) vino a ellos con señales claras pero ellos permanecían arrogantes en la tierra; todavía, y no pudieron rebasarse (*escapar Nuestro castigo*). [39] Asimos todos ellos por su maldad: contra algunos enviamos un tornado violento lleno de piedras, algunos se asieron por una explosión poderosa, algunos fueron tragados por la tierra, y todavía, a algunos les ahogamos. No es Al'lá Quien era injusto con ellos, sino eran ellos injustos con sus propias almas. [40]

29: [36-40]

La parábola de aquéllos que toman protectores aparte de Al'lá.

La parábola de aquéllos que toman a otros como sus protectores fuera de Al'lá, es eso de una araña que construye para sí mismo una casa, y ciertamente, el más débil de todas las casas es la casa de una araña - si sólo supieran. [41] Ciertamente, Al'lá sabe cualquier cosa que ellos invocan además de Él; Él es el Todos-poderoso, el Sabio. [42] Éstas son las parábolas que citamos para la humanidad; pero ninguno los comprende excepto aquéllos que tienen el conocimiento. [43] Al'lá ha creado los cielos y la tierra para manifestar la Verdad. En esto hay una señal ciertamente, para los creyentes. [44]

29: [41-44]

ÝÚZ (PARTE): 21

SECCIÓN: 5

Recita de este Libro (*el Qur'ãn*) que te ha revelado a ti y debes establecer el Salá (*las oraciones islámicas*). Ciertamente, el Salá guarda a uno fuera de los hechos vergonzosos y malos; y ciertamente, el recuerdo de Al'lá es, de hecho, aún más grande (*en su significado*), Al'lá sabe lo que ustedes hacen. [45] No discutas con las Gentes de la escritura excepto de la mejor manera - con excepción de aquéllos que son injustos entre ellos - y diga: "Creemos en que se envía abajo a nosotros y que se envió abajo a ustedes; nuestro Dios y su Dios es el mismo Un Dios (*Al'lá*), solo a Él nos sometemos como musulmanes." [46] Hemos enviado abajo este Libro a ti (*similar al de Musa e Isa*). Para que las Gentes de la escritura creen en él, y así que hagan algunos de éstos (*las personas de Arabia*): y ninguno sino los incrédulos niegan Nuestras revelaciones. [47] Nunca has leído un libro antes de esto ni has escrito a uno alguna vez con tu diestra. Si hubiera sido así, los falsarios habrían tenido dudas. [48] Más bien, éstas son las señales claras en los pechos de aquéllos que son dotados del conocimiento: y ninguno niega Nuestras señales exceptúen a los injustos. [49] Ellos preguntan: "¿Por qué las señales no se han enviado abajo a él de su Rab?" Dígales: "Las señales están en las manos de Al'lá. Yo soy sólo un advertidor claro. [50] ¿No les basta que te hemos enviado abajo este Libro (*el Qur'ãn*) lo que se recitas a ellos? Ciertamente, en él es una bendición y un recordatorio para aquéllos que creen. [51]   29: [45-51]

SECCIÓN: 6

Dígales: "Al'lá es suficiente como un testigo entre mí y ustedes - porque Él sabe todo lo que está en los cielos y en la tierra - aquéllos que creen en la falsedad y descreen a Al'lá, son ellos quienes serán perdedores." [52] Ellos te están desafiando para que apresures en traerles el castigo. Si no hubiera sido fijo un tiempo para él, el castigo ya habría venido a ellos. El castigo va a venir de repente y los agarraría sin que den cuenta. [53] Te desafían que les muestres el castigo, considerando que el infierno abrazará a los incrédulos ciertamente. [54] En ese Día, el castigo les cubrirá por arriba y por debajo de sus pies, y Al'lá dirá: "¡Ahora gusten la recompensa de sus hechos!" [55] ¡Siervos Míos que han creído! Ciertamente, Mi tierra es espaciosa para emigrar si es necesario, por consiguiente, ríndasenos culto a Mí y a Mi Solo. [56] Cada alma ha de gustar la muerte, luego a Nosotros es el retorno de todos ustedes. [57] Aquéllos que abrazan la verdadera fe y hacen los hechos buenos, se alojarán en las mansiones de paraíso por cuyos bajo fluyen los ríos, vivirán en eso para siempre. ¿Qué recompensa más excelente para los hacedores de los hechos buenos; [58] los que han mostrado paciencia y pusieron su confianza en su Rab? [59] ¿Cuántas criaturas están allí que no

El Salá (la Oración) evita que uno haga los hechos vergonzosos. Y No discutas con la Gente de la escritura excepto en una manera buena.

Aquéllos que creen en la falsedad y descreen en Al'lá, serán los perdedores. ¿Cuántas criaturas están allí quién no lleva sus comestibles junto con ellos? Al'lá les proporciona como Él proporciona a ustedes.

llevan consigo sus comestibles? Al'lá los provee, al igual que hace con ustedes. Él es Quien todo lo oye, Quien todo lo sabe. [60] Si preguntas a los incrédulos acerca de ¿quién ha creado los cielos y la tierra, y sujetó el sol y la luna a Sus leyes? Ellos dirán ciertamente: "¡Al'lá!" ¿Cómo es que se engañan entonces fuera de la realidad? [61] Al'lá da abundantemente a quien Él quiere y económicamente a quien Él Le agrada; ciertamente, Al'lá tiene conocimiento de todas las cosas. [62] Y si les preguntas "¿Quién hace bajar el agua del cielo con la que da vida a la tierra muerta?" Ellos dirán ciertamente: "¡Al'lá! Diga: " ¡Alabanza es a Al'lá!" Todavía, la mayoría de ellos no usa su sentido común. [63]   29: [52-63]

SECCIÓN: 7

La vida de este mundo es nada más que el pasatiempo, la vida real es la Ultima Vida. Aquéllos que se esfuerzan en Nuestra causa, Nosotros les guiamos a Nuestro Camino.

¡La vida de este mundo es nada más que un juego y distracción! Es la Ultima Vida lo que es la Vida Real, si es que supieran. [64] Si ellos embarcan en una nave, y la nave entra en el problema, ellos llaman a Al'lá, mientras siendo atentamente obediente a Él. ¡Pero cuando Él los trae aterrizar seguramente, ellos empiezan comprometer el Shirk (*dando el crédito para su llegada segura a los otros*); [65] para que puedan mostrar la ingratitud para la bendición que Nos hemos dado en ellos y para que disfrutan la vida de este mundo! Pronto ellos vendrán a saber el resultado de esta conducta. [66] ¿No ven que hemos hecho un santuario inviolable y seguro (*la Meca*) para ellos, mientras fuera de cual las gentes cometen todo tipo de fechorías? ¿Todavía creen en la falsedad y niegan las bendiciones de Al'lá? [67] Y ¿Quién es peor que uno que forja una mentira contra Al'lá o desecha la Verdad cuando le llega? ¿Acaso el infierno no es una morada digna para los tales incrédulos? [68] En cuanto a aquéllos que se esfuerzan en Nuestra causa, les guiaremos ciertamente por Nuestros caminos; Al'lá es ciertamente con los virtuosos. [69]   29: [64-69]

30: AR-RÜM

El periodo de Revelación

Esta Süra se reveló en 615 CE, el año cuando los romanos eran completamente predominados por el rey de los persas, durante el tiempo de la residencia del Profeta en Meca. Éste era el mismo año en que el Profeta permitió a los musulmanes oprimidos para emigrar hacia Jabsha.

Incluye los siguientes principios, Leyes y Guías divinas:

> ➤ La derrota de los romanos (Cristianos) a las manos de los persas (los paganos) fue considerado por los de Meca como una señal de la derrota de los musulmanes a las manos de los incrédulos árabes.
> ➤ La profecía da la victoria de los romanos contra persas y la victoria de los musulmanes contra los incrédulos.
> ➤ Al'lá ha originado la creación y Él resucitará a los muertos para Último juicio.
> ➤ La creación de Hombre, su Consorte, el Cielo, la Tierra, el Idioma, los Colores, el Sueño, la Demanda para el trabajo, Relámpago, Lluvia y Crecimiento de vegetación - todos son las señales de Al'lá.
> ➤ Los injustos son aquéllos que son llevados por sus propios deseos sin el conocimiento real.
> ➤ La verdadera Fe contra las Sectas y contra el Shirk.
> ➤ El mando para darles su deuda a los parientes y cuidar de los pobres y viajeros en sus necesidades.
> ➤ La travesura en la tierra es debida a las propias fechorías del Hombre.
> ➤ Al'lá le dice al Profeta: "¡Profeta! Tú no puedes hacer que el muerto te oye".

La condición de Sociedad Humana en ese momento:

La predicción hecha en los versos iniciales de esta Süra es uno de las evidencias más excelentes que el Qur'ãn es la Palabra de Al'lá. El becario investigador Abu al A'lâ Maudûdi narró el fondo histórico pertinente a esta Süra como siguiente:

"Ocho años antes del Adviento del Profeta Mujámad como un Profeta, el Emperador bizantino Mauricio se derrocó por Focus quien capturó el trono y se volvió el rey. Focus primero tenía a los cinco hijos del Emperador ejecutados delante de él, y luego mató el Emperador y colgó sus cabezas en una vía pública en Constantinopla. Unos días después de esto, él también mató a la emperatriz y sus tres hijas. Este evento proporcionó Cosroes Parvez, el rey Sassáni de Persa; una buena excusa moral para atacar el bizantino. El emperador Mauricio había sido su bienhechor; él se pudo agarrar el trono de Persia con su ayuda. Por consiguiente, él declaró que él vengaría su padrino y el asesinato de sus hijos. Así que, él empezó una guerra contra el Bizantino en 603 CE y dentro de unos años, derrotando a los *ejércitos de Focus en la sucesión, localizó Edessa (presentemente conocido como Urfa) en Asia Menor, en un enfrentamiento, y Aleppo y Antioch en Siria, en el otro. Cuando los ministros Bizantinos vieron que Focus no pudiera salvar el país, ellos buscaron la ayuda del gobernador africano que envió a su hijo Hércules a Constantinopla, con una flota fuerte. Focus fue depuesto inmediatamente y Hércules era el emperador hecho. Él trató a Focus como él había tratado a Maurice. Esto pasó en 610 CE, el año que el Profeta Mujámad fue designado como un Profeta.*

La excusa moral por cual Casroes Parvez había empezado la guerra era no más válido después de la deposición y muerte de Focus. Si el objeto de su guerra hubiera sido vengar el asesinato de su aliado por la mano de Focus y por su crueldad, él hubiera sido contento con el nuevo Emperador después de la muerte de Focus. Pero él continuó la guerra, y le dio el color de una cruzada entre Zoroastrianismo y cristiandad. Las simpatías de las sectas cristianas, (i. e. Nestorianos y Jacobianos, etc.) quiénes se habían excomulgados por la autoridad eclesiástica romana y también se habían tiranizados durante mucho años, fue con los Magianos (Zoroastriano) invasores, y los judíos también unieron las manos con ellos; tanto que el número de judíos que alistaron en el ejército de Casroes subiera a 26,000.

Hércules no podría detener esta tormenta. Las primeras noticias que él recibió del Este después de ascender el trono, eran eso de la ocupación de Antioch por los de persa. Después de esto, Damasco se desplomó 613 CE. Luego en 614, los persas ocuparon a Jerusalén, jugando el estrago con el mundo cristiano. Se hicieron una matanza de noventa mil cristianos y el Sepulcro Santo fue profanado. La Cruz Original en que, según las creencias cristianas, Jesús se había muerto, había asido y había llevado a Mada'in. El sacerdote principal Zacaría fue tomado prisionero y se destruyeron todas las iglesias importantes de la ciudad. Cómo resoplado era Casroes Parvez con esta victoria, puede juzgarse con la carta que él escribió a Hércules de Jerusalén. Él escribió: "De Casroes, el más grande de todos los dioses, el amo del mundo entero, a Hércules, su siervo y más estúpido: ' Dices que tienes la confianza en tu Señor. ¿Por qué tu Señor no pudo proteger Jerusalén de mí?"

Dentro de un año después de esta victoria, los ejércitos Pérsico excedieron Jordania, Palestina y el todo de la Península de Sinaí y alcanzaron las fronteras de Egipto. En esos mismos días, otro conflicto de una consecuencia histórica mayor estaba ocurriendo en Meca. Los creyentes en Un Dios, bajo la dirección del Profeta Mujámad (paz de Al'lá esté en él), estaban luchando para su existencia contra los seguidores de Shirk quienes eran bajo el orden de los jefes del Quraish, y el conflicto había alcanzado tal una fase que en 615 CE, un número sustancial de los musulmanes tenía que dejar sus casas y refugiarse en el reino cristiano de Jabsha que era un aliado del Imperio bizantino. Por esos días las victorias de Sassâni contra el Bizantino eran la charla del pueblo, y los paganos de Meca estaban encantados y estaban mofándose de los musulmanes al efecto: " Parece que los adoradores de fuego de Persia son victorioso premiados y los creyentes cristianos en la Revelación y Profetismo están derrotándose por todas partes. Igualmente, nosotros, los adoradores de los ídolos de Arabia, exterminaremos a ustedes y su religión."

Éstas eran las condiciones cuando esta Süra del Qur'ãn se fue revelada, y en él, una predicción que: " Los romanos se han vencido en la tierra vecina y dentro de unos años después de su derrota, ellos serán victoriosos. Y será el día cuando los creyentes regocijarán en la victoria concedida por Al'lá." Contuvo no sólo una sino dos predicciones: Primera, los romanos serán victoriosos; y segunda, los musulmanes también ganarán al mismo tiempo una victoria. No había ni si quiera una oportunidad remota del cumplimiento de cualquier predicción al parecer, en los próximos años. En un lado, había un manojo de los musulmanes que estaban estando vencidos y sufriendo torturas en Meca, e incluso aun hasta a los ocho años después de esta predicción aparecía ninguna oportunidad de su victoria y dominación. Al contrario, los romanos estaban perdiendo cada vez más tierra a todos los días. Por 619 CE el todo de Egipto había pasado en las manos de Sassâni y los ejércitos de Magian habían alcanzados hasta donde está Tripoli. En Asia Menor ellos repiquetearon y empujaron a los romanos atrás hasta donde está Bosporus, y en 617 CE ellos capturaron Calcedonia (moderno, Kadikoy) que es opuesto a Constantinopla. El Emperador envió a un enviado a Casroes, mientras orando que él estaba listo para tener paz en cualquier condición, pero él contestó, "No le daré protección al emperador hasta que él se traiga en las cadenas ante mí y deja la obediencia a su dios crucificado y adopta la sumisión al dios de fuego." Por fin, el Emperador se volvió tan deprimido por derrota que él decidió dejar Constantinopla y cambiar a Cartago (moderno, Tûnis). Para abreviar, como el historiador Gibbon británico dice, incluso siete a ocho años después de esta predicción del Qur'ãn, las condiciones eran tales que nadie incluso pudiera imaginar que el Imperio bizantino jamás ganaría una mano superior encima de Persas, menos hablar de ganar la dominación. Nadie podría esperar que el Imperio, bajo las circunstancias, incluso sobreviviera.

Cuando estos versos del Qur'ãn fueron enviadas, los incrédulos de Meca hicieron gran burla de ellas, y Ubaí bin Jalaf apostó con Sallidunâ Abu Bakr diez camellos a que los romanos no serían victoriosos dentro de tres años. Cuando el Profeta vino a conocer la apuesta, él dijo, " El Qur'ãn ha usado las palabras bid-i-sinïn, y la palabra bid en el árabe aplica a un número desde uno hasta diez. Por consiguiente, hagas la apuesta para diez años y aumentes el número de camellos a cien." Pues, Sallidunâ Abu Bakr habló de nuevo con Ubaí y apostó cien camellos por una duración de diez años.

En 622 CE, cuando el Profeta emigró a Madina, el Emperador Hércules salió calladamente fuera de Constantinopla hacia Trabzon vía el Mar Negro y empezó las preparaciones para atacar Persia del trasero. Por este motivo él pidió dinero a la Iglesia, y Papa Sergio le prestó las colecciones de la Iglesia con el interés, en un esfuerzo de salvar la cristiandad de Zoroastrianismo. Hércules empezó su contra-ataque en 623 CE desde Armenia. En 624 CE, él entró en Âzerbaiyân el próximo año, y destruyó Clorumia, el lugar de nacimiento de Zoroaster, y asoló el templo de fuego principal de Persia. Grande son los poderes de Al'lá, éste era el mismo año cuando los musulmanes lograron una victoria firme la primera vez del Badr contra los mushrikïn de Meca (Quraish). Así, se cumplieron ambas las predicciones hechas en la Süra AR-RÜM simultáneamente dentro del periodo estipulado de diez años.

Las fuerzas bizantinas continuaron apretando a los Persas duramente y en la batalla decisiva cerca de Ninevé, (627 CE) les repartieron el golpe más duro. Capturaron la residencia real de Dast-Gerd, y apretando adelante entonces, alcanzaron a lado opuesto a Ctesifon que era la capital de persas por esos días. En 628 CE, en una revuelta interior, Costroes Parvez se encarceló y después se ejecutaron 18 de sus hijos delante de él y unos días después, él se murió en la prisión. Éste era el año cuando el tratado de paz de Hudaibillá fue concluido, qué el Qur'ãn refiere como " La victoria suprema," y en este mismo año el hijo de Cosroe, Qubâd II, salió de todos los territorios romanos ocupados, restauró la "Cruz Verdadera" y concluyó la paz con el Bizantino. El Emperador mismo fue a Jerusalén para instalar la " Cruz " en su lugar en 628 CE, y en el mismo año el Profeta entró en Meca por la primera vez después de que él migró para realizar el Umra-tul-Q'adá.

Después de esto, nadie podría tener cualquier duda acerca de la veracidad de la profecía del Qur'ãn, con el resultado que la mayoría de los politeístas árabes aceptó el Islam. Los herederos de Ubaí bin Jalaf perdió su apuesta y tenían que dar cien camellos a Salliduná Abu Bakr Sid'dïq. Él se llevó al Profeta, quien pidió que se regalen en la caridad, porque la apuesta había estado hecho en el tiempo cuando apostar no se había prohibido todavía por el Qur'ãn; pero ahora, en este tiempo había sido prohibido. Por consiguiente, la apuesta fue permitida ser aceptada de los incrédulos beligerantes, pero instruyó para ser regalado en la caridad y no podía traerse en el uso personal.

30: AR-RÜM

Esta Süra se reveló en Meca, tiene 6 secciones y 60 versos.

En el nombre de Al'lá, el Compasivo, el Misericordioso

SECCIÓN: 1

Alif Lâm M'ïm. [1] Los romanos han sido derrotados (*por los Persas, en Siria - D.C. 615; las simpatías del Profeta Mujámad estaban con los romanos que eran cristianos, mientras los Árabes paganos estaban en el lado de los Persas quienes eran adoradores de los ídolos y del fuego*) [2] en la tierra más cercana (*Siria, Irak, Jordania y Palestina*), pero después de esta derrota, serán pronto victoriosos [3] dentro de unos años. La decisión de todos los asuntos queda en manos de Al'lá tanto antes como después de estos eventos. En ese día los creyentes regocijarán [4] (*para la victoria de los romanos así como su propia victoria contra los paganos*) con la ayuda de Al'lá. Él ayuda a quien Él agrada y Él es el Todos-poderoso, el más Misericordioso. [5] Esto es la promesa de Al'lá y Al'lá nunca rompe Su promesa; pero la mayoría de las personas no sabe. [6] Ellos sólo conocen la parte superficial de esta vida mundial, pero están distraídos acerca de la vida por venir. [7] ¿Es que no han considerado en su propia creación? Al'lá ha creado los cielos, la tierra y todos lo que está entre ellos por una razón justa, y por un tiempo determinado. ¡Pero la verdad es que muchos entre la humanidad no creen en el encuentro con su Rab (*en el Día de la Resurrección*)! [8] ¿Es que no han viajado a través de la tierra y visto cual era el fin de aquéllos ante ellos? Eran superiores que ellos en la fuerza; ellos cultivaron más tierra y florecieron más que estos paganos han florecidos. Allí llegaron a ellos sus Rasúles con las señales claras (*pero ellos les rechazaron asegurando su propia destrucción*): No era Al'lá Quien fue injusto con ellos, sino que ellos lo hicieron injusticia a sus propias almas. [9] Entonces el peor era el resultado para aquéllos que comprometieron el mal porque ellos rechazaron las revelaciones de Al'lá y siguieron ridiculizándolos. [10]   30: [1-10]

SECCIÓN: 2

Es Al'lá Quien origina la creación; luego la repite, y luego serán devueltos hacia Él. [11] En el Día cuando la Hora de Juicio se establecerá, los delincuentes estarán en la desesperación. [12] Ninguno de sus shorakã (*dioses que ellos habían asociados además de Al'lá*), será de interceder allí para ellos y ellos repudiarán a sus shorakã. [13] En ese Día cuando la Hora de Juicio se establecerá, la humanidad se clasificará. [14] Aquéllos que han abrazado la fe y han hecho los hechos buenos se harán felices en un prado. [15] Y aquéllos que han rechazado la Fe, negaron Nuestras revelaciones y la reunión en la Ultima Vida, se presentarán para el castigo. [16] Por consiguiente, ¡Glorificado sea Al'lá por la tarde y por la mañana! [17] - todas las alabanzas son debidas a Él en los cielos y en la tierra - y

La derrota de los romanos (cristianos) a las manos de Persia(los Paganos) se tomó como una señal de la derrota de los musulmanes a las manos de los incrédulos árabes, pues Al'lá dio la noticias buena que los Romanos serán victoriosos así como serán los musulmana después de unos años.

Es Al'lá Quien origina la creación y luego la repite y hacia Él todos nos traeremos para último Juicio.

glorificado sea en el extremo de la tarde y cuando el día empieza en declive. [18] Él saca al vivo del muerto y al muerto del vivió, y da la vida a la tierra después de su muerte. Igualmente ustedes se traerán a la vida después de su muerte. [19]   30: [11-19]

SECCIÓN: 3

La creación del Hombre, su consorte, los cielos, la tierra, el idioma, los colores, el sueño, la demanda para el trabajo, el alumbramiento, la lluvia y el crecimiento de vegetación-todos son las señales de Al'lá.

Parte de Sus señales es que Él lo creó del polvo y allí están ustedes: esparcidos a lo largo de la tierra. [20] Y de Sus señales es que Él creó para ustedes consortes de entre ustedes mismos para que puedan encontrar el consuelo con ellas, y plantó el amor y misericordia en sus corazones; hay señales ciertamente, en esto para aquéllos que reflexionan. [21] Y también entre Sus señales es la creación de los cielos y de la tierra, y la diversidad de sus idiomas y sus colores; hay señales ciertamente, en esto para los conocedores. [22] Y aún más entre Sus señales es su sueño por la noche o durante el día y busca de Su generosidad; hay señales ciertamente, en esto para aquéllos que escuchan. [23] Y también entre Sus señales es la exhibición de relámpago, en que hay miedo así como la esperanza; y el hacer bajar agua del cielo, vivificando con ella la tierra después de su muerte; hay señales ciertamente, en esto para aquéllos que usan su sentido común. [24] Y entre Sus señales está que el cielo y la tierra se sostienen por Su orden; luego en cuanto Él lo convoque; fuera de la tierra, vendrán ustedes adelante inmediatamente. [25] A Él Le pertenece todo lo que está en los cielos y en la tierra; todos son obedientes a Él. [26] Él es Quien origina la creación, luego la repite; y esto es cosa más fácil para Él. A Él Le pertenece atributo más alto que es en los cielos y en la tierra, y Él es el Todos-poderoso, el Sabio. [27]   30: [20-27]

SECCIÓN: 4

Los injustos se llevan por sus propios apetitos sin cualquier conocimiento real.

La verdadera fe y la naturaleza de sectas.

Vamos dar un ejemplo de entre sus propias vidas. ¿Permitieran ustedes a sus esclavos que serán socios iguales que ustedes en la riqueza que Nos hemos dado a ustedes? ¿Temerían a ellos como ustedes teman unos y otros? Así deletreamos Nuestras revelaciones para aquéllos que usan su sentido común. [28] Al contrario, los injustos siguen sus propios deseos, sin cualquier conocimiento real. Pues, ¿Quién puede guiar a lo que Al'lá ha extraviado? No tendrán ningún auxiliador. [29] Por consiguiente, mantén firme en tu devoción a la fe erguido - según la naturaleza hecha por Al'lá, en que la humanidad fue creada - y nunca debes intentar de cambiar la creación de Al'lá. Ésa es la norma de verdadera fe, pero la mayoría entre la humanidad no sabe. [30] Vuelvas en el arrepentimiento a Él, témale, establezcas el Salá (*las oraciones diarias regulares*) y no seas de los mushrikïn [31] - de aquéllos que dividen su religión en las sectas y se vuelven en los grupos separados, cada grupo regocijando en su propio círculo. [32]   30: [28-32]

Cuando una aflicción ocurre a la gente, se vuelven en la oración a su Rab en el arrepentimiento. ¡Pero cuando Él les permite gustar una bendición procedente dc Él, luego una parte de ellos compromete el Shirk con su Rab, [33] mostrando la ingratitud para lo que Nosotros les hemos dado. Disfruten pues, brevemente; ¡Pronto averiguarán....! [34] ¿Acaso les hemos conferido a ellos una autoridad de que hablan acerca de lo que están comprometiendo el Shirk? [35] Cuando hacemos probar una bendición a la humanidad, regocijan, pero cuando un poco de mal les aflige debido a sus propias fechorías, pues ahí están en la desesperación. [36] ¿No ven que es Al'lá Quien da abundantemente a quien Él agrada y escasamente a quien Él lega? Hay señales ciertamente, en este ejemplo para aquéllos que creen. [37]

30: [33-37]

Da, pues, lo que es debido a sus parientes, al necesitado y al viajero en la necesidad. Eso es mejor para aquéllos que buscan el placer de Al'lá y son ellos quienes lograrán la felicidad. [38] Lo que prestan ustedes con usura para que puedan aumentar a través de la riqueza de otras personas, no aumentará con Al'lá: pero el Zaká (la caridad obligatoria) que ustedes dan para buscar el placer de Al'lá, se reembolsará a ustedes varias veces más. [39] Es Al'lá Quien ha creado a ustedes, luego ha proporcionado su sustento, luego causará morir, y luego devolverá a la vida. ¿Hay cualquiera de sus shorakã (los dioses que ustedes han fabricados además de Al'lá) quién sea capaz de hacer cualquiera de estas cosas? ¡Gloria a Él, Quien es exaltado por encima de lo que Le asocian![40]

30: [38-40]

SECCIÓN: 5

La corrupción ha aparecido en la tierra y en el mar a consecuencia de las propias fechorías del hombre. A través del tal mal, Al'lá hace que prueben una parte de lo que ellos han hecho, quizás así puedan retroceder del mal. [41] Dígales: " Viajen a través de la tierra y vean lo que era el fin de aquéllos que han fallecido antes de ustedes: la mayoría de ellos era mushrik (se rindieron culto a otros dioses además de Al'lá)." [42] Por consiguiente, dirige tu rostro en devoción a la verdadera fe antes que llegue ese Día en que habrá ninguna oportunidad de apartarlo de Al'lá. (En ese Día, ellos serán divididos en dos grupos). [43] Aquéllos que descreyeron llevarán la carga de su escepticismo, y aquéllos que han realizados los hechos buenos, se preparará un lugar bueno en el paraíso para ellos, [44] para que Él, fuera de Su Misericordia, premie a aquéllos que han creído y han realizados los hechos buenos. Ciertamente, Él no ama a los incrédulos. [45]

30: [41-45]

Entre Sus señales es el envío de los vientos como portadores de noticias buenas, mientras dándoles un sabor de Su bendición, y para que sus naves puedan navegar siguiendo Sus órdenes, y para que ustedes puedan buscar de Su generosidad, y quizás así, puedan ser agradecidos. [46] Enviamos antes de ti los Rasúles hacia sus respectivos pueblos, y les trajeron señales claras para ellos. Y Nos vengamos de los que eran delincuentes. Era deber Nuestra, ayudar a los creyentes. [47] Es Al'lá

Cuando una aflicción ocurre a las personas, ellos invocan a Al'lá, pero cuando Él los releva, ¡lo! Ellos empiezan comprometer el Shirk.

El mando para darles su deuda a los parientes e igualmente a los pobres y a los viajeros en la necesidad.

La travesura en la tierra es el resultado de las propias fechorías del hombre y es cómo Al'lá les permite gustar la fruta de sus hechos.

Al'lá envió a Sus Rasúles para la guía de las gentes; algunos creen mientras otros rechazan. Al'lá sujeta al culpable a Su retribución y ayuda a los Creyentes. Al'lá dijo: "Tú no puedes hacer que el muerto te oiga."

Quien envía a los vientos para que levanten las nubes, luego Él las extiende en el cielo y las fragmenta como Él agrada, luego ves que gotas de lluvia caen de su medio. Pues cuando esta lluvia hace caer sobre aquéllos de Sus siervos quienes Él agrada, he aquí que están llenos de alegría, [48] aunque antes de su venida habían sido presa de la desesperación. [49] ¡Sólo hagas la mirada hacia los rastros de la Misericordia de Al'lá, cómo vivifica la tierra después de su muerte! Así es, ciertamente, como vivificará a los muertos; porque Él tiene el poder encima de todas las cosas. [50] Y si enviamos un viento que se vuelve sus cosechas de color amarillo, mire como se pondrán firmes más aun en su escepticismo. [51] Tú no puedes hacer que los muertos oigan, ni puedes hacer que los sordos oigan tu llamada sobre todo cuando ellos se han vuelto sus espaldas; [52] ni puedes guiar a los ciegos sacándoles fuera de su extravío. Únicos que te pueden escuchar son aquéllos que creen en Nuestras revelaciones y están sometidos (*son musulmanes*). [53]

30: [46-53]

SECCIÓN: 6

Es Al'lá Quien ha creado a ustedes y los traerá a la justicia en el Día del Juicio.

Es Al'lá Quien ha creado a ustedes en un estado de impotencia (*como un bebé*), luego da fuerza para salir de impotencia (*en la juventud*), luego después de la fuerza, da a ustedes, de nuevo, la impotencia y las canas (*por la vejez*). Él crea cualquier cosa que Él lega y es Él Quién es el Omnisciente, el Omnipotente. [54] En el Día cuando la Hora de Juicio se establecerá, los delincuentes jurarán que no se quedaron en este mundo más de una hora; así estaban de engañados. [55] Pero aquéllos que son dados conocimiento y fe dirán: " De hecho, ustedes se han permanecidos, tal y como está en la escritura de Al'lá, hasta el Día de la Resurrección y esto es el Día de la Resurrección: sin embargo ustedes no eran conscientes." [56] En ese Día, ninguna excusa de los injustos será útil, ni les permitirá oportunidad de buscar el perdón. [57] El hecho es que hemos puesto toda clase de ejemplo para los hombres en este Qur'ãn, pero aunque les traes cualquiera señal, los incrédulos seguramente dirían: " No eres más que un predicador farsante." [58] Así Al'lá ha sellado los corazones de aquéllos que no reconocen la verdad. [59] ¡Ten, pues, paciencia: ciertamente, la promesa de Al'lá es verídica; y no permitas a aquéllos quiénes no tienen ninguna certeza de fe, que te inquieten! [60]

30: [54-60]

31: LUQMÂN

El periodo de Revelación

Esta Süra se reveló en los últimos años de fase media de la residencia del Profeta en Meca. Su contenido indica que se reveló en el mismo periodo que cuando Süra 'Ankabût fue revelada.

Incluye los siguientes principios, Leyes y Guías divinas:

> El Qur'ãn es la escritura de sabiduría y una bendición para los virtuosos.
> Consejo del Luqmân a su hijo, de no comprometer el Shirk (para asociar cualquier otro con Al'lá en el culto).
> Los derechos de la madre y del padre.
> No obedecer a los padres si ellos te piden que comprometas el Shirk.
> La conducta moral islámica y la interacción humana.
> La razón principal del extravío es seguir ciegamente a los antepasados.
> Si todos los árboles se convertirán en las plumas y los océanos en tinta, no bastarían para escribir las palabras de Al'lá.
> Al'lá es la única Realidad, todos otros a quienes la gente invocan además de Él son falsos.
> ¡Humanidad!, teme a ese Día cuando ni un padre será útil a su hijo, ni un hijo a su padre, no permita a Shaitãn engañarle acerca de este hecho.

Esta Süra también aconseja a los jóvenes convertido al Islam que aunque los derechos de padres son superiores, no son reemplazable por los derechos de Al'lá. Ellos no deben escuchar a los padres si les impiden aceptar el Islam, o si quieren compelerlos revertir al credo de Politeísmo.

Esta Süra también señala que el Islam no es una nueva enseñanza que está presentándose por la primera vez. Las personas sabias y doctos de las edades pasadas dijeron y enseñaron lo mismo que el Qur'ãn está presentando hoy. En otros términos dice, "¡Gente de Meca!: En su propia área allí vivió a un hombre sabio que se llamaba Luqmân, cuya sabiduría ha sido bien conocida entre ustedes cuyo proverbios y refranes se citan los sabios en su conversación diaria y quién se cita a menudo por sus poetas y oradores. Ahora precisamente verán el credo y los morales que él enseñaba."

31: LUQMÂN

Esta Süra reveló en Meca, tiene 4 secciones y 34 versos.

En el nombre de Al'lá, el Compasivo, el Misericordioso

SECCIÓN: 1

El Qur'ãn es la escritura de Sabiduría, una Guía y una Bendición para los Virtuosos.

Alif Lâm M'ïm. [1] Éstos son versos de la escritura de sabiduría, [2] una guía y una bendición para los que hacen el bien: [3] los que establecen el Salá (*las Oraciones islámicas*), dan el Zaká (*la Caridad obligatoria*) y firmemente creen en la Ultima Vida. [4] Éstos están en la verdadera guía de su Rab y éstos son los que lograrán la felicidad. [5] Entre las personas hay algunos que se compran las charlas frívolas para que puedan llevar a las personas fuera del Camino de Al'lá, sin cualquier conocimiento, y para que toman como una burla la invitación a la Vía Recta. Para las tales personas habrá un castigo humillante. [6] Cuando Nuestras revelaciones se recitan a tal una persona, se aleja en la arrogancia como si él no los oyó o como si sus oídos fueron sellados: anuncie a él, las noticias de un castigo doloroso. [7] En cuanto a aquéllos que creen y hacen los hechos buenos, habrá jardines de deleite, [8] en qué ellos vivirán para siempre. ¡Promesa de Al'lá, de verdad!: Él es el Todos-poderoso, el Sabio. [9] Él es Quien creó los cielos sin pilares visibles; ha fijado las montañas en la tierra para que no se moviera con ustedes; y esparció a través de ella todos los tipos de las criaturas móviles. Hemos hecho bajar la lluvia del cielo con la que hacemos crecer toda especie de las criaturas nobles en parejas. [10] Ésta es la creación de Al'lá; ahora, ¿Muéstreme, pues, lo que está allí a lo que otros (*dioses*) además de Él han creado? - De hecho, los injustos están en un extravío manifiesto. [11]

31: [1-11]

SECCIÓN: 2

Luqmân le aconsejó a su hijo que no comprometiera el Shirk.

Y he aquí que le dimos a Luqmân la sabiduría: " Sé agradecido con Al'lá, " pues quien es agradecido lo es, en realidad, para su propio beneficio; y el que niega Sus favores, debe saber que Al'lá está, ciertamente, libre de todas las necesidades, digno de toda la alabanza. [12] Cuando Luqmân, mientras aconsejando a su hijo, le dijo: "¡Hijo mío! Nunca comprometas el Shirk (*no asocies nada ni a nadie con Al'lá*); ciertamente, comprometer el Shirk es una enorme injusticia." [13]

31: [12-13]

Los derechos de las madres y de los padres. Obedezcas a sus padres pero no en las materias del Shirk.

Hemos ordenado al hombre en relación a sus padres - su madre lo llevó en su útero sufriendo penas tras penas y luego le destetó a los dos años -: " Sé agradecido a Mí y a tus padres, y ten presente que tu último meta es hacia a Mi [14] Pero si te insisten que comprometas el Shirk conmigo de que no tienes el conocimiento, entonces ¡No les obedezcas!; sin embargo todavía debes tratarlos amablemente en este mundo, pero sigues el camino de ese individuo que se ha vuelto a Mí arrepentido.

Después de todos a Mí es su retorno, luego informaré a todos ustedes acerca de todos lo que han hecho". [15]   31: [14-15]

(*Luqmân además le dijo*): "¡Hijito mío! Al'lá traerá todas las cosas a luz, aunque sea eso tan pequeño como un grano de una semilla de mostaza, sea que está oculto dentro de una piedra o (cualquier lado) en los cielos o en la tierra. ¡Al'lá sabe los misterios más finos y es bien consciente de todas las cosas. [16] ¡Hijito mío! Establezca el Salá (*las oraciones*), mandas lo que está bien y prohíbas lo que está mal. Ten paciencia ante cualquier adversidad, ciertamente, todo eso es parte de los asuntos que requieren la determinación. [17] No hables a las personas con tu cara hinchada con la arrogancia, ni camines arrogantemente en la tierra; porque Al'lá no ama a cualquier jactancioso y presumido. [18] Sé moderado al caminar y bajas tu voz; porque el más áspero de voces es el rebuzno de un asno." [19]   31: [16-19]

Consejo de Luqmân sobre la conducta moral e interacción.

SECCIÓN: 3

¿No lo ves que Al'lá ha sujetado a su beneficio todo lo que está en los cielos y en la tierra, y ha colmado a ustedes con Sus favores evidentes y ocultos? Hay algunas personas que todavía discuten sobre Al'lá sin ningún conocimiento, sin guía, sin cualquier Libro que les ilumine. [20] Cuando se les pide que sigan lo que Al'lá ha revelado, ellos contestan: "¡No!, sino que seguiremos las maneras en que nosotros encontramos a nuestros antepasados." ¡Eso que! ¡Seguirán aunque Shaitãn se les invita al castigo del fuego llameante! [21] Él quién se rinde a Al'lá y lleva una vida virtuosa ha asido el asidero más fidedigno de hecho; porque la última disposición de restos de los asuntos es con Al'lá. [22] En cuanto a él quién descree, no permitas que tu escepticismo te aflige. Hacia a Nosotros es su retorno y luego les informaremos la realidad de sus hechos; ciertamente, Al'lá sabe los secretos que encierran los pechos. [23] Les permitiremos a disfrutar durante breve tiempo de esta vida, luego les arrastraremos a un castigo tenaz.[24]   31: [20-24]

La razón principal del desvió es seguir a su antepasados ciegamente.

Si les preguntas: "¿Quién ha creado los cielos y la tierra?" Ciertamente dirán: "¡Al'lá!". Diga:" ¡Alabado sea Al'lá!" Sin embargo la mayoría de ellos no usan su sentido común para entender. [25] A Al'lá pertenecen todos los que están en los cielos y en la tierra; ciertamente, Al'lá es el Quien está libre de todas las necesidades, digno de todas las alabanzas. [26] Si todos los árboles en la tierra fueran las plumas, y el océano sea tinta, llenada por siete más océanos, las Palabras de Al'lá no se agotarían; ciertamente, Al'lá es Poderoso, Sabio. [27] Su creación y su resurrección es algo pero tan simple como la creación y resurrección de una sola alma; ciertamente, Al'lá todo lo oye, todo lo ve.[28] ¿No ves que Al'lá causa la noche para que pase en el día y el día en la noche, y que Él ha sujetado el sol y la luna para seguir Su ley, cada uno sigue su curso hasta un término designado, y que Al'lá es bien consciente de todas sus

Si todos los árboles fueran las plumas y los océanos eran tinta, las palabras de Al'lá, no se podrían escribir. Al'lá es la única Realidad, todos otros a quienes las personas

invocan aparte de Él son falsos.

acciones? [29] Esto es así porque Al'lá es la Verdad y porque todos aquéllos a quienes las personas invocan además de Él, son falsos, y porque Al'lá es el Altísimo, el Grande. [30]   31: [25-30]

SECCIÓN: 4

¡La humanidad!, Tema a ese Día cuando ningún padre será útil a su hijo, ni un hijo a su padre. No permita al Shaitãn engañarlo acerca de este hecho.

¿No ves cómo las naves navegan a través del océano por la gracia de Al'lá para que Él pueda mostrarles a ustedes algunas de Sus señales? Hay señales ciertamente, en esto para todos aquéllos que tengan mucha paciencia, y que son muy agradecidos. [31] Cuando cualquier ola gigante les cubre como un dosel, invocan a Al'lá con toda la devoción con su fe puro para Él. Pero cuando Él les salva llevándolos a la tierra firme, seguramente, algunos de ellos vacilan entre la creencia e incredulidad. ¡Nadie niega Nuestros signos exceptúe el traicionero y el ingrato! [32] ¡Humanidad! Ten miedo a su Rab y ten temor a ese Día cuando ningún padre podrá pagar por su hijo, ni un hijo pagará por su padre. Ciertamente, la promesa de Al'lá es verídica. No permitas la vida de este mundo que te engañe, ni permitas al Engañador (*Shaitãn*) engañarte acerca de Al'lá. [33] Ciertamente, Al'lá tiene conocimiento de la Hora junto a Él, Él es Quien envía abajo la lluvia y sabe lo que está en los úteros. Nadie sabe lo que le deparará el próximo día; y ni en qué tierra morirás. Ciertamente, Al'lá sabe todos éstos y es consciente de todo.[34]   31: [31-34]

32: AS-SA'ẎDÁ

El periodo de Revelación

Esta Süra se reveló durante la fase inicial del periodo medio de la residencia del Profeta en Meca.

Incluye los siguientes principios, Leyes y Guías divinas:

➢ *Al-Qur'ãn está más allá de todas las dudas, una revelación de Al'lá, enviado para advertir a esas personas a quienes ningún Advertidor había venido anteriormente.*

➢ *En el Día de Juicio, los incrédulos creerán, pero esa creencia será de ningún beneficio a ellos.*

➢ *Hay un premio especial para aquéllos que desamparan sus camas, invocan su Rab con el temor y esperanza, y gastan en la caridad.*

➢ *Al-Qur'ãn es similar al Libro que se dio al Profeta Musa (Moisés).*

El tema principal de esta Süra es quitar las dudas que las personas tenían acerca de Taujïd (Dios es Uno y Sólo), la Ultima Vida y el Profetismo, y para invitarlos a estas tres realidades. Los incrédulos se piden que usan su sentido común y que juzguen ellos mismos acerca de las cosas presentadas por el Qur'ãn que si son extraños o nuevos: " Miren la administración de los cielos y de la tierra: consideren su propia creación y estructura. ¿No testifican estas cosas a la enseñanza que este Profeta está presentando ante ustedes en el Qur'ãn? ¿El sistema del universo apuntas hacia Taujïd o hacia el Shirk? ¿No testifica su intelecto que él Quien le ha dado su existencia presente no podrá darles de nuevo? Entonces una escena del Día del Juicio se ha pintado, se han mencionado las frutas de creencia y las consecuencias malas de escepticismo y las personas se exhortaron de dejar el escepticismo antes de que se encuentren su sentencia, y que aceptan la enseñanza del Qur'ãn lo que será para su propia ventaja en el Día del Juicio. Se les dice que es la misericordia suprema de Al'lá que Él no se ase al hombre inmediatamente para sus errores para castigarlo. En cambio, Él advierte al hombre de antemano afligiéndolo con los problemas pequeños, penalidades, calamidades, pérdidas y golpes de infortunio para que él pueda despertarse y puede tomar la advertencia. Entonces se les dice: " Éste no es el primer evento de su tipo que un Libro se ha enviado abajo en un hombre de Al'lá. Antes de esto, se había enviado la escritura a Musa (Moisés), a quien todos ustedes saben.

En la conclusión, se pide al Profeta que diga: "Cuando el tiempo para último Juicio considerándonos y a ustedes vendrá, creer entonces será en absoluto de ningún beneficio a ustedes. Crean ahora, si ustedes quieren salvarse del castigo en el Día del Juicio."

32: AS-SA'ÝDÁ

Esta Süra reveló en Meca, tiene 3 secciones y 30 versos.

En el nombre de Al'lá, el Compasivo, el Misericordioso

SECCIÓN: 1

El Qur'ãn no contiene ninguna duda, se revela a Mujámad (pece), para que él pueda advertir a esas personas a quienes ningún advertidor ha venido antes.

Alif Lâm M'ïm. [1] Este Libro (*el Qur'ãn*) - exenta de dudas - se reveló por el Rab de los mundos. [2] ¿O es que dicen que se lo ha forjado?" ¡Al contrario! Es la Verdad que procede de tu Rab, para que puedas advertir a un pueblo al que ningún advertidor ha venido antes: para que ellos puedan recibir la guía. [3] Al'lá es, Quien ha creado los cielos, la tierra y todos que están entre ellos en seis Allám (*días, periodo de tiempo o fases*), luego se estableció en el Trono de una manera que satisface a Su Majestad. No tienes ningún guardián o intercesor fuera de Él. ¿Es que no dejaran que reciban la amonestación? [4] Los asuntos que Él decreta bajan desde el cielo hacia la tierra: luego ascienden a Él en un Llaum (*el periodo de tiempo*) que equivale a mil años según sus cálculos. [5] Tal es el Conocedor de todos lo que es oculto y lo que es aparente, el Poderoso, el Misericordioso. [6] Es Él, Quien ha dado la mejor forma a todo lo que Él ha creado. Él originó la creación de hombre de la arcilla; [7] luego automatizó la creación de su descendencia por un extracto de un fluido vil; [8] luego Él lo formó en la proporción debida y respiró en él de Su Espíritu. Él le dio el oído, la vista y el intelecto; todavía, ¡Qué poco agradecidos son! [9] Ellos dicen: "¡Qué! Una vez que ya estamos perdidos en la tierra, ¿Iremos de ser creado de nuevo?" Pero no, ellos se niegan a creer en el encontró de su Rab. [10] Dígales: "El ángel de la muerte (*'Azrâ'i*l) quien se asigna para ustedes, se llevará sus almas y lo devolverá a su Rab." [11]

32: [1-11]

SECCIÓN: 2

En el Día del Juicio, los incrédulos creerán pero esa creencia será de ningún beneficio a ellos.

Si sólo pudieras visualizar cuando los delincuentes bajarán sus cabezas (*avergonzado y en humillación*) antes su Rab: "¡Rab nuestro! Hemos visto y hemos oído; por favor envíenos atrás al mundo para que hagamos los hechos buenos: realmente ahora estamos convencidos." [12] Si hubiéramos querido, podríamos dar a cada alma su guía. Sin embargo se ha de cumplir Mi palabra: " Llenaré Yaján'nam (*el infierno*) de los genios y de los hombres todos juntos." [13] Pues ahora saborean su premio por su olvido de la reunión de este Día - Nosotros también hemos olvidado de ustedes (*ha dejado a ustedes en el castigo*) ahora - que saboreen el castigo eterno a consecuencia de sus fechorías."[14]

32: [12-14]

Hay un premio especial para aquéllos que

Sólo creen en Nuestras revelaciones esas personas que, cuando se los recuerdan, se postran en la adoración y celebran las alabanzas de su Rab y que no son arrogantes. [15] Quienes desamparan sus camas e invocan a su Rab con el temor y esperanza; y gastan en la caridad fuera del sustento que les hemos proveído. [16] Nadie sabe la frescura de ojos que se ha guardado oculto para ellos como una recompensa para sus hechos buenos. [17] ¿Acaso el que es creyente esté como el que es un trasgresor? ¡Claro que no! No son iguales. [18] En cuanto a aquéllos que creen y hacen los hechos buenos, se otorgarán los jardines de Refugio como hospedaje, una retribución por los que hicieron. [19] Pero aquéllos que son perversos, se lanzarán en la morada del Fuego. Siempre que ellos intenten escapar de él, se empujarán atrás en él, y se les dirá: "Gusten el castigo del Fuego a que ustedes negaban." [20] Les haremos, ciertamente, gustar el tormento más ligero en esta vida antes del castigo mayor (*por el día del Juicio*). Quizás así, puedan devolver a la Vía Recta. [21] ¿Quién podría ser más injusto que aquél al que se mencionan las revelaciones de su Rab y se vuelve fuera de ellas? Ciertamente, tomaremos la venganza en los tales delincuentes. [22]   32: [15-22]

desamparan sus camas y invocan su Rab con el temor y espera y que gasten en la caridad.

SECCIÓN: 3

Nosotros dimos la escritura a Musa - para que no estés en la duda por recibir este (*Al-Qur'ãn*) - e hicimos de ella (*de la Tora*) una guía para los Hijos de Israel. [23] E hicimos de entre ellos líderes que guiaban según Nuestro orden, teniendo paciencia y firmeza, tenían certeza de Nuestras revelaciones. [24] Ciertamente, tu Rab decidirá entre ellos, en el Día de la Resurrección, acerca de esas materias en que discrepaban entre uno y otro. [25] ¿Es que no les sirven de guía los eventos históricos en que todas las generaciones hemos destruido ante ellos en cuyas moradas andan ahora? Ciertamente hay señales en esto. ¿Es que no escuchan? [26] ¿Acaso que no ven cómo manejamos la lluvia a las tierras resecadas y gracias a ella, traemos las cosechas adelante, de lo que se alimentan ellos mismos y también su ganado? ¿No verán, pues? [27] Todavía dicen: "¿Cuándo será esa victoria, sí que estás diciendo es la verdad?" [28] Les diga: "El día de la victoria y su creencia serán de ningún beneficio a los incrédulos, desde este momento no se concederán una tregua." [29] Por consiguiente, no prestes atención a ellos, y esperas como ellos están esperando. [30]

El Qur'ãn es similar al Libro a que se dio el Profeta Musa.

32: [23-30]

33: AL-AJZÂB

El periodo de Revelación

Esta Süra se reveló a los 5 años después de Hi'yrá (la migración) del Profeta a Madina. Durante ese año, tres eventos importantes tuvieron lugar: la Batalla de la Trinchera o Al-Ajzâb, la invasión de Bani Quraizá (una tribu judía) y el matrimonio del Profeta con Sallidá Zainab (la esposa divorciada de su hijo adoptivo Zaid bin Jâriz).

Incluye los siguientes principios, Leyes y Guías divinas:

➢ Teme a Al'lá, no obedezcas a los incrédulos ni a los hipócritas.
➢ Leyes que relacionan:
➢ El divorcio
➢ El estado de un hijo adoptado
➢ Por la palabra de boca, ni sus esposas se vuelven como sus madres reales ni sus hijos adoptados como sus hijos reales.
➢ Las esposas de profeta se declaran para ser las madres de todos los creyentes.
➢ Las relaciones de sangres tienen más derechos que otros en la escritura de Al'lá.
➢ La batalla de la Trinchera (Al-Ajzâb):
    ○ Los favores de Al'lá
    ○ Las actitudes de los hipócritas
    ○ Se declaran a los no-participantees en la guerra contra los incrédulos como las personas que no tienen la fe en absoluto y que todos sus hechos son nulos.
➢ La vida de Profeta Mujámad (paz esté en él) se declara de ser un modelo para todos.
➢ La advertencia a las esposas del Profeta.
➢ No está conviniente para los creyentes de buscar otras opciones en lo que se ha decidido por Al'lá y por Su Rasúl.
➢ El mando de Al'lá al Profeta para casarse a la esposa divorciada de su hijo adoptado.
➢ El Profeta Mujámad (paz esté en él) no es el padre de cualquiera hijo varón sino un Rasúl de Al'lá y El Sello del Profetismo.
➢ El Profeta Mujámad (paz esté en él) se da el permiso especial para casarse más de cuatro esposas junto con la restricción de no casarse más ni para divorciarse cualquiera para casarse con la otra en su lugar después de este mando.
➢ Las etiquetas acerca de las visitas a la casa del Profeta.
➢ El propio Al'lá y Sus ángeles envían las bendiciones en el Profeta, y los creyentes se ordenan para hacer el mismo.
➢ Las leyes de Jiyâb (el código del vestido) para las mujeres.

> ➤ Al'lá se ofreció de asumir la responsabilidad de las leyes Divinas (Amãna) a los cielos, a la tierra y a las montañas: ellos se negaron a tomar esa responsabilidad pero el hombre sí lo tomó.

La Batalla de la Trinchera - Al-Ajzâb

El fondo

Poco después la batalla de Ujud, Bani Asad empezó las preparaciones para un ataque a Madina. El Profeta envió a 150 guerreros bajo el orden de Sallidunâ Abu Salmá (el primer marido de Sallidá Umme Salmá). Este ejército tomó Bani Asad por la sorpresa y les hizo correr en un pánico dejando atrás todas sus posesiones. Después de esto, Bani Un-Nazïr, una tribu judía, trazó para matar al Profeta pero su conspiración fue descubierta al tiempo. El Profeta pidió que ellos dejaran Madina dentro de diez días y advirtió que cualquiera que permanecía detrás después de eso se pondría a la muerte. Abdulá bin Ubaí, el jefe de los hipócritas de Madina, les animó a desafiar el orden y negar a dejarse Madina. Él incluso prometió ayudarles con 2,000 hombres, y les aseguró que Bani Ghatfân de Nayad también vendrá a su ayuda. Como resultado, Bani Un-Nazïr se negó a seguir el orden y dijo que ellos no dejarían Madina a cualquier costo. En cuanto el límite de tiempo de diez días se acabó, el Profeta puso el sitio a sus cuartos, pero ninguno de sus partidarios tenía el valor para venir a su rescate. Por fin, ellos se rindieron en condición que se permitirían cada tres de ellos a cargar un camello con cualquier cosa que ellos podrían llevar y podrían ir dejando atrás el resto de sus posesiones. Así, los suburbios de la ciudad que estaba habitado por el Bani Un-Nazïr, sus jardines, sus fortalezas y otras propiedades entraron en las manos de los musulmanes.

Después de esto, el Profeta recibió información que la tribu de Bani Ghatfân estaba preparando para una guerra contra Madina. Él marchó contra ellos con 400 musulmanes y les dio alcance por la sorpresa. Como resultado, ellos huyeron sus casas sin cualquier forcejeo y tomaron el refugio en las montañas.

Después de esto en el mes de Sh'abân 4 años después de Jiy'râ (4 D.J.), el Profeta fue al lugar de Badr con 1500 musulmanes combatir contra Abu Sufllân que había desafiado al Profeta y a los musulmanes al final de la Batalla de Ujud diciéndole: "Nos encontraremos de nuevo en el combate a Badr el próximo año." El Profeta aceptó su desafío. Del otro lado, Abu Sufllân dejó Meca con un ejército de 2,000 hombres, pero no tenía el valor para marchar más allá del pueblo de Marr-Az-Zajrân, ahora conocido como Wadi Fâtimá. El Profeta esperó por él a Badr durante ocho días; los musulmanes durante estos días hicieron el negocio aprovechable con una caravana comercial. Esta casualidad ayudó restaurar la imagen de los musulmanes que se habían empañado a Ujud. También hizo que realizará todo de Arabia comprender que el Quraish solo ya no podría resistirse a Mujámad (paz esté en él).

La Batalla

Los líderes del Bani un-Nazïr, quiénes habían establecido en Jaiber después de su destierro de Madina, fue a los Quraish, Ghatfân, Judhail y muchas otras tribus para pedir que recogieran todo sus fuerzas para atacar Madina juntamente. Así, en Shawâl, D.J. 5, un ejército muy grande de las tribus árabes marchó contra la ciudad pequeña de Madina. Del norte vinieron los judíos de Bani Un- Nazïr y Bani Qainuqá. Del este las tribus de Ghatfân adelantaron, Bani Sulaima, Fazará, Murrá, Ashya, S'ad, Asad, etc. y del sur se marcharon el Quraish junto con una fuerza grande de sus aliados que numeraban de diez a doce mil guerreros. Si hubiera sido un ataque súbito, habría sido desastroso. Antes de que el enemigo pudiera alcanzar Al-Madina, el Profeta mandó a hacer una trinchera excavada en el noroeste de Madina en seis días y tomaron las posiciones defensivas con 3,000 guerreros. Montaña Salat estaba por su detrás, y jardines de árbol de palma espesos por su sur, por consiguiente, el enemigo no podría atacar de esos lados. El mismo era el caso en el lado oriental dónde había mece de lava que hacía imposible para un ejército grande que cruce. El mismo era el caso con el lado sur -oeste. Por consiguiente, el ataque sólo podría hacerse de los lados orientales y occidentales de la montaña de Ujud que el Profeta había afianzado excavando una trinchera. Los incrédulos no tenían ni ideas de que ellos tendrían que encontrar una trinchera fuera de Madina. Este tipo de una estratagema defensiva era desconocido a los árabes. Así que ellos tenían que poner un sitio largo durante invierno por lo que ellos no eran preparados.

La única alternativa que quedaba para los incrédulos era incitar la tribu judía de Bani Quraizá que estaba viviendo en el sudeste de la ciudad para rebelarse. El Profeta tenía un tratado con ellos que en caso de un ataque a Madina, ellos defenderían la ciudad junto con ellos. Como resultado, el Profeta no había hecho ningún arreglo defensivo en esa área e incluso les había enviado a las familias musulmanas que tomaran el resguardo en el fuerte, que estaba situado en ese lado de la ciudad. Los invasores percibieron esta debilidad en las defensas del ejército musulmán. Ellos enviaron a un líder judío de Bani An-Nazïr a Bani Quraizá y les indujo romper el tratado y meterse en la guerra contra los musulmanes. Al principio, ellos se negaron diciéndoles que ellos tenían un tratado con Mujámad (paz esté en él) quién lo había cumplido fielmente y les había dado ninguna causa para la queja. Pero, cuando Ibn Akhtab les dijo, " Miren, yo he convocado una fuerza unida de la Arabia entera contra él. Ésta es una oportunidad perfecta de librarse de él, si ustedes lo pierden esta oportunidad, nunca tendrán la otra," Así que la mente anti-islámica prevaleció encima de cada consideración moral y ellos estuvieron de acuerdo en violar el tratado.

Cuando el Profeta recibió estas noticias, él les preguntó en seguida a los jefes del Ansâr, ir y averiguar la verdad. Él les aconsejó que si ellos encontraran que Bani Quraizá todavía era fiel al tratado, deben volver y deben decir tal como es, abiertamente, ante el ejército musulmán; sin embargo, si encontraran que ellos estaban torcidos en la alevosía, deben informar sólo a él para que no habría el pánico en los musulmanes comunes. Cuando inquirió, Bani Quraizá dijo abiertamente a los *jefes: "No hay ningún acuerdo y ningún tratado entre nosotros y Mujámad". Oyendo esto, volvieron y sometieron su informe al Profeta.*

Después de determinar y comprobar, el Profeta, en ese momento crítico, empezó negociar la paz con guerrero tribu de Bani Ghatfân en que les ofreció un tercio de la cosecha de fruta de Madina en cambio a su retiro. Pero cuando él preguntó a Ubâdá bin S'ad, S'ad bin Muâz, que eran jefes del Ansâr, para su opinión sobre las condiciones de paz, ellos preguntaron, " ¡Rasúl de Al'lá!: Es su deseo personal que debemos estar de acuerdo con estas condiciones, o es el Orden de Al'lá que nosotros no tenemos ninguna opción sino para aceptarlo, o, ¿Sólo estás proponiendo a esto para salvarnos del enemigo?" El Profeta contestó, " Sólo estoy proponiendo a esto para salvarlos: Yo veo que el todo de Arabia ha formado un frente unido contra ustedes. Quiero dividir al enemigo." A esto, los dos jefes protestaron diciéndole, "Su honor, si usted quiere concluir este pacto para nuestra causa, por favor olvida de eso. Estas tribus no podrían dominarnos bajo el tributo cuando nosotros éramos los politeístas. Ahora que nosotros tenemos el honor de creer en Al'lá y en Su Rasúl, nos harán hundir a esta profundidad de ignominia. Permita que la espada sea el árbitro hasta que Al'lá pasa Su juicio entre ellos y nosotros." Con estas palabras, ellos rompieron el borrador del tratado que no se había firmado todavía.

Entretanto Nu'aim bin Mas'ud, un miembro de Ashya una rama de la tribu de Ghatfân, se aceptó el Islam y vino ante el Profeta y sometió, "Todavía nadie sabe que yo he abrazado el Islam: Por lo tanto, por favor, usted puede tomar de mí cualquier servicio que a usted le gusta." El Profeta contestó: " Vaya y siembre las semillas de discordia entre el enemigo." Por lo tanto, primeramente, Nu'aim fue a la tribu de Quraizá con quien él estaba en los términos amistosos, y les dijo," El Quraish y el Ghatfân se pueden cansar del sitio y se pueden regresar, sin perder nada, pero ustedes tienen que vivir aquí con los musulmanes. Simplemente consideran la posición que ustedes serán si eso se pasa de esa manera. Por consiguiente, yo le aconsejaría de no unirse con el enemigo hasta que los forasteros envíen algunos de sus hombres prominentes como rehenes a ustedes." Esto tuvo el efecto deseado en el Bani Quraizá y decidieron de exigir rehenes al frente unido de las tribus. Luego él fue a los jefes del Quraish y del Ghatfân y les dijo, "Los Bani Quraizá parecen estar laxos e irresolutos. Ellos pueden exigir a ustedes algunos hombres como los rehenes y luego pueden entregarlos a Mujámad (paz esté en él) para establecer su asunto con él. Por consiguiente, sean muy firmes y cautos en su trato con ellos." Esto hizo a los líderes del frente unido que sean sospechosos de Bani Quraizá, y enviaron un mensaje, mientras diciéndoles, " Estamos cansados del sitio largo; hagamos una batalla decisiva; por consiguiente, vamos hacer un ataque general simultáneamente de ambos lados." El Bani Quraizá envió la palabra atrás, mientras diciendo, "Nosotros no podemos permitirnos el lujo de meternos en la guerra a menos que ustedes entregan algunos de sus hombres prominentes a nosotros como rehenes." Los líderes del frente unido se convencieron que lo que Nu'aim había dicho era verdad. Ellos se negaron a enviar a los rehenes. Y el Bani Quraizá, por otro lado, también se sentía que Nu'aim les había dado el consejo correcto. Así, la estrategia funcionó: dividió al enemigo.

Victoria concedida por Al'lá sin el combate

El sitio se prolongó para más de 25 días. Era invernal, y el suministro de la comida, el agua y el forraje estaba poniéndose más escasos. La división en el campamento también era una gran tensión para la moral de los sitiadores. Entonces, de repente una noche, un viento severo acompañado por el trueno y relámpago pegó el campamento. Agregó al frío y oscuridad. El viento voló las tiendas y puso al enemigo en el desorden. Ellos no podrían resistir este soplo severo de la naturaleza. Ellos dejaron el campo de batalla durante la noche y devolvieron a sus casas. Por la mañana, no había ni uno soldado enemigo a ser visto en el campo de batalla. El Profeta, mientras encontrando el campo de batalla completamente vacío, dijo: "El Quraish nunca podrá atacarnos después de esto: ahora ustedes tomarán la ofensiva." Ésta era una valoración correcta de la situación. No sólo el Quraish sino el frente unido de todas las tribus enemigas habían hecho su ataque final contra Islam y habían fallado. Ellos ya no podrían atreverse invadir al Madina; ahora los musulmanes estaban en la ofensiva.

Una incursión en Bani Quraizá

Cuando el Profeta volvió de la Trinchera, ángel Gabriel vino a él, en el principio de la tarde, con el Orden Divino; Los musulmanes no deben poner sus brazos al lado sin tratar con el Bani Quraizá. Recibiendo este Orden, el Profeta hizo el anuncio: "Todos que son firme en la obediencia no deben ofrecer su Oración de Asr hasta que lleguen la localidad de Bani Quraizá." Inmediatamente después de esto, él despachó Sallidunâ Ali con un contingente de soldados como la vanguardia hacia el Quraizá. Cuando ellos alcanzaron allí, los judíos subidos a su tejado empezaron lanzar los abusos en el Profeta y a los musulmanes, pero sus invectivas no podrían salvarles de las consecuencias de su alevosía. Ellos habían comprometido una brecha de tratado a lo sumo del momento crítico de la guerra, unieron sus manos con los invasores y pusieron en peligro la población entera de la Madina. Cuando ellos vieron el contingente de Sallidunâ Ali, pensaron que ellos sólo habían venido a intimidarlos. Pero cuando el ejército musulmán en su enterizo llegó bajo el orden del Profeta y puso el sitio a sus cuartos, ellos eran muy asustados. Ellos no podrían resistir la severidad del sitio para más de dos o tres semanas. Por fin, ellos se rindieron al Profeta a condición de que ellos aceptarán a Sallidunâ S'ada bin Muâz, quien era jefe del Aus, para cualquier decisión. Ellos habían aceptado Sallidunâ S'ad como su juez, porque, en los días pre-islámicos, el Aus y el Quraizá habían sido los confederados. Ellos esperaron que en vista de sus lazos pasados, Sallidunâ S'ad tratará a sus aliados anteriores indulgentemente. Pero Sallidunâ S'ad simplemente había experimentado y visto cómo las dos tribus judías que habían sido permitidas dejar Madina, previamente, habían instigado las otras tribus que vivían alrededor de Madina y habían convocado un frente unido de diez a doce mil hombres contra los musulmanes. Él también era consciente de qué alevosamente se había comportado esta tribu judía en la ocasión cuando la ciudad estaba bajo ataque amenazándolo la seguridad de su población entera. Por consiguiente, él decretó que deben ponerse todos los miembros masculinos del Quraizá a la muerte, sus mujeres y niños tomaran como prisioneros y que sus propiedades se distribuirán entre los musulmanes. La sentencia se llevó a cabo. Cuando los musulmanes entraron en sus fortalezas, encontraron que esta tribu traicionera había coleccionado 1,500 espadas, 300 chaquetas de acero, 2,000 lanzas y 1,500 escudos para meterse en la guerra. Si Al'lá no hubiera ayudado a los musulmanes, todos estos equipos militares se habrían usado para atacar Madina del trasero en un momento cuando los politeístas estaban haciendo las preparaciones para un ataque general a los musulmanes después de cruzar la Trinchera. Después de este descubrimiento, allí no seguía siendo ninguna duda que la decisión de Sallidunâ S'ad acerca de esas personas, era perfectamente la decisión correcta.

Las Reformas sociales

En esta Süra, se complementaron las leyes islámicas que pertenecen al matrimonio y el divorcio; la ley de herencia fue introducida, mientras bebidas alcohólicas y juegos por el dinero fueron prohibidos, y se promulgaron las nuevas leyes y regulaciones que involucran la vida económica y social.

El estado de los niños adoptados

La pregunta acerca de la adopción también se dirigió en esta Süra. Un hijo adoptado se consideraba como su propia descendencia por los árabes en ese momento: él se titulaba en la herencia; a él se trataba como un hijo real y el hermano real por la madre que le adopto y la hermana que le adopto; él no podría casarse a la hija de su padre adoptado o su viuda después de la muerte de su padre adoptado. Y el mismo era en el caso de que si el hijo adoptado se murió o se divorció a su esposa. El padre adoptado consideró a esa mujer como su nuera real. Esta costumbre chocó en cada detalle con las leyes de matrimonio, el divorcio y herencia mandadas por Al'lá en las Süras Al-Baqará y An-Nisâ'. Esto se hizo a una persona, que no podría conseguir ninguna porción en la herencia, titularse de él al gasto de aquéllos que realmente fueron titulados a él. Prohibió el matrimonio entre los hombres y las mujeres que podrían entrar en el contrato de matrimonio. Y, sobre todos, ayudó extender las inmoralidades que la Ley islámica quiso erradicar. Porque una madre real, una hermana real y una hija real no pueden estar como la madre adoptada, la hermana adoptada y la hija adoptada. Cuando las relaciones artificiales dotadas por la santidad de costumbre, se permiten mezclar libremente como las relaciones de las sangres, el resultado a menudo es mal. Por eso la ley islámica de matrimonio y de divorcio, la ley de herencia y las leyes que prohíben el adulterio, requieren que el concepto y costumbre con respecto al hijo adoptado como un hijo real debe corregirse.

Los comentarios difamatorios por los judíos, Paganos e Hipócritas

En cuanto el matrimonio fue contraído, allí se levantó una tormenta de propaganda contra el Profeta. Los politeístas, los hipócritas y los judíos todos estaban quemando con los celos a los triunfos del Profeta después de que siguieron uno al otro, de la manera que ellos se habían humillado dentro de dos años después de Ujud. En la Batalla de la Trinchera, y en el asunto del Quraizá, les había herido en el fondo.

Ellos también habían perdido las esperanzas que ellos jamás pudieran dominar a los musulmanes en el campo de batalla. Por consiguiente, ellos asieron la oportunidad de este matrimonio como una merced divina y una bendición para ellos y pensaron que ellos acabarían con la superioridad moral del Profeta lo que era el secreto de su poder y de su éxito. Por consiguiente, se prepararon las historias que Mujámad (paz esté en él), Dios prohíbe, se había enamorado de su nuera, y cuando su hijo vino a conocer esto, él se divorció a su esposa, y el padre se casó a su nuera. La propaganda, sin embargo, era absurda en la cara de él. Sallidá Zainab era la prima del primer grado del Profeta. Él la había conocido de la niñez a la juventud. Por lo tanto no había ninguna cuestión de que él había enamorado de ella a la primera vista. Luego, él había arreglado su matrimonio con Sallidunâ Zaid (su hijo adoptado) bajo su influencia personal, aunque la familia entera de ella no era de acuerdo con esto. No les gustó que una hija del Quraish noble deba darse en el matrimonio a un esclavo librado. Sallidá Zainab propiamente no estaba contenta con este arreglo. Pero todos tenían que someter al orden del Profeta. El matrimonio fue solemnizado y un precedente fue establecido en Arabia que Islam había subido a un esclavo librado al estado de la nobleza de Quraish. Si el Profeta tuviera en la realidad cualquier deseo para Sallidá Zainab, no había necesidad casándosela a Sallidunâ Zaid. Él mismo podría casársela.

Las Leyes de Jiyâb

El hecho que los cuentos inventados por los enemigos de Islam se volvieron también como temas de conversación entre los musulmanes, era una señal clara que el elemento de sensualidad en la sociedad había cruzado todos los límites. Si este incidente no hubiera existido, no era posible que las personas hubieran pagado cualquier atención a las tales historias absurdas sobre tal una persona virtuosa y pura como el Profeta. Ésta precisamente era la ocasión cuando los Mandos reformatorios que pertenecen a la ley de Jiyâb (el código del vestido de mujeres) se introdujo en la sociedad islámica primeramente. Estas reformas se introdujeron en esta Sûra y complementaron un año después en Sûra An-Nûr, cuando los comentarios calumniantes eran hecho en el honor de Sallidá 'Aisha, una esposa del Profeta Mujámad, paz esté en él.

33: AL-AJZÂB

Esta Süra se reveló en Madina, tiene 9 secciones y 73 versos.

En el nombre de Al'lá, el Compasivo, el Misericordioso

SECCIÓN: 1

¡Profeta! Temes a Al'lá y no obedezcas a los incrédulos y a los hipócritas: ciertamente Al'lá es Omnisciente, Sabio. [1] Sigues lo que tu Rab te revela: porque Al'lá es bien consciente de lo que ustedes hacen. [2] Pongas tu confianza en Al'lá: porque Al'lá te basta como protector. [3]

33: [1-3]

Al'lá no ha puesto dos corazones en el pecho de una persona: Ni Él considera a sus esposas a quienes ustedes divorcian a través de Zijâr (*divorciándose de una esposa diciéndola: de hoy en adelante eres como mi madre. Privándola los derechos conyugales, todavía, guardándola como una esclava y no permitiéndola que se case a nadie más*) como sus madres: Ni Él considera a sus hijos adoptados como sus hijos reales. Éstas son no más que las palabras que ustedes profieren con sus bocas; pero Al'lá declara la Verdad y guía a ustedes a la Vía Recta [4] Llamen a sus hijos adoptados por los nombres de sus padres; porque ése es más justo en la vista de Al'lá, pues si ustedes no saben quiénes son sus padres, entonces que sean como sus hermanos en religión y sus protegidos. No hay ningún reproche en ustedes para un error involuntario, pero si ustedes hacen intencionalmente entonces se sostendrán responsable; Al'lá es Indulgente, Misericordioso. [5]

33: [4-5]

El Profeta es más íntimo a los creyentes que a sí mismos y sus esposas son como sus madres. Los unidos por enlace de consanguinidad tienen más derecho (*con respecto a la herencia*) que los otros creyentes o Mujâyirïn (*emigrados---los musulmanes que emigraron de Meca a Madina*) en el Decreto de Al'lá: sin excluir lo que de bien que quieren a hacer para sus amigos (*a través de dejar los legados*). Esto ha sido escrito en la escritura de Al'lá. [6] Recuerdes el Pacto que tomamos de todos los Profetas - de ti así como de Nüj (*Noé*), de Ibrãjïm (*Abraham*), de Musa (*Moisés*) y de Isa (*Jesús*) el hijo de Marllam (*María*) - tomamos ese pacto solemne de todos, [7] para que Él pueda pedir cuenta a los veraces acerca de la Verdad (*con que ellos fueron confiados*): en cuanto a los incrédulos, Él ha preparado un castigo doloroso para ellos.[8]

33: [6-8]

SECCIÓN: 2

¡Creyentes! Recuerdan el favor de Al'lá que él dio a ustedes, cuando fueron atacados por el ejército de su enemigos (*durante la batalla de la Trinchera / los Confederados*) y mandamos contra ellos los vientos violentos y las fuerzas invisibles. Al'lá ha visto todos que ustedes estaban

---

Tema a Al'lá y no obedezca a los incrédulos e hipócritas.

Por la palabra de boca sus esposas no se vuelven sus madres ni los hijos adoptados se vuelven sus hijos reales.

Las esposas del Profeta son las madres de los creyentes. Las relaciones de sangres tienen las demandas mayores que otros en La escritura de Al'lá.

Los favores de Al'lá durante la batalla de Trinchera.

haciendo. [9] Cuando ellos (*los enemigos*) vinieron a ustedes desde arriba y desde debajo; cuando sus ojos eran petrificadas por el miedo y sus corazones brincaron hasta sus gargantas, y empezaron a entretener todas las clases de dudas acerca de Al'lá.[10] Allí habían puestos los creyentes a la prueba, y sufrieron una conmoción violenta.[11]　　　　33: [9-11]

La actitud de los hipócritas durante la batalla de Trinchera.

Recuerdan, cuando los hipócritas y aquéllos en cuyos corazones era una enfermedad, estaban diciendo abiertamente: "¡Al'lá y Su Rasúl nos prometieron nada más que un engaño!" [12] y un grupo de ellos dijo: "¡Gente de Llazrib (*Madina*)! No podrán resistir más tiempo contra ese ataque. Regresen a su ciudad." Y aún más otro grupo de ellos pidieron permiso al Profeta diciendo: "¡Nuestras casas están indefensas!" En realidad, no es que sus casas estuvieran indefensas, lo que querían era huir. [13] Si les hubiera entrado en la ciudad de todos los lados, y a continuación les incitaba a la sedición (*el escepticismo*), lo habrían aceptado sin cualquier titubeo. [14] Aunque ellos habían hecho un convenio con Al'lá de no dar sus espaldas. Y será pedido la cuenta por el convenio con Al'lá.[15]　　　　33: [12-15]

Aquéllos que descorazonan a otros de participar en la lucha contra los incrédulos y no participan en tal una guerra, ellos no tienen la fe y todos sus hechos serán nulos.

Dígales: " Si ustedes corrieron de la muerte o de ser matados, pues corriendo lejos no les hará cualquier beneficio - de todas maneras sólo disfrutarían esta vida por poco tiempo." [16] Pregúnteles: "¿Quién puede protegerlos de Al'lá si Él quiere dañarlos o quién puede prevenirlo si Él quiere mostrarles Su misericordia?" No encontrarán a nadie además de Al'lá que les protege o que les ayude. [17] Al'lá es bien consciente de aquéllos entre ustedes quiénes detienen a otros y aquéllos que dicen a su hermanos: " Vengan con nosotros, " y muy pocos son que muestran gran ardor para combatir. [18] Son muy mezquinos en ayudar a ustedes. Siempre que estén en el peligro, les ves que te miran, girándoles sus ojos como que si ellos estuvieran en el punto de morirse, pero cuando ellos están fuera de peligro, lo azotarán con sus lenguas afiladas, codiciosos de los bienes. Las tales personas no tienen la fe. Al'lá ha hecho todos sus hechos nulo y sin valor, y esto es fácil para Al'lá. [19] Ellos pensaron que los confederados nunca retirarían. De hecho, si los confederados se regresan de nuevo, desearían estar entre los beduinos y buscar las noticias acerca de ustedes desde una distancia segura; y si quedarían entre ustedes, combatirían pero poco. [20]　　　　33: [16-20]

SECCIÓN: 3

La vida de Rasúl Al'lá (Mujámad, pece) es el mejor modelo para ustedes.

Indudablemente, en la vida del Rasúl de Al'lá hay un hermoso modelo, para él quien tiene la esperanza en Al'lá y en el Último Día, y quien se compromete mucho en el recuerdo de Al'lá. [21] Cuando los verdaderos creyentes vieron las fuerzas confederadas dijeron: "Esto es lo que Al'lá y Su Rasúl nos habían prometido: Al'lá y su Rasúl han dicho la verdad." Esto no hizo sino aumentar su fe y su ardor en la obediencia. [22] Entre los creyentes hay hombres que han sido verdaderos a su convenio con Al'lá: de ellos algunos han completado su voto a través de sacrificar sus vidas, y otros están esperando por él, y no han cambiados su compromiso en lo más mínimo. [23] Todos esto es para que Al'lá premie a los veraces por su sinceridad y castigue a los hipócritas o acepte su arrepentimiento si Él lega: porque Al'lá es Indulgente, Misericordioso. [24]

33: [21-24]

Al'lá retrocedió a los incrédulos quienes se retiraron lleno de rabia sin ganar alguna ventaja, y Al'lá era suficiente para luchar en nombre de los creyentes; porque Al'lá es Todo poderoso, Fuerte. [25] Y derrumbó, de sus fortificaciones, esas personas de la escritura (*los judíos de Bani Quraizá*) quienes apoyaron a los invasores, y arrojó el terror en sus corazones. Como resultado, a algunos de ellos ustedes mataron y a otros ustedes tomaron como prisioneros. [26] Así que Él hizo a ustedes herederos de sus tierras, de sus casas, de sus bienes, y también de la tierra en que ustedes nunca habían pisados anteriormente. De verdad, Al'lá tiene el poder sobre todas las cosas.[27]

33: [25-27]

Al'lá ayudó a los musulmanes a ganar la victoria encima de los incrédulos y las tribus judías en Madina y en Jaiber.

SECCIÓN: 4

¡Profeta! Diga a tus esposas: " Si ustedes desean la vida de este mundo y su lustre, entonces vengan, lo daré de éstos y dejaré en libertad de una manera honorable. [28] Pero si ustedes buscan a Al'lá y a Su Rasúl y la morada de la Ultima Vida, pues entonces seguramente Al'lá ha preparado una recompensa magnífica para aquéllas de ustedes quienes actúen con rectitud. [29] ¡Esposas del Profeta! Si cualquiera de ustedes compromete una indecencia manifiesta, su castigo se doblará y esto es fácil para Al'lá! [30]

33: [28-30]

La advertencia a las esposas del Profeta Mujámad (pece).

ÝÚZ (PARTE): 22

Aquélla de ustedes (*de las esposas del Profeta Mujámad*) quién obedece a Al'lá y a Su Rasúl y actúe con rectitud, se concederá la doble recompensa, y le hemos preparado una provisión generosa. [31] ¡Esposas del Profeta! Ustedes no están como otras mujeres cualesquiera: si temen a Al'lá, entonces no deben ser tan complacientes en hablar con los hombres que no son relacionados estrechamente a ustedes, para que aquél en cuyo corazón es una enfermedad no puede animarse por eso; y deben hablar usando las palabras buenas y apropiadas. [32] Quédense en sus casas y no despliegan su galas como las mujeres que hacían en el tiempo de ignorancia (*en el tiempo pre-islámico*); establezcan el Salá (*las*

El orden de Al'lá a las esposas del Profeta Mujámad (pece).

Oraciones), paguen el Zaká (*la caridad obligatoria*), y obedezcan a Al'lá y a Su Rasúl. ¡Miembros de la casa de Rasúl! Al'lá sólo quiere quitar de ustedes cualquier mancha y purificarles completamente. [33] Recuerdan a las revelaciones de Al'lá que se recita en sus casas y también de la sabiduría (*Sun'ná*), ciertamente, Al'lá está Muy Atento y Bien-consciente de todas las cosas. [34]   33: [31-34]

SECCIÓN: 5

No está apropiado para los creyentes tener una opción en lo que ya ha sido decidido por Al'lá y por Su Rasúl.

Ciertamente, los musulmanes y las musulmanas, los creyentes y las creyentes, los devotos y las devotas, los verdaderos y las verdaderas, los pacientes y las pacientes, los humildes y las humildes, los caritativos y las caritativas, los ayunantes y las que ayunan, los que guardan a su castidad y las que guardan su castidad, y los que recuerdan a Al'lá mucho y las que recuerdan a Al'lá mucho - para todos ellos, Al'lá ha preparado perdón y una gran recompensa. [35] No está apropiado para un creyente ni una creyente tener una opción en sus asuntos cuando eso se ha decidido por Al'lá y por Su Rasúl; y quienquiera que desobedece a Al'lá y a Su Rasúl se ha desviado, de hecho, en un desvío evidente. [36]   33: [35-36]

Al'lá le ordenó al Profeta Mujámad (pece) para casarse la esposa divorciada de su hijo adoptado Zaid. Mujámad (pece) no es el padre de cualquiera de sus hombres sino un Rasúl y el Sello del Profetismo.

Y cuando le dijiste a aquel (*Zeid, el hijo adoptivo de Profeta*) a quien Al'lá así como tú había favorecido: "Guarde a tu esposa en el matrimonio y temes a Al'lá." Escondiste en tu corazón lo que Al'lá pensó revelar; tuviste miedo a las personas considerando que habría sido más apropiado temer a Al'lá. Así cuando Zayd cumplió su deseo (*de divorciarse a su esposa*), la dimos a ti en el matrimonio, para que no quede ningún impedimento para los creyentes para casarse a las esposas de sus hijos adoptivos cuando éstos han divorciados a ellas. Y el Orden de Al'lá tiene que ser cumplido. [37] No debe ser ningún reproche atado al Profeta por algo que le ha sido impuesto por Al'lá. Así ha sido la práctica constante de Al'lá con aquéllos que ya pasaron; y el mandato de Al'lá es un decreto prefijado. [38] Aquéllos que estaban cargados con la misión de llevar el mensaje de Al'lá transmitían sin tener temor a nadie más que a Al'lá; porque Al'lá es suficiente para ajustar cuentas. [39] Mujámad no es el padre de cualquiera de sus hombres (*él no va a dejar a cualquier heredero masculino*), sino es el Rasúl de Al'lá y el sello de los Profetas. Al'lá tiene el conocimiento de todas las cosas. [40]   33: [37-40]

SECCIÓN: 6

El Profeta se envía como portador de noticias buenas, un Advertidor

¡Ustedes quienes han creído! Recuerdan a Al'lá invocándolo mucho, [41] y deben glorificar a Él mañana y tarde. [42] Es Él, Quién envía Sus bendiciones en ustedes (*los creyentes*) y así hacen Sus ángeles, para sacarlos de las tinieblas a la luz, porque Él es Misericordioso a los creyentes. [43] En el Día de su reunión con Él, serán saludados con "¡Salâm (*paz*)!" y Él ha preparado para ellos una recompensa generosa. [44] ¡Profeta! Ciertamente, Nosotros te hemos enviado como un testigo, como portador de noticias buenas y como un advertidor, [45] y para llamar a las personas hacia Al'lá por Su permiso y como una lámpara que extiende la luz (*la guía*). [46] Y anuncia a los creyentes la buena noticia que ellos tendrán las grandes bendiciones de Al'lá. [47] No obedezcas a los incrédulos y a los hipócritas, ni hagas caso a sus molestias y pongas tu confianza en Al'lá; porque Al'lá es suficiente como protector. [48]

33: [41-48]

y una lámpara que extiende la luz.

¡Creyentes! Si ustedes se casan con las mujeres creyentes y luego les divorcian antes que el matrimonio se consuma, no tienen por qué exigirles Ídat (*el periodo de espera*), así que provéanlas de algún regalo y déjenlas en libertad airosamente. [49] ¡Profeta! Nosotros te hemos hecho lícita las esposas a quienes has dado sus correspondientes dotes; y las que tu diestra posee (*de los prisioneros de guerra*) a quienes Al'lá te ha asignado; y las hijas de sus tíos y tías paternales, y las hijas de tus tíos y tías maternales que hayan emigrado contigo; y cualquier mujer creyente que se ofrezca al Profeta, si el Profeta desea casársela - este permiso es exclusivamente para ti y no para los otros creyentes -ya sabemos las restricciones que hemos impuesto en los otros creyentes con respecto a sus esposas y aquéllas a quienes poseen sus diestras (las *esclavas*). Te hemos concedido este privilegio como una excepción para que ningún reproche te pueda atarse. Al'lá es Perdonador, Misericordioso. [50] Puede aplazar cualquiera de sus esposas y puedes llevar a ti a la que quieras, y no hay ningún reproche en ti si vuelves a llamar cualquiera de ellas que habías puesto al lado temporalmente. Esto es muy apropiado, para que tus ojos puedan refrescarse y evitar que estén afligidas, y a que todas ellas permanecerán satisfechas con lo que tú les des. ¡Creyentes! Al'lá sabe todo lo que encierran sus corazones; porque Al'lá es Conocedor, Indulgente. [51] En adelante será ilícito para ti, que cases a más mujeres después de esto o cambiar a tus esposas actuales con las otras, aunque te guste su belleza, sin embargo las que posee tu diestra (*esclavas*) son una excepción. Al'lá está Atento a todas las cosas. [52]

33: [49-52]

SECCIÓN: 7

¡Creyentes! No entren en las habitaciones del Profeta sin permiso, ni quédense esperando por tiempo de la comida: pero si están invitados a una comida, entren; y cuando hayan comido, dispersan y no buscan una conversación larga. La tal conducta incomoda a la Profeta, él se siente vergüenza pidiéndoles que salieran, pero Al'lá no Se avergüenza diciendo la verdad. Si ustedes tienen que pedir algo a sus esposas, háganlo desde detrás de una cortina. Esto es más casto para sus corazones y también para ellas. No es apropiado para ustedes incomodar el Rasúl de Al'lá, ni casarse jamás a sus esposas después que él ya no esté; esto sería una ofensa muy grave en la vista de Al'lá. [53] Si ustedes revelan algo o lo ocultan, ciertamente, Al'lá tiene conocimiento completo de todas las cosas. [54] No hay ningún reproche en las señoras si ellas aparecen ante sus padres, sus

El divorcio cuando ningún Idat (el periodo de espera para la segunda nupcias) es requerido. El permiso especial para el Profeta Mujámad (pece) para casarse más de cuatro esposas. La restricción en el Profeta para casar o divorciar después de este mando.

No entren en la casa del Profeta sin el permiso, y si son invitados, no busquen la conversación larga. No casen a las esposas del Rasúl después de su muerte.

hijos, sus hermanos, los hijos de sus hermanos, los hijos de sus hermanas, sus propias mujeres y aquéllos a quienes poseen sus diestras (*los esclavos*). Y que las temen a Al'lá: porque Al'lá es Testigo de todas las cosas. [55]   33: [53-55]

El propio Al'lá y Sus ángeles envían las bendiciones en el Profeta, ¡Creyentes! Invocan las bendiciones de Al'lá para él.

De hecho Al'lá y Sus ángeles bendicen al Profeta. ¡Creyentes!, ruegan para las bendiciones de Al'lá para él y salúdenle con todo el respeto. [56] Ciertamente, aquéllos que incomodan a Al'lá y a Su Rasúl, son maldecidos por Al'lá en este mundo y también en el Día del Juicio. Él ha preparado para ellos un castigo humillante. [57] Y aquéllos que incomodan a los creyentes y a las creyentes, sin haberlo éstos merecido, pues han cometido la culpa de calumnia y un pecado evidente. [58]   33: [56-58]

SECCIÓN: 8

El mando de Jiyâb (el código del vestido) para las mujeres.

¡Profeta! Mande a tus esposas, a tus hijas y a las mujeres de los creyentes que se deben de cubrir con el manto. Eso es más apropiado, para que ellas puedan reconocerse y no sean molestadas. Al'lá es Perdonador, Misericordioso. [59]   33: [59]

El castigo para los Hipócritas y tratantes del escándalo.

Si los hipócritas, aquéllos en cuyos corazones es la malicia y los tratantes del escándalo de Madina no desisten; Hemos de incitarte contra ellos, y sus días en la ciudad - como sus vecinos - se numerará. [60] Ellos se maldecirán dondequiera que ellos se encuentran y ellos se asirán y se matarán implacablemente. [61] Ésta ha sido la práctica de Al'lá aun con los que vivieron antes, y no encontrarás cualquier cambio en la práctica de Al'lá. [62]   33: [60-62]

En el Infierno los incrédulos pedirán el castigo doble para sus líderes.

Las gentes te preguntan acerca de la Hora de Sentencia. Dígales: "Sólo Al'lá tiene conocimiento de ella." ¿Quién sabe? Puede ser que la Hora ya está a mano. [63] Ciertamente, Al'lá ha puesto una maldición en los incrédulos y ha preparado para ellos un Fuego llameante; [64] para vivir en eso eternamente, para siempre. No encontrarán a ningún protector o auxiliador. [65] Ese Día, cuando sus rostros serán girados en el Fuego, dirán: "¡Ojala hubiéramos obedecido a Al'lá y hubiéramos obedecido al Rasúl!" [66] Dirán más allá: "¡Nuestro Rab! ¡En realidad nosotros obedecimos a nuestros jefes y nuestros superiores y fueron ellos que nos desencaminaron de la Vía Recta! [67] ¡Nuestro Rab! Deles a ellos doble de castigo y échales una maldición poderosa. [68]   33: [63-68]

SECCIÓN: 9

¡Creyentes! Teman a Al'lá y siempre digan la verdad.

¡Creyentes! ¡No sean en semejanza a aquéllos que calumniaron a Musa (*Moisés*)!, pero Al'lá le declaró inocente de lo que le habían acusado - porque él era honorable en la vista de Al'lá. [69] ¡Creyentes! Tengan temor a Al'lá y siempre digan las cosas como están. [70] Él bendecirá sus trabajos y perdonará sus pecados - porque quienquiera que obedece a Al'lá y a Su Rasúl, ha logrado, de hecho, un triunfo enorme. [71] El hecho es que ofrecimos la Confianza (*"Jilâfat o libertad de opción", y usando esta opción voluntariamente, cumplir todos lo que Al'lá ha prescrito*) a los cielos, a la tierra y a las montañas, pero se negaron a hacerse cargo de ella y tuvieron miedo; pero el hombre, en cambio, se hizo cargo. Él era, de hecho, muy injusto consigo mismo e muy ignorante. [72] (*El resultado inevitable de llevar la carga de la Confianza de Al'lá es*) para que Al'lá castigue a los hipócritas a las hipócritas, a los hombres mushrikïn y a las mushrikas, y para que Al'lá se vuelva misericordiosamente a los creyentes y las creyentes: porque Al'lá es Perdonador, Misericordioso. [73]

33: [69-73]

Los cielos, la tierra y las montañas se negaron a tomar la responsabilidad otorgado por Al'lá pero el Hombre lo tomó.

34: SABÂ

El periodo de Revelación

El periodo exacto de su revelación no es conocido de cualquier tradición fiable. Parece ser que es del periodo inicial en la Meca cuando todavía la persecución no se había puesto tiránica y el movimiento islámico sólo estaba suprimiéndose por el ridículo, desparramar rumores -, las alegaciones falsas lanzando las sugerencias malas en las mentes de las personas.

Incluye los siguientes principios, Leyes y Guías divinas:

> *El Día de la Resurrección está seguro a venir para recompensar a los creyentes y castigar a los incrédulos.*
> *Se condena a aquéllos que no creen en el Día de la Resurrección.*
> *Las montañas y los pájaros cantaban las alabanzas de Al'lá juntos con el Profeta Dawüd (David, paz esté en él).*
> *Al'lá sujetó a los vientos y a los Genios al Profeta Sulaimãn (Salomón, paz esté en él),.*
> *La intercesión antes Al'lá no pueda ser útil a nadie salvo a quien Él permite.*
> *Mujámad (paz esté en él) se envía como un Rasúl para toda la humanidad.*
> *La riqueza e hijos son una prueba a los que les concedan.*
> *Cualquier cosa que te gastes en la caridad, Al'lá te pagará atrás por completo.*
> *La verdad ha venido, la falsedad ni origina ni restaura algo.*
> *En el Día del Juicio los incrédulos desearán que fueran los creyentes.*

Esta Süra se trata de esas objeciones de los incrédulos que estaban levantando contra el mensaje del Profeta de Taujïd, el Día del Juicio y su Profetismo, principalmente en la forma de alegaciones, mofándose y burlándose. Esas objeciones se han contestado en la forma de instrucciones, admonición y advertencia sobre las consecuencias malas de su obstinación. Las historias de los Sabianos y de los Profetas Dawüd (David) y Sulaimãn (Salomón), paz esté en ellos, se han citados, como si para decir: " Ustedes tienen ambos de estos precedentes históricos ante ustedes. En un lado, habían los Profetas David y Sulaimãn que habían sido benditos por Al'lá con grandes poderes y grandeza y se habían gloriado como a nadie ante ellos. A pesar de esto, ellos no estaban orgullosos y arrogantes, sino seguían siéndoos sirvientes agradecidos de su Rab. Por otro lado, eran las personas de Sabâ que, cuando fueron bendecidos por Al'lá, se pusieron arrogantes y consecuentemente fueron destruidos. Ellos sólo se recordaron en los mitos y leyendas. Con estos precedentes en la vista, ustedes pueden ver y juzgar en si mismos acerca de qué tipo de vida es mejor: Lo que es basado en la creencia en Taujïd, el Día del Juicio y la actitud de agradecimiento a Al'lá, o el que es basado en el escepticismo, rechazo del Día del Juicio y el Shirk (rindiéndose culto a alguien más al lado de Al'lá)."

34: SABÂ

Esta Süra, revelada en Meca, tiene 6 secciones y 54 versos.

En el nombre de Al'lá, el Compasivo, el Misericordioso

SECCIÓN: 1

¡Las alabanzas son a Al'lá a Quien pertenece todo lo que está en los cielos y en la tierra! Suya es la alabanza en la Ultima Vida. Él es el Sabio, el Consciente. [1] Él tiene el conocimiento de todo lo que entra en la tierra y lo que sale de ella; y de todo lo que baja desde el cielo y de lo que asciende a él. Él es el Misericordioso, el Perdonador. [2] Los incrédulos dicen: "La Hora de Sentencia nunca vendrá a nosotros." Les Diga: "¡Claro que sí! Por mi Rab Quien es Conocedor del inadvertido, ciertamente llegará a ustedes. Nada, incluso aunque sea un átomo en los cielos o en la tierra está oculto de Él; ni está allí algo más pequeño o más grande que no esté en un Libro Claro. [3] La Hora va a venir y el Día del Juicio se establecerá, para retribuir a aquéllos que han creído y que han hecho los hechos buenos; esos tales tendrán perdón y un sustento honorable. [4] En cuanto a aquéllos que se esfuerzan por desacreditar Nuestras revelaciones, habrá un castigo doloroso humillante. [5]   34: [1-5]

Aquéllos a quienes se ha dado el conocimiento pueden ver que lo que se te ha hecho descender procedente de tu Rab es la Verdad y dirige a la Vía del Omnipotente, del digno de Alabanza. [6] Los incrédulos dicen: "¿Quieren que señalaremos a ustedes un hombre reclamando que cuándo su cuerpo desintegrará y desmenuzará en el polvo, ustedes se levantarán de nuevo a la vida? [7] Lo tiene forjado una mentira contra Al'lá o él está un poseso." ¡No, no es así! De hecho aquéllos que no creen en el Ultimo Vida se condenaran al castigo, porque están en un extravío profundo. [8] ¿Es que no ven hacia el cielo ni hacia la tierra que les rodean del frente y del trasero? Si quisiéramos haríamos que se los tragara la tierra o permitiéramos a los fragmentos del cielo que caigan sobre ellos. Hay una señal ciertamente, en esto para cada devoto que se vuelve a Al'lá en el arrepentimiento. [9]   34: [6-9]

SECCIÓN: 2

Dimos Nuestras bendiciones en Dawüd y ordenamos: "¡Montañas y pájaros! Resuenan acompañándole glorificando Mi alabanza." Hicimos hierro blando para él [10] diciendo:"Fabriquen las chaquetas de armadura midiendo bien a los eslabones y ¡Gente de Dawüd! Hagan bien su trabajo; ciertamente, estoy mirando bien todas sus acciones." [11] Y hicimos el viento subordinado a Sulaimãn que hacía la jornada de un mes en la mañana y la jornada de un mes por la tarde; e hicimos fluir para él una fuente de cobre fundido; y subordinamos a los genios a él, quienes trabajaban en su servicio con el permiso de su Rab; y si cualquiera de ellos

La Hora va a venir ciertamente y el Día del Juicio se establecerá para premiar a los creyentes y castigar aquéllos que desacreditan las revelaciones de Al'lá.

Aquéllos que no creen en Día del Juicio se condenan.

Las montañas y pájaros cantaban las Rimas de Al'lá con el Profeta Dawüd. Al'lá sujetó los vientos y los genios a se volviera contra Nuestro orden, le hicimos gustar el castigo del fuego llameante. [12] Ellos trabajaban para él lo que él deseaba: arcos elevados, estatuas, cubetas tan grandes como los embalses y marmitas que no se podían mover. Dijimos: "¡Familia de Dawüd! Trabajes agradecidamente." Sólo unos de Mis siervos son muy agradecidos. [13] Cuando decretamos la muerte de Sulaimãn, él estaba apoyándose en su bastón. Ellos (*los genios*) no supieron que él estaba muerto hasta que los gusanos de la tierra (*las termitas*) comieron (*lentamente*) a su bastón hasta que él se cayó. Así se puso claro a los genios (*que él ya estaba muerto*). Si ellos hubieran sabido lo oculto, no habrían continuado en el castigo humillante de su tarea. [14]

34: [10-14]

Para la gente de Saba' (*Sheba*) había una señal en su lugar en que habitaba: dos jardines - uno al derecho y otro a la izquierda: "Coman de la provisión de su Rab y sean agradecidos a Él. Agradable es su tierra e Indulgente es su Rab." [15] Pero se desviaron y enviamos contra ellos la inundación del dique y convertimos sus dos jardines en los jardines que producían fruta amarga, tamariscos y unos arbustos de los azufaifos. [16] Así les retribuimos por su escepticismo; y nunca castigamos a cualquiera sino al ingrato. [17] Entre ellos y los pueblos que habíamos bendecidos (*Siria y Palestina*), pusimos otros pueblos en las posiciones prominentes para que pudieran viajar entre ellos en las fases medidas. Nosotros dijimos: "Viajen de día y de noche a través de ellos en la seguridad completa." [18] Pero ellos oraron: "¡Nuestro Rab! Haz nuestras jornadas más largas." Y fueron injustos consigo mismos y los hicimos meramente un cuento que se dice y los dispersamos en los fragmentos esparcidos. Hay una señal, ciertamente, en esto para todos los que sean pacientes, muy agradecidos. [19] En su caso, las sospechas de Iblïs' (*Satanás*) fueron demostradas verdaderas, cuando todos ellos le siguieron excepto un grupo pequeño de los creyentes, [20] aunque él no tenía la autoridad sobre ellos. Todo eso pasó porque quisimos distinguir a los que creían en la Ultima Vida de los que dudaban de ella. Tu Rab está cuidando a todas las cosas.[21]

34: [15-21]

SECCIÓN: 3

¡Profeta! Dígales a los mushrikïn: "Invoquen a esas deidades a quienes ustedes oran además de Al'lá - no tienen el poder aún como de un átomo encima de algo que sea en los cielos o en la tierra, ni tienen cualquier participación en eso, ni cualquiera de ellos es un auxiliador a Al'lá." [22] Ninguna intercesión antes Al'lá pueda ser útil a cualquiera excepto a él quién se ha dado Su permiso. Hasta cuando el terror se quitará de sus corazones   (*de los ángeles*), preguntarán: "¿Qué ha ordenado su Rab?" (*Después de una consultación mutua*) contestarán: "La Verdad", Él es el más Alto, el Grande. [23] ¡Profeta!, pregúnteles: "¿Quién proporciona su sustento de los cielos y de la tierra?" Si ellos no contestan, entonces diga: "Ciertamente uno de los dos: nosotros o ustedes están

Sulaimãn. La demanda de las personas que los genios conocen al inadvertido, están equivocado.

Las personas de Sabã ' rechazaron las bendiciones de Al'lá y descreyeron en la Ultima Vida, pues Al'lá les hizo meramente un cuento del pasado.

Ninguna intercesión ante Al'lá puede ser útil a cualquiera salvo a quien Él lo permite. Mujámad (pece) es el Profeta para guiados debidamente; mientras que los otros están en un error manifiesto. [24] Más allá, dígales: "No se cuestionará a ustedes sobre nuestros delitos ni a nosotros acerca de sus acciones." [25] Di: "Nuestro Rab nos reunirá, luego Él juzgará debidamente entre nosotros. Él es el Juez Clarificador, el Conocedor." [26] Diga: "Muéstrenme aquéllos a quienes ustedes han hecho como dioses asociados con Él. ¡No! Por ningún modo puedan ustedes hacerlos. Sólo Al'lá es el Omnipotente, el Sabio." [27] Nosotros te hemos enviado a la humanidad entera, para darles noticias buenas y advertirles, sin embargo la mayoría de los hombres no sabe. [28] Ellos preguntan: "¿Cuándo se cumplirá esa promesa de la resurrección, si ustedes están diciendo la verdad?" [29] Les diga: "Para ustedes ya está fijado un día, lo que ni podrán posponer para un momento ni adelantarlo."[30]

34: [22-30]

SECCIÓN: 4

Los incrédulos dicen: "¡Nunca creeremos en este Qur'ãn, ni en las escrituras que vinieron ante él!" ¡Si sólo pudieras ver cuando estos injustos se harán estar de pie ante su Rab, mientras echando adelante las palabras acusadoras entre sí mismos! Aquéllos que habían sido despreciados como las personas débiles dirán a los arrogantes: " Si no hubiera sido para ustedes, habríamos sido ciertamente los creyentes." [31] Los arrogantes dirán a esas personas débiles despreciadas: "¿Somos, acaso, nosotros los que bloqueamos fuera de la guía cuándo vino a ustedes? ¡No! Más bien ustedes mismos eran culpables." [32] Esas personas débiles despreciadas dirán a los arrogantes: "¡De Ninguna manera! eran ustedes quiénes trazaron día y noche, mientras ordenándonos descreer en Al'lá y que Le atribuyéramos iguales con Él." - Una vez que habrán visto el castigo, se sentirán arrepentidos, por consiguiente, disimularán sus penas, y pondremos yugos en los cuellos de esos incrédulos; ¿Puede haber cualquier otra retribución por lo que hicieron? [33] Siempre que hayamos enviado un advertidor a un pueblo, sus residentes adinerados han dicho: "Descreemos, ciertamente, en lo que ustedes fueron enviados." [34] Ellos dicen: "Nosotros tenemos más riqueza e hijos lo que indica que nuestros dioses están contentos con nosotros por lo tanto nunca seremos castigados." 35] Dígales: "Ciertamente, mi Rab provee abundantemente a quien Él lega y restringe (*a quien Él agrada*), pero la mayoría de las gentes no entiende esto." [36]

34: [31-36]

SECCIÓN: 5

Y no son sus riquezas ni sus hijos que lo traen más cerca de Nosotros aun una pizca, excepto aquéllos que creen y hacen los hechos buenos tendrán una recompensa doble para sus hechos y ellos son quienes residirán en las mansiones altas, seguras. [37] En cuanto a aquéllos que se esfuerzan oponiendo Nuestras revelaciones, serán entregados al castigo. [38] Dígales: " Ciertamente, mi Rab otorga abundantemente a quien Él agrada y restringe a quien Él lega de Sus siervos. Cualquier cosa que

---

toda la humanidad.

Aquéllos que descreen en el Qur'ãn y en las escrituras anteriores, tendrán los yugos puestos alrededor de sus cuellos antes de que echaran en el infierno. La riqueza e hijos no son las indicaciones del placer de Al'lá.

Es la creencia que lo trae cerca de Al'lá, no la riqueza ni los Hijos.

Cualquier cosa que ustedes gastan en la caridad, Al'lá lo pagará por atrás. Las declaraciones de los incrédulos sobre el Profeta y el Qur'ăn.

ustedes gastan en la caridad, Él lo pagará por atrás. Él es el Mejor de los proveedores. [39] Un Día, Él los reunirá y preguntará a los ángeles: "¿Eran a ustedes a quienes estas personas adoraban?" [40] Ellos responderán: "¡Gloria a Ti! Nuestro lazo está contigo y no con ellos- como un Protector; por el contrario se rendían culto a los genios y la mayoría de estas personas tenían fe en ellos." [41] En ese Día ustedes estarán desvalidos para perjudicar o beneficiar unos y otros. Diremos a los injustos: "Gusten el castigo del Fuego a lo que negaban ustedes persistentemente." [42] Hoy cuando Nuestras revelaciones claras se recitan a ellos, dicen: "Este hombre sólo quiere volvérselo a ustedes fuera de esos dioses a quienes han adorados sus antepasados." Otros dicen: "Este Qur'ăn es nada más que una falsedad inventada." Aún todavía otros, quienes niegan la Verdad cuando viene a ellos, dicen: "Ésta es nada más que la magia manifiesta." [43] No les habíamos dado libros para estudiar, ni habíamos enviado a ellos cualquier advertidor antes de ti. [44] Aquéllos que también han ido ante ellos negaron - estos (*los árabes*) no han recibido ni un décimo de lo que les habíamos concedido a aquéllos - no obstante, negaron a Mi Rasúles, pues ¡qué terrible era Mi reprobación! [45]   34: [37-45]

SECCIÓN: 6

Los incrédulos se piden ponderar en sus afirmaciones falsas- la Verdad ha venido, falsedad ni origina ni restaura algo.

Dígales: "Sólo preguntaría una cosa a ustedes. ¡Por la causa de Al'lá! ¿Piensan individualmente o consultan de dos en dos y ponderan si su compañero (*Mujámad*) está muy loco? Ustedes vendrán a la conclusión que él es nada más que un advertidor para prevenirlos a ustedes de un castigo severo." [46] Les diga: " No le pido ninguna compensación, es todos en su interés. Mi recompensa sólo es debido a Al'lá y Él es Testigo de todas las cosas." [47] Diga: " De hecho mi Rab revela a mí la Verdad, y Él es el Conocedor de todo las realidades ocultas." [48] Diga: " La Verdad ha llegado y la falsedad ni origina ni restaura algo." [49] Di: " Si yo estoy en el error, la pérdida es ciertamente mía y si yo tengo razón, está debido a lo que mi Rab ha revelado a mí. Ciertamente, Él lo oye todo y es muy cerca. [50]   34: [46-50]

En el Día del Juicio los incrédulos querrán creer pero será de ningún provecho a ellos.

¡Si sólo pudieras ver a los incrédulos en el Día del Juicio cuando se aterrarán! En ese Día no habrá ningún escape; y ellos se asirán de un lugar cercano. [51] Entonces ellos dirán: "Creemos en él (*la Verdad traída por el Profeta*)": pero ¿cómo pudieran lograr la Fe fuera de lugar tan lejos? [52] Habían descreído en Él antes - y habían encajados en la conjetura acerca de lo oculto, cuándo estaban lejos durante su vida mundana. [53] Una barrera se pondrá entre ellos y lo que desearon tener, como ocurrió con las personas similares ante ellos; porque ellos estaban, de hecho, envueltos en una sospecha engañosa. [54]   34: [51-54]

35: FÂTIR

El periodo de Revelación

Esta Süra se reveló en el periodo mediano en Meca, cuando el antagonismo había crecido bastante fuerte y los incrédulos cometieron cada clase de travesura para frustrar la misión del Profeta.

Incluye los siguientes principios, Leyes y Guías divinas:

➢ Nadie puede otorgar o puede detener las bendiciones aparte de Al'lá.
➢ Shaitãn es tu enemigo, así que tómale como tal.
➢ La persona que piensa que sus malas obras son los hechos buenos, no puede guiarse a la Vía Recta.
➢ El honor real está siendo obediente a Al'lá.
➢ La humanidad está en la necesidad de Al'lá mientras Él no está en la necesidad de nadie.
➢ Nadie, fuera de Al'lá, tiene el poder de hacer que oigan los que están en las tumbas.
➢ Aquéllos que recitan Al-Qur'ãn, establezcan el Salá (las Oraciones) y dan el Zaká (la Caridad Obligatoria) pueden esperar para las bendiciones de Al'lá y recibir la recompensa por parte de Él.
➢ Al'lá no ha enviado cualquier Libro en que hubo una provisión para el Shirk (rendir culto a otros además de Al'lá).
➢ Trazar el mal retrocede a nadie sino al autor de él.
➢ Si Al'lá fuera castigar a las personas por sus malas obras, Él no habría dejado ni siquiera un animal alrededor de ellos.

Este discurso advierte y amonesta a la gente de Meca y sus jefes por su actitud antagónica hacia el mensaje de Taujïd lo que fue traído por el Profeta, como si para decir: " ¡Tontos!, la Vía al que este Profeta está llamándolo es para su propio beneficio. Su enojo, sus trucos, sus conspiraciones y planes para frustrar el mensaje están contra su propio interés. Si ustedes no le escuchan, estarán dañando a sus propios egos, y no a él. Simplemente consideren y ponderen encima de lo que él predica:

1. Él repudia el Shirk (rindiéndose culto a alguien más al lado de Al'lá). Si ustedes echan una mirada alrededor cuidadosamente, comprenderán que no hay ninguna base para el Shirk.

2. Él presenta la Doctrina de Taujïd (Dios es Uno y Sólo). Si usaran su sentido común, vendrán a la conclusión que no hay ningún ser al lado de Al'lá, el Creador del Universo; que podría poseer atributos divinos, poderes y autoridad.

3. *Él dice que ustedes no fueron creados para ser irresponsables en este mundo y que ustedes tienen que entregar una cuenta de sus hechos ante Dios.*

4. *Él dice que hay otra vida después de la vida de este mundo, cuando todos nos encontraremos las consecuencias de lo que hemos hecho aquí. Si ustedes piensan que no es así, encontrarán que sus dudas sobre él son completamente sin base. ¿No ven el fenómeno de la creación y de la reproducción, la alteración del día y de la noche? ¿Cómo es que su propia recreación entonces sea imposible para Al'lá, Quien lo creó de una esperma insignificante?*

5. *¿No testifica su propio intelecto que el bien y el mal no pueden ser igual? Piensen y juzguen ustedes mismos acerca de lo que es razonable: ¿Será que el bien y el mal tengan el mismo destino y terminan como el polvo, o que el bien debe ser premiado y el mal debe ser castigado?"*

Ahora, si ustedes no admiten y reconocen estos argumentos racionales y razonables, y no abandonan sus dioses falsos, pues el Profeta no perderá nada, más bien, son ustedes quienes sufrirán las consecuencias. La responsabilidad del Profeta sólo es aclarar la Verdad para ustedes, la qué él ya ha hecho.

35: FÂTIR

Esta Süra se reveló en Meca, tiene 5 secciones y 45 versos.

En el nombre de Al'lá, el Compasivo, el Misericordioso

SECCIÓN: 1

¡Alabado sea Al'lá, Quien dio comienzo a los cielos y a la tierra! Quien hizo que hubiera ángeles mensajeros, con alas dobles, triples y cuádruples. Él agrega a Su creación lo que quiere; porque Al'lá tiene el poder encima de todas las cosas. [1] No hay quien pueda detener las bendiciones que Él dispensa a las personas, y tampoco hay alguien quien la libre. Él es el Poderoso, el Sabio. [2] ¡Humanidad! Reflexionen acerca de los favores que Al'lá ha dispensado a ustedes; ¿Hay cualquier otro creador afuera de Al'lá quien puede proveer el sustento para ustedes desde el cielo y desde la tierra? No hay ningún otro dios sino Él. Pues entonces, ¡¿A dónde están volviéndose fuera de Él?! [3] Si ellos te niegan, pues ya fueron negados otro Rasúles antes de ti. ¡Todos los asuntos se presentarán finalmente ante Al'lá! [4] ¡Humanidad! Ciertamente la promesa de Al'lá es verdadera, por consiguiente, no permitan la vida de este mundo engañarlos ni permitan al engañador principal (*Satanás*) que engañe acerca de Al'lá. [5] Ciertamente, Shaitãn (*Satanás*) es su enemigo: así que tómelo como tal. Él se invita a sus partidarios hacia sus maneras para que puedan volverse compañeros del Fuego llameante. [6] Aquéllos que descreen tendrán un castigo terrible, y aquéllos que creen y hacen los hechos buenos tendrán perdón y un premio magnífico. [7]   35: [1-7]

Nadie puede detener o puede otorgar las bendiciones además de Al'lá. Shaitãn es su enemigo: pues lo considera como a tal.

SECCIÓN: 2

¿Cómo va a ser aquel a quien la maldad de sus hechos le haya sido engalanada y la ve como buena (*igual a lo que es debidamente guiado*)? El hecho es que Al'lá desvía a quien Él lega y guía a quien Él agrada. Por consiguiente, no dejes que tu alma consuma en lamentaciones por cuenta de ellos. Al'lá es consciente de todas sus acciones. [8] Es Al'lá Quien envía a los vientos para levantar a las nubes, luego los dirige hacia una tierra muerta y así, a través de ellas, reaviva la tierra después de su muerte. Similar será la resurrección de los muertos. [9]   35: [8-9]

Esas personas que consideran sus hechos malos para ser buenos, no pueden ser guiados al Camino Correcto.

Si cualquiera está buscando el honor, debe saber que el honor, en su totalidad, pertenece a Al'lá. Las palabras buenas ascienden a Él y los hechos buenos son exaltados por Él. En cuanto a aquéllos que planean los hechos malos, ellos tendrán castigo severo y la trama de ésos se traerá a nada. [10] Es Al'lá Quien ha creado a ustedes del polvo, luego de una gotita de esperma, luego Él hizo de ustedes parejas. Ninguna hembra concibe o pare sin Su conocimiento. Nadie envejece o muere prematuro sin que sea escrito en un Libro; ciertamente, todo esto es fácil para Al'lá. [11]   35: [10-11]

Todos aquéllos que están buscando el honor sepan que el honor Real es en la obediencia de Al'lá.

Al'lá ha creado el agua, el día, la noche, el sol y la luna, todos para el beneficio del hombre. Las deidades además de Al'lá no pueden oír, ni contestar. Ellos no poseen ni siquiera un hilo de un dátil.

No son iguales los dos cuerpos de agua, uno de cuál es potable, dulce y agradable para beber mientras que el otro es Salado y amargo. Todavía, de cada tipo de agua ustedes comen carne fresca y extraen los ornamentos para su uso; y ustedes ven las naves surcar su curso a través de ellos para que ustedes puedan buscar Su generosidad, y para que sean agradecidos. [12] Él causa la noche para pasar en el día y el día en la noche, y Él ha sujetado el sol y la luna a Su dominio; cada uno sigue su curso para un término designado. Ése es Al'lá, su Rab. Suyo es el reino; y aquéllos a quienes ustedes invocan afuera de Él no poseen ni siquiera un hilo de piel de un hueso de dátil. [13] Si ustedes invocan a ellos, no pueden oír sus invocaciones y aun cuando pudieran oírlas no podrían contestar a ustedes. En el Día de la Resurrección, renegarán de lo que les hayan asociado con Al'lá. ¡Humanidad! Nadie te puede informar todo esto como Uno que está bien informado.[14]   35: [12-14]

SECCIÓN: 3

La humanidad está en la necesidad de Al'lá, mientras Él no está en la necesidad de cualquier entidad.

¡Humanos! Son ustedes quienes están de pie en la necesidad de Al'lá, y es Al'lá Quien está libre de todo las necesidades, el Digno de Alabanza. [15] Si Él quiere, Él puede destruir a todos ustedes y reemplazarlos con una nueva creación; [16] y eso no sería difícil para Al'lá. [17] Ningún portador de cargas llevará la carga ajena, y si una persona muy abrumada clama para la ayuda, nadie avanzará compartir aun el menor de su carga, aunque sea su pariente íntimo. Tú sólo debes amonestar a aquéllos que temen a su Rab - aunque ellos no pueden verlo - y establecen el Salá (las oraciones). Quien se purifica se purifica, en realidad, por su propio beneficio. Hacia Al'lá es el destino de todos.[18]   35: [15-18]

El viviente y el muerto no son iguales. Ustedes no pueden hacer aquéllos quiénes están en la tumba que oigan.

El ciego y el vidente no son iguales; [19] ni la oscuridad es como la Luz; [20] ni la frescura de sombra es igual que el calor ardiente; [21] ni los vivientes son iguales a los muertos. Ciertamente Al'lá puede hacer a cualquiera oír si Él quiere; pero tú no puedes hacer que los que están en las tumbas oigan. [22] Tú no eres más que un advertidor. [23] Ciertamente te hemos enviado con la Verdad como portador de noticias buenas y no ha habido ninguna nación que no ha tenido un advertidor. [24] Si ellos te descreen, pues sepas que sus predecesores también descreyeron a sus Rasúles que vinieron a ellos con las señales claras, escrituras y la escritura luminosa. [25] Pero al fin, castigué a los incrédulos, y mira, ¡Que terrible era Mi desaprobación! [26]   35: [19-26]

SECCIÓN: 4

Aquéllos que recitan el Qur'ãn, establezcan el Salá (la

¿No ves que Al'lá envía abajo la lluvia del cielo, mediante la cual hacemos que salgan frutas de varios colores? En las montañas hay rayas de varias sombras que incluyen las piedras blancas, rojas y de un negro intenso. [27] Igualmente, los hombres, las bestias y los ganados también tienen sus colores diferentes. De hecho, sólo aquéllos entre Sus siervos que poseen el conocimiento, temen a Al'lá. Ciertamente, Al'lá es

Poderoso, Perdonador. [28] Ciertamente, aquéllos que recitan la escritura de Al'lá, establecen el Salá (*las oraciones*), gasten fuera de lo que Nosotros les hemos dado, en secreto y abiertamente, pueden esperar la ganancia imperecedera. [29] Para que les pague la recompensa que les corresponda y repartirles más aun de Su gracia; ciertamente, Él está Perdonador y Apreciativo. [30] Lo que Nosotros te hemos revelado la escritura es la Verdad que confirma a las escrituras anteriores. Ciertamente, con respecto a Sus siervos, Al'lá es bien Consciente y totalmente Atento. [31] Luego, concedimos la escritura (*el Qur'ãn*) como una herencia a aquéllos de Nuestros siervos (*los musulmanes*) a quienes hemos escogido; entre ellos hay algunos que son injustos con sus propias almas, otros que siguen una vía media y aun otros que, con el permiso de Al'lá, aventajan en los hechos buenos. Ésa es de hecho la gracia suprema. [32] Ellos entrarán en los jardines de eternidad en dónde se engalanarán con las pulseras de oro y de las perlas; y su vestido será de seda. [33] Ellos dirán: " Alabado sea Al'lá Que ha quitado de nosotros toda la tristeza; verdaderamente nuestro Rab está Perdonador y apreciativo de Sus devotos, [34] Quien, fuera de Su generosidad, nos ha admitido a esta Morada Eterna en dónde no sufriremos de la fatiga ni de incapacidad." [35] En cuanto a los incrédulos, habrá el Fuego del infierno, ningún término se determinará para ellos para que pudieran morirse ni su castigo se les aliviará jamás. Así premiaremos a cada incrédulo. [36] En eso llorarán pidiendo la ayuda: "¡Nuestro Rab! Sácanos de aquí, de hoy en adelante haremos los hechos buenos y no repetiremos lo que nos hacíamos antes." La contestación será: "¿Acaso no concedimos a ustedes una vida suficientemente larga en la que pudieran recapacitar para que él quién habría, podría ser advertido? Además ¿Acaso no llegaron a ustedes los advertidores? Ahora gusten la fruta de sus hechos, aquí no hay ningún auxiliador para los injustos." [37]

35: [27-37]

SECCIÓN: 5

Ciertamente, Al'lá sabe el No-visto de los cielos y de la tierra, incluso Él sabe los secretos que encierran los pechos (*los pensamientos ocultos de las personas*). [38] Él es Quien ha hecho a ustedes sucesores en la tierra. Quienquiera descree, carga el peso de su escepticismo; y para los incrédulos, su escepticismo no aumentara nada más que la ira de su Rab y no ganara nada, excepto un aumento en su pérdida. [39] Dígales: "¿Han reflexionados acerca de sus shorakã' (*Los asociados con Al'lá*) a quienes ustedes invocan además de Al'lá? ¿Podrían mostrarme algo que ellos han creado en la tierra? ¿Qué parte jugaron en la creación de los cielos? O ¿Acaso les hemos dado un Libro de cual ellos derivan una provisión de Shirk? Pues todo esto no es cierto, la verdad es que los injustos lo que prometen uno y otro son nada más que los engaños. [40] Es Al'lá Quien impide a los cielos y a la tierra que no se rebasen fuera de sus lugares. Si acaso rebasaban, más allá de Él nadie podría detenerlos; Ciertamente Él es Muy Paciente, el Perdonador. [41]

35: [38-41]

oración) y dan la caridad, pueden esperar para las bendiciones de Al'lá y Sus premios. Aquéllos que descreen, tendrán un castigo doloroso en el infierno para siempre.

Al'lá no ha enviado cualquier Libro lo que tiene una provisión de Shirk (rindiéndose culto a cualquiera además de Al'lá).

Trazar el mal retrocede a nadie más que su autor. Si Al'lá fuera castigar a las personas para sus actos malos, Él no habría dejado ni siquiera ni un animal alrededor de ellos.

Estas mismas personas juraban por Al'lá con los juramentos más solemnes que si les llegaba algún advertidor, ellos se guiarían mejor que cualquier otra nación del mundo; sin embargo, cuando llegó a ellos un advertidor, no han aumentado en nada más que acrecentar su aversión, [42] comportándose arrogantemente en la tierra y trazando maldad, considerando que la trama de maldad retrocede nadie más que a sus propio autores. ¿Acaso están esperando una suerte distinta de la que les dio alcance a las naciones anteriores? Pues en ese caso, nunca encontrarás cualquier cambio en la práctica constante de Al'lá, ni tampoco encontrarás alguna alteración en la práctica de Al'lá. [43] ¿Es que no han viajado a través de la tierra y visto como fue el fin de aquéllos que fueron ante ellos? Eran mucho más en poderío que estas personas. Hay nada en los cielos o en la tierra que puede frustrar a Al'lá; indudablemente, Él es el Omnisciente, el Omnipotente. [44] Si fuera que Al'lá castigaría a las personas para sus fechorías, no habría dejado ninguna criatura viviente en la superficie de la tierra, sin embargo, Él les da una tregua durante un tiempo designado; cuando vence su tiempo designado, comprenderán que sin duda algo, Al'lá ha estado mirando a Sus siervos desde el principio.[45]

35: [42-45]

36: LLÂ-SÏN

El periodo de la Revelación

  Esta Süra se reveló durante la última fase de la residencia del Profeta en Meca.

Incluye los siguientes principios, Leyes y Guías divinas:

> ➤ *Al-Qur'ãn se revela por Al'lá para advertir a las personas y establecer los cargos contra los incrédulos.*
> ➤ *Al'lá ha creado todas las cosas en parejas.*
> ➤ *El día, la noche, el sol y la luna, todos están regulados por Al'lá.*
> ➤ *Las escenas del Día del Juicio:*
>> o *Los saludos de Al'lá a los residentes del Paraíso.*
>> o *El discurso de Al'lá a los delincuentes / los pecadores.*
>> o *Las propias manos y los propios pies de uno serán como testigos.*
> ➤ *Todos los seres humanos se criarán de nuevo a la vida en el Día del Juicio para rendir cuentas de sus hechos.*

  El objeto de este discurso es advertir a los incrédulos acerca de las consecuencias de no creer en el Profetismo de Mujámad (paz de Al'lá y Sus bendiciones estén en él) y de resistir y oponer con la tiranía, ridículo y burla a él. También se dan los argumentos sobre Taujïd (la Unidad de Dios), Risâlat (Profetismo) y el Día del Juicio. También se pide el uso del sentido común y reflexionar acerca de las señales que se encuentren en el universo.

  Imam Ajmed, Abu Daûd, Nasâi, Ibn Mâyá y Tabarâni han relacionado en la autoridad de Sallidunâ Ma'qil bin Llâsar que el Profeta dijo: " Süra Llâ-Sïn es el corazón del Qur'ãn." Esto es similar a describir la Süra Al-Fâtija como el Umm-al-Qur'ãn (la esencia o centro del Qur'ãn), porque Al-Fâtija contiene la suma y substancia de la enseñanza del Qur'ãn entero. Süra Llâ-Sïn se ha llamado el corazón palpitante del Qur'ãn porque presenta el mensaje del Qur'ãn de una manera más poderosa que rompe la inercia y movimientos del espíritu de hombre a la acción. Imam Ajmed también ha relacionado que el Profeta dijo: "Reciten Süra Llâ-Sïn al agonizante entre ustedes." El objetivo es refrescarse la memoria de la persona agonizante sobre el Islam y también traer ante él un cuadro completo del Día del Juicio, para que él pueda saber acerca de las fases que él tendrá que pasar después de cruzar la fase de esta vida mundana. En vista de esto, sería deseable, que, junto con la recitación de la Süra Llâ-Sïn, su traducción se lee también para el beneficio de la persona que no conoce el árabe para que el propósito de la advertencia se cumpla debidamente.

36: LLÂ-SÏN

Esta Süra, se reveló en Meca, tiene 5 secciones y 83 versos.

En el nombre de Al'lá, el Compasivo, el Misericordioso

SECCIÓN: 1

El Qur'ãn se revela por Al'lá para advertir a las personas. El Profeta se dice que él pudiera advertir a sólo esas personas quiénes tienen el temor de Al'lá.

Llâ-Sïn. [1] Juro por el Qur'ãn que está lleno de la Sabiduría [2] que tú eres, de hecho, uno de los Rasúles [3] en una Vía Recta. [4] Este Qur'ãn se revela por el Omnipotente, el Misericordioso. [5] para que tú puedas advertir a una nación cuyos antepasados no fueron advertidos, pues están desprevenidos. [6] De hecho, la Palabra ha sido probada veraz contra la mayoría de ellos quién es arrogante; así que ellos no creen. [7] Desde que ellos han escogido descuidar Nuestras revelaciones, hemos puesto a sus cuellos argollas de tal manera que alcanzan a las barbillas, para que sus cabezas se fuercen hacia arriba, [8] y Nosotros hemos puesto una barrera por delante de ellos y una barrera por detrás, cubriéndoles de tal modo que no pueden ver. [9] Les da lo mismo si les adviertas o no; ellos no creerán. [10] Tú puedes advertir sólo a aquéllos que siguen el Recordatorio (*el Qur'ãn*) y temen al Compasivo (*Al'lá*), aunque ellos no pueden verlo. A las tales personas anúnciales el perdón y un premio generoso. [11] Ciertamente, Nosotros resucitaremos el muerto; y estamos grabando todos lo que ellos están enviando delante y las huellas que están dejando detrás. Nosotros hemos grabado todo en un registro claro.[12]   36: [1-12]

SECCIÓN: 2

El ejemplo de tres Profetas que fueron enviados a un pueblo; todas las personas les negaron excepto un hombre que vino por el pueblo.

Narre a ellos el ejemplo de las personas de un cierto pueblo a quienes vinieron los Rasúles. [13] Al principio, enviamos a ellos dos Rasúles, pero cuando ellos rechazaron a ambos, les fortalecimos con un tercero y todos ellos dijeron: " Ciertamente, se nos ha enviado a ustedes como Rasúles." [14] Ellos contestaron: " Ustedes son sino unos humanos como nosotros. El Compasivo (*Al'lá*) no ha revelado nada; indudablemente ustedes están de los mentirosos." [15] Ellos dijeron: " Nuestro Rab sabe que Él nos ha enviado, de hecho, como Rasúles a ustedes [16] y nuestro único deber es simplemente llevar Su mensaje." [17] Ellos contestaron: " Consideramos a ustedes como un agüero malo para nosotros. Si no detienen, nosotros lo apedrearemos o ustedes recibirán un castigo doloroso de nosotros." [18] Dijeron: "¡Sus agüeros malos sean con ustedes! ¿Le llaman "el agüero malo" porque ustedes están amonestándose? De hecho ustedes son una nación de transgresores." [19] Entretanto, un hombre vino corriendo de la parte remota de la ciudad y dijo: "¡Gente mía! Sigan a estos Rasúles. [20] Sigan a ellos quienes no piden a ustedes ningún pago y son guiados debidamente." [21]

36: [13-21]

ŶÚZ (PARTE): 23

¿Acaso sería justificable de mi parte si yo no me lo rindo culto a Quién me ha creado y hacia Quien ustedes serán devueltos? [22] ¿Debo tomar otros dioses además de Él? Si el Compasivo (*Al'lá*) desea dañarme, intercesión de ellos me será útil de nada, ni ellos podrán salvarme. [23] Si yo lo haría así, estaría de hecho en un error manifiesto. [24] Ciertamente, yo sí creo en su Rab, así que escúchenme." [25] *Por consiguiente ellos mataron a ese hombre y se le dijo*: " Entres en el paraíso." Él exclamó: "¡Habría que mi pueblo supiera a lo que yo sé! [26] ¡Cómo mi Rab me ha concedido perdón y me ha incluido entre los honrados!" [27] Después de él no enviamos ningún ejército del cielo contra su pueblo, ni era necesario hacerlo. [28] Era nada más que una sola explosión y todos ellos se fueron aniquilados. [29] ¡Pobres siervos! Cuándo allí vino a ellos un Rasúl, se mofaron de él. [30] ¿Acaso no ven cuántas generaciones hemos destruido ante de ellos quienes nunca devolverán a ellos? [31] Mientras cada uno de ellos se traerá ante Nosotros en el Día del Juicio.[32]　　　36: [22-32]

SECCIÓN: 3

La tierra muerta puede servir como una señal para ellos; le damos vida y sacamos de ella los granos de las que comen. [33] En ella también producimos jardines de palmeras y de vides y causamos que de ella nacieran manantiales [34] para que puedan disfrutar de sus frutas. No era sus manos que hicieron todos esto; ¿Porqué, pues, no son agradecidos? [35] Alabado sea Al'lá Quien creó toda clase de las parejas: las plantas que produce la tierra, la humanidad misma y otras cosas vivientes de que ellos no saben. [36]　　　36: [33-36]

Otra señal para ellos es la noche; cuando Nos retiramos la luz del día, y quedan en la oscuridad. [37] El sol ejecuta su curso predeterminado para él, por el Omnipotente, el Omnisciente. [38] En cuanto a la luna, hemos diseñado las fases para él, hasta que se vuelve como una rama encorvada de palmera seca. [39] No es posible para el sol dar alcance a la luna, ni la noche que deje atrás el día: cada uno se navega en su propia órbita. [40]　　　36: [37-40]

Y otra señal para ellos es cómo llevamos su raza a través del diluvio en el arca abrumada; [41] y otras (*naves*) similares hemos creados, para ellos, en las que embarcan. [42] Si Nosotros quisiéramos, podríamos ahogarles, sin que tengan ningún auxiliador para salvarlos, sin poder rescatarse, [43] excepto a través de la misericordia Nuestra y como un goce de vida durante algún tiempo. [44] Y cuando se les dice: " Tengan temor de lo que está ante ustedes y de lo que ha de venir, quizás así puedan recibir la misericordia," (*no prestan la atención*). [45] Siempre que venga a ellos cualquier señal entre las señales de su Rab, se apartan de él. [46] Siempre cuando se pide: " Gasten fuera de lo que Al'lá les ha dado." Los incrédulos

---

Al'lá bendijo al hombre que creyó con el Paraíso y destruyó a los incrédulos.

Al'lá ha creado todas las cosas en los pares.

El día, la noche, el sol y la luna; todos están regulados por Al'lá.

La actitud de los Incrédulos hacia gastar en el camino de Al'lá.

dicen a los creyentes: "¿Debemos alimentar a aquéllos a quienes Al'lá, si Él quisiera, podría alimentar? ¡Eres obviamente en un error bastante claro!" [47] Más allá, ellos dicen: "¿Cuándo se cumplirá esa promesa suya de la resurrección, si es verdad de lo que dices?" [48] De hecho, lo que ellos están esperando es una sola explosión lo que les asirá, mientras que están disputando todavía entre ellos en sus asuntos mundanos. [49] Entonces, ellos no podrán hacer un testamento, ni ellos podrán devolver a sus familias. [50]   36: [41-50]

SECCIÓN: 4

Una escena del Día del Juicio.

Y una trompeta se soplará pues, ahí no más, saldarán de sus sepulturas y acelerarán hacia su Rab. [51] Ellos dirán: "¡Ay de nosotros! ¿Quién nos ha levantado a de nuestras tumbas? Les dirán: "Esto es lo que el Compasivo (*Al'lá*) había prometido y los Rasúles decían la Verdad." [52] será nada más que una sola explosión, pues ahí no más se les hará comparecer ante Nosotros. [53] En ese Día ninguna alma sufrirá ni la más mínima injusticia y ustedes se premiarán según sus hechos. [54]

36: [51-54]

Al'lá saludara a los residentes de Paraíso.

Ciertamente, en ese Día, los residentes del paraíso estarán ocupados con su alegría; [55] ellos y sus esposos (*esposas*) estarán en los sombríos bosquecillos, recostados en los sofás. [56] Ellos tendrán todos los tipos de fruta y conseguirán cualquier cosa lo que desearán; [57] Se saludarán con la palabra "¡Salâm (*Paz*)!" por el parte del Señor de Misericordia (*Al'lá*). [58]   36: [55-58]

La dirección de Al'lá a los pecadores delictivos. En el Día del Juicio, las manos y los pies testificarán.

Mientras a los pecadores, Él dirá: "¡Háganse un lado, ustedes--- los delincuentes! [59] ¿No he concertado un pacto con ustedes, hijos de A'dam (*Adán*), de no rendirse culto al Shaitãn lo que es, realmente, su enemigo declarado, [60] y que me deben rendir culto a Mí, esto es la Vía Recta? [61] Todavía, a pesar de esto, él (*Shaitãn*) ha llevado un gran número de ustedes descaminados. ¿Acaso no tenían ustedes el sentido común? [62] Éste es el infierno de lo que ustedes fueron advertidos repetidamente. [63] ¡Ahora! Quemen en él este Día, porque ustedes rechazaron la Verdad persistentemente." [64] En ese Día, Nos sellaremos sus bocas mientras sus manos Nos hablarán y sus pies atestiguarán acerca de todas sus fechorías. [65] Si hubiera Nuestra Voluntad, Nos podríamos borrar sus ojos, ciertamente; y les permitiéramos correr hacia el camino, pues entonces ¿Cómo pudieran ver? [66] Y si hubiera Nuestra Voluntad, Nos podríamos deformarlos (*paralizándolos*) en sus lugares, de modo que no podrían ni avanzar ni retroceder. [67]   36: [59-67]

SECCIÓN: 5

Aquéllos a quienes concedemos la vida larga, Nos invertimos su naturaleza. ¿Es que no entienden nada de esto? [68] No le hemos enseñado (*a Mujámad*) la poesía, ni es propio de él. Éste es nada más que un recordatorio y un Qur'ãn claro [69] para advertir a aquéllos que están vivos y establecer el cargo contra los incrédulos. [70] ¿Es que no ven que, entre las cosas que Nuestras manos han formado, hemos creado ganados que están bajo su dominación? [71] Hemos sujetado estos animales a ellos, para que puedan montar en algunos y comer la carne de otros; [72] en ellos hay bebidas (*la leche*) y otras ventajas para ellos. ¿No serán, pues, agradecidos? [73] Todavía, ellos han tomado otros dioses además de Al'lá en espera de conseguir sus ayudas. [74] Pero ellos no tienen la habilidad de ayudarles. Por otro lado, sus adoradores están de pie como los guerreros, listos para defender sus dioses. [75] ¡No dejes que te aflijan sus palabras! Ciertamente, tenemos conocimiento de todo lo que ellos ocultan y todo lo que revelan. [76]   36: [68-76]

El Qur'ãn advierte a aquéllos que están vivos y establece cargos contra los incrédulos.

¿No ve el humano que Nosotros lo hemos creado de una gotita (*de semen*)? Todavía, él se pone de pie como un adversario abierto. [77] Él empieza fabricar comparaciones para Nosotros y se olvida de su propia creación. Él dice: "¿Quién dará vida a los huesos que ya se han descompuestos?" [78] Les diga: "¡Él!, Quien los ha creado la primera vez, les dará vida de nuevo, Él está bien-versado en cada tipo de creación. [79] Él es Quién produce para ustedes la chispa del árbol verde para encender fuego (*como los palos verdes de "maj" y "afar"*). [80] "Él, Quien ha creado los cielos y la tierra, ¿No será Capaz de crear a ellos igual como son ahora?" ¡Claro que sí! Él es el Creador Supremo el Omnisciente. [81] Siempre que Él quiere una cosa, tan sólo le dice: "¡Sé!" Y es. [82] Pues, ¡Gloria sea a Él en Cuyas manos es el Reino de todas las cosas; y hacia Quien todos ustedes serán devueltos! [83]   36: [77-83]

Al'lá Quien ha creado al hombre le dará la vida de nuevo para ajustar las cuentas en el Día del Juicio.

37: AS-SÂFÂT

El periodo de Revelación

Esta Süra se reveló en la última fase del periodo medio en Meca cuando el Profeta y sus Compañeros estaban atravesando muy difícil y circunstancias descorazonantes.

Incluye los siguientes principios, Leyes y Guías divinas:

> ➤ El propio Al'lá testifica que Dios es Sólo y Uno y los Shaitãnes no tienen acceso a
> ➤ la asamblea exaltada de los ángeles.
> ➤ La vida en el Día del Juicio es real.
> ➤ Las escenas del Día del Juicio:
>> o El diálogo entre los seguidores y los líderes quienes fueron desencaminados.
>> o Una escena de las escenas del Paraíso.
>> o Una muestra de conversación entre los residentes del Paraíso.
>> o Una escena de las escenas del Infierno.
> ➤ La invocación del Profeta Nüj y la contestación de Al'lá.
> ➤ La Historia del Profeta Ibrãjïm (Abraham):
>> o Él cuestionó a su gente por su acto de rendirse culto a los ídolos.
>> o Su gente le tiraron en el horno, pero Al'lá le salvó.
>> o Él oró para un hijo y Al'lá le concedió.
>> o Al'lá le probó pidiendo ofrecer el sacrificio de su único hijo y él pasó la
>>> ▪ Prueba.
> ➤ Risâlat (Profetismo) de Musa (Moisés), Jarün (Aarón), Il'llâs (Elías) y Lût (Lot),
> ➤ paz esté en ellos todos.
> ➤ La historia del Profeta Llünus (Jonás), paz esté en él.
> ➤ Al'lá ha prometido ayudar a Sus Rasúles y a Sus devotos.

Los incrédulos de Meca se han advertidos severamente por su actitud de burla y ridiculez hacia el mensaje de Taujïd por parte del Profeta, la Vida después de la muerte, y su negatividad absoluta para aceptar y reconocer su demanda de ser el profeta de Al'lá. Al fin, ellos se han advertidos simplemente que el Profeta a quien ellos están mofando y están ridiculizando, les agobiará a pesar de su poder, en los mismos patios de sus casas. Se han dado el informe y los argumentos impresionantes acerca de la validez de las doctrinas de Taujïd y el Día del Juicio. La crítica ha sido hecho del credo de los Mushrikïn (aquéllos que se rinden culto a otras deidades al lado de Al'lá) mostrando la absurdidad de sus creencias; ellos han estado informados de las consecuencias malas de sus desviaciones que se han contrastado con los resultados espléndidos de la fe y actos virtuosos. Luego, en la continuación, se han citado precedentes de la historia pasada para mostrar cómo Al'lá había tratado a Sus

Profetas y a sus seguidores, cómo Él ha estado favoreciendo a Sus siervos fieles y ha castigado a los incrédulos y a los rechazadores de la Verdad.

Los más instructivos de las narrativas históricas presentadas en esta Süra es la importancia de la vida pía llevada por el Profeta Ibrãjïm (Abraham), quién se puso listo para sacrificar a su único hijo en cuanto él fue pedido por Al'lá para hacerlo. En esto, no sólo había una lección para los incrédulos del Quraish que estaban orgullosos de la relación de su sangre con él, pero también para los musulmanes que habían creído en Al'lá y Su Mensajero. Narrando este evento, se les dijeron sobre el espíritu real del Islam, y cómo un verdadero creyente debe estar listo hacer los sacrificios para el placer de Al'lá. Los creyentes se dan las noticias buenas que ellos no deben descorazonarse a las penalidades y dificultades que ellos tenían que encontrar al principio, porque al final de todo esto, ellos tendrán el éxito. Se agobiarían los portadores de falsedad que parecía ser dominante en el momento y se vencerían a las manos de los musulmanes. Después de unos años, el giro de los eventos ha demostrado que no era un consuelo vacío, sino una realidad inevitable de la cual se había pronosticados y por lo cual los creyentes se pudieron fortalecer sus corazones.

37: AS-SÂFÂT

Esta Süra se reveló en Meca, tiene 5 secciones y 182 versos.

En el nombre de Al'lá, el Compasivo, el Misericordioso

SECCIÓN: 1

Al'lá testifica que su Dios es un Dios y los Satanás no tienen acceso a la asamblea exaltada de los ángeles.

Yo juro por aquéllos que se ponen en filas, [1] por aquéllos que ahuyentan vehementemente (*al maldad o a los diablos*), [2] y por aquéllos que proclaman el mensaje de Al'lá, [3] que indudablemente, su Dios es Uno (*Al'lá*), [4] el Rab de los cielos y de la tierra, y de todo lo que está entre ellos, y el Rab de los Orientes (*cada punto de la subida del sol*). [5] Hemos engalanado el cielo mundano, de hecho, con el adorno de las estrellas [6] y para afianzarlo contra todos los Shaitânes rebeldes obstinados. [7] Ellos ni siquiera pueden oír las palabras de la asamblea exaltada de los ángeles y se les lanzan proyectiles de cada lado, si ellos intentan acercarse, [8] para ahuyentarlos y están bajo un castigo constante. [9] Los Indiscreto son seguidos por una llama de brillo penetrante. [10] Pregúntales: "¿Cuál es más difícil - su creación o el resto de Nuestra creación? - Nosotros hemos creado a ellos fuera de una arcilla pegajosa. [11]   37: [1-11]

La vida en la Ultima Vida y el Día del Juicio es real.

Tú te maravillas a su insolencia, mientras ellos se mofan. [12] Cuando se amonestan, no te prestan la atención. [13] Y cuando ven una señal, lo ponen en ridículo, [14] y dicen: "¡Ésta es nada más que la hechicería llana! [15] ¡Eso que! ¿Cuándo nosotros estaremos muertos y nos hemos vuelto polvo y huesos, nos levantaremos de nuevo a la vida? [16] - y ¿También nuestros antepasados, del tiempo antiguo?" [17] Dígales: " ¡Sí, y entonces ustedes se humillarán! [18] Será simplemente un solo Grito, y lo verán todo con sus propios ojos. [19] "¡Ay de nosotros!" Ellos exclamarán, " ¡Éste es el Día del Juicio!" [20] Se dirá: " Sí, éste es el mismo Día del Juicio cuya realidad ustedes negaban." [21]   37: [12-21]

SECCIÓN: 2

Una escena del Día del Juicio y un tormento para los injustos.

Un diálogo entre los seguidores y los líderes que fueron descaminados.

Se ordenará: "Recoja a todos los malhechores, sus compañeros y aquéllos a quienes ellos se rendían culto [22] además de Al'lá y les dirija hacia el camino del infierno." [23] Cuando todos ellos serán recogidos y los ángeles empezarán empujarlos hacia el infierno, Al'lá dirá: " Deténgales durante algún tiempo, ellos tienen que ser cuestionados: [24] ¿Qué pasa con ustedes? ¿Por qué no están ayudando uno y otro? [25] ¡No! En ese Día todos serán sumisos. [26] Algunos de ellos volverán hacia uno y otro preguntándose. [27] Los seguidores dirán a sus líderes: " Eran ustedes quiénes venían a nosotros de la mano derecha (*la mano derecha es un símbolo de autoridad*) y nos forzaron hacia el camino malo." [28] Ellos contestarán: " ¡No! Pero eran ustedes quienes no tenían la fe. [29] Nosotros no teníamos el poder encima de ustedes; el hecho es que ustedes eran las personas rebeldes; [30] veraz es el veredicto que Nuestro Rab ha pasado en nosotros; vamos, sí, a gustar el castigo de nuestros pecados. [31] Desencaminamos a ustedes, porque nosotros mismos éramos descaminados." [32] Ese Día todos estarán compartiendo el castigo. [33] Así, Nos trataremos a los delincuentes; [34] Porque cuando se les decía: "No hay ninguno digno de culto sino Al'lá", se resoplaban con la arrogancia [35] y decían: "¡Qué! ¿Acaso dejaríamos nuestros dioses por causa de un poeta poseso? [36] Cuando por el contrario él había venido con la Verdad y había confirmado el mensaje de los Rasúles anteriores. [37] Ustedes van a gustar, indudablemente, el castigo doloroso. [38] Y esta retribución no es nada más que el resultado de sus propios hechos. [39] 37: [22-39]

Pero, en cambio, los devoto sinceros de Al'lá [40] tendrán el sustento conocido [41] - las frutas, y se honrarán [42] en los jardines de la Delicia. [43] Reclinando cara a cara en los lechos suaves, [44] ellos se servirán con copas llenadas de una fuente de vino, [45] una bebida cristalina, deliciosa a aquéllos que lo beben. [46] No tendrá el efecto malo ni les hará embriagar. [47] Y al lado de ellos habrán unas castas y bonitas de grandes ojos que sólo tendrán su mirada para ellos, [48] como si fueran los huevos delicados estrechamente guardados. [49] Algunos de ellos estarán haciendo las preguntas a otros. [50] Uno de ellos dirá: "Yo tenía un amigo [51] quién preguntaba: "¿Eres de aquéllos que realmente aceptan (*la Resurrección después de la muerte*)? [52] Cuándo nosotros estaríamos muertos y nos volvimos en polvo y huesos, ¿Traeríamos a la vida para ser juzgados?" [53] Él dirá: ¿Les gustaría verlo? [54] Él mirará hacia abajo y verá a su amigo en medio del infierno. [55] Entonces él dirá: "¡Por Al'lá! casi me habías arruinado. [56] De no haber sido por la gracia de mi Rab, me habría ser estado ciertamente entre aquéllos que son traídos por allí. [57] ¿¡Será que ya no vamos a morir, [58] después de nuestra primera muerte, y que ya no seremos castigados!? [59] Pues en este caso, el más ciertamente, eso sería un logro grandioso. [60] Para tal un fin, vale la pena de esforzar quién desea esforzarse. [61] 37: [40-61]

¿Es esto mejor como hospedaje o el árbol de Zaq'üm? [62] Ciertamente, hemos hecho una tentación a este árbol para los injustos. [63] Esto es un árbol que sale de la raíz misma del Infierno, [64] cuyas frutas parecen como si fueran cabezas de los Shaitãnes; [65] de él alimentarán y se llenarán sus barrigas. [66] Luego, encima de eso, se darán una pócima de agua hirviendo. [67] Luego, al infierno se volverán. [68] De hecho, ellos encontraron a sus padres extraviados, [69] pues ellos también están siguiendo a sus pasos ávidamente. [70] La Mayoría de los ancianos fue descaminado ante ellos, [71] aunque habíamos enviado advertidores a ellos. [72] ¡Pues mira lo que era el fin de aquéllos que habían sido advertidos!: ellos todos perecieron, [73] a excepción de los devotos sinceros de Al'lá. [74] 37: [62-74]

Una escena de las escenas del Paraíso.
Un ejemplo de conversación de un residente del Paraíso.

Una escena de las escenas del Infierno.

SECCIÓN: 3

El Profeta Nüj oró y Al'lá respondió a sus oraciones.

Nüj nos invocó; ¡Qué excelente era Nuestra contestación a su oración! [75] Les salvamos, a él y su familia de una gran tragedia, [76] e hicimos su descendencia para que sean los únicos sobrevivientes, [77] y dejamos su nombre bueno entre las generaciones que llegaron posteriormente. [78] ¡Paz sobre Nüj entre todos los mundos! [79] Así premiamos a los virtuosos. [80] Ciertamente, él era uno de Nuestros siervos creyentes. [81] Luego, a los restos Nos ahogamos en el gran diluvio.[82]

37: [75-82]

La historia del Profeta Ibrãjïm, " El Amigo de Al'lá."

Ciertamente, Ibrãjïm perteneció al primer grupo (*quien siguió el camino de Nüj*), [83] cuando él vino a su Rab con un corazón puro. [84] "¡Mire!", Él dijo a su padre y a su gente: "¿Quiénes son éstos a quienes ustedes se adoran? [85] ¿Servirían a los dioses falsos en lugar de servir a Al'lá? [86] ¿Cuál es su idea acerca del Rab de los mundos?" [87] Pues dirigió una mirada hacia a las estrellas por un tiempo [88] y dijo "Pienso que voy a enfermar." [89] pues su gente lo dejó atrás y se marcharon (*a su feria nacional*). [90] Él entró furtivamente en el templo, se volvió hacia sus dioses y dijo: "¿Por qué ustedes no comen de estas ofrendas ante ustedes? [91] ¿Qué pasa que ustedes no hablan?" [92] Entonces él se precipitó contra ellos, golpeándolos fuertemente con la diestra. [93] Las gentes vinieron, mientras corriendo a la escena. [94] "¿Están adorando a lo que ustedes mismos han esculpidos con sus propias manos?" Él dijo, [95] "Mientras que Al'lá es Único que ha creado a ustedes y a lo que ustedes han hecho" [96] Dijeron entre sí: "¡Preparen para él un horno y tírelo en el fuego llameante!" [97] Así, formaron planes contra él: pero Nos humillamos a ellos en su esquema.[98]

37: [83-98]

El Profeta Ibrãjïm fue pedido ofrecer a su único hijo como sacrificio, lo que era como una prueba y él lo cumplió.

Ibrãjïm dijo: "Voy a tomar el refugio con mi Rab, pronto me guiará, ciertamente. [99] ¡Rab mío! Concédame un hijo virtuoso." [100] Pues le dimos las noticias buenas de un hijo clemente. [101] Cuando él alcanzó la edad para trabajar con él, Ibrãjïm le dijo: "¡Hijo mío! he tenido una visión en que yo te sacrificaba, ahora ¿Qué dices acerca de esto?" "¡Padre! Haga como a usted se ordena: usted me encontrará, si Al'lá quiere, que seré de los pacientes." [102] y cuando ambos sometieron a Al'lá e Ibrãjïm puso a su hijo postrado en su frente para el sacrificio, [103] Nosotros convocamos a él: "¡Ibrãjïm, párate! [104] Ya has cumplido con tu visión." Así Nos premiamos a los virtuosos. [105] Ésa era, de hecho, una prueba manifiesta. [106] Nosotros rescatamos a su hijo reemplazando con una ofrenda magnífica [107] y dejamos su buen nombre entre las generaciones posteriores. [108] ¡Paz sobre Ibrãjïm! [109] Así es como retribuimos a los que hacen el bien. [110] Ciertamente, él era uno de Nuestros siervos creyentes. [111]Y le dimos las buenas noticias de nacimiento de un hijo- Isjãq, un profeta - uno de los virtuosos. [112] Y lo bendijimos a él y a su hijo Isjãq (*Isaac*). Entre su descendencia hay algunos que son virtuosos y algunos que son claramente injustos con sus propias almas. [113]   37: [99-113]

SECCIÓN: 4

Ya concedimos favores a Musa y a Jarün (*Aarón*). [114] Salvamos a los dos junto con su gente de un apuro tremendo. [115] Les ayudamos, para que fueran victoriosos. [116] Les dimos la escritura explícita (*Tora*), [117] y guiamos a los ambos a la Vía Recta. [118] Y dejamos sus buen nombres entre las generaciones posteriores. [119] Paz para Musa y Jarün. [120] Así es como retribuimos a los que hacen el bien. [121] Ciertamente, los ambos eran Nuestros siervos creyentes. [122]   37: [114-122]

Il'llâs (*Elías*) era, ciertamente, uno de los Nuestro Rasúles. [123] "Miren," Él dijo a su pueblo, "¿No temerían a Al'lá? [124] ¿Invocarían a Bâ'l (*su dios inventado*) y desamparan el Mejor de los Creadores [125] - Al'lá - Quien es su Rab y el Rab de sus antepasados?" [126] Pero lo tacharon de mentiroso, pues se comparecerán para rendir la cuenta, ciertamente. [127] No será así, sin embargo, con los devoto sinceros de Al'lá. [128] Nosotros dejamos su nombre bueno entre las generaciones posteriores. [129] Paz para Il'llâs. [130] Así es como retribuimos a los que hacen el bien. [131] Él era ciertamente uno de Nuestros siervos creyentes. [132]

                   37: [123-132]

Y Lüt, que fue uno de Nuestro Rasúles. [133] Cuando les salvamos a él y a su familia entera [134] excepto una mujer vieja que estaba entre aquéllos que permanecieron detrás, [135] y luego, destruimos a los demás. [136] Ciertamente, ustedes pasan por sus ruinas por la mañana [137] y por la noche. ¿Por qué no usan su sentido común? [138]   37: [133-138]

SECCIÓN: 5

Llünus (*Jonás*) era ciertamente uno de Nuestro Rasúles. [139] Él escapó en la nave abrumada; [140] y cuando él tomó la parte en la echada de suertes, él perdió y se tiró entonces en el mar. [141] Un pez grande (*¿ballena?*) se lo tragó, porque él se había puesto culpable. [142] Si no hubiera sido arrepentido y por lo que glorificaba a Al'lá, [143] habría permanecido ciertamente dentro de su vientre hasta el Día de la Resurrección. [144] Pues luego, le arrojamos en una orilla desolada en un estado de enfermedad seria [145] y causamos que crezca una planta de calabaza encima de él. [146] Y lo enviamos a una nación de cien mil personas o más. [147] Ellos creyeron en él, pues les permitimos disfrutar durante algún tiempo. [148]   37: [139-148]

Simplemente pregúntales a los incrédulos: ¿Cómo es que su Rab debe tener las hijas mientras ellos escogen tener los hijos? [149] O ¿Si hemos creado a los ángeles como las hembras; acaso ellos estaban presentes en su creación? [150] Ciertamente, ellos inventan una mentira cuando ellos dicen: [151] " Al'lá ha engendrado." Ellos son los mentirosos absolutos. [152] ¿Escogería a las hijas en lugar de los hijos? [153] ¿Qué pasa con ustedes? ¿Cómo ustedes juzgan así? [154] ¿Es que no pondrán la

---

Al'lá dio Sus favores en los Profetas Musa y Jarün.

Il'llâs (Elías) era uno de los Rasúles de Al'lá.

Lüt también era un Rasúl de Al'lá.

La historia del Profeta Llünus (Jonás).

La demanda de los Mushrikïn que los Ángeles son hijas de Al'lá y

que los genios tienen las relaciones de sangres con Al'lá, son absolutamente falsos.

atención? [155] ¿Tienen alguna prueba de lo que ustedes están diciendo? [156] ¡Muestren sus escrituras si ustedes son verdaderos! [157] Ellos afirman el entronque entre Él y los genios; Y los genios saben bastante bien que se comparecerán para dar cuenta. [158] ¡Gloria es a Al'lá! Es libre de lo que ellos atribuyen a Él. [159] En cambio no es así para los devoto sinceros de Al'lá, quienes no atribuyen las tales cosas a Él. [160] Por consiguiente, ni ustedes ni aquéllos a quienes ustedes adoran [161] pueden engañar a cualquiera acerca de Al'lá [162] excepto él, quién se destina para el infierno. [163] De hecho, los ángeles dicen: "Cada uno de nosotros tiene un lugar designado. [164] Nos colocamos en las líneas para Su servicio [165] y somos, ciertamente, entre aquéllos que declaran Su gloria."[166]   37: [149-166]

Al'lá ha prometido ayudar a Sus Rasúles y Sus devotos.

Antes de esto, los mismos incrédulos decían: [167] " Si hubiéramos recibido un recordatorio como de lo que las personas más tempranas habían recibido, [168] habríamos sido, ciertamente, siervos sinceros de Al'lá." [169] Pero ahora que el Qur'ãn les ha venido, lo rechazan: pronto averiguarán las consecuencias de esta actitud. [170] Ya hemos prometido a Nuestros siervos a quienes enviamos como Rasúles [171] que son ellos los que serán auxiliados, ciertamente, [172] y que Nuestras fuerzas serán ciertamente victoriosas. [173] Apártate, pues, de ellos, hasta que llegue el momento [174] y obsérvales, que ya verán. [175] ¿Desean dar prisa en Nuestro castigo? [176] ¡Qué terrible será esa mañana, cuando descenderá en los patios de aquéllos que han sido advertidos! [177] Apártate, pues, de ellos, hasta que llegue el momento [178] y mírales; ¡Pronto verán! [179] ¡Gloria es a tu Rab, el Señor del Honor Quien es libre de lo que ellos Le atribuyen! [180] Y paz sobre los Rasúles, [181] y ¡alabado sea Al'lá, el Rab de los Mundos! [182]   37: [167-182]

38: SÂD

El periodo de Revelación

Según algunas tradiciones esta Süra se reveló en el cuarto año del Profetismo después de que Sallidunâ Umar abrazó el Islam, después de la migración a Jabsha. Todavía, otras tradiciones indican que se reveló durante la última enfermedad de Abu Tâlib, el tío del Profeta, es decir a los 10 o 11 año del Profetismo.

Incluye los siguientes principios, Leyes y Guías divinas:

➢ Al-Qur'ân está lleno de las advertencias. Los incrédulos están en la pura arrogancia por tachar al Profeta como un mentiroso.
➢ La historia del Profeta Dawüd (David):
 o Las montañas y pájaros cantaban las rimas de Al'lá con él.
 o Los dos litigantes que vinieron a él para una decisión.
➢ Al'lá no ha creado los cielos ni la tierra en vano.
➢ La historia del Profeta Sulaimän:
 o Su inspección de corceles que se usaron en Ÿiÿâd.
 o Su invocación a Al'lá para tener un reino, único que no fue concedido a nadie más en este mundo.
➢ La historia del Profeta Allûb, su enfermedad, la paciencia y el alivio.
➢ La misión del Profeta:
 o Para advertir a las personas
 o Para declarar que no hay ninguna divinidad excepto Al'lá.
➢ La historia de la creación de Adán y desobediencia de Iblïs (Shaitän).

Aquí es una narración de las tradiciones relacionadas por Imam Ajmed, Nasâi, Tirmizi, Ibn Jarïr, Ibn Abi Shaibá, Ibn Abi Jâtim, Mujámad Isÿâq y otros:

Cuando Abu Tâlib se enfermó, y los jefes de Quraish supieron que el fin de su vida estaba cercano, ellos sostuvieron las consultaciones y decidieron acercarse al jefe viejo con la demanda que él debe resolver la disputa entre ellos y su sobrino. Ellos temieron que si Abu Tâlib se muriera y luego sujetarían a Mujámad (paz esté en él) al tratamiento áspero después de su muerte, los árabes se los mofarían, diciendo, " Ellos tuvieron miedo del jefe viejo con tal de que él viviera, ahora que él ya está muerto, ellos han empezado maltratarse a su sobrino." Por lo menos 25 de los jefes de Quraish incluso Abu Yájal, Abu Sufllân y Umaillá bin Jalaf fueron con Abu Tâlib. Primero, ellos pusieron ante él sus quejas usuales contra el Profeta, luego dijeron, "Hemos venido a presentarte una demanda justa y lo es que su sobrino deje a nosotros con nuestra religión, y nosotros dejémoslo a suyo. Él puede rendirse culto a quienquiera que él agrada: nosotros no estaremos de pie contra su camino en esta materia; pero él no debe condenar nuestros dioses y no debe intentar de obligarnos a que les dejamos. Por favor pídale que haga los términos con nosotros en esta condición." Abu Tâlib llamó al Profeta y dijo, " Estimado sobrino, estas personas de su tribu han venido a mí con una demanda. Ellos quieren que esté de acuerdo con ellos en una materia justa *para acabar con su disputa con ellos." Luego él le dijo sobre la demanda de los jefes del Quraish. El Profeta contestó, "Estimado tío: Yo les pediré que estén de acuerdo en una cosa que, si ellos aceptan, les permitirá conquistar el todo de Arabia y sujetar el mundo non-árabe a su dominación. "Oyendo este las personas estaban primero perplejos; no supieron cómo ellos deben bajar tal una propuesta. Luego, después de que ellos habían considerado la materia entre sí, contestaron: "Estas hablando de una cosa: nosotros podemos repetir diez otras semejantes, pero por favor nos diga de lo que es." El Profeta dijo: Lâ-Ilâja-Ila-Al'lá. A esto ellos se levantaron todo junto y salieron de este lugar y eso es lo que Al'lá ha citado en la primera sección de esta Süra.*

La Süra empieza con una revisión de la reunión mencionada y el discurso es basado en el diálogo entre el Profeta y los incrédulos. Al'lá dice que la razón real para su rechazo no está debido a cualquier falla en el mensaje de Islam, sino su propia arrogancia, celos e insistencia en seguir a sus antepasados ciegamente. Ellos no estaban preparados para creer, en un hombre de su propio clan, como un Profeta de Al'lá y seguirlo. Después de describir las historias de nueve Profetas, uno después del otro, Al'lá ha dado énfasis al punto que Su ley de justicia es imparcial y que sólo las personas de actitud correcta son aceptables a Él, que Él pedirá las cuentas y castigará a cada malhechor quienquiera que él puede ser. Le gustan sólo esas personas que no persisten en el mal y se arrepienten en cuanto ellos estén informados sobre él, ellos viven sus vidas en este mundo teniendo en la mente su responsabilidad a Al'lá en el Día de la Justicia.

En la conclusión, la referencia ha sido hecho de la historia de Adam (Adán) e Iblïs (Shaitän) que se significa decirle a los incrédulos del Quraish que la misma arrogancia y vanidad que estaban impidiéndoles a aceptar Mujámad (paz esté en él) también le había impedido a Iblïs para arquear ante Adán. Iblïs se sentía celoso de la línea alta que Al'lá había dado a Adán y había sido maldito cuando él desobedeció Su Orden. Igualmente, " Ustedes, las personas de Quraish, están sintiéndose celosos de la línea alta que Al'lá ha dado en Mujámad (paz esté en él) y no están preparados obedecerlo considerando que Al'lá lo ha escogido como Su Rasúl. Por consiguiente, si ustedes no lo siguen, pues se condenarán finalmente al mismo destino como eso de Shaitän".

38: SÂD

Esta Süra, se reveló en Meca, tiene 5 secciones y 88 versos

En el nombre de Al'lá, el Compasivo, el Misericordioso

SECCIÓN: 1

Suâd. ¡Por el Qur'ãn que está lleno de amonestación! [1] Sin embargo, los incrédulos están en la pura arrogancia y perversidad. [2] ¿Cuántas generaciones hemos destruido ante ellos? Cuando su sentencia se acercó, ellos todos clamaron para la misericordia, pero ya no había tiempo para salvarse. [3] Se sorprende que un advertidor ha venido a ellos de entre ellos, y los incrédulos dicen: "¡Éste es un mago farsante! [4] ¿Quiere hacer sólo Un Dios uniéndose todos los dioses? Ciertamente, ésta es una cosa extraña." [5] Sus líderes han salido diciendo: "No presten ninguna atención, tengan paciencia y sean fieles en el servicio de sus dioses. Este eslogan de Un Dios se diseña contra ustedes. [6] No hemos oído hablar tal una cosa en cualquiera religión anterior (*los judíos y los cristianos*): es nada más que una fabricación. [7] ¿Es él, la única persona capaz entre nosotros, a quien se ha revelado la Amonestación? Pero en realidad, ellos dudan de Mi advertencia, porque aún no han probado Mi castigo. [8] ¿Acaso tienen los tesoros de la misericordia de tu Rab, el Todos-poderoso, el Munífico? [9] ¿O tienen la soberanía de los cielos, de la tierra y de todo lo que hay entre ellos? En ese caso, déjales que ascienden por cualquier medios para estar en una posición de dictar a Al'lá según sus deseos. [10] Ellos son nada más que una facción de soldados coalicionistas que serán derrotados, ciertamente. [11] Antes de ellos la gente de Nüj, de Ãd y de Fir'aun, el de las estacas, ya negaron a su Rasúles, [12] Y así hicieron los de Zamüd, el pueblo de Lüt y aquéllos de Aiyká (*las personas de Mediana, de la Espesura*) - todos esos eran los coalicionistas; [13] todos negaron a sus Rasúles, pues justo era mi tormento que les había ocurrido.[14]

38: [1-14]

SECCIÓN: 2

Estas personas también esperan nada más que una sola Explosión poderosa (*el soplado de la trompeta*) - el que ninguno puede demorar. [15] Y dicen: "¡Nuestro Rab, adelántanos nuestra sentencia antes del Día de la Cuenta!" [16] Ten paciencia a lo que ellos dicen, y recuérdate de Nuestro siervo Dawüd (*David*), el hombre de fuerza que frecuentemente volvía a Al'lá. [17] Le sujetamos las montañas, que con él, glorificaran por la tarde y por la salida del sol. [18] Y los pájaros, también, con todas sus bandadas, sometidos a él glorificaban a Al'lá. [19] Fortalecimos su reino y le dimos la sabiduría y el juicio sólido en el discurso y decisión. [20] ¿Te has enterado de la historia de los dos litigantes que escalaron hasta su mejráb (*la*

El Qur'ãn está lleno de advertencia. Los incrédulos son en la arrogancia absoluta por llamar a los Profetas, como mentirosos.

La historia del Profeta Dawüd con quien cantaban las montañas y los pájaros las rimas de Al'lá.

La historia de los dos litigantes que vinieron a Dawüd para una decisión.

cámara de la oración más alta del templo) a través de subir encima de la pared? [21] Cuando entraron adonde estaba Dawüd y él se asustó al verles. Dijeron: "¡No tengas miedo! somos dos litigantes, uno de quien ha hecho mal al otro. Juzgues debidamente entre nosotros y no seas injusto, y guíenos al camino recto. [22] Este hombre es mi hermano; él tiene noventa nueve ovejas mientras yo tengo sólo una. Todavía, él dijo: 'Déjala a mi cuidado' y me predominó con sus argumentos." [23] (*Sin escuchar al otro litigante*), Dawüd dijo: "Él ha sido injusto contigo, ciertamente, al pedirte agregar su oveja a las suyas: de hecho, muchos consocios son entre sí injustos; exceptúe aquéllos que creen y hacen los hechos buenos, y sin embargo, ¡Qué pocos son éstos! - Mientras diciendo esto, Dawüd comprendió que Nosotros le habíamos probado. Así que él pidió perdón a su Rab y se cayó postrándose y se volvió a Al'lá en el arrepentimiento. [24] Se lo perdonamos su error. ¡Él disfrutará un lugar de proximidad con Nosotros y una morada excelente! [25] Dijimos: "¡Dawüd! te hemos hecho representante Nuestro en la tierra, así que gobierna entre las personas con la justicia y no sigas sus propios deseos, ya que te desencaminarían del camino de Al'lá. En cuanto a aquéllos que van descaminados del camino de Al'lá, tendrán un castigo severo, ciertamente, debido al olvidarse del Día de la Cuenta. [26]   38: [15-26]

SECCIÓN: 3

Al'lá no ha creado los cielos y la tierra en vano.

Y no hemos creado el cielo ni la tierra y a todo lo que hay entre ellos, en vano. Ésa es la imaginación de los incrédulos. ¡Ay de los Incrédulos, por el Fuego! [27] ¿Haríamos a los que creen y practican las acciones de bien, que sean igual, a los que crean la travesura en la tierra? ¿Trataríamos a los virtuosos como trataríamos a los pecadores? [28] Este Libro (*Al-Qur'ãn*) que te hemos hecho descender es muy bendito, para que puedan ponderar en sus versos y para que los hombres dotados de intelecto puedan aprender una lección de él.[29]   38: [27-29]

La historia de la inspección de Sulaimãn de corceles ser usados en Yijãd. La oración del Profeta Sulaimãn de concederle un reino, que no concederá a cualquiera a su semejanza.

Y a Dawüd le concedimos a Sulaimãn (*Salomón*), ¡Qué devoto tan excelente! ¡Qué frecuente era su arrepentimiento hacia Nosotros! [30] La casualidad digno de mención es cuando, una tarde, le presentaron unos corceles de una raza magnífica (*para usar in Yijãd*); [31] y él dijo: " Ciertamente, he amado a estas cosas buenas para mejor glorificar a mi Rab. El probó raza de los corceles hasta que desaparecieron de la vista, [32] "¡Devuélvalos a mí!" Él ordenó. Luego, él empezó a pasar su mano encima de sus piernas y sus cuellos (*con el afecto*). [33] Y sí, pusimos a prueba a Sulaimãn y pusimos un cuerpo no más en su trono, entonces él se volvió a Nosotros en el arrepentimiento, [34] y le dijo "¡Rab mío! Perdóname y concédame un reino que nadie más después de mí pueda tener a su semejanza. Ciertamente, Tú eres el Dador Dadivoso." [35] Aceptamos su oración y sujetamos el viento a su poder que corría, bajo sus órdenes a donde él quería; [36] y a los Shaitãnes (*genios*), constructores y buzos de toda clase [37] y a otros encadenados juntos. [38] Le dijimos: " Éste es un don Nuestro: puedes dar o puedes detener a quienquiera que tú quieres, sin cualquier limitación." [39] Ciertamente, él tiene un lugar de proximidad a Nosotros y tendrá un lugar excelente para última morada. [40]

38: [30-40]

SECCIÓN: 4

Conmemores a Nuestro siervo Allûb (*Job*), cuando invocó a su Rab: "Shaitãn me ha afligido con el dolor y sufrimiento," [41] y le dijimos: "¡Golpee su pie (*en la tierra*)! Saldará un chorro de agua fresca. Lávate y bebas para refrescarse." [42] y restauramos a él su familia y otro tanto más con ellos, como una misericordia procedente de Nosotros y un recordatorio para las personas dotadas de intelecto. [43] (*Entonces, para cumplir con su juramento de darle cien azotes que él hizo a su esposa durante su enfermedad*), Nosotros dijimos: " Tome un manojo de (*cien*) ramitas y golpee con él y no rompas su juramento." Ciertamente Nosotros lo encontramos lleno de paciencia. ¡Qué devoto tan excelente! ¡Qué frecuente era su arrepentimiento hacia Nosotros! [44] Y Conmemores a Nuestro siervos Ibrãjïm (*Abraham*), Isjãq (*Isaac*) y Lla'qüb (*Jacob*): los hombres del poder y de la visión. [45] Ciertamente, les concedimos una calidad especial de tener presente la morada del Día del Juicio. [46] Ciertamente ellos están con Nosotros; entre el mejor de los escogidos. [47] También conmemores a Isma'il, Al-Llas'â (*Eliseo*) y Zul-Kifl; todos ellos estaban de los mejores. [48]

38: [41-48]

La historia de Allüb (Job), su enfermedad y alivio.

Esto (*el Qur'ãn*) es un recordatorio. Ciertamente, los virtuosos devolverán a un retorno excelente. [49] Los jardines de eternidad cuyas verjas estarán ampliamente abiertas para recibirlos. [50] Ellos reclinarán allí, mientras requiriendo fruta abundante y las bebidas deliciosas; [51] y a su lado habrá compañeras que sólo mirarán a ellos, de su misma edad. [52] Éstas son las cosas que ustedes están prometidos para el Día de la Cuenta. [53] Ésta será Nuestra provisión que nunca terminará. [54] Así será el premio para los virtuosos. Pero los rebeldes, en cambio, tendrán el peor lugar de retorno: [55] ¡Infierno! En que ellos quemarán - ¡Qué mal lugar de descanso! [56] Así será, ¡que lo gusten!: el agua herviente y la pus [57] y otras cosas de la misma clase. [58] A los jefes de las bandas se les dirá: "Aquí son sus tropas tirándose precipitadamente junto con ustedes. No hay ninguna bienvenida para ellos; porque ellos también sufrirán el ardor del Fuego. [59] Los seguidores dirán a sus líderes descaminados: "¡Pero para ustedes tampoco no hay ninguna bienvenida! Eran ustedes quiénes nos han traído a este fin. ¡Qué morada más mala! [60] Luego ellos orarán: "Rab Nuestro, dóblale el castigo para aquéllos quienes nos trajo este destino." [61] Luego, dirán entre sí: "¿Pero por qué no vemos aquéllos a quienes nosotros juzgamos como malvados [62] y a quienes nos ridiculizábamos? ¿O es que nuestra vista no los ha notado?" [63] Ciertamente, ésta es la misma verdad: así será la discusión entre las gentes del Fuego. [64]

38: [49-64]

El Qur'ãn es pero un recordatorio acerca de la recompensa del Paraíso y el castigo del Fuego del infierno.

SECCIÓN: 5

La misión de un Rasúl es advertir a las personas y declarar que no hay ninguna divinidad excepto Al'lá.

Dígales: "Mi misión sólo es como de un advertidor; no hay ninguna divinidad excepto Al'lá, el Único, el Irresistible, [65] el Rab de los cielos y de la tierra y de todo lo que hay entre ambos, el Omnipotente, el Perdonador." [66] Di: " Éste es un mensaje supremo: [67] a pesar de eso, ustedes se vuelven fuera de él." [68] También diga: "Yo no tenía ningún conocimiento de la asamblea exaltada de los ángeles, cuando estaban discutiendo (*la creación de Adán*) entre ellos. [69] sino que sólo se me ha revelado que sea un advertidor que habla claramente." [70]   38: [65-70]

La historia de la creación de Adán y desobediencia de Iblïs(Shaitãn).

Cuando tu Rab dijo a los ángeles: "Estoy a punto de crear a un hombre de la arcilla: [71] y cuando le haya formado armoniosamente y haya insuflado en él parte de Mi espíritu, cáiganse postrados ante él." [72] De acuerdo con eso todos los ángeles se postraron, [73] excepto Iblïs; él actuó arrogantemente y fue de los renegados. [74] Al'lá dijo: "¡Oye Iblïs (*Shaitãn*)! ¿Qué te ha impedido postrarte ante a quien Yo he creado con Mis propias manos? ¿Eres demasiado arrogante, o que te piensas que tú eres uno de los exaltados?" [75] Iblïs dijo: " Yo soy mejor que él: Usted me ha creado del fuego mientras a él lo has creado de la arcilla." [76] Al'lá dijo: "¡Sal de aquí, eres un maldito! [77] y Mi maldición te perseguirá hasta el Día de la Rendición de cuentas. [78] Iblïs dijo: "¡Rab mío! Entonces concédeme tregua hasta el Día de la Resurrección." [79] Al'lá dijo: " Bien, serás de aquéllos a quienes se ha concedido una tregua [80] hasta el Día del tiempo Designado. [81] Iblïs dijo: "Juro por Tú Honor, que desencaminaré a todos [82] con la excepción de aquéllos que sean Tus siervos sinceros." [83] Al'lá dijo: "Pues que sea así, y es Verdad lo que digo: [84] que llenaré el infierno contigo y con todos aquéllos que te sigan entre ellos." [85] Dígales: "Yo no pido a ustedes ninguna compensación para llevar este Mensaje, ni pretendo ser lo que yo no soy. [86] Este Qur'ãn es nada más que un Recordatorio hacia todos los Mundos; [87] y seguramente dentro de algún tiempo, ustedes sabrán su verdad. [88]   38: [71-88]

39: AZ-ZUMAR

El periodo de Revelación

Esta Süra se reveló en la fase temprana de la misión del Profeta y antes de que se concediera el permiso a los musulmanes, quienes eran perseguidos, que podrían emigrar hacia Jabsha. Algunas tradiciones proporcionan la explicación que este verso se reveló para Sallidunâ Ya'far bin Abi Tâlib y sus compañeros, cuando ellos tomaron una determinación para emigrar a jabsha. (Rûh al-Maani, vol. XXII, pág. 226).

Incluye los siguientes principios, Leyes y Guías divinas:

> Los mushrikïn (aquéllos que se rinden culto a alguien más al lado de Al'lá) intentan a justificar su culto de los santos diciendo: "Nosotros sólo rendimos culto a ellos para que puedan traernos más cercano a Al'lá."
> En el Día del Juicio nadie llevará la carga de otros.
> Creyentes que no pueden practicar su fe deben emigrar a otros lugares dónde ellos pueden.
> Los perdedores reales son aquéllos que pierden a sus almas y sus familias en el Día del Juicio.
> Nadie puede rescatar a alguien contra quien Al'lá ha decretado la palabra de castigo.
> Al-Qur'ãn es consistente aunque repite las enseñanzas de las maneras diferentes.
> Al'lá ha citado cada tipo de ejemplo en el Qur'ãn para que las personas puedan entender claramente.
> ¿Quién puede ser peor que el uno que inventa una mentira contra Al'lá?
> Aquéllos que han transgredido contra sus almas no deben desesperar de la misericordia de Al'lá, ellos deben arrepentirse mientras que ellos pueden.
> En el Día del Juicio, la escritura de los Hechos de cada quien se pondrá abierto y se hará la justicia con toda la honradez.

La entera Süra es un discurso más elocuente y eficaz que se dio antes que algunos musulmanes emigrarán a Jabsha, desde un ambiente lleno de la tiranía y de la persecución, de la mala creencia y de antagonismo de Meca. Los incrédulos se dicen que ellos no deben contaminar su adoración de Al'lá con el culto de cualquier otra deidad. La verdad de Taujïd y los resultados excelentes de aceptarlo, la falsedad del shirk y las consecuencias malas de seguirlo, se han explicados de una manera muy poderosa para que las personas pudieran dejar sus estilos de vida malos y podrían devolver a la misericordia de su Rab. Los creyentes también se instruyen: "Si un lugar se ha puesto constrictivo para el culto y servicio de Al'lá, Su tierra es inmensa; ustedes pueden emigrar hacia algún otro lugar para guardar su fe; Al'lá lo premiará para su paciencia."

39: AZ-ZUMAR

Esta Süra, revelada en Meca, tiene 8 secciones y 75 versos.

En el nombre de Al'lá, el Compasivo, el Misericordioso

SECCIÓN: 1

Los mushrikïn intentan justificar su culto de santos diciendo que ellos pueden traerlos más cerca de Al'lá.

La revelación de este Libro (*el Qur'ãn*) es procedente de Al'lá, el Omnipotente, el Sabio. [1] Ciertamente te hemos revelado la escritura con la Verdad, por consiguiente debes adorar a Al'lá, ofreciéndole tu obediencia sincera. [2] ¡Cuidado! ¡La verdadera obediencia sincera es debida solamente a Al'lá! En cuanto a aquéllos que toman a otros guardianes (*los protectores*) además de Él y justifican su conducta, mientras diciendo: "Nosotros sólo rendimos culto a ellos para que puedan traernos más cercano a Al'lá." Ciertamente, Al'lá juzgará entre ellos involucrando todos en que ellos difieren. Al'lá no lo guía al que miente y al incrédulo pertinaz. [3] Si Al'lá hubiera pensado tomar un hijo, Él podría escoger a cualquiera que Él hubiera querido fuera de Su creación: ¡Gloria a Él! (*Él es arriba de las tales cosas.*) Él es Al'lá, el Uno, el Dominante. [4] Él ha creado a los cielos y a la tierra para manifestar la Verdad. Él causa que la noche se enrolle en el día y que el día se enrolle en la noche. Él ha sujetado el sol y la luna a Su ley, cada uno sigue su curso para un término designado. ¡Cuidado! ¿Acaso no es Él, el Todos-poderoso, el Perdonador? [5] Él ha creado a todos ustedes de un solo ser, del que hizo a su pareja. Él también hizo descender para ustedes ocho especies de ganado en parejas. Él lo crea en los úteros de sus madres en las fases, uno después de otro, en tres capas de oscuridad. Éste es Al'lá, su Rab. Suya es la soberanía; no hay ninguno digno de culto sino Él. ¡Cómo pueden pues, ser tan desviados! [6]   39: [1-6]

En el Día del Juicio, ningún portador de carga llevará la carga ajena.

Si ustedes descreen, entonces deben saber que Al'lá no es en la necesidad de ustedes. No Le gusta el escepticismo de Sus siervos. Por consiguiente, si ustedes son agradecidos, Él estará contento con ustedes. En el Día del Juicio, nadie cargará con la carga ajena. Finalmente, todos ustedes tienen que devolver a su Rab. Entonces Él les dirá la verdad de todo lo que ustedes hicieron en esta vida. Ciertamente, Él sabe bien incluso a los secretos de sus corazones. [7] Cuando algún problema ocurre al hombre, ruega a su Rab y se vuelve a Él en el arrepentimiento; pero tan pronto que Él le ha dispensado una gracia Suya, se olvida del objeto de su invocación anterior y atribuye rivales a Al'lá, así desencaminando a otros, de Su Vía. Di a la tal persona: " Disfrutas un poco de tu incredulidad porque tú serás, ciertamente, de los presos del Fuego." [8] ¿Pueda él; quién es obediente, pasa las horas de noche postrando en el culto o estando de pie en la adoración, mientras temiendo de la Ultima Vida y esperando ganar la Misericordia de su Rab; ser comparado al hombre que no lo hace?

¿Son los que conocen igual a aquéllos que no conocen? De hecho, ninguno pondrá la atención excepto las personas dotas de intelecto. [9]

39: [7-9]

SECCIÓN: 2

Diga: "¡Siervos Míos que han creído de verdad, temen a su Rab! Aquéllos que harán los hechos buenos en este mundo recibirán una recompensa bella. Si se ha puesto difícil de seguir la Vía Recta en dónde ustedes viven, entonces emigren, encontrarán que la tierra de Al'lá es espaciosa. Aquéllos que aguantan con la paciencia se les pagará su recompensa sin la medida." [10] Diga: "Se me ha ordenado que adore a Al'lá, rindiéndole culto sincero [11] y se me ha ordenado que sea el primero de aquéllos que someten a Al'lá (*de ser musulmán*)." [12] Diga: "Ciertamente temo, si desobedezco a mi Rab - el castigo de un Día trascendente. [13] Di: "Yo me rindo culto a Al'lá con sinceridad, ofreciéndole sólo a Él mi adoración. [14] En cuanto a ustedes mismos, yo he llevado a ustedes la Verdad y si ustedes no creen, entonces rindan el culto a lo que ustedes quieren además de Él." Di: "Los perdedores reales son aquéllos que perderán sus almas así como sus familias en el Día de la Resurrección. ¡Ah! Ésa será de hecho una Pérdida manifiesta. [15] Habrá pabellones de fuego sobre ellos y aún más pabellones de fuego por debajo. Esta es la sentencia de lo cual Al'lá infunde temor a Sus siervos: "¡Siervos Míos! eviten Mi ira." [16] En cuanto a aquéllos que se abstienen de rendirse culto a los Tãghüt (*las deidades falsas*) y se vuelven a Al'lá en el arrepentimiento, hay noticias buenas. Así que, dé las noticias buenas a Mis siervos, [17] quienes escuchan la Palabra y siguen lo mejor de ella. ¡Tales son los a quienes Al'lá ha dirigido y tales son los dotados de intelecto! [18]

39: [10-18]

Aquél contra quien ha decretado la sentencia del castigo... ¿Podrás rescatar tú a quien está en el Fuego? ¡Claro que no! [19] En cuanto a aquéllos que de verdad temieron a su Rab, se alojarán en las mansiones altas, construidos pisos sobre pisos por debajo de las cuales fluirán los ríos; ésta es la promesa de Al'lá; y Al'lá no falla en Su promesa. [20] ¿No ves cómo Al'lá hace bajar agua del cielo que penetra en la tierra y sale a través de manantiales? Mediante lo cual Él trae una variedad de cosechas adelante con los colores diferentes, luego se marchitan y les ves ponerse amarillo, y finalmente hace que desmenuzan a los pedazos. En este ejemplo, hay una lección ciertamente, para las personas dotadas de intelecto. [21]

39: [19-21]

SECCIÓN: 3

¿Acaso aquel a quien Al'lá le ha abierto su corazón al Islam y ha estado caminando en la luz de su Rab, igual al que no ha aprendido ninguna lección y todavía no ha sido un musulmán? ¡Ay de aquéllos cuyos corazones se endurecen contra el recuerdo de Al'lá! Ellos están claramente

---

Los creyentes que no pueden practicar su fe (Islam) deben emigrar a otros lugares dónde ellos pueden hacerlo.
Los perdedores reales son aquéllos que perderán sus almas y sus familias en el Día del Juicio.

Nadie puede rescatar a uno contra quien la sentencia del castigo se ha decretado.

El Qur'ãn es consistente en sus versos aunque repite sus enseñanzas de las diferentes maneras.

Al'lá ha citado cada tipo de parábola en el Qur'ãn para que las personas pueden aprender una lección.

en el error. [22] Al'lá ha revelado el mensaje más bello, un Libro consistente en sus versos, aun así, repitiendo sus enseñanzas de las maneras diferentes. Aquéllos que temen a su Rab les erizan la piel al oírla; luego sus pieles y sus corazones enternecen al recuerdo de Al'lá. Esa es la guía de Al'lá con la que Él guía a quien Le agrada. En cambio, aquél a quien Él permite desviarse, no tendrá quien lo guíe. [23] ¿Acaso aquél quien tendrá que confrontar el castigo terrible de Fuego del infierno en su rostro en el Día de la Resurrección, es igual al que entrará en el paraíso? Se les dirá a tales injustos: " Ahora gusten las frutas de su labor." [24] Aquéllos que han ido ante ellos también descreyeron, por consiguiente, el castigo les dio alcance por donde no pudieron percibirlo. [25] Al'lá les hizo gustar la humillación en esta vida mundana, aunque el castigo en la vida por venir será aún más terrible, ¡Si ellos pero supieran! [26] Hemos citados para la humanidad cada tipo de parábolas en este Qur'ãn, quizás así puedan aprender una lección. [27] Este Qur'ãn se revela en árabe que es libre de cualquier torcijón para que ellos puedan aprender a ser virtuosos. [28] Al'lá cita una parábola - hay un hombre esclavo que es compartido por muchos amos, cada uno jala a este hombre hacia él (*como el hombre que se rinde culto a otras deidades además de Al'lá*), *y hay otro hombre esclavo que pertenece completamente a un amo (como el hombre que se rinde culto al Al'lá únicamente*) - ¿Pueden compararse? ¡Alabado sea Al'lá! Pero la mayoría de ellos no sabe. [29] Tú morirás y ellos también se morirán. [30] Luego, en el Día de la Resurrección, sus disputas se establecerán en la presencia de su Rab. [31]   39: [22-31]

ŸÚZ (PARTE): 24

SECCIÓN: 4

¿Quién puede ser peor que el uno que inventa una mentira contra Al'lá? Si Al'lá piensa dañarlo, nadie puede salvarlo y si

¿Quién podría ser más injusto que quien inventa una mentira contra Al'lá y tacha de mentira la Verdad cuándo le llega? ¿Acaso no hay algún lugar en el infierno para los tales incrédulos? [32] Aquél que viene con la verdad y aquél que la confirma - ellos son temerosos de Al'lá [33] Ellos tendrán de su Rab todos lo que ellos desean. Así será la retribución de quienes hacen el bien. [34] Al'lá borrará de su cuenta sus peores hechos y les premiará según el mejor de sus hechos. [35] ¿Acaso Al'lá no es todos-suficiente para Su siervos? ¡Y aún intentan asustarte con otros además de Él! Pues al que Al'lá permite extraviar, no puede haber ninguna guía. [36] Pero aquél a quien Al'lá guía, nadie puede extraviar. ¿Acaso no es Al'lá Poderoso, el Señor de retribución? [37] Si les preguntas: "¿Quién ha creado los cielos y la tierra? Ciertamente dirán: "¡Al'lá!". Pregúnteles: "¿Si Al'lá quisiera dañarme, podrían ellos - quienes ustedes invocan además de Al'lá - salvarme de Su daño? O si Él quisiera concederme Su misericordia, ¿Podrían ellos detener Sus bendiciones de me? Dígales: "Al'lá me basta. "Quienes confían, pues que confían en Él." [38] Diga: "Si ustedes no me creen, entonces hagan cualquier cosa que ustedes tienen a sus disposiciones, yo también lo haré. Pronto averiguarán [39] a quien vendrá el castigo deshonroso y quién conseguirá el castigo permanente." [40] Ciertamente te hemos revelado la escritura con la Verdad, para la instrucción de la humanidad. Él, quién sigue la Vía Recta lo seguirá para su propio bien; y él quién va descaminado hará en contra de sí mismo. Tú no eres un guardián encima de ellos. [41]   39: [32-41]

SECCIÓN: 5

Es Al'lá Quien se lleva las almas cuando les llega el momento de su muerte, y se lleva las que aún no han muerto durante el sueño. Él detiene las almas de aquéllos en quienes Él ha pasado el decreto de muerte, y devolver a las demás hasta un término designado. Hay señales ciertamente, en esto para aquéllos que reflexionan. [42] ¿Tienen tomado otros además de Al'lá que intercedan para ellos? Pregúnteles: "¿Cómo ellos pueden interceder, si ellos ni siquiera tienen control encima de algo ni entienden?" [43] Dígales: "La intercesión está totalmente en las manos de Al'lá. Suyo es el dominio de los cielos y de la tierra. Luego, todos tienen que regresar a Él." [44] Cuando la Unidad de Al'lá se menciona, los corazones de aquéllos que niegan la Ultima Vida se encogen con la aversión; pero cuando otras deidades afuera de Él se mencionan, ellos están llenos con la alegría. [45] Di: "¡Al'lá, Originador de los cielos y de la tierra! ¡El Conocedor de lo oculto y de lo aparente! Solo Tú podrás juzgar las disputas de Tus siervos acerca de aquello en lo que discrepaban." [46]   39: [42-46]

Si los injustos poseyeran todos los tesoros de la tierra y aún tanto más, lo ofrecerían alegremente para reembolsarse del castigo doloroso en el Día de la Resurrección. Por allí se pondrá claro a ellos procedente de Al'lá, lo que ellos nunca habrían imaginado. [47] El resultado malo de sus hechos se pondrá manifiesto a ellos y ellos serán completamente cercados por aquello de que se mofaban. [48] El Hombre es tal que cuando él está en el problema, invoca a Nosotros; pero cuando concedemos Nuestro favor en él, dice: "¡Esto se ha concedido a mí debido a cierto conocimiento que yo poseo." ¡No! Eso es nada más que una prueba, sin embargo, la mayoría de ellos no sabe. [49] Lo mismo decían aquéllos que pasaron ante ellos, pero ellos no ganaron el beneficio de lo que ellos habían conseguidos, [50] y las consecuencias malas de sus hechos les dieron alcance a ellos. Muy pronto, los injustos entre estas personas también serán alcanzados por las consecuencias malas de sus fechorías y ellos no podrán escapar. [51] ¿Acaso no saben que Al'lá expanda la provisión para quien Él agrada y la

Él piensa dar Sus bendiciones, nadie puede detenerlo.

Es Al'lá Que quita las almas de las personas en su muerte y de las personas vivientes durante su sueño.

Si los hacedores malos poseen todos los tesoros de la tierra y aun mucho más además de él, ellos lo ofrecerán alegremente como un rescate para reembolsarse en el Día del

Juicio.

restringe de quien Él lega? Hay señales ciertamente, en esto para el pueblo que cree. [52]   39: [47-52]

SECCIÓN: 6

Aquéllos que han transgredido contra sus almas no deben desesperar de la misericordia de Al'lá, ellos deben arrepentirse mientras que ellos pueden.

Diga: "Mis siervos que han transgredido contra sus almas, no desesperen de la misericordia de Al'lá, porque Al'lá perdona todos los pecados. Es Él, Quién es el Perdonador, el Misericordioso. [53] Se Vuelven en el arrepentimiento a su Rab, y sometan a Él antes de que llegue a ustedes el castigo: pues luego no habrá nadie para ayudarlos. [54] Sigan a lo mejor de lo que se revela a ustedes procedente de su Rab antes de que llegue a ustedes el castigo de repente, sin presentirlo. [55] Para que nadie tenga que decir: ' ¡Ay de mí por haber descuidado mis deberes hacia Al'lá, yo era uno de aquéllos que se mofaron a Sus revelaciones.' [56] O para que no diga: ' Si Al'lá me hubiera guiado, yo habría sido uno de los virtuosos.' [57] O para que no tenga que decir al ver el castigo: 'Ojala tuviera otra oportunidad, estaría ciertamente entre los que hacen el bien.' [58] Entonces Al'lá le dirá: "Sin embargo te llegaron Mis revelaciones; pero negaste su verdad; eras arrogante y estabas entre los incrédulos." [59] En el Día del Juicio te verás que se voltearán los rostros, de aquéllos que profirieron la falsedad contra Al'lá, ennegrecidos. ¿Acaso no hay algún lugar en el infierno para tales arrogantes? [60] Al contrario, Al'lá salvará a los que hayan sido temerosos en virtud de sus triunfos. Ningún daño les tocará, ni se afligirán. [61] Al'lá es el Creador de todas las cosas y Él es el Guardián de todas las cosas. [62] A Él Le pertenecen las llaves de los cielos y de la tierra. Aquéllos que niegan las revelaciones de Al'lá, son ellos quienes serán los perdedores. [63]   39: [53-63]

SECCIÓN: 7

Ríndase culto a Al'lá y estén entre Sus siervos agradecidos y En el Día del Juicio, la escritura de Hechos estará puesto abierta y se hará la justicia con toda la limpieza.

Diga a los mushrikïn: ¡Ignorantes! ¿Me mandan ustedes rendirse culto a alguien que no sea Al'lá?" [64] Dígales plenamente porque ya se ha revelado a ti y a los que te precedieron "Si asocias a Al'lá otros dioses, todos sus hechos serán vanas y estarás ciertamente entre los perdedores." [65] Por consiguiente, adora a Al'lá y estés entre Sus siervos agradecidos. [66] No han valorado a Al'lá con la verdadera apreciación, mientras en el Día de la Resurrección la tierra entera estará en Su agarro y todos los cielos se enrollarán en Su diestra. ¡Gloria a Él! ¡Exaltado sea Él por encima de lo que asocian! [67] La Trompeta se soplará, y todos que están en los cielos y en la tierra se caerán muertos excepto aquéllos a quienes Al'lá agradará para exentar. Luego, la Trompeta se soplará segunda vez y he aquí que se pondrán en pie a la espera. [68] La tierra estará brillando con la luz de su Rab, la escritura de registro se pondrá abierto, se hará venir a los Profetas y a los testigos, y se hará la justicia entre las personas con toda la honradez: y no serán tratados injustamente. [69] Cada alma será retribuida por completo según sus hechos, porque Él sabe totalmente bien acerca de lo que ellos hicieron. [70]   39: [64-70]

SECCIÓN: 8

Después del Juicio, los Incrédulos serán conducidos al infierno en grupos sucesivos. Cuando ellos alcanzarán allí, sus verjas se abrirán y les dirán sus guardianes: "¿Acaso no llegaron a ustedes los Rasúles de entre ustedes mismos, quiénes recitaban a ustedes las revelaciones de su Rab y lo advertían acerca de la reunión de este Día?" "Claro que Sí," Ellos contestarán. Sin embargo se cumplirá la sentencia del castigo contra los incrédulos. [71] Se dirá: " Entren en las verjas del infierno para vivir en eso para siempre." ¡Qué mala morada la de los arrogantes! [72] En cuanto a aquéllos que temieron a su Rab, se llevarán hacia el paraíso en los grupos sucesivos. Cuando ellos alcanzarán allí y se abrirán sus verjas para ellos, y sus guardianes les dirán: "¡Paz esté con ustedes! Ustedes han hecho bien, ahora entren, en él, para vivir en eso para siempre." [73] Y dirán: "¡Alabado sea Al'lá! Quien nos ha cumplido Su promesa de verdad y nos ha dado esta tierra para heredar, ahora nos acomodaremos en el paraíso donde queramos."¡Qué excelente será el premio para los virtuosos! [74] Verás a los ángeles que rodearán el Trono Divino, mientras glorificando a su Rab con Sus alabanzas. El Juicio entre las personas se hará con la justicia perfecta, y se proclamará: "¡Alabado sea Al'lá, el Rab de los mundos!" [75]

39: [71-75]

Después del Juicio, se manejarán a los incrédulos al Infierno y los virtuoso se llevarán al Paraíso.

40: AL-MÚ'MIN / GHÂFIR

El periodo de Revelación

Esta Süra se reveló después de Süra Az-Zumar y según Ibn ' Abbâs y Jâbir bin Zaid, su posición presente en el orden de las Süras en el Qur'ân está igual que su orden cronológico de la revelación.

Incluye los siguientes principios, Leyes y Guías divinas:

➢ *Los ángeles que llevan el trono de Al'lá oran para esos humanos que se arrepienten y siguen la Vía Recta.*
➢ *Una escena del Día del Juicio.*
➢ *Al'lá sabe las miradas furtivas y los pensamientos confidenciales.*
➢ *La historia del Profeta Musa, Fir'aun, Jâmân y Qarün.*
➢ *Un discurso excelente de uno de los parientes de Fir'aun a favor del Profeta Musa.*
➢ *Fir'aun trazó contra ese pariente suyo que era un creyente pero Al'lá lo salvó y destruyó a la gente de Fir'aun. Ellos están presentándose ante el Fuego del Infierno todas las mañanas y toda las tardes.*
➢ *Al'lá dice; "Llámeme, contestaré sus oraciones".*
➢ *Nadie tiene el derecho a ser adorado excepto Al'lá, el Creador y el Rab de los mundos.*
➢ *Aquéllos que disputan acerca de las revelaciones de Al'lá pronto averiguarán la Verdad.*
➢ *Al'lá ha enviado muchos Rasúles ante Mujámad (paz esté en él): de entre ellos algunos se mencionan en el Qur'ân y algunos no son mencionados.*
➢ *La creencia después de ver el castigo de Al'lá es de ningún provecho a los incrédulos.*

Los incrédulos estaban creando cada tipo de sospecha en las mentes de las personas acerca de las enseñanzas del Qur'ân, el mensaje del Islam y el Profeta. Ellos también estaban preparando el fundamento para el asesinato del Profeta Mujámad (paz esté en él).

Como una advertencia a los conspiradores de asesinato, la historia de un Creyente de las personas de Fir'aun (Faraón) se ha citado. Los incrédulos se advierten que si ellos no desisten de discutir contra las Revelaciones de Al'lá, ellos se condenarán al mismo destino como las naciones del pasado y ellos se cederán el más peor tormento en el Día del Juicio. En ese momento, ellos se arrepentirán, pero será demasiado tarde.

40: AL-MÚ'MIN / GHÂFIR

Esta Süra, revelada en Meca, tiene 9 secciones y 85 versos.

En el nombre de Al'lá, el Compasivo, el Misericordioso

SECCIÓN: 1

Jâ M'ïm. [1] La revelación de este Libro procede de Al'lá, el Omnipotente, el Omnisciente, [2] el Perdonador de los pecados, el Aceptador del arrepentimiento, severo en el castigo y el Señor de la generosidad; no hay nadie digno de culto sino Él, hacia Quien todos se volverán. [3] Nadie disputa acerca de las revelaciones de Al'lá sino aquéllos que descreen; así que no permitas que sus actividades opulentas en la tierra te lleven a engaño. [4] Antes de ellos, ya habían negado el Mensaje las gentes de Nüj y así hicieron otros coalicionistas después de ellos. Cada nación trazó contra su Profeta, para apoderarlo y buscó refutar la Verdad a través de la falsedad; pero Yo les agarré, y ¡Qué terrible era Mi retribución! [5] Así se realizará la Palabra de su Rab contra los que se habían negado a creer, de que ellos serían los presos del Fuego. [6] Esos ángeles que llevan el Trono de Al'lá y aquéllos que están de pie alrededor de él, glorifican a su Rab con Sus alabanzas, crean en Él e imploran el perdón por los creyentes: "¡Nuestro Rab! Tú misericordia y Tus conocimientos abarcan todas las cosas. Perdona a aquéllos que se arrepienten y siguen Su Vía, líbrales del castigo del Fuego llameante. [7] ¡Nuestro Rab!, admítales a los jardines de eternidad junto con aquéllos que eran virtuosos entre sus padres, sus esposos y sus descendientes. Tú eres el Poderoso, el Sabio. [8] Protéjalos de las consecuencias malas de sus hechos. Él, de quien Tú quitarás las consecuencias malas de sus acciones en ése Día, ya ganó Su misericordia ciertamente, y ése será ciertamente el logro más alto.[9]   40: [1-9]

SECCIÓN: 2

En el Día del Juicio se dirá a los incrédulos: "El desprecio de Al'lá hacia ustedes era mucho mayor - durante su vida mundana cuando a ustedes se llamó a la Fe y se negaron - que el desprecio de ustedes mismos." [10] Dirán: "¡Nuestro Rab! Dos veces nos has hecho morirse y dos veces nos has dado la vida. Confesamos nuestros pecados ahora. ¿Hay alguna manera de salir? [11] Se contestará: "Están enfrentando este destino porque cuando le pidieron que creyera en Al'lá, el Uno y Sólo, ustedes descreían; pero cuando le pidieron que comprometiera el Shirk (*asociar otros compañeros con Él*), ustedes sí lo creían. Hoy el juicio pertenece a Al'lá, el más Alto, el más Grande." [12] Es Él, Quién muestra Sus señales a ustedes y envía abajo el sustento para ustedes de los cielos. Aun así, no aprenden una lección observando estas señales, exceptúe aquéllos que se vuelven a Él en arrepentimiento. [13] Invoquen a Al'lá ofreciéndole la

Nadie disputa las revelaciones de Al'lá excepto los kuf'fâr(los incrédulos). Los ángeles que llevan el Trono de Al'lá oran para aquéllos quiénes se arrepienten y siguen la Vía Recta.

Una escena del Día del Juicio.

Las miradas furtivas y los pensamientos confidenciales.

devoción sincera sólo a Él, aunque les repugne a los incrédulos. [14] El Poseedor de la jerarquía más Alta, el Dueño del Trono, Quien envía abajo el Espíritu por Su orden en aquéllos de Sus siervos a quienes Él escoge para que se convierta en un advertidor del día del Encuentro. [15] El Día cuando todos vendrán adelante de sus tumbas; no habrá nada de ellos que quede oculto para Al'lá. Se preguntará: "¿A quién pertenece el Reino hoy?" Nadie se atreverá a hablar, y el propio Al'lá dirá: "De Al'lá, el Uno, el Predominante. [16] Hoy cada alma será retribuido según sus méritos; no habrá ninguna injusticia; ciertamente, Al'lá es veloz estableciendo las cuentas." [17] Y adviérteles contra el Día inminente, cuando los corazones brincarán a las gargantas con la angustia; cuando los injustos no tendrán ningún amigo ferviente ni intercesor que podría ser escuchado. [18] Al'lá sabe las miradas furtivas y los pensamientos confidenciales, [19] y Al'lá juzgará con toda la honradez. En cuanto a aquéllos a quienes los incrédulos invocan además de Él, no estarán en una posición de juzgar en absoluto. Ciertamente, es el Al'lá Quien todo lo oye, Quien todo lo ve. [20]

40: [10-20]

SECCIÓN: 3

¿No han viajado a través de la tierra y han visto lo que era el fin de aquéllos que han ido ante ellos? Eran mucho más en poderío que éstos y dejaron más vestigios en la tierra: pero Al'lá los asió a causa de sus pecados y no había nadie quien pudiera protegerles de Al'lá. [21] Eso era porque aunque vinieron a ellos Su Rasúles con las revelaciones claras pero rehusaron de creer: así que Al'lá los asió. Poderoso es Él realmente y enérgico es Su retribución. [22]

40: [21-22]

De hecho, enviamos Musa con Nuestras señales y una autoridad clara, [23] a Fir'aun (*Faraón*) a Jâmân y a Qarün (*Coré*); pero ellos lo llamaron ' Mago farsante.' [24] Entonces, cuando él les trajo la verdad de Nosotros, dijeron: "Maten a los hijos de aquéllos que comparten a su fe, dejando vivir a las hembras." Pero fútil eran los esquemas de los incrédulos. [25] Finalmente Fir'aun dijo: "¡Déjenme matar a Musa; y que invoque él a su Rab! Temo que él pueda cambiar religión de ustedes o que haga aparecer la travesura en la tierra." [26] Musa dijo: "He tomado el refugio, de hecho, en mi Rab, Quien es también Rab suyo, de cada arrogante que no cree en el Día de la Cuenta." [27]

40: [23-27]

SECCIÓN: 4

A esto, un creyente de entre los parientes de Fir'aun que había guardado su fe escondido, dijo: "¿Quieres matar a un hombre meramente porque él dice: 'Mi Rab es Al'lá' y quién ha traído a ustedes las señales claras de su Rab? Si él está mintiendo, pues su mentira recaerá sobre él; pero si él está hablando la verdad, entonces algunas de las cosas terribles con que él está amenazando, puedan muy bien afligir a ustedes. Ciertamente, Al'lá no guía al que es un trasgresor mentiroso. ¡ [28] ¡Gente

[Margen izquierdo:]

Aquéllos que negaron los Profetas y las revelaciones de Al'lá todos fueron destruidos.

El Profeta Musa se envió al Fir'aun, Jamân y Qarün. Fir'aun pensó matar al Profeta Musa.

Un discurso excelente de uno de los parientes del Fir'aun en mía! Ustedes son gobernantes y hoy están dominante en la tierra: pero ¿quién nos ayudará contra el rigor de Al'lá, si nos ocurre? Fir'aun dijo: "Estoy señalando a ustedes lo que yo veo y sólo estoy guiándolo hacia el camino recto. [29] Entonces la persona que era un verdadero creyente dijo: "¡Gente mía! Verdaderamente temo para ustedes un día como que ocurrió a las coalicionistas anteriores, [30] como ocurrió al pueblo de Nüj, a los de 'Ad y de Zamüd y aquéllos que vinieron después de ellos, y Al'lá no quiere la injusticia para Sus siervos. [31] Y ¡Gente mía! Temo para ustedes el Día de la Llamada Mutua. [32] El día en que ustedes se volverán y huirán dando la espalda, cuando no habrá nadie para protegerlo de Al'lá. A quien Al'lá permite extraviarse, no tendrá ninguno para guiarlo. [33] Recuerden que hace un tiempo largo antes de esto, Llüsuf vino a ustedes con las señales claras, pero ustedes siempre permanecían en duda de lo que él trajo; y cuando él se murió, ustedes dijeron: 'Después de él, Al'lá nunca enviará a otro Rasúl.' Así Al'lá permite extraviar a los que son los transgresores escépticos, [34] quienes disputan las revelaciones de Al'lá sin tener ninguna autoridad que les haya venido a ellos. Tal una actitud está repugnante en la vista de Al'lá y de los creyentes. Así Al'lá sella el corazón de cada tirano arrogante." [35] Después de oír esto, Fir'aun dijo: "¡Jâmân! Constrúyame una torre alta en lo que yo puedo lograr los medios de acceso, [36] un acceso a los cielos, para que yo pueda ver el Dios de Musa, realmente pienso que él es un mentiroso." Así que los hechos malos de Fir'aun embellecieron a él y él se volvió fuera de la Vía Recta. Los esquemas de Fir'aun lo llevaron a nada más que a la destrucción.[37]   40: [28-37]

SECCIÓN: 5

El hombre que era un verdadero creyente, dijo: ¡Gente mía! ¡Sígame, lo guiaré a la Vía Recta. [38] ¡Gente mía! La vida de este mundo es sólo goce temporal, mientras la morada de la Ultima Vida es eterna. [39] El que hace el mal se recompensará a la magnitud del mal hecha. En cambio, los creyentes que hicieron los hechos buenos, sean varones o hembras, entrarán en el paraíso, en donde serán proveídos el sustento sin medida. [40] Y ¡Gente mía! ¿Cómo es que yo estoy invitando a ustedes a la salvación, mientras ustedes me están llamando al Fuego? [41] Ustedes me invitan a negar a Al'lá y comprometer el Shirk (*rendir culto a otros dioses junto con Al'lá*) con Él de que no tengo el conocimiento; mientras que yo invito a ustedes hacia el Poderoso, al Perdonador. [42] No hay duda de que ustedes me llaman hacia aquéllos quienes ni pueden conceder mi demanda en este mundo ni en la Ultima. De hecho, todos nosotros tenemos que devolver atrás a Al'lá y los transgresores serán los compañeros del Fuego. [43] Pronto ustedes recordarán lo que yo le he dicho. En cuanto a mí, yo confío mis asuntos a Al'lá. Ciertamente, Al'lá ve bien a Sus siervos." [44] Al'lá salvó a ese creyente de todos esas tramas malas que inventaron contra él, y les dio alcance a la gente de Fir'aun un castigo horrible. [45] Es el Fuego del infierno antes cual serán presentados por la mañana y por la

favor del Profeta Musa.

Al'lá salvó a ese creyente de las tramas de Fir'aun y destruyó las personas de Fir'aun; ahora ellos se presentan ante Fuego del Infierno mañana y tarde.

tarde, y en el Día cuando la Hora de su Juicio vendrá, se ordenará: "Hagan que la gente de Fir'aun (*Faraón*) entre en el castigo más severo." [46] Entonces imagina ese tiempo, cuando estas personas empezarán la argumentación entre sí en el Fuego, y los seguidores débiles dirán a los líderes arrogantes: "Nosotros éramos sus seguidores: ¿Podrán ahora quitarnos algo del fuego? [47] Los líderes arrogantes contestarán: "¡Todos somos juntos en él! Al'lá ya ha juzgado entre Sus siervos." [48] También imagina cuando los moradores del Fuego les preguntarán a los Guardianes del infierno: "¡Ruegan a su Rab por relevar nuestro castigo por lo menos durante un día!" [49] Los Guardianes del infierno preguntarán: "¿No llegaron a ustedes los Rasúles con las revelaciones claras?" "Sí," Ellos contestarán. Los Guardianes del infierno dirán: "Entonces ruegan ustedes mismos." Pero vano será la súplica de los incrédulos. [50]   40: [38-50]

SECCIÓN: 6

Al'lá ayuda a Sus Rasúles y los creyentes en esta vida mundial y les ayudará en Día del Juicio. Su Rab dice: "Llamen a Mí, Yo contestaré sus oraciones"

Indudablemente ayudaremos a Nuestros Rasúles y a los creyentes en esta vida mundial y en el Día en que se levanten los testigos. [51] En ese Día, ninguna excusa será útil a los injustos. La maldición será su porción y el peor lugar será su morada. [52] De hecho, a Musa le dimos la escritura de Guía y hicimos que los hijos de Israel heredan ese Libro, [53] como una guía y una advertencia para los dotados del intelecto. [54] ¡Ten paciencia, porque la promesa de Al'lá es verdadera! Implore el perdón por sus pecados y celebre las alabanzas de su Rab por la tarde y de madrugada. [55] Aquéllos que disputan las revelaciones de Al'lá sin que se ha dado la autoridad en ellos; nutren en sus corazones ambiciones arrogantes que nunca lograrán. Por consiguiente, busques el refugio en Al'lá; Es Él, Quién todo lo oye, Quien todo lo ve. [56] Ciertamente, la creación del cielo y de la tierra es una tarea mucho mayor que la creación de los humanos; sin embargo, la mayoría de las personas no sabe. [57] El ciego y aquel que puede ver no son iguales, ni tampoco los creyentes que hacen los hechos buenos igual a los que hacen el mal; ¡Qué poco son que recapacitan! [58] La hora de Sentencia está segura por venir, no hay ninguna duda sobre ella; todavía, la mayoría de las personas no lo cree. [59] Y su Rab dice: "Llamen a Mi, contestaré sus oraciones. Ciertamente, aquéllos que son demasiado arrogantes para adorarme, pronto entrarán en el infierno en la humillación absoluta. [60]   40: [51-60]

SECCIÓN: 7

Nadie tiene el derecho a ser adorado excepto Al'lá, El creador y

Es Al'lá Quien ha constituido para ustedes la noche en que puedan descansar y el día para ver su camino alrededor. Ciertamente, Al'lá es dadivoso a la humanidad, todavía, la mayoría de las personas no es agradecida. [61] Ese es Al'lá su Rab, el Creador de todas las cosas. No hay ningún dios excepto Él. Ninguno tiene el derecho a ser adorado excepto Él, ¿Cómo pueden, pues, inventar? [62] Así se engañaron aquéllos que negaron las revelaciones de Al'lá. [63] Es Al'lá Quien ha hecho la tierra para ustedes un lugar de descanso, y el cielo como un dosel. Él ha amoldado sus cuerpos y los ha amoldado bien, y les ha proporcionado las cosas buenas. Ese es Al'lá, su Rab. Así que ¡bendito sea Al'lá, el Rab de los mundos! [64] Él es el Viviente. No hay ninguno digno de culto sino Él. Por consiguiente, llámelo con su devoción sincera. La alabanza pertenece a Al'lá, el Rab de los mundos. [65] Dígales: "Se me ha prohibido que me rinda culto a aquéllos a quienes ustedes invocan además de Al'lá. ¡Cómo puedo hacer esto cuando las revelaciones claras han venido a mí de mi Rab! Y se me ha ordenado que me someta al Rab de los mundos." [66] Es Él Quién ha creado a ustedes del polvo, luego de una esperma, luego de una masa parecida a la sanguijuela, luego Él saca a ustedes del útero de su madre como niños, luego Él hace que crezcan para alcanzar la edad de la fuerza llena, luego Él hace que alcanzan una vejez - aunque algunos de ustedes se mueren antes - para que ustedes puedan completar su término designado y puedan crecer en la sabiduría. [67] Es Él, Quién da la vida y da la muerte. Es Él, Quién cuando decide hacer algo, sólo necesita decir: "¡Sé!", y es. [68]   40: [61-68]

el Rab de los mundos.

SECCIÓN: 8

¿No has visto cómo se desvían los que disputan las revelaciones de Al'lá? [69] Aquéllos que han negado la escritura y el Mensaje que hemos enviado a través de Nuestro Rasúles, pues pronto vendrán a saber la verdad tan cuando se lanzarán en el Fuego del infierno: [70] cuando, con las argollas alrededor de sus cuellos, y cadenas en sus piernas, se arrastrarán [71] a través del fluido hirviendo y luego serán arrojados al Fuego. [72] Luego se les preguntará: "¿Dónde están esos dioses a quienes ustedes invocaban [73] además de Al'lá?" Ellos contestarán: "Nos han desamparado, ahora hemos venido a saber que aquéllos a quienes nosotros invocábamos, eran de hecho nada." Así Al'lá permite a los incrédulos ir descaminados. [74] Se dirá: "Ustedes han reunidos en este destino porque durante su vida en la tierra, tomaban el deleite en las cosas sin derecho y comportaban insolentemente. [75] Ahora entren en las verjas del infierno para vivir en eso para siempre. ¡Qué morada tan mala será para los arrogantes!" [76] ¡Ten paciencia, pues! La promesa de Al'lá es verdad. Si Nosotros te permitimos dar testimonio de las consecuencias malas con que ellos están amenazados, o te causamos morir antes de que les golpeemos fuertemente, en cualquier caso, todos ellos tienen su retorno hacia Nosotros. [77] Ya hemos enviado muchos Rasúles antes de ti; hay algunos cuyas historias Nos hemos relevado a ti y también hay otros cuyas historias no te hemos relevado. No era posible para cualquiera de esos Rasúles traer una señal excepto con permiso de Al'lá. Entonces cuando el orden de Al'lá viene, se decide con la justicia, y luego los injustos ciertamente sufrirán la pérdida. [78]   40: [69-78]

Aquéllos que discuten acerca de las revelaciones de Al'lá, pronto averiguaran la Verdad.

Al'lá ha enviado muchos Rasúles antes de Mujámad (pece); algunos se mencionan en el Qur'än y algunos no son.

SECCIÓN: 9

El ganado es la señal de Al'lá para las personas dotadas de la inteligencia. La creencia después de ver el castigo de Al'lá es de ningún provecho a los incrédulos.

Es Al'lá Quien ha proporcionado a ustedes los rebaños, para que puedan usar algunos de ellos para montar y otros que sirven de alimento; [79] y hay también otras ventajas en ellos para ustedes; llevan a ustedes donde ustedes desean ir, llevándolo a ustedes en sus espaldas así como las naves que lo llevan por el mar. [80] Así, Él muestra a ustedes Sus señales; ¿Cuál, pues, de las señales de Al'lá negarán? [81] ¿Acaso no viajaron a través de la tierra y no han visto cuál era el fin de aquéllos que han ido ante ellos? Fueron más numerosos que ellos y superior en la fuerza y han dejado atrás rastros mayores de su poder en la tierra; aún así, todos que ellos hicieron eran de ningún provecho a ellos. [82] Cuando Su Rasúles vinieron a ellos con las revelaciones claras, ellos alardearon orgullosamente sobre el conocimiento mundano que ellos tenían; pero se vieron cercados por aquello de lo que se mofaban. [83] Cuando ellos vieron Nuestro castigo, clamaron: " Creemos en Al'lá, el Uno y Sólo, y rechazamos todas esas deidades a quienes nosotros asociábamos con Él." [84] Pero después de haber visto Nuestro castigo, profesar su fe (al Islam) era inútil para ellos; así es la práctica constante de Al'lá que ya ha aplicado antes a Sus siervos, y así perdieron los incrédulos. [85]   40: [79-85]

41: JÂ MÏM AS-SA'ŸDÁ / FUSILÂT

El periodo de Revelación

Según las Tradiciones auténticas, esta Süra se reveló después de que Sallidunâ Jamza abrazó el Islam y antes de que Sallidunâ Umar abrazara el Islam durante las fases tempranas de la residencia del Profeta en Meca.

Incluye los siguientes principios, Leyes y Guías divinas:

➢ El Qur'ãn se revela para dar la advertencia.
➢ Ay de aquéllos que niegan el Día de la Resurrección y no pagan el Zaká (la caridad).
➢ La historia de la creación de la tierra, montañas, mares, y cielos.
➢ El castigo de Al'lá en las naciones de 'Ad y Zamüd.
➢ En el Día del Juicio, las propias orejas del hombre, sus ojos y su piel serán testigos contra él, en relación a sus fechorías.
➢ Aquéllos que dicen su Dios es Al'lá con la firmeza y continúan en él, se asignan los ángeles para su protección.
➢ El mejor en el discurso es él quien llama a las personas hacia Al'lá, hace los acciones de bien y dice, "Soy un musulmán."
➢ El mensaje que se revela al Profeta Mujámad (paz esté en él) es el mismo mensaje que se reveló a los Profetas anteriores.
➢ El Qur'ãn es una guía y una curación para los creyentes. Es similar al Libro que fue dado al Profeta Musa (Moisés).
➢ En el Día del Juicio, todos esos dioses quienes son adorados por la gente además de Al'lá, desaparecerán.
➢ Has considerado que si el Qur'ãn realmente es de Al'lá y ustedes lo niegan, ¡Qué será de ustedes!

Los incrédulos habían notificado al Profeta al efecto, "Pues puedes continuar su misión de invitar a la gente hacia Al'lá, pero nosotros seguiremos oponiéndote tan duro como podemos para frustrar tu misión." Para lograr este objetivo, ellos habían inventado un plan que siempre que el Profeta o uno de sus seguidores intentara recitar el Qur'ãn ante las personas, ellos harían tanto ruido que nadie pudiera oír algo.

Los incrédulos estaban diciendo: "Si una persona árabe presenta un discurso en el árabe, "¿Cuál sería el milagro en eso? El árabe es su lengua materna. Cualquiera podría componer algo que le agradó en su lengua materna y luego hacer la demanda que él lo había recibido de Al'lá. Un milagro sería si la persona se levantaría de repente en una mañana y haría un discurso elocuente en una lengua extranjera que él no supo anteriormente. Pues entonces uno podía reclamar que el discurso no era de su propia composición, sino una revelación de Al'lá."

En la contestación a esto, esta Süra ha declarado claramente: "Este Qur'ãn es un Libro invariable y ustedes no podrán derrotarlo por sus ruidos y falsedades. Si *la falsedad viene del frente o hace un ataque secreto e indirecto del trasero, no podrá tener éxito refutándolo. Ahora que el Qur'ãn está presentándose en su propio idioma para que ustedes puedan entender, dicen que se debe de haber revelado en algún idioma extranjero. Pero si Nos mandábamos en un idioma extranjero, ustedes habrían dicho: ¡Qué chiste! Los árabes están dándose la guía en un idioma no-árabe que nadie lo entiende. De hecho ustedes tienen ningún deseo de obtener la guía. Ustedes están inventando sólo nuevas excusas por no afirmar la fe. "¿Has considerado alguna vez que si este Qur'ãn realmente es de Al'lá, entonces qué destino ustedes alcanzarían negando y oponiéndolo?"*

41: JÂ MÏM AS-SA'ŸDÁ / FUSILÂT

Esta Süra, revelada en Meca, tiene 6 secciones y 54 versos.

En el nombre de Al'lá, el Compasivo, el Misericordioso

SECCIÓN: 1

Jâ Mïm. [1] Esto se revela por el Compasivo, el Misericordioso (*Al'lá*): [2] un Libro cuyos versos han sido explicados detalladamente, un Qur'ãn en el idioma árabe para el pueblo que entiende. [3] Un portador de noticias buenas y un advertidor: siendo así, la mayoría de las personas da su espalda y no lo escucha. [4] Y dicen: " Nuestros corazones son cerrados en los velos de la fe a lo que nos llamas, hay sordera en nuestras oídos y hay una barrera entre tú y nosotros: así que trabajas a tu manera y nosotros seguimos trabajando a nuestra manera." [5] Dígales: "Yo soy sino un ser humano igual a ustedes. Se revela a mí que su Dios es sino Un Dios, por consiguiente, toman la Vía Recta hacia Él e imploran Su perdón. Ay de los mushrikïn (*aquéllos que asocian otros dioses con Al'lá*); [6] aquéllos que no pagan el Zaká (*la caridad obligatoria*) y niegan la Ultima Vida. [7] En cuanto a aquéllos que creen y hacen los hechos buenos, tendrán una recompensa interminable. [8]   41: [1-8]

El Qur'ãn es un dador de noticias buenas y una advertencia. Ay de aquéllos que niegan el Día de la Justicia y no pagan El Zaká.

SECCIÓN: 2

Pregúnteles: "¿Realmente negarían ustedes a Él Quien ha creado la tierra en dos Llaumain (*días, los periodos del tiempo, las fases*) y prepararían los rivales a Él para adorar, aunque Él es el Rab de los mundos?" [9] Él puso en ella las montañas que sobresalen de su superficie, la ha bendecido, ha proveído el sustento según las necesidades de todos sus moradores, en cuatro Allâm (*días, los periodo de tiempo, las fases*) que eran igual en la longitud - la información para aquéllos que preguntan. [10] Luego, se dirigió al cielo que era humo y le dijo junto con la tierra: ' vengan los dos de ustedes, de buen modo o a la fuerza', y ellos sometieron: ' Vendremos a Ti obedientemente.' [11] Él formó los siete cielos en dos Llaumain (dos *días o fases*) y a cada cielo Él ordenó sus leyes. Adornamos el cielo más bajo con las lámparas brillantes y como protección. Tal es el plan del Poderoso, el Conocedor." [12]   41: [9-12]

La historia de la creación de la tierra, de las montañas, de las estaciones, y de los cielos.

Ahora si se apartan, dígales: "Advierto a ustedes contra un rayo, como él que golpeó al 'Ad y a los de Zamüd." [13] Cuando les llegaron Su Rasúles antes y después, diciendo: "Ríndanse culto únicamente a Al'lá," Ellos contestaron: "Si nuestro Rab quisiera enviarnos un mensaje, Él habría enviado ciertamente a los ángeles, pues negamos categóricamente el mensaje con que ustedes fueron enviados." [14] En cuanto a 'Ad, se comportaron con la arrogancia en la tierra sin cualquier justificación y dijeron: "¿Quién es más fuerte que nosotros en el poderío?" ¿Ellos no podrían ver a ese Al'lá Quien ha creado a ellos, era más poderoso que

Aviso a los incrédulos y el ejemplo del castigo de Al'lá en las naciones de 'Ãd y de Zamüd.

ellos? Todavía, continuaron rechazando Nuestras revelaciones. [15] Pues, Nos mandamos en ellos un huracán furioso para hacerles gustar un castigo vergonzoso en esta vida durante unos días nefastos, pero será más vergonzoso el castigo de la Ultima Vida, y ellos no tendrán nadie para ayudarles. [16] En cuanto a Zamüd, les ofrecimos Nuestra guía, pero prefirieron permanecer ciegos en lugar de recibir la guía hacia la Vía Recta; así que el rayo del castigo humillante les asió por sus fechorías, [17] pero salvamos a aquéllos que creyeron y tenían el temor de Al'lá. [18]

41: [13-18]

SECCIÓN: 3

En el Día del Juicio, las propias orejas de las personas, sus ojos y sus pieles atestiguaran contra ellos en relación a sus fechorías.

Imagine ese Día, cuando se reunirán los enemigos de Al'lá y se marcharán hacia el Fuego en filas. [19] Finalmente cuando alcanzarán allí, sus orejas, sus ojos, y sus pieles testificarán a lo que ellos hacían. [20] Y preguntarán a sus pieles: "¿Por qué testificó contra nosotros?" Sus pieles contestarán: "Al'lá, Quien concede la facultad de discurso a todos, nos ha hecho hablar. Él es Quien ha creada por primera vez, y ahora a Él tenían que devolver. [21] Durante su vida en la tierra ustedes pensaban que no era necesario esconderse mientras comprometían los crímenes, igualmente nunca habían pensado que sus propias orejas, sus propios ojos y sus propias pieles testificarían contra ustedes. Más bien ustedes pensaron que Al'lá no tenía ningún conocimiento de muchas cosas que ustedes hacían. [22] Este pensamiento suyo, que ustedes entretuvieron involucrando su Rab, lo ha traído a la destrucción y ahora ustedes se han vuelto entre aquéllos que están absolutamente perdidos." [23] Aun cuando ellos estarán pacientes, el Fuego todavía será su morada, y si ellos rogarán para el perdón, no se concederá a ellos. [24] Hemos asignado a los compañeros íntimos, de la misma naturaleza, para ellos quienes embellecieron a ellos lo que estaba ante ellos (*los hechos malos durante su vida mundana*) y lo que estaba detrás de ellos (*el escepticismo en la vida después de la muerte); y la misma Palabra (*la sentencia de castigo*) se hizo realidad en su contra que dio alcance a generaciones de los genios y de los hombres que han ido ante ellos. De hecho, ellos todos eran los perdedores. [25]

41: [19-25]

SECCIÓN: 4

Aquéllos que no escuchan al Qur'ãn se castigarán severamente y ésos que dicen "Nuestro Dios es Al'lá" y luego se quedan

Los incrédulos dicen: "No escuchen a este Qur'ãn y háganse mucho ruido cuando se recita para que ustedes puedan ganar la mano superior." [26] Pues, causaremos a aquéllos que descreen que gusten un castigo severo, y les retribuiremos con arreglo al peor de sus fechorías. [27] El premio de los enemigos de Al'lá es infierno que será su morada eterna: como premio de haber negado Nuestras revelaciones. [28] En que, los incrédulos dirán: "¡Nuestro Rab! Muéstrenos aquéllos entre los genios y entre los humanos que desencaminaron a nosotros: los pisotearemos bajo nuestros pies para que estén en lo más profundo." [29] Realmente, aquéllos que dicen: "Nuestro Rab es Al'lá," y luego hayan sido rectos, los ángeles descenderán a ellos en el momento de su muerte, diciendo: No se asusten ni se afligen, más bien sean encantados a las noticias buenas del paraíso que a ustedes se había prometido. [30] Somos sus protectores en esta vida y en la Ultima. Allí encontrarán todos lo que deseen sus almas y todo lo que ustedes querrán pedir: [31] Un regalo hospitalario del Perdonador, Misericordioso." [32] 41: [26-32]

SECCIÓN: 5

¿Quién es mejor en el discurso que quien llama a la gente hacia Al'lá, hace los hechos buenos y dice: "Yo soy de los musulmanes." [33] Los hechos buenos no son iguales a los malos. Rechaces a los hechos malos con sus hechos buenos. Verás que él con quien tenías la enemistad, se volverá como si él era su amigo ardiente. [34] Pero ninguno logrará esta calidad excepto aquéllos que pacientemente perduran y ninguno logrará esta calidad excepto aquéllos que son verdaderamente afortunados. [35] Si cualquier momento te incita una tentación procedente del Shaitãn, busca refugio en Al'lá. Es Él, Quien oye todos y sabe todos. [36] Entre Sus señales están la noche y el día, el sol y la luna. No postren ante el sol ni ante la luna; más bien postren ante Al'lá Quien creó todos ésos de verdad, si ustedes son Sus adoradores. [37] Pues si desdeñan los incrédulos arrogantemente de Su culto, recuerdas que aquéllos que están más cercano a tu Rab, glorifican a Él día y noche incansablemente. [38] Y entre Sus otras señales está cuando ves la tierra árida y luego hacemos que caiga agua sobre ella, revuelve a la vida y aumenta su rendimiento. Ciertamente Él, Quién le da vida, también vivificará a los muertos. Ciertamente, Él tiene el poder encima de todas las cosas. [39] Aquéllos que pervierten Nuestras revelaciones no están ocultos de Nosotros. Simplemente considere, ¿qué es mejor? ¿Ser lanzado en el Fuego o salir en seguridad en el Día de la Resurrección? Hagan lo que ustedes quieran; ciertamente, Él está mirando a todas sus acciones. [40] Aquéllos que rechazan este recordatorio cuando viene a ellos se castigarán. Y de hecho, es un Libro poderoso. [41] Ninguna falsedad puede acercársele por ningún lado. Es una revelación procedente de Uno Que es Sabio y Laudable. [42] Nada se te dice excepto lo que se dijo a los Rasúles que te procedieron: que ciertamente tu Rab es el Señor de perdón, y al mismo tiempo el Señor de retribución dolorosa. [43] Si Nos tenía revelado este Qur'ãn en un idioma extranjero, ellos (*las mismas personas*) habrían dicho: "¿Por qué sus versos no han sido hecho claro en nuestro idioma? ¿Por qué un idioma extranjero, mientras el público y el Profeta son árabes? Dígales: "A los creyentes, es una guía y una cura; y a los que no creen, para ellos es meramente una sordera y una ceguedad; porque ellos actúan como si ellos están llamándose desde un lugar lejos, porque ellos ni oyen ni entienden."[44] 41: [33-44]

firmes, se asignan los ángeles para su protección.

El mejor en el discurso es llamar a las personas hacia Al'lá, hacer los hechos buenos y decir: "Soy un musulmán." El ejemplo de las señales de Al'lá. Y Nada se dice a Mujámad (pece) qué no fue dicho a los Profetas anteriores.

El Qur'ãn es una guía y bendición para los creyentes.

SECCIÓN: 6

La escritura dado al Profeta Musa era similar al Qur'ân.

Ante de este Qur'ân, habíamos dado la escritura a Musa y fue disputado semejantemente. Si tu Rab ya no hubiera dado Su Palabra, el Juicio se habría pasado entre ellos; graves son, sin embargo, sus sospechas acerca de él. [45] Él quien hace los hechos buenos, lo hace para su propia alma; y él quien compromete el mal, hace contra de sí mismo: Tu Rab nunca es injusto con Sus siervos.[46]   41: [45-46]

ỲÚZ (PARTE): 25

En el Día del Juicio todos otros dioses a quienes las personas adoraban además de Al'lá desaparecerán.

A Él se remite el conocimiento de la Hora de Sentencia. Ninguna fruta sale de su vaina, ninguna hembra concibe o dé a luz sino con Su conocimiento. En el Día del Juicio cuando Al'lá les preguntará a los incrédulos: "¿Dónde están esos compañeros que ustedes asociaban conmigo?" Contestarán: "Te aseguramos que ninguno de nosotros los ha visto". [47] Esas deidades a quienes ellos invocaban desaparecerán de ellos y comprenderán que no hay ningún escape. [48] El Hombre nunca está cansado de orar para el bien, pero cuando cualquier mal lo ocurre, él pierde la esperanza y está en la desesperación. [49] Y si, después de la aflicción, le hacemos gustar una misericordia venida de Nosotros, seguro que dirá: "Yo merezco esto, pienso que jamás vendrá la Hora; y aun cuando yo me devolviera a mi Rab, tendría, seguramente, el mejor tratamiento junto a Él." El hecho, sin embargo, es que Nos informaremos la verdad de todos que ellos habían hecho los incrédulos y les haremos gustar un castigo severo. [50] Cuando concedemos los favores en el hombre, él se rechaza y se aleja a otro lado; y cuando un mal lo ocurre, él viene con las súplicas largas. [51]   41: [47-51]

¿Has considerado alguna vez que si el Qur'ân realmente es de Al'lá y ustedes lo niegan, qué pasará con ustedes?

Pregúnteles: "¿Has considerado alguna vez: si este Qur'ân realmente es de Al'lá y lo niegas, quién puede ser más extraviado que quién ha ido marcadamente lejano desafiándolo?" [52] Pronto les mostraremos Nuestras señales en el universo y en sus propias almas, hasta que se ponga claro a ellos que este Qur'ân es de hecho la Verdad. ¿No basta que tu Rab sea testigo de todo? [53] ¡Todavía están en la duda acerca de encontrarse a su Rab! ¿No es Él, Quién abarca todo? [54]   41: [52-54]

42: ASH-SHÛRÂ

El periodo de Revelación

El periodo de revelación de esta Sûra no es conocido por medio de cualquier tradición auténtica, sin embargo, viendo su contenido aparece que se reveló después de Jâ-Mîm As-Sayidá / Fusilât, porque ésa parece ser, en cierto modo, un suplemento a ella. En Sûra Jâ-Mîm As-Sayidá los jefes de Quraish fue tomado nota de su oposición sorda y ciega y para mostrar aquéllos que viven en Meca y en sus metrópolis, ¡Qué irrazonable estaban esos jefes opuestos a Profeta Mujámad (paz esté en él! Aun así, ¡qué serio estaba el Profeta en todo lo que él dijo, qué racional era su punto de vista y qué noble eran su carácter y conducta! Inmediatamente después de que esa advertencia bajara en esta Sûra, se envió abajo a proporcionar enseñanza e instrucción, y hecho la verdad del mensaje del Profeta llano, de tal una manera impresionante que cualquiera que ama la verdad no puede ayudar sino aceptará Su mensaje.

Incluye los siguientes principios, Leyes y Guías divinas:

➢ El Cielo podría haber sido roto aparte por culpa de aquéllos que elevan las criaturas de Al'lá a Su nivel, si no era por lo que los ángeles rogaban por Su perdón para los residentes de la Tierra.
➢ Islam es la misma religión que se mandó al Nüj (Noé), Ibrãjïm (Abraham), Musa (Moisés), e Isa (Jesús). Todos ellos ordenaron para establecer Dïn-al-Islam y no crear las divisiones en él.
➢ Él, quién desea la cosecha en el Ultimo Día se dará incrementadas y él, quién lo desea en esta vida se dará una porción aquí pero no tendrá ninguna porción en el Ultimo Día.
➢ Cualquier imposición que ocurre en las personas, es el resultado de sus propias fechorías.
➢ Los verdaderos creyentes son aquéllos que establecen el Salá (la Oración), den la caridad y defienda ellos mismos cuando se oprime.
➢ Los perdedores reales son aquéllos que perderán en el Día de la Resurrección.
➢ Es Al'lá Quién concede las hijas e hijos cuando Le agrada.
➢ No hay ninguna posibilidad para cualquier ser humano que puede hablar a Al'lá cara a cara.

Este discurso, como descrito en Tafjïm-ul-Qur'ãn, empieza en cierto modo como si para decir: "¿Por qué están expresando sorpresa y asombro a lo que Nuestro Profeta está presentando ante ustedes? Lo que él dice no es nuevo o extraño, ni es algo que está presentándose la primera vez en la historia, que la Revelación se ha concedido a un hombre de Dios y él está dándose las instrucciones para la guía de humanidad. Al'lá está enviando las Revelaciones similares a los que ya envió a los Profetas anteriores. No es sorprendente que el Dueño del Universo debe reconocerse como el Dios y Gobernante, sino la cosa extraña es que uno debe aceptar cualquier *otro como Dios a pesar de ser Su sujeto y esclavo. Ustedes están enfadados con él, quién está presentando Taujïd (Dios es Uno y Sólo) a ustedes, considerando que el Shirk que ustedes están comprometiéndoos con respecto al Amo del Universo (asociando alguien junto a Él) es tal un grave crimen que puede causar a los cielos romper en pedazos. Los ángeles están asombrado en esta intrepidez suyo y temen que la ira de Al'lá pudiera descender en ustedes cualquier momento."*

Después de esto, las personas se han dicho que si una persona está designado para ser el Profeta y que si él se presenta como un Profeta no quiere decir que él ha sido amo de los destinos de las personas. Al'lá ha guardado todos los destinos en Sus propias manos. El Profeta sólo ha venido a despertar a los distraídos y guía a la Vía Recta. La contabilidad de aquéllos que no le escuchan y castigarles o no, es la discreción de Al'lá y no es una parte de la misión del Profeta. Por consiguiente, ellos deben saber que el Profeta no ha venido con una demanda similar a aquéllos religiosos y santos quienes advierten a los seguidores al efecto que él quién no les escucharía, o se comportaría insolentemente hacia ellos, enfrentará una muerte terrible. Las personas se dicen que el Profeta no ha venido a condenarlos pero él desea lo mejor para ellos; él está advirtiéndolos que la manera que ellos están siguiendo sólo llevará a su destrucción propia.

Entonces una respuesta se da a la pregunta: ¿Por qué Al'lá no hizo a todos los seres humanos virtuoso por el nacimiento, y por qué Él permitió las diferencias de punto de vista debido a cual las personas empiezan seguir uno y otro en el pensamiento y acción? Después de esto, se ha explicado que el estilo de vida presentado por el Profeta Mujámad (paz esté en él) es que: Al'lá Todo-Poderoso es el Creador, Amo y Patrocinador real del Universo y de la Humanidad. Sólo Él es el Gobernante del hombre, Él Sólo tiene el derecho para dar Fe al hombre (Dïn), Ley (el sistema de creencia y de práctica), juzgar las disputas y mostrar lo que es correcto y lo que está equivocado. Ningún otro ser tiene cualquier derecho para ser su dador de las leyes. En otros términos, como la soberanía natural, la soberanía con respecto a las leyes también es dominio sólo de Al'lá. Ninguno, aparte de Al'lá, puede ser el portador de esta soberanía. Si una persona no reconoce y acepta esta regla Divina de Al'lá, es fútil para él a reconocer sólo la soberanía natural de Al'lá.

Basado en este principio, Al'lá ha ordenado un Dïn (la Verdadera Religión) para el Hombre con el mismo principio. Es única y la misma Religión que era revelada, en cada edad, a todos los Profetas. Ningún Profeta fundó cualquier nueva o separada religión de sí mismo en cualquier época. La misma Religión se ha mandado por Al'lá para toda la Humanidad desde Adán, y todos los Profetas han estado siguiéndolo y han invitado a otros para seguirlo.

No se envió esta Religión y Credo para el hombre para descansar contentamente, sólo creyendo en él. Se envió con el propósito e intención que debe presentarse, establecerse y poner en vigor para el mundo, y ninguna religión artificial debe prevalecer en la tierra de Al'lá excepto Su Religión. Los Profetas sólo no habían sido designados predicar esta Religión, pero también para establecerlo en el mundo.

Esta misma religión es la religión original de la humanidad, pero después de la muerte de los Profetas, las personas egoístas crearon los nuevos credos creando los cismas para los intereses vestidos debido a la presunción, vanidad y ostentación. Realmente todas las religiones diferentes y credos encontrados hoy en el mundo han sido el resultado de la corrupción de la Verdad Divina original.

El Profeta Mujámad (paz esté en él) se ha asignado para presentar ante la gente, la misma Religión original, en lugar de las varias prácticas y los credos artificiales, y él se ha intentado establecer el mismo. De esto, si en lugar de agradecer, se sienten enfadados y salen para lucharlo, eso sería su tontería; el Profeta no abandonará su misión debido a su tontería. Él se ha mandado adherir a toda costa, a su fe, y llevar a cabo la misión a que él ha sido designado. Por consiguiente, las personas no deben acariciar cualquier falsa espera, que para agradarlos, él los acomodara y proveería a los mismos antojos y supersticiones de ignorancia que corrompió la Religión de Al'lá anteriormente.

El Profeta ha sido escogido por Al'lá para esta misión. Todos ya lo saben que él tenía ningún concepto del "Libro" o la "Verdadera Fe" durante los primeros cuarenta años de su vida y entonces su emergencia súbita ante las personas con estos dos conceptos, es una prueba manifiesta de su ser un Profeta. Su llevada de la enseñanza de Al'lá no significa que él exige haber hablado a Al'lá, cara a cara, pero ese Al'lá ha llevado a él esta Guía, como en el caso de todos los otros Profetas:

> *A través de la Revelación, o*
> *Por detrás de un velo, o*
> *El envío de un ángel con el mensaje.*

Estos métodos se han clarificado para que los antagonistas del mensaje no puedan tener una oportunidad de acusar al Profeta de exigir haber hablado con Dios, cara a cara, y los amantes de la verdad deben saber a través de qué métodos Al'lá dio la instrucción a Mujámad (paz esté en él) quien Él había designado a la misión de ser el Profeta.

42: ASH-SHÜRÂ

Esta Süra, revelada en Meca, tiene 5 secciones y 53 versos.

En el nombre de Al'lá, el Compasivo, el Misericordioso

SECCIÓN: 1

Si no era porque los ángeles piden perdón para los residentes de la tierra, los cielos podrían haber rotos sobre aquéllos que elevan las criaturas de Al'lá a Su categoría.

Jâ Mïm. [1] 'Ain Sîn Qâf. [2] Así es como Al'lá, el Todo-poderoso, el Sabio envía Su revelación a ti, así como Él envió a aquéllos antes de ti. [3] Suyo es todo lo que está en los cielos y en la tierra. Él es el Altísimo, el Grandioso. [4] Los cielos casi podrían haber roto por causa de aquéllos que elevan las criaturas de Al'lá a Su grado, y eso no está pasando porque los ángeles glorifican a su Rab con Sus alabanzas y piden el perdón por aquéllos que están en la tierra. ¡Mire! Ciertamente, es Al'lá Quien es el a menudo-Perdonador, el más Misericordioso. [5] Aquéllos que toman otros como sus guardianes además de Él, el propio Al'lá está mirándolos; y no es para ti de disponer sus asuntos. [6] Así te hemos revelado este Qur'ãn en el árabe, para que puedas advertir a los residentes de la metrópoli (*Meca*) y sus suburbios, y para que prevengas contra el Día de la asamblea acerca de cuál no hay ninguna duda: cuando algunos irán al paraíso y otros al Fuego llameante. [7] Si Al'lá quisiera, Él podría hacer una sola nación a todos ellos; pero Él admite a Su misericordia a quien Él agrada. En cuanto a los injustos, ellos tendrán ningún protector ni auxiliador. [8] ¿Han tomado a otros guardianes al lado de Él? Pues es sólo Al'lá Quien es el Guardián. Es Él, Quién resucita a los muertos y es Él Quién tiene el poder encima de todas las cosas.[9]

          42: [1-9]

SECCIÓN: 2

Islam es el mismo Dïn (el estilo de vida) qué fue mandado a Nüj (Noe), Ibrãjïm (Abraham), Musa (Moisés) y Isa (Jesús).

Cualquier que sea el sujeto de su disputa, su Juicio pertenece a Al'lá: Tal es Al'lá, mi Rab; en Él he puesto mi confianza, y hacia Él me vuelvo en todos mis asuntos y en el arrepentimiento. [10] El Originador de los cielos y de la tierra. Él ha hecho para ustedes los compañeros de entre ustedes mismos y también hizo entre los ganados parejas de su propio tipo; así es como Él multiplica a ustedes. Hay nadie como Él. Él es Quien todo lo oye, Quien todo lo ve. [11] A Él pertenecen las llaves de los cielos y de la tierra. Él da la provisión abundantemente a quien Él agrada y la restringe a quien Él lega. Él es el Conocedor de todo. [12] Él ha ordenado para ustedes el mismo Dïn (*el estilo de vida - Islam - religión*) qué Él mandó a Nüj (*Noé*) - y qué hemos revelado a ti - y qué ordenamos a Ibrãjïm (*Abraham*), a Musa (*Moisés*) e a Isa (*Jesús*): " Establezca el Dïn (*Al-Islam*) y no haga ninguna división (*las sectas*) en él. Intolerable para los mushrikïn es a lo que tú les llamas. Al'lá escoge para Su servicio a quien Él lega, y guía a Él, quién se vuelve a Él en todos sus asuntos y en el arrepentimiento. [13] Las personas no se dividieron en las sectas hasta después de que el conocimiento había venido a ellos, fuera de iniquidad entre ellos mismos. Si tu Rab no hubiera sido por la Palabra previa para diferir su castigo hasta un tiempo designado, la materia ya habría sido decidida entre ellos. El hecho es que aquéllos que heredaron la escritura después de ellos, están ciertamente en la duda concerniendo él. [14] Por consiguiente, llámelos hacia el verdadero Dïn, quédese firme en la Vía Recta como te ha ordenado y no sigas sus deseos vanos. Dígales: "Yo creo en cualquier Libro que Él ha revelado y se me ha ordenado que haga la justicia entre ustedes. Al'lá es Nuestro Rab y también Rab de ustedes. Nosotros somos responsables para Nuestros hechos y ustedes para suyos. No haya ninguna disputa entre nosotros. Al'lá nos reunirá en el Día del Juicio y decidirá, y hacia Él es el retorno final. [15] Aquéllos que disputan acerca de Al'lá después de que Su religión (*Al-Islam*) se ha aceptado por las personas, su disputa es fútil en la vista de su Rab, en ellos caerá Su ira y para ellos habrá un castigo terrible. [16] Al'lá es Quien ha revelado este Libro (*Al-Qur'ãn*) con la Verdad, y el Equilibrio (*para distinguir entre el bien y el mal*). ¿Quién sabe? Quizás la Hora de sentencia ya está a mano. [17] Sólo aquéllos que la niegan buscan acelerarla adelante; pero los creyentes estremecen sólo de pensar por su venida y saben que su venida es la verdad. ¡Mire! Aquéllos que disputan acerca de la Hora de Sentencia son profundamente extraviados. [18] Al'lá es muy Cortés con Sus siervos. Él da sustento a quien Él agrada. Él es el Fuerte, el Omnipotente." [19]

42: [10-19]

SECCIÓN: 3

Él quien desea la cosecha de la Ultima Vida, se dará el aumento multiplicado en su cosecha; y él quien desea la cosecha de este mundo, una porción de él se le dará: pero en la Ultima Vida, él no tendrá ninguna porción en absoluto. [20] ¿Tienen los shorakã (*los compañeros con Al'lá*) quienes, en la práctica de su fe, han hecho legal a ellos lo que Al'lá no ha permitido? Si no tenía un decreto ya pronunciado por la sentencia definitiva, se habría decidido ciertamente entre ellos. Ciertamente, los injustos tendrán un castigo doloroso. [21] Verás que los injustos estarán temiendo las consecuencias malas de sus hechos que los ocurrirán ciertamente. Mientras aquéllos que creen y hacen los hechos buenos morarán en los jardines lujosos del paraíso, y recibirán de su Rab todo lo que ellos desearán; ésa será ciertamente la bendición magnífica. [22] Tal una bendición es las noticias buenas que Al'lá anuncia para Sus siervos que creen y hacen los hechos buenos. Di: " Yo no pido a ustedes ninguna compensación excepto su amor siendo parientes cercanos." Él, quien hace un hecho bueno se reembolsará muchas veces más. Ciertamente, Al'lá es el Perdonador, el Apreciativo. [23] ¿Qué dicen: "Él ha forjado una falsedad contra Al'lá?" Pero si Al'lá quisiera, Él podría sellar su corazón. De hecho, Al'lá disipa la falsedad y vindica la verdad con Sus palabras. Ciertamente, Él sabe los secretos de todos los corazones. [24] Es Él Quien acepta el arrepentimiento de Sus siervos y perdona sus malas acciones, y Él sabe cualquier cosa ustedes hacen. [25] Él contesta las oraciones de

Todos ellos fueron pedidos para establecer el Dïn - al-Islam y de no crear la división (las sectas) en él.

Él, quién desea la cosecha en el Día de la Justicia se dará multiplicadas, pero él quién desea en esta vida se dará una porción aquí pero no tendrá ninguna porción en el Día de la Justicia.

aquéllos que creen y hacen los hechos buenos y les reparta más aun de Su generosidad. En cuanto a los incrédulos, ellos tendrán el castigo severo. [26] Si Al'lá hubiera dado a Sus siervos una provisión sin límite, habrían transgredido más allá de los límites en la tierra; sin embargo Él hace descender en la medida debida y cuando Él agrada; Él es bien consciente y atento de Sus siervos. [27] Es Él Quien incluso envía abajo la lluvia después de que ellos han perdido toda la esperanza, y difunde Su Misericordia. Solo Él es el Guardián Laudable. [28] Entre Sus señales están la creación de los cielos y de la tierra, y las criaturas vivientes que Él ha extendido en los dos: y Él es capaz de reunir a todos ellos siempre que Él quiera. [29]

42: [20-29]

SECCIÓN: 4

Las aflicciones que ocurren a cualquier persona son el resultado de sus propias fechorías.

Los verdaderos creyentes son aquéllos que establecen el Salá, den la caridad y se defienden cuando están oprimidos.

Cualquier aflicción que ocurre a ustedes, es el resultado de lo que sus propias manos han hecho, aunque para muchas de sus fechorías Él concede el perdón. [30] Ustedes no pueden escapar de Al'lá en toda la tierra y hay ningún protector o auxiliador para ustedes además de Al'lá. [31] Entre Sus señales están las naves que se parecen como las montañas en el mar. [32] Si Él quiere, Él puede causar el viento que calme, pues dejarlos (*las naves*) inmóvil en la superficie del mar - en este ejemplo, hay señales ciertamente, para cada tal persona que pacientemente aguanta y sea agradecido. [33] O Él puede causarlos perecer (*ahogándose*) a causa de lo que ellos han ganado (*los pecados*); todavía, Él perdona muchos de sus pecados. [34] Aquéllos que disputan acerca de Nuestras revelaciones deben saber que no hay ningún escape para ellos. [35] Cualquier cosa que ustedes reciben, es nada más que un disfrute para la vida transitoria de este mundo. En cambio, lo que Al'lá tiene es mejor y más duradero para aquéllos que creen, y confían en su Rab, [36] evitan cometer los pecados graves y los hechos vergonzosos, incluso perdonan aun cuando ellos están enfadados. [37] y los que responden a la llamada de su Rab, establecen el Salá (*la oración*), dirigen sus asuntos con la consultación mutua, gasten fuera del sustento que Nos les hemos dado, [38] y se defienden cuando son víctimas de algún opresión. [39] La recompensa para una lesión es una lesión proporcionado a él; pero si una persona perdona y hace la conciliación, él se premiará por Al'lá; No Le gustan los injustos. [40] Aquéllos que toman la venganza después que fueron maltratados, no pueden culparse. [41] El culpable son aquéllos que oprimen a los hombres compañeros y se dirigen con la maldad e injusticia en la tierra. Es ellos, quienes tendrán un castigo doloroso. [42] Y quienquiera que sea paciente y perdona a otros, eso sí que sería verdaderamente una cosa que requiere la determinación. [43]

42: [30-43]

SECCIÓN: 5

Él a quien Al'lá permite extraviar, no tendrá a nadie que le protegerá después de Él. Cuando ellos enfrentarán el castigo, verás a los injustos exclamar: "¿Hay alguna manera de regresar al mundo? [44] Verás cómo serán expuestos a él (*el infierno*) abatidos con la humillación, mientras mirándolo con las miradas furtivas. Mientras los verdaderos creyentes dirán: "¡Los perdedores reales son de hecho aquéllos que han perdido a ellos y sus familias en el Día de la Resurrección!" ¡Ten cuidado! Ciertamente, los injustos sufrirán el castigo eterno. [45] Ellos tendrán ningún protector que podría ayudarles además de Al'lá. Él a quien Al'lá permite extraviar, tiene ninguna manera de salvación. [46] Deben responder a la llamada de su Rab antes de que llegue ese Día que Al'lá no evitará. No habrá ningún refugio para ustedes en ese Día, ni podrán negar sus pecados. [47] Ahora si se apartan, pues no te hemos enviado, ser su guardián. Su único deber es llevar Mi mensaje. El hombre es tal que cuando le hacemos gustar una Misericordia venida de Nosotros, él está muy contento con eso; pero cuando, a través de su propia falta, un mal le aflige, él se pone absolutamente ingrato." [48]   42: [44-48]

A Al'lá Le pertenece el reino de los cielos y de la tierra. Él crea cualquier cosa que Él quiere. Regala hijas a quien Él agrada y regala hijos a quien Él quiere. [49] A algunos Él regala los dos hijos e hijas, y hace yermo a quien Él quiere; ciertamente, Él es Conocedor, Poderoso. [50]   42: [49-50]

No es posible para cualquier ser humano que Al'lá le hable cara a cara; si no es a través de la inspiración, o desde detrás de un velo, o a través de enviar a un mensajero (*el ángel Gabriel*) Pues que le inspire, con Su autorización, lo que Él quiere. Ciertamente, Él es Altísimo, el Sabio. [51] Así, hemos revelado a ti, un Espíritu (*la escritura inspirada - el Qur'ân*) por Nuestro orden: mientras antes tú no sabías lo qué era la escritura ni qué era el Imân (*la fe*). Pero Nosotros lo hemos hecho (*el Qur'ân*) una luz con que guiamos a aquéllos de Nuestros siervos a quienes Nosotros agradamos; y ciertamente, tú estás guiando la humanidad a una Vía Recta: [52] - la Vía de Al'lá a quien pertenece todo lo que está en los cielos y en la tierra. ¡Ten cuidado! Todos los asuntos devolverán a Al'lá para Su decisión. [53]   42: [51-53]

Los perdedores reales son aquéllos que perderán en el Día La Resurrección.

Es Al'lá Quien da a las hijas e hijos como Él agrada.

No es posible para cualquier ser humano que Al'lá le hable cara a cara.

43: AZ-ZUJRUF

El periodo de Revelación

El periodo de revelación de esta Süra no es conocido de cualquier tradición auténtica, sin embargo, parece que se reveló en el mismo periodo en que las Süras Al-M'umin, As-Saydá y As-Shurâ se fueron enviadas. La revelación de esta serie de las Süras empezó cuando los incrédulos de Meca estaban planeando asesinar al Profeta. Ellos estaban sosteniendo consultaciones día y noche en sus asambleas en relación a este problema. Un esfuerzo de asesinato también había sido hecho como se menciona en los versos 79 y 80.

Incluye los siguientes principios, Leyes y Guías divinas:

> ➤ Al-Qur'ãn es una trascripción ·la escritura-Matriz o sea de la Tabla protegidas por Al'lá que es fuente de todos los libros revelados.
> ➤ La súplica antes de montar una transportación.
> ➤ El credo de los mushrikïn, que los ángeles son las divinidades hembras, es falso.
> ➤ Un ejemplo del Profeta Ibrãjïm que reconoció la Unidad de Al'lá y rechazó el Shirk meramente usando su sentido común y observando las señales de Al'lá en la naturaleza.
> ➤ Si no fuera que toda la humanidad se volverá una raza de incrédulos, Al'lá habría dado las casas a los incrédulos que fueran hechas de plata esterlina.
> ➤ Él, quién se vuelve fuera del recuerdo de Al'lá, Al'lá designa un Shaitãn para ser su amigo íntimo.
> ➤ Agarren fuertemente al Qur'ãn si quieren ser guiados debidamente.
> ➤ El Profeta Isa (Jesús) era nada más que un mortal quien Al'lá favoreció e hizo de él un ejemplo para los hijos de Israel.
> ➤ ¡Profeta! diga a los cristianos: " Si Al'lá tuviera un hijo, yo habría sido uno de los primeros para adorarlo."

En esta Süra, una crítica poderosa ha sido hecha de los credos y supersticiones de los Quraish y de otros árabes. Los incrédulos estaban admitiendo el hecho que el Creador de la tierra, de los cielos, de ellos mismos y de sus deidades sólo es Al'lá. Ellos también supieron y admitieron que las bendiciones con que ellos estaban concedidos, se habían dado por Al'lá; todavía ellos insistieron en hacer otros socios con Al'lá en Su Deidad. Ellos creían que los ángeles eran las diosas; ellos habían tallado sus imágenes como las hembras; las adornaron con los vestidos de la hembra y ornamentos. Ellos les llamaban las hijas de Al'lá, se rendían culto a ellas y les invocaban para el cumplimiento de sus necesidades. Ellos no tenían ninguna respuesta a la pregunta acerca de ¿cómo supieron que los ángeles eran hembras? Cuando ellos no pudieran encontrar la base para sus creencias y supersticiones, presentaron la pretensión de destino y dijeron: "Sí Al'lá desaprobaba nuestras prácticas, no podríamos rendirnos culto a estas deidades." Considerando que los *medios de averiguar que si Al'lá había aprobado algo o no, serían Sus Libros y no esas cosas que están pasando en el mundo.*

Cuando ellos fueron preguntados: "¿Tienen ustedes cualquier otra autoridad, aparte de este argumento para el politeísmo suyo?" Contestaron: " El mismo ha sido la práctica de nuestros antepasados." En otros términos, esto, en su opinión, era un fuerte argumento (el dalïl) que bastaba para un credo que sea correcto y verídico, considerando que siendo los descendiente del Profeta Ibrãjïm (paz está en él), quien era la única base de su orgullo y distinción, había rechazado la religión de sus antepasados, salió de su casa, y había desechado a cada tal imitación ciega de sus antepasados que pues no tuvieron el apoyo de cualquier argumento racional.

Después de criticar cada práctica de ignorancia de los incrédulos y rechazarlo con los argumentos racionales, este discurso ha señalado: "Al'lá no tiene ninguna descendencia, ni está allí los dioses separados para la tierra o para el cielo, ni está allí cualquier intercesor que puede proteger a los incrédulos del castigo de Al'lá. Al'lá es mucho más Grandioso de tener un hijo. Él Solo es, el Dios del universo entero: todos otros son Sus siervos."

43: AZ-ZUJRUF

Esta Süra, revelada en Meca, tiene 7 secciones y 89 versos.

En el nombre de Al'lá, el Compasivo, el Misericordioso

SECCIÓN: 1

El Qur'ãn es una trascripción de la Libro Madre la que es guardada por Al'lá.

Jâ Mïm. [1] Por la escritura que hace aclarar las cosas. [2] Hemos revelado este Qur'ãn en el idioma árabe para que ustedes puedan entender sus significados. [3] Ciertamente, eso (*Al-Qur'ãn*) está en la Escritura Matriz en Nuestro guarda que es sublime y lleno de sabiduría. [4] ¿Quitaríamos este Recordatorio fuera de su alcance y debíamos ignorarlos porque ustedes son una nación que ha transgredido todos los límites? [5] ¿Cuántos Profetas hemos enviado a los pueblos antiguos? [6] No les llegó ningún Profeta del que no se mofaron. [7] Pues, destruimos a ellos, aunque eran más fuertes en el poderío que estas personas, y proporcionó un ejemplo para los anteriores. [8]   43: [1-8]

Incluso los Mushrikïn creen que los cielos, la tierra y todo lo que hay en eso es creado por Al'lá. La súplica antes de montar un transporte.

Si les preguntas: "¿Quién ha creado los cielos y la tierra?" Ciertamente dirán: "Fueron creados por el Poderoso, el Conocedor." [9] Él Quien ha hecho la tierra como cuna para ustedes y ha hecho las rutas en eso para que sean bien dirigidos. [10] Él Quien envía abajo la lluvia del cielo en la medida debida y con eso resucita una tierra muerta - eso es cómo a ustedes se sacará (*levantar de nuevo a la vida*). [11] El Que ha creado todo el tipo de cosas en los pares y hecho para ustedes las naves y ganado en que pueden montar [12] para que ustedes puedan sentarse firmemente en sus espaldas, entonces cuando ustedes monten, recuerden la bondad de su Rab y digan: "Gloria a Quién ha sujetado éstos a Nuestro servicio, de otro modo Nosotros no podríamos traerlos bajo nuestro mando, [13] y a nuestro Rab todos nosotros debemos el retorno." [14] Todavía, a pesar de reconocer todo esto, ellos han hecho algunos de Sus siervos que sean una parte de Él. Ciertamente, el hombre es claramente ingrato. [15]   43: [9-15]

SECCIÓN: 2

Algunos Mushrikïn consideran a los ángeles para ser las divinidades

¿Al'lá escogería a las hijas (*los árabes pagano creían que los ángeles eran las hijas de Al'lá*) para Él fuera de lo que Él ha creado y les concedería los hijos a ellos? [16] Todavía, cuándo nacimiento de una hembra (*el género a que ellos atribuyen al Compasivo*) se anuncia a uno de ellos, su rostro oscurece y él tiene que contener la ira. [17] ¿Atribuyen ellos a Al'lá, el género hembra que fue creado con adornos y es incapaz de ser claro en la disputa? [18] Consideran que los ángeles que son siervos al Compasivo, como las divinidades hembras. ¿Han sido acaso testigos de su creación? Ellos deben saber que su testimonio se notará y se llamarán para responder del mismo. [19] Ellos dicen: "Si hubiera sido el Voluntad del

Compasivo, No les habríamos adorados." Ellos no tienen el conocimiento sobre eso; están suponiendo meramente. [20] ¿O es que les hemos dado un Libro anterior a éste en que se basan la autoridad para adorar a los ángeles? [21] El único argumento que ellos tienen es decir: "Nosotros encontramos a nuestros antepasados que practicaban esta fe, y ciertamente nosotros estamos bien dirigidos, siguiendo sus pasos." [22] Aun así, siempre que hemos enviado un advertidor anteriormente para prevenir una nación, sus ricos dijeron: "Nosotros encontramos a nuestros antepasados que practican esta fe y ciertamente, nosotros vamos a seguir sus pasos." [23] Cada advertidor preguntó: "¿Qué tal si yo hubiera traído una guía mejor que aquéllos en la que encontraron ustedes sus antepasados? Pero ellos contestaron: "¡Bien! Nos rechazamos la fe con que ustedes han sido enviados. "[24] Por consiguiente, Nos infligimos Nuestra retribución en ellos; ¿Mira cómo era el fin de aquéllos que descreyeron? [25]

hembras, siendo las hijas de Al'lá.

43: [16-25]

SECCIÓN: 3

Y cuando Ibrãjïm dijo a su padre y a su gente: "Yo renuncio las deidades que ustedes se adoran, [26] excepto a Él Quien me ha creado, porque seguramente Él me guiará." [27] Y él dejó esta declaración como un mandato permanente entre sus descendientes, para que ellos deban volverse a Él. [28] Sin embargo, Yo seguí proporcionándolos el consuelo de esta vida a ellos y a sus antepasados, hasta allí vino a ellos la Verdad y un Rasúl para exponerlo claramente. [29] Pero ahora cuando la Verdad ha venido a ellos, dicen: "Esto es magia y nosotros no lo creemos." [30] Ellos también dicen: "¿Por qué este Qur'ãn no se le ha descender a un hombre de gran importancia de uno de los dos pueblos (*Meca y Ta'if*)?" [31] ¿Acaso son ellos encargados de distribuir las bendiciones de su Rab? Somos Nosotros Quienes distribuyen los medios de su sustento en la vida de este mundo, mientras levantando algunos de ellos en categoría sobre otros, para que uno pueda tomar a otros en su servicio. Pero la bendición de tu Rab es mucho mejor en el valor que la riqueza de este mundo que ellos amasan. [32] Y si no era para evitar que toda la humanidad podría volverse una nación de incrédulos, Nos habríamos concedido las casas, a aquéllos que descreen el Compasivo (*Al'lá*), cuyos techos y escaleras para que ellos podrán alcanzar a las cámaras superiores, todos hechos de plata, [33] y también las puertas hechos de plata para sus casas y camas en que ellos reclinan [34] y adornos de oro. Pero todo esto es el consuelo de esta vida mundana. Mientras que la Ultima Vida, junto con tu Rab, ha sido reservado para los que Le temen. [35]

El Profeta Ibrãjïm reconoció la Unidad de Al'lá y rechazó el Shirk (asociar alguien con Al'lá). Si no fuera que toda la humanidad se vuelva una raza de los incrédulos, Al'lá habría dado a los incrédulos las casas hechas con la plata esterlina

43: [26-35]

SECCIÓN: 4

Él quien se cierre al recuerdo del Compasivo (*Al'lá*), Nos asignamos un Shaitãn para él, quien será su compañero íntimo. [36] - y se apartan a las tales personas fuera de la Vía Recta, mientras ellos piensan que son bien dirigidos. [37] - Finalmente, cuando esa persona vendrá a

Él, quién se vuelve fuera del recuerdo de Al'lá, Al'lá,

designa un Shaitãn para ser su amigo íntimo. Sostengas fuertemente al Qur'ãn si quieres ser guiado debidamente.

Nosotros en el Día del Juicio, él dirá a su compañero Shaitãn: "¡Ay de mí! Ojala que yo estuviera tan lejos de ti como la distancia entre el Oriente y el Poniente: resultaste de ser un compañero malo. [38] Luego se dirá: "Bien, ustedes ya han hecho mal, pues realizar a este hecho hoy no será útil para nada, porque los dos de ustedes ya están compañeros en el castigo." [39] ¿Acaso tú puedes hacer que el sordo oiga, o puedes guiar al ciego o a aquéllos que escogen permanecer en el error manifiesto? [40] Nosotros infligiremos la retribución ciertamente en ellos, si te llevamos de este mundo, [41] o te permitamos ver su fin que les hemos prometido: ciertamente, tenemos el poder absoluta encima de ellos. [42] Por consiguiente, aférrate a este Qur'ãn que te hemos revelado, ciertamente, tú estás en un camino recto. [43] De hecho, este Qur'ãn es un recordatorio para ti y para tu pueblo; pues pronto se cuestionarán sobre él. [44] Pregúntales a aquéllos de Nuestro Rasúles a quienes enviamos antes de ti. ¿Acaso designamos que aparte del Compasivo hubiera otros dioses que adorar? [45]   43: [36-45]

SECCIÓN: 5

El Profeta que Musa se envió a Fir'aun y sus jefes con las señales pero ellos ridiculizaron lo y las señales; como resultado, Al'lá se los ahogado todos.

Nos enviamos Musa con Nuestras señales al Fir'aun y sus jefes. Él les dijo: " Yo soy un Rasúl del Rab de los mundos." [46] Pues cuando él les mostró Nuestras señales, se rieron de ellas. [47] Aún así, les mostramos señal tras señal cada uno mayor a la que precedía, y los afligimos con el castigo para que pudieran devolver a la Vía Recta. [48] Cada vez que se asían por un castigo, le pedían a Musa: "¡Oye tú Mago! Ruega a tu Rab para nosotros en virtud del convenio que Él ha hecho contigo; nosotros aceptaremos su guía, por seguro." [49] Pero cada vez que levantamos el castigo, ellos rompieron su promesa. [50] Un día Fir'aun hizo una proclamación a su pueblo: "¡Pueblo mío! ¿Acaso el reino de Egipto no es mío? ¿Y tampoco no son míos estos ríos que están fluyendo en mis pies? ¿Es que no pueden ver? [51] ¿No soy mejor que este desgraciado despreciable que apenas puede expresarse claramente? [52] ¿Si hubiera realmente un Rasúl, pues por qué no se han dado a él las pulseras de oro, o bajaron los ángeles para acompañarlo?" [53] Pues, así hizo él desencaminar a su pueblo y ellos le obedecieron; ciertamente, ellos eran una nación de transgresores. [54] Por fin cuando ellos nos provocaron, infligimos la retribución en ellos y los ahogamos a todos, [55] y les hizo una lección y un ejemplo para las generaciones más tarde. [56]   43: [46-56]

SECCIÓN: 6

El Profeta Isa (Jesús) era nada más que un mortal a quien Al'lá

Cuando Isa el hijo de Marllam (*Jesús*) se cita como un ejemplo, tú gente se levanta un clamor a él, [57] y dicen: "¿Son nuestros dioses mejor o él?" Ellos te citan esto, meramente por el argumento. ¡No! Ellos son las personas pendencieras. [58] Él (*Jesús*) era nada más que un mortal a quien Nosotros favorecimos e hicimos un ejemplo para los hijos de Israel. [59] Si hubiera sido Nuestra Voluntad, podríamos hacer de ustedes ángeles que sucederían en la tierra. [60] Él (*Jesús o el Qur'ãn*), de hecho, será el medio de conocer la Hora (*Día de la Resurrección*). Por consiguiente, no tengan ninguna duda sobre su venida, síganme; ésta es la Vía Recta. [61] No Permitan a ningún Shaitãn refrenarlo, porque él es abiertamente su enemigo. [62] Cuando Isa (*Jesús*) vino con las señales claras, él declaró: "Yo he venido a ustedes con la sabiduría y para clarificar algunas de esas cosas acerca de los cuales ustedes tienen las disputas: así que temen a Al'lá y obedecen a mí. [63] Ciertamente, es Al'lá Quien es mi Rab y Rab de ustedes, así que ríndanse culto a Él. Ésta es la Vía Recta." [64] A pesar de estas enseñanzas, algunas facciones entre ellos discreparon. ¡Qué pena para los injustos por el castigo de un Día doloroso! [65] ¿Estarían ellos solamente esperando por la Hora de Sentencia - que les vendrá de repente, mientras que ellos son desprevenidos? [66] Ese día incluso los amigos se volverán enemigos entre si mismos con la excepción de los temerosos de Al'lá. [67]

favoreció y le hizo un ejemplo para los Hijos de Israel.

43: [57-67]

SECCIÓN: 7

"¡Siervos Míos! Hoy ustedes no tienen nada que temer o afligir," [68] Se dirá a aquéllos que creyeron en Nuestras revelaciones y fueron musulmanes, [69] "¡Entren en el paraíso, ustedes y sus esposos; para ser regocijados!" [70] Allí ellos se servirán con los platos y las copas del oro, y tendrán todo lo que sus almas puedan desear y todos en que sus ojos pueden encantar - y a ellos se dirá: "Ahora ustedes morarán en eso para siempre. [71] Ustedes han heredados este paraíso en virtud de sus hechos buenos. [72] En eso ustedes tendrán la fruta abundante para su uso." [73] Pero en cambio, los delincuentes morarán en el castigo del infierno para siempre. [74] Su castigo nunca se aliviará, y permanecerán en eso en la desesperación. [75] No seremos Nosotros quienes hayan sido injustos con ellos, sino que ellos hayan sido injustos con sí mismos. [76] Ellos llorarán: "¡Mâlik! (*el guardián del infierno*) Ruega a tu Rab que acabe con nosotros." Pero él contestará: "¡No! Ustedes van a vivir para siempre." [77] Nosotros les hemos traído la Verdad, pero la mayoría de ustedes odia la Verdad. [78] Si ellos han inventado un plan para estropearte, entonces ciertamente, Nosotros inventaremos un plan para estroparlos también. [79] ¿Piensan ellos que Nosotros no podemos oír sus charlas confidenciales y su conversación privada? Claro que sí, Nos oímos, y también Nuestros mensajeros (*los ángeles*) quienes están asignados a ellos para grabar todo. [80] Di a aquéllos que atribuyen a un hijo a Al'lá: " Si el Compasivo (*Al'lá*) tenía un hijo, yo sería el primero de los adoradores. Pero, al contrario, yo soy el primero en negar que Él tiene un hijo." [81] ¡Gloria al Rab de los cielos y de la tierra, el Señor del Trono! Él es por encima de lo que Le atribuyen. [82] Pues déjalos que discutan y jueguen hasta que tengan que enfrentar con su Día, el que se les ha prometido. [83] ¡Él es Quien es Dios, en los cielos y Dios en la tierra! Él es el Sabio, el Conocedor. [84] ¡Bendito sea Él a Quien pertenece el dominio de los cielos y de la tierra y todos los

El Día del Juicio los creyentes no tendrán ningún miedo o pesar; ellos se otorgarán el paraíso y se harán feliz.

¡Profeta! Diga a los cristianos: si Al'lá tuviera un hijo, yo habría sido el primero para adorarlo.

que hay entre ambos! Solo Él tiene el conocimiento de la Hora de Sentencia, y hacia Él todos ustedes tienen que volver. [85] Y aquéllos a quienes invocan además de Él, no tienen el poder para interceder por ellos excepto aquéllos que atestiguan la Verdad en virtud de tener el conocimiento. [86] Si les preguntas ¿Quién ha creado a ustedes?, seguramente te dirán ¡Al'lá! ¿Qué es, entonces, que les engaña fuera de la Verdad? [87] Al'lá ha oído el lamento del Profeta: "¡Rab mío! Ciertamente, ésta es gente que no cree." [88] Por consiguiente, aguántate a ellos y di: ¡Paz! Pues pronto ustedes vendrán a saber la verdad. [89]   43: [68-89]

44: AD-DUJÂN

El periodo de Revelación

El periodo de revelación de esta Süra no podría determinarse de cualquier tradición auténtica, pero la evidencia por su contenido muestra que esta Süra se reveló durante el mismo periodo en que la Süra Zujruf fue revelada, cuando el todo de Arabia se dio alcance por tal una hambre terrible que las personas fueron penosamente deprimidos. Por fin, algunos de los jefes de Quraish, incluso Abdulá bin Mas'ud y Abu Sufllân, vinieron al Profeta y le pidieron que orara a Al'lá para entregar a sus personas de esa calamidad. Esta Süra fue revelada a esa ocasión.

Incluye los siguientes principios, Leyes y Guías divinas:

➤ Al'lá ha revelado este Qur'ãn en la noche bendita (Laila-tul-Qadr) en que todas las materias se deciden sabiamente por Su orden.
➤ El Qur'ãn por sí mismo atestigua claramente que eso no es la composición de un hombre sino que de Al'lá, Rab de los mundos.
➤ Las lecciones que deben ser aprendidas de la historia del Profeta Musa (Moisés) y de la gente de Fir'aun.
➤ Al'lá salvó a los hijos de Israel y los escogió encima de las naciones del mundo a pesar de sus debilidades.
➤ El Día de Clasificar es el tiempo fijado para la Resurrección de la humanidad.
➤ La comida y la bebida para los pecadores en el Infierno se comparan con las de los virtuosos en el paraíso.

Esta Süra se reveló para la advertencia y aviso de la gente de Meca declarando: "La Hora en que Al'lá, fuera de Su pura misericordia decidió designar un Rasúl y enviar Su Libro a ustedes, era muy bendito. El hecho que un Rasúl se ha designado y la escritura ha revelado por esa Hora particular cuando Al'lá decidió sus destinos, no quiere decir que las decisiones de Al'lá son tan débiles que pueden cambiar a gusto de las gentes. El único argumento que ustedes han dado para practicar el Shirk es, que esa había sido la práctica de sus antepasados, lo que no es ninguna justificación para tal un pecado odioso. Si sus antepasados hubieran comprometido esta tontería, no hay ninguna razón para ustedes continuar comprometiéndolo ciegamente."

Después de esto, el asunto del hambre que estaba rabiando en Meca en ese momento se discute. En un lado, el Profeta se predice que las personas no han aprendido ninguna lección de esta calamidad, y en el otro, los incrédulos se dirigen: "Ustedes están mintiendo cuando dicen que ustedes creerán cuando el tormento esté alejado de ustedes. Nosotros lo quitaremos para ver qué sincero están en su promesa." En esta conexión, referencia del Fir'aun (Faraón) y su gente es hecho: esas personas también se encontraban con el mismo ensayo, pero después de dar testimonio de *varios signos uno después del otro, ellos no dejaron su gaveta de obstinación hasta el fin, cuando ellos se encontraron su sentencia.*

Entonces el tema de la Última Vida se menciona en que los incrédulos habían negado diciendo: "Nosotros nunca hemos visto a cualquiera volviendo a la vida después de la muerte. Críe a nuestros antepasados para volver atrás a la vida si tú eres veraz en tu demanda acerca de esto." La contestación a esto se proporciona en estas palabras: "Esto no se puede hacer sólo para cumplir con la demanda de los individuos; Al'lá ha fijado un tiempo cuando Él resucitará ciertamente simultáneamente toda la humanidad y los sujetará a la responsabilidad en Su Corte. Si uno tiene que proteger a sí mismo allí, uno debe pensar sobre él aquí en este mundo. Porque nadie podrá salvarse allí por su propio poder, ni por el poder de cualquier otro."

En la conclusión, una advertencia se da: "Este Qur'ãn se ha revelado en el idioma simple en su propia lengua para que ustedes puedan entenderlo; todavía si ustedes no lo entienden e insisten en ver su malo acabe, pues pueden esperar; Nuestro Profeta también esperará. Cualquier cosa que pasa, pasará en el momento designado por Al'lá."

44: AD-DUJÂN

Esta Süra, revelada en Meca, tiene 3 secciones y 59 versos.

En el nombre de Al'lá, el Compasivo, el Misericordioso

SECCIÓN: 1

Jâ Mïm. [1] Por la escritura que hace aclarar las cosas, [2] Nosotros revelamos este Qur'ãn en una noche bendita (*Laila-tul Qadr*); porque Nosotros quisimos advertir a la humanidad. [3] En esa noche cada asunto se decide precisamente [4] por un orden de Nosotros mismos. Ciertamente, hemos estado enviando a los Rasúles, [5] como una bendición de tu Rab; Es Él, Quien todo lo oye, Quien todo lo sabe. [6] El Rab de los cielos y de la tierra y todo lo que hay entre los dos, si ustedes son los verdaderos creyentes. [7] No hay ningún dios sino Él. Él da la vida y da la muerte. ¡Él es Rab de ustedes y también el Rab de sus antepasados! [8] Todavía, ellos juegan en la duda. [9] ¡Bien! Esperen por el Día, cuando el cielo verterá abajo con el humo visible, [10] envolviendo a todas las personas; éste será un castigo doloroso. [11] Ellos dirán: "¡Nuestro Rab! Quite de nosotros este castigo; ciertamente, nosotros nos volveremos los creyentes reales." [12] ¿Pero cómo la advertencia puede estar beneficiosa a ellos en ese momento? Un Rasúl, quien hace aclarar las cosas, ya ha venido a ellos [13] todavía, ellos lo niegan, mientras diciendo: "Es un poseo que recibe instrucciones." [14] Quitaremos la aflicción (*el hambre de que ellos estaban sufriendo*) durante algún tiempo, puesto que ustedes revertirán a las mismas maneras viejas. [15] El día en que lo asiremos con un rigor poderoso, impondremos Nuestra retribución. [16]   44: [1-16]

Ya antes de ellos, habíamos puesto a la gente de Fir'aun (*Faraón*) a la misma prueba, cuando un Rasúl honorable vino a ellos, [17] diciendo: " Entreguen a mí los siervos de Al'lá. Yo soy un Rasúl para ustedes, digno de toda la confianza. [18] No sean arrogantes contra Al'lá; ciertamente, yo he traído a ustedes una autoridad clara. [19] Yo he tomado el refugio con mi Rab y Rab de ustedes contra su intento de apedrearme. [20] Si ustedes no me creen, entonces déjenme en paz." [21] Pero ellos se pusieron agresivos, pues Musa oró a su Rab: "Éstas son de hecho las personas delictivas." [22] La contestación vino: "Parta con Mis siervos (*Israelitas*) por la noche, ciertamente, ustedes serán perseguidos. [23] Cuando ustedes han cruzado el mar milagrosamente junto con sus personas, entonces deje el mar como es (*con la calma y dividido*); porque ellos son un ejército que es destinado para ser anegado." [24] ¡Cuántos jardines y fuentes dejaron por detrás [25] Y agricultura y grandes palacios [26] y medios de lujo y consuelo que ellos disfrutaban! [27] ¡Así era su fin! Y Nos permitimos a otras personas heredar lo que era una vez suyo. [28] Ni el cielo ni la tierra vertieron las lágrimas para ellos; ni ellos se dieron una tregua. [29]   44: [17-29]

Al'lá reveló este Qur'ãn en la Noche Bendita (Laila-tul-Qadr) en que todos los asuntos se deciden sabiamente por Su orden.

Las lecciones ser aprendidas de la historia del Profeta Musa y las gentes del Fir'aun.

SECCIÓN: 2

Al'lá salvó a los Hijos de Israel y los escogió encima de las naciones del mundo a pesar de sus debilidades; Día de Ordenar es el tiempo fijado para la Resurrección.

Así salvamos a los hijos de Israel de un castigo humillante [30] infligido por Fir'aun que era el más arrogante entre los tales transgresores inmoderados, [31] Y les elegimos conscientemente, entre las naciones del mundo de su tiempo. [32] Les mostramos señales en que había un ensayo claro. [33] Acerca de éstos (*las personas de Quraish*) quienes dicen: [34] "No hay nada más allá de nuestra primera muerte y nosotros no nos levantaremos de nuevo. [35] Devuelven a nuestros antepasados si son verdaderos." [36] ¿Son estas personas, acaso, mejores que las personas de Tub'bá y aquéllos que estaban ante ellos? Nosotros los destruimos todos, sólo porque ellos se habían vuelto delincuentes. [37] No era para un deporte que Nosotros creamos los cielos, la tierra y todo lo que está entre ellos. [38] No los hemos creado excepto con la Verdad, pero la mayoría de ellos no entiende. [39] Ciertamente, el Día de la clasificación es el tiempo fijado para la resurrección de todos ellos. [40] En ese Día nadie podrá proteger a su amigo, ni ellos recibirán alguna ayuda [41] excepto aquéllos a quienes Al'lá mostrará Su Misericordia: porque Él es Poderoso, el Misericordioso.[42] 44: [30-42]

SECCIÓN: 3

La comida y la bebida para los pecadores en el infierno.

Ciertamente, el árbol de Zaq'qüm [43] será el alimento de los pecadores; [44] estará como el bronce fundido hirviendo en sus barrigas [45] como la ebullición de agua hirviente. [46] se dirá: "¡Ásgalo y arrástrelo en la profundidad del infierno, [47] luego derrámelo el agua hirviente encima de su cabeza!" [48] "¡Gústelo! ¡Estabas pretendiendo de ser 'el poderoso', 'el generoso'! [49] Éste es el castigo que dudabas."[50] 44: [43-50]

La comida y entretenimiento para los virtuosos en el paraíso.

Ciertamente, el virtuoso, estará, en cambio, en un lugar seguro; [51] entre jardines y fuentes, [52] vestidos de la seda fina y de brocado rico, mientras sentándose cara a cara. [53] ¡Así será su lugar! Y los casaremos con Jürin - 'Ain (*las damiselas con los ojos grandes, lustrosos y bonitos*). [54] Allí, en completo paz, ellos requerirán cada tipo de fruta; [55] y después de tener la muerte anterior en este mundo, no les llegará la muerte ningún más; y Él (*Al'lá*) les protegerá del tormento del infierno [56] como una gracia por parte de su Rab, y ése será el logro supremo. [57] Ciertamente, hemos hecho este Qur'ãn muy fácil, revelándolo en su propio idioma, para que pudieran reflexionar. [58] Si ellos no aceptan ninguna advertencia, pues esperas; ciertamente, ellos también están esperando. [59] 44: [51-59]

45: AL-YÂZIÁ

El periodo de Revelación

El periodo de la revelación de esta Süra no se ha mencionado en cualquier tradición auténtica, sin embargo, su contenido claramente muestras que se reveló consecutivamente después de la Süra Ad-Dujân la que fue revelada en la fase media de la residencia del Profeta en Meca. El parecido íntimo entre los volúmenes de las dos Süras les hace parecerse como las Süras gemelas.

Incluye los siguientes principios, Leyes y Guías divinas:

> ➢ ¡Si los incrédulos no creen en Al'lá y Sus revelaciones pues entonces en qué informe ellos creerán!
> ➢ Al'lá ha sujetado los mares y todo lo que está entre los cielos y la tierra para los seres humanos.
> ➢ Israelitas hicieron las sectas en su religión después de haber llegado el conocimiento a ellos a través del Tora.
> ➢ Al'lá es el protector de las personas virtuosas.
> ➢ Él, quien hace a sus propios deseos como su dios, Al'lá le permitirá ir descaminado y sellará sus oídos y corazón.
> ➢ El discurso de Al'lá con los incrédulos en el Día del Juicio.

Contestación de las dudas y objeciones de los incrédulos de Meca acerca de Taujïd (Dios es Uno y Sólo) y de la Última Vida, la advertencia con respecto a la actitud que ellos habían adoptado contra el mensaje del Qur'ãn.

Este discurso empieza con los argumentos acerca del concepto del Taujïd. En esta conexión, la referencia se ha hecho a las señales innumerables que se encuentran en el mundo, del propio cuerpo de hombre, a la tierra y al cielo, y también todas las cosas que el hombre encuentra a su alrededor, testifican hacia el Taujïd lo que él se niega a reconocer. Si el hombre observa la variedad de los animales, del día y de la noche, la lluvia y la vegetación que crecen por eso, los vientos y a su propia creación, cuidadosamente, pues entonces él se reflexionará inteligentemente encima de todo ellos. Él encontrará que estas Señales le convencerán suficientemente de la verdad que este universo no es ateo, ni bajo el mando de muchos dioses, sino se ha creado por Un Dios Cuyo nombre es Al'lá, y Él Solo es su Director y Gobernante. Las fuerzas innumerables y agencias que están sirviendo sus intereses en el universo no se aparecieron simplemente por algún supuesto accidente, ni ellos se han proporcionado por los dioses y diosas, sino es Un Dios Sólo Quién ha proporcionado y les ha sujetado a los humanos, por parte de Él. Si una persona usa a su mente propiamente y debidamente, su propio intelecto proclamará ese Dios Solo Quien es el Bienhechor real del hombre y Solo Él merece la obediencia de ese hombre.

Sobre el Día de la Resurrección, Al'lá dice: "Es absolutamente contra la razón y justicia que el bien y el mal, el obediente y el desobediente, el opresor y los *oprimidos sean iguales. Así como ustedes no están vivos de su propio acuerdo, sino por Nuestro poder, así mismos ustedes no mueren de su propio acuerdo, pero solo cuando Nosotros enviamos la muerte. Un tiempo está por venir ciertamente en que todos ustedes se reunirán. Ustedes no pueden creer en esto, debido a su ignorancia hoy, pero el tiempo vendrá cuando ustedes lo verán ustedes mismos. A ustedes se presentará ante Al'lá y su entero reserve de conducta se pondrá abierta contra cada uno de sus fechorías. Entonces vendrán a saber qué resultado tendrá su rechazo y su burla de Él en el Día de la Resurrección".*

45: AL-YÂZIÁ

Esta Süra, revelada en Meca, tiene 4 secciones y 37 versos.

En el nombre de Al'lá, el Compasivo, el Misericordioso

SECCIÓN: 1

Jâ Mïm. [1] La revelación de la escritura es procedente de Al'lá, el Poderoso, el Sabio.[2] En los cielos y en la tierra hay señales, ciertamente, para los verdaderos creyentes; [3] En su propia creación y de los animales que se esparcen a través de la tierra, hay señales para aquéllos que son firme en la fe; [4] en la alternación de la noche y del día, en el sustento que Al'lá envía abajo del cielo con que Él reaviva la tierra después de su muerte y en el cambio de los vientos, hay señales para aquéllos que usan su sentido común. [5] Éstas son las revelaciones de Al'lá que estamos recitando a ustedes en toda la verdad. ¿Entonces, en qué informe después de Al'lá y Sus revelaciones, ellos creerán? [6] ¡Ay de cada pecador mentiroso! [7] Él oye las revelaciones de Al'lá recitadas a él, todavía, persiste arrogantemente como si nunca los hubiera oído; anuncie a él un castigo doloroso. [8] Y cuando algo de Nuestras revelaciones viene a su conocimiento, él los toma como un chiste; para todas las tales personas, habrá un castigo humillante. [9] Más allá, para ellos hay el infierno y nada de lo que ellos han ganado en este mundo será de cualquier beneficio a ellos, ni tampoco para aquéllos a quienes ellos han tomado como sus protectores además de Al'lá, y tendrán el castigo doloroso. [10] Este Qur'ãn es la verdadera Guía. En cuanto a aquéllos que niegan las revelaciones de su Rab, habrá un castigo muy doloroso.[11]   45: [1-11]

El alimento para el pensamiento para aquéllos que están buscando las señales de Al'lá.

Si ellos no creen en Al'lá y en Sus revelaciones, entonces en¿Qué declaración ellos creerán?

SECCIÓN: 2

Es Al'lá Quien ha sujetado el mar a servicio de ustedes, para que las naves puedan navegar en él por Su orden, y que ustedes pueden buscar Su generosidad y para que puedan agradecer a Él. [12] Él también ha sujetado para ustedes cualquier cosa que está en los cielos y en la tierra; todos procedente de Él. Hay señales ciertamente, en esto para aquéllos que reflexionan. [13] Dígales a los creyentes que perdonen a aquéllos que no esperan durante los Días de Al'lá (*Su premio o Su retribución*), para que Él sí mismo se pueda recompensar esas personas según lo que ellos han ganado. [14] Él, quien hace un hecho virtuoso, lo hace para su propia alma; y él quien compromete un mal, lo hace en detrimento propio. En el fin, todos ustedes se traerán por atrás a su Rab. [15] Nosotros dimos la escritura a los Hijos de Israel y dimos en ellos el mando y el Profetismo. Les proporcionamos las cosas buenas, les exaltamos entre todos los pueblos. [16] Y les dimos instrucciones claras de los que debían asumir en relación a las materias de religión a través de revelar a ellos el Tora. Luego, no

Al'lá ha sujetado los mares y todos que están entre los cielos y la tierra para los seres humanos. Los Israelitas hicieron las sectas en su religión después que el conocimiento había venido a ellos a través del Tora.

difirieron entre ellos, hasta después de que el conocimiento había venido a ellos, fuera de iniquidad entre ellos. Ciertamente, su Rab juzgará entre ellos en el Día de la Resurrección acerca de las materias en que ellos han tenidos las diferencias. [17]   45: [12-17]

Los injustos son protectores entre sí, mientras el protector de los virtuosos es el propio Al'lá.

Nosotros te hemos puesto en el Sharía (*la Vía Recta*) de Nuestro mando, así que síguelo, y no rindas a los deseos de personas ignorantes; [18] porque ellos no te pueden serlo útil de nada frente a Al'lá. De hecho, los injustos son entre si los protectores de unos a otros, mientras el Protector de los temerosos es el propio Al'lá. [19] Éstos (*el Qur'ân y el Sharía*) son los abridores del ojo para la humanidad; una guía y misericordia para los verdaderos creyentes. [20] Los hacedores del mal piensan que Nosotros los haremos igual como aquéllos que creen y hacen los hechos buenos - ¿Haríamos que sean igual en su vida y en su muerte? ¡Peor es el juicio que ellos hacen! [21]   45: [18-21]

SECCIÓN: 3

Él, quién ha hecho sus propios deseos como su dios, Al'lá lo permite ir descaminado y pone una foca en sus oídos y en sus corazones.

Al'lá ha creado los cielos y la tierra con la Verdad para premiar cada alma según sus hechos, y ninguno de ellos será tratado injustamente. [22] ¿Has considerado el caso de tal un individuo que ha hecho sus propios deseos como su dios, y Al'lá, mientras conociéndolo como tal, le permite extraviar, y sella su oído y su corazón y pone un velo sobre su vista? ¿Quién puedes guiarlo allí después de que Al'lá ha retirado Su guía? ¿No aprenderán una lección? [23] Los incrédulos dicen: "No hay más vida que está de este mundo. Nosotros vivimos y morimos; y nada más que la acción fatal del Tiempo nos hace perecer." Pero no tienen ningún conocimiento que involucra esto. Ellos están meramente suponiendo todo esto. [24] Cuando Nuestras revelaciones claras se recitan a ellos, no tienen ningún otro argumento sino para decir: "¡Devuelvan a nuestros antepasados si lo que ustedes dicen es verdad!" [25] Di: " Es Al'lá Quien da la vida y causa, más tarde, morirse a todos ustedes; luego es Él Quien lo reunirá a todos en el Día de la Resurrección acerca de cuál no hay ninguna duda, sin embargo la mayoría de las personas no sabe." [26]

                                    45: [22-26]

SECCIÓN: 4

El discurso de Al'lá a los incrédulos en el Día del Juicio.

Y a Al'lá pertenece el Reino de los cielos y de la tierra. El Día cuando la Hora de Juicio se establecerá, aquéllos que siguieron la falsedad perderán. [27] Y verás a todas las naciones arrodilladas. Cada nación se convocará a su libro de registro, y Al'lá dirá: "Hoy ustedes se premiarán por sus hechos. [28] Este libro Nuestro habla acerca de ustedes con la Verdad. Ciertamente, Nosotros estábamos grabando todos sus hechos." [29] En cuanto a aquéllos que creyeron e hicieron los hechos virtuosos, su Rab les admitirá en Su misericordia. Ése será un logro manifiesto. [30] Pero acerca de aquéllos que descreyeron, Al'lá dirá: ¿Acaso no se recitaron Mis revelaciones a ustedes? Pero ustedes mostraron la arrogancia y se volvieron una nación de delincuentes." [31] Cuando fue dicho, "La promesa de Al'lá es Verdad y no hay ninguna duda en venida de la Hora de Juicio. Ustedes decían, ' Nosotros no sabemos qué es la Hora del Juicio: nosotros pensábamos que es simplemente una conjetura, no estábamos convencidos.'" [32] Entonces el mal de sus hechos se pondrá manifiesto a ellos, y serán completamente abrazados por lo que ellos se mofaban. [33] Se dirá: "¡Hoy Nos olvidaremos de ustedes como ustedes se olvidaron de la reunión de este Día suyo! El Fuego del infierno será su morada y nadie podrá ayudarlos allí. [34] Esto es porque ustedes tomaba las revelaciones de Al'lá como un chiste y permitieron que les engañará la vida mundana." Por consiguiente, en este Día ellos no se sacarán del infierno, ni ellos se darán una oportunidad por enmendar sus maneras de agradar a su Rab. [35] Pues, las alabanzas pertenecen a Al'lá, el Rab de los cielos, el Rab de la tierra y el Rab de los mundos. [36] La grandeza sólo pertenece a Él a lo largo de los cielos y de la tierra, y Él Solo es el Poderoso, el Sabio.[37]   45: [27-37]

ŶÚZ (PARTE): 26

46: AL-AJQÂF

El periodo de Revelación

Esta Süra se reveló durante el retorno del Profeta de Tâ'if a Meca. Según las tradiciones todas auténticas, él fue a Tâ'if tres años antes de la Ji'ŷrá es decir al final del 10 año o en la parte temprana del 11 año de ser como Profeta.

Incluye los siguientes principios, Leyes y Guías divinas:

> ➤ *Esas deidades, a quienes los mushrikïn invocan, ni siquiera son conscientes de que ellos están invocándose.*
> ➤ *El Qur'ãn es la palabra de Al'lá, no del Profeta Mujámad (paz esté en él).*
> ➤ *El Profeta es sino un Advertidor claro.*
> ➤ *El Qur'ãn confirma la revelación de la Tora que fue revelada al Profeta Musa.*
> ➤ *Aquéllos que tratan a sus padres con la bondad se premiarán y aquéllos que reprenden a sus padres se castigarán.*
> ➤ *Ninguna deidad puede salvar a las personas de la ira de Al'lá.*
> ➤ *Un grupo de genios abrazó el Islam después de oír el Qur'ãn.*
> ➤ *Transmites el mensaje de Al'lá, y llevas pacientemente con los incrédulos.*

El décimo año del Profetismo era el año de persecución extrema y de aflicción en la vida del profeta. Los Quraish y las otras tribus habían continuado su boicot de los Bani Jashim y los musulmanes para tres años y el Profeta, su familia y su compañeros eran sitiados en Shi'b Abi Tâlib. El Quraish había bloqueado a esta área de todos los lados para que ningún suministro de cualquier tipo pudiera llegar a las personas sitiadas. Sólo durante la estación de la peregrinación era que ellos fueron permitidos de salir y comprar algunos artículos de necesidad. Pero incluso en ese momento, siempre que Abu Lajab notara cualquiera de ellos acercándose el mercado o una caravana comercial, él convocaría a los comerciantes que les pidan los precios prohibitivos de sus artículos para ellos, y empeñaría que él compraría esos artículos para que ellos no sufrieran ninguna pérdida. Este boicot que continuó ininterrumpido durante tres años había roto las espaldas de los musulmanes y de los Bani Jashim, tanto que a veces, les obligaran a que comieran el césped y las hojas de los árboles. Por fin, cuando el sitio fue alzado, Abu Tâlib, el tío del Profeta que había estado escudándolo durante diez largos años se murió. Apenas un mes después, su esposa, Sallidá Jadï'yá quien había sido una fuente de paz y consuelo para él desde el principio de su misión, también falleció. Debido a estas casualidades trágicas que pasaron uno después del otro, el Profeta se refería este año como el año de dolor y pesar.

Después de la muerte de Sallidá Jadï'yá y Abu Tâlib, los incrédulos de Meca se pusieron aún más intrépidos en su campaña contra el Profeta. El Profeta decidió ir a Tâ'if y acercarse a los jefes y nobles del Bani Saqïf. Pero, no es que solamente negaron a escucharlo, ellos le pidieron que saliera. Cuando él estaba saliendo, los jefes de Saqîf enviaron a sus esclavos y sinvergüenzas atrás de él. Ellos gritaron a él, lo abusaron y lo golpearon con las piedras por la mayoría del camino de ambos lados hasta que él se estropicio, herido y sangrando. El grado de sus lesiones sea tal que sus zapatos estaban llenos de sangre. Cansado y agotado, él tomó el resguardo en la sombra de una pared de un jardín fuera de Tâ'if, y oró:

"¡Al'lá, a Ti me quejo de mi debilidad, de recurso pequeño, y de bajeza ante los hombres. Misericordioso, Tú eres el Rab de los débiles, y también el mío. ¿A quién más me confiará? ¿Al que me empleará mal, o a un enemigo a quien has dado el poder encima de mí? Si Tú no estás enfadado conmigo, pues entonces me tienes sin cuidado. Su favor basta para mí. Yo tomo el refugio en la luz de Su rostro por lo cual la oscuridad se ilumina, y se ordenan las cosas de este mundo y del próximo debidamente, para que Tu enojo no descienda en mí. Es para Ti que seas satisfecho conmigo, hasta que estés bien contento. No hay poder y ningún poderío exceptúe el Suyo".   (Ibn Jisham: La Traducción de À. Guillaume, pág. 193)

Con el pesar y corazón roto, cuando él volvió cerca de Qarn al-Manazil, él se sentía como si el cielo estuviera nublado. Él miro hacia arriba y vio a Gabriel delante de él, quien convocó: "Al'lá ha oído la manera que tu gente te han respondido. Por consiguiente, él ha enviado este ángel en-cargo de las montañas. Puede ordenarlo como te guste." Entonces el ángel de las montañas lo saludó y sometió: " Si le gusta, yo volcaré las montañas de cualquier lado en estas personas." El Profeta contestó: "No, pero yo espero que Al'lá creara de sus semillas aquéllos que se rendirán culto a nadie más sino Al'lá, el Uno y Sólo." (Bujâri, al de Zikr Mala'iká; Muslim: Kitab al-Maghazi; Nasa'i: Al-Bauth). Una noche cuando él estaba recitando el Qur'ân en la oración, un grupo de los genios pasó por su lado y escuchó al Qur'ân, creído en él, devolvieron a sus propio tipos para predicar el Islam. Así, Al'lá le dio las noticias buenas a Su Profeta que, si las personas estuvieran corriendo fuera de su invitación, había muchos de los genios que se han vuelto creyentes y han estado extendiendo el mensaje entre su propio tipo. Cualquiera que guarda este fondo en la vista, y estudia a esta Süra habrá sacado indudablemente de su mente que ésta no es nada parecido al composición de Mujámad (paz esté en él), sino "Una Revelación del Poderoso, del Sabio. Porque en ninguna parte en esta Süra, desde el principio hasta el fin, uno no se encuentra ni un tinte de los sentimientos humanos y reacciones que se producen naturalmente en un hombre que está atravesando las tales condiciones duras. Considerado la oración del Profeta que se cita anteriormente que contiene sus propias palabras, uno puede notar claramente que cada palabra suya se satura con sus sentimientos.

46: AL-AJQÂF

Esta Süra, revelada en la Meca, tiene 4 secciones y 35 versos.

En el nombre de Al'lá, el Compasivo, el Misericordioso

SECCIÓN: 1

Jâ Mïm. [1] La revelación de este Libro es procedente de Al'lá, el Poderoso, el Sabio. [2] No hemos creado los cielos, ni la tierra y ni todo lo que está entre ellos sino para manifestar la Verdad, y por un período pre-determinado. Todavía, los incrédulos no ponen atención a Nuestra advertencia. [3] Pregúnteles: "¿Han ponderados acerca de aquéllos a quienes ustedes invocan además de Al'lá? ¿Me pueden mostrar algo qué es lo que ellos han creado en la tierra, o que acaso tienen alguna participación en la creación de los cielos? Me Traigan cualquier Libro revelado antes de esto, o algún remanente de los conocimiento divino en el apoyo de sus creencias, si están diciendo la verdad." [4] ¿Y quién podría ser más descaminado que el uno que invoca esas deidades además de Al'lá que no podrán ni contestarles hasta el Día de la Resurrección - quienes ni siquiera son conscientes de que alguien está invocándose? [5] Y cuando se congregará la humanidad en el Día del Juicio, se volverán enemigos de aquéllos que invocaron y renegarán que les hayan adorado en su totalidad.[6]　　　　　46: [1-6]

Cuando Nuestras revelaciones se recitan a ellos, tan claras como son, los incrédulos dicen de la Verdad que viene ante ellos: "¡Ésta es la magia manifiesta!" [7] O dicen: "Él lo ha inventado" Dígales: "Si yo lo he fabricado, entonces hay nada que ustedes pueden hacer para protegerme de la ira de Al'lá. Él sabe totalmente bien lo que ustedes dicen acerca de esto. Él basta como un testigo entre mí y ustedes. Él es el mejor Perdonador, el más Misericordioso." [8] Les diga: "Yo no soy el primero entre los Rasúles; ni yo sé lo que se hará conmigo o con ustedes. Yo sigo lo que se revela a mí, y soy nada más que un advertidor explícito. [9] Más allá dígales: "Piensen, si este Qur'ãn es de Al'lá y ustedes lo rechazan, cuando un testigo (*un judío*) de los hijos de Israel también ha testificado a su similitud con las escrituras más tempranas y ha creído (*aceptó Islam*), mientras ustedes están mostrando la arrogancia, ¡qué injusto son ustedes! Ciertamente, Al'lá no guía a las personas injustas.[10]　　　　　46: [7-10]

SECCIÓN: 2

Los incrédulos dicen acerca de los creyentes: "Si Hubiera sido allí algo bueno para creer en el mensaje del Qur'ãn, ellos no habrían creído en él antes de nosotros (*porque los incrédulos eran fuertes y adinerados considerando que los creyentes eran débiles y pobres*)." Y desde que ellos no aceptaron su guía, ellos dicen: " Ésta es una falsedad antigua." [11] Todavía antes de él, la escritura de Musa fue revelada lo que era una guía y bendición; y este Libro (*Qur'ãn*) lo confirma. Se revela en el idioma

---

Notas al margen:

Al'lá creó los cielos, la tierra y todos los que hay entre ellos para manifestar la Verdad. Esas deidades a quienes Mushrikïn invocan ni si quiera son conscientes que ellos están siéndoos invocados.

El Qur'ãn es la palabra de Al'lá, no del Profeta. El Profeta es sino un Advertidor llano. El Qur'ãn conforma la revelación del Tora dada al profeta Musa (Moisés).

El Qur'ãn conforma la revelación del Tora dada al profeta Musa (Moisés).

árabe para prevenir a los injustos y dar las noticias buenas a aquéllos que han adoptado la conducta virtuosa. [12] De hecho aquéllos que dicen: "Nuestro Rab es Al'lá, y luego permanecen firme, no tendrán nada que temer o afligir. [13] Ellos morarán para siempre en el paraíso como un premio para sus hechos buenos. [14]   46: [11-14]

Nosotros hemos ordenado al hombre de tratar a sus padres con la bondad. Su madre lo llevó en su vientre con fatiga, y con mucho dolor le dio a luz. El embarazo y la lactancia tomaron treinta meses. Cuando él alcanza la edad de fuerza llena y cumple cuarenta años, dice: "¡Rab mío! Concédame la gracia que yo puedo agradecer los favores que has dado en mí y en mis padres, y que yo puedo hacer hechos buenos que Te agradarán, y concédeme los hijos buenos. Ciertamente, me vuelvo a Ti en el arrepentimiento y ciertamente, yo soy uno de los musulmanes." [15] A tales personas Nos aceptaremos el mejor de sus hechos y pasaremos por alto sus fechorías. Ellos estarán entre los residentes del paraíso: verdadero es la promesa que se ha hecho a ellos en esta vida. [16] En cambio, quién reprende a sus padres y dice: "¡Uf (*como si para decir, no me molesten)!* ¿Me están amenazando con una resurrección, considerando que muchas generaciones ya han pasado ante mí y ninguno de ellos ha regresado? Y ambos (*el padre y la madre*) lamentan y pidiendo la ayuda de Al'lá dicen: "¡Ay de ti! Seas un creyente bueno. Ciertamente, la promesa de Al'lá es veraz." Pero él contesta: "Éste es nada más que cuentos de los ancianos." [17] Tales son las personas contra quienes el veredicto de tormento ha probado verdadero y estarán entre las naciones anteriores de los genios y de los humanos que han fallecido ante ellos. De hecho ellos serán los perdedores. [18] Para todos, habrán categorías según sus hechos, para que Él pueda recompensar totalmente por lo que ellos han hecho y no serán tratados injustamente. [19] En ese Día cuando los incrédulos se traerán ante el Fuego, les dirán: "Ustedes recibieron sus cosas buenas en su vida terrenal y también las disfrutaron durante algún tiempo. Hoy ustedes se recompensarán con un castigo de humillación porque ustedes se comportaban con arrogancia de lo que no tenían ningún derecho durante su vida en la tierra y debido a las transgresiones que ustedes comprometieron." [20]   46: [15-20]

SECCIÓN: 3

Recuerde la historia del Profeta Jüd, el hermano de 'Ad, cuando él advirtió a su pueblo, los residentes de Ajqâf (las colinas de la arena) - y otros Advertidores también vinieron a sus gentes respectivas antes y después de él - dijo: "No hay que adorar a nadie más que a Al'lá. Ciertamente, temo para ustedes el tormento de un Día terrible." [21] Ellos contestaron: ¿Has venido a volvérsenos fuera de nuestros dioses? Tráenos, pues, el tormento con que nos amenazas, si estás diciendo la verdad." [22] El Profeta Jüd dijo: "Sólo Al'lá tiene el Conocimiento de su venida. Yo sólo estoy comunicando el Mensaje con que estoy enviado; sin embargo,

Aquéllos que tratan a sus padres con la bondad se premiarán y aquéllos que reprenden a sus padres se castigarán.

La nación de Ãd rechazó el mensaje de Al'lá, y como resultado, enfrentaron la destrucción.

yo puedo ver que ustedes son las personas ignorantes." [23] Luego, cuando vieron el tormento en la forma de una nube que venía hacia sus valles, ellos dijeron: "¡Esta nube nos traerá la lluvia!" - " ¡No! Eso es lo que ustedes estaban pidiendo de acelerar, un viento feroz que le trae un tormento doloroso [24] que va a destruir todo por el orden de su Rab. Así que amanecieron de tal modo que nada podría verse excepto sus moradas. Así es como recompensamos a la nación de los delincuentes. [25] Nosotros los habíamos establecido mucho mejor que lo hemos establecido a ustedes, (el Quraish de Meca), y les habíamos dado las facultades de oír, vista, e intelecto. Pero, ni sus facultades de oír, ni la vista, ni el intelecto les sirvieron de nada, pues negaron las revelaciones de Al'lá; y ellos eran completamente rodeados por la misma cosa a que ellos se mofaban. [26]

46: [21-26]

SECCIÓN: 4

Ninguna deidad puede salvar a las personas de la ira de Al'lá.

Hemos destruido los pueblos que una vez florecieron alrededor de ustedes - y les enviamos repetidamente Nuestras revelaciones para que ellos puedan volverse a la Vía Recta. [27] - Entonces ¿Por qué no les auxiliaron aquéllos a lo que, en lugar de tomar a Al'lá, habían tomado como dioses, como un medio de acceso a Él? Pero esas deidades les desampararon absolutamente, porque ésas eran nada más que sus mentiras y sus invenciones falsas. [28]

46: [27-28]

Un grupo de los genios abrazó el Islam después de oír el Qur'ãn y se volvieron como predicadores a su gente.

Recuérdate, cuando Nos enviamos hacia ti un grupo de genios que, cuando ellos alcanzaron el lugar dónde estabas recitando, escucharon al Qur'ãn, pues dijeron entre sí: ¡Estén callados!" Cuando la recitación había terminado, ellos devolvieron a su nación para advertirles. [29] Dijeron "¡Pueblo nuestro! ¡Hemos escuchado a un Libro que se ha revelado después de Musa (Moisés), confirmando lo que vino antes de él y una guía a la Verdad y una Vía Recta. [30] ¡Pueblo nuestro, hay que responder a él que está llamándolo hacia Al'lá y cree en Él! Al'lá perdonará sus pecados y lo salvará de un castigo doloroso. [31] Y quien no responda al que llama hacia a Al'lá, no encontrará ningún escape en la tierra, ni tendrá cualquier protector además de Él. Ciertamente, las tales personas están en el error manifiesto." [32] ¿Acaso no han visto que Al'lá, Quien creó los cielos y la tierra y no se cansó por haberlo creado, tiene el poder de levantar el muerto a la vida? ¡Sí! Ciertamente, Él tiene el poder encima de todo. [33] Y en el Día cuando los incrédulos sean expuestos al Fuego, Al'lá preguntará: "¿Acaso esto no es real?" "¡Sí, por nuestro Rab!" Ellos contestarán. "Bien, entonces gusten ahora el castigo," Él contestará, "a consecuencia de su escepticismo." [34]

46: [29-34]

Sigas pasando el mensaje de Al'lá y llevas con los incrédulos con paciencia.

Por consiguiente, lleves con ellos con paciencia, como hicieron los Rasúles dotados de la firmeza de propósito antes de ti, y no estés en la prisa acerca de ellos. En el Día cuando ellos verán lo que se les amenazó, su vida en la tierra parecerá a ellos como si habían vivido nada más que una hora del día. Éste es un comunicado. Y ¿quién será destruido sino el pueblo trasgresor? [35]

46: [35]

47: MUJÁMAD

El periodo de Revelación

El contenido de esta Süra indica que se envió abajo después del Ji'yrá al Madina, después de la revelación de las Süras, Al-Ja'y y Al-Baqará, en los cual el combate fue ordenado, pero antes de la batalla de Badr.

Incluye los siguientes principios, Leyes y Guías divinas:

> Al'lá anula a los hechos buenos de los incrédulos.
> En la guerra, domine completamente a los incrédulos antes de tomarlos como prisioneros de guerra.
> Si ustedes ayudan la causa de Al'lá, Al'lá ayudará y protegerá a ustedes.
> Los verdaderos creyentes no siguen sus propios deseos en los asuntos de religión.
> Promesa de obediencia (Islam) y charla buena que no se sigue por la acción es   maldita por Al'lá.
> Al'lá pone a prueba a los creyentes para saber quién es el valiente y quién es el resuelto.
> En el caso de guerra, Al'lá está en el lado de los verdaderos creyentes.
> No sean avarientos, si les piden a la causa de Al'lá.

El tema de esta Süra es preparar a los creyentes para la guerra a través de proporcionar las instrucciones a ese efecto. Por eso esta Süra también se llama Al-Qitâl. Los dos grupos estaban confrontando en ese momento, uno que se había negado a aceptar la Verdad (los incrédulos) y el otro grupo que había aceptado la Verdad (los creyentes) lo que se había enviado abajo por Al'lá a Su siervo, Mujámad (paz esté en él). Al'lá, en Su último decisión, ha decretado que serán infructuosos y vanos, todos los trabajos de los incrédulos y que mejorara la condición y asuntos de los creyentes.

Los creyentes (los musulmanes) se han dado instrucciones en relación a la guerra y se han asegurados de la ayuda de Al'lá y la guía. Ellos se dan la esperanza por los premios más buenos en ofrecer los sacrificios si se esfuerzan en la causa de Al'lá, ambos en este mundo y en la Última. Entonces el discurso se vuelve hacia los hipócritas que estaban exigiendo ser los musulmanes sinceros antes que llegará el orden de combatir. Algunos estaban dejados perplejos después de este orden. Ellos empezaron a conspirar con los incrédulos para salvarse de los riesgos de la guerra. Ellos simplemente se advierten que los actos y hechos de los hipócritas no son aceptables a Al'lá.

En la conclusión, los musulmanes se invitan a gastar su riqueza en la causa de Al'lá, aunque en ese momento, ellos estaban económicamente muy débiles. Ellos se advierten claramente que cualquiera que adopta una actitud avarienta no dañaría a Al'lá pero produciría su propia destrucción, porque Al'lá no esté de pie en la necesidad de ayuda de los hombres. Si un grupo de los hombres no sacrifica en la causa de Al'lá, Él lo quitaría de esta tierra y traería otro grupo en su lugar.

47: MUJÁMAD

Esta Süra, revelada en Meca, tiene 4 secciones y 38 versos.

En el nombre de Al'lá, el Compasivo, el Misericordioso

SECCIÓN: 1

Al'lá anula los hechos de los incrédulos.

Aquéllos que descreen y obstruyen la Vía de Al'lá, Él hará que sus obras se pierdan. [1] En cuanto a aquéllos que creen y hacen los hechos buenos y creen en lo que se revela a Mujámad - y ésa es la Verdad de su Rab - Él quitará de ellos sus pecados y mejorará su condición. [2] Esto es porque los incrédulos siguen la falsedad, mientras los creyentes siguen la Verdad de su Rab. Así es como Al'lá llama la atención de los hombres con ejemplos que hablan de ellos mismos.[3]　　　　　47: [1-3]

En caso de la guerra, domine completamente a los incrédulos antes de tomarlos como prisioneros de la guerra.

Por consiguiente, cuando encuentras a los incrédulos en el campo de batalla golpee con violencia sus cuellos, hasta que les ha dominado completamente, entonces tómelos como prisioneros de guerra y liguelos firmemente. Después de esto tienes la opción de dejarlos libre benévolamente (*suéltelos sin el rescate*) o acéptales un rescate, hasta que la guerra disponga sus cargas. Así estas ordenado. Si Al'lá quisiera, Él podría castigarlos; pero Él adoptó esta manera para probar algunos de ustedes por medio de otros. En cuanto a aquéllos que son matados en la causa de Al'lá, Él no dejará nunca que sus hechos se pierdan. [4] Pronto, Él les guiará, mejorará su condición [5] y les hará entrar en el paraíso que les ha dado a conocer. [6]　　　　　47: [4-6]

Si ustedes ayudan la causa de Al'lá, Al'lá los ayudará y los protegerá.

¡Creyentes! Si ustedes ayudarán la causa de Al'lá, Él ayudará a ustedes y establecerá sus pies firmemente. [7] En cuanto a los incrédulos, ellos se consignarán a la perdición, y Él traerá sus hechos a nada. [8] Eso es porque ellos odian las revelaciones de Al'lá; por consiguiente, Él confisco todos sus hechos. [9] ¿No han viajado a través de la tierra y visto cómo era el fin de aquéllos que han ido ante ellos? Al'lá los destruyó absolutamente y un destino similar espera a estos incrédulos. [10] Esto es porque Al'lá es el Protector de los creyentes mientras los incrédulos no tienen ningún protector. [11]　　　　　47: [7-11]

SECCIÓN: 2

Los creyentes no siguen sus propios deseos.

Ciertamente, Al'lá admitirá aquéllos que creen y hacen los hechos buenos a los jardines por cuyo bajo fluyen los ríos. Mientras aquéllos que se niegan a creer, disfrutarán sólo en esta vida y comerán como comen los ganados; pero en la Última, el Fuego será su morada. [12] ¿Cuántas ciudades que eran más poderosas que su ciudad, la que te ha expulsado, hemos destruido por su escepticismo, y no había nadie para salvarlos? [13] ¿Acaso él, quién sigue la guía clara de su Rab se puede comparar al que es llevado por sus propios deseos y a quien la mala conducta se le ha embellecida? [14]   47: [12-14]

Aquí es la descripción del paraíso de que el virtuoso se le ha prometido: tiene los ríos, el agua de lo cual nunca cambiará en el sabor u olor, ríos de leche cuyo sabor nunca cambiará, los ríos de vino, delicioso a aquéllos que beben, y ríos de miel, puro y claro. En él, tendrán toda clase de frutas, así como el perdón de su Rab. ¿Podrían compararse tales personas a aquéllos que morarán para siempre en el infierno, y a los que se les dará agua hirviente para beber, lo que destrozará en pedazos sus intestinos? [15]   47: [15]

La parábola del paraíso y del infierno.

Y entre ellos hay algunos que te escuchan, pero ahí no más que dejan tu presencia, preguntan a aquéllos dotados del conocimiento: "¿Qué era lo que dijo ahora?" Esos son aquéllos a los que Al'lá les ha sellado los corazones, y quiénes siguen sus propios deseos. [16] En cuanto a aquéllos que siguen la Vía Recta, Al'lá les guiará aún mejor y les infundirá Su temor. [17] ¿Pues qué pueden esperar, sino que de repente, les alcance la Hora de Sentencia? Ya se han manifestados señales de la misma; y cuándo en realidad esa les da alcance, ¿qué oportunidad tendrán para beneficiar por esta advertencia? [18] Por consiguiente, debe saber que no hay ninguno digno de culto sino Al'lá; implore perdón por tus pecados y que perdone a los creyentes y las creyentes; porque Al'lá sabe sus actividades y sus lugares de descanso. [19]   47: [16-19]

Los hipócritas son aquéllos en cuyo corazones, Al'lá ha puesto un Sello.

SECCIÓN: 3

Los creyentes estaban preguntando: "¿Por qué no se revela una Süra que nos permite combatir?" Pero cuándo se reveló una Süra firme, trayendo el orden de combate, ves a aquéllos en cuyos corazones hay una enfermedad, mirarte como mira alguien que es bajo la sombra de muerte. ¡Ay de ellos! [20] En sus lenguas hay promesa de obediencia con charla buena. Pues si ellos hubieran demostrado su promesa con Al'lá, cuándo el orden final fue dado, habría sido mejor para ellos. [21] ¿Habría entonces, si ustedes se volvieran fuera del Islam, la causa de la corrupción en la tierra y violar los lazos de sangre? [22] Tales son a quienes Al'lá ha maldecido y los ha hecho sordos y ha deslumbrado su vista. [23] ¿Acaso ellos no ponderan en el Qur'ãn? O ¿Hay cerraduras en sus corazones? [24] Aquéllos que retroceden a la incredulidad después de que la guía se les ha puesto clara, el Shaitãn los ha seducido a través de las esperanzas falsas. [25] Eso es porque ellos dijeron a aquéllos que odian lo que Al'lá ha revelado: "Nosotros lo obedeceremos en algunas materias," Y Al'lá sabe sus charlas confidenciales. [26] Entonces ¿qué harán cuándo los ángeles se llevarán sus almas golpeándoles la cara y la espalda? [27] Eso es porque ellos siguieron la manera que requirió la ira de Al'lá y odiaron adoptar la manera de Su placer; por consiguiente, Él anulo todos sus hechos. [28]   47: [20-28]

La promesa de obediencia (Islam) y charla buena que no es seguido por la acción es maldito por Al'lá.

SECCIÓN: 4

Al'lá probo a
los creyentes
para saber de
los valientes y
de los
decididos.

¿Acaso aquéllos, en cuyo corazones es una enfermedad (*de hipocresía*) piensan que Al'lá no revelará su malicia? [29] Si quisiéramos te los mostraríamos y los habrías reconocido rápidamente por sus rasgos. Pero si, les conocerá ciertamente por el tono de su discurso. Al'lá sabe todas sus acciones. [30] Nos pondremos a probarlos hasta que hagamos evidente a aquéllos que se esfuerzan su sumo y son pacientes entre ustedes, y probar sus palabras y hechos. [31] Ciertamente, los incrédulos que obstruyen otros de la Vía de Al'lá y oponen el Rasúl después de que la guía se ha puesta clara a ellos, no podrán hacer ningún daño a Al'lá; y Él hará inútiles sus obras. [32] ¡Ustedes que creen! Obedezcan a Al'lá y obedezcan a Su Rasúl, y no permitan que sus hechos vengan a ser nada. [33] Aquéllos que descreen y obstruyen la Vía de Al'lá y mueren mientras todavía eran incrédulos, Al'lá nunca les perdonará.[34]					47: [29-34]

En caso de la
guerra, Al'lá
está en el lado
de los
creyentes.

Por consiguiente, no flaqueéis buscando para paz, ya que son ustedes quienes tendrán la mano superior, ciertamente. Al'lá está en su lado y nunca permitirá que sus hechos se pierdan. [35] La vida de este mundo es sino una juego y entretenimiento. Si ustedes creen y siguen el camino de piedad, Él les concederá sus recompensas y no les pedirá que dejen sus posesiones. [36]					47: [35-36]

No seas tacaño,
si te piden que
des en la causa
de Al'lá.

Si Él fuera exigir todas sus posesiones con insistencia, ustedes crecerían en ser tacaños, y todos sus resentimientos saldrían a la luz. [37] Ustedes son estas personas quienes fueron pedidos de gastar en el camino de Al'lá. Pues, algunos de ustedes son tacaños, considerando que quienquiera que es tacaño a Su causa, es de hecho, tacaño a él mismo. Al'lá es Auto-suficiente. Son ustedes quiénes están necesitados. Si ustedes rechazan, Él lo reemplazará por algunas otras personas que no estarán como ustedes. [38]					47: [37-38]

48: AL-FATJÁN

El periodo de Revelación

Esta Süra se reveló en Zil-Qá'da, D J. 6 (Después de Ji'ŷrá), cuando el Profeta estaba en camino a Madina después de concluir el Tratado de Judaibillá con los incrédulos de Meca.

Incluye los siguientes principios, Leyes y Guías divinas:

➢ Al'lá concedió una victoria manifiesta a los musulmanes a través del tratado de Judaibillá.
➢ Jurar la obediencia al Profeta fue considerado como jurar la obediencia a Al'lá y Al'lá estaba bien contento con sus acciones.
➢ Aquéllos que no participan en una guerra entre Islam y Kufr se condenan por Al'lá.
➢ Sólo los ciegos, los que tienen alguna invalidez y los enfermos están exento de la guerra entre Islam y Kufr.
➢ Se mostró al Profeta una visión de conquistar la Meca.
➢ Las características del Profeta Mujámad (paz esté en él) y sus seguidores.

Esta Süra debe leerse guardando en la mente el siguiente fondo histórico:

En 6 años Después de Ji'ŷrá (D.J.), el Profeta soñó que él fue a Meca con sus Compañeros y había realizado Umra. Obviamente, el sueño del Profeta no podría ser un sueño no más y ficción, porque es una forma de inspiración Divina, como el propio Al'lá ha confirmado en versículo 27 en que Él dice que Él había mostrado ese sueño a Su Rasúl. Como no era meramente un sueño sino una inspiración Divina, por consiguiente, el Profeta tenía que obedecer y seguir. El Profeta informó a sus compañeros acerca de su sueño y empezó a hacer las preparaciones para la jornada. Entre las tribus que vivían en los suburbios, él anuncio públicamente que él estaba procediendo para Umra y las personas podrían acompañarlo. Aproximadamente 1,400 de los compañeros unieron en esta jornada muy peligrosa.

Al principio de Zil-Qá'da empezaron su jornada desde Al Madina, D.J. 6. A un lugar llamado Zul Julaifa, ellos se pusieron las túnicas del peregrino con la intención de realizar Umra. Ellos habían tomado 70 camellos con collares alrededor de sus cuellos lo que indica que ellos eran los animales sacrificatorio; y estuvieron sólo una espada cada uno en vainas que se permitían a los peregrinos a llevar al Ka'ba según la costumbre reconocida de Arabia. Ellos no llevaron ninguna otra arma. Así, la caravana partió para el Ka'ba, la Casa de Al'lá, en Meca, cantando el eslogan prescrito de "Labaika labaika Al'lájuma labaik."

El Profeta envió a un hombre del Bani Káb como un agente confidencial para que él pueda informarse de las intenciones y movimientos del Quraish. Cuando el Profeta llegó al Usfân, él trajo las noticias que el Quraish había llegado Zi Tuwa con toda las preparaciones y ellos habían enviado   Jâlid bin Walïd con doscientos caballería hacia Kura'al-Ghamim para interceptarlo. El Quraish quiso provocar a los compañeros del Profeta para pelear de algún modo para que ellos pudieran decirles a los árabes que los musulmanes habían venido realmente a pelear y sólo se habían puesto los vestidos del peregrino para engañar a otros. Al recibir esta información, el Profeta cambió su ruta inmediatamente y siguiendo una vía muy escabrosa, rocosa, llegó a Judaibillá que es situada justamente en el límite del sagrado territorio de Meca. Aquí, él se visitó por Budail bin Warqa, el jefe del Bani Juza'ah junto con algunos hombres de su tribu. Ellos preguntaron por qué él había venido. El Profeta contestó que él y sus compañeros sólo habían venido para la peregrinación a la Casa de Al'lá. Los hombres de Juza'ah fueron y dijeron esto a los jefes de Quraish y recomendaron de no interferir con los peregrinos.

El Quraish envió Urwa bin Mas'ud Saqafi que realizó las negociaciones largas con el Profeta para persuadir que dejara su intención para entrar en Meca. Pero el Profeta le dio la misma contestación que él había dado al jefe del Juza'ah. Urwa regresó y dijo al Quraish: "Yo he sido en las cortes del César, el Josroe y el Negus, pero por Dios, nunca yo he visto a cualquier personas tan dedicados a un rey como los compañeros de Mujámad. Si Mujámad hace sus abluciones, ellos no permiten que se caiga la cascada de agua en la tierra sino que hacen frotar en sus cuerpos y ropa. Ahora ustedes pueden decidir acerca de lo que ustedes deben hacer."

El Profeta envió Sallidunâ Usmân (que Al'lá se agrade con él) como su enviado a Meca con el mensaje que ellos sólo habían venido para la peregrinación y habían traído sus camellos sacrificatorios con ellos, y que ellos regresarían por atrás después de realizar los ritos de peregrinación y ofreciendo el sacrificio. Pero el Quraish no estaba de acuerdo y detuvo Sallidunâ Usmân en la ciudad. Entretanto, un rumor extendió que Sallidunâ Usmân había sido matado. Desde que él no volvió a tiempo, los musulmanes tomaron el rumor para ser verdad. Ahora ellos no podrían mostrar la paciencia porque su embajador fue matado. Los musulmanes tenían ningún alternativo sino para preparar para la guerra. Por consiguiente, el Profeta convocó a todos sus compañeros y tomó una prenda solemne de ellos que ellos combatirían hasta la muerte. No era una tarea ordinaria. Los musulmanes eran sólo 1400 y habían venido sin cualquier arma. Ellos estaban acampando al límite de Meca lo que era 250 millas fuera de su propia ciudad. El enemigo podría atacarlos con toda la fuerza y podría rodearlos también por completo con sus aliados de las tribus inmediatas. A pesar de esto, ninguno de la caravana excepto un hombre, fue que no dio su prenda para combatir a la muerte, y no podría haber ninguna prueba mayor de su dedicación y sinceridad a la causa de Al'lá. Esta prenda es bien conocida en la historia de Islam y se llama el Ba'it-e-Ridwân.

Después ellos vinieron a saber que las noticias sobre Sallidunâ Usmân eran falsas. Él volvió con una delegación bajo la dirección de Sujail bin Àmr del Quraish para negociar paz con el Profeta. El Quraish ya no insistió de desaprobar al Profeta y sus compañeros para entrar en Meca. Sin embargo para ahorrar la cara, ellos sólo insistieron que ellos deban regresar ese año y pueden volver el año siguiente para *tratado de paz era de hecho una gran victoria. Los rasgos salientes de este tratado eran como sigue:*

1. *Este tratado reconoció la existencia del Estado islámico en Arabia. Anterior a esto, los árabes consideraban al Profeta Mujámad (paz esté en él) y sus Compañeros como los rebeldes y bandidos. Concluyendo este acuerdo, el Quraish reconoció la soberanía del Profeta encima de los territorios del Estado islámico y abrió la manera para las tribus árabes de entrar en los tratados de alianza con cualquiera de los dos partidos.*

2. *El Quraish reconoció el derecho de los musulmanes para realizar la peregrinación a la Casa de Al'lá. Ellos admitieron que el Islam no era un credo antirreligioso, y como los otros árabes, sus seguidores también tenían el derecho para realizar los ritos de la peregrinación y de la Umra. Esto disminuyó el odio en los corazones de los árabes causados por la propaganda hecha por el Quraish contra Islam y sus seguidores.*

3. *El pacto de ningún-guerra durante diez años proporcionó la paz completa a los musulmanes, y ellos pudieron predicar el Islam de tal una manera que dentro de dos años después de tratado de Judaibillá, el número de las personas que abrazaron el Islam excedió mucho más que aquéllos de los últimos 19 años. Era debido a este tratado que dos años después, a consecuencia de violación por parte del Quraish a este tratado, el Profeta invadió a Meca. Él estaba acompañado con un ejército de 10,000, considerando que en la ocasión de Judaibillá, sólo 1,400 hombres lo habían unidos en la marcha para Umra.*

4. *La suspensión de hostilidades proporcionó a la Profeta una oportunidad para establecer y fortalecer la regla islámica y convertir la sociedad islámica en una civilización completa y estilo de vida a través de practicar la ley islámica. Era esta gran bendición acerca de cuál Al'lá dice en verso 3 de Süra Al-Mâ'idá: "Hoy Yo he perfeccionado su Religión para ustedes y he completado Mi bendición en ustedes y ha aceptado el Islam como el estilo de vida para ustedes."*

5. *El equilibrio de poder en Arabia cambió dentro de dos años después de que este tratado fue firmado, la fuerza de los Quraish y otras tribus paganas se disminuyó y la dominación del Islam se puso a la realidad. Una provisión de este tratado que había perturbado a la mayoría de los musulmanes era la condición acerca de los fugitivos de Meca y Madina que el anterior se volvería por atrás y el último no se volvería. Pero no mucho tiempo después, esta condición también fue demostrada de ser desventajosa para el Quraish. La sucesión de eventos reveló, qué consecuencias de largo alcance el Profeta había previsto y por qué él lo aceptó. Unos días después del tratado un musulmán de Meca, Abu Basir, escapó del Quraish y llegó al Madina. El Quraish lo exigió que mandaran por atrás y el Profeta lo devolvió con los*

tratado de paz era de hecho una gran victoria. Los rasgos salientes de este tratado eran como sigue:

1. *Este tratado reconoció la existencia del Estado islámico en Arabia. Anterior a esto, los árabes consideraban al Profeta Mujámad (paz esté en él) y sus Compañeros como los rebeldes y bandidos. Concluyendo este acuerdo, el Quraish reconoció la soberanía del Profeta encima de los territorios del Estado islámico y abrió la manera para las tribus árabes de entrar en los tratados de alianza con cualquiera de los dos partidos.*

2. *El Quraish reconoció el derecho de los musulmanes para realizar la peregrinación a la Casa de Al'lá. Ellos admitieron que el Islam no era un credo antirreligioso, y como los otros árabes, sus seguidores también tenían el derecho para realizar los ritos de la peregrinación y de la Umra. Esto disminuyó el odio en los corazones de los árabes causados por la propaganda hecha por el Quraish contra Islam y sus seguidores.*

3. *El pacto de ningún-guerra durante diez años proporcionó la paz completa a los musulmanes, y ellos pudieron predicar el Islam de tal una manera que dentro de dos años después de tratado de Judaibillá, el número de las personas que abrazaron el Islam excedió mucho más que aquéllos de los últimos 19 años. Era debido a este tratado que dos años después, a consecuencia de violación por parte del Quraish a este tratado, el Profeta invadió a Meca. Él estaba acompañado con un ejército de 10,000, considerando que en la ocasión de Judaibillá, sólo 1,400 hombres lo habían unidos en la marcha para Umra.*

4. *La suspensión de hostilidades proporcionó a la Profeta una oportunidad para establecer y fortalecer la regla islámica y convertir la sociedad islámica en una civilización completa y estilo de vida a través de practicar la ley islámica. Era esta gran bendición acerca de cuál Al'lá dice en verso 3 de Süra Al-Mâ'idá: "Hoy Yo he perfeccionado su Religión para ustedes y he completado Mi bendición en ustedes y ha aceptado el Islam como el estilo de vida para ustedes."*

5. *El equilibrio de poder en Arabia cambió dentro de dos años después de que este tratado fue firmado, la fuerza de los Quraish y otras tribus paganas se disminuyó y la dominación del Islam se puso a la realidad. Una provisión de este tratado que había perturbado a la mayoría de los musulmanes era la condición acerca de los fugitivos de Meca y Madina que el anterior se volvería por atrás y el último no se volvería. Pero no mucho tiempo después, esta condición también fue demostrada de ser desventajosa para el Quraish. La sucesión de eventos reveló, qué consecuencias de largo alcance el Profeta había previsto y por qué él lo aceptó. Unos días después del tratado un musulmán de Meca, Abu Basir, escapó del Quraish y llegó al Madina. El Quraish lo exigió que mandaran por atrás y el Profeta lo devolvió con los*

hombres que habían sido enviados de Meca para arrestarlo. Pero mientras en la vía a Meca, él huyó de nuevo y acampó en el camino por la costa del Mar Rojo, que era la ruta de caravanas de comercio del Quraish a Siria. Después de eso, cada musulmán que tuvo éxito escapando del Quraish iría y unía con Abu Basir en lugar de ir a Madina, hasta que 70 hombres juntaron allí. Ellos atacarían cualquier caravana de Quraish que pasó por este camino. Por fin, el Quraish le pidió al Profeta que llamara a esos hombres a Madina, y la condición relacionada al retorno de los fugitivos se volvió nula y sin valor.

6. *Estando seguro de paz a lado del sur, los musulmanes predominaron todo las fuerzas opuestas fácilmente en la Arabia norte y central. Simplemente tres meses después de Judaibillá, Jaiber, la fortaleza mayor de los judíos, fue conquistado y después de él, los establecimientos judíos de Fadak, Wad-al-Qura, Taima y Tabük también se cayeron a las manos de musulmanes, uno después del otro. Después, todas las otras tribus de Arabia central que estaba limitado en la alianza con los judíos y Quraish vinieron bajo la bandera del Islam.*

48: AL-FATJÁN

Esta Süra, revelada en Madina, tiene 4 secciones y 29 versos.

En el nombre de Al'lá, el Compasivo, el Misericordioso

SECCIÓN: 1

Al'lá concedió una victoria manifiesta a los musulmanes a través del tratado de Judaibilla.

En realidad te hemos concedido una victoria manifiesta *en la forma de un Tratado concluida a Judaibillá,* [1] para que Al'lá te perdonara tu faltas pasadas así como las del futuro, para perfeccionar Sus bendiciones en ti y guiarte a la Vía Recta, [2] y para que Al'lá te preste Su ayuda poderosa. [3] Es Él, Quién ha hecho descender la tranquilidad en los corazones de los creyentes, para que ellos puedan agregar más fe a su Fe. Y a Al'lá pertenecen las fuerzas de los cielos y de la tierra. Al'lá es el Conocedor, el Sabio. [4] Él lo ha causado que hagan como ya han hecho, para admitir a los creyentes y las creyentes en los jardines, bajo cuyo suelo fluyen los ríos, vivir en eso para siempre y quitar sus malas acciones; y ése es el logro grandioso en la vista de Al'lá. [5] Y para que Él castigue a los hipócritas y las hipócritas y a los mushrikïn y las mushrikás que entretuvieron un pensamiento malo acerca de Al'lá. Sobre ellos se cernirá el mal, porque la ira de Al'lá está en ellos. Él ha puesto Su maldición en ellos y ha preparado para ellos el Fuego del infierno ¡Qué morada más mala! [6] Y a Al'lá Le pertenecen las fuerzas de los cielos y de la tierra; y Al'lá es Conocedor, Sabio. [7] Te hemos enviado como testigo, portador de noticias buenas, y advertidor, [8] para que ustedes crean en Al'lá y en Su Rasúl, y que puedan ayudarlo, honrarlo y puedan glorificar a Al'lá mañana y tarde. [9] Ciertamente, aquéllos que te juraron la fidelidad, se han jurado en realidad propiamente a Al'lá. La Mano de Al'lá era sobre sus manos. Ahora, quien falte a su juramento, sólo lo hará en detrimento propio, y quien cumple su compromiso con Al'lá, pronto se dará una gran recompensa por Nuestra parte. [10]   48: [1-10]

Jurar la obediencia al Profeta es considerada como jurar la obediencia a Al'lá.

SECCIÓN: 2

Los árabes beduino entre que no fue con el Profeta por la guerra se condenan Islam y Kufr por retrasarse detrás.

Los beduinos que se quedaron detrás pronto te dirán: " Nuestra riquezas y familias nos mantuvieron ocupado, por favor pide perdón para nosotros." Ellos dicen con sus lenguas lo que no está en sus corazones. Dígales: "¿Quién tiene el poder para intervenir ante Al'lá, si Él quiere dañarlos o quiere hacerlo bien? Al'lá es bien consciente de lo que ustedes hacen. [11] Más bien ustedes pensaron que el Rasúl y los creyentes nunca devolverían a sus familias; esta imaginación parecía agradable a sus corazones. Ustedes concibieron los pensamientos malos y así se volvieron un gente que incurrieron en la perdición." [12] Él, quién no cree en Al'lá y en Su Rasúl, hemos preparado un Fuego abrasador para los tales incrédulos. [13] Y a Al'lá Le pertenece el reino de los cielos y de la tierra: Él perdona a quien Él agrada y Él castiga a quien Él lega. Al'lá es Perdonador, el Misericordioso. [14] Cuando ustedes hayan partidos para tomar el despojos de guerra, aquéllos que se quedaron detrás dirán: "Permítanos venir con ustedes." Ellos desean cambiar el decreto de Al'lá. Dígales simplemente: "Ustedes no vendrán con nosotros. Al'lá ya ha dicho esto anteriormente." Entonces ellos dirán: "¡No! pero lo que pasa es que ustedes tienen celos de nosotros." Cuando por el contrario no hay ninguna cuestión de celos, poco es lo que entienden tales cosas. [15] Diga a los beduinos que se quedaron detrás: "A ustedes se les llamará para combatir contra un pueblo poderoso, contra el que tienen que combatir a menos que se rindan. Luego, si ustedes obedecen, Al'lá les concederá un premio bello, pero si ustedes rechazan como ustedes han hecho antes, Él infligirá en ustedes una multa dolorosa. [16] No hay ningún reproche al ciego, ni al que tenga algún invalidez, ni al enfermo, si ellos se quedan detrás. Él quien obedece a Al'lá y a Su Rasúl se admitirá a los jardines por cuyo bajo fluyen los ríos, en cambio, él quien da la espalda se castigará con un castigo doloroso.[17]　　　　　　　　　　　　　　　　48: [11-17]

SECCIÓN: 3

　　　　Al'lá ha estado bien contento con los creyentes cuando ellos juraron la fidelidad al pie del árbol. Él supo lo que estaba en sus corazones e hizo descender sobre ellos la tranquilidad y Él les recompensó con una victoria cercana, [18] junto con muchos despojos que adquirirán pronto. Al'lá es Poderoso, el Sabio. [19] Al'lá ha prometido a ustedes muchos despojos que ustedes adquirirán, y le ha dado estos despojos de Jaiber con toda la prontitud. Él ha refrenado las manos de enemigos de ustedes, para que sirva como una señal a los creyentes y dirija a ustedes a la Vía Recta. [20] Además, Él promete también otros despojos, qué no están todavía dentro de su alcance pero Al'lá los ha reservado ciertamente. Al'lá tiene el poder encima de todo. [21] Aun cuando los incrédulos habían combatido contra ustedes, ellos se habrían puesto al vuelo, y no habrían encontrado a cualquier protector o auxiliador. [22] Así ha sido la práctica de Al'lá en el pasado; y ustedes no encontrarán ningún cambio en la práctica de Al'lá. [23] Es Él, Quien ha refrenado sus manos de ustedes y a ellos de ustedes, en el valle de Meca, a través del tratado *de paz de Judaibillá*, después de eso Él había dado victoria a ustedes encima de ellos, y Al'lá estaba mirando todas sus acciones. [24] Ellos son los que se negaron a creer y que obstruyeron a ustedes de Al-Masyid-al-Jarâm (*la Sagrada Mezquita - Ka'ba*) e impidieron a sus ofrendas alcanzar su destino. Si no hubieran estado por los creyentes y las creyentes en la ciudad de Meca a quienes ustedes no podían reconocer, y posibilidad de su pisotearse (*matarse*) por su ejército e así incurriendo la culpa inconscientemente en su cuenta, Al'lá le habría permitido combatir, pero Él detuvo sus manos, para que Él pueda admitir a Su misericordia a quien Él quiere. Si los creyentes no hubieran estado mezclados con ellos, habríamos castigado a los incrédulos entre ellos, ciertamente, con el castigo doloroso. [25] Cuando los incrédulos pusieron la arrogancia en sus corazones, la arrogancia del tiempo de ignorancia - Al'lá

Sólo la persiana, cojo y enfermo está exento de la guerra.

Al'lá estaba bien contento con aquéllos que juraron la obediencia el Profeta antes del tratado de Judaibilla.

Si no había estados allí los creyentes en Meca, Al'lá habría permitidos a los musulmanes combatir contra Quraish.

envió abajo Su tranquilidad sobre Su Rasúl y sobre los creyentes, e hizo a los creyentes adherir a la palabra de piedad; porque ellos eran muy dignos y más merecedores de ella. Al'lá tiene conocimiento lleno de todas las cosas. [26]   48: [18-26]

SECCIÓN: 4

Se muestra la visión de conquista de Meca al Profeta Santo y las características de Mujámad (pece) y de sus seguidores.

De hecho Al'lá hizo, en toda la verdad, realizar la visión que Él había mostrado a Su Rasúl que - "Ustedes entrarán, si Al'lá lega, Al-Masyid Al-Jarâm (*la Sagrada Mezquita - Ka'ba*) intrépido y en seguridad para realizar Umra, con algunos que tienen sus cabezas afeitado y otros que tienen su pelo cortado," porque Él sabía lo que ustedes no podían saber. Así que, además de eso Él concedió a ustedes una victoria cercana antes del cumplimiento de esa visión. [27] Es Él, quién ha enviado Su Rasúl con la guía y con la religión de Verdad, para que Él pueda exaltar esta religión encima de todas las otras religiones: y suficiente es Al'lá como un testigo. [28] Mujámad, el Rasúl de Al'lá, y aquéllos quienes están con él, son fuertes contra los incrédulos y cariñosos entre sí. Cuando los ves, les encontrarás haciendo Rukú (*arquear hace abajo*) y Suyüd (*postrados*), pidiendo por las bendiciones de Al'lá y por Su placer bueno. Ellos llevan las huellas de Suyüd (*la postración*) en sus frentes. Ésta es su descripción en el Taurât (*Tora*); y su descripción en el Inýil (*el Evangelio*): ellos están como la semilla que pone su brote adelante, luego lo fortalece, luego se pone grueso y está de pie firmemente en su tallo, para el encanto de los sembradores, para que a través de ellos Él pueda enfurecer a los incrédulos. Todavía, a aquéllos entre ellos quiénes creerán y harán los hechos buenos, Al'lá ha prometido perdón y un gran premio. [29]

48: [27-29]

49: AL-JUYURÂT

El periodo de Revelación

     Las tradiciones y el contenido indican que esta Süra es una combinación de los mandos e instrucciones reveladas en las ocasiones diferentes. Según algunas tradiciones la mayoría de estos mandos se revelaron durante la fase final de la vida del Profeta en Madina.

Incluye los siguientes principios, Leyes y Guías divinas:

> ➢ *El orden de Al'lá para bajar la voz de uno, en la presencia del Profeta.*
> ➢ *Si los creyentes pelean entre ellos haga paz entre ellos.*
> ➢ *Las etiquetas islámicas de conducta moral:*
>> ○ *No se ría de alguien para degradarlo.*
>> ○ *No difames a alguien a través de los comentarios sarcásticos.*
>> ○ *No llames a alguien por los apodos ofensivos.*
>> ○ *Evites las sospechas inmoderadas, porque en algunos casos es un pecado.*
>> ○ *No espíen entre sí mismos.*
>> ○ *No calumniar.*
>> ○ *Toda la humanidad se crea de un hombre y de una mujer, por consiguiente, nadie tiene la superioridad encima de otro, y más noble es él quién es el más pío.*
> ➢ *El verdadero creyente es él quién cree en Al'lá, en Su Rasúl y hace Ŷijãd con su riqueza y con su persona en el camino de Al'lá.*

     El contenido de esta Süra es enseñar las etiquetas a los musulmanes dignos de ser verdaderos creyentes. En los primeros cinco versos ellos se enseñan las maneras que ellos deben observar con respecto a Al'lá y a Su Rasúl. Ellos se dan la instrucción, no creer la información sin base y no actuar sin el pensamiento cuidadoso. Si se recibe la información sobre una persona, un grupo o una comunidad, debe evaluarse para ver cuidadosamente si la fuente de información es fiable o no. Si la fuente no es fiable, debe probarse y examinarse para ver si las noticias son auténticas o no, antes de tomar alguna acción. La guía se proporciona hacia actitudes que los musulmanes deben adoptar en casos dónde los grupos de musulmanes tienen el conflicto entre sí.

     Se exhortan los musulmanes de salvaguardar contra los males que corrompe la vida colectiva y despoja las relaciones mutuas como ridicularizarse o mofarse de uno y otro, llamar por los apodos ofensivos, crear las sospechas, espiar uno y otro y murmurar detrás de espalda de uno. Todos estos males se declaran como prohibidos e ilegales. Además, se condenan distinciones nacionales y raciales que causan la corrupción universal en el mundo. Las naciones, tribus y familias con el orgullo de linaje tienden a parecer por abajo a otros como inferior a ellos. El nacionalismo promueve complejos de superioridad que han sido la causa principal de injusticias, guerras y tiranía en el mundo históricamente. En esta Süra Al'lá ha cortado la raíz de este mal declarando que todos los hombres son descendientes del mismo par de humanos (Adán y Eva). Su división en las tribus y las comunidades sólo están por el fin de reconocimiento, y no por alardear y por el orgullo. Hay ninguna base legal de la superioridad de un hombre al otro excepto en base a la excelencia moral.

En la conclusión, se dicen a las personas que la verdadera Fe no es la declaración verbal de creer en Al'lá y en Su Rasúl, sino obedecerles en la vida práctica y ejercer los esfuerzos sinceros con uno mismo y gastar su riqueza en la causa de Al'lá. En cuanto a aquéllos que profesan el Islam oralmente sin testificar por sus corazones y acciones, mientras pensando que ellos habían hecho a alguien un favor aceptando el Islam, ellos pueden estarse entre los musulmanes en este mundo e incluso pueden tratarse como los musulmanes en la sociedad, pero ellos no son los creyentes en la vista de Al'lá.

49: AL-JUYURÂT

Esta Süra, revelada en Madina, tiene 2 secciones y 18 versos.

En el nombre de Al'lá, el Compasivo, el Misericordioso

SECCIÓN: 1

¡Ustedes que creen! No pongan a ustedes mismos delante de Al'lá y de Su Rasúl. Teman a Al'lá; ciertamente, Al'lá todo lo oye y todo lo sabe. [1] ¡Ustedes que creen! No levanten sus voces por encima de la voz del Profeta, ni le hablen en voz alta hablando con él, como ustedes hablan entre sí, para que sus hechos no deban venir a nada, mientras ni siquiera ustedes lo perciban. [2] Ésos que bajan sus voces y hablan suavemente en la presencia del Rasúl de Al'lá, son aquéllos cuyo corazones Al'lá ha probado para la piedad; tendrán perdón y un magnífica recompensa. [3] Aquéllos que te convocan desde fuera de las habitaciones privadas, la mayoría de ellos le falta el sentido común. [4] Si sólo tuvieran paciencia hasta que pudieras salir ante ellos, sería ciertamente bueno para ellos. Al'lá es el Perdonador, el Misericordioso. [5] ¡Ustedes que creen!, si un malvado viene a ustedes con algunas noticias, verifíquelo (*investiguen para determinar su veracidad*), para que no dañen a otros inconscientemente y luego sientan pesar de lo que han hecho. [6] Y sean conscientes que el Rasúl de Al'lá está entre ustedes. Si él fuera seguirlos en la mayoría de los asuntos, ustedes estarían ciertamente en el problema. Pero Al'lá ha hecho a ustedes amar esta fe, embelleciéndola en sus corazones, mientras haciendo la incredulidad, la perversión, y la desobediencia detestable a ustedes. Son ellos quienes están guiados debidamente [7] a través de la gracia de Al'lá y Su favor. Al'lá es el Conocedor, el Sabio. [8] Si dos grupos entre los creyentes entran en un combate entre sí, reconciliarlos. Entonces si uno de ellos transgrede contra el otro, combaten contra los transgresores hasta que vuelvan a los órdenes de Al'lá. Luego, si ellos vuelven, hagan la reconciliación entre ellos con la justicia y sean justos; porque Al'lá ama a aquéllos que son justos y equitativos. [9] Los creyentes son entre sí, en realidad, hermanos; por consiguiente, hagan la conciliación pues, entre sus hermanos y temen a Al'lá, para que se puedan recibir Su misericordia. [10]

49: [1-10]

SECCIÓN: 2

¡Ustedes que creen! No permitan a ningún pueblo reírse de otro. Quizás lo burlado fuera mejor que lo que se burla; ni permitan a ninguna mujer reírse de otras mujeres. Podría ser que las burladas fueran mejores que las que se burlan. No difamen entre sí a través de los comentarios sarcásticos, ni llamen entre sí por los apodos ofensivos. ¡Es una cosa mala a ser llamado por un nombre malo después de ser un creyente! Y ésos que no se arrepienten son aquéllos que son los injustos. [11] ¡Ustedes que creen! Eviten las suposiciones inmoderadas, porque, en algunos casos, las

El mando de Al'lá para bajar la voz de uno en la presencia del Profeta Santo.

Haga paz entre los creyentes si ellos se caen empiezan pelear entre ellos.

La etiqueta islámica de la conducta moral. Se crea la humanidad de un varón y de una hembra y más noble es él, quién es el más virtuoso.

suposiciones son pecados. No espías entre sí, ni murmuran entre sí (*para decir algo atrás de otro cuando uno no está presente y que sí uno lo oye, lo detestará*). ¿Acaso cualquiera de ustedes le gustaría comer la carne de su hermano muerto? Ciertamente, lo aborrecería. Temen a Al'lá; porque Al'lá es el Aceptador de los arrepentimientos, el Misericordioso. [12] ¡Humanidad! Hemos creados a ustedes de un varón y de una hembra, y hemos hecho a ustedes en las naciones y tribus para que podrían reconocer unos a otros. Ciertamente, el más noble entre ustedes en la vista de Al'lá es él, quién es el más virtuoso. Al'lá es el Conocedor y está perfectamente informado. [13]   49: [11-13]

La diferencia entre un verdadero Creyente y un musulmán.

Los beduinos dicen: "¡Nosotros hemos creído!" Les Diga: "Ustedes no han creído; más bien digan ' Nos hemos aceptado el Islam;' porque la fe aún no ha entrado en sus corazones. Si ustedes obedecen a Al'lá y a Su Rasúl, Él no menoscabará nada de sus obras; ciertamente, Al'lá está Perdonador, Misericordioso." [14] Los verdaderos creyentes son aquéllos que creen en Al'lá y en Su Rasúl, luego nunca dudan después; y hacen Ẏijãd con su riqueza y con sus personas en la causa de Al'lá. ¡Ésos son los veraces en su demanda de ser los creyentes. [15] ¡Profeta! dígales a aquéllos que exigen haber creído: ¿Van a informa a Al'lá en qué consiste su religión? Considerando que, Al'lá sabe todo lo que está en los cielos y en la tierra y Él tiene conocimiento lleno de todas las cosas." [16] Piensan que ellos han conferido en ti un favor abrazando el Islam. Dígales: "Ustedes han conferido en mí ningún favor aceptando el Islam. ¡Al contrario! Es Al'lá Quien ha conferido un favor en ustedes guiándolos a la verdadera fe; admitan esto, si ustedes son veraces en su demanda de tener la fe. [17] Ciertamente, Al'lá sabe los secretos de los cielos y de la tierra; y Al'lá está mirando todas sus acciones."[18]   49: [14-18]

50: QÂF

El periodo de Revelación

Esta Süra se reveló en la segunda fase de la residencia del Profeta en Meca, es decir del tercer al quinto año de ser como el Profeta, cuando el antagonismo de los incrédulos se había puesto bastante intenso pero no se había puesto tiránico todavía.

Incluye los siguientes principios, Leyes y Guías divinas:

➢ La vida después de la muerte es una realidad y hay nada extraño acerca de eso.
➢ Al'lá ha asignado dos ángeles a cada persona, para apuntar abajo cada palabra que él profiere.
➢ Cada vez que los incrédulos se tirarán en el infierno y al infierno se preguntará,"¿Estás ya lleno?" El infierno contestará:"¿Aún hay más?"
➢ Amoneste a las personas con el Qur'ân y los lleva con paciencia.

Las tradiciones auténticas muestran que el Profeta recitaba esta Süra, generalmente en la oración en el día de Eid. Una mujer nombrada Umme Jisham bin Jârisá que era una vecina del Profeta dijo que ella pudo sólo comprometer Süra Qâf a la memoria porque ella escuchaba a menudo del Profeta esa en los sermones del viernes. Según algunas otras tradiciones, el Profeta lo recitaba durante la Oración de Fá'yr (mañana). Esto muestra la importancia de esta Süra en la vista del Profeta. Por eso él se aseguró que sus contenidos alcancen a las tantas personas una y otra vez como sea posible.

La razón para su importancia puede entenderse fácilmente por un estudio cuidadoso de la Süra. El tema de la Süra entera es la Última Vida. Cuando el Profeta empezó predicador el mensaje de Al'lá en Meca, esas noticias que se resucitarían las personas después de la muerte, era que sorprendido la mayoría de las personas, y que ellos tendrían que dar una cuenta de sus hechos. En esta Süra, se dan los argumentos para la posibilidad y ocurrencia de la Ultima Vida en el informe y las frases cortas, para que las personas se advierten, como si para decir: "Si ustedes expresan la maravilla y sorpresa o ustedes lo consideran como algo remoto de la razón o lo niegan; en cualquier caso, todo eso no cambiará la Verdad. La Verdad absoluta, inalterable es que Al'lá sabe el paradero de cada uno y cada partícula de tu cuerpo que ha descompuesto en la tierra, y sabe a dónde y en qué estado estás. Sólo un signo de Al'lá se basta para hacer todas las partículas descompuestas reunir de nuevo y le hace que una vez más levantan a la vida como ustedes se habían creados en su vida terrenal. Igualmente, la idea que ustedes se han creados exclusivamente para este mundo y que ustedes no son responsables a cualquiera, es nada más que una equivocación. El hecho es que no solamente el propio Al'lá es directamente consciente de cada acto y de cada palabra suya, Él también es consciente de incluso las ideas que pasan en su mente. Él ha asignado dos ángeles a cada uno de ustedes quienes están grabando cualquier cosa que ustedes hacen y profieren. En el Día del Juicio, ustedes *saldrán de sus tumbas a una llamada, así como los retoños jóvenes de la verdura brotan desde la tierra después de la primera ducha de lluvia. Entonces, esta terquedad que obstruye su visión, se quitará y ustedes verán con su propia mira a todos que ustedes están negándoos hoy. En ese momento, ustedes comprenderán que ustedes no se han creados para ser irresponsables en este mundo sino responsable para todos sus hechos, y que ustedes se otorgarán el paraíso como un premio o el infierno como un castigo. El paraíso y el infierno que ustedes consideran como la imposibilidad y como cosas imaginarias, se voltearán, en ese momento, las realidades visibles. A consecuencia de su enemistad y oposición a la Verdad, ustedes se lanzarán en el mismo infierno que ustedes niegan hoy y aquéllos que temen a Al'lá y adoptan el camino de rectitud, se admitirán al mismo paraíso a la mención de cual ustedes expresan maravilla y sorpresa."*

50: QÂF

Esta Süra, revelada en Meca, tiene 3 secciones y 45 versos.

En el nombre de Al'lá, el Compasivo, el Misericordioso

SECCIÓN: 1

Qâf. Por el Qur'ãn Glorioso, te hemos enviado como un advertidor. [1] Mas se sorprenden que les haya llegado un advertidor que es uno de ellos. Así que los incrédulos dicen: "¡Es una cosa increíble! [2] ¿Acaso cuando hayamos muertos y seamos tierra, seremos avivados otra vez? Ese retorno parece muy lejos de la razón." [3] Sabemos todos los que la tierra consume de sus cuerpos, y tenemos un Libro que guarda archivos de todo. [4] ¡No! Pero estas personas niegan la verdad cuando viene a ellos, y ellos están desconcertados. [5] ¿Es que no ven el cielo sobre ellos, y notar, cómo lo hemos edificado, adornado, sin que haya ninguna falla en él? [6] ¿Y la tierra? ¡Cómo la hemos extendido y hemos puesto en ella montañas firmes y ha causado que crezcan en ella cada tipo de vegetación bonita! [7] Todas estas cosas son abre-ojos y un recordatorio para cada siervo que devuelve a Al'lá. [8] Y del cielo enviamos abajo el agua bendita con que traemos jardines y grano de la cosecha, [9] y los árboles de las palmas altas abrumadas con los racimos de dátiles apretados, amontonadas unas encima de las otras, [10] un sustento para los siervos; así dando la nueva vida a la tierra después de su muerte. Así es cómo será la Resurrección. [11] Antes de ello, el pueblo de Nüj y los moradores de Ar-Ras (*Los Dueños del Pozo)* ya negaron esta Verdad y así también hicieron los Zamüd, [12] los ' Ad, Fir'aun (*Faraón*) y los hermanos de Lüt, [13] los moradores del Al-Aiyká y las gentes de Tub'bá; todos ellos descreyeron a sus Rasúles y así justamente cumplió Mi amenaza. [14] ¿Acaso fatigamos con la primera creación que ellos están en la duda acerca de Nuestra capacidad para crear una nueva creación? [15]   50: [1-15]

> La vida después de que la muerte es una realidad y hay nada extraño acerca de eso.

SECCIÓN: 2

Nosotros sí, creamos al hombre, sabemos qué es lo que su alma le sugiere. Estamos más íntimos a él que su propia vena yugular. [16] Además de este conocimiento directo, hemos asignado a cada uno, dos escribas (*los ángeles guardianes*), uno sentado a su lado derecho y el otro a su izquierda, [17] Ni una sola palabra pronunciarán en absoluto sino que hay un guardián vigilante listo para notarlo abajo. [18] Cuando la agonía del moribundo traerá la Verdad ante sus ojos, dirán: "¿Esto es lo que ustedes estaban intentando de escapar? [19] Y la Trompeta se soplará; ¡ése será el Día de que ustedes fueron amenazados! [20] Cada alma vendrá adelante; con él, habrá un ángel para conducir y otro como testigo. [21] Se dirá: "¡Estabas distraído de esto, pero ahora hemos quitado tu velo, pues hoy tiene tu vista penetrante!" [22] Su compañero (*el ángel*) dirá: "Aquí es mi

> Al'lá ha asignado dos ángeles a cada persona para notar cada una de las palabras que él profiere.

Cada incrédulo terco se tirará en el infierno.

testimonio listo conmigo." [23] El decretado será: "Arrójalo en el infierno, cada incrédulo terco, [24] antagonista de bien, y al trasgresor con dudas [25] quién preparó otros dioses además de Al'lá. Así que, arrójalo en el castigo severo." [26] su compañero (*el Shaitãn*) dirá: "¡Nuestro Rab! No soy yo quien le hizo rebelarse. Él sí mismo ya estaba profundamente extraviado. [27] Al'lá dirá: No disputen entre sí en Mi presencia. Yo le di advertencia de antemano. [28] Mis palabras no pueden cambiarse, Yo no soy injusto, en absoluto, con Mis siervos." [29]   50: [16-29]

SECCIÓN: 3

El infierno se preguntará, "¿Eres llena?". El infierno contestará, "¿Está allí más?"

En ese Día, Nos preguntaremos al infierno: "¿Estás lleno? Y el infierno contestará: "¿Hay más?" [30] El paraíso se traerá cerca de los temerosos que ya no será una cosa distante, [31] y se dirá: "Esto es lo que fue prometido a ustedes. Es para cada persona fiel penitente, [32] quién temió al Compasivo (*Al'lá*) sin verlo y que vendrá ante Él con un corazón obediente. [33] Al'lá dirá: " Entre en él en paz; ¡éste es el Día de la Vida Eterna!" [34] Allí tendrán todo lo que ellos desearán, y Nosotros tendremos aún más todavía para dar.[35]   50: [30-35]

Amonestes a los incrédulos y llevas con ellos con paciencia y amonestes a ellos con el Qur'ãn.

¡Cuántas generaciones, mucho más fuerte en el poderío, hemos destruido ante ellos! Ellos realizaron búsquedas por todo los pueblos: ¿pero podrían ellos encontrar cualquier refugio? [36] En esto, hay una lección ciertamente, para cada persona que tiene un corazón, y escucha atentamente. [37] Creamos los cielos y la tierra y todo lo que hay entre ellos, en seis Allam (*plural de Llöm -- días, periodos del tiempo o fases*), y ninguna fatiga Nos tocó. [38] Ten paciencia, pues, con lo que dicen, y glorifiques tu Rab con Sus alabanzas antes de la salida del sol y antes del ocaso. [39] Y glorifícale durante una parte de la noche y después de la postración (*las oraciones*). [40] ¡Estate atento al Día cuando el anunciador convocará desde un lugar bastante cerca, [41] el Día cuando las personas oirán la explosión poderosa, en la realidad; ése será el Día de la Resurrección (*los muertos saldarán de sus tumbas*)! [42] Ciertamente, Somos Nosotros Quienes damos la vida y damos la muerte; y a Nosotros es el retorno. [43] En ese Día cuando la tierra se hiende abierto y las personas están apresurándose fuera de ella, recogerlos todos, entonces, será bastante fácil para Nosotros. [44] Sabemos muy bien lo que estos incrédulos dicen. No es para ti de compelerlos a creer allí. Así que amonestes con este Qur'ãn cada tal persona que teme Mi advertencia. [45]

50: [36-45]

51: AZ-ZÂRILLÂT

El periodo de Revelación

Esta Süra se reveló en el quinto año de la residencia del Profeta en Meca, cuando su invitación era resistiéndose y oponiéndose con el rechazo, con ridiculez y con las imputaciones falsas, pero todavía persecución no había empezado.

Incluye los siguientes principios, Leyes y Guías divinas:

➢ Ciertamente el Día del Juicio vendrá a pasar, sólo las personas perversas se vuelven fuera de esta Verdad.

➢ Los mismos ángeles que dieron las noticias buenas, de tener un hijo, a Ibrãjïm aniquilaron la nación de los homosexuales.

➢ Hay una lección en las historias de Fir'aun, de 'Ad, de Zamüd y del pueblo de Nüj.

➢ Al'lá es, Quien construyó los cielos y extendió fuera la tierra, le ha asignado Mujámad como el Profeta (paz esté en él) para ser un Advertidor para toda la humanidad.

Esta Süra da énfasis a la Última Vida, y extiende una invitación de Taujïd (Dios es Uno y Sólo). Las personas se advierten que la negación para aceptar el mensaje de los Profetas y persistencia en la ignorancia ha demostrado ser desastrosa para esas naciones que adoptaron esta actitud en el pasado.

Las creencias diferentes y contradictorias de las personas acerca del fin de la vida humana son una prueba expresiva que ninguna de estas creencias y credos es basado en el conocimiento; hemos formado una ideología individualmente en base a conjetura lo que a su vez se ha vuelto su credo. Algunos pensaron que no habría ninguna vida después de muerte; algunos creyeron en la vida después de la muerte, pero en la forma de la trasmigración de almas; algunos creyeron en la Última Vida, pero inventaron diferentes clases de sostenes y apoyos para escapar la retribución. Sobre una pregunta de tal importancia vital y fundamental, una ideología errónea puede perder todas las obras de vida entera del hombre, que por el fin estropearía su futuro para siempre. Sería una tontería desastrosa para sólo construir una ideología en base a la especulación y conjetura, y sin el conocimiento. Significaría ese hombre debe permanecer envuelto en la equivocación grave, su vida entera pasará en el error distraído, y después de la muerte, encontrará, de repente, con una situación para cual él no había hecho ninguna preparación en absoluto. Hay sólo una manera de formar la opinión correcta sobre tal una pregunta, y eso es a través del conocimiento que los Profetas de Al'lá han traído.

La invitación hacia el Taujïd (Dios es Uno y Sólo) se presenta en las palabras siguientes: " Creador tuyo no te ha creado para el servicio de otros, sino para Su *propio servicio. Él no está como tus dioses falsos que reciben el sustento de ti y la deidad de que no puede funcionar sin tu ayuda. Él es Un Dios Todos-poderoso (Al'lá), Quien es el Sostenedor de todos, Quien no está de pie en la necesidad de sustento de cualquiera y Cuyo Deidad está funcionando por Su propio poder y poderío. Finalmente, al Profeta se dice de ignorar a los rebeldes y seguir realizando su misión de invitación y advertencia, porque eso es útil y beneficioso para los creyentes, aunque pueda que no sea para las otras personas. En cuanto a las personas malas que todavía persisten en su rebelión, ellos deben conocer que sus predecesores siguieron el mismo estilo de vida, y ya han recibidos sus porciones de la retribución de Al'lá.*

51: AZ-ZÂRILLÂT

Esta Süra, revelada en Meca, tiene 3 secciones y 60 versos.

En el nombre de Al'lá, el Compasivo, el Misericordioso

SECCIÓN: 1

Por los vientos que esparcen el polvo; [1] por las nubes fuertemente abrumados; [2] por las naves que se deslizan fácilmente; [3] por los ángeles que distribuyen las bendiciones por el orden de Al'lá; [4] lo que a ti está prometiéndose es ciertamente verdadero; [5] y ciertamente, el Día del Juicio emplazará. [6] Por el cielo lleno de órbitas, [7] ciertamente, ustedes contradicen entre sí en lo que ustedes dicen sobre el Qur'ãn y sobre el Profeta. [8] Apartado fuera del Qur'ãn y del Profeta será él, quién haya sido apartado. [9] ¡Malditos sean aquéllos que siempre están conjeturando, [10] aquéllos que son negligentemente engolfados en la ignorancia! [11] Ellos preguntan: "¿Cuándo será el Día del Juicio?" [12] Será el Día cuando ellos se probarán al Fuego, [13] y se dirá: "¡Gusten su prueba! Esto es lo que ustedes estaban buscando acelerar." [14] En cuanto a los temerosos, ellos estarán en medio de los jardines y fuentes, [15] recibiendo lo que su Rab les dará alegremente; porque ellos eran anteriormente (*durante su vida en la tierra*) las personas virtuosas. [16] Era poco lo que dormían de la noche, [17] oraban pidiendo el perdón antes del alba, [18] y comportaban su riqueza con el necesitado quién les pedía, y también con aquéllos que eran indigentes. [19] En la tierra, hay señales firmes para los convencidos, [20] y también en ustedes mismos; ¿Acaso que no pueden ver? [21] Y en el cielo está sustento de ustedes y todo lo que a ustedes se ha prometido. [22] ¡Por el Rab del cielo y de la tierra que esto es la Verdad, tan cierto como ustedes están hablando ahora! [23]

51: [1-23]

SECCIÓN: 2

¿Te has llegado la historia de los huéspedes honrados de Ibrãjïm? [24] Cuando entraron en su casa y dijeron: "¡Saläm! (*paz esté contigo*)". Él contestó: "¡Saläm! (*paz esté con ustedes*), pensando que eran gentes extraña desconocidas." [25] Él fue discretamente a su familia y trajo un ternero gordito ya asado, [26] y lo puso ante ellos diciendo: "¿No van a comer?" [27] Cuando él les vio que no comían, sintió miedo de ellos. Ellos dijeron: "No tengas el miedo," y le dieron las noticias buenas de un hijo dotadas del conocimiento. [28] Oyendo esto, su esposa avanzó con un lamento fuerte y golpeó su cara asombrosamente y dijo: "¡Un hijo a una mujer vieja y estéril!" [29] Ellos contestaron: "Así ha dicho tu Rab: ciertamente, Él es el Sabio, el Conocedor." [30]

51: [24-30]

Ciertamente el Día del Juicio vendrá a pasar, sólo las personas perversas se vuelven fuera de esta Verdad.

La historia del Profeta Ibrãjïm, cuando él fue dado las noticias buenas de tener un hijo.

ÝÚZ (PARTE): 27

Los mismos ángeles que dieron las noticias buenas a Ibrãjïm aniquilaron la nación de los homosexuales.

Ibrãjïm (*Abraham*) preguntó: "¿Pues cuál es la misión de ustedes, Mensajeros Divinos?" [31] Ellos contestaron: "Hemos sido enviados a una nación delincuente (*la gente de Lüt que eran homosexuales*), [32] para llover en ellos las piedras de arcilla, [33] marcadas por tu Rab destinadas a los que excedieron los límites." [34] Pues salvamos a todos aquéllos que eran los creyentes en el pueblo. [35] Pero sólo encontramos en él una casa de los verdaderos musulmanes [36] - dejamos un signo en eso para aquéllos que temieran el castigo doloroso. [37]   51: [31-37]

Hay una lección en las historias de Fir'aun, del Ãd, de Zamüd y de la nación de Nüj.

Hay también una señal para ustedes en la historia de Musa (*Moisés*): cuando le enviamos a Fir'aun (*Faraón*) con una autoridad clara, [38] pero él se volvió a su espalda junto con sus jefes, diciendo: " Él (*Moisés*) es un hechicero o un poseso." [39] Por consiguiente, asimos a él y a sus guerreros, y les lanzamos en el mar. De hecho él mereció mucho de reproche. [40] Hay también una señal en la historia de los Ãd: Cuando permitimos soltar en ellos un viento destruyente [41] qué no dejó nada de lo que él alcanzó e hizo a todos podridos en los que sopló. [42] Igualmente en la historia de los Zamüd, cuando se les dijo: "Disfruten durante algún tiempo (*tres días*)," [43] Pero ellos no se arrepintieron y desobedecieron el mando de su Rab; por consiguiente, ellos se dieron alcance por el rayo mientras que estaban viéndolo venir. [44] Pues no pudieran tenerse en pie, ni ellos pudieron defenderse. [45] Y Nos destruimos a la gente de Nüj (*Noé*) antes de ellos, ciertamente, porque fue un pueblo perverso.[46] 51: [38-46]

SECCIÓN: 3

Al'lá construyó a los cielos y extendió fuera la tierra, asigno al Mujámad como Profeta (pece) para ser un Advertidor para toda la humanidad.

Nos hemos construido el cielo con Nuestro poderío y indudablemente tenemos el poder para extender su inmensidad. [47] Hemos extendido la tierra; ¡qué excelente que hemos extendido! [48] Hemos creado todo por parejas, para que tal vez ustedes puedan reflexionar. [49] Diga a la humanidad: "Apresúrense hacia Al'lá, ciertamente, soy asignado por Él como un Advertidor que habla claro a todos ustedes. [50] No deben de poner ningún otro dios junto con Al'lá. Ciertamente, soy para ustedes, de Su parte, un advertidor que habla claro." [51] Asimismo, siempre que ha venido un Rasúl para las gentes que vinieron antes de ellos, quienes han dicho acerca de él: "Él es hechicero o un poseso." [52] ¿Acaso tienen transmitido esta declaración de una generación al próximo? ¡No! Pero son gente rebelde. [53] ¡Pues ignórelos; tú no tienes la culpa! [54] Pero sigue amonestándolos, porque la advertencia es beneficioso a los verdaderos creyentes. [55] No he creado a los genios ni a los humanos sino para que Me adoren. [56] No requiero ningún sustento de ellos, ni pido que Me alimenten. [57] Ciertamente, es Al'lá Quien es el Proveedor de todo, el Señor de Poderío, el Invencible. [58] Ciertamente, aquéllos que son los injustos, tendrán su porción del tormento similar a la de sus predecesores. ¡Así que no Me den prisa! [59] ¡Ay de los que se niegan a creer, por el Día con que se les ha prometido! [60]   51: [47-60]

52: AT-TÜR

El periodo de Revelación

Esta Süra se reveló en el quinto año de la residencia del Profeta en Meca. Durante este periodo el Profeta (paz esté en él) estaba siendo blanco de las objeciones e imputaciones pero persecución severa de los musulmanes no había empezado todavía.

Incluye los siguientes principios, Leyes y Guías divinas:

➤ El premio para el virtuoso será el paraíso en que ellos mostrarán la gratitud para la gracia de Al'lá, mientras los que negaron de creer la Verdad pondrán de verdad en el Fuego.
➤ La misión del Profeta es la advertencia.
➤ La contestación al escepticismo de los incrédulos:
   ○ Si ellos dudan del Qur'ăn, deja que ellos producen una escritura así.
   ○ -¿Fueron creados sin un Creador?
   ○ -¿Poseen ellos los tesoros de Al'lá?
   ○ -¿Hay alguna otra manera de oír los hechos acerca de Al'lá?
   ○ -¿Tienen ellos el conocimiento del inadvertido?

En caso que su respuesta es así acerca de cualquier pregunta anterior, permítales producir su prueba.

Jurando por un poco de realidades y signos que testifican al Día de la Resurrección, una declaración es enfáticamente hecho que esa tendrá lugar ciertamente, y ninguno tiene el poder para prevenir su ocurrencia. Entonces, la declaración sigue acerca de lo que será el destino de aquéllos que lo niegan cuando realmente ocurrirá, y cómo aquéllos que creen en ella y adoptan la manera de rectitud se bendecirán por Al'lá.

Luego, la actitud de los jefes de Quraish hacia el mensaje del Profeta (paz esté en él) se critica. Ellos lo llamaron hechicero, un poseso o un poeta, y de este modo desencaminaban las gente vulgar contra él para que ellos no prestarán atención seria al mensaje que él estaba llevando. Ellos lo vieron a él como una calamidad que había descendido, de repente, en ellos y deseaban librarse de él abiertamente. Ellos le acusaron de fabricar el Qur'ăn de si mismo y de presentarlo en el nombre de Al'lá y así era un fraude que él estaba comprometiendo, según ellos. Ellos se lo mofaban de él a menudo diciendo que Al'lá no pudiera designar a un hombre ordinario como él a la oficina de Profetismo. Ellos expresaron la gran aversión a su invitación y a su mensaje, y le evitaban como si él estaba pidiéndoles una recompensa. Ellos se sentaban y tomaban el consejo de uno al otro para inventar los esquemas para acabar con su misión. Y mientras ellos hicieron todos esto, ellos nunca comprendieron qué credos de ignorancia ellos estaban practicando, y qué desinteresadamente y atentamente era Mujámad (paz esté en él) ejerciéndose su sumo para sacarlos de su error. Mientras criticándolos para esta actitud y conducta, Al'lá ha puesto ante ellos ciertas preguntas, una después de la otra, y cada una de las cuales es una respuesta a alguna objeción suyo o una crítica de algún error. Luego, se ha dicho que sería absolutamente de ningún provecho mostrarles un milagro para convencerlos acerca del Profetismo de Mujámad (paz esté en él), porque ellos eran las tales personas tercas que interpretarían mal de cualquier cosa que ellos fueran mostrados para evitar afirmar la fe.

El Profeta (paz esté en él) se da la instrucción que él debe continuar dando a ellos el mensaje persistentemente en su invitación y en su misión de predicar el mensaje de Al'lá a pesar de las imputaciones y objeciones de sus antagonistas y enemigos, y debe soportar su resistencia pacientemente hasta el juicio de Al'lá viene a pasar. Además, él se ha consolado, como si para decir " Tú Rab no te ha dejado sólo para enfrentar a tus enemigos, después de entregar las responsabilidades como un Profeta, sino que Él constantemente está mirando encima de ti. Por consiguiente, soporte cada penalidad pacientemente hasta la Hora de Su Juicio venga, y busca a través de alabar y glorificar tu Rab, eso es el poder que se requiere por ejercer sus esfuerzos en la causa de Al'lá bajo esta condición.

52: AT-TÜR

Esta Süra, revelado en Meca, tiene 2 secciones y 49 versos.

En el nombre de Al'lá, el Compasivo, el Misericordioso

SECCIÓN: 1

¡Por la montaña Tür (*donde Moisés se dio la Tora*), [1] y por la escritura escrita [2] en un pergamino desplegado, [3] y por la Casa frecuentada, [4] y por el dosel elevado (*el cielo*), [5] y por el mar hinchado; [6] el tormento de tu Rab vendrá a pasar, ciertamente! [7] No habrá ninguno para apartarlo. [8] En ese Día, el cielo se agitará violentamente [9] y la montañas echarán a andar. [10] En ese Día, ¡ay de los que negaron la Verdad! [11] Quienes están ocupados en sus deportes inútiles. [12] En ese Día ellos serán empujados al Fuego del infierno con violencia, [13] y les dirá: "Esto es el Fuego a la que ustedes negaban. [14] ¿Es esto una magia? ¿O es que no ven claro? [15] Ahora quemen en eso; será lo mismo para ustedes, si lo llevan pacientemente o no. Ustedes están retribuidos según sus hechos." [16] En cuanto a los temerosos, ellos estarán en los Jardines y beatitud, [17] regocijando en lo que su Rab les dé, y su Rab les salvará del tormento del infierno. [18] Les dirá: " Coman y beban al gusto de sus corazones, éste es el premio para sus hechos buenos." [19] Ellos reclinarán en camas colocadas en las filas; y les casaremos con Hûries bonitas (*las damiselas*) con los ojos grandes. [20] Nosotros uniremos a los verdaderos creyentes con aquéllos de sus descendientes que les siguieron en su fe, y no les negará nada del premio de sus hechos buenos - todos serán sostenidos en su empeño para sus hechos [21] - y les proporcionaremos las frutas, y las tales carnes que apetezcan. [22] Allí, se pasarán unos a otros una copa en cuyo contenido no habrá ninguna incitación a vaniloquio, ni el impulso pecador; [23] y allí les atenderán los muchachos jóvenes, exclusivamente designados para su servicio que serán tan guapos como las perlas valoradas. [24] Ellos conversarán entre si acerca de su vida mundana [25] y dirán: "Cuando estábamos viviendo entre nuestra parentela, estábamos temiendo el disgusto de Al'lá. [26] Pero Al'lá ha sido cortés a nosotros; Él nos ha salvado del castigo de Fuego. [27] De hecho, sólo orábamos a Él. Ciertamente, Él es el Benéfico, el Misericordioso."[28]

52: [1-28]

SECCIÓN: 2

Por consiguiente, mantengas tu misión de advertencia. Por la gracia de tu Rab no eres ni un adivino ni un poseso. [29] ¿Qué dicen? "¡Él es sino un poeta, estaremos esperando que le ocurre un poco de infortunio!" "Esperen si quieren; Yo también esperaré con ustedes." [31] ¿Será que sus facultades de razonar les incitan decir esto? ¿O es que son meramente la gente rebelde? [32] ¿Qué dicen?: "¡Este hombre ha inventado este Qur'ãn?" ¡No! pero lo que pasa es, que no quieren creer. [33] ¡Que

---

Los que niegan la Verdad se pondrán en el Fuego del infierno.

El premio para los virtuosos será el paraíso en que ellos mostrarán la gratitud por la gracia de Al'lá.

La misión del Profeta y la contestación a los argumentos de los incrédulos.

traigan una relato semejante (*al Qur'ãn*), si lo que ellos dicen es verdad! [34] ¿Han sido creados por nadie? ¿O acaso eran ellos mismos sus propios creadores? [35] ¿Acaso han creado los cielos y la tierra? ¡No! Nunca serán convencidos. [36] ¿Acaso ellos poseen los tesoros de tu Rab? ¿O son ellos quienes están en el mando? [37] ¿O es que ellos tienen una escalera al cielo por medio de cual ellos lo oyen por casualidad? En contra de esta imposibilidad, él que lo oyó por casualidad, que traiga la prueba clara. [38] ¿Acaso Él tiene hijas mientras que los hijos son para ustedes? [39] ¿O es que les pides compensación para sus servicios que deben temer ser sobrecargados por una deuda? [40] ¿O es que ellos tienen el conocimiento del inadvertido, y lo apuntan? [41] ¿O ellos piensan inventar una trampa contra ti? En ese caso, los incrédulos entramparán en su propia trampa. [42] ¿O es que tienen ellos un otro dios diferente que Al'lá? ¡Exaltado sea Al'lá, Quien está por encima todas esas deidades que ellos Le asocian! [43] Ellos son las tales personas que, aun cuando ellos verán una parte de cielo que se cae, dirían: "Son nubes que se han amontonado." [44] Pues déjales solo hasta que encuentren ese Día en que hundirán desmayándose con el terror. [45] El Día, cuando su trama no será útil de nada y nadie les ayudará. [46] Para los tales injustos, hay otro castigo, además de eso, aunque la mayoría de ellos no comprende. [47] Por consiguiente, espera pacientemente por el Juicio de tu Rab; ciertamente, tú eres bajo Nuestros Ojos (*el cuidado amoroso y protección de Al'lá*). Glorifícale tu Rab con Sus alabanzas al despertar, [48] y glorifícale en una parte de la noche, y también cuando las estrellas se marchitan lejos. [49]   52: [29-49]

53: AN-NA'ŸAM

El periodo de Revelación

Ésta es el primer Süra del Qur'ãn que el Profeta (paz esté en él) había recitado públicamente ante una asamblea del Quraish (y según Ibn Mardullá, en el Ka'ba) en que los creyentes y los incrédulos estaban presentes. Al final, cuando él recitó el verso que requiere la actuación de un Sa'yda y se cayó en la postración, la asamblea entera también se cayó en la postración con él, e incluso esos jefes de los politeístas que estaban en la vanguardia de la oposición al Profeta (paz esté en él) no podrían resistirse cayéndose en la postración. Ibn Mas'ud (que Al'lá se agrade con él) dice que él vio a sólo un hombre, Umaillá bin Jalaf, de entre los incrédulos que no se cayó en la postración pero tomó un poco del polvo y frotándolo en su frente dijo que eso se bastaba para él. Esta Süra se reveló en Ramadãn al 5 año de la residencia de Profeta en Meca como profeta.

Incluye los siguientes principios, Leyes y Guías divinas:

- ➢ *Escenario de la Primera Revelación que fue traído por el ángel Gabriel al Profeta Mujámad (paz esté en él).*
- ➢ *Al'lá le dio al Profeta Mujámad (paz esté en él) una gira de los Cielos, del Paraíso y otras grandes señales.*
- ➢ *Lât, Uzza y Manât (las diosas de árabes) son nada más que nombres inventados por los árabes paganos.*
- ➢ *Los ángeles no tienen ninguna porción en la divinidad, ni ellos pueden interceder sin el permiso de Al'lá.*
- ➢ *No exijas la piedad por ustedes mismos, Al'lá sabe quién es el temeroso y pío.*
- ➢ *Ninguna alma llevará la carga de otro, no habrá nada para una persona excepto sus acciones de bien o de mal que llevó junto a él.*

El tema de la Süra es advertir a los incrédulos de Meca sobre el error de su actitud que ellos habían adoptado hacia el Qur'ãn y el Profeta Mujámad (paz esté en él). El discurso empieza diciendo: "Mujámad (paz esté en él) no se engaña ni ha ido descaminado, como ustedes están diciendo a otros en su propaganda contra él, ni él ha fabricado esta enseñanza de Islam y su mensaje, como ustedes parece que tienen pensado. De hecho, cualquier cosa que él está presentando es nada más que la Revelación que se envía abajo a él. Los hechos que él presenta a ustedes no son los productos de su propia imaginación y especulación sino las realidades de que él es testigo presencial. Él ha visto el Ángel a través de quien él recibe este conocimiento. Él se ha hecho observar las grandes Señales de Al'lá durante su viaje de M'irâj (su ascensión hacia el cielo siendo vivo) directamente; cualquier cosa que él dice no es lo que él ha imaginado sino lo que él ha visto con sus propios ojos." Después de esto, siguientes tres argumentos convincentes se presentan:

1. *La religión que ustedes están siguiendo es basado no más que en la conjetura y las ideas inventadas. Ustedes han preparados unas diosas como Lât, Manât*

y Uz'za, considerando que ellos no tienen ninguna porción en la divinidad y consideran a los ángeles como las hijas de Al'lá. Ustedes piensan que estas deidades suyos pueden influir a Al'lá en su favor, considerando que el hecho es, que todos los ángeles juntos, quienes son más cerca de Al'lá, no pueden influirlo en ni siquiera en su propio favor. Ninguno de las creencias que ustedes han adoptados es basada en el conocimiento y razón, pero esas son las ansias y los deseos, basados en que ustedes han tomados algunos antojos, que parecen a ustedes como las realidades. Éste es un grave error.

2. *El último juicio no dependerá de sus deseos o las reclamaos que ustedes hacen acerca de su pureza y castidad sino que si Al'lá ves a ustedes como píos o impíos, virtuosos o injustos. Si ustedes refrenan de los pecados mortales, Él, en Su misericordia, pasará por alto a sus errores menores.*

3. *Se reiteran unos principios básicos de la verdadera fe, que se declaró en los Libros de los Profetas Ibrãjïm (Abraham) y Musa (Moisés) (paz esté en ambos), para quitar su equivocación que el Profeta Mujámad (paz esté en él) ha traído alguna nueva religión, pero que son las mismas verdades básicas que los Profetas anteriores siempre habían presentado en sus edades respectivas. Se ha aclarado que la destrucción del Âd, el Zamüd, la gente de los Profetas Nüj (Noé) y Lüt (Lot) no era el resultado de calamidades accidentales, pero Al'lá los ha destruido a consecuencia de la misma maldad y rebelión de los que no se inclinan refrenar y desistir los incrédulos de Meca.*

Éste era una Süra tan impresionante que incluso la mayoría de las personas que eran endurecidos para negar la verdad, eran completamente agobiados y cuando después de recitar estos versos, la Palabra Divina, el Profeta de Al'lá (paz esté en él) cayó en la postración, ellos no podrían ayudar sino caerse en la postración también junto con él.

53: AN-NA'ŸAM

Esta Süra, revelada en Meca, tiene 3 secciones y 62 versos.

En el nombre de Al'lá, el Compasivo, el Misericordioso

SECCIÓN: 1

¡Por la estrella, cuando declina! [1] Su compañero (*Mujámad*) no está extraviado, ni se descarriado. [2] Él no habla de su propio deseo, [3] esto (*Al-Qur'än*) no es sino una revelación inspirada. [4] Le enseña (*este Qur'än*) Uno que es muy poderoso (*el ángel Gabriel*); [5] dotado de sabiduría que se puso estable en la vista. [6] Mientras él estaba en lo más alto del horizonte. [7] Luego, se acercó y quedó suspendido en el aire, [8] dentro de la longitud de dos arcos o aún más cerca, [9] y reveló al siervo de Al'lá lo que tenía que revelar. [10] Su propio corazón no negó lo que él vio. [11] ¿Cómo ustedes (*Los incrédulos*) pueden, disputar a lo que él vio? [12] Ya lo había visto una vez anteriormente [13] cerca de Sidra-tul-Muntaja (*árbol del Loto que es al extremo más lejano de los siete cielos, el más allá de que nadie puede pasar*). [14] Cerca de él hay Yan'na-tul-M'awâ (*el jardín de la morada*). [15] Cuando ese Loto del límite se cubrió con lo que lo cubrió, [16] sus ojos no se volvieron al lado ni se excedieron el límite: [17] y él vio algunas de las más grandes señales de su Rab, de hecho.[18]   53: [1-18]

La escena de la primera revelación, traída por el ángel Gabriel al Profeta Mujámad (paz esté en él). Al'lá le dio una gira de los cielos, del paraíso y de otras grandes señales.

¿Han alguna vez, volteado su mirada hacia Lât y Uz'za [19] y la otra, la tercera, Manât (*los nombres de los ídolos árabes, exigidos por los paganos de Meca como las hijas de Al'lá*)? [20] ¿Tienen ustedes los hijos, y Él tiene las hijas? [21] ¡Ésta es, de hecho, una división injusta! [22] Éstas (*Lât, Uzza y Manât*) son nada más que nombres que ustedes y sus antepasados han inventado, porque Al'lá no ha vestido en ellos ninguna autoridad. Los incrédulos siguen nada más que la conjetura y los antojos de sus propias almas, aunque la guía correcta ya ha venido a ellos de su Rab. [23] O ¿Debe tripular tener cualquier cosa que él desea? [24] ¡No! A Al'lá pertenecen la Ultima Vida y la Primera (*de este mundo*). [25]   53: [19-25]

Lât, Uzza y Manât (las diosas de los árabes) son nada más que nombres inventados por los árabes paganos.

SECCIÓN: 2

Cuántos ángeles hay en los cielos; cuya intercesión no va a servir de nada a menos que ya habían tendido la autorización de Al'lá, que será sólo a favor de quien Él quiera y apruebe. [26] Aquéllos que no creen en la Ultima Vida les dan nombres femeninos de diosas a los ángeles. [27] Pero ellos tienen ningún conocimiento de ello. Ellos siguen la conjetura no más; y ciertamente, la conjetura no es una suplente para la Verdad. [28] Por consiguiente, descuide aquéllos que ignoran Nuestras advertencias y buscan sólo la vida de este mundo.

Los ángeles no tienen ninguna porción en la divinidad, ni ellos pueden interceder sin el permiso de Al'lá No exija la piedad por ustedes mismos, Al'lá sabe quién es temeroso de Al'lá y quién es pío.

[29] Ésta es la suma de su conocimiento. Ciertamente, tu Rab sabe el mejor quién se ha desviado de Su camino, y quién se guía debidamente. [30] De Al'lá es todo lo que está en los cielos y en la tierra, para que Él pueda retribuir a los que obren mal, y premiar ricamente a aquéllos que hacen los hechos buenos. [31] Aquéllos que evitan los pecados graves y los hechos vergonzosos excepto las ofensas pequeñas, ciertamente, para ellos tu Rab tendrá el perdón abundante. Él conoció bien a ustedes cuando Él lo creó de la tierra y cuando ustedes eran sólo embriones en los úteros de sus madres; por consiguiente, no exijan, pues, de ser puros por ustedes mismos. Él sabe el mejor quién realmente Le tema (*es pío*).[32]   53: [26-32]

SECCIÓN: 3

Ninguna alma llevará la carga de otro; no habrá nada para uno excepto por lo que él hizo sus esfuerzos.

¿Has visto el uno que (*Walid bin Mughïrá que estaba deseoso para abrazar el Islam pero por la promesa de alguien que tomará la responsabilidad de recibir el castigo en su nombre en la Ultima Vida a cambio de cierta cantidad de dinero*), rechazó? [33] Él dio un poco de la cantidad prometida luego detuvo. [34] ¿Acaso posee el conocimiento del No-visto que él pudiera ver la realidad? [35] O ¿No se le ha notificado acerca de lo que estaba en los pergaminos de Musa (*Moisés*) [36] y de Ibrãjïm (*Abraham*) quién siempre fue el fiel, cumplidor: [37] "Que ninguna alma llevará la carga de otro, [38] que no habrá nada para un hombre excepto por lo que él se esfuerza, [39] que pronto verá el resultado de sus esfuerzos, [40] que luego será premiado totalmente con una recompensa generosa, [41] que el destino final es hacia tu Rab, [42] que es Él Quién hace reír y hace llorar, [43] que es Él Quién da la muerte y da la vida, [44] que es Él, Quién ha creado en los pares, el varón y la hembra,[45] de una gota de semen eyaculada, [46] que a Él Le incumbe conceder la segunda vida (*la Ultima Vida*). [47] Y que es Él, Quién enriquece y concede la satisfacción, [48] que Él es el Rab de Shira (*la estrella a la que se le rendían culto en la época pre-islámica*), [49] y que es Él, Quién destruyó al pueblo de Âd anteriormente, [50] luego a los de Zamüd, no dejando a nadie, [51] y ante ellos el pueblo de Nüj (*Noé*), quién era el más injusto y más rebelde, [52] y que es Él, Quién destruyó la Mú'tafiká (*los ciudades de Sodoma y Gomorra, a los que el Profeta Lüt fue mandado*) que fueron puestas del revés. [53] Quién se cubrió por el castigo que las cubrió." [54] Entonces ¿Cuál de las bendiciones de tu Rab pondrás en duda? [55] Este Advertidor (*Mujámad*) simplemente está del mismo género que los advertidores que vinieron anteriormente. [56] Está acercándose (*el Día del Juicio*) lo que ha de venir; [57] que ninguno además de Al'lá puede apartarlo. [58] ¿Acaso les maravilla este revelación, [59] y se ríen en lugar de llorar? [60] Más bien ustedes están perdiendo su tiempo. [61] ¡Postren ustedes mismos ante Al'lá y ríndanselo culto mientras que ustedes pueden! [62]   53: [33-62]

54: AL-QAMAR

El periodo de Revelación

El incidente del shaq-al-Qamar (la hendidura de la luna) se menciona en esa Süra, lo que determina su periodo de revelación precisamente. Este incidente tuvo lugar en Mina que es en Meca, cinco años antes de la migración del Profeta hacia la Madina.

Incluye los siguientes principios, Leyes y Guías divinas:

➢ El Día del Juicio está acercando y aun así los incrédulos no están aprovechando a las señales de Al'lá.

➢ Hemos hecho el Qur'án fácil para entender la advertencia, pues ¿Hay alguien que tomaría la advertencia?"

➢ Se relaciona la historia de Zamüd y de Lüt, quienes llamaron a sus Profetas como mentirosos, para mostrar, qué terrible era el castigo de Al'lá, y qué claro era Su advertencia.

➢ Se asieron las gentes de Fir'aun por causa de descreer la advertencia de Al'lá. La misma advertencia ha venido a ustedes, ¿Es que no tomará esta advertencia en serio?

En esta Süra, se han advertido los incrédulos de Meca sobre su obstinación hacia el mensaje del Profeta (paz esté en él). El asombroso fenómeno y maravillosa ruptura de la Luna en dos partes, era una señal manifiesta de la Verdad que la Resurrección acerca de cúal el Profeta estaba dándoles las noticias, podría tener lugar. La gran esfera de la Luna se había hendido en dos partes distintas delante de sus propios ojos. Las dos partes habían separado y habían retrocedido tanto en la presencia de los espectadores que una parte había aparecido en un lado de la montaña y el otro en el otro lado. Luego, de ahí no más, los dos se reunieron. Ésta era prueba manifiesta de la Verdad que el sistema del Universo era ni eterno ni incambiable; y que las leyes físicas se podrían romperse. Los incrédulos describieron esto como una ilusión mágica y persistieron en su rechazo. Las tales personas ni creen en la advertencia, ni aprenden una lección de él, ni afirman la fe después de dar testimonio de las señales manifiestas con sus propios ojos. Ellos sólo creerían cuando la resurrección ha tenido lugar y ellos estarán apresurándose fuera de sus tumbas hacia el Emplazador en ese Día. Las historias de las gentes de Nüj (Noé), de 'Ad, de Zamüd, de Lüt (Lot) y del Fir'aun (Faraón) han estados brevemente relacionados, y les han recordado los castigos terribles que estas naciones sufrieron cuando ellos desmintieron y desatendieron las advertencias dadas por los Profetas de Al'lá.

54: AL-QAMAR

Esta Süra, revelada en Meca, tiene 3 secciones y 55 versos.

En el nombre de Al'lá, el Compasivo, el Misericordioso

SECCIÓN: 1

El Día del Juicio está casi de llegar, todavía los incrédulos no ponen la atención provechosa a las señales de Al'lá.

La Hora de Sentencia está casi por llegar, la luna se ha hendido en dos; *que eso es una prueba clara que la tierra puede correr la misma suerte.* [1] Todavía, cuando ellos ven una señal, los incrédulos se vuelven a sus espaldas y dicen: "¡Ésta es nada más que una magia ingeniosa!" [2] Ellos niegan esto y siguen siguiendo sus propias imaginaciones. Finalmente cada asunto se tendrá su fin. [3] Allí ya ha venido a ellos la información acerca de las naciones anteriores que contiene bastantes disuasivas [4] y este Qur'ãn es una sabiduría profunda para servir como una advertencia, pero las advertencias son inútil a estas personas. [5] Por consiguiente, apártate de ellos. En el Día, cuando el proclamador les llamará a un evento terrible. [6] Ellos saldrán de sus tumbas, como las langostas esparcidas, con los ojos inclinados hacia abajo, [7] apresurándose hacia quien les llama, y los mismos incrédulos llorarán: "¡Éste es, en realidad, un Día difícil! [8]   54: [1-8]

Hemos hecho el Qur'ãn fácil de entender, ¿Así que hay alguien que tomaría la advertencia?

Hace mucho tiempo antes de ellos, la gente de Nüj (*Noé*) ya había descreído. Ellos rechazaron a Nuestro siervo, le llamaron un poseso y le repulsaron. [9] Finalmente Después de amonestar a las gentes *durante 950 años*, él invocó a su Rab: ¡" Ayúdeme, me han vencido!" [10] Pues abrimos las verjas del cielo con una lluvia torrencial [11] y causamos que en la tierra reventaran las fuentes efusivas, y el agua se encontró para cumplir el fin ya decretado. [12] Y lo llevamos en una Arca construida con los tablones y clavos, [13] que navegó bajo Nuestra mirada (*con Su cuidado amoroso y Su protección*): un premio para él (*Noé*) quien fue negado por los incrédulos. [14] Hemos dejado ese Arca como una señal, ¿Hay alguien que tomaría la advertencia? [15] ¡Qué terrible era Mi castigo y qué claro era Mi advertencia! [16] En realidad, hemos hecho el Qur'ãn muy fácil de entender y recordar, pero ¿hay alguien que tomaría la advertencia? [17] Igualmente el pueblo de Âd no creyó, entonces ¡Qué terrible era Mi castigo y qué claro era Mi Advertencia! [18] Dejamos suelto en ellos un viento helado furioso, en un día nefasto que parecía interminable, [19] que arrancaba a los hombres como si fueran los troncos de palmeras desarraigadas. [20] ¡Qué terrible era Mi castigo y qué claro era Mi advertencia! [21] En realidad, hemos hecho el Qur'ãn muy fácil de entender y recordar, pero ¿hay alguien que tomaría la advertencia? [22]   54: [9-22]

SECCIÓN: 2

Las gentes de Zamüd también descreyeron Nuestra advertencia,[23] diciendo: "¿Es que vamos a seguir a quien no es más que un ser humano y que es uno de nosotros? ¡Ése sería, ciertamente, un error y una locura por nuestra parte! [24] ¿Era él precisamente la única persona entre todos nosotros, al que se le ha revelado el Recuerdo? ¡No! Él es de hecho un mentiroso, un insolente." [25] A Nuestro Rasúl Sâlej, dijimos: " Mañana sabrán quien es un mentiroso insolente. [26] Vamos enviarles la camella como un ensayo para ellos. ¡Por consiguiente, obsérvales y ten paciencia! [27] Les diga que el agua debe compartirse entre ellos y la camella, y cada uno vendrá al agua a su propio turno. [28] Por fin las gentes de Zamüd convocaron a uno de sus compañeros que tomará la responsabilidad y que él la desjarretó. [29] Pues ¡Qué terrible era Mi castigo y qué claro era Mi advertencia! [30] Soltamos en ellos una explosión poderosa y ellos se volvieron como ramaje pisoteados por el ganado que se usa para levantar una cerca. [31] En realidad, hemos hecho el Qur'ân muy fácil de entender y recordar, pero ¿hay alguien que tomaría la advertencia? [32] Otro ejemplo es, el pueblo de Lüt (*Lot*) quien descreyó Nuestra advertencia. [33] Soltamos en ellos un tornado de pedrisca que no dejó salvo a nadie excepto la familia de Lüt a los que salvamos antes del alba [34] a través de Nuestra gracia. Así premiamos a aquéllos que son agradecidos. [35] Lüt los advirtió de Nuestro rigor pero dudaron de las advertencias. [36] Le exigieron a sus huéspedes, pues deslumbramos sus ojos: "Ahora gusten Mi castigo y el resultado de descreer Mi advertencia." [37] Y día siguiente al amanecer, se dieron alcance por un castigo duradero [38] como si para decir: "Ahora gusten Mi castigo y el resultado de descreer Mi advertencia." [39] En realidad, hemos hecho el Qur'ân muy fácil de entender y recordar, pero ¿hay alguien que tomaría la advertencia? [40]

54: [23-40]

SECCIÓN: 3

Mis advertencias también vinieron a la gente de Fir'aun (*Faraón*). [41] Ellos descreyeron todas Nuestras señales. Por consiguiente, los asimos con el castigo de un Todos-poderoso, Potísimo. [42] *Quraish*, ¿Acaso sus incrédulos son mejores que aquéllos, o que ustedes han concedido, una inmunidad en las Escrituras Divinas? [43] O, acaso reclaman: "¡Actuando juntos, somos un grupo invencible!" [45] ¡No! La Hora del Juicio es el tiempo que se les ha prometido para tratar con ellos. Esa hora será la más dolorosa y muy amarga. [46] Todavía, ciertamente, las personas malas persisten en el error y en una locura. [47] En ese Día cuando ellos se arrastrarán con sus rostros hacia abajo en el Fuego, Nos diremos: "¡Gusten el toque de Saqar (*infierno*)!" [48] Ciertamente, hemos creado todo en la ordenación perfecta (*el destino y el propósito*). [49] Ordenamos sino sólo una vez y Nuestro Voluntad se hace realidad en el centelleo de un ojo. [50] ¡Incrédulos!, Ya hemos destruido muchos como ustedes. ¿Hay alguien que tomará la advertencia? [51] Todo que ellos están haciendo se agregará a sus libros del registro: [52] Cada acción, pequeño y grande, está registrado. [53] Indudablemente, los virtuosos estarán en medio de los jardines y ríos, [54] En un lugar de reposo verdadero, en la presencia de un Soberano Potísimo.[55]

54: [41-55]

La historia de Zamüd y Lüt que llamaron a sus Profetas como mentirosos, mostró ¿Qué terrible era el castigo de Al'lá y qué claro era su advertencia?

Se asieron las gentes de Fir'aun por descreer en Al'lá y Su advertencia. La misma advertencia ha venido a ustedes ¿No lo tomarían esta advertencia?

55: AR-RAJMÂN

El periodo de Revelación

Esta Süra se reveló durante la fase temprana de la residencia del Profeta en Meca.

Incluye los siguientes principios, Leyes y Guías divinas:

> *Es Al'lá Quien creó al hombre, le enseñó el Qur'ãn y le enseñó cómo comunicar sus sentimientos y pensamientos.*
> *Al'lá es el Rab de los Orientes y el Rab de los Occidentes. Es Él, Quién hizo las leyes para regular los océanos: sus productos y naves.*
> *Todos que existen, perecerán, excepto Al'lá.*
> *Nadie puede correr fuera de la jurisdicción de Al'lá.*
> *Se castigarán los pecadores en el infierno y el virtuoso se admitirá en el paraíso con los jardines lujuriantes, manantiales, frutas y las vírgenes vergonzosas.*

Éste es el única Süra del Qur'ãn en que, además de los hombres, los genios se dirigen directamente. En esta Süra se enseñan los hombres y los genios comprender las maravillas del poder de Al'lá, Sus bendiciones innumerables, su propia impotencia y responsabilidad ante Él. Ellos se advierten de las consecuencias malas de ser desobediente a Él e hicieron consciente de los resultados más hermosos de ser obediente a Él.

Hay indicadores claros, sin embargo, a varios otros lugares en el Qur'ãn que los genios son una creación al igual que a los hombres, son dotados de la libertad de su voluntad y de acción y por consiguiente, son responsables; quienes se han concedidos la libertad de creencia e incredulidad y de obediencia y desobediencia. También entre ellos son creyentes e incrédulos, los obedientes y los rebeldes, así como hay entre los seres humanos. Entre ellos existen algunos grupos quienes han creído en los Profetas enviados por Al'lá y en los Libros Divinos. Esta Süra señala claramente que el mensaje del Profeta (paz esté en él) y el Qur'ãn, los ambos son para los hombres y para los genios. El Profetismo de Mujámad (paz esté en él) no se restringe exclusivamente a los seres humanos. El principio de la Süra se dirige a los seres humanos. Pero desde verso 13 en adelante se dirigen los hombres y los genios juntos, y una y la misma invitación se extiende a ambos.

55: AR-RAJMÂN

Esta Süra, revelada en Meca, tiene 3 secciones y 78 versos.

En el nombre de Al'lá, el Compasivo, el Misericordioso

SECCIÓN: 1

El Compasivo (*Al'lá*). [1] Quien le enseñó el Qur'ăn, [2] ha creado al hombre [3] y le ha enseñado discursear inteligentemente y comunicar sus sentimientos y pensamientos. [4] El sol y la luna siguen sus cursos computados. [5] Y el astro y el árbol Le postran en la adoración. [6] Él ha elevado el cielo y ha establecido el equilibrio: [7] Jamás perturben a este equilibrio. [8] Por consiguiente, ustedes también establecen el peso con la justicia y no hagan la medida menoscabo. [9] Él puso la tierra al servicio de Sus criaturas, [10] con todo sus frutas y palmeras que han envainado los racimos, [11] y granos con la cáscara y tallo que convertirán en paja y las hierbas aromáticas. [12] Pues, ¿Cuál de los favores de su Rab, los dos de ustedes (*los genios y los humanos*) negarán? [13] él creó al hombre de la arcilla sonora similar a la de alfarería, [14] y creó los genios del fuego sin humo. [15] Pues, ¿Cuál de los favores de su Rab los dos de ustedes negarán?[16] 　　　　　　　　　　　　　　　55: [1-16]

Él es el Rab de los dos Orientes y el Rab de los dos Occidentes. [17] Pues, ¿Cuál de los favores de su Rab los dos de ustedes negarán? [18] Él ha hecho los dos océanos que se encuentran juntos al parecer, [19] todavía, entre ellos hay una barrera que ellos no pueden traspasar. [20] Pues, ¿Cuál de los favores de su Rab los dos de ustedes negarán? [21] Él produce perlas y corales, de los ambos. [22] Pues, ¿Cuál l de los favores de su Rab los dos de ustedes negarán? [23] Suyos son los barcos que sobresalen como las montañas en el mar. [24] Pues, ¿Cuál de los favores de su Rab los dos de ustedes negarán? [25] 　　　　　　　　　　　　　55: [17-25]

SECCIÓN: 2

Todos que existen en la tierra perecerán, [26] pero la faz de tu Rab permanecerá llena de Majestad y Honor. [27] Pues, ¿Cuál de los favores de su Rab los dos de ustedes negarán? [28] Todos que moran en los cielos y en la tierra, Le imploran para sus necesidades, siempre está ocupado en alguna tarea poderosa. [29] Pues, ¿Cuál de los favores de su Rab los dos de ustedes negarán? [30] Pronto Nos encargaremos a los dos de ustedes (*los genios y los humanos*) que son encargados de la responsabilidad, para pedir la cuenta. [31] Pues, ¿Cuál de los favores de su Rab los dos de ustedes negarán?[32] 　　　　　　　　　　　　　55: [26-32]

¡Asamblea de genios y de hombres! ¡Si ustedes tienen el poder para salir fuera de los límites de los cielos y de la tierra (*para escapar de Su castigo*), entonces escápense! Ustedes no podrán escaparse excepto con

Es Al'lá Quien creó al hombre, enseñó el Qur'ăn y lo enseñó cómo expresar sus sentimientos y pensamientos.

Al'lá es el Rab de los Orientes y los Ponientes y Él pone las leyes para regular océanos, sus productos y naves.

Todos que existen perecerán excepto Al'lá, Quien está ocupado en las tareas pesadas todo el tiempo.

Nadie puede correr fuera de la jurisdicción de Al'lá. Se castigarán los pecadores en el infierno.

Nuestra autoridad. [33] Pues, ¿Cuál de los favores de su Rab los dos de ustedes negarán? [34] Serán lanzadas contra ambos de ustedes las llamaradas de fuego y el latón fundido, y ambos de ustedes no podrán defenderse. [35] Pues, ¿Cuál de los favores de su Rab los dos de ustedes negarán? [36] Cuándo el cielo se hienda y sea como el cuero rojo [37] pues entonces, ¿Cuál de los favores de su Rab los dos de ustedes negarán? [38] Ese Día ni los humano ni los genios serán interrogados acerca de sus pecados. [39] Pues, ¿Cuál de los favores de su Rab los dos de ustedes negarán? [40] Porque los pecadores se reconocerán por sus rasgos y se les cogerá por sus copetes y por sus pies. [41] Pues, ¿Cuál de los favores de su Rab los dos de ustedes negarán? [42] Les dirá: "Éste es el infierno que los delincuentes habían negado." [43] Irán y volverán entre el Fuego y el agua hirviente. [44] Pues, ¿Cuál de los favores de su Rab los dos de ustedes negarán? [45]

                                                                55: [33-45]

SECCIÓN: 3

Virtuosos se premiarán en el paraíso con los jardines lujuriantes, primaveras, las frutas, las vírgenes vergonzosas y mucho más.

Para aquéllos, en cambio, que hayan temido la comparecencia ante su Rab, habrá dos jardines. [46] Pues, ¿Cuál de los favores de su Rab los dos de ustedes negarán? [47] Teniendo los árboles sombríos con las ramas verdes lujuriantes. [48] Pues, ¿Cuál de los favores de su Rab los dos de ustedes negarán? [49] En los dos de ellos habrán dos manantiales surtiendo. [50] Pues, ¿Cuál de los favores de su Rab los dos de ustedes negarán? [51] en los ambos habrán dos tipos de cada fruta. [52] Pues, ¿Cuál de los favores de su Rab los dos de ustedes negarán? [53] Ellos reclinarán en divanes tapizados de brocado rico, mientras la fruta de los ambos jardines estará dentro de su alcance fácil. [54] Pues, ¿Cuál de los favores de su Rab los dos de ustedes negarán? [55] En eso serán vírgenes castas con mirada recatada a quienes ni el hombre ni el genio ha tocado antes de ellos. [56] Pues, ¿Cuál de los favores de su Rab los dos de ustedes negarán? [57] Tan bonitas como si fueran rubíes y corales. [58] Pues, ¿Cuál de los favores de su Rab los dos de ustedes negarán? [59] ¿No es bien la recompensa del bien? [60] Pues, ¿Cuál de los favores de su Rab los dos de ustedes negarán? [61] Y además de esos dos, habrán dos otros jardines. [62] Pues, ¿Cuál de los favores de su Rab los dos de ustedes negarán? [63] Densamente obscurecido con los árboles verde oscuros. [64] Pues, ¿Cuál de los favores de su Rab los dos de ustedes negarán? [65] En cada uno de ellos habrán dos manantiales con agua abundante. [66] Pues, ¿Cuál de los favores de su Rab los dos de ustedes negarán? [67] Cada uno plantado con los árboles de fruta, fechas y granadas. [68] Pues, ¿Cuál de los favores de su Rab los dos de ustedes negarán? [69] En cada uno de ellos, habrán vírgenes castas y bonitas. [70] Pues, ¿Cuál de los favores de su Rab los dos de ustedes negarán? [71] Hûríes (*las damiselas bonitas*) resguardadas en los pabellones. [72] Pues, ¿Cuál de los favores de su Rab los dos de ustedes negarán? [73] Quienes jamás fueron tocadas por el humano ni por el genio. [74] Pues, ¿Cuál de los favores de su Rab los dos de ustedes negarán? [75]

reclinando en los cojines verdes y las alfombras finas y bellas. [76] Pues, ¿Cuál de los favores de su Rab los dos de ustedes negarán? [77] ¡Bendito sea el nombre de tu Rab, Dueño de la Majestad y del Honor![78]

55: [46-78]

56: AL-WÂQI'Á

El periodo de Revelación

Esta Süra se reveló antes de la afirmación de la fe por Sallidunâ Umar (pueda que Al'lá se agrade con él). Se ha establecido históricamente que Sallidunâ Umar abrazó el Islam después de la primera migración hacia Jabsha, en el quinto año de ser profeta.

Incluye los siguientes principios, Leyes y Guías divinas:

- ➤ *La escena del Día del Juicio Final cuando:*
  - o *Algunos se humillarán y otros se exaltarán.*
  - o *Toda la tierra será asida por temblores.*
  - o *Las montañas se desmenuzarán al polvo esparcido.*
  - o *La humanidad será dividida en tres grupos:*
    - ▪ *los que son por encima de todo en la jerarquía y posición,*
    - ▪ *las personas virtuosas comunes y*
    - ▪ *Los incrédulos.*
- ➤ *La advertencia a los incrédulos con los ejemplos de la creación.*
- ➤ *El testimonio de Al'lá acerca del Qur'ãn.*

El tema de esta Süra es la Ultima Vida, Taujïd y contestación a las sospechas de los incrédulos sobre el Qur'ãn. Con el respecto al Taujïd y la Última Vida se dan los argumentos convincentes, y la atención del hombre se atrae a su propio cuerpo, la comida que él come, el agua que él bebe, y el fuego en que él cocina su comida. Él se invita a ponderar la pregunta, "¿Qué derecho ustedes tienen para comportarse independientemente o servir cualquier otra deidad que no sea el Todopoderoso Dios (Al'lá) Cuyo poder creativo le ha traído en ser y Quien provee sus sostén? ¿Cómo ustedes pueden tener la idea que después de lo haber traído una vez en la existencia, Él se ha puesto tan desvalido e impotente que Él no puede recrearlo una vez más?"

En la conclusión, el hombre se advierte que él puede cerrar sus ojos a la Verdad en su arrogancia, pero la muerte se bastará para abrir sus ojos. Cuando la muerte viene, él se pone desvalido: él no puede salvar a sus propios padres; él no puede salvar a sus propios hijos; él no puede salvar a sus guías religiosas y los líderes queridos. Ellos se mueren delante de sus ojos mientras él está viendo desvalidamente. ¿Acaso no hay ningún poder supremo que gobierna encima de él, y su asunción es correcta que él mismo basta en todo el mundo, y no hay ningún Dios (Al'lá), entonces por qué él no puede restaurar a la persona agonizante su alma? Así como él está desvalido en esto, pues entonces es el más allá de su poder para detener a Al'lá de llamar a las personas para contabilidad y concederles premios o castigarlo. Él puede o no puede creerlo, pero cada persona verá su propio fin, ciertamente después de la muerte.

56: AL-WÂQI'Á

Esta Süra, revelada en Meca, tiene 3 secciones y 96 versos.

En el nombre de Al'lá, el Compasivo, el Misericordioso

SECCIÓN: 1

Cuando el evento inevitable vendrá a pasar [1] - nadie podrá negar su acontecer [2] - entonces algunos se humillarán y otros se exaltarán. [3] La tierra se agitará con un temblor terrible, [4] y las montañas se harán desmenuzadas con el desmenuzo horrible [5] y se convertirá como el polvo esparcido. [6] Entonces ustedes serán divididos en tres grupos: [7] aquéllos en la mano derecha - qué bendito serán las personas de la mano derecha; [8] aquéllos en la mano izquierda - qué condenados serán las personas de la mano izquierda; [9] y los más distinguidos en la fe, serán más distinguidos en la Ultima Vida. [10] Ellos estarán más cercanos a Al'lá, [11] en los jardines de beatitud. [12] La mayoría de ellos será de las primeras [13] y pocos de las generaciones más tarde. [14] Ellos tendrán los divanes tejidos de oro, [15] reclinando en ellos, uno frente a otros. [16] Y ellos se servirán por las juventudes eternas [17] con las copas, vasijas y vasos de puro vino que manará de un manantial, [18] - que no causará ningún dolor de cabeza ni embriagará. [19] Ellos tendrán frutas de su propia opción [20] y la carne de aves que les apetezca, [21] y Jûríes con grande ojos, bonitas (*las damiselas*), [22] tan exquisitas como las perlas bien guardadas; [23] como un premio para los hechos buenos que ellos habían hecho. [24] Allí ellos no oirán cualquier charla vana ni las palabras pecadoras, [25] pero sólo los saludos de "¡Paz esté en usted! ¡Paz esté en usted!" [26]   56: [1-26]

Y aquéllos de la mano derecha - ¡quiénes serán aquéllos en la mano derecha! [27] ellos estarán entre los árboles de lote sin espinas, [28] los racimos de plátanos, [29] las sombras espesas y extensas, [30] el agua fluyendo constantemente, [31] las frutas abundantes [32] inagotable y permitidas, [33] y estarán reclinándoos en lechos elevados. [34] crearemos a sus esposas de una creación especial [35] y les hará vírgenes, [36] amorosas por la naturaleza, de la misma edad, [37] para aquéllos de la mano derecha.[38]   56: [27-38]

SECCIÓN: 2

¡Muchos de ellos serán de las primeras [39] y muchos de las generaciones más tarde! [40] En cuanto a aquéllos de la mano izquierda - ¡qué infortunados serán las personas de la mano izquierda! [41] Estarán en medio de los vientos abrasadores y en el agua hirviente: [42] en la sombra de un humo negro como del carbón, [43] ni fresca ni agradable. [44] Porque ellos vivieron en el consuelo antes de reunir este destino. [45] Ellos persistieron en los pecados odiosos [46] y decían: "¿Acaso cuando hayamos muertos y seamos polvo y huesos, seremos levantados de nuevo a la vida?

La escena de Día del juicio Final cuando la humanidad será dividida en tres grupos:
A. El premio para el grupo delantero.

B. El premio para el grupo diestro.

C. El castigo para el grupo de la mano izquierdo.

[47] ¿Y nuestros antepasados, también?" [48] Les diga: "Ciertamente, aquéllos de las generaciones previas y de presente [49] se reunirán en un tiempo designado de un Día conocido. [50] Entonces ustedes, los extraviados, los que negaban la Verdad; [51] comerán del árbol de Zaq'qûm, [52] y llenarán sus barrigas de él; [53] y beberán encima de él, el agua hirviendo; [54] Es más, lo beberán como un camello enfermo, que está muriendo de sed." [55] Ése será su alojamiento en el Día del Juicio. [56]

56: [39-56]

La advertencia a los incrédulos con los ejemplos de creación.

Nos hemos creado a ustedes; ¿Entonces por qué no aceptan la Verdad? [57] ¿Han reflexionados acerca del semen que ustedes eyaculan?: [58] ¿Son ustedes quienes crean el niño de eso, o somos Nosotros Creadores? [59] Hemos ordenado que exista la muerte entre ustedes y nadie puede impedirnos [60] que reemplazamos a ustedes por otros semejantes a ustedes mismos o transformamos a ustedes en seres que ustedes no conocen. [61] Ustedes ya saben bien su primera creación, ¿por qué entonces ustedes no ponen la atención? [62] ¿Han fijados en la semilla que ustedes siembran en la tierra? [63] ¿Son ustedes quienes hacen germinar o somos Nosotros los germinadores? [64] Si era Nuestro Voluntad, podríamos desmenuzar su cosecha en rastrojo, y entonces dejaría a ustedes lamentando: [65] "¡Nosotros quedamos, de hecho, abrumados con las deudas; [66] más aún, nos hemos privado de las frutas de nuestra labor!" [67] ¿Han fijado alguna vez acerca del agua que ustedes beben? [68] ¿Son ustedes quienes lo hacen bajar de las nubes o somos Nosotros Quienes lo hacen bajar? [69] Si era Nuestra Voluntad, podríamos volverlo Salado. ¿Por qué ustedes no dan, entonces, gracias? [70] ¿Han considerado acerca del fuego que ustedes encienden? [71] ¿Son ustedes quienes crearon el árbol qué alimenta el fuego o somos Nosotros los creadores? [72] Nosotros le hemos hecho un recordatorio (*del gran Fuego del infierno*), y una provisión de vida para los viajeros. [73] ¡Glorifica, pues, el nombre de tu Rab Quien es el más Grande! [74]

56: [57-74]

SECCIÓN: 3

El testimonio de Al'lá sobre el Qur'ãn.

¡Pues no! ¡Juro por el ocaso de las estrellas! [75] Y es de hecho un juramento poderoso si ustedes pero lo conocen, [76] que éste es, indudablemente un Qur'ãn Honorable, [77] inscrito en un Libro bien-defendido, [78] qué nadie puede tocar excepto los purificados (*los ángeles*): [79] una revelación descendida por el Rab de todos los mundos. [80] ¿Desdeñarían ustedes a una escritura como esta? [81] ¿Han hechos su sustento, declarar esto (*el Qur'ãn*) como falso? [82] ¿Cuándo ustedes ven el alma de una persona agonizante ascender a su garganta [83] mientras ustedes está mirando desvalidamente [84] - y en ese momento ¿No somos más cerca de él que ustedes, aunque ustedes no pueden ver? [85] ¿Entonces por qué no lo hacen - si ustedes exigen que ustedes no estén sujetos a contabilidad [86] - restaurar su alma a la persona agonizante? ¡Contesten esto, si lo que ustedes dicen es verdad! [87] Luego, si la persona agonizante es uno de aquéllos cerca de Nosotros, [88] para él hay consuelo y generosidad, y un jardín de beatitud. [89] Y si él es de los compañeros de mano derecha, [90] él será saludado con el saludo: "Paz esté contigo," por ser de los compañeros de la mano derecha. [91] Y si él es de los que negaron la Verdad, de los extraviados, [92] él tendrá la bienvenida con el agua hirviendo, [93] y se abrazará por el infierno. [94] Ciertamente, ésta es una Verdad absoluta. [95] Por consiguiente, ¡Glorifique el nombre de tu Rab Quien es el Grandioso! [96]   56: [75-96]

57: AL-JADÏD

El periodo de Revelación

Esta Süra que se reveló en Madina durante el intervalo entre la Batalla de Ujud y el Tratado de Judaibillá entre el 4 y 5 año después de Ji'yrá. Se reveló en el momento cuando el Estado islámico de Madina se dobladillo por los incrédulos y el manojo de los musulmanes provistos pobremente se invadió por los poderes combinados de Arabia entera. En las tales circunstancias Islam estaba no sólo en la necesidad del sacrificio de vida de sus seguidores, sino también necesitó soporte y ayuda monetaria. En esta Süra una apelación poderosa ha sido hecha por el mismo fin.

Incluye los siguientes principios, Leyes y Guías divinas:

➢ Al'lá creó los cielos y la tierra en seis Allâm (Días, periodo del tiempo o Fases) y Él tiene el conocimiento de todo.
➢ En el Día del Juicio, los verdaderos creyentes tendrán su luz que brillará ante ellos mientras los hipócritas tendrán un destino similar a los de incrédulos.
➢ Aquéllos que gastan en la caridad se reembolsarán multicopista y también se darán además un premio generoso aparte.
➢ La vida de este mundo es pero un juego, entretenimiento e ilusión.
➢ No aflija para las cosas que ustedes extrañan, ni hagan demasiado feliz por la ganancia.
➢ Los profetas Nüj (Noé), Ibrâjïm (Abraham) e Isa (Jesús) se enviaron para que guíen a la Vía Recta, en cuanto al monasticismo, las gentes lo instituyeron ellos mismos.

Esta Süra persuade a los musulmanes para hacer los sacrificios monetarios en particular, y para hacerles comprender que Islam no es afirmación meramente verbal y algunas prácticas exteriores, pero su ser y su espíritu es la sinceridad hacia Al'lá y a Su Religión. La fe de la persona que está desprovisto de este espíritu y quién considera su propio ego y riqueza como más estimado a él que Al'lá y Su Religión, es sin sustancia y no tiene el valor en la vista de Al'lá. Se mencionan los atributos de Al'lá Todopoderoso para hacer a los oyentes comprender, acerca de Quién está dirigiéndoselos. Entonces, la guía siguiente se proporciona:

1. 1. La demanda inevitable de la Fe es que uno no debe dudar para gastar la riqueza de uno por causa de Al'lá. De hecho la riqueza pertenece a Al'lá, y el hombre sólo se ha concedido los derechos propietarios como Su segundo en mando. Ayer esta riqueza estaba en la posesión de otras personas, hoy está contigo, y mañana pasará adelante a alguien más. Finalmente, regresará a Al'lá Quien es el heredero de todo en todo el universo. Sólo esa porción de esta riqueza será de cualquier uso para el hombre, qué él gasta en la Causa de Al'lá durante el periodo que esté en su posesión.

2. *Aunque haciendo los sacrificios por causa de Al'lá es loable en todos los casos, el verdadero valor de estos sacrificios es determinado por la naturaleza de la ocasión. Había un estado cuando el poder de paganismo estaba agobiando y había un peligro que podría dominar y podría superar al Islam completamente; había otro tiempo cuando Islam estaba en una posición más fuerte en su forcejeo contra el paganismo y los creyentes estaban logrando las victorias. Ambos estos estados no eran iguales respecto a su importancia respectiva. Por consiguiente, los sacrificios que eran hechos en estos estados diferentes también no serían iguales. Aquéllos que sacrificaron sus vidas y gastaron su riqueza para promover la Causa de Islam cuando ya era fuerte que no lograría la categoría de aquéllos que se esforzaron con sus vidas y su riqueza para promover y levantar la causa de Islam cuando era débil.*

3. *Cualquier cosa que estás gastado para la Causa de Islam es un préstamo a Al'lá. Al'lá no sólo te devolverá multicopista, sino también dará de Su parte un premio extra.*

4. *En la Ultima Vida, la Luz sólo se dará en esos creyentes que gastaron su riqueza en la Causa de Al'lá. En cuanto a los hipócritas que miraron y sirvieron sólo sus propios intereses en el mundo, y quienes eran menor molestados si la Verdad o falsedad prevalecieron; ellos se segregarán de los creyentes en la Ultima Vida. No sólo que serán prevenidos de la Luz, sino estarán entre los incrédulos.*

5. *La vida de este mundo está como una cosecha que florece, luego se pone pálido y finalmente reducido a barcia. La vida eterna es la Última Vida, cuando se anunciarán los resultados de gran consecuencia. Por consiguiente, si uno tiene que envidiar para algo, debe ser para el Paraíso.*

6. *Cualquier cosa buena que un hombre consigue y cualquier penalidad que él sufre en este mundo, es pre-decretado por Al'lá. Un verdadero creyente es él, quien no pierde el corazón en la aflicción y no resopla con el orgullo en los tiempos buenos.*

7. *Al'lá envió a Sus Mensajeros con las señales claras, la escritura y la Ley de la Justicia para que las personas puedan dirigir sus asuntos justamente. Él hizo bajar el hierro para que su poder pueda usar para establecer la Verdad y vencer la falsedad.*

57: AL-JADÏD

Esta Süra, revelad en Madina, tiene 4 secciones y 29 versos.

En el nombre de Al'lá, el Compasivo, el Misericordioso

SECCIÓN: 1

Todos que están en los cielos y en la tierra glorifican a Al'lá, y Él es el Todos-poderoso, el Todos-sabio. [1] Suyo es el reino de los cielos y de la tierra; es Él, Quién da vida y da la muerte; y Él tiene el poder encima de todas las cosas. [2] Él es el Primero (*nada ni nadie estuvo ante de Él*) y el Último (*nada estará después de Él*), el más Alto, ' Evidente' (*arriba de Quien hay nadie*) y el Íntimo, 'Escondido' (*nadie está más cercano que Él*), y Él tiene el conocimiento de todas las cosas. [3] Es Él, Quién creó los cielos y la tierra en seis Allâm (*días, periodo de tiempo o fases*), luego se estableció en el trono de una manera que satisface a Su majestad. Él sabe todos que entran en la tierra y todos que surgen de él, todos los que bajan del Cielo y todos los que ascienden a él; y Él está con ustedes (*observando y dando testimonio de sus acciones*) dondequiera que estén ustedes. Al'lá está mirando todas sus acciones. [4] A Él Le pertenece el reino de los cielos y de la tierra, y todos los asuntos regresan a Al'lá para Su decisión. [5] Él causa la noche que entre en el día y el día que entre en la noche, y Él tiene conocimiento de los secretos más íntimos de sus corazones. [6] ¡Creen en Al'lá y en Su Rasúl y gasten en la caridad fuera de lo que Él lo ha confiado, porque aquéllos de ustedes quiénes creen y gastan en la caridad se premiarán ricamente! [7] Y ¿Cómo es que no creen en Al'lá, considerando que el Rasúl está invitando a ustedes a creer en su Rab, Quien ha tomado su convenio, de hecho, si ustedes son los verdaderos hombres de fe? [8] Es Él, Quién envía las revelaciones claras a Su siervo, para que Él pueda llevarlos desde las profundidades de oscuridad hacia la luz. Ciertamente, Al'lá es Muy Amable y más Misericordioso con ustedes. [9] ¿Qué pasa con ustedes que no gastan en el camino de Al'lá, considerando que a Al'lá Le pertenece la herencia de los cielos y de la tierra? Aquéllos de ustedes quiénes gastaron y lucharon en la Causa de Al'lá antes de la conquista de Meca, recibirán categorías más altas de honor que los otros que gastaron y lucharon después de esto. Pero a todos, Al'lá ha prometido lo más Hermoso, y Al'lá es consciente de todas sus acciones. [10]   57: [1-10]

SECCIÓN: 2

¿Quién es el que dará a Al'lá un préstamo generoso, para que Él se multiplique a su crédito y devolverle aún más, de Su parte, una recompensa generosa? [11] En el Día del Juicio verás a los creyentes, hombres y mujeres, con su luz que brillará ante ellos y en sus manos derechas, se dirá: " Regocijen hoy, ustedes entrarán en los jardines bajo

---

Margin left, upper:

Todos los que están en los cielos y en la tierra glorifican a Al'lá Que creó a los cielos y a la tierra en seis periodos y tiene el conocimiento de todos. Aquéllos que gastan en la caridad se premiarán ricamente.

Margin left, lower:

En ese día, los verdaderos creyentes tendrán su luz que brillará cual fluyen los ríos, en que vivirán para siempre, y ¡Ése es un triunfo inmenso! [12] En ese Día los hipócritas - hombres y mujeres - dirán a los verdaderos creyentes: "Esperen por nosotros, para que podemos pedir prestado alguna de su luz." Pero les dirán: "¡Márchense atrás! Pues, busquen su propia luz." Pues se preparará una pared con una verja, entre ellos. Dentro estará la Misericordia, mientras que fuera, estará el castigo. [13] Ellos llamarán a los creyentes: "¿No estábamos con ustedes?" "Sí," Ellos contestarán, " por el contrario, ustedes mismamente se llevaron en la tentación, mantuvieron a la expectativa y dudaron en la fe, y se engañaron por sus deseos vanos hasta que llegó el orden de Al'lá, mientras el arco-engañador (*el Shaitãn*) engañó a ustedes acerca de Al'lá, hasta el último momento." [14] Les dirán, "Hoy ningún rescate se aceptará de ustedes, o de los incrédulos. Su morada será el Fuego, que ustedes han ganado justamente, y es un refugio malísimo." [15] ¿No es el tiempo ya de que los creyentes someten sus corazones al recuerdo de Al'lá y a la Verdad que Él ha revelado, y de que no sean como quienes, habiendo recibido la escritura antes de esto, aunque su término se prolongó para ellos pero sus corazones se endurecieron? Y la mayoría entre ellos era de los transgresores. [16] Ustedes deben saber que Al'lá vivifica la tierra después de su muerte, semejantemente ustedes también se vivificarán después de su muerte. Nosotros hemos deletreado Nuestras revelaciones para ustedes, para que puedan comprender. [17] Ciertamente, los caritativos, que sean hombres o mujeres, quienes hacen un préstamo generoso a Al'lá, se reembolsarán multíplicemente, y aparte de esto también se dará una recompensa generosa. [18] Aquéllos que creen en Al'lá y en Sus Rasúles, ésos son los veraces y verdaderos testigos en la vista de su Rab; ellos tendrán su premio y su luz. Pero aquéllos que descreen y rechazan Nuestras revelaciones; ellos serán los presos del Fuego del infierno.[19]

57: [11-19]

SECCIÓN: 3

Ustedes deben saber que la vida de este mundo es sólo juegue y entretenimiento, un ornato y jactancia entre ustedes mismos, afán para más riquezas y más hijos. Su ejemplo es eso de una vegetación que florece después de la lluvia: el crecimiento de cual deleite a los sembradores, pero luego se marchita y le ven ponerse amarillo, pronto se pone seco y convierte en paja. En la Ultima Vida habrá castigo severo o perdón y placer de Al'lá. La vida de este mundo es nada más que una ilusión. [20] Por consiguiente, apresúrense hacia el perdón de su Rab y para el paraíso, que es tan inmenso como el cielo y la tierra, preparado para aquéllos que creen en Al'lá y en Sus Rasúles. Así es la gracia de Al'lá que da a quien Él agrada, y Al'lá es el Dueño de la gracia inmensa. [21] Ninguna aflicción puedes ocurrir en la tierra o en sus propias almas, sino que sea grabada en un Libro, antes de que lo hayamos causado; ciertamente, eso es fácil para Al'lá. [22] Esto se hace para que ustedes no afligen para las cosas que pierdan, o estén alborozados a eso que ustedes consiguen; porque Al'lá no

---

ante ellos mientras los hipócritas tendrán su destino no diferente que los incrédulos. Aquéllos que gastan en la caridad se reembolsarán multicopista y también además de eso se darán la recompensa liberal.

La vida de este mundo es pero juego, entretenimiento e ilusión. No aflijas para las cosas que extrañas, ni haga muy feliz para las ganancias.

ama a cualquier jactancioso y vanaglorioso, [23] aquéllos que, siendo tacaño ellos mismos, también mandan a otros para ser tacaños. Aquél que no presta ninguna atención debe saber que Al'lá está libre de todas las necesidades, digno de todas las alabanzas. [24] Ciertamente, hemos enviado Nuestro Rasúles con las señales claras, e hicimos bajar con ellos la escritura y la Balanza de Justicia, para que las gentes puedan dirigirse con la equidad. Y también hicimos descender el hierro, que encierra una gran fuerza y muchos beneficios para la humanidad. Para que Al'lá supiera de aquéllos que Le ayudarán, aun sin verlo, y ayudan a Sus Rasúles. Ciertamente, Al'lá es Fuerte, Todopoderoso. [25]   57: [20-25]

SECCIÓN: 4

Los profetas Nüj (Noé), Ibrãjïm (Abraham) e Isa (Jesús) *se enviaron para la guía a la Vía Recta*. En cuanto al monasticismo, las personas instituyeron ellos mismos.

Ya hemos enviados a Nüj (*Noé*) e Ibrãjïm (*Abraham*), y dimos entre sus descendientes el profetismo y la escritura. Algunos de ellos adoptaron la guía correcta, pero la mayoría de ellos era de los transgresores. [26] Después de ellos, a continuación, enviamos a Nuestros otros Rasúles, uno después del otro, así como Isa (*Jesús*), el hijo de Marllam a quien le dimos El Inÿïl (*el Evangelio*), y pusimos compasión y misericordia en los corazones de sus seguidores. En cuanto al monasticismo, lo instituyeron ellos mismos - porque Nosotros no se lo mandamos - buscando únicamente el beneplácito de Al'lá, pero ellos no lo observaron cómo se debían ser observados. Todavía, premiamos a aquéllos entre ellos quienes eran los verdaderos creyentes, pero la mayoría de ellos es de unos perversos. [27] ¡Ustedes que creen! Temen a Al'lá y crean en Su Rasúl. Él concederá a ustedes una porción doble de Su misericordia, conferirá a ustedes una luz con la que podrán caminar y perdonará sus pecados. Al'lá está a menudo Perdonador, más Misericordioso. [28] Ustedes deben adoptar esta manera para que la gente de la escritura sepan que ellos no tienen el derecho único a la gracia de Al'lá, y que Su gracia está completamente en Sus propias manos que Él otorga a quienquiera que Él lega: y Al'lá es el Dueño de gracia inmensa.[29]

57: [26-29]

ẎÚZ (PARTE): 28

58: AL-MUẎÁDILÁ

El periodo de Revelación

No hay ninguna tradición para indicar cuando fue este incidente de discutir (Muẏâdilá), pero en base del contenido de la Süra hay una indicación, según lo cual se puede basar, con la certeza, que esta Süra se reveló después de la batalla de la Trinchera (Shawâl, 5 D. J.). En Süra Al-Ajzâb, mientras negando que un hijo adoptado pudiera ser el hijo real de uno, Al'lá simplemente había dicho; "Y Al'lá no ha hecho sus madres, aquéllas de sus esposas a quienes ustedes divorcian por Zijâr." Pero en aquella Süra al que se divorcia a una esposa a través de Zijâr (llamar a la esposa de uno como la madre de uno) no fue declarado para ser un pecado o un crimen, y ningún orden acerca de su legalidad fue dado. Al contrario, en esta Süra la ley en su enteridad lo que se relaciona a Zijâr se ha promulgado. Y esto se muestra que estos órdenes detallados fueron revelados después de una referencia breve, relacionada con este problema, en Süra Al-Ajzâb.

Incluye los siguientes principios, Leyes y Guías divinas:

➢ Las practicas paganas de divorciar a través de 'Zijâr (divorciar llamando a la esposa de uno como la madre de uno)' se prohíbe.
➢ La multa por practicar 'Zijâr.'
➢ Al'lá es Omnipresente, si tres personas conversan en el secreto, Él es cuarto de ellos.
➢ Los consejos confidenciales se prohíben excepto que se relaciona a la virtud y la piedad.
➢ Conspirar en el secreto es el trabajo de Shaitãn.
➢ Las etiquetas para conducir una reunión.
➢ El orden para gastar en la caridad antes de consultar el Rasúl en privado.
➢ Aquéllos que favorecen a los que están bajo la ira de Al'lá se castigarán severamente.
➢ Los verdaderos creyentes no favorecen a aquéllos que oponen a Al'lá y a Su Rasúl.

En esta Süra se ha dado instrucciones a los musulmanes acerca de los diferentes problemas que estaban confrontando en ese momento. Desde principio de la Süra hasta el versiculo 6 se dan órdenes legales sobre Zijâr. Los musulmanes se advierten estrictamente que ellos no deben persistir en las prácticas de ignorancia después de que ellos han aceptado el Islam.

Los versículos 7-10, se tratan acerca de los hipócritas para sus consultaciones confidenciales. Porque ellos conspiraron contra el Profeta (paz esté en él), y debido a su malicia oculta y inquina ellos le saludaban, como decían los judíos, de una manera como para desear mal in lugar de bien. En esta conexión, los musulmanes se consuelan: "Estas consultaciones confidenciales de los hipócritas no *pueden hacer daño a ustedes; por consiguiente, ustedes deben seguir haciendo su deber con toda la confianza en Al'lá." Además, ellos también se enseñan: "Los verdaderos creyentes, cuando hablan clandestinamente en sí mismos, no deben hablar del pecado y de la trasgresión o desobediencia con el Profeta, sino que hablen de la bondad y de la piedad."*

En los vv. 11-13, los musulmanes se enseñan las maneras de conducta social y las instrucciones dadas son para corregir males sociales que eran entonces prevalecientes entre las gentes como todavía existen hoy en el día. Si algunas personas estaban sentados en una asamblea, y llegaban más personas, ellos ni siquiera mostraban la cortesía de apretar entre si para hacer el sitio para otros, con el resultado que los recién venidos tenían que seguir estando de pie, sentarse en la puerta, regresarse, o viendo que hay algún lugar dentro, salían saltando encima de otras personas para agarrar un lugar para ellos. Así era el caso en las asambleas del Profeta. Por consiguiente, Al'lá dio la instrucción: No se comporten egoístamente y con estrechez de miras en sus asambleas. También acomoden a los recién venidos con un corazón abierto.

Desde el versículo 14 hasta fin de la Süra se han dicho a los miembros de la sociedad musulmana; que era una mezcla de los musulmanes sinceros, los hipócritas y los indecisos en Islam; el criterio de sinceridad a través de citar el ejemplo de dos tipos de musulmanes como sigue:

- *Un tipo de musulmanes es de aquéllos que guardan la amistad con los enemigos del Islam. Ellos no vacilan por ser traicioneros al Islam por causa de sus propios intereses. Ellos extienden todas las clases de dudas y sospechas contra el Islam y impiden a las personas para adoptar el camino de Al'lá. Pero porque son parte de la comunidad musulmana, su profesión falsa de Fe sirve para ellos como una tapa y escudo.*

- *El segundo tipo de musulmanes son aquéllos que, en la materia de la Religión de Al'lá, no toleran ni a su propio padre, sus hermanos, sus hijos, y ni siquiera su familia, si ellos dicen algo contra Al'lá o contra Su Rasúl. Ellos no acarician cualquier sentimiento de amor para la persona que es un enemigo de Al'lá, de Su Rasúl y de Su Religión.*

En estos versos Al'lá ha declarado explícitamente que las personas del primer tipo, de hecho, pertenecen al partido de Shaitãn, como quiera que traten de convencer a otros de su Islam jurando los juramentos. Y los honores de pertenecer al partido de Al'lá son para los musulmanes del segundo tipo. Ellos son los verdaderos musulmanes, ellos lograrán el verdadero éxito, y con ellos Al'lá es bien agradado.

58: AL-MUŶÁDILÁ

Esta Süra reveló en Madina, tiene 3 secciones y 22 versos.

En el nombre de Al'lá, el Compasivo, el Misericordioso

SECCIÓN: 1

Al'lá ha escuchado las palabras de la mujer (*Khaulá, la hija de Za'labá quien se había sido divorciada con las palabras: "Tú eres para mí como espalda de mi madre" que era una práctica aceptable para el divorcio entre los árabes paganos*), quién quejó contigo contra su marido y suplicó a Al'lá, Al'lá ha escuchado la discusión de ambos de ustedes. Al'lá todo lo oye y todo lo ve. [1] Aquéllos de ustedes quiénes se divorcian a sus esposas por Zijâr (*llamando a sus esposas como espalda de sus madres*) deben saber que ellas no son sus madres. Sus madres son solamente aquéllas las que parieron. Ciertamente, las palabras que ellos profieren son absurdas y falsas. Al'lá podría castigarlos para esto pero Él les perdonó, ciertamente, Al'lá es Perdonador, Indulgente. [2] Aquéllos que divorcian a sus esposas por Zijâr, luego desean retractar las palabras que ellos profirieron, tendrán que librar a un esclavo antes de que ellos puedan tocar a ellas. Esto se prescribe como una multa por este acto. Al'lá está bien-consciente de todas sus acciones. [3] Él, quién no tiene el lujo de librar a un esclavo por insuficiencia de sus fondos, ayunará durante dos meses consecutivos antes de que puede cohabitar de nuevo. Quien no puede ayunar, alimentará a sesenta personas pobres. Esto se manda para que ustedes puedan tener la fe en Al'lá y en Su Rasúl. Éstos son los límites puestos por Al'lá, y los violadores tendrán un castigo doloroso. [4] Aquéllos que se resisten a Al'lá y a Su Rasúl, se humillarán como aquéllos que fueron ante ellos. Hemos enviado abajo las revelaciones claras; los incrédulos tendrán un castigo humillante. [5] En el Día del Juicio, Al'lá les hará volver a la vida a todos, luego les hará saber lo que ellos han hecho. Al'lá ha guardado el registro de sus hechos aunque ellos se podrían haberlos olvidado, porque Al'lá es Testigo de todas las cosas. [6]

58: [1-6]

SECCIÓN: 2

¿No eres consciente que Al'lá sabe todo lo que hay en los cielos y en la tierra? No puede ser que tres personas conversan en el secreto y Él no sea el cuarto de ellos; o que cinco personas conversan en el secreto y Él no sea el sexto de ellos. Lo mismo es si son menos o más en cantidad. Él siempre está presente, dondequiera que se encuentren. Luego en el Día de la Resurrección, ya les informará de lo que ellos han hecho, ciertamente, Al'lá tiene conocimiento de todas las cosas. [7] ¿No has visto a aquéllos, quiénes, aunque fueron prohibidos para sostener los consejos confidenciales, persistentemente hacen lo que fueron prohibidos? Ellos sostienen los consejos confidenciales entre ellos por el pecado, la

La práctica pagana de divorcio a través de ' Zijâr' (*llamar la esposa de uno como su madre*) se prohíbe y la multa por practicar ' Zijâr. '

Al'lá es Omnipresente, si tres personas conversan en el secreto, Él, es el cuarto de ellos.

Los consejos confidenciales se prohíben excepto sobre la virtud y la piedad. Conspirar en el secreto es el trabajo de Shaitãn.

La etiqueta de celebrar una reunión. El orden para gastar en la caridad antes de consultar el Rasúl en privado.

Las personas que favorecen a aquéllos que están bajo la ira de Al'lá se castigarán severamente.

Los verdaderos creyentes no favorecen a aquéllos que oponen a Al'lá y a Su Rasúl.

hostilidad y desobediencia al Rasúl. Todavía, cuando ellos vienen contigo, te saludan en palabras con que Al'lá no te saluda, y dicen a sí mismos: "¿Por qué Al'lá no nos castiga por lo que decimos?" El Infierno les bastará, en la que arderán. ¡Qué mal lugar de destino! [8] ¡Ustedes que creen! Cuando confieren juntos en privado, no lo hagan con maldad, hostilidad o desobediencia hacia el Rasúl, sino háganse con la virtud y piedad; y temen a Al'lá hacia Quien serán congregados. [9] Conspirar en el secreto es el trabajo de Shaitãn quien quiere afligir a los creyentes; pero él no puede dañarlos en absoluto excepto que Al'lá lo permita; ¡Que los creyentes deben confiar en Al'lá! [10] ¡Ustedes que creen! Cuando son pedidos que hagan el sitio en sus reuniones, háganse el sitio, Al'lá hará el sitio para ustedes en la Ultima Vida. Y si son pedidos de levantarse, pues háganlo: Al'lá elevará en categoría a aquéllos de ustedes quiénes tienen la fe y aquéllos que han sido dados el conocimiento. Al'lá es consciente de todas sus acciones. [11] ¡Ustedes que creen! Cuando quieren consultar el Rasúl en privado, ofrecen algo en la caridad al necesitado antes de su consultación, porque es mejor y más puro para ustedes. Pero si les faltan los medios, sepan que Al'lá está a menudo-Perdonador, Misericordioso. [12] ¿Sienten ustedes dificultad para repartir en la caridad antes de su consultación privada con él? Si su situación no permite el lujo de hacerlo-Al'lá siempre se vuelve a ustedes con Su perdón - pero que establecen el Salá (*la oración*) y paguen el Zaká (*la caridad obligatoria*), y obedecen a Al'lá y a Su Rasúl. Al'lá es bien consciente de todas sus acciones. [13]

58: [7-13]

SECCIÓN: 3

¿No has visto a quienes han tomado como protector al pueblo que está bajo la ira de Al'lá? No están ni en lado de ustedes ni todavía en lado de él y juran la falsedad y ellos lo saben. [14] Al'lá ha preparado para ellos un castigo severo; malo es, realmente, lo que ellos estaban haciendo. [15] Usan sus juramentos como los escudos, y privan a otros de la Vía de Al'lá. Ellos tendrán un castigo humillante. [16] Ni sus riquezas ni sus hijos les serán útiles de algo ante Al'lá. Ellos serán los presos del infierno y vivirán allí para siempre. [17] En el Día cuando Al'lá les resucite a todos, ellos Le jurarán a Él como lo juran a ustedes, mientras pensando que sus juramentos les ayudarán. ¡De ninguna manera! Ellos, ciertamente, son los mentirosos. [18] Shaitãn se ha apoderado de ellos, y les ha causado olvidarse del recuerdo de Al'lá. Ellos son los partidarios del Shaitãn. Ciertamente, son los partidarios del Shaitãn que serán los perdedores. [19] Aquéllos que se oponen a Al'lá y a Su Rasúl serán entre los más humillados. [20] Al'lá ha decretado: "Yo y Mis Rasúles prevaleceremos el más ciertamente." Ciertamente, Al'lá es Fuerte, Invencible. [21] Nunca encontrarás a cualquier gente que crea en Al'lá y en el último Día y que tenga afecto por aquéllos que oponen a Al'lá y a Su Rasúl, aunque éstos sean sus padres, sus hijos, sus hermanos o sus parientes. Son ellos en cuyos corazones Al'lá ha inscrito la fe y los ha fortalecido con un espíritu procedente de Él. Él los admitirá a jardines por cuyos bajos fluyen los ríos, vivirán en eso para siempre. Al'lá se agradará bien con ellos, y ellos se agradarán bien con Él. Ellos son los partidarios de Al'lá. Seguramente, es el partido de Al'lá que triunfará. [22]   58: [14-22]

59: AL-JASHR

El periodo de Revelación

Esta Süra se reveló después de la batalla de Bani Un-Nazïr. Todas las tradiciones están de acuerdo de que esta batalla tuvo lugar después del incidente de Bi'r Ma'unah, e históricamente también se sabe bien que el incidente de Bi'r Ma'unah ocurrió después de la Batalla de Ujud.

Incluye los siguientes principios, Leyes y Guías divinas:

> La tribu judía de Bani Un-Nazïr se da el orden de desterrar como resultado de su motín contra el Estado islámico.
> La distribución de las pertenencias de Bani Un-Nazïr.
> Los judíos y su aspectos de fondo (Vea el comentario en las páginas siguientes).
> Las calidades buenas de verdaderos inmigrantes de Mujâyirïn y las calidades buenas de verdadero Ansâr (los residentes de Llazrib (Madina).
> La conspiración de hipócritas con las gentes de la escritura (los judíos).
> La parábola de Shaitãn y de un incrédulo.
> Cada alma debe reflexionar de lo que está enviando para la Última Vida.
> "Si hubiéramos hecho descender este Qur'ãn en una montaña, habrías visto a ésta humillarse y henderse en pedazos, por temor de Al'lá."
> Dieciséis atributos de Al'lá en tres versos: el Dios, el Conocedor de lo oculto y de la aparente, el Compasivo, el Misericordioso, el Rey, el Santísimo, el Perfecto, el Otorgador de la seguridad, el Guardián, el Omnipotente, el Irresistible, el Soberbio, el Creador, el Evolucionador (el Originador), el Modelador, el Poderoso y el Sabio.

El tema de esta Süra es una valoración de la batalla contra el Bani Un-Nazïr, que puede resumirse como sigue:

1. Hay una advertencia para poner la atención en la caída de Bani Un-Nazïr y de su destino que ellos habían visto con sus propios ojos: una tribu mayor, que era tan fuerte en números como los musulmanes y cuyas gentes alardeaban de mucho más riqueza y posesiones y que estaban militarmente bien-provistas y cuyas fortalezas eran bien-fortificadas, pero no pudieron aguantar sitie aun durante unos días. Ellos expresaron su prontitud para aceptar el destierro desde un lugar en que hayan vividos desde hace siglos y en que eran bien-establecido, aunque ni un solo hombre de entre ellos se mató. Al'lá dice que esto no pasó debido a cualquier poder poseído por los musulmanes sino porque los judíos habían intentado resistirse y luchar contra Al'lá y contra Su Rasúl. Aquéllos que se atreven a resistirse al poder de Al'lá siempre se encuentran con el mismo destino.

2. *Una excepción a la ley relacionada a la guerra se enuncia: "La destrucción causada en el territorio enemigo para los propósitos militares no viene bajo 'desparramar la travesura en la tierra'."*

3. *La guía se proporciona acerca de cómo las tierras y propiedades que vinieron bajo el mando del Estado islámico, como resultado de guerra o las condiciones de paz, serán manejadas. Fue la primera ocasión que los musulmanes tomaron mando de un territorio conquistado; por consiguiente, la ley que lo involucra se extendió para su guía.*

4. *La actitud de los hipócritas en la ocasión de esta batalla se repasa y las causas que están debajo de su actitud, fueron exploradas.*

5. *La última sección es una advertencia para todas esas personas que habían profesado por haber afirmado la fe y habían unido la comunidad musulmana, pero estaban desprovistos del verdadero espíritu de la Fe. En él, les informa la demanda real de la Fe, y la diferencia real entre la piedad y el mal. ¿Cuál es el lugar e importancia del Qur'ãn a que ellos profesaron creer? ¿Y cuáles son los atributos de Al'lá en Quien ellos exigieron haber creído?*

El Fondo histórico de los judíos en Madina:

Para entender el contenido de esta Süra, es necesario saber la historia de los judíos que habían resididos en Madina e Jiyâz, porque de otra manera, uno no puede entender las causas reales detrás de la manera en que el Profeta (paz esté en él) trató con diferentes tribus.

Según un estudioso de la investigación muy conocido y mufassir Abu al A'lâ Maudûdi, ninguna historia auténtica de los judíos árabes existe en el mundo. Ellos no dejaron ninguna escritura de ellos mismos en la forma de un libro o una lápida que podría verter la luz en su pasado, ni los historiadores judíos y escritores del mundo no-árabes han hecho cualquier mención de ellos. La razón es que después de su establecimiento en la península árabe, ellos se habían destacado del cuerpo principal de la nación judía, y los judíos del mundo no les contaban entre ellos. Ellos habían dejado la cultura hebrea e idioma, incluso los nombres, y habían adoptado Arabismo en cambio. En lápidas que se han desenterrado en la investigación arqueológica en el Jiyâz, ningún rastro de los judíos se encuentra antes del primer siglo de la era cristiana, salvo unos nombres judíos. Por consiguiente, la historia de los judíos árabes es principalmente basada en las narraciones verbales prevaleciente entre los árabes, la mayoría de lo que se había extendido por los judíos mismos.

Los judíos del Jiyâz exigieron que ellos habían venido a establecerse en Arabia durante la última fase de la vida del Profeta Moisés (paz esté en él). Ellos dijeron que el Profeta Moisés mando un ejército para expeler a los Amalekites de la tierra de Llazrib (Madina) y le había ordenado de no dejar ni siquiera una sola alma de esa tribu. El ejército Israelita llevó a cabo el orden del Profeta, pero el príncipe guapo del rey de Amalekite fue dejado con la vida y devolvió con ellos a Palestina. Por ese tiempo el Profeta Moisés había fallecido. Sus sucesores tomaron la gran excepción a lo que el ejército había hecho, de dejar con la vida a un Amalekite, había desobedecido al Profeta claramente y había violado la ley Mosaico. Por consiguiente, ellos excluyeron este ejército de su comunidad, y ellos tenían que devolver a Llazrib y establecer allí para siempre. (Kitab al-Aghani, xix del vol., pág. 94). Así que los judíos reclamaron que ellos habían estado viviendo en Llazrib desde aproximadamente 1200 A.C. Pero de hecho, esto no tenía ninguna base histórica. Los judíos habían inventado esta historia probablemente para intimidar a los árabes en creer que ellos eran de linaje noble y los habitantes originales de la tierra.

El segundo la inmigración judía, según los judíos, tuvo lugar en 587 A.C., cuando Nebuchadnezer, el Rey de la Babilonia, destruyó Jerusalén y dispersó a los judíos a lo largo del mundo. Los judíos árabes dijeron que algunas de sus tribus en ese momento habían venido a establecer en Wadi al-Qura, Taima, y Llazrib. (Al-Baladhuri, Futuj al-Buldan). Pero esto tampoco tiene ninguna base histórica. Por esto, ellos podrían haber querido también demostrar que ellos eran los colonos originales del área.

De hecho, en DC 70 los romanos hicieron una matanza a los judíos en Palestina, y luego en DC 132 les expelieron de esa tierra, muchas de las tribus judías huyeron y encontraron un asilo en el Jiyáz, un territorio que era inmediato a Palestina en el sur. Allí ellos establecieron dondequiera que ellos encontraron fuentes de agua y verdor, y luego por la intriga y a través del negocio de préstamos de dineros, gradualmente ocuparon las tierras fértiles. Las áreas de Ailá, Maqna, Tabûk, Taima, Wadi al Qura, Fadak y Jaiber cayeron bajo su mando durante ese periodo. Bani Quraizá, Bani Un-Nazïr, Bani Bahdal y Bani Qainuqa también vinieron durante el mismo periodo y ocuparon el Llazrib.

Entre las tribus que establecieron en Llazrib (Madina) el Bani Un-Nazir y el Bani Quraizá eran más prominente porque ellos pertenecían al Cojen o sea el clase de los sacerdotes. Ellos fueron mirados como gente de descenso noble y disfrutaron la dirección religiosa entre sus tribus. Cuando ellos vinieron a establecer en Llazrib, había algunas otras tribus que ya vivían allí. Ellos les dominaron y se volvieron como los dueños de esta tierra verde y fértil. Aproximadamente tres siglos después, en DC 450 o 451, el gran diluvio de Yemen ocurrió lo que se ha mencionado en el vv. 16-17 de la Süra Sabâ. Como resultado de esto, se compelieron las diferentes tribus de Sabâ que dejaran Yemen y dispersar a las diferentes partes de Arabia. Así que, el Bani Ghasân fue a establecer en Siria, Bani Lajm en Jirá (Irak), Bani Juza'a entre Yedah y Meca, y el Aus y el Jazra'y fueron a establecer en Llazrib. Cuando Llazrib estaba bajo la dominación judía, ellos no permitieron al Aus y al Jazra'y que ganen una posición segura. Como resultado, las dos tribus árabes tenían que establecer en tierras que no se habían traído todavía bajo el cultivo. Allí ellos apenas podrían producir suficiente para permitirles sobrevivir. Por fin, uno de sus jefes fue a Siria para pedir la ayuda de sus hermanos de Ghasanides; él trajo un ejército de allí y rompieron el poder de los judíos. Así, el Aus y el Jazra'y pudieron ganar la dominación completa encima de

Llazrib. Como resultado, dos de las tribus judías mayores, Bani Un-Nazïr y Bani Quraiza se obligaron a que tomaran los cuartos fuera de la ciudad. La tercera tribu, Bani Qainuqa, no estaba en las condiciones amistosas con las otras dos tribus, pues se quedó dentro de la ciudad como siempre, y tuvo que buscar la protección de la tribu de Jazra'y. Como una medida a al-revés a esto, Bani Un-Nazir y Bani Quraiza tomó protección de la tribu de Aus para que ellos pudieran vivir en paz en los suburbios de Llazrib.

Antes de la llegada del Profeta a Madina y hasta su emigración, lo siguiente eran los rasgos principales de la posición de los judíos en Jiyâz, en general, y en Llazrib, en particular:

1. En las materias de idioma, vestido, civilización y estilo de vida, ellos habían adoptado Arabismo completamente, incluso sus nombres se habían vueltos como de los árabes. De las 12 tribus judías que habían establecido en Jiyâz, ninguno excepto el Bani Zaura retuvo su nombre hebreo.

2. Debido a este Arabismo, los orientalistas occidentales se han equivocados en pensar que, quizás, ellos realmente no eran Israelitas sino que eran árabes que habían abrazado Judaísmo, o por lo menos una mayoría de ellos era de los judíos árabes. Pero no hay ninguna prueba histórica para mostrar que los judíos alguna vez participaron en la propagación de Judaísmo en Jiyâz, o que sus rabinos invitaron a los árabes a abrazar Judaísmo al igual que los sacerdotes cristianos y misioneros. Al contrario, ellos eran orgullosos en su descendencia Israelita y los prejuicios raciales. Ellos llamaban a los árabes, Gentiles que no designa a ellos como analfabetos o ignorantes, sino salvajes e incultos. Ellos creyeron que los Gentiles no se titulaban a cualquier derecho humano, éstos sólo eran reservados para los Israelitas, y por consiguiente, era lícito y lo correcto para los Israelitas para defraudarlos de sus propiedades.

3. Económicamente ellos eran mucho más fuertes que los árabes, desde que ellos habían emigrado desde los países más civilizado y culturalmente avanzados de Palestina y Siria. Ellos sabían muchas artes que eran desconocidos a los árabes; ellos también disfrutaron las relaciones de comercio con el mundo externo. Por lo tanto, ellos habían capturado el negocio de importar los granos al Llazrib y al Jiyâz y exportaban las fechas secadas a otros países. La cultivación de la pollería y de las pesquerías estaba principalmente bajo sus mandos. Ellos también sobresalieron en tejer de la tela. Los judíos también habían establecidos las tiendas del vino en áreas diferentes dónde ellos vendían vino que se importaban desde Siria.

4. Ellos no les permitirían a los árabes de ser unidos y, por consiguiente, dejaban que peleen y atrincheren contra uno y otro. Ellos sabían que siempre que las tribus árabes unieran, ellos no les permitirían a los judíos permanecer en la posesión de sus grandes propiedades, jardines y tierras fértiles que ellos

habían venido a poseer a través de su usurear y dinero que prestaban a los negocios.

Tales eran las condiciones cuando Islam vino a Madina, y finalmente un Estado islámico entró en la existencia después de la llegada del Profeta (paz esté en él) allí. Uno de las primeras cosas que él logró, era unificación de los Aus, de los Jazra'y y de los Emigrantes en una hermandad. El segundo era que él concluyó un tratado entre los musulmanes y los judíos en condiciones definidas en que fue empeñado que ninguna facción usurparía a los derechos de la otra, y las dos unirían en una defensa juntamente contra los enemigos externos. Algunas cláusulas importantes de este tratado muestran lo que los judíos y los musulmanes habían claramente empeñado adherir en su relación mutua:

"Los judíos deben llevar a sus gastos y los musulmanes los suyos. Cada uno debe ayudar al otro contra cualquiera que ataque a los partidarios de este documento. Ellos deben buscar mutuamente el aconseje y la consultación, desde que la lealtad es una protección contra la alevosía. Ellos desearán atentamente entre si el bien. Sus relaciones se gobernarán por la piedad y reconocimiento de los derechos de otros, y no por el pecado y la maldad. Los que fueran ser maltratados deben de ser ayudados. Los judíos deben quedarse con los creyentes por todo el tiempo que durara la guerra. Llazrib será un santuario para los partidarios de este documento. Si cualquier disputa o controversia, que será el cauce de cualquier problema, debe enviarse a Al'lá y a Mujámad el Rasúl de Al'lá; no se darán a los Quraish y a sus auxiliadores ninguna protección. Los partidos se ligan para ayudar entre sí contra cualquier ataque al Llazrib. Cada uno será responsable para la defensa de la porción que pertenece a él." (Ibn Hisham, el ii del vol., el pp. 147 a 150)

Éste era un convenio absoluto y definitivo, a las condiciones de que los judíos habían estados de acuerdo. Pero no muy largo después de esto, ellos empezaron a mostrar la hostilidad hacia el Profeta (paz esté en él), hacia el Islam y hacia los musulmanes. Su hostilidad y perversidad continuaron aumentando día a día. Había tres causas principales:

Primero: Ellos miraron al Profeta (paz esté en él) meramente como jefe de su gente y que él debe estar satisfecho haber concluido un acuerdo político con ellos y debe relacionarse solamente con los intereses mundanos de su grupo. Pero ellos encontraron que él estaba extendiendo una invitación para creer en Al'lá, Su Rasúl y la escritura (que también incluía la creencia en sus propios Profetas y escrituras). Él estaba instando a las personas de dejar desobediencia a Al'lá y adoptar la obediencia a los Órdenes Divinos y cumplir las leyes morales de sus propios profetas. Ellos no podrían estar de acuerdo con esto. Ellos temieron que si este movimiento ideológico universal ganara la velocidad, destruiría su religiosidad rígida y dejaría su nacionalidad racial en ruinas.

Segundo: Cuando ellos vieron que el Aus, el Jazra'y y los Emigrantes estaban uniendo en una hermandad y las personas de las tribus árabes de las áreas circundantes empezaron a entrar en Islam y esta Hermandad islámica de Madina también estaba uniendo a ellos y estaba formando una comunidad religiosa, pues naturalmente ellos temieron que la política egoística que ellos habían estado siguiendo hasta entonces de sembrar la discordia entre las tribus árabes para la promoción de su propio bien e interés durante siglos, no trabajaría en el nuevo sistema. Ellos supieron que ellos enfrentarían un frente unido de los árabes contra quienes inevitablemente sus intrigas no tendrían el éxito.

Tercero: El trabajo que el Profeta (paz esté en él) estaba llevando a cabo, de reformar la sociedad y la civilización, incluía poner el fin a los métodos ilícitos en el negocio y en las relaciones mutuas. Es más, él había declarado de tomar y dar de usura como una ganancia impura e ilícita. Esto les causó el miedo que, si su regla se estableciera en Arabia, él declararía la usura legalmente prohibido. En esto, ellos vieron su propio desastre y su muerte económica.

Por las razones declaradas anteriormente, ellos hicieron, la resistencia y oposición al Profeta (paz esté en él), como su meta nacional. Ellos no dudarían emplear cualquier truco, cualquier mecanismo y destreza para dañarlo. Extendieron cada tipo de falsedad para causar la desconfianza contra él en las mentes de las personas. Crearon cada tipo de duda, sospecha y presentimiento en los corazones de los nuevos convertidos para retrocederlos del Islam. Acudirían a cada tipo de engaño y fraude para dañar a los musulmanes económicamente. Siempre que uno, con quien ellos tenían las relaciones comerciales, aceptaría el Islam, ellos harían cualquier cosa que pudieron hacer para causarle la pérdida financiera. Si él les debiera algo, ellos se preocuparían y lo atormentarían haciendo las demandas repetidas, y si ellos le debieran algo, detendrían el pago y dirían públicamente que, en el momento que el tramite estaba hecho, él profesó una religión diferente, y porque que él había cambiado su religión, ellos no eran nada más bajo cualquier obligación para reembolsarlo. Se citan varios casos de esta naturaleza en los comentarios por Tabari, Nisaburi, Tabrizi y en el Rûh al Ma'ani que relaciona a verso 75 de Sûra Âl-e-Imrân.

Ellos habían adoptado esta actitud hostil contra el convenio incluso antes de la Batalla de Badr. Pero cuando el Profeta y los musulmanes ganaron una victoria firme encima del Quraish en la batalla de Badr, ellos estaban llenos con el pesar, angustia, malicia y enojo. Ka'b bin Ashraf, el jefe del Bani Un-Nazir, clamó: "Por Dios, si Mujámad había matado estos nobles de Arabia en realidad, la barriga de la tierra sería mejor para nosotros que su atrás." Luego él fue a Meca e incitó a las personas a la venganza, escribiendo y recitando las elegías provocativas para los jefes de Quraish que fueron matados en la batalla del Badr. Luego él devolvió a Madina y compuso los versos líricos de una naturaleza insultante acerca de las mujeres musulmanas. Por fin, enfurecido con la travesura de Ka'b bin Ashraf, el Profeta (paz esté en él) le sentenció a la muerte.

(Ibn Sad, Ibn Hisham, Tabari)

La primera tribu judía que, después de la Batalla de Badr, abiertamente y colectivamente rompió su convenio, era de los Bani Qainuqa. Ellos vivían en un lugar

dentro de la ciudad de Madina. Como ellos practicaban las destrezas de orfebre, herrero y fabricante de los vasos, las personas de Madina frecuentemente visitaban sus tiendas. Ellos estaban orgullosos de su valentía y valor. Siéndoos herreros por la profesión, incluso sus hijos estaban bien armados. Ellos podrían pasar revista a 700 hombres guerreros a cualquier momento de entre ellos. También eran arrogantemente conscientes de que ellos disfrutaban buenas relaciones de confederación con el Jazra'y y Abdulá bin Ubaí (el jefe del Jazra'y), que era su partidario principal. A la victoria de Badr, ellos fueron tan provocados que empezaron a causar problemas y atormentar a los musulmanes, particularmente las mujeres musulmanas que visitaban sus tiendas. Gradualmente las cosas vinieron a tal un paso que un día una mujer musulmana fue desnudada públicamente en su bazar. Esto llevó a una reyerta en que un musulmán y un judío fueron matados. El Profeta (paz esté en él) visitó la tribu judía local, los reunió y aconsejó a ellos acerca de la conducta decente. Pero la contestación que ellos dieron era; "Mujámad, quizás piensas que nosotros estamos como el Quraish; ellos no supieron combatir; por consiguiente, les predominaste. Pero, cuando entrarás en el contacto con nosotros, verás cómo combaten los hombres." Esto estaba en las palabras claras una declaración de guerra. Por consiguiente, el Profeta (paz esté en él) puso el sitio a sus cuartos en 2, D. J. El sitio apenas había durado durante una quincena cuando ellos se rindieron y todos sus hombres guerreros fueron tomados como prisioneros. Abdulá bin Ubaí entró en el apoyo de ellos y pidió que ellos deben ser perdonados. El Profeta concedió su demanda y decidió desterrar el Bani Qainuqa de Madina dejando atrás sus propiedades, armadura y herramientas de comercio.
(Ibn Sa, Ibn Hisham, Târikh Tabari)

Durante algún tiempo después de estas medidas punitivas (i. e. el destierro del Qainuqa y matado de Ka'b bin Ashraf), los judíos permanecieron tan aterrorizados que ellos no se atrevieron comprometer cualquier travesura extensa. Pero después en Shawwâl, 3 D.J. el Quraish para vengar para su derrota a Badr, marchó contra Madina con las grandes preparaciones. Los judíos vieron que sólo un mil hombres habían marchado fuera con el Profeta (en quien es la paz de Al'lá) comparado con tres mil hombres del Quraish. Para hacer más peores trescientos hipócritas que inicialmente unieron al Profeta a la marcha, abandonó y devolvió a Madina. A estas alturas, ellos comprometieron el primero y la brecha abierta del tratado negándose a unir al Profeta en la defensa de la ciudad aunque ellos se ligaron a él por el acuerdo. Entonces, cuando en la Batalla de Uhud los musulmanes sufrieron un paso atrás, ellos fueron animados más allá. Tanto que el Bani Un-Nazïr hizo un plan confidencial para matar el Profeta (paz esté en él). El plan, sin embargo, falló antes de que pudiera ejecutarse.

Había ninguna cuestión de hacer cualquier concesión para ellos, como resultado. El Profeta (paz esté en él) en seguida envió a ellos el ultimátum que la alevosía que ellos habían meditado contra él, había venido a su conocimiento. Por consiguiente, ellos eran de dejar Madina dentro de diez días. Si cualquiera de ellos que se quedara detrás y que se encontrara en su cuarto, él se pondría a la espada. Entretanto, Abdulá bin Ubaí les envió el mensaje que él les ayudaría con dos mil hombres y que el Bani Quraiza y Bani Ghatfân también vendrían a su ayuda. Por consiguiente, ellos eran de quedar a pie y de no salir. Con esta convicción falsa, ellos respondieron al ultimátum del Profeta diciendo que ellos no dejarían Madina y que él pudiera hacer cualquier cosa que estaba en su poder. Por consiguiente, en Rabi-al-Awal, 4 D. J. el Profeta (paz esté en él) puso el sitio contra ellos, y después de unos días del sitio, ellos se rindieron a condición de que ellos pudieran tomar su propiedad personal, exceptúe la armadura lo que podrían llevarse en tres camellos. Así, Madina se libró de la travesura de esta segunda tribu de los judíos. Sólo dos personas del Bani Un-Nazïr abrazaron el Islam y se quedaron detrás, el resto de la tribu fue a Siria y Jaiber.

59: AL-JASHR

Esta Süra, revelada en Madina, tiene 3 secciones y 24 versos.

En el nombre de Al'lá, el Compasivo, el Misericordioso

SECCIÓN: 1

La tribu judía de Bani Al-Nazir se da el orden de destierro por su motín contra el Estado islámico.

Todo lo que está en los cielos y en la tierra glorifica a Al'lá, y Él es el Omnipotente, el Sabio. [1] Él es Quien expulsó a los incrédulos de entre las Personas de la escritura (*la referencia es a la tribu judía de Bani Al-Nazïr*) fuera de sus viviendas al primer destierro. Pensabas que ellos jamás saldrían; y ellos pensaron que sus fortalezas les defenderían de Al'lá, pero la ira de Al'lá vino a ellos por dónde ellos nunca esperaban - y arrojó el terror en sus corazones - que ellos destruyeron sus casas por sus propias manos, así también por las manos de los creyentes. Así que aprendan una lección de este ejemplo, ustedes que tienen la visión. [2] Si Al'lá no hubiera decretado el destierro para ellos, Él los habría castigado ciertamente en este mundo, y en la Ultima Vida tendrán el tormento del Fuego. [3] Eso es porque ellos se pusieron contra Al'lá y contra Su Rasúl; y quien se pone contra Al'lá debe saber que Al'lá es duro en la retribución. [4] Cualquier palmeras que cortaste, como las que dejaste estando de pie en sus tallos, estaba con el permiso de Al'lá y para humillar a los perversos. [5]

59: [1-5]

La distribución de las cosas de Bani Al-Nazir. Las calidades buenas de verdadero Mujãyirïn (los inmigrantes) y las calidades buenas de verdadero Ansãr(los residentes de Madina).

En cuanto a ese despojos procedente de ellos que Al'lá le dio a Su Rasúl, fue sin haberte contribuido ni con caballos ni con camellos para capturarlos: pero Al'lá da la autoridad a Su Rasúl encima de quien Él agrada, porque Al'lá tiene el poder encima de todas las cosas. [6] Lo que Al'lá ha dado a Su Rasúl del despojos procedente de los habitantes de las aldeas, pertenecerá a Al'lá y al Rasúl, a los parientes de Rasúl, y a los huérfanos, al necesitado y a los viajeros en la necesidad; para que así no haya privilegios para los ricos entre ustedes. Pero si cualquier cosa que el Rasúl le da a ustedes, tómelo y de cualquier cosa que él lo prohíbe, pues deben de refrenar. Temen a Al'lá; porque Al'lá es duro en la retribución. [7] Una porción de los despojos se dará a los Mujãyirïn indigentes (*los inmigrantes*) quiénes fueron expulsado fuera de sus casas y de sus posesiones, y están buscando la gracia de Al'lá y Su bueno placer y aquéllos que quieren ayudar a Al'lá y a Su Rasúl, son de hecho los verdaderos creyentes. [8] Una porción de los despojos también se dará a aquéllos que tenían casas en Madina (*el Ansâr*) e incluso creían antes de la llegada del Mujãyirïn y aman a aquéllos que emigraron a ellos y no entretienen los celos en sus corazones por lo que se les ha dado a ellos, y prefieren a esos Mujãyirïn encima de ellos mismos, aun cuando en extrema necesidad. De hecho, aquéllos que son salvados de su propia codicia, ésos son los que lograrán el verdadero éxito. [9] Y también es para aquéllos que vinieron detrás de ellos y dicen: "¡Nuestro Rab! Perdónanos a nosotros y nuestros hermanos que abrazaron la fe ante nosotros y no dejes malicia en nuestros corazones hacia los creyentes. ¡Nuestro Rab! Ciertamente, Tú eres el Clemente, el Misericordioso." [10]   59: [6-10]

SECCIÓN: 2

¿Acaso no has observado a los hipócritas que dicen a sus hermanos en incredulidad, entre las personas de la escritura?: "Si ustedes expulsan a ellos, nosotros iremos con ustedes y nunca obedeceremos a cualquiera contra ustedes. Si atacan, seguramente lo ayudaremos a ustedes." Al'lá es testigo que ellos están mintiendo. [11] Si son expulsados no saldrán con ellos y si son atacados no les ayudarán. Y aun cuando los ayudan, darían la espalda, dejándoles sin ayuda en absoluto. [12] En sus corazones hay más miedo de ustedes que de Al'lá, porque ellos son gente desprovisto de entender. [13] Ellos nunca combatirán juntos contra ustedes excepto en las aldeas fortificadas o detrás de murallas. Fuerte es su enemistad entre ellos; piensas que son unidos, pero sus corazones son divididos. Esto es porque ellos son gente desprovista de sentido común. [14] Su ejemplo está como aquéllos (*los judíos de Bani Qainuqa*) que saborearon, poco antes que ellos, las consecuencias malas de sus hechos. Ellos tendrán un castigo doloroso. [15] Su parábola está como el de Shaitãn, que dice al hombre: "¡Niégate a creer!" y cuando se vuelve un incrédulo, le dice: "Soy libre de ti; Yo sí temo a Al'lá, el Rab de los mundos." [16] El fin de los dos será que se echarán en el infierno y se permanecerán allí para siempre. Así será el premio de los injustos. [17]   59: [11-17]

La conspiración de los hipócritas con las Gentes de la escritura. La parábola de un Shaitãn vs. Un incrédulo.

SECCIÓN: 3

¡Ustedes que creen! Temen a Al'lá y que cada alma reflexione lo que está enviando para Mañana (*Día del Juicio*). Temen a Al'lá, ciertamente, Al'lá es consciente de todas sus acciones. [18] No sean como aquéllos que se olvidaron a Al'lá, como resultado Al'lá les causó olvidarse de ellos mismos, esos tales son los perversos. [19] Los compañeros del infierno y los compañeros del paraíso no son iguales. Los compañeros del paraíso - ellos son los que han triunfado. [20]   59: [18-20]

Cada alma debe ver lo que está enviando para Última Vida.

Si hubiéramos hecho descender este Qur'ãn a una montaña, habrías visto a ésta humillarse y henderse en pedazos, por temor de Al'lá. Nosotros estamos citando estos ejemplos para la humanidad para que ellos puedan reflexionar. [21]   59: [21]

El Qur'ãn incluso podría afectar una montaña.

Él es Al'lá, además de Quien no hay ninguno digno de culto, el Conocedor de lo oculto y de lo aparente. Él es el Compasivo, el Misericordioso. [22] Al'lá es Él, además de Quien no hay ninguno digno de culto, el Rey, el Santísimo, el Perfecto (*libre de todos los defectos*), Otorgante de la Seguridad, el Guardián, el Omnipotente, el Irresistible, el Soberbio: ¡Gloria a Al'lá! ¡Él es por encima de lo que Le asocian! [23] Al'lá es; el Creador, el Inventor, el Modelador. A Él Le pertenecen los nombres más bonitos. Todo lo que está en los cielos y en la tierra Le glorifica, y Él es el Todos-poderoso, el Sabio. [24]   59: [22-24]

Quince atributos exclusivos de Al'lá.

60: AL-MUMTAJINÁ

El periodo de Revelación

   Esta Süra se reveló después del tratado de Judaibillá y antes de la conquista de Meca.

Incluye los siguientes principios, Leyes y Guías divinas:

➢ No sean amistosos con aquéllos que son enemigos de Al'lá y de los musulmanes.

➢ El Profeta Ibrãjïm (paz esté en él) y sus compañeros son un ejemplo excelente para los creyentes.

➢ La excepción a la prohibición de amistad es hecho por esos incrédulos que ni se habían combatidos contra los creyentes ni los habían expelido de sus casas.

➢ Para mujeres que se aceptan el Islam, hay que probar su Imân, y si las encuentran verdaderas, no las devuelvan a sus maridos descreídos.

➢ La Bai'á de las mujeres (el juramento de fidelidad) en Islam es basado en su compromiso que ellas no comprometerán el Shirk, no robarán, no comprometerán el adulterio, no matarán a sus hijos, no darán ninguna causa para el escándalo y que ellas no desobedecerán al Profeta.

El detalle de la guía acerca de tres problemas que se proporcionó esta Süra:

   1.   Se toma una excepción fuerte al acto de Sallidunâ Jâtib bin Abi Baltâ que, un poco antes de la conquista de Meca, había enviado una carta confidencial a los jefes de Quraish en lo que les informa de la intención del Profeta para atacarlos. Sólo por causa de salvaguardar a su familia, él había intentado informar al enemigo de un secreto de guerra muy importante. Esto habría causado el gran derramamiento de sangre a la conquista de Meca si no hubiera sido ser ineficaz al tiempo. Habría costado a los musulmanes muchas vidas preciosas; muchos del Quraish habrían ser matados, muchos de ellos quienes después dieron los grandes servicios al Islam; las ganancias que fueron posibles al conquistar Meca habrían estado perdidas. Todas estas pérdidas serias, pudieran llegar ser la realidad sólo porque uno de los musulmanes había querido salvaguardar a su familia de los peligros de la guerra. Administrando una advertencia severa a esta equivocación Al'lá ha enseñado a los creyentes que ningún creyente debe, bajo cualquier circunstancia y para cualquier motivo, tener relaciones de amor y amistad íntima con los incrédulos que son activamente hostil al Islam, y un creyente debe refrenar de todo lo que podría ser útil a los incrédulos en el conflicto entre Islam y escepticismo. No hay daño sin embargo, tratar amablemente y justamente con esos incrédulos que no estén comprometidos prácticamente

en las actividades hostiles contra Islam y de la persecución de los musulmanes.

2.   *Se dirige un problema social muy serio, lo que estaba agitando a las mentes de los musulmanes en ese momento. Habían muchas mujeres musulmanas en Meca, cuyas maridos eran los paganos, pero de algún modo estaban emigrando y llegando a Madina. El segundo problema relaciona a las mujeres musulmanas que habían empezado a emigrar desde Meca hacia Madina, después de la conclusión del tratado de Judaibillá. El cuestión surgió en relación de que si ellas también serían devueltos a los incrédulos, al igual que los hombres musulmanes, según las condiciones del tratado. Había muchos hombres musulmanes igualmente, en Madina cuyas esposas eran paganas las que se habían dejado atrás en Meca. El problema era que si el enlace matrimonial entre ellos continuó siendo válido o no. Al'lá estableció este problema para siempre.   El marido pagano no es lícito para la mujer musulmana al igual que la esposa pagana no es lícita para el marido musulmán.*

3.   *El Profeta (paz esté en él) se ha instruido que pregunte a las mujeres que aceptarían el Islam de empeñar que ellas refrenarían de los males mayores que eran prevaleciente entre las mujeres de la sociedad árabe pre-islámica, y de prometer que ellas seguirían las maneras de bondad que el Rasúl de Al'lá puede mandar en adelante.*

60: AL-MUMTAJINÁ

Esta Süra, revelada en Madina, tiene 2 secciones y 13 versos.

En el nombre de Al'lá, el Compasivo, el Misericordioso

SECCIÓN: 1

No hagas la amistad íntima con aquéllos que son enemigos de Al'lá y de los musulmanes.

¡Ustedes que creen! No hagan la amistad con aquéllos que son enemigos Míos y de ustedes. ¿Mostrarían el afecto hacia ellos, siendo así que ellos han negado la Verdad que ha venido a ustedes y han expulsado el Rasúl y ustedes mismos fuera de sus casas, simplemente porque ustedes creen en Al'lá, el Rab de ustedes? Si salieron, en realidad, a luchar en Mi camino, en búsqueda de Mi placer dejando sus casas, ¿cómo ustedes pueden favorecerlos en el secreto? Yo sé todos que ustedes ocultan, y todos que ustedes revelan. Cualquiera de ustedes que hace esto, ha ido descaminado de hecho de la Manera Correcta. [1] Si ellos se superaban a ustedes, se comportarían con ustedes como los enemigos y estirarían fuera sus manos y sus lenguas hacia ustedes para hacer el mal, y desearían ver a ustedes volverse los incrédulos. [2] En el Día de la Resurrección, ni sus parientes ni sus hijos serán útil a ustedes. Al'lá juzgará entre ustedes, y Él está observando todas sus acciones.[3]   60: [1-3]

Ibrãjïm y sus compañeros son excelente ejemplos para los creyentes. La oración de Ibrãjïm y de sus compañeros.

Ustedes tienen un ejemplo excelente en Ibrãjïm (*Abraham*) y en sus compañeros. Ellos simplemente dijeron a su gente: "No somos responsables de ustedes y de sus dioses a quienes ustedes se rinden culto además de Al'lá. Renegamos de ustedes. La enemistad y el odio reinarán para siempre entre nosotros hasta que ustedes crean en Al'lá, el Uno y Sólo Dios." La excepción es lo que Ibrãjïm dijo a su padre: "Pediré perdón por ti, aunque yo no tengo el poder para recibir algo para ti de Al'lá." Su oración colectiva era: "¡Nuestro Rab! ¡En Ti hemos puesto nuestra confianza, hacia Ti nos volvemos en el arrepentimiento y hacia Ti es nuestra meta final! [4] ¡Rab Nuestro! No hagas de nosotros instrumento de tentación para los incrédulos. ¡Perdónanos, nuestro Rab! Tú eres el Todos-poderoso, el Sabio." [5] En aquéllos hay un ejemplo excelente de verdad, para todos que ponen sus esperanzas en Al'lá y en el Último Día. Cualquiera que pone ninguna atención, debe saber que Al'lá está libre de todo las necesidades y es en Sí mismo alabado.[6]   60: [4-6]

SECCIÓN: 2

La excepción a la prohibición de amistad con los incrédulos que no habían luchados contra los creyentes ni

Puede ser que Al'lá pondrá el amor entre ustedes y aquéllos con quienes ustedes están por el momento como enemigos debido al orden que se da a ustedes, porque Al'lá es Todo poderoso, y Al'lá es el Perdonador y Misericordioso. [7] Al'lá no les prohíbe que sean amable y justos a aquéllos que ni habían combatidos contra ustedes por causa de su fe ni hayan expulsado a ustedes fuera de sus casas. De hecho, Al'lá ama a los justos. [8] Al'lá sólo prohíbe a ustedes que hagan la amistad con aquéllos que combatieron contra ustedes a causa de su fe y han expulsado a ustedes fuera de sus casas y apoyaron a otros en su expulsión. Quienes les tomen como amigos aliados, ésos son de hecho los injustos.[9]   60: [7-9]

¡Ustedes que creen! Cuando las mujeres creyentes buscan el refugio con ustedes como los inmigrantes, comprueben su caso. Al'lá sabe el mejor acerca de su fe. Si ustedes las encuentran que son verdaderas creyentes, no las envíe atrás a los incrédulos. Ellas no son lícitas para los incrédulos, ni ellos lo son para ellas. Devuelvan a sus maridos descreídos lo que ellos han gastado en ellas. No hay ningún reproche en ustedes si se casan a las tales mujeres, con tal de que ustedes les den su dote. No se aferren a sus matrimonios con las mujeres no creyentes. Pueden demandar lo que ustedes han gastado y que ellos pidan lo que hayan gastado. Éste es el orden de Al'lá que Él ha decretado entre ustedes. Al'lá es Omnisciente y Sabio. [10] Si ustedes no reciben la cantidad exigida que ustedes han gastado en sus esposas no creyentes por parte de los incrédulos, y ustedes tienen un accesión por la venida de las mujeres de los incrédulos a este lado, ustedes pueden compensar la cantidad a través de pagar a aquéllos cuyas esposas han huido, el equivalente de la cantidad que ellos han gastado en sus esposas no creyentes. Temen a Al'lá en Quien ustedes creen.[11]   60: [10-11]

¡Profeta! Cuando las mujeres creyentes vengan a ti para tomar el juramento de fidelidad, pides que no comprometerán el Shirk con Al'lá, que no robarán, que no comprometerán la fornicación, que no matarán a sus hijos, que no darán ninguna causa para escándalo que ellas pueden inventar entre sus manos y pies (*una mujer que acusa a otra mujer de tener una relación ilícita con un hombre y extender las tales historias - o - una mujer que lleva a un hijo ilegítimo y hace a su marido creer que es de él*), y que no te desobedecerán en lo que se juzgue razonable. Si aceptan estos términos, pues entonces acepte su juramento y pide a Al'lá que les perdone. Ciertamente Al'lá es Perdonador, más Misericordioso. [12]

60: [12]

¡Ustedes que creen! No tomen por amigos aliados a aquéllos que han incurrido en la ira de Al'lá. De hecho ellos desesperan de la Ultima Vida, así como los incrédulos desesperan de aquéllos enterrados en las tumbas que ellos no se resucitarán en el Día de la Resurrección. [13]

60: [13]

les habían expulsados de sus casas.

En cuanto a mujeres que acepten el Islam, pruebe su Imăn, y si las encuentran verdaderas no las devuelvan a sus maridos incrédulos.

La Bai'á de las mujeres (el juramento de obediencia).

No seas amistoso a cualquiera con quien Al'lá está enfadado.

61: AS-SAF

El periodo de Revelación

Esta Süra se reveló poco después la Batalla de Ujud.

Incluye los siguientes principios, Leyes y Guías divinas:

> *Se ordenan a los creyentes que no digan algo que ellos no harían.*
> *El Profeta Isa (Jesús) dio noticias buenas acerca de un Rasúl que era por venir después de él, cuyo nombre será Ajmad (Mujámad), paz esté en él.*
> *Regatear para salvar a sí mismo del Fuego es: creer en Al'lá, en Su Rasúl y esforzar el sumo de uno (Ÿijãd) en la causa de Al'lá con la riqueza y con su persona.*
> *Se ordenan a los creyentes que sean los auxiliadores de Al'lá al igual que los discípulos del Isa (Jesús), paz esté en él.*

Esta Süra exhorta a los musulmanes para adoptar la sinceridad en la Fe y esforzarse con sus vidas en la causa de Al'lá. Se dirige a los musulmanes que eran débiles en fe así como a aquéllos que fingieron de entrar en Islam como un encubrimiento. Los creyentes se advierten; "Al'lá odia a esas personas que dicen una cosa y hacen otra. Él ama a aquéllos que combaten por causa de la Verdad como una pared sólida contra los enemigos de Al'lá."

La actitud de los musulmanes hacia su Rasúl y su Religión no debe estar como la actitud que los Israelitas habían adoptado hacia sus Rasúles - Moisés y Jesús (paz esté en ellos). La proclamación es hecho con el desafío que los judíos, los cristianos y los hipócritas que están conspirando junto con los incrédulos pueden tratar tan duros como puedan para extinguir esta Luz de Al'lá, sin embargo esta se brillará adelante y difundirá en el mundo.

Los creyentes se dicen que el camino al éxito, ambos en este mundo y en la Ultima Vida, sólo es creer atentamente en Al'lá y en Su Rasúl, y ejercer sus esfuerzos sumos en el camino de Al'lá con su riqueza y con sus personas.

Finalmente, los creyentes se exhortan de estar como los discípulos del Profeta Isa (Jesús), paz esté en él, quienes le ayudaron en la causa de Al'lá.

61: AS-SAF

Esta Süra, revelada en Madina, tiene 2 secciones y 14 versos.

En el nombre de Al'lá, el Compasivo, el Misericordioso

SECCIÓN: 1

Todo lo que está en los cielos y en la tierra glorifica a Al'lá. Él es el Todos-poderoso, el Sabio. [1] ¡Ustedes que creen! ¿Por qué predican de lo que ustedes mismos no practican? [2] Es muy odioso en la vista de Al'lá que ustedes predican de lo que no practican. [3] De hecho, Al'lá ama a aquéllos que combaten por Su Causa en filas tan sólidas como si fueran un edificio fuerte. [4] Recuerdan de lo que Musa (*Moisés*) dijo a sus gentes: "¡Gente mía! ¿Por qué me perjudican aun sabiendo que yo soy el Rasúl de Al'lá hacia ustedes?" Pero a pesar de esto, cuándo ellos adoptaron la perversidad, Al'lá permitió que sus corazones se perviertan. Al'lá no guía al pueblo perverso. [5] Y recuerda cuando Isa (*Jesús*) el hijo de Marllam dijo: ¡Hijos de Israel! Yo soy el Rasúl de Al'lá hacia ustedes, confirmando la Tora que vino antes de mí, y para anunciar la llegada de un Rasúl que vendrá después de mí, cuyo nombre será Ajmad (*otro nombre del Profeta Mujámad*)." Pero cuando él (*Mujámad*) vino a ellos con las señales claras, dijeron "Esto es pura magia." [6] ¿Quién podría estar más equivocado que quien inventa las falsedades contra Al'lá habiendo sido llamando al Islam? Al'lá no guía a la gente injusta. [7] Ellos buscan extinguir la Luz de Al'lá con sus bocas, pero Al'lá perfeccionará Su Luz, por mucho que les pese a los incrédulos. [8] Es Él, Quien ha enviado a Su Rasúl con la guía y con la religión de Verdad para hacerle prevalecer encima de todas las religiones, por mucho que detesten los Mushrikïn (*personas que asocian alguien o algo al lado de Al'lá*). [9]   61: [1-9]

SECCIÓN: 2

¡Ustedes que creen! ¿Quieren que informe de un negocio que salvará a ustedes de un castigo doloroso? [10] Es creer en Al'lá y en Su Rasúl y esforzarse su sumo en la causa de Al'lá con su riqueza y con sus personas. Eso es mejor para ustedes, si ustedes supieran. [11] Él perdonará sus pecados y admitirá a jardines por cuyos bajo fluyen los ríos, y alojará en las mansiones bonitas en los jardines de eternidad que será un logro supremo. [12] Y todavía, otra bendición que ustedes amaran: la ayuda de Al'lá y una victoria rápida. ¡Así que anuncias las buenas noticias a los creyentes! [13] ¡Ustedes que creen! Sean los auxiliadores de Al'lá, así como Isa (*Jesús*) el hijo de Marllam dijo a sus discípulos: "¿Quiénes serán mis auxiliadores en la causa de Al'lá?" Y los discípulos respondieron: "Nosotros seremos sus auxiliadores en la causa de Al'lá." Luego un grupo de los hijos de Israel creyó en él (*Isa*) y otros grupos descreyeron. Nosotros ayudamos a los creyentes contra sus enemigos y fueron los vencedores. [14]   61: [10-14]

¡Creyentes! No digan algo que ustedes no hacen. El Profeta Isa (Jesús) dio las noticias buenas de un Rasúl por venir detrás de él, cuyo nombra sería Ajmed (otro nombre *del Profeta Mujámad, pece*).

Un regateo para salvar a sí mismo del Fuego del Infierno. Como los discípulos de Isa (Jesús), se ordenan los creyentes para ser los auxiliadores de Al'lá

62: AL-YUMU'Á

El periodo de Revelación

Esta Süra se reveló en dos fases. Su primera sección se reveló en año 7 D.J., probablemente en la ocasión de la conquista de jaiber, y la segunda sección fue revelada poco después de la migración del Profeta hacia Madina cuando él estableció el Salá (la oración) por congregación de viernes al quinto día después de su llegada.

Incluye los siguientes principios, Leyes y Guías divinas:

> ➢ *Al'lá ha designado a Mujámad (paz esté en él) como Su Rasúl.*
> ➢ *Al'lá ha refutado la reclamación de los judíos, para ser favorito de Al'lá a la exclusión de otras naciones.*
> ➢ *Mando relacionado a la obligación del ' Salá del viernes en congregación.'*

La primera sección se reveló después de la derrota final de las tribus judías en la Batalla de Jaiber. Al'lá se reveló este último y final discurso que se dirigió hacia los judíos en el Qur'än. En esto, los judíos fueron recordados de las tres cosas:

1. Ustedes se negó a creer en Mujámad (paz esté en él) sólo porque él nació entre las personas a quienes ustedes consideran como ' gentiles'. Ustedes estaban bajo el engaño falso que un Rasúl necesariamente debe pertenecer sólo a su comunidad y que cualquiera que exigió de ser como un Profeta fuera de su propia comunidad debe ser un impostor. Ésta es la generosidad de Al'lá que Él puede otorgar a cualquier persona que Él Le agrada. Ustedes no se han concedido un monopolio encima de eso.

2. Ustedes fueron hecho como portadores de la Tora, pero no emprendieron su responsabilidad y no descargaron como ustedes debían. Por consiguiente, ustedes son no mejor que ese burro que está cargado con los libros sin saber qué carga está llevando. Ustedes no sólo esquivaron su responsabilidad de ser los portadores de la escritura de Al'lá, sino deliberadamente negaron sin vacilación las revelaciones de Al'lá. ¡Aun así ustedes se consideran como los favoritos de Al'lá!

3. Si ustedes realmente se consideran como los favoritos de Al'lá y están seguro de tener un lugar de honor y la línea alta con Él, pues ustedes no habrían temido la muerte en lugar de aceptar una vida de desgracia y subyugación. Esta condición en sí mismo es una prueba que ustedes están totalmente conscientes de sus fechorías, y su conciencia es consciente que si ustedes se mueren con estas fechorías, se encontrarán su Rab con una desgracia mayor en el Día del Juicio.

En la segunda sección, Al'lá advirtió a los musulmanes para no tratar su viernes como los judíos habían tratado su Sábado. Esta sección se envió abajo en *relación a un incidente de una caravana de comercio que llegó a Madina justo en el momento del Salá de congregación de viernes. Durante el servicio, cuando las personas oyeron el fragor y tamborilear, ellos dejaron el Masyid del Profeta y apresuraron a la caravana, aunque el Profeta estaba dando el Sermón. Por consiguiente, fue mandado que cuando la llamada para la Oración del viernes es hecho, todo el comercio, negocio y otras transacciones deben de ser detenidas. Al oír la llamada, los creyentes deben suspender cada tipo de transacción y deben acelerar al recuerdo de Al'lá. Sin embargo, cuando la oración ha terminado, ellos pueden regresar y pueden resumir su negocio normal.*

62: AL-YUMU'Á

Esta Süra, revelada en Madina, tiene 2 secciones y 11 versos.

En el nombre de Al'lá, el Compasivo, el misericordioso

SECCIÓN: 1

Al'lá designó Mujámad (pece) como un Rasúl.

Todos los que están en los cielos y en la tierra declaran la gloria de Al'lá, el Rey, el Santísimo, el Poderoso, el Sabio. [1] Él es, Quién ha hecho surgir entre las personas iletradas (*gentiles*), un Rasúl que es uno de ellos; quién recita a ellos Sus revelaciones, les purifica, y les enseña la escritura y la Sabiduría (*como-Sun'ná*), sin embargo, prior a esto, ellos estaban en un extravío manifiesto. [2] Él también se envía para otros entre ellos quienes no se les han unidos todavía (*aceptando el Islam*). Él es el Poderoso, el Sabio. [3] Ésa es la gracia de Al'lá que Él dispensa en quien Él quiere. Al'lá es el Señor de gracia inmensa. [4]   62: [1-4]

Al'lá refutó la demanda de judíos para ser los favoritos de Dios excluyendo a otros.

El ejemplo de aquéllos que fueron encargados con el Taurãt (*la Tora*), pero no llevaron a cabo sus obligaciones, es eso de un asno que está llevando los libros y no sabe lo que está en esos libros. Malo es el ejemplo de aquéllos que niegan las revelaciones de Al'lá. Al'lá no guía al pueblo injusto. [5] Diga a los judíos: "¡Ustedes, los seguidores de la fe judía! Si ustedes reclaman que ustedes son los favoritos de Al'lá a la exclusión de otras personas, entonces desean para la muerte, si lo que ustedes dicen es verdad." [6] Pero, debido a lo que sus manos han enviado para la Ultima Vida, ellos nunca desearán la muerte. Al'lá conoce muy bien a estos injustos. [7] Dígales: "La muerte a la que ustedes están huyéndoos, le dará alcance a ustedes seguramente: luego regresarán a Él, Quien es Conocedor del No-visto y de lo Aparente; y dirá todos lo que ustedes han estado haciéndoos." [8]   62: [5-8]

SECCIÓN: 2

Mando relacionado a la obligación de la Oración de viernes.

¡Ustedes que creen! Cuando la llamada para el Salá (*la oración*) del viernes es hecho (*el día de la oración colectiva*), acuden aceleradamente al recuerdo de Al'lá y cesan su negocio. Eso es mejor para ustedes si es que supieran. [9] Cuando terminan el Salá, entonces dispersan a través de la tierra y buscan la generosidad de Al'lá (*regresan a su negocio normal*). Frecuentemente Recuerdan a Al'lá, para que ustedes puedan prosperar. [10] Aquéllos que todavía son débiles en Imân (*la fe*), cuando ven algún regateo o alguna distracción, ellos se apresuran hacia allá y te dejan plantado. Declara a ellos que lo que Al'lá tiene en reserva para ellos es mucho mejor que cualquier deporte o negocia, y que Al'lá es el Mejor Proveedor. [11]   62: [9-11]

63: AL-MUNAFIQÜN

El periodo de Revelación

Esta Süra se reveló durante el retorno del Profeta de su campaña contra Bani Al-Mustaliq, o inmediatamente después de su llegada atrás a Madina en Sh'abân 6 D.J.

Incluye los siguientes principios, Leyes y Guías divinas:

➤ *La hipocresía es tal un pecado contra el Islam y contra los musulmanes, que ni siquiera la oración del Rasúl puede obtener el perdón de Al'lá por ellos.*

➤ *No deben permitir a sus riquezas o sus hijos que lo desvíen del recuerdo de Al'lá, pues de otro modo ustedes realmente se volverán perdedores.*

➤ *Gasten en el camino de Al'lá antes de que la muerte se acerque a cualquier de ustedes.*

Antes de mencionar el incidente particular lo que fue la causa de la revelación de este Süra, es necesario tener una mirada a la historia de los hipócritas de Madina. El incidente que ocurrió en esta ocasión no era una coincidencia, sino que tenía una serie entera de eventos detrás de él.

Antes de la migración del Profeta a Madina las tribus del Aus y el Jazra'y, cansados con sus rivalidades mutuas y las guerras civiles, casi habían estado de acuerdo en favor de un hombre y habían estado haciendo las preparaciones para coronarlo como su rey. Ésta persona era Abdulá bin Ubai bin Salul, el jefe del Jazra'y. Mujámad Isjâq ha declarado que entre las personas de Jazra'y su autoridad jamás fue el motivo de una disputa, y el Aus y el Khazra'y nunca fueron reunidos detrás de un hombre antes de esto.

Cuando el Profeta llegó a Madina, Islam ya tenía penetrado cada casa del Ansâr tan profundamente que Abdulá bin Ubai se puso desvalido y no vio cualquier otra manera de salvar su dirigencia sino volverse como un musulmán. Así que, él entró en Islam junto con muchos de sus seguidores de entre los jefes y líderes de ambas tribus, aunque sus corazones estaban quemando desde dentro con la rabia. Abdulá bin Ubai estaba lleno con el pesar en particular, porque el Profeta (paz esté en él) le había privado de su majestad. Para varios años, su fe hipócrita y su pesar de privarse de su reino, manifestó de las maneras diferentes. En un lado, cuando en los viernes el Profeta (paz esté en él) tomó su asiento para dar el Sermón, Abdulá bin Ubai se pondría de pie y diría "¡Gentes!, el Rasúl de Al'lá está presente entre ustedes a quien Al'lá lo ha honrado; por consiguiente, ustedes deben apoyarlo, escuchen a lo que él dice y lo obedezcan a él." (Ibn Hisham, vol. III, pág. 111). Por otro lado, su hipocresía ya estaba exponiendo día a día. Los verdaderos musulmanes estaban comprendiendo que él y sus seguidores les tenían guardado la gran malicia contra Islam, contra el Profeta y contra los musulmanes.

Siguiente es un resumen de la conducta de los hipócritas:

1. *Una vez, cuando el Profeta estaba pasando por el camino, Abdulá bin Ubai le habló en las palabras ásperas. Cuando el Profeta se quejó después de él a Sallidunâ Sa'd bin Ubadá, él dijo: "Rasúl de Al'lá, no sea duro con él, porque cuando Al'lá lo envió a usted hacia nosotros, estábamos a punto de coronarlo a él, y por Al'lá, él piensa que usted le ha robado de su reino." (Ibn el vol de Hisham: II, EL PP. 237-238)*

2. *Después de la Batalla de Badr cuando el Profeta (paz esté en él) invadió la tribu judía de Bani Qainuqa por causa de romper su acuerdo y rebeló sin provocación algo, este hombre se puso de pie en el apoyo de ellos, y sosteniendo al Profeta por su armadura, dijo: " Estos 700 guerreros han estado ayudándome y me han protegido contra cada enemigo; ¿Les mataría en una mañana? Por Al'lá, yo no lo dejaré hasta que usted perdone a mis clientes." El Profeta (paz esté en él) si perdono y dejo a ellos con sus vidas. (Ibn Hisham, vol. III, el pp. 5l-52)*

3. *En la ocasión de la Batalla de Ujud, este hombre comprometió la alevosía abierta y retiró del campo de batalla con 300 de sus compañeros. Uno debe notar eso en este momento crítico cuando él actuó así, el Quraish había marchado contra Madina con 3,000 tropas y el Profeta había marchado fuera con sólo 1,000 hombres para resistírselos. De estos 1,000, este hipócrita se separaron con 300 hombres y el Profeta se quedó con sólo 700 hombres para encontrarse a los 3,000 tropas del enemigo en el campo de batalla. Detrás de este incidente, los musulmanes comunes de Madina vinieron a comprender que él era ciertamente un hipócrita y que así eran sus compañeros también. Por eso, cuando en el muy primero viernes, después de la Batalla de Ujud, este hombre se puso de pie para hacer un discurso antes del Sermón del Profeta como de costumbre, las personas le jalaron de su vestido, mientras diciendo "Siéntese no eres digno de decir cualquier cosa." Ésa fue la primera ocasión en Madina cuando este hombre fue deshonrado públicamente. Consiguientemente, él estaba tan lleno con la rabia que él salió del masyid saltándose encima de las personas. A la puerta de la Mezquita algunos del Ansâr le dijeron, "¿Qué estás haciendo? Váyase por atrás y pídale al Profeta (al que Al'lá le dé Su gracia y paz) para que ore por tu perdón." Él contestó, "No quiero que ore por mi perdón." (Ibn Hisham, vol. III, pág. 111)*

4. *En el año 4 D. J., la Batalla de Bani an-nadir tuvo lugar. En esta ocasión, él y sus compañeros apoyaron más aun abiertamente a los enemigos del Islam. En un lado, el Profeta (paz esté en él) y sus consagrado compañeros estaban preparando para la guerra contra sus enemigos judíos, y por otro lado, estos hipócritas estaban enviando mensajes en secreto a los judíos: "Resisten firmemente, nosotros estamos con ustedes: si ustedes se atacan, nosotros lo ayudaremos, y si ustedes serán expulsados, nosotros también saldremos con*

ustedes." El secreto de esta intriga era expuesto por el propio Al'lá, como se ha explicado en la Süra Al-Jashr versos 11-17. A pesar de ser tan expuestos, la razón por qué el Profeta (paz esté en él) todavía estaba tratándolo a ellos amablemente, era porque él tenía una banda grande de los hipócritas detrás de él. Muchos de los jefes del Aus y del Jazra'y eran sus partidarios. Por lo menos tercera parte de la población de Madina consistía de sus compañeros, como se puso manifiesto en la ocasión de la Batalla de Ujud. Bajo tales condiciones, no era prudente emprender una guerra contra estos enemigos interiores por el momento. A pesar de ser totalmente consciente de su hipocresía, el Profeta continuó tratando con ellos basado en su reclamo de ser musulmanes.

5. *En 6 D.J., cuando Abdullá bin Ubai, y los hipócritas que eran igual que él, consiguieron una oportunidad de acompañar al Profeta (paz esté en él) en su campaña contra el Bani Al-Mustaliq. Ellos diseñaron dos grandes travesuras que podrían estrellar la unidad musulmana en pedazos. Sin embargo, en virtud del entrenamiento maravilloso en disciplina que los musulmanes habían recibido a través de la pura enseñanza del Qur'ãn y el compañerismo del Profeta (paz esté en él), se detuvieron ambas travesuras a tiempo, y los hipócritas fueron deshonrados en cambio. Una de estas travesuras se menciona en la Süra An-Nür, y la otra es en esta Süra. Estos incidentes están relacionados por Bujâri, Muslim, Ajmed, Nasâi, Tirmizi, Baijaqi, Tabari, Ibn Mardullá, Abdur Razaq, el Ibn Jarir Tabari, Ibn Sa'd y Mujámad bin Isjâq a través de muchos recursos fiables.*

63: AL-MUNAFIQÜN

Esta Süra, revelada en Madina, tiene 2 secciones y 11 versos.

En el nombre de Al'lá, el Compasivo, el Misericordioso

SECCIÓN: 1

Los hipócritas son tales enemigos de Islam y musulmanes que ni siquiera la oración del Rasúl puede obtener el perdón de Al'lá para ellos.

Cuando los hipócritas vienen a ti, ellos dicen: "Atestiguamos que tú eres, de hecho, el Rasúl de Al'lá." Al'lá sabe que tú eres, indudablemente Su Rasúl. Pero Al'lá es testigo de que los hipócritas son mentirosos. [1] Ellos usan sus juramentos como un escudo, y así privan a otros de la Vía de Al'lá. ¡Qué malo es lo que ellos hacen! [2] Esto es porque ellos creyeron y luego renunciaron su fe. Por consiguiente, sus corazones han sido sellados, pues ellos están desprovistos de comprensión. [3] Cuando los ves, su estatura buena te agrada; y cuando ellos hablan, escuchas a lo que ellos dicen. Todavía, ellos son tan sin valor como hueco pedazos de la madera. Cada grito que ellos oyen, piensan que está contra ellos. Ellos son sus enemigos, por lo tanto ten cuidado con ellos. ¡Que Al'lá los mate! ¡Qué desviados son ellos! [4] Cuando se les dice: " Vengan, el Rasúl de Al'lá pedirá perdón para ustedes, "Vuelven sus cabezas y los ves que rechazan con la arrogancia. [5] Es lo mismo que pidas perdón por ellos o que no pidas, Al'lá no les va a perdonar. Ciertamente, Al'lá no guía a la gente perversa. [6] Son ellos las mismas personas que dicen: "No gasten nada en favor de aquéllos que siguen el Rasúl de Al'lá hasta que ellos lo hayan abandonado a él." A Al'lá pertenecen los tesoros de los cielos y de la tierra; pero los hipócritas no pueden entender. [7] Ellos dicen: "Cuando nosotros regresamos a Madina, los más poderosos expulsarán a los más débiles." Pero el poder pertenece a Al'lá, a Su Rasúl y a los creyentes; pero los hipócritas no saben. [8]   63: [1-8]

SECCIÓN: 2

No permita a sus riquezas o a sus Hijos desviarlo del el recuerdo de Al'lá, para que no vuelva ser un perdedor real.

¡Ustedes que creen! No permitan a sus riquezas ni a sus hijos que distraigan del recuerdo de Al'lá. Aquéllos que harán eso, serán los perdedores reales. [9] Gasten, en la caridad y en la Causa de Al'lá, fuera del sustento que Nosotros hemos dado en ustedes antes de que la muerte venga a cualquiera de ustedes y diga: "¡Rab mío! Si sólo me dieras un poco más de tiempo, gastaría en la caridad generosamente, y seré entre los virtuosos." [10] Pero Al'lá no va a dar ningún concesión a nadie cuando su término se acaba. Al'lá es bien consciente de todas sus acciones. [11]

63: [9-11]

64: AT-TAGHABUN

El periodo de Revelación

Esta Süra se reveló durante la fase temprana de la residencia del Profeta en Madina.

Incluye los siguientes principios, Leyes y Guías divinas:

➢ *El reino de los cielos y de la tierra pertenece a Al'lá, y Él sabe todo lo que ustedes ocultan y revelan.*

➢ *Ciertamente habrá vida, después de la muerte, el Día del Juicio tendrá lugar para premiar por los hechos buenos y malos. Ése será el Día de la ganancia o de la pérdida, de la victoria o de la derrota.*

➢ *Ninguna aflicción puede ocurrir a cualquier persona en su vida excepto por el permiso de Al'lá.*

➢ *Entre sus esposas y sus hijos, hay algunos que son sus enemigos, sean consciente de ellos.*

El tema de esta Süra es: una invitación a la Fe, la obediencia (a Al'lá) y la enseñanza de las buenas morales. La sucesión seguida es que los primeros cuatro versos se dirigen a todos los hombres; versos 5-10 a esos hombres que no creen en la invitación del Qur'ãn; y versos 11 - 18 a aquéllos que aceptan y creen en esta invitación. Ellos han sido hecho consciente de lo siguiente cuatro verdades en los versos dirigidos a todos los hombres:

1. Que el universo en que ustedes viven no es Ateo, sino su Creador, Amo y Gobernante es un Al'lá Todo poderoso, y todo lo que está en él, testifica a Su ser, Quien es perfecto y completamente sin defecto.

2. Que el universo no está sin el propósito y sin la sabiduría. Su Creador lo ha creado para manifestar la Verdad. Nadie debe estar bajo el engaño que es simplemente una muestra que empezó sin cualquier propósito y se acabará sin que haya tenido algún propósito.

3. Que la forma excelente con lo que Al'lá ha creado a ustedes, y la opción de escoger entre la creencia e incredulidad que Él lo ha dado a ustedes, no es una actividad inútil y sin sentido y que no será de ninguna consecuencia si ustedes escogen la creencia o la incredulidad. De hecho, Al'lá está mirando acerca de cómo ustedes ejercen su opción.

4. Que ustedes no se han creados irresponsables e incontrovertibles. Ustedes devolverán finalmente hacia su Creador, y se encontrarán al Ser que es consciente de todo en el universo y de Quien nada está oculto, y a Quien

incluso los más profundo pensamientos de mentes de las gentes son conocidos.

Después de declarar estas verdades acerca del Universo y del ser Humano, la dirección se vuelve a los incrédulos y su atención se atrae a las dos causas de la destrucción de las naciones anteriores:

A. Que ellos se negaron a creer en los Rasúles a quienes Al'lá envió para su guía. Como resultado Al'lá los abandonó a ellos; Por consiguiente ellos inventaron sus propias filosofías de la vida y siguieron tentando su camino cometiendo error tras error.

B. Ellos rechazaron la doctrina de la Ultima Vida, y empezaron a pensar que esta vida mundana, como de ser el fin en sí mismo. Ellos creyeron que no había ninguna vida después de la muerte, dónde ellos darán sus cuentas de sus hechos ante Al'lá. Esto si adulteró su actitud hacia la vida, sus morales y carácter se volvieron tan contaminados que eventualmente el castigo de Al'lá vino y les eliminó de la escena de este mundo.

Después de declarar estos hechos históricos, los incrédulos se amonestan para despertarse, creer en Al'lá, en Su Rasúl y en la Luz de Guía que Al'lá ha enviado en la forma del Qur'ãn, si ellos quieren evitar el destino que las personas anteriores se encontraron. Ellos se advierten que vendrá un Día, en el futuro, cuando todas las anteriores y las últimas generaciones se reunirán en un lugar y las fechorías comprometidas por cada uno se expondrán ante toda la humanidad. Luego, dirigiéndose a los creyentes, se dan unas instrucciones importantes:

1. *Cualquier aflicción que ocurre a una persona en el mundo, ocurre con el permiso de Al'lá. Quienquiera, en este estado de aflicción, confirme su Fe, Al'lá bendice su corazón con la guía.*

2. *El creyente no sólo se exige afirmar la Fe con la lengua, sino después de la afirmación, él debe obedecer a Al'lá y a Su Rasúl prácticamente. Si él se vuelve fuera de la obediencia, él sería responsable para su propia pérdida.*

3. *El creyente debe poner su confianza solo en Al'lá y no en cualquier otro poder de este mundo.*

4. *Los bienes mundanos e hijos son como un ensayo, porque es amor por ellos que generalmente distrae al hombre del camino de Al'lá y de Su obediencia. Por consiguiente, los creyentes deben tener cuidado con este hecho acerca de sus hijos y parejas, para que esos no se vuelven como los ladrones que robarían, directamente o indirectamente, en su camino hacia Al'lá. Ellos deben gastar su riqueza por causa de Al'lá, para que ellos mismos estén seguros contra las tentaciones de Satanás.*

5. *Cada persona sólo es responsable a la magnitud de su poder y de su habilidad. Al'lá no exige que el hombre deba ejercerse más allá de su poder y habilidad. Sin embargo, el creyente debe intentar su mejor para vivir con el temor de Al'lá, tanto como posible, y debe ver que él no debe transgredir los límites puestos por Al'lá en su discurso, conducta y relaciones.*

64: AT-TAGHABUN

Esta Süra, revelada en Madina, tiene 2 secciones y 18 versos.

En el nombre de Al'lá, el Compasivo, el Misericordioso

SECCIÓN: 1

A Al'lá Le pertenece el reino de los cielo y de la tierra, y Él sabe todos que ustedes ocultan y revelan. Ciertamente habrá: La vida después de la muerte, Día del Juicio y la recompensa para los hechos buenos y malos.

Todo lo que hay en los cielos y en la tierra glorifica a Al'lá. Suyo es el reino y Suyas son todas las alabanzas; y Él tiene el poder encima de todas las cosas. [1] Es Él, Quien lo ha creado; unos entre ustedes son incrédulos y otros son creyentes. Al'lá está atento de todas sus acciones. [2] Él creó los cielos y la tierra para manifestar la Verdad. Él lo dio forma y lo ha formado armoniosamente, y hacia Él se ha de retornar. [3] Él sabe todo lo que está en los cielos y en la tierra. Él conoce bien lo que ustedes ocultan y lo que revelan, y Al'lá sabe lo que está en sus corazones. [4] ¿No lo han oídos hablar de aquéllos que se descreyeron ante ustedes? Así que gustaron el resultado malo de sus acciones, y habrá un castigo doloroso, en el Día del Juicio, para ellos. [5] Eso es porque, cuando sus Rasúles vinieron a ellos con las revelaciones claras, ellos dijeron: "¿Acaso los seres humanos van a guiarnos?" Pues ellos descreyeron y no prestaron la atención. Al'lá no está en ninguna necesidad de tales personas. Al'lá está libre de todas las necesidades, en Sí mismo alabado. [6] Los incrédulos pretenden que no van a ser resucitados. Dígales: "Por el contrario, ¡Por mi Rab! ustedes serán seguramente resucitados, luego se lo hará saber todo lo que ustedes han hecho; y eso es fácil para Al'lá." [7] Por consiguiente, creen en Al'lá y en Su Rasúl, y en la Luz que Nos hemos revelado. Al'lá es bien consciente de todas sus acciones. [8] El Día cuando Él reunirá a ustedes todos, será el Día de la Asamblea, esa si será el Día del AT-Taghâbun (*la pérdida y la ganancia mutua, entre las personas*). En cuanto a aquéllos que creen en Al'lá y hacen los hechos buenos, Él quitará de ellos sus pecados y los admitirá a jardines por cuyos bajos fluyen los ríos, vivirán en eso para siempre, y ése será el logro grandioso. [9] En cuanto a aquéllos que descreyeron y negaron Nuestras revelaciones, ellos se volverán los presos del Fuego, en los que vivirán para siempre, ¡Qué mal lugar para vivir! [10]   64: [1-10]

SECCIÓN: 2

Ninguna aflicción puede ocurrir en la vida excepto por el permiso

Ninguna aflicción puede suceder si Al'lá no lo permite. Y quienquiera que cree en Al'lá, su corazón se guía a la Vía Recta. Al'lá tiene el conocimiento de cada cosa. [11] Obedezcan a Al'lá y obedezcan a Su Rasúl; Pero si ustedes no prestarán la atención, entonces deben saber que la responsabilidad de Nuestro Rasúl es simplemente sólo llevar el mensaje. [12] ¡Al'lá! No hay ninguno digno de culto sino Él, por consiguiente, los creyentes deben de confiar sólo en Al'lá. [13] ¡Ustedes que son creyentes! Entre sus esposas y sus hijos hay algunos que son sus enemigos de verdad: así que tengan cuidado con ellos. Pero si ustedes son indulgentes, pasan por alto y perdonan sus faltas, pues Al'lá está Perdonador, Misericordioso. [14] Su riqueza y sus hijos son pero un ensayo, mientras que Al'lá tiene junto a Sí una magnífica recompensa. [15] Por consiguiente, temen a Al'lá tanto como ustedes puedan, escuchen atentamente a Su mensaje, sean obedientes, y sean caritativos: esto es en su propio beneficio. Aquéllos que son salvados de la codicia de sus propias almas, son ellos quienes tendrán el éxito. [16] Si ustedes prestan a Al'lá un préstamo gracioso, Él lo devolverá multicopista por atrás, y lo perdonará sus pecados. Al'lá es Apreciativo y Benévolo. [17] Él es el Conocedor de lo oculto y de lo Aparente; Él es el Todos-poderoso, el Sabio. [18]   64: [11-18]

de Al'lá y entre sus esposas e Hijos hay algunos quiénes son sus enemigos, sean consciente de ellos.

65: AT-TALAQ

El periodo de Revelación

Es difícil de determinar precisamente cuando fue revelada esta Süra. Sin embargo, parece que fue revelada cuando las personas empezaron cometer errores en entender los mandos en la Süra Al-Baqará, y empezó a comprometer equivocaciones, pues Al'lá se hizo bajar estas instrucciones.

Incluye los siguientes principios, Leyes y Guías divinas:

> ➢ *Las leyes del divorcio (para los detalles vean debajo).*
> ➢ *Ídat (el periodo de espera antes de que el divorcio tome el efecto) se ordena que sean tres periodos de la menstruación, tres meses si la menstruación no es aplicable, y en caso del embarazo, es hasta el parto del niño/niña.*
> ➢ *La rebelión contra el mando de Al'lá puede traer las consecuencias duras o el castigo ejemplar, pues temen a Al'lá y adhieren a Sus leyes.*

Para entender los mandos de esta Süra, es útil refrescarse la memoria de uno, acerca de las regulaciones que se dieron en relación al divorcio y el periodo de espera (Ídat).

"La declaración de divorcio revocable sólo se permite dos veces: luego se la debe permitir quedarse con el honor o la deja marchar en buenos términos."
(Al-Baqará 229)

"Y las mujeres divorciadas (después de la declaración del divorcio) deben esperar por tres cursos mensuales... y sus maridos se titulan para devolverlas totalmente (como sus esposas) durante este periodo de espera, si ellos desean la conciliación." (Al-Baqará 228)

"Luego, si el marido se divorcia a su esposa (por la tercera vez), ella no permanecerá lícita para él después de este divorcio, a menos que ella se casa con otro hombre..." (Al-Baqará: 230)

"Cuando ustedes se casan a las mujeres creyentes, y luego se divorcian antes de que ustedes las han tocados, ellas no tienen que observar un periodo de espera, la realización de que ustedes podrían exigir de ellas." (Al-Ajzâb: 49)

"Y si aquéllos de ustedes que se mueren, dejando por atrás las esposas, las mujeres deben abstenerse (del matrimonio) durante cuatro meses y diez días". (Al-Baqará 234)

Las reglas prescritas en estos versos son como sigue:

1. Un hombre puede declarar tres divorcios a lo sumo en relación a su esposa.

2. *En caso de que el marido ha pronunciado uno o dos divorcios, él se titula para devolver a la mujer como su esposa dentro del periodo de espera, y si después de la expiración del periodo de espera los dos desean de volver a casarse, ellos pueden volver a casarse y hay ninguna condición de legalización (tajlil). Pero si el marido ha pronunciado tres divorcios, él comisa su derecho para tenerla como su esposa dentro del periodo de espera, y ellos no pueden volver a casarse a menos que la mujer se casa con otro hombre y él se la divorcia como consecuencia de su propia voluntad libre.*

3. *El periodo de espera de la mujer que se menstrúa y matrimonio de quien se ha consumado,   consiste de pasar tres cursos mensuales. El periodo de espera en caso de uno o dos divorcios es que la mujer todavía es la esposa legal del marido y él puede tomarla atrás como su esposa dentro del periodo de la espera. Pero si el marido ha pronunciado tres divorcios, no puede tomarse la ventaja de este periodo de espera con el propósito de reconciliar, pero sólo se significa refrenar a la mujer de volver a casarse con otro hombre antes de que se acabe este periodo de espera.*

4. *No hay ningún periodo de espera para la mujer que fue divorciada antes de que el matrimonio se consuma. Ella puede volver a casarse, si le gusta, inmediatamente después del divorcio.*

5. *El periodo de espera de la mujer cuyo marido se muere, es de cuatro meses y diez días antes de que sea permitida volver a casarse.*

Uno debe entender que la Süra At-Talâq no fue revelada para anular o enmendar cualquiera de estas reglas, sino fue revelada para dos propósitos:

À. Que el hombre que ha sido dado el derecho de divorciar debe enseñarse a los tales métodos juiciosos de usar este derecho, para que eso no se use inútilmente y resulte en la separación. Sin embargo, si la separación ya está inminente, el divorcio debe de ocurrir sólo cuando todas las posibilidades de reconciliación mutua han sido exhaustas. En la Ley Divina, la provisión para el divorcio ha sido sólo hecho como una necesidad inevitable. Al'lá no aprueba la disolución de un matrimonio. El Profeta (paz esté en él) ha dicho: "Al'lá no ha hecho lícito algo más odioso en Su vista que el divorcio." (Abu Daûd) Y: "De todas las cosas permitidas por la Ley, el más odioso en la vista de Al'lá es el divorcio". (Abu Daûd)

B. El objeto era complementar esta sección de la ley familiar de Islam proporcionando las respuestas a las preguntas que permanecían después de la revelación de los mandos en la Süra Al-Baqará. Se dan las respuestas a las preguntas siguientes:

1. *¿Cuál sería el periodo de espera de las mujeres, en caso de que ellas se divorcian: el matrimonio de quienes se ha consumado y quienes ya no menstrúan o aquéllas que aún no han menstruado?*

2. *¿Cuál sería el periodo de espera de la mujer divorciada, si ella está embarazada o una mujer cuyo marido se muere?*

3. *¿Qué arreglos se harían para el mantenimiento y alojamiento de las categorías diferentes de mujeres divorciadas, y para el desarrollo de los niños cuyos padres se han separado a causa de un divorcio?*

65: AT-TALAQ

Esta Süra, revelada en Madina, tiene 2 secciones y 12 versos.

En el nombre de Al'lá, el Compasivo, el Misericordioso

SECCIÓN: 1

¡Profeta! Si tú o los creyentes se divorcian a sus esposas, se las divorcian a sus periodos prescritos, y cuentan sus periodos prescritos con precisión (*dentro de un período de pureza y no durante la menstruación*). Temen a Al'lá, su Rab. No las expulsen de sus casas durante su periodo de espera, ni ellas tampoco deben de salir, a menos que ellas han comprometido una indecencia abierta. Éstos son límites puestos por Al'lá; quien transgrede los límites de Al'lá hará mal a su propia alma. No sabes que Al'lá, después de esto, puede provocar alguna nueva situación de reconciliación. [1] Entonces, cuando su periodo de espera se acaba, quédense con ellas honorablemente o parten de ellas de una manera honorable. Llamen para dar testimonio a dos personas honradas entre ustedes, y que atestigüen justamente por causa de Al'lá. Este consejo está para todos que creen en Al'lá y en el Último Día. Y quien teme a Al'lá, El puede proporcionarse una manera fuera por Él, [2] y le provee desde donde él nunca podría esperar: Porque Al'lá le bastará para la persona que pone su confianza en Él. Ciertamente, Al'lá ha de cumplir con Sus órdenes, y Al'lá ha establecido las medidas para todas las cosas. [3] Si ustedes tienen cualquier duda acerca de aquéllas de sus esposas que han dejado de menstruar, entonces sepan que su periodo de espera será tres meses, y el mismo aplicará a aquéllas que no tienen ninguna menstruación debido a edad joven o una enfermedad. En cuanto a aquéllas que están embarazadas, su periodo de espera acabará cuando den a luz. Al'lá aliviará la penalidad de aquéllos que Le temen. [4] Éste es el orden de Al'lá, lo que Él ha hecho descender para ustedes. Él quien teme a Al'lá, tendrá sus pecados borrados y una recompensa magnífica. [5] Permitan a esas mujeres, durante su periodo de espera (*Ídat*), que vivan donde ustedes viven según sus medios. Ustedes no las atormentarán para hacer la vida intolerable para ellas. Si ellas están embarazadas, manténgalas de lo necesario hasta que den a luz: y si, después de eso, ellas amamantan su descendencia, las compensan y establecen el asunto de compensación con la consultación mutua y con toda la honradez. Pero si ustedes no pueden llevar entre sí, entonces permiten a otra mujer amamantar al bebé a cuenta de ustedes. [6] El hombre rico debe gastar según sus medios, y el hombre pobre que gaste según lo que Al'lá le ha dado. Al'lá no pide a nadie sino lo que Él lo ha dado; pronto Al'lá puede traer la facilidad después de la dificultad. [7]

65: [1-7]

Las leyes de divorcio e Id'dat (el periodo de espera) antes de que el divorcio toma el efecto.

Id'dat (el periodo de espera) es tres periodo de la menstruación o tres meses o el parto, en caso de un embarazo.

SECCIÓN: 2

La rebelión contra el mando de Al'lá puede traer un castigo fuerte o el castigo ejemplar, pues tengan temor a Al'lá y adhieran a Sus leyes.

¡Cuántos municipios se han rebelado contra los mandos de su Rab y de Sus Rasúles! Rigurosa era Nuestra cuenta con ellos y ejemplar era Nuestro castigo. [8] Gustaron la gravedad de sus conducta, y su fin fue la perdición. [9] Al'lá ha preparado para ellos un castigo severo en la Ultima Vida. Por consiguiente, temen a Al'lá, ustedes que han creído y saben reconocer lo esencial.   Al'lá ha hecho descender para ustedes una advertencia, [10] un Rasúl que recita a ustedes las revelaciones de Al'lá que contiene la guía clara, para que él pueda llevar a los creyentes, que hacen los hechos buenos, desde las tinieblas hacia la luz. Quien cree en Al'lá y hace los hechos buenos, se admitirá a los jardines por cuyos bajos fluyen los ríos, en los que estarán para siempre; y Al'lá le ha reservado, de hecho, una provisión excelente. [11] Al'lá es Quien ha creado siete cielos y de las tierras un número similar. Su mando desciende entre ellos, esto se explica a ustedes, para que puedan saber que Al'lá tiene el poder encima de cada cosa, y que Al'lá abarca cada cosa en Su conocimiento. [12]

65: [8-12]

66: AT-TAJRIM

El periodo de Revelación

   Esta Süra se reveló en el año 7 D.J., después de la conquista de Jaiber.

Incluye los siguientes principios, Leyes y Guías divinas:

➢ *No hagan algo ilícito a lo que Al'lá ha hecho lícito.*
➢ *Las esposas del Profeta (paz esté en él) se amonestan en su conducta con él.*
➢ *Se ordenan a los creyentes que se vuelvan a Al'lá en el arrepentimiento sincero, si ellos quieren ser perdonados.*
➢ *El ejemplo de las esposas de Nüj (Noé) y de Lüt (Lot) quienes serán en el infierno y el ejemplo de la esposa de Fir'aun (Faraón) y de Marllam quienes serán en el paraíso.*

   Ésta es una Süra muy importante en que la guía ha sido proporcionada que relaciona a las preguntas de grave importancia en la referencia a algunos incidentes acerca de las esposas del Profeta (paz esté en él), las reglas relacionadas a lo lícito e ilícito y que al ser pariente del Profeta no es el criterio para la salvación:

1. *Los poderes para prescribir los límites del lícito e ilícito, del permitido y prohibido, está completamente y absolutamente en las manos de Al'lá y nada de esta clase incluso se ha delegado aún al Profeta de Al'lá, mucho menos a cualquier otra persona.*

2. *La posición de un Profeta es muy delicada. Un suceso menor experimentado por un hombre ordinario en su vida no puede ser de cualquier consecuencia, pero eso puede tener un estado de ley cuando es realizado por un Profeta. Por eso, se han guardado por Al'lá las vidas de los Profetas bajo la vigilancia íntima, porque cualquier de sus actos, incluso aún más trivial que sea, puede desviar a otros de la Voluntad Divina.*

3. *El Profeta (paz esté en él) se corrigió por una cosa menor que resulto no sólo ser corregido sino también grabado por el futuro. Nos da satisfacción completa que las acciones cualquier, órdenes e instrucciones que nosotros encontramos ahora en la vida documentada del Profeta, que si no hay nada que involucra la crítica o corrección por parte de Al'lá, podemos confiar que ellos son totalmente basados en la verdad y que son en la conformidad completa con la Voluntad Divina. Por consiguiente, esa guía puede deducirse de ellos con la confianza total y paz de mente.*

4. *Se ha declarado en esta Süra el incidente cuando el Profeta, cuyo reverencia y respeto el propio Al'lá ha mandado como una parte necesaria de la fe de Sus siervos, una vez durante su sagrada vida él hizo solamente una cosa ilícita para él mismo, lo que estaba declarada lícita por Al'lá, sólo para*

agradar a sus esposas. Al'lá censuró este error severamente y amonestó a las esposas del Profeta a quienes el propio Al'lá ha declarado como las madres de los creyentes; dignas de la estima más alta y honor. Más allá, esta crítica del Profeta y la administración de la advertencia a sus esposas no fue en secreto sino fue incluido en la escritura que la Um'ma (la comunidad musulmana) entera tiene que leer y recitar para siempre. Obviamente, la intención de mencionar este caso en la escritura de Al'lá no era, ni podría ser, porque Al'lá quiso degradar en los ojos de los creyentes a Su Rasúl y a las madres de los creyentes. También es obvio que ningún musulmán ha perdido el respeto para ellas después de leer esta Süra del Qur'ãn. No puede haber cualquier otra razón, de mencionar este caso en el Qur'ãn, que Al'lá quiere enterar a los creyentes con la manera correcta de la reverencia para sus personalidades. Un Profeta es un Profeta, no Dios, y él estaba sujeto a comprometer el error. Respeto para el Profeta no se ha mandado porque él es infalible, sino porque él es representante perfecto de la Voluntad Divina, y Al'lá no ha permitido pasar inadvertido a ninguno de sus errores. Esto nos da la satisfacción de que el modelo noble de su vida era totalmente y enteramente representa la Voluntad de Al'lá.

5. *Ha hecho explícitamente claro que la religión de Al'lá es completamente justa. Tiene para cada persona la recompensa de sólo a lo que él se pone digno de recibir, en base a su fe y a sus trabajos. Ninguna relación o conexión, incluso con la persona más virtuosa o con la persona peor, pueden de alguna forma ser beneficiosa o dañosa para él. En la referencia a esto, se han citado tres tipos de mujeres en particular como los ejemplos ante las esposas del Profeta.*

À. *Un ejemplo es de las esposas de los Profetas Nüj (Noé) y Lüt (Lot), quienes, si ellos habían creído y cooperado con sus maridos, habrían ocupado la misma categoría y posición en la comunidad musulmana que disfrutan las esposas del Profeta Mujámad (paz esté en él). Desde que ellas negaron de creer, pues el hecho de ser como las esposas de los Profetas no va a salvarlas del infierno.*

B. *El segundo ejemplo es de la esposa de Faraón, que a pesar de ser la esposa de un enemigo firme de Al'lá, creyó y escogió un camino de acción separado que fue seguido por la gente del Faraón. Siendo la esposa de un incrédulo firme no la causara daño, y Al'lá la hizo digna del Paraíso.*

C. *El tercer ejemplo es de Sallidá Marllam (María) (paz esté en ella), quién logró una categoría más alta porque ella se sometió a la prueba severa que Al'lá decidió ponerla. Aparte de Marllam (paz esté en ella), ninguna otra mujer casta y virtuosa en la historia se ha puesta a una prueba tan difícil. A pesar de estar soltera, ella fue milagrosamente embarazada por el orden de Al'lá y ella fue informada del servicio que su Rab tomará de ella. Cuando Sallidá Marllam (paz esté en ella) aceptó esta decisión, y estaba de acuerdo a llevar, como una verdadera creyente, todo lo que ella tenía que llevar en el orden de completar la Voluntad de Al'lá inevitable, resultó que Al'lá la exaltó a la categoría más noble de "Sallida-tun-Nisâ ' Fil-Yan'ná (la Líder de las mujeres en el Paraíso)." (Musnad Ajmed)*

Nosotros también aprendemos de esta Süra que el Profeta (paz esté en él) no recibió, de Al'lá, sólo ese conocimiento que es incluido y grabado en el Qur'ãn, sino también se recibió adicionalmente la información acerca de las otras cosas por revelación, que no se grabó en el Qur'ãn. La prueba Clara de esto se encuentra en verso 3 de esta Süra. En que nos informa que el Profeta (paz esté en él) confió un secreto a uno de sus esposas, y ella lo dijo a la otra. Al'lá informó al Profeta de este secreto. Entonces, cuándo el Profeta advirtió a su esposa particular de descubrimiento de este error, ella dijo: "¿Quién te ha informado de este error mío?" Él contestó: Yo he estado informado acerca de esto por Él, Quien sabe todo y está Bien Informado." Ahora la pregunta es, ¿Está allí cualquier verso en que Al'lá ha dicho: ¡Profeta! el secreto que tú habías confiado a una de sus esposas se ha revelado por ella a otra persona?" Pues no hay ningún tal verso en el Qur'ãn. Eso es una prueba expresa, del hecho, que alguna veces lo que fue revelado al Profeta no era incluido en el Qur'ãn, y refuta el reclamo de los que no creen en los Ajadîz que nada se reveló al Profeta (paz esté en él) aparte del Qur'ãn.

66: AT-TAJRIM

Esta Süra, revelada en Madina, tiene 2 secciones y 12 versos.

En el nombre de Al'lá, el Compasivo, el Misericordioso

SECCIÓN: 1

No hagas algo ilícito qué Al'lá ha hecho licito y las esposas del Profeta se amonestan en relación a su conducta con él.

¡Profeta! ¿Por qué declaras prohibido a lo que Al'lá ha declarado lícito para ti, buscando el agrado de tus esposas? Pero Al'lá es Perdonador, Misericordioso. [1] Al'lá ya te ha prescrito cómo debes compensar los juramentos. Al'lá es tu Amo y Él es el Conocedor, el Sabio. [2] Cuando el Profeta confió un secreto a una de sus esposas, ella contó este secreto a otra y Al'lá lo informó sobre él, el Profeta hizo que se enterara esa esposa una parte de éste y evitó mencionar el resto. Así cuando él la dijo sobre este descubrimiento, ella preguntó: "¿Quién te dijo esto?" Él contestó: "Me lo ha dado a conocer Él, Quién es Omnisciente, al que nada se Le oculta." [3] Si ambas de ustedes (*Jafsá y Aisha*) se vuelven en el arrepentimiento a Al'lá - porque sus corazones se habían torcido - ustedes se perdonarán. Si, al contrario, ustedes confabulan contra él (*el Profeta*), entonces deben saber que Al'lá es su Protector y Yibril y los creyentes virtuosos; además, los ángeles también son sus partidarios. [4] Bien puede ser que, si él las divorciará a todas, su Rab le diera en su lugar, las esposas mejores que ustedes mismas; sumisas, fieles, obedientes, penitentes, las adoradoras fervientes y ayunantes, sean ellas previamente casadas o fueran vírgenes. [5] ¡Ustedes que creen! Salven a ustedes mismos y a sus familias del Fuego cuyo combustible serán los humanos y las piedras. Que será en el cargo de ángeles duros y violentos que nunca desobedecen el orden de Al'lá y quienes rápidamente harán lo que se les ordene. [6] Entonces se dirá: ¡Ustedes que niegan a creer! No lo hagan ninguna excusa para ustedes mismos este Día. Ustedes serán retribuidos según sus hechos." [7]

66: [1-7]

SECCIÓN: 2

¡Creyentes! Vuélvase a Al'lá en el arrepentimiento sincero si ustedes quieren a ser perdonados.

¡Ustedes que creen! Vuélvanse a Al'lá en el arrepentimiento sincero. Puede ser bien que su Rab quitará de ustedes sus pecados y lo admitirá a los jardines por cuyos bajos fluyen los ríos. En ese Día, Al'lá no humillará al Profeta ni a aquéllos que hayan creído con él. Su propia luz brillará delante de ellos y a su derecha, y ellos dirán: "¡Nuestro Rab! Perfecciónanos nuestra luz y concédanos el perdón, porque Tú tienes el poder encima de todas las cosas." [8] ¡Profeta! Hagas Ýijãd (*el forcejeo, incluso la guerra*) contra los incrédulos y contra los hipócritas y seas duro con ellos. El infierno será su refugio. Y ¡Qué mal lugar de destino! [9] Al'lá les pone un ejemplo a los incrédulos, de la esposa de Nüj (*Noé*) y de la esposa de Lüt (*Lot*). Ambas estaban casadas con dos de Nuestros siervos virtuosos, pero ellas les traicionaron (*en su religión*). De ninguna manera pudieron sus maridos protegerlas de Al'lá. Se dijo a las dos de ellas: "Entren ambas en el Fuego, junto con aquéllos que han de entrar." [10] Y para los creyentes Al'lá ha puesto un ejemplo en la esposa de Fir'aun (*Faraón*), quien dijo: "¡Rab mío! Constrúyeme, como un favor especial Suya, una casa en el paraíso, sálvame de Fir'aun y de sus fechorías, y ¡Sálvame de la gente injusta!" [11] Otro ejemplo está en la vida de Marllam, la hija de Imrân que guardó su castidad y en la que insuflamos de Nuestro Espíritu. Ella creyó en la verdad de las palabras de su Rab y en Sus escrituras, y era una de las obedientes.[12]   66: [8-12]

El ejemplo de las esposas de las Profetas Nüj y Lüt (pece) que irán al infierno y el ejemplo de la esposa de Fir'aun y de Marllam(pece) a que admitirán al paraíso.

ỸÚZ (PARTE): 29

67: AL-MULK

El periodo de Revelación

No se conoce de cualquier tradición auténtica cuando fue revelada esta Süra, pero el contenido y el estilo indican que es una de las Süras reveladas en la etapa inicial de la residencia del Profeta en Meca.

Incluye los siguientes principios, Leyes y Guías divinas:

> ➢ *El Reino del universo pertenece a Al'lá.*
> ➢ *El cielo más bajo se decora con las lámparas (las estrellas que emiten la luz).*
> ➢ *Los moradores del infierno desearán: "Ojala que sólo hubiéramos escuchado a la llamada del Islam, nosotros no habríamos estado entre los presos del infierno."*
> ➢ *Nadie puede ayudarlo contra Al'lá, ni puede salvarlo del castigo de Al'lá.*

En esta Süra se mencionan, brevemente, las enseñanzas básicas del Islam. De una manera más eficaz, se hacen las gentes comprender que el universo en que ellos viven es un Reino bien organizado y fortificado de tal manera que no se puede descubrir ninguna falta, debilidad o falla, no importa qué duro pueden intentar de descubrir. Este Reino se ha creado de nada y se ha traído en la existencia por Al'lá, el Poderoso. Todo los poderes de controlar, administrar y gobernar, son también completamente en las manos de Al'lá. Este sistema no haya sido creado sin cualquier propósito y que las personas han sido enviados aquí para una prueba. En esta prueba ellos sólo pueden tener éxito por sus hechos virtuosos y conducta buena. Entonces las consecuencias terribles de escepticismo en que aparecerá el Día del Juicio, se menciona. Las personas se dicen que Al'lá, enviando a Sus Profetas, les han prevenidos de estas consecuencias.

El énfasis es hecho en la realidad que el Creador es consciente de cada secreto abierto y oculto de los hombres, incluso las más profunda ideas de sus corazones. La base correcta de la moralidad, es que el hombre debe evitar el mal y debe temer por la responsabilidad otorgada por su Creador. Aquéllos que adoptan la tal conducta merecerán perdón y una recompensa magnífica en la Última Vida. La referencia se hace a esas verdades comunes de las ocurrencias diarias a que el hombre no presta mucha atención. Le informa que la tierra en que él mueve con la satisfacción completa y con la paz de mente, y de lo cual él obtiene su sustento, se domina para él por Al'lá. Esta tierra, de repente, se puede empezar temblar a cualquier momento, tan fuerte como para causar su destrucción, o podría ocurrir un huracán tan fuerte que lo puede aniquilarla completamente. Mire a los pájaros que vuelan en el aire: es Al'lá Quien está sosteniéndolos en el aire. Entonces al hombre se le recuerda: "Reflexionen acerca de sus propios medios y recursos. Si Al'lá quiere infligir con Su castigo, nadie puede salvarlo de él; y si Al'lá quiere cerrar las puertas de sustento para ustedes, ninguno puede abrirlos para ustedes. Estas cosas son allí para hacerlos consciente de la Verdad, pero ustedes los ven como los animales que son incapaz de deducir las conclusiones de las observaciones y ustedes no usan a su propio poder de reflexionar, sus oídos y sus mentes que Al'lá ha dado a ustedes como un ser humano. Ustedes tienen que aparecer, finalmente, ante su Rab. No es para el Profeta decirles el tiempo exacto y la fecha exacta de ese evento. Su único deber es advertirles de antemano de su ocurrencia inevitable."

Finalmente una contestación se da a los incrédulos de Meca acerca de lo que dijeron contra el Profeta (paz esté en él) y contra sus Compañeros. Ellos maldijeron al Profeta y oraron para su destrucción de él y de sus seguidores. A eso, se les ha dicho: *"En caso de que aquéllos que lo llaman a la Vía Recta se destruyen, o sean mostrado la misericordia por Al'lá, ¿cambio de su destino cómo cambiará el de lo suyo? Ustedes deben cuidarse y deben considerar: ¿Quién lo salvaría, si ustedes se dieron alcance por el castigo de Al'lá? ¿Ustedes consideran a aquéllos que creen en Al'lá y confíen en Él, como los descarriados? Un tiempo vendrá cuándo se pondrá evidente acerca de lo quién realmente era descaminado."*

En la conclusión, las personas se hacen esta pregunta y dejaron para ponderar: *"Si el agua, lo que sale de la tierra y ustedes están en algún lugar en el desierto o en las colina de Arabia, a lo que depende la actividad de su vida entera, se hunde y desaparece bajo la tierra entonces ¿Quién, además de Al'lá, puede restaurar este agua a ustedes?"*

67: AL-MULK

Esta Süra, revelada en Meca, tiene 2 secciones y 30 versos.

En el nombre de Al'lá, el Compasivo, el Misericordioso

SECCIÓN: 1

El reino del universo pertenece a Al'lá. El más bajo cielo se decora con las lámparas (las estrellas).

Bendito sea Aquel en Cuya mano está el Reino del universo y Quien tiene el poder encima de todas las cosas. [1] Él es, Quien creó la muerte y la vida, para probar a ustedes, para ver quién de ustedes sería mejor en obras: Él es el Poderoso, el Perdonador. [2] Él es, Quien creó siete cielos uno sobre el otro, no verás ninguna imperfección en la creación del Compasivo. Vuelve la vista una vez más: ¿Ves alguna falla? [3] Luego vuelve a mirar otras dos veces: tu mirada volverá a ti humillada y agotada. [4] Hemos decorado el cielo de este mundo con las lámparas (*las estrellas*) de los que hemos hecho proyectiles para lapidar a los Shaitãnes y hemos preparado para ellos el tormento del fuego llameante. [5] En cuanto a aquéllos que no hayan creído en su Rab, habrá el castigo del infierno. ¡Qué mal lugar de tener como destino! [6] Cuando sean arrojados en él, le escucharán rugiendo e hirviendo, [7] como si reventara de la rabia. Cada vez que un grupo sea arrojado en eso, sus guardias preguntarán: ¿A caso no vino algún advertidor a ustedes? [8] Ellos contestarán: "Sí de hecho, vino a nosotros un advertidor, pero nosotros lo rechazamos y dijimos, Al'lá no ha revelado nada - estás meramente en un error enorme." [9] Ellos dirán más allá: "Si hubiéramos sólo escuchado o hubiéramos usado nuestra inteligencia, no habríamos estado entre los presos del Fuego llameante." [10] Así confesarán su pecado; ¡Fuera con los compañeros del Fuego del infierno! [11] En cuanto a aquéllos que temieron a su Rab, aunque no Lo han visto, tendrán perdón y una gran recompensa. [12] Si ustedes hablan en secreto o abiertamente, ciertamente, Él es consciente de todo lo que encierran los corazones. [13] ¿No habría Él sabido, Quién los ha creado? Él es el Sutil y Bien-consciente de todas las cosas. [14]

La conversación entre los moradores del infierno y sus guardias.

67: [1-14]

SECCIÓN: 2

Nadie puede ayudarlo contra Al'lá.

Nadie puede proporcionarlo el sustento además de Al'lá.

Él es, Quien ha hecho la tierra subordinada a ustedes, atraviesen pues por sus tractos y comen del sustento lo que Él ha provisto. Su resurrección se hará hacia Él. [15] ¿Sienten ustedes seguros de que Él, Quien está en el cielo, no causará la tierra que de repente hunde bajo ustedes en un temblor? [16] ¿O sienten seguros que Él, Quien está en el cielo, no enviará contra ustedes un tornado con pedrisca? ¡Pues entonces sabrán, qué terrible era Mi advertencia! [17] Aquéllos que han ido antes de ellos igualmente descreyeron, entonces ¡qué terrible era Mi reprobación! [18] ¿Es que no observan a los pájaros sobre ellos, extendiendo sus alas y plegándolos? Nadie las sostiene exceptúe el Compasivo (*Al'lá*); ciertamente, es Él Quien ve todas las cosas. [19] ¿Hay alguien que tiene la fuerza para ayudarlo además del Compasivo? De hecho, los incrédulos no están seducidos sino por un engaño. [20] O ¿quién hay que puede proporcionarlo si Él detuviera Su provisión? Todavía, ellos persisten en la rebelión y aversión de la Verdad. [21] Sólo piensa, quién se guía debidamente: ¿Él, quién camina cabizbajo y tropezando de frente, o él quién camina propiamente por un camino recto? [22] Diga: " Es Él, Quien los ha traído en ser, les dio las facultades de oír, de ver y de reflexionar: todavía, ¡Qué poco es lo que agradecen!" [23] Diga: "Él es, Quien ha multiplicado a todos ustedes en la tierra, y ante Él serán congregados." [24] Y preguntan: "¿Cuándo se cumplirá esta promesa, si es verdad lo que dices?" [25] Dígales: "Sólo Al'lá tiene el conocimiento de eso; mi misión sólo es advertirlo explícitamente." [26] Pero, cuando ellos le verán a mano, la humillación y oscuridad se pondrán claras en las caras de los incrédulos, y se dirá: "Esto es lo que estabas pidiendo." [27] Más allá dígales: "Han considerado alguna vez que aun cuando Al'lá me destruyera a mí, así como aquéllos que son conmigo o que da Su misericordia en nosotros; ¿quién salvará a los incrédulos de un castigo doloroso?" [28] Di: "Él es el Compasivo; en Él hemos creído, y en Él hemos puesto nuestra confianza. Pronto ustedes averiguarán, quién de nosotros está en el error manifiesto." [29] Diga: "¿Han considerado alguna vez que si toda el agua que ustedes tienen, se hunde en la profundidad de la tierra: ¿Quién podría traer a ustedes esta agua clara fluyente? [30]　　　　　　　67: [15-30]

Nadie puede salvarlo del castigo de Al'lá.

68: AL-QALAM

El periodo de Revelación

Ésta es entre una de las más temprana Sürahs reveladas en Meca en un momento cuando la oposición al Profeta (paz esté en él) había crecido muy rigurosa y tiránica.

Incluye los siguientes principios, Leyes y Guías divinas:

> ➤ Al'lá declaró que Mujámad (paz esté en él) es del carácter moral más alto.
> ➤ El mando de no rendir a cualquier incrédulo, calumniador y persona mala.
> ➤ El ejemplo de los dueños tacaños arrogantes de un jardín que no quisieron pagar la caridad y como resultado, su jardín fue destruido.
> ➤ Al'lá no va a tratar a los musulmanes igual que Él tratará a los delincuentes.
> ➤ Aquéllos que no creen en las revelaciones de Al'lá se llevan paso a paso hacia la destrucción.
> ➤ Hay tres temas importantes en esta Süra:
>> a. La contestación a las objeciones de los antagonistas.
>> b. Amonestación y advertencia a los incrédulos.
>> c. La exhortación de paciencia al Profeta (paz esté en él).

El Profeta se dirige, como si para decir: "Los incrédulos te llaman como un loco, considerando que la escritura que estás presentando y la conducta sublime que prácticas son suficientes en sí mismo para refutar sus imputaciones falsas. Pronto verán quién está loco y quién es sensato."

Los incrédulos se amonestan que el bienestar en la Ultima Vida, inevitablemente pertenece a aquéllos que están conscientes de Al'lá. Está absolutamente contra la razón que en la Última Vida, los siervos obedientes tendrán el mismo destino como de los delincuentes. Aquéllos que son llamados para arquear ante Al'lá en este mundo y se niegan a hacerlo, serían incapaz de postrarse en la Ultima Vida, aun cuando ellos quisieran hacerlo, y así estarán de pie deshonrados y condenados. Ellos no tienen ninguna razón lógica por oponer el Rasúl, ni pueden reclamar de saber con la certeza que él no es un verdadero Rasúl, ni lo que él dice es falso.

En la conclusión, el Profeta (paz esté en él) se ha exhortado: "Lleves con paciencia las penalidades que puedes tener y enfrentar en el camino de predicar la Fe, hasta llegada del juicio de Al'lá, y evites la impaciencia como lo que causó el sufrimiento y la aflicción al Profeta Llünus (Jonás), paz esté en él."

68: AL-QALAM

Esta Süra, revelada en Meca, tiene 2 secciones y 52 versos.

En el nombre de Al'lá, el Compasivo, el Misericordioso

SECCIÓN: 1

Nün. ¡Por el cálamo y lo que escriben! [1] Que tú, por la gracia de tu Rab, no eres un poseso. [2] Y tendrás por cierto una recompensa que no cesará. [3] Y eres, indudablemente, de un carácter noble más alto. [4] Pronto verás - cuando ellos verán [5] - quién de ustedes está afligido con la locura. [6] Ciertamente, es tu Rab Quien sabe mejor que nadie quiénes se han desviados de Su Vía, y Él sabe mejor que nadie, quiénes son guiados debidamente. [7] No obedezcas a los que niegan la Verdad. [8] Ellos desean que seas un poco transigente, para que ellos también lo hicieran así. [9] Pero no obedezcas a ningún vil jurador, [10] al difamador que va sembrando calumnias, [11] al antagonista de lo bueno, al trasgresor, al pecador, [12] al malvado opresor que es, sobre todos, el fingidor ilegítimo, [13] aunque tendrá la riqueza e hijos. [14] Cuando Nuestras revelaciones se recitan a él, dice: "Ellos son nada más que cuentos de los antiguos." [15] Pronto le marcaremos con fuego en el hocico.[16]   68: [1-16]

Ciertamente, les hemos puesto a prueba como hicimos con los dueños del jardín cuando juraron que ellos recogerían sus frutos por la próxima mañana, [17] sin agregar cualquier reservación (*como: Lo haremos si Al'lá quiere*). [18] Pues una calamidad (*el fuego*) procedente de tu Rab cayó sobre él, mientras dormían, [19] y por la mañana estaba como una mancha desolada oscura (*como si ya hubiera sido cosechado*). [20] Al alba ellos llamaron entre sí, [21] diciendo: " Salgan temprano a su cosecha, si quieren escoger sus frutos." [22] Y se pusieron en camino, mientras susurrando a uno al otro: [23] "No dejaremos a ninguna persona necesitada entrar en el jardín hoy." [24] Así que ellos salieron de la mañana, firme en su resolución tacaña (*para no dar fruta a las personas pobres*), como si ellos tuvieran el mando completo encima de la cosecha. [25] Pero cuando ellos vieron el jardín, lloraron: "¡Seguramente, hemos perdidos nuestro camino! [26] Pero no, lo hemos perdido todo." [27] El más razonable entre ellos dijo: ¿No se ha dicho a ustedes que debían glorificar a Al'lá? [28] Entonces ellos dijeron: "¡Gloria a nuestro Rab! Ciertamente, hemos sido injustos," [29] y empezaron echar culpa unos a otros. [30] Finalmente ellos dijeron: "¡Ay de nosotros! Ciertamente, hemos sido rebeldes. [31] Puede ser que nuestro Rab nos dé en su lugar algo mejor: ciertamente, suplicamos humildemente a nuestro Rab." [32] Así es el castigo en esta vida; pero el castigo de la última Vida es aún mayor, si supieran. [33]   68: [17-33]

Al'lá ha declarado Mujámad (pece) para ser del carácter moral más alto. No rindas a cualquiera incrédulo que jura falsamente, el calumniador, o la persona mala.

¿Qué pasó a los dueños tacaños arrogantes de un jardín que no querían pagar la caridad?

SECCIÓN: 2

Al'lá no va a tratar a los musulmanes como Él tratará a los culpables. ¿Por qué los incrédulos no entienden esto?

Ciertamente, los virtuosos se premiarán con los jardines del Deleite, junto a su Rab. [34] ¿Qué piensan lo incrédulos? ¿Trataremos a los musulmanes como Nos trataremos a los delincuentes? [35] ¿Qué pasa con ustedes? ¿Qué manera de juzgar es ésa? [36] ¿O es que tienen un Libro de lo que leen, [37] que ustedes se darán cualquier cosa que desearán? [38] ¿O es que tienen un convenio jurado - un convenio que obliga a Nosotros hasta el Día de la Resurrección - que tendrán cualquier cosa que ustedes exigirán? [39] Pregúntales cuál de ellos puede garantizar eso. [40] ¿Acaso tienen otros dioses que podrían ayudarles contra Al'lá? En ese caso, ¡que traigan a sus otros dioses, si es verdad lo que dicen! [41] El Día que se ponga de manifiesto la gravedad de la situación, y se les llamará a postrarse pero no podrán hacerlo. [42] Ellos estarán de pie con los ojos inclinado hacia abajo, absolutamente humillados; porque durante su vida terrenal cuando gozaban de bienestar, se les llamaron para postrarse pero se negaron a hacerlo. [43]   68: [34-43]

Aquéllos que no creen en las revelaciones de Al'lá se llevan paso por paso hacia la destrucción.

Déjame con aquéllos que rechazan esta revelación. Les conduciremos paso a paso a su ruina, de modo que ellos no podrán percibirlo. [44] Yo incluso los aguantaré durante algún tiempo; porque Mi plan es de hecho sólido. [45] ¿O es que estas exigiendo una compensación de ellos, que se vean sobrecargados de deudas? [46] ¿O es que tienen el conocimiento de lo oculto y toman nota? [47] Esperas, pues, con la paciencia el Juicio de tu Rab y no seas como el compañero del pez (*la referencia es a la Profeta Llünus (Jonás) que fue tragado por una ballena*), quién clamó cuando él estaba en la angustia. [48] Si no les hubiera alcanzado una gracia de su Rab, él se habría quedado, ciertamente, en el estómago de la ballena, pero Nosotros lo perdonamos, y él fue arrojado en la costa desnuda, mientras él era reprimido. [49] Pero su Rab lo había escogido y lo incluyó entre los virtuosos. [50] Los incrédulos casi te tumban con sus miradas cuando oyen Nuestras revelaciones (*el Qur'ãn*), y dicen: "Él está ciertamente un poseso." [51] Pero esto (*el Qur'ãn*) es nada más que un Recordatorio dirigido a todas las personas del mundo. [52]

68: [44-52]

69: AL-JÃQ'QA

El periodo de Revelación

Esta Süra se reveló en Meca en el momento cuando la oposición al Profeta (paz esté en él) había empezado pero no se había puesta tiránico todavía.

Incluye los siguientes principios, Leyes y Guías divinas:

➤ La descripción del Día de la Resurrección y el Día del Juicio.
➤ Las personas virtuosas y su premio.
➤ Las personas pecadoras y su castigo.
➤ Al-Qur'ãn es la palabra de Al'lá y no del Profeta, y que es un recordatorio para
    aquéllos que temen a Al'lá.

La primera sección es sobre la Ultima Vida y el segundo sobre el Qur'ãn que es una revelación de Al'lá y que el Profeta es un verdadero Rasúl de Al'lá. La primera sección abre con la aserción que la venida de la Resurrección y la ocurrencia de la Última Vida es una Verdad que se destina para que sea inevitable. El objeto real por qué Al'lá ha destinado una segunda vida para la humanidad después de que la vida mundana, se describe, mientras pintando una escena del Día del Juicio, cuando todos los hombres aparecerán en la corte de su Rab, dónde ningún confidencial suyo permanecerá oculto y el registro de cada hombre se pondrá en su propia mano. Aquéllos que usaron sus vidas en este mundo con la realización que un día ellos tendrían que dar una cuenta de sus hechos ante su Rab, habían trabajados honradamente y hayan provisto para estar bien en su Ultima Vida, regocijarán al ver que ellos se han absueltos y se han bendecido con la beatitud eterna del paraíso. Al contrario, aquéllos que no reconocieron los derechos de Al'lá, ni descargaron los derechos humano, tendrán nadie para salvarles del castigo de Al'lá, y ellos se lanzarán en el infierno.

En la segunda sección se dirigen los incrédulos de Meca y se dicen: "Ustedes piensan que este Qur'ãn es la palabra de un poeta o poseso, considerando que es una Revelación enviada por Al'lá que está presentado por Su Rasúl quien es muy noble. El Rasúl no tiene el poder para agregar o anular ni una palabra en él. Si él forja algo de su propia composición en él, Nosotros cortaremos su vena yugular."

69: AL-JÃQ'QA

Esta Sūra, revelada en Meca, tiene 2 secciones y 52 versos.

En el nombre de Al'lá, el Compasivo, el Misericordioso

SECCIÓN: 1

La descripción del Día de la Resurrección y del Día del Juicio.

¡La realidad Inevitable! [1] ¿Qué es la Realidad Inevitable? [2] Y ¿Cómo sabrás qué es la Realidad Inevitable (*el Día de la Resurrección*)? [3] Los Zamüd y los Âd negaron la veracidad de la calamidad llamativa (*la Resurrección*). [4] En cuanto a los Zamüd, se destruyeron por una tormenta terrible de trueno y alumbrado a causa de su rebeldía. [5] En cuanto a los Âd, ellos se destruyeron por un viento glacial furioso [6] - que Él desencadenó contra ellos durante siete noches y ocho días sucesivos para devastarlo todo. Si habías estado allí, les habrías visto tirados como si fueran troncos huecos de las palmeras. [7] Pues ahora, ¿ves que si haya quedado algún rastro de ellos? [8] Fir'aun (*Faraón*) y aquéllos ante él y los habitantes de las ciudades derrocadas del revés, también comprometieron los pecados similares [9] Desobedecieron al Rasúl de su Rab, pues Él los agarró con un castigo firme. [10] Sólo consideran el gran diluvio de Nüj, cuando el agua se desbordó. Nosotros lo llevamos (*la humanidad*) en el Arca flotante, [11] para hacer una advertencia a ese evento para ustedes para que el oído atento lo retuviera en su memoria. [12] En cuanto el Día del Juicio Final, eso sí vendrá, cuando la Trompeta se soplará con un sólo soplo [13] y la tierra con todas sus montañas se alzará en el aire y se pulverizará con un solo golpe [14] - En ese día el Gran Evento vendrá a pasar, [15] el cielo se henderá separadamente, y se pondrá sin consistencia ese día. [16] Los ángeles estarán de pie alrededor y ocho de ellos llevarán el Trono de tu Rab. [17] Ése será el Día cuando ustedes se traerán ante su Rab, y ninguno de sus secretos permanecerá oculto.[18]   69: [1-18]

Las personas virtuosas y su premio y las personas pecadoras y su castigo.

Entonces aquél, quién se dará su Libro de Hechos en su mano derecha, dirá: "¡Vengan aquí, lean mi libro de hechos!" [19] Supe con certeza que yo enfrentaría mi cuenta." [20] El tendrá una vida de placer, [21] en un jardín elevado, [22] con los racimos de fruta dentro de su alcance. [23] Nosotros le diremos: "Coman y beban a satisfacción de su corazón; éste es un premio para lo que ustedes hicieron en los días pasado. [24] Mientras aquél, quién se dará su Libro de Hechos en su mano izquierda, dirá: "¡Ay de mí, ojala no me hubieran dado mi Libro de Hechos [25] y ni hubiera conocido cuál era mi cuenta! [26] ¡Ojala mi muerte hubiera acabado con todo! [27] Mi riqueza no me ha sido útil de nada, [28] y mi autoridad me ha abandonado." [29] Nosotros diremos: "Ásgalo y póngalo una cadena alrededor de su cuello, [30] luego láncelo en el Fuego llameante, [31] luego átelo con una cadena de setenta codos. [32] Porque él no creyó en Al'lá, el Grandioso, [33] ni animó a dar de comer a los pobres. [34] Hoy él no tiene ningún amigo verdadero aquí, [35] ni tendrá cualquier comida excepto el pus del lavado de heridas, [36] la cual nadie sino los malhechores comerán." [37]

69: [19-37]

SECCIÓN: 2

¡Pues no! Juro por todos que ustedes pueden ver, [38] y por todos que ustedes no pueden ver, [39] que este Qur'ãn es la palabra de Al'lá recitada por un mensajero noble (*Gabriel*). [40] No es la palabra de un poeta - ¡qué poco es lo que ustedes creen!, [41] - ni es él la palabra de un adivino - ¡qué poco advertencia que ustedes toman! [42] Ésta es una revelación procedente del Rab de los mundos. [43] ¡Si él lo hubiera inventado las declaraciones falsas acerca de Nosotros, [44] lo habríamos asido ciertamente por su mano derecha [45] luego le habríamos cortado su arteria principal (*la aorta*), [46] y ninguno de ustedes podrían prevenirlo! [47] Ciertamente, este Qur'ãn es un recordatorio para los temerosos de Al'lá. [48] Nosotros ya sabemos que hay algunos entre ustedes quienes niegan la Verdad, [49] y para los tales incrédulos, eso será, de hecho, un motivo de pesar en el Día de la Resurrección. [50] Todavía, ciertamente, es la Verdad absoluta. [51] ¡Glorificas, pues, el nombre de tu Rab, el Grandioso! [52]

69: [38-52]

El Qur'ãn es la palabra de Al'lá y no del Profeta, y es un recordatorio para aquéllos que temen a Al'lá (Dios).

70: AL-MA'ARI'Ý

El periodo de Revelación

Esta Süra se reveló durante el periodo temprano de la residencia del Profeta en Meca, cuando la oposición había empezado pero no se había puesto severa todavía.

Incluye los siguientes principios, Leyes y Guías divinas:

- ➢ *El Día del Juicio será como cincuenta mil años de acá.*
- ➢ *Los incrédulos desearán salvarse del castigo, ofreciendo como rescate a sus hijos,*
  las esposas, los hermanos y los parientes, pero no serán útil de nada.
- ➢ *El paraíso no es para los incrédulos.*
- ➢ *Los incrédulos tendrán ojos inclinados hacia abajo y cubiertos de la vergüenza.*

En esta Süra, Al'lá amonestó y dio la advertencia a esos incrédulos que estaban burlándose de la Resurrección, de la Ultima Vida, del infierno y del paraíso, y desafiando al Profeta (paz esté en él) que traiga el día de la Resurrección, si lo que él dijo era verdad.

La entera Süra es para contestar este desafío, diciéndoles: "La Resurrección que ellos desean ser acelerada fuera de broma y diversión, es terrible, y cuando vendrá, causará el gran dolor a los culpables. En ese momento ellos se prepararán incluso regalar a sus esposas, sus hijos y sus parentelas más cercanas, como rescate para escapar del castigo, pero ellos no podrán escapar de él. En ese Día, se decidirá el destino de la humanidad estrictamente en base a su creencia y a su conducta. Aquéllos que se vuelven fuera de la Verdad en este mundo, juntan la riqueza y rehúsan a los necesitados, se condenarán al infierno. Por otro lado aquéllos que temen el castigo de Al'lá, creen en la Ultima Vida, establecen el Salá (ofrecer oraciones cinco veces, diariamente), cumplen con los derechos de los necesitados fuera de su riqueza, eviten los hechos inmorales y malos, practiquen la honestidad en todas sus relaciones, cumplen sus prendas y atestigüen por la verdad; tendrán un lugar de honor en el paraíso."

En la conclusión, se advierten los incrédulos de Meca: "Si ustedes niegan de creer, Al'lá lo reemplazará por otras personas que serán mejores que ustedes," y el Profeta (paz esté en él) se consuela, como para decir: No tomes al corazón sus burlas y sus bromas; déjelos complacer en su charla ociosa y la conducta imprudente, si ellos escogen enfrentar la desgracia y humillación en el Día de la Resurrección."

70: AL-MA'ARI'ÿ

Esta Süra, revelada en Meca, tiene 2 secciones y 44 versos.

En el nombre de Al'lá, el Compasivo, el Misericordioso

SECCIÓN: 1

Alguien de entre los incrédulos está pidiendo por el castigo inmediato [1] para los incrédulos, lo que nadie pueda apartar, [2] procedente de Al'lá, el Dueño de las Vías de Ascensión. [3] Los ángeles y el Rûj (*Gabriel*) ascienden a Él en un Día que equivale cincuenta mil años. [4] Por consiguiente, aguantes con una paciencia ejemplar. [5] Ellos lo ven (*el Día del Juicio*) lejano: [6] pero Nosotros lo vemos bastante cercano. [7] En ese Día, el cielo se volverá como el latón fundido [8] y las montañas como las hojuelas de lana; [9] ni siquiera un amigo íntimo preguntará por su amigo, [10] aunque ellos podrán ver uno al otro. Para salvarse del castigo de ese Día, el culpable (*el incrédulo*) deseará de dar sus hijos, [11] su esposa, su hermano, [12] su clan, la que le daba asilo [13] y todos que están en la tierra, como rescate con tal de salvarse. [14] ¡De ningún modo! Será el Fuego del Infierno, [15] ávido para arrancar el cuero cabelludo; [16] estará llamando a todos aquéllos que rechazaron la Verdad y se volvieron a sus espaldas y se apartaron durante su vida mundana, [17] quienes acumularon la riqueza y rehusaron los derechos debidos a los pobres. [18] De hecho, el hombre se ha creado impaciente, [19] cuando el mal lo ocurre, él se pone angustiado; [20] pero cuando es bendito con la fortuna buena, él se pone tacaño; [21] con la excepción de aquéllos que ofrecen el Salá (*la oración*), [22] permanecen firme en su Salá, [23] ponen al lado un derecho conocido de su riqueza [24] para los mendigos y para los despojados, [25] y acepten la Verdad del Día del Juicio, [26] tienen temor al castigo de su Rab [27] - porque nadie debe sentirse seguro contra el castigo de su Rab - [28] y aquéllos que guardan sus partes privadas, [29] excepto con sus esposas y aquéllas que sus diestras poseen, en cuyo caso ellos no son culpables. [30] En cuanto a aquéllos que buscan ir más allá de esto... esos son los transgresores. [31] Aquéllos que guardan lo que se les confía y honran sus promesas, [32] quienes dicen la verdad en sus testimonios [33] y quienes estrictamente guardan su Salá. [34] Son ellos quienes vivirán con el honor en el paraíso.[35]   70: [1-35]

SECCIÓN: 2

¿Qué les pasa a los que se niegan a creer, que están apresurándose hacia ti, [36] por la derecha y por la izquierda, en grupos? [37] ¿A caso cada uno está buscando entrar en el jardín de beatitud? [38] ¡De ninguna manera! Ciertamente, los hemos creado de lo que ya saben. [39] ¡Pues no! Juro por el Rab de los Orientes y de los Occidentes, que tenemos el poder [40] de destruirlos y reemplazarlos con otros mejores que ellos, y nadie puede impedirnos. [41] Por consiguiente, déjales zambullir en la charla vana y

El Día del Juicio será igual a cincuenta mil años y los incrédulos desearán salvarse del castigo a la expensa de sus Hijos, sus esposas, sus hermanos y sus parientes, pero no aceptarán.

El paraíso no es para los incrédulos. Los incrédulos tendrán los ojos inclinados hacia abajo y

los rostros
torcidos con la
vergüenza.

divertir hasta que enfrenten ese Día suyo, que se les ha prometido. [42] El
Día en que se apresurarán saliendo de sus tumbas, como si estuvieran
corriendo hacia una meta, [43] con los ojos inclinados hacia abajo, torcidos
con la vergüenza. Así será el Día con que se les había prometido. [44]

70: [36-44]

71: NÜJ

El periodo de Revelación

Esta Süra se reveló en Meca durante el periodo cuando la oposición al Profeta había crecido muy fuerte y activa.

Incluye los siguientes principios, Leyes y Guías divinas:

> *La predicación del Profeta Nüj y su sumisión a Al'lá después de haber agotado todos sus esfuerzos.*
> *El Profeta Nüj suplicó a Al'lá para no dejar a ningún incrédulo sobre la superficie de la tierra - y Al'lá concedió su petición.*

En esta Süra, la historia del Profeta Nüj (Noé) se dice para advertir a los incrédulos de Meca: ¡Gentes de Meca! Ustedes están adoptando la misma actitud hacia Mujámad (paz esté en él) como las gentes del Profeta Nüj habían adoptados hacia él; si ustedes no cambiarán esta actitud, ustedes también podrían encontrarse con la misma suerte."

Esta Süra empieza con una explicación breve de cómo el Profeta Nüj empezó su misión y qué era lo que él predicó. Luego, después de las penalidades y dificultades sufridas para cumplir con su misión durante 950 años, la sumisión que él hizo a su Rab se expone en el vv. 5-20. Sus declaraciones acerca de cómo él había estado tratando de traer a sus gentes al camino recto y cómo ellos lo habían opuesto obstinadamente. Después de esto, el Profeta Nüj suplicó a Al'lá: "Estas gentes han rechazado mi invitación: ellos están siguiendo ciegamente a sus jefes que han inventado una tremenda trama de engaños y mañas. Ya ha llegado el tiempo en que estas personas deben privarse de cada gracia Tuya." Ésta no era una expresión de impaciencia por parte del Profeta Nüj, sino después de haber predicado su mensaje bajo las circunstancias sumamente difíciles durante 950 años, él se desilusionó en absoluto con sus gentes. Él concluyó que ninguna oportunidad se les ha dejado para que vengan a la Vía Recta. Su opinión conformó totalmente con la propia decisión de Al'lá.

En el verso concluyente se ha grabado, la suplicación del Profeta Nüj a Al'lá cuando descendió el tormento. Él busca el perdón por él y todos los creyentes, y somete a Al'lá: "No dejes vivo ninguno de los incrédulos en la tierra porque ellos se han puesto absolutamente desprovistos de cada bien; y no engendrarán sino a pecadores y descendientes malos."

71: NÜJ

Esta Süra, revelada en Meca, tiene 2 secciones y 28 versos.

En el nombre de Al'lá, el Compasivo, el Misericordioso

SECCIÓN: 1

La predicación
del Profeta Nüj
y su sumisión a
Al'lá después
de agotar todos
sus esfuerzos.

Nosotros enviamos Nüj (*Noé*) a su gente, diciendo: " Des advertencia a tu gente antes de que les llegue a ellos un castigo doloroso." [1] Él dijo: "¡Gente mía! He venido hacia ustedes como un advertidor con claridad [2] que rendan culto a Al'lá, Le teman y obedezcan a mí. [3] Si ustedes harán eso, Él perdonará sus pecados y lo dejará para un término designado. El hecho es que cuando ya llegue el término concedido por Al'lá, no puede diferirse. ¡Si pudieran entender!" [4] Después de agotar todos sus esfuerzos Nüj dijo: "¡Rab mío! He llamado a mi pueblo día y noche, [5] pero mi llamada sólo ha agregado a su aversión. [6] Cada vez que les he llamado que busquen Tu perdón, se han puestos sus dedos en los oídos y se han tapados con la ropa, mientras persistiendo en el pecado, resoplándose con gran arrogancia. [7] Luego, les he llamado con voz alta [8] públicamente y en secreto privadamente, [9] diciéndoles: "Busquen perdón de su Rab, Él está siempre listo para perdonar. [10] Él enviará del cielo, la lluvia abundante para ustedes, [11] ayudará a ustedes con la riqueza e hijos, y proporcionará a ustedes jardines y ríos. [12] ¿Qué pasa con ustedes que no pueden concebir la magnanimidad de Al'lá [13] cuándo Él lo ha creado en las fases sucesivas? [14] ¿Es que no pueden ver cómo Al'lá creó los siete cielos uno sobre otro, [15] creó la luna en su medio como una luz y el sol como una lámpara gloriosa? [16] Al'lá ha causado crecer a ustedes de la tierra como plantas. [17] Después devolverá a ustedes a la misma tierra y luego resucitará de ella en el Día de la Resurrección. [18] Al'lá ha hecho la tierra para ustedes como una extensión amplia [19] para que puedan caminar en sus caminos espaciosos." [20]   71: [1-20]

SECCIÓN: 2

La oración del
Profeta Nüj
para no dejar a
cualquier
incrédulo sobre
la superficie de
la tierra y Al'lá
concedió su
deseo.

Finalmente, Nüj (*Noé*) sometió: "¡Rab mío! Mis gentes me han desobedecido, y siguen a esos jefes cuyas riquezas e hijos han agregado nada más que perderles aún más. [21] Ellos han inventado una trama ultrajante, [22] y dicen: '¡No dejen sus dioses; sobre todo no deben abandonar a Wâd, ni a Suwâ', ni a Yaghûz, ni a Lla'ûq y Nasr! (*los nombres de sus ídolos*).' [23] Ellos ya han desencaminado muchos, pues no aumentes a los injustos en algo sino desviarles más." [24] Debido a sus obras malas, ellos fueron ahogados en el gran diluvio e introducido en el Fuego. No encontraron a nadie quien, fuera de Al'lá, les ayudara. [25] Como Nüj había suplicado: "¡Rab mío! No dejes ni un solo incrédulo en la superficie de la tierra. [26] porque si los dejas a cualquiera de ellos, desencaminarán a Tus siervos y no engendrarán sino libertinos e incrédulos. [27] ¡Rab mío! Perdóname a mí, a mis padres y cualquiera que entre en mi casa como un creyente, así como todos los creyentes y a todas las creyentes. Acerca de los injustos, concédales aumento en nada más que la destrucción." [28]

71: [21-28]

72: AL-ŸIN

El periodo de Revelación

Esta Süra se reveló durante las fases tempranas de la residencia del Profeta en Meca.

Incluye los siguientes principios, Leyes y Guías divinas:

➤ Un bonito discurso de los genios que abrazaron el Islam después de haber oído

➤ el Qur'ãn.

➤ Los genios también tienen diferentes religiones y sectas, entre ellos hay algunos que son musulmanes y algunos que son desviados de la Verdad.

➤ La realidad de los genios (para los detalles vean las páginas siguientes).

➤ Se construyen las Masãyid (mezquitas) para la adoración de Al'lá, por consiguiente no deben de invocar a nadie fuera de Él.

➤ Los Rasúles no tienen el poder para dañar o beneficiar a cualquiera, su misión simplemente era llevar el mensaje de Al'lá.

➤ Sólo Al'lá sabe a lo oculto, Él revela lo que Él quiere a quien Él escoge cómo Su Rasúl.

Los Versos # 8-10 indican que, antes de la designación de Mujámad (paz esté en él) como un Rasúl, los genios tenían la oportunidad de escuchar detrás de las puertas de los cielos para oír las noticias de lo oculto. Pero después de la designación de Mujámad (paz esté en él) ellos de repente encontraron que los ángeles habían sido apuntados como guardias y los meteoritos estaban disparándose contra ellos de cada lado, tanto que ellos no pudieran encontrar ningún lugar de seguridad por dónde ellos pudieran oír las noticias confidenciales. Entonces ellos empezaron a buscar las cosas raras que ocurrieron en la tierra, o iban ocurrir debido a las medidas de seguridad que fueron puestas tan estrictamente. Probablemente desde entonces, muchos grupos de los genios debían de haber moviendo alrededor en busca de cualquier ocurrencia rara y algunos de ellos, después de haber oído el Qur'ãn por el Profeta (paz esté en él), debían de haber formado la opinión que eso era la causa por cual todas las verjas de los cielos habían estado cerradas contra los genios.

Esta Süra refleja el impacto del Qur'ãn en la compañía de los genios cuando ellos lo oyeron y lo que contaron a sus genios compañeros cuando ellos devolvieron a ellos. En esta conexión, Al'lá no ha mencionado su conversación enteramente pero sólo esas cosas particulares que eran digno de mención. Por eso el estilo no es eso de un discurso continuo sino frases que se ha mencionado para indicar que ellos dijeron esto y eso. Si uno estudia estas frases habladas cuidadosamente por los genios, uno puede entender el objeto real de la narración de este evento fácilmente. Por su afirmación de la fe y de esta conversación suyo con sus personas, lo que esta mencionada en el Qur'ãn.

Las personas se amonestan: "Si ustedes refrenan del politeísmo y siguen firmemente el camino de la rectitud, se bendecirán; por otra parte, si ustedes se vuelven fuera de la advertencia procedente de Al'lá, se encontrarán con un castigo severo." Se reprochan los incrédulos de Meca: "Cuando el Mensajero de Al'lá lo llama a ustedes hacia Al'lá, ustedes le rodean y le asaltan de cada lado, considerando que el único deber del Mensajero es llevar los mensajes de Al'lá. Él no exige tener algún poder para traer cualquier ganancia o causar algún daño a la gente." Los incrédulos se advierten más allá: "Hoy ustedes están intentando predominar y suprimir el Rasúl, ya que él está imposibilitado y desvalido, pero un tiempo vendrá cuando ustedes encontrarán, quién está, en realidad, imposibilitado y desvalido. Si ese tiempo está muy lejano, o es muy acerca a mano, el Mensajero no tiene el conocimiento de eso, pero que eso, ciertamente, tendrá lugar.

En la conclusión, las personas se dicen: "El Conocedor de lo oculto es solamente Al'lá. El Rasúl sólo recibe ese conocimiento que Al'lá se agrada para darle. Este conocimiento pertenece a las materias conectadas con la actuación de los deberes del profetismo y se entrega a él en la seguridad absoluta.

LA REALIDAD DE LOS GENIOS

Muchas personas tienen la equivocación que los genios no son reales, sino que es una superstición antigua y un mito. Su opinión no es basada en las realidades y verdades acerca del universo y ellos no tienen el conocimiento directo que los genios no existen ni pueden exigir de poseer algún tal conocimiento. Ellos han asumido, sin la razón y prueba, que nada existe en el universo excepto lo que ellos pueden ver, considerando que la esfera de la percepción humana de acuerdo con la inmensidad de este gran universo, ni siquiera es comparable a una gota de agua en los océanos. La persona que piensan que lo que él no ve, no existe, y lo que existe necesariamente debe percibirse, de hecho, proporciona una prueba de la estrechez de su propia mente. Con este modo de pensamiento, olvídense de los genios, el hombre ni siquiera puede aceptar y reconocer cualquier realidad que él no puede experimentar u observar directamente, de este modo él no puede admitir la existencia de Dios (Al'lá), para no decir de admitir alguna otra realidad oculta.

Esos musulmanes que han sido influenciados por las tales opiniones han dado interpretaciones extrañas de las declaraciones claras del Qur'ãn sobre el genio Iblïs, llamado Shaitãn (Satanás). Ellos dicen que la palabra 'genio' no se refiere a cualquier criatura oculta que puede tener su propia existencia independiente sino a veces implica el propio fuerza animal del hombre , qué se ha llamado Satánico, y a veces implica 'salvaje' y las tribus montañesas salvajes, y a las personas que escuchaban en secreto al Qur'ãn. Pero las declaraciones del Qur'ãn, en relación a esto, está tan claro y explícito que estas interpretaciones no llevan ninguna relevancia. El Qur'ãn frecuentemente menciona a los genios y a los hombres de la manera que indica que ellos son dos criaturas separadas. Por ejemplo:

Süra Al-A'râf: 12, Al Ji'yr: 26-27 y Ar-Rajmân: 14-19, expresamente declaran que el hombre se creó fuera de la arcilla y los genios fuera del fuego.

Süra Al-Ji'yr: 27, expone que los genios se habían creado antes del hombre. La misma cosa se testifica por la historia de Adán e Iblïs que se han citado en siete lugares diferentes en el Qur'ãn y a cada lugar confirma que Iblïs ya estaba allí en el momento de la creación del hombre.

Süra Al-K'ajf: 50, declara que Iblïs era un Yin (genio). Süra Al-A'râf: 27, expone en las palabras claras que los genios ven a los seres humanos, pero los seres humanos no les pueden ver.

Süra Al-Ji'yr: 16-18, Süra As-Sâf'fât: 6-10 y Süra Al-Mulk: 5, exponen que los genios pueden ascender a los cielos pero ellos no pueden exceder un cierto límite; si ellos intentan ascender el más allá del límite e intentan a oír de lo qué está pasando en los cielos, no se les permitan hacerlos. Si ellos intentan escuchar detrás de las puertas pues ellos se ahuyentan por los meteoritos. Por esto, la creencia de los árabes politeístas que los genios poseen el conocimiento de lo oculto, o que tienen el acceso a los secretos Divinos, se ha refutado.

Süra Sabâ: 14, afirma los mismos hechos.

Süras Al-Baqará: 30-34 y Al-K'ajf: 50, declaran que Al'lá le ha confiado al hombre como Su representante en el la tierra y que esa humanidad es superior a los genios. Aunque los genios también se han dado ciertos poderes extraordinarios y habilidades, un ejemplo de que se encuentra en Süra An-Naml: 39, igualmente los animales se han dado un poco de poderes mayor que el del hombre, pero éstos no proporcionan ningún argumento que los animales son superiores a los humanos.

El Qur'ãn también explica que los genios, como los hombres, son una creación y se dan el poder y autoridad para escoger entre el bien y el mal, de la obediencia y desobediencia, de la creencia y escepticismo. Este hecho ha sido inveterado por el Qur'ãn en la historia de Adán, dónde Iblïs (Satanás) se negó a obedecer el orden de Al'lá para arquear abajo a Adán. Un evento similar dónde los genios afirmaron la Fe, se declara en las Süras Al-Ajqâf y Al-Yin. A los varios lugares en el Qur'ãn, se ha declarado también que Iblïs, en el tiempo de la misma creación de Adán, se había resuelto para descaminar la humanidad, y desde entonces, los genios Satánicos han estado intentando desencaminar a los hombres persistentemente, pero ellos no tienen el poder para agobiarlos o fuertemente hacerles alguna cosa. Sin embargo, ellos tientan a los hombres con las sugerencias malas, les engañan y hacen que el mal parezca como bien a ellos. (Se dan ejemplos de este fenómeno en las Süra An-Nisâ': 117-120, Al-A'râf: 11-17, Ibrãjïm,: 22,   Al-Ji'yr: 30-42, An-Najl 98-100, Bani Israel 61-65.) El Qur'ãn también ha expuesto eso que en la ignorancia PRE-islámica los árabes politeísta consideraban a los genios como los socios de Dios, adoraban a ellos y pensaban que ellos habían descendido de Dios. Para la referencia vean las Süras Al-An'am: 100, Sabâ,: 40-41, As-Sâf'fât: 158.

De estos detalles, se pone claro que los genios tienen su propia existencia, es una criatura invisible y de una naturaleza completamente diferente. Debido a sus calidades misteriosas, las personas ignorantes han formado varias nociones y conceptos sobre ellos y sus poderes, e incluso han adorados a ellos.

72: AL-ŸIN

Esta Süra, revelada en Meca, tiene 2 secciones y 28 versos.

En el nombre de Al'lá, el Compasivo, el Misericordioso

SECCIÓN: 1

Un discurso bonito de los genios después que abrazaron el Islam al oír el Qur'ãn.

Diga: "Se me ha revelado que un grupo de genios ha escuchado el Qur'ãn, luego devolviendo a su compañeros dijeron: 'Hemos oído el maravilloso Qur'ãn, [1] que guía a la Vía Recta. Nosotros hemos creído en él y de aquí en adelante nosotros no rendiremos culto a ninguno afuera de Nuestro Rab. [2] Ciertamente, el Majestad de nuestro Rab es exaltado: Él no ha tomado compañera ni hijo. [3] Nuestro mentiroso tonto (*Iblïs*) ha estado profiriendo las enormes mentiras contra Al'lá, [4] y nosotros habíamos presumido que ningún hombre o genio pudiera decir una mentira acerca de Al'lá. [5] De hecho, algunos individuos entre la humanidad buscaban protección con algunos individuos entre los genios, pues ellos los causaron ponerse más enloquecidos, [6] como resultado, ellos presumieron como ustedes presumían que Al'lá ya no enviaría a nadie como un Rasúl. [7] Investigamos el cielo, y encontramos llenó de fuerte vigilancia y de estrellas fugaces. [8] Antes de esto, encontrábamos sitios apropiados en el cielo para escuchar detrás de las puertas, pero ahora los indiscretos encuentran estrellas fugaces que quedan en la emboscada para ellos. [9] No supimos si se quiere mal a los moradores de la tierra o si su Rab quiere guiarles bien. [10] Hay algunos entre nosotros que son virtuoso y otros al contrario; tenemos sectas que siguen diferentes caminos. [11] Sabemos que no podemos frustrar a Al'lá en la tierra ni podemos frustrarlo salir huyendo. [12] En cuanto a nosotros, cuando escuchamos a la guía, creímos en ella; así él que cree en su Rab no tendrá ni el miedo de alguna pérdida ni de la injusticia. [13] Hay algunos Ciertamente, entre nosotros quienes son musulmanes y algunos que se apartan de la Verdad. Aquéllos que han adoptado el Islam han encontrado la Vía Recta a la salvación, [14] y ésos que se han desviados de la Verdad, se volverán como combustible para el infierno." [15]   72: [1-15]

Genios también tienen diferentes religiones y sectas, entre ellos hay algunos musulmanes y algunos desvientes de La Verdad.

Se construyen las mezquitas para el culto de Al'lá, para no invocar a nadie aparte de Él.

Diga: " Si ellos siguieran la Vía Recta firmemente, les mandaríamos, ciertamente, la lluvia abundante, [16] para probarles con esto. Él que no pone atención al Recordatorio de su Rab (*el Qur'ãn*), se hará sufrir el castigo severo. [17] Se construyen las Masãyid (*las mezquitas*) para el culto de Al'lá; por consiguiente, no invoquen a nadie junto a Al'lá. [18] Y cuando el siervo de Al'lá se ponía de pie para invocarle, ellos hicieron alrededor de él una muchedumbre densa. [19]   72: [16-19]

SECCIÓN: 2

Di: "Yo sólo oro a mi Rab y socio a nadie como un compañero con Él." [20] Dígales: "No tengo el poder para causarlos el daño o traerlos a la Vía Recta. [21] Dígales: "Si yo fuera desobedecerlo, nadie podrá protegerme de Al'lá, ni yo podrá encontrar cualquier refugio fuera de Él. [22] Mi misión es solamente entregar lo que yo ha recibido de Al'lá y hago que conozcan Sus mensajes. En cuanto a aquéllos que desobedecen a Al'lá y a Su Rasúl, ellos se pondrán en el Fuego del infierno para vivir en eso para siempre." [23] Cuando ellos verán el castigo con que ellos están amenazados, pues entonces encontrarán cuyos auxiliadores son débiles y cuyos partidarios son menos en el número. [24] Dígales: "Yo no sé si el castigo con que ustedes son amenazados está cercano o si mi Rab ha puesto para él un término distante. [25] Él es Único que sabe acerca del No-visto. Él no revela Sus secretos a cualquiera [26] excepto al Rasúl quien Él puede escoger para ese propósito, y entonces Él fija a guardias que marchan ante y detrás de él, [27] para que Él pueda saber que ellos (*los Rasúles*) de verdad han entregado los mensajes de su Rab. Él abarca cualquier cosa que está concerniente a ellos y toma en cuenta en detalle de cada uno y de toda las cosas."[28]   72: [20-28]

Los Rasúles no tienen el poder para dañar o beneficiar cualquiera, su misión simplemente es llevar el mensaje de Al'lá. Sólo Al'lá sabe el inadvertido, Él lo revela a quien Él escoge de sus Rasúles.

73: AL-MUZ'ZAM'MIL

El periodo de Revelación

Se revelaron las dos secciones de esta Süra en dos periodos separados.

La primera sección (los vv. 1-19) es unánimemente una Revelación Maki (que se reveló en Meca). Esto se apoya ambos, por su contenido y por las tradiciones. Esta sección se reveló en un momento cuando el Profeta (paz esté en él) había empezado predicar el Islam y en el tiempo que se fue opuesto abiertamente en Meca y que eso había crecido muy activo y fuerte.

Sobre la segunda sección, (v. 20) aunque muchos comentaristas han expresado la opinión que esto también se reveló en Meca, algunos otros comentaristas lo consideran como una Revelación Madni (que se reveló en Madina). Esta misma opinión es confirmada por el contenido de esta sección. Se menciona combatir en el camino de Al'lá y, aunque obviamente no había ningún combate en Meca. También contiene el orden para pagar el Zaká obligatorio, y es confirmado que pagar el Zaká como una proporción específica y con un límite de la exención (Nisâb) fue ordenado en Madina.

Incluye los siguientes principios, Leyes y Guías divinas:

> ➢ *Al'lá ordenó que el Profeta no estuviera de pie en la oración por toda la noche.*
> ➢ *Aquéllos que oponen al Profeta se tratarán con las trabas pesadas y el Fuego llameante.*
> ➢ *El Qur'ãn es un recordatorio para aquéllos que quieren encontrar la Vía Recta.*
> ➢ *Lean del Qur'ãn tanto como pueden fácilmente.*
> ➢ *Cualquier cosa que ustedes gastan en el camino de Al'lá, lo encontrarán en la Ultima Vida.*

En los primeros siete versos, el Profeta (paz esté en él) se ha ordenado: "Prepárate para las responsabilidades de la gran Misión que te ha confiado; su forma práctica es que debes levantar durante horas nocturnas y debes estar en la Oración por la mitad de la noche, o por un poco más o menos de mitad. Debes dedicar exclusivamente a Al'lá Que es el Dueño del universo entero y confías todos sus asuntos a Él con la satisfacción completa de tu corazón. Lleves con paciencia lo que sus antagonistas pueden proferir contra ti. No seas íntimo con ellos. Dejes su asunto a Al'lá: Él se tratará con ellos." Se advierten las gentes de Meca: "Hemos enviado a un Mensajero a ustedes, al igual que habíamos enviado un Mensajero al Faraón. Simplemente consideran, ¿qué destino Faraón reunió cuando él no aceptó la invitación del Mensajero de Al'lá? Aun cuando ustedes no se castigan por un tormento en este mundo, ¿cómo ustedes se salvarán del castigo en el Día del Juicio?"

La segunda sección, según una tradición de Sallidunâ Sa'id bin Jubair, se reveló diez años después, y en él, el orden inicial que fue dado en relación al Taja'yúd (la oración nocturna antes de la alba), al principio de la primera sección, fue revocada. El nuevo Orden que fue mandado era, " Ofrezca tanto de la Oración de Taja'yúd como fácilmente puedes, pero que los musulmanes deben cuidar particularmente y deben atender diariamente son las cinco veces oraciones obligatorias; ellos deben establecerlas regularmente y puntualmente; ellos deben pagar su obligación del Zaká con precisión; y ellos deben gastar su riqueza con las intenciones sinceras por causa de Al'lá.

En la conclusión, los musulmanes se exhortan: "Todos los trabajos buenos que ustedes hacen en este mundo no irán desechados, ellos están como las provisiones que un viajero envía, de antemano, a su lugar permanente de residencia. El bien que ustedes envían adelante de este mundo, lo encontrarán con Al'lá. Las provisiones así enviados adelante no sólo serán mucho mejor de lo que ustedes tendrán que dejar detrás en este mundo, pero Al'lá también le dará un extra y el premio más rico procedente de Su Propia generosidad."

73: AL-MUZ'ZAM'MIL

Esta Süra, revelada en Meca, tiene 2 secciones y 20 versos.

En el nombre de Al'lá, el Compasivo, el Misericordioso

SECCIÓN: 1

Al'lá pidió que el Profeta no estuviera de pie en la oración toda la noche.

¡Muz'zam'mil (*envuelto en el manto - uno de los sobrenombres del Profeta Mujámad*)! [1] ¡Debes permanecer en las oraciones por la noche, a excepción de un poco! [2] La mitad o un poco menos, [3] o un poco más; y recita el Qur'ãn pausadamente con el tono moderado. [4] Pronto enviaremos a ti un mensaje de peso. [5] Ciertamente, levantarse por la noche para rezar es muy eficaz para controlar tu ego y también más conveniente para entender la Palabra de Al'lá (*el Qur'ãn*); [6] porque, durante el día estás demasiado ocupado con los compromisos multicopistas. [7] Recuerda el nombre de tu Rab y conságrate exclusivamente a Él. [8] Él es el Rab del Oriente y del Occidente: no hay ninguno digno de culto sino Él; por consiguiente, tómale Solo a Él, como tu Protector. [9]

Aquéllos que oponen al Profeta se tratarán fuertemente con las trabas y el Fuego llameante.

Ten paciencia con lo que ellos dicen y aléjate de su compañía de una manera corteza. [10] Permítame tratar con los que niegan la Verdad, los que están disfrutando los consuelos de esta vida, así que aguántales durante algún tiempo. [11] Tenemos en reserva para ellos las cadenas pesadas y un Fuego llameante, [12] el alimento que se estrangula sus gargantas y un castigo doloroso. [13] En el día cuando la tierra con todas sus montañas estará en una conmoción violenta, y las montañas se desmenuzarán convirtiéndose en montones dispersos de arena. [14]

El Qur'ãn es un recordatorio para aquéllos que buscan para encontrar la Vía Recta.

¡Humanidad! Hemos enviado hacia ustedes un Rasúl, para llevar el testigo contra ustedes, como habíamos enviado un Rasúl hacia Fir'aun (*Faraón*). [15] Fir'aun desobedeció al Nuestro Rasúl; así que le agarramos con un castigo duro. [16] Pues ¿Cómo ustedes habrían de tener temor, si habían negado a creer en ese Día en que aún los niños se volverán canosos (*por el terror de este Día*)? [17] El cielo se henderá en pedazos debido al pavor de ese Día; y Su promesa se cumplirá. [18] Ciertamente, esto es sino un recordatorio, así que quien quiera, que tome un camino hacia su Rab. [19]

73: [1-19]

SECCIÓN: 2

Leas fácilmente del Qur'ãn tanto como puedes. Cualquier cosa que ustedes gastan en el camino de Al'lá,

Ciertamente, tu Rab sabe que estas de pie en las oraciones casi dos tercero de la noche, y a veces la mitad o un tercio de la misma, y lo mismo de algunos que están entre tus compañeros. Al'lá tiene las medidas de la noche y del día. Él sabe que no podrás mantenerlo (*rezar por la noche entera*), pues Él se ha vuelto a ti con Su misericordia; por consiguiente, lean del Qur'ãn lo que ustedes fácilmente puedan. Él sabe que puede haber algunas personas enfermas entre ustedes, y algunos otros que viajan a través de la tierra para buscar la generosidad de Al'lá; y todavía, algunos otros que combaten para la causa de Al'lá. Por consiguiente, lean del Qur'ãn tanto que fácilmente puedan. Establezcan el Salá (*cinco oraciones diarias*) y pagan el Zaká (*la caridad obligatoria*), y hagan un préstamo generoso a Al'lá. El bien que ustedes enviarán como anticipo para ustedes mismos, lo encontrarán mucho mejor junto a Al'lá y tendrán una recompensa mayor. Busquen el perdón de Al'lá, ciertamente, Al'lá es Perdonador y Misericordioso. [20]   73: [20]

ustedes lo encontrarán en el Día de la Justicia.

74: AL-MUD'DAZIR

El periodo de Revelación

Se revelaron los primeros siete versos de esta Süra durante el periodo temprano en Meca. El resto de la Süra (los vv. 8-56) se revelaron en la ocasión del primer Ja'ý (peregrinación), después de que el Profeta empezó predicar el Islam abiertamente.

Incluye los siguientes principios, Leyes y Guías divinas:

> *Las instrucciones al Profeta en relación a la limpieza y a la paciencia.*
> *El Día del Juicio será muy difícil, sobre todo para aquéllos que niegan las revelaciones de Al'lá y oponen Su causa.*
> *Acciones que llevan al Fuego del infierno son: No ofrecer el Salá, no alimentar a los pobres, perder tiempo en la charla vana y negar el Día del Juicio.*

La revelación inicial al Profeta (paz esté en él) fue los primeros cinco versos de la Süra Al - Aláq en que fue dicho: "¡Lea! En el nombre de tu Rab Que creó el hombre, ha creado de una masa como sanguijuela. Lea; y tu Rab es Muy Cortés, Quien enseñó el uso del cálamo, ha enseñado al hombre lo que no sabía."

Ésta era su primera experiencia de recibir las revelaciones, por consiguiente, este Mensaje no dijo nada acerca de qué gran misión él estaba confiándose y qué deberes él tenía que realizar en el futuro. Él sólo fue familiarizado con eso y luego fue dejado solo durante algún tiempo para absorber la gran tensión de esta experiencia que le había causado y permitiéndole prepararse mentalmente para recibir las revelaciones y realizar la misión Profética en el futuro. Después de esta intermisión, cuando la revelación fue reasumida, los primeros siete versos de la Süra Al-Mud'dazir fueron revelados. En estos versos, el fue ordenado de levantar y advertir a las personas acerca de las consecuencias del estilo de vida que ellos estaban siguiendo y proclamar la grandeza de Al'lá en un lugar dónde otros estaban magnificándose sin cualquier justificación. Él se dio esta instrucción: " La demanda de la única misión que vas a realizar es, que tu vida debe ser pura en cada respeto y debes llevar a cabo el deber de reformar a su gente atentamente." Entonces, en la última frase, él fue exhortado de tener paciencia por causa de su Rab, por todas las penalidades y problemas que él podría tener que enfrentar, mientras realizando su misión.

En la aplicación de este Orden Divino, cuando el Profeta empezó a predicar el Islam y empezó recitar las Süras reveladas del Qur'ãn, la gente de Meca se alarmaron, y crearon una gran tormenta de oposición y hostilidad contra él. Unos meses pasaron en este estado hasta que llegó la estación de la peregrinación. La gente de Meca temieron que si Mujámad (paz esté en él) empezaba a visitar a las caravanas de los peregrinos que venían desde toda la Arabia, y que si empezaba recitar a los fascinante versos del Qur'ãn que eran sin igual, en sus asambleas, su mensaje alcanzaría cada parte de Arabia e influenciaría en el futuro a las personas innumerables. Por consiguiente, los jefes de Quraish sostuvieron una conferencia y decidieron que ellos empezarían una campaña de la propaganda contra el Profeta (paz esté en él) entre los peregrinos en cuanto ellos lleguen. Después de que ellos habían estado de acuerdo en esto, Walïd bin Al-Mughirá dijo a las personas congregadas: " Si ustedes dirán las cosas contradictorias acerca de Mujámad, todos nosotros perderíamos la confianza entre las personas. Por consiguiente, vamos estar de acuerdo en una opinión que todos debemos decir sin la disputa. Ellos todos le pidieron a Walïd que propusiera alguna declaración y él dijo: "Permítame pensarlo por un rato acerca de esto." Entonces, después del pensamiento prolongado y mucha consideración, él dijo: "La cosa más cercana a la verdad es que ustedes le dicen a los árabes que él es un hechicero que ha traído un mensaje, por medio de lo cual él separa a un hombre de su padre y de su hermano, y de su esposa y de sus hijos, y de su familia." Ellos todos estaban de acuerdo en lo que Walïd había propuesto. Entonces, de acuerdo al esquema, los hombres de Quraish dispersaron entre los peregrinos de Ja'ÿ y advirtieron a todos que ellos deben evitar la hechicería de Mujámad a través de lo cual él aviva la división entre las familias." Pero el plan que fue llevado a cabo por los jefes de Quraish, resulto contrariamente a lo que ellos habían esperado y realmente favoreció el Profeta y su nombre fue reconocido a lo largo de la Arabia. (Ibn Hisham, el pp. 288-289)

En la conclusión, esta Süra declara claramente: "Al'lá no está en la necesidad de fe de alguien. El Qur'än es una advertencia que se ha presentado abiertamente a las personas; ahora quienquiera quiere, puede aceptarlo. Al'lá tiene el derecho que la gente debe temer a Él y Él Solo tiene el poder para perdonar al que adopta la piedad y la conciencia de Al'lá, aunque uno puede haber comprometido muchos actos de desobediencia en el pasado."

74: AL-MUD'DAZIR

Esta Süra, revelada en Meca tiene 2 secciones y 56 versos.

En el nombre de Al'lá, el Compasivo, el Misericordioso

SECCIÓN: 1

Las instrucciones al Profeta acerca de la limpieza y la paciencia.

¡Mud'dazir (*uno que está envuelto en un manto - uno de los sobrenombres del Profeta Mujámad, paz esté en él*)! [1] ¡Levántate y advierte! [2] Proclame la grandeza de tu Rab, [3] purifique tu ropa, [4] aléjate de la abominación (*la idolatría*), [5] no favorezca a otros para esperar una ganancia, [6] y sea paciente por causa de tu Rab. [7]   74: [1-7]

El Día del Juicio será muy difícil, sobre todo para aquéllos, quiénes niegan las revelaciones de Al'lá y oponen Su causa.

Cuando la Trompeta se suene, [8] ese Día será un Día muy difícil, [9] nada fácil para los incrédulos. [10] Déjame y el uno (*Walïd bin Mughirá, un antagonista firme del Profeta*) quien lo creé, solo. [11] Le di riqueza abundante, [12] muchos hijos para estar por su lado, [13] y se lo he facilitado su vida con comodidades. [14] Todavía, él espera que le dé más. [15] ¡De ninguna manera! Porque él ha negado Nuestras revelaciones obstinadamente. [16] Pronto le haré sufrir montando calamidades, [17] ciertamente, él ponderó e inventó una parcela. [18] Pues ¡Que se muera! ¿Cómo ha trazado así? [19] De nuevo, ¡Que muera por cómo ha trazado así! [20] Luego echaba una mirada alrededor, [21] ha fruncido el entrecejo y ha puesto ceñudo. [22] Luego, ha dado la espalda en arrogancia despreciativa [23] diciendo: "Ésta es nada más que una magia aprendida, [24] ésta es nada más que la palabra de un ser humano." [25] Pronto, lo lanzaré en Saqar. [26] ¿Qué entiendes de qué es Saqar? [27] Es Fuego ardiente que no deja nada de residuos y ni cesa. [28] Abrasa la carne humana. [29] Es defendido por diecinueve guardias. [30] No hemos puestos sino a ángeles como vigilantes del Fuego; y hemos hecho en su número una prueba para los incrédulos, para que puedan convencerse a los que recibieron la escritura y que aumente la fe de los verdaderos creyentes, y que no deja ninguna duda para los que recibieron la escritura y los creyentes, y para que aquéllos en cuyos corazones es una enfermedad y los que niegan de creer puedan decir: "¿Qué es lo que pretende Al'lá con esta parábola?" Así es como Al'lá extravía a quien Él quiere y guía a quien Él agrada. Nadie sino Él sabe las legiones de tu Rab, y esto (*el infierno*) se menciona como un recordatorio para que el género humano pueda reflexionar. [31]

74: [8-31]

SECCIÓN: 2

Acciones que llevan al Infierno son: No ofrecer el Salá, no

¡No! ¡Por la luna, [32] por la noche cuando retrocede [33] y por la venida de alba! [34] Ciertamente, este Fuego es uno de los castigos poderosos, [35] una advertencia a la humanidad; [36] Para cualquiera de ustedes que escoge ir adelante o retrasarse detrás. [37] Cada alma sostendrá rehén de lo que haya hecho, [38] excepto las personas de la mano derecha,

[39] quienes estarán en el paraíso, mientras preguntando [40] a los culpables: [41] ¿Qué es lo que ha traído a ustedes al Saqar? [42] Ellos contestarán: "Es que no ofrecíamos al Al'lá (*las oraciones*), [43] ni alimentábamos a los pobres; [44] pero uníamos con aquéllos que perdían su tiempo en la charla vana, [45] y negábamos el Día del Juicio [46] hasta que la muerte nos alcanzó." [47] En ese Día, ninguna intercesión de cualquier intercesor les servirá. [48] ¿Qué les pasa que se apartan de esta advertencia [49] como si fueran los asnos asustados [50] huyendo de un león? [51] ¡No! Cada uno de ellos quiere una escritura propia para que sea desenrollado ante él. [52] ¡De ninguna manera! El hecho es que ellos no tienen el temor de la Ultima Vida. [53] ¡No! Ciertamente, este Qur'ãn es una advertencia. [54] Pues quien quiera recordará. [55] Pero ninguno pone la atención a menos que Al'lá quiera. Él Solo es digno de ser temido y Él Solo es digno de perdonar a aquéllos que Le temen. [56]   74: [32-56]

alimentar a los pobres, perder tiempo hablar en vano y negar el Día del Juicio.

75: AL-QILLAMÁ

El periodo de Revelación

No hay ninguna tradición para indicar el periodo de revelación de esta Süra. Sin embargo el contenido de esta Süra indica que se reveló durante el periodo que el Profeta era todavía en Meca.

Incluye los siguientes principios, Leyes y Guías divinas:

> ➢ *El Día del Juicio es seguro a venir, no hay ningún escape de él.*
> ➢ *El propio Al'lá tomó la responsabilidad de conservar el Qur'ãn.*
> ➢ *Los últimos momentos de la muerte de los incrédulos.*
> ➢ *Ten está advertencia acerca del Día del Juicio en serio.*

Esta Süra se dirige a los que niegan a creer Última Vida y se ha contestado en ella a cada uno de sus dudas y objeciones. Se dan los argumentos fuertes para demostrar la posibilidad, la ocurrencia y la necesidad de la Resurrección y de la Última Vida, y ha señalado, claramente, la razón real de las personas que niegan la Última Vida no es porque ellos lo consideran racionalmente como imposible, sino porque sus motivos egoístas no les permiten afirmarlo.

Después del verso 15, el discurso se interrumpe de repente y se dice al Profeta (paz esté en él): "No muevas tu lengua apresuradamente para memorizar esta Revelación. Es Nuestra responsabilidad de reunirlo en tus memorias y que sea recitado. Por consiguiente, cuando está recitándose, escuche cuidadosamente a su recitación. De nuevo, es Nuestra responsabilidad para explicar su significado." Luego, desde el verso 20, el mismo tema que se interrumpió en verso 15, se reasume. Este pasaje, según el contexto y las tradiciones, se ha interpuesto aquí por una razón. Es decir, cuando el Ángel Gabriel estaba recitando esta Süra al Profeta, el Profeta, por temor que algunas palabras podrán escapar de su memoria, estaba repitiéndolos en el mismo momento. Esto, de hecho, pasó en el momento cuando la recepción de la Revelación era una nueva experiencia para él y él aún no era completamente acostumbrado a recibirlo serenamente. Hay dos otros casos similares que fueron mencionados en el Qur'ãn. Primero, en la Süra Tuâ-Jâ, en que el Profeta (paz esté en él) se dijo: "Y veas que no te aceleres para recitar el Qur'ãn antes de su revelación se cumple a ti." (v.114). Segundo, en la Süra Al-A'lâ, le ha dicho: "Nosotros te capacitaremos que recites, y luego nunca te olvidará." (v.6). Cuando el Profeta se acostumbró totalmente a recibir la Revelación, allí seguía siendo ninguna necesidad de darle tal instrucción. Salvo estos tres casos, no hay ninguna otra instrucción como esta en el Qur'ãn.

75: AL-QILLAMÁ

Esta Süra, revelada en Meca, tiene 2 secciones y 40 versos.

En el nombre de Al'lá, el Compasivo, el Misericordioso

SECCIÓN: 1

¡Juro por el Día de la Resurrección, [1] y juro por el alma que se reprocha! [2] ¿Acaso piensa el hombre que no podremos reunir sus huesos? [3] En realidad podemos aun reunir, en el orden perfecto, las mismas puntas de sus dedos. [4] Pero el hombre desea de seguir haciendo el mal aun en el futuro. [5] Pregunta: "¿Cuándo será este Día de la Resurrección?" [6] Bien, eso vendrá cuándo la vista se deslumbre, [7] se eclipse la luna, [8] y el sol y la luna se reúnan [9] - en ese Día, el hombre preguntará: ¿Por dónde se puede escapar? [10] ¡Pero no! No habrá ningún refugio. [11] En ese Día, el retorno final estará hacia tu Rab. [12] Ese Día, el hombre se dirá sobre todos sus hechos, desde primero al último. [13] De hecho, el hombre testificará contra sí mismo, [14] aun cuando presente sus excusas. [15]

75: [1-15]

Sea consciente del Día de la Resurrección y Juicio, de lo que no hay ningún escape.

No muevas tu lengua para acelerar memorizando esta revelación, [16] es Nuestra responsabilidad de coleccionarlo en tu memoria, y que sea recitada. [17] Por consiguiente, cuando estamos recitándolo a través de ángel Gabriel, escuche cuidadosamente la Recitación. [18] De nuevo, es Nuestra responsabilidad de explicar su significado. [19] -- ¡Pero no! El hecho es que ustedes son gentes que aman esta vida fugaz [20] y están distraídos de la Ultima Vida. [21] En ese Día, algunos rostros serán luminosos, [22] mirando hacia su Rab. [23] Y en ese Día, algunos rostros serán ensombrecidos, [24] pensando que alguna calamidad deslumbradora ha de ser infligido en ellos. [25] ¡Pero no! Cuando el alma de un hombre está a punto de salir y se alcance a la clavícula, [26] y aquéllos alrededor de él se lamentan: "¿Hay algún hechicero para ayudarle?" [27] Entonces el hombre concluirá que eso era el tiempo de salida de este mundo, [28] mientras una pierna se juntará con la otra (*la agonía apilará sobre la agonía*); [29] ése será el Día de marchar hacia tu Rab. [30]   75: [16-30]

El propio Al'lá tomó la responsabilidad del Qur'än. Los últimos momentos de la muerte del incrédulo.

SECCIÓN: 2

Pero en esta vida, él no confirmó la Verdad, ni ofreció el Salá *(rezó)*; [31] pero al contrario, él negó la verdad y se rechazó. [32] Luego, él fue a su familia mostrando arrogancia. [33] ¡Ay de ti! ¡Pues Ay! [34] De nuevo ¡Ay de ti! ¡Pues Ay! [35] ¿Acaso piensa el hombre que se le dejará vagabundear sin cualquier propósito? [36] ¿No era una gota de semen eyaculada? [37] Luego, él se volvió como una sanguijuela, luego, Al'lá lo creó y le dio forma en proporción debida, [38] e hizo a partir de ella los dos sexos, varón y hembra. [39] ¿Acaso Ese tal no será capaz de devolver la vida a los muertos? [40]

75: [31-40]

Los incrédulos no creen porque ellos nunca tomaron Al-Islam en serio.

76: AL-INSAN / AD-DAJAR

El periodo de Revelación

Esta Süra se reveló en la fase temprana de la vida del Profeta en Meca que simplemente empezó después de la revelación de los primeros siete versos de la Süra Al-Mud'dazir.

Incluye los siguientes principios, Leyes y Guías divinas:

> *El universo estaba allí antes de que la humanidad existiera, luego, Al'lá creó al hombre, le proporcionó la guía y le permitió que usara su voluntad libre para: creer o descreer.*
> *Una vida ejemplar en el paraíso para aquéllos que escogen creer.*
> *Al'lá envió este Qur'ãn gradualmente según los problemas enfrentados por la humanidad*
> *Este Qur'ãn es una advertencia para aquéllos que quieren seguir el camino hacia su Rab (Al'lá).*

En esta Süra, el hombre se recuerda que había un tiempo cuando él era nada; entonces, su principio humilde era hecho con una gota mixta de esperma y óvulo de lo que, incluso, su madre no era consciente; ni siquiera ella sabía que él ha sido concebido, ni nadie más que lo veía esta célula microscópica podría decir que en el futuro eso sería un hombre y que se volvería lo mejor de las creaciones en la tierra. Después de esto, el hombre se ha advertido: "Empezando su creación de esta manera, te hemos desarrollado y te hemos formado en lo que tú eres hoy, para probarte en este mundo. Por eso, al contrario a las otras criaturas diferentes, te has sido hecho inteligente y sensato, y te ha mostrado ambos: el camino de gratitud y el camino de ingratitud. Para que puedas demostrar en esta prueba si eres un siervo agradecido o un siervo desgraciado, descreído e ingrato. Luego, sólo en una frase, se ha declarado decididamente acerca del destino que tendrá en la Última Vida para aquél que reprobó esta prueba siendo el incrédulo.

En la primera sección, se mencionan las bendiciones con que aquéllos que siempre hacen la justicia sirviendo en el mundo. No sólo se mencionan las mejores recompensas para ellos, pero también les han dicho brevemente las acciones que deben tomar en base a cual se pondrían dignos de esos premios. Después de introducir las creencias fundamentales del Islam, esas calidades morales y actos virtuosos que son laudables según Islam, se han mencionados, y también se mencionan esos hechos malos que Islam se esfuerza por purificar de la vida humana. Estas dos cosas no se mencionan con una vista para mostrar qué resultado bueno o malo se trae consigo por ellos en la vida transitoria de este mundo, sino que se han mencionado para señalar qué resultados duraderos producirán en la Última Vida eternalmente. Independiente de que si una calidad mala puede demostrar útil o una calidad buena puede demostrar dañoso durante su vida en este mundo.

En la segunda sección, dirigiéndose al Profeta (paz esté en él), se declaran tres cosas:

1. *En realidad intencionalmente te estamos revelando gradualmente este Qur'ãn. Se piensa que esto es para informar a los incrédulos y no a ti, que el Qur'ãn no está fabricado por Mujámad (paz esté contigo), sino Somos Nosotros, Quiénes están revelándolo, y es Nuestra Propia sabiduría que estamos revelándolo parte por parte y no todo de una vez.*

2. *No importa cuánto tiempo puede tomar para el decreto de tu Rab para ser esforzado, y tampoco importa qué aflicciones pueden ocurrirlo en el tiempo malo, en cualquier caso, debes continuar realizando tu misión de Risãlat (llevando su mensaje) pacientemente, y no rindes a las tácticas de presión de cualquiera de estas personas malas y descreídas.*

3. *Recuerde a Al'lá día y noche, realice el rezo y pásese sus noches adorándose a Al'lá, porque son estas cosas que sostienen y fortalecen a aquéllos que recuerdan a Al'lá ante la iniquidad y escepticismo.*

La conclusión dice: "El Qur'ãn es una advertencia; quienquiera quiere puede aceptarlo y puede tomar el camino hacia su Rab. Pero la propia voluntad de hombre y sus deseos no son todo lo que hay en este mundo. Nadie puede cumplirse con su voluntad y deseo a menos que Al'lá (también) quiere que cumpla. Y la Voluntad de Al'lá no es casual; cualquier cosa que Él lega, Él lo lega en base a Su conocimiento y sabiduría. Él admite en Su misericordia quienquiera que Él considera como digno de Su misericordia en base a Su conocimiento y sabiduría, y Él ha preparado un tormento doloroso para aquéllos que son injustos y malos."

76: AL-INSAN / AD-DAJAR

Esta Süra, revelada en Meca, tiene 2 secciones y 31 versos.

En el nombre de Al'lá, el Compasivo, el Misericordioso

SECCIÓN: 1

El universo estaba allí antes de que la humanidad existiera, luego, Al'lá creó el hombre, le proporcionó la guía y le dio la voluntad libre de creer o descreer.

¿No hubo un periodo de tiempo para el hombre, cuándo él no era nada - -ni si quiera digno de mención? [1] En realidad, hemos creado al hombre a partir de la gota de esperma mixta que contiene ambos sexos, para que podamos ponerle a prueba. Por consiguiente, le dimos las facultades de oír y de ver. [2] Luego lo guiamos al Camino: su opción de ser agradecido o de ser un ingrato. [3] Para los que niegan de creer, hemos preparado cadenas, argollas y Fuego llameante. [4] Los virtuosos estarán en el paraíso en lo que beberán de una taza mezclado con Kâfür (*el alcanfor*), [5] de un fuente efusivo a que los siervos de Al'lá se refrescarán, a la que harán manar cuando y como quieran. [6] Ellos son aquéllos que cumplían sus promesas y temían un Día cuyo terror será de alcance universal, [7] quienes alimentaban a los pobres, los huérfanos y los cautivos por el amor de Al'lá, [8] diciendo: " Nosotros damos de comer sólo por causa de Al'lá; no queremos de ustedes algún retribución ni gratitud, [9] porque nosotros tememos el tormento de nuestro Rab de un Día muy desdichado y calamitoso. [10] Al'lá les salvará del mal de ese Día, y les dará el resplandor y alegría, [11] y serán retribuidos, por haber tenido paciencia, con el paraíso y con vestiduras de seda.[12]   76: [1-12]

Una vida ejemplar en el paraíso para aquéllos que escogen creer.

Allí estarán reclinando sobre los lechos altos; no sentirán ni calor abrasador ni el frío excesivo. [13] Los árboles de paraíso extenderán su sombra sobre ellos, y los racimos de sus frutas se mantendrán dentro de su alcance fácil. [14] Se servirán con las vasijas de plata, y con copas de cristal, [15] y las copas hechas de plata tendrán la transparencia del cristal, llenas según sus deseos en la medida debida. [16] Ellos también se les darán de beber una taza de vino mezclada con jengibre, [17] tomada de una fuente, que se llama Salsabil (*por su palatabilidad fluente*). [18] Y circularán entre ellos muchachos con la juventud eterna: al verlos tomaras por perlas esparcidas. [19] Y a cualquier dirección que mirarás, verás las bendiciones y el esplendor de un gran Reino. [20] Ellos (*los residentes del paraíso*) vestirán de vestidos de seda verde fina y el brocado rico, adornados con las pulseras de plata, y su Rab les dará de beber una bebida pura. [21] ¡Creyentes! Así es cómo ustedes se premiarán, y sus esfuerzos serán agradecidos. [22]   76: [13-22]

SECCIÓN: 2

Ciertamente, somos Nosotros Quienes te hemos enviado este Qur'ãn a través de las revelaciones graduales, [23] por consiguiente, espere con paciencia el orden de tu Rab y no rindas a cualquier pecador o alguien que niega la Verdad de entre los incrédulos. [24] Glorifique el nombre de tu Rab, mañana y tarde; [25] postrando ante Él por la noche y glorificándolo durante horas largas de la noche. [26] Estos incrédulos aman la vida transitoria de este mundo y descuidan el Día pesado que está por venir. [27] Nosotros los hemos creado y hemos fortalecido su constitución muy bien; pero si Nosotros quisiéramos, podríamos reemplazarlos con otros semejantes con un reemplazo completo. [28] Ésta es, de hecho, una advertencia, así que quien quiera, que tome un camino hacia su Rab, [29] pero ustedes no pueden querer, a menos que sea la Voluntad de Al'lá. Ciertamente, Al'lá es Conocedor y Sabio. [30] Él admite a Su misericordia a quien Él lega; en cuanto a los injustos, Él ha preparado un castigo doloroso. [31]

76: [23-31]

Al'lá envió este Qur'ãn gradualmente según los problemas enfrentados por la humanidad. Ésta es una advertencia para aquéllos que quieren adoptar el camino a su Rab (Dios).

77: AL-MURSALAT

El periodo de Revelación

Esta Süra se reveló en el periodo temprano durante la residencia del Profeta en Meca. Si esta Süra se lee junto con las dos Süras que la preceden, a saber Al-Qillâmâ y Ad-Dajar, y las dos Süras que lo siguen, a saber An-Nabâ y An-Nazi'ât, se pone claro que todas estas Süras son las revelaciones que pertenecen al mismo periodo, y ellas se tratan de uno y el mismo tema que se han impresionado en las gentes de Meca, de las diferentes maneras.

Incluye los siguientes principios, Leyes y Guías divinas:

> ➢ Al'lá jura en el nombre de los vientos que dan la vida, por la lluvia y por los ángeles que el Día del Juicio se establecerá.
> ➢ En ese Día, los incrédulos se pedirán que caminen hacia el infierno de lo que ellos negaban, y los virtuosos se darán todos lo que ellos desearan.
> ➢ Una advertencia a los incrédulos, y una pregunta acerca de '¿qué declaración después de este Qur'ãn (la última revelación) ellos creerán?'

El tema de esta Süra es afirmar la Resurrección y la Última Vida y para advertir a las personas de las consecuencias que seguirán finalmente por el rechazo o por la afirmación de estas verdades.

En los primeros siete versos, el sistema de vientos se presenta como una evidencia de la Verdad que la Resurrección que está prediciéndose por el Qur'ãn y por el Profeta Mujámad (paz esté en él) debe venir a pasar. El poder de Al'lá Todos-poderoso Que ha establecido este sistema maravilloso en la tierra quiere decir que Él no está desvalido para provocar la Resurrección. La sabiduría expresada por este sistema lleva la evidencia que la Ultima Vida y Día del Juicio deben tener lugar, porque ningún acto de un Creador Todos-sabio es vano y sin objeto, y si no había ninguna vida después de la muerte, eso sí significaría que esta vida es inútil y sin objeto.

En los vv. 16-28 se dan argumentos para la ocurrencia y necesidad de la Resurrección y de la Última Vida. La propia historia del hombre, su propio nacimiento, y la estructura de la tierra en que él vive, lleva el testimonio que la venida de la Resurrección y el establecimiento del Día de la Justicia es muy posible, así como la demanda de la sabiduría de Al'lá Omnipotente. La historia nos dice que las naciones que negaron el Día de la Justicia, finalmente convirtieron en ser corruptos y encontraron a su destrucción propia. Esto significa que el Día de la Justicia es una Verdad, si una nación le niega y le contradice a través de su conducta y actitud, reunirá el mismo destino como eso de un hombre ciego que se apresura precipitadamente frente a una máquina de ferrocarril. Eso también significa que en el

Reino del universo, no sólo las leyes físicas están en trabajo, sino también leyes morales; bajo cual está operando el proceso de la retribución. Pero, desde que en la vida de este mundo, la retribución no está teniendo lugar en su forma completa, la ley moral del universo necesariamente demandas que allí deben llegar un momento cuando debe tomar su curso completo, y todos esos trabajos buenos y hechos malos que no podrían premiarse aquí o qué alguien escapó su castigo debido, debe premiarse totalmente y debe castigarse debidamente. Para este propósito, es inevitable que debe haber una segunda vida después de la muerte. Si el hombre sólo consideraba que cómo él ha nacido en este mundo, su intelecto, con tal de que es un intelecto legítimo, no puede negar que Al'lá Que empezó su creación de una gota de esperma insignificante y lo desarrolló en un ser humano perfecto, puede crear al mismo ser humano una vez más.

En la conclusión, los que niegan de creer en Día del Juicio y aquéllos que se niegan de adorar a Al'lá, se advierten: "Disfruten su placer mundano fugaz como ustedes puedan, pero su fin será finalmente muy desastroso." El discurso acaba con la aserción de que alguien que no obtiene la guía del Qur'ân, puede tener ninguna otra fuente de la Guía.

77: AL-MURSALAT

Esta Süra, revelada en Meca, tiene 2 secciones y 50 versos.

En el nombre de Al'lá, el Compasivo, el Misericordioso

SECCIÓN: 1

Al'lá jura en el nombre de vientos que dan vida, de la lluvia y de los ángeles, que el Día del Juicio se establecerá. ¡Ay en ese día para los incrédulos!

¡Por los vientos emisarios que se envían uno atrás otro! [1] ¡Por los huracanes rabiosos! [2] ¡Por los vientos que alzan y esparcen las nubes a sus lugares distantes, [3] luego separan de uno al otro! [4] ¡Por aquéllos que hacen bajar el recordatorio, [5] para quitar la excusa o llevar la advertencia! [6] Ciertamente, de lo que ustedes están prometidos, se cumplirá. [7] Eso va a ser cumplido cuando las estrellas perderán su luz, [8] cuando el cielo será hendido en pedazos, [9] las montañas desmenuzarán en el polvo, [10] y cuando los Rasúles se reunirá en el momento designado. [11] ¿Para qué Día todo esto fue demorado? [12] ¡Para el Día del Juicio! [13] ¿Y cómo hacerte entender qué será el Día del Juicio? [14] ¡Ay de los incrédulos en ese Día! [15] ¿Acaso no destruimos las generaciones anteriores por sus hechos malos [16] e hice que otras generaciones les siguieran? [17] Así es cómo actuamos con los delincuentes. [18] ¡Ay de los incrédulos en ese Día! [19] ¿Acaso no hemos creado a ustedes de un fluido despreciable, [20] que pusimos en un recipiente seguro (*el útero*), [21] para un término designado? [22] Hemos determinado su término - y somos los mejores para determinar. [23] ¡Ay de los incrédulos en ese Día! [24] ¿Acaso no hemos hecho de la tierra un lugar para ambos: [25] para vivos y muertos, [26] y hemos puesto en ella las montañas altas, y hemos dado agua dulce para beber? [27] ¡Ay de los incrédulos en ese Día! [28]   77: [1-28]

En ese Día; los incrédulos se pedirán caminar hacia el infierno a lo que ellos negaban.

En el Día del Juicio se dirá a los que negaron de creer: "¡Caminen todos ustedes hacia el infierno cuya veracidad negaban! [29] Caminen hacia la sombra de humo que asciende en tres columnas, [30] y que no será útil de nada como sombra ni protegerá de las llamas, [31] desprenderá chispas tan grande como los castillos, [32] como si fueran camellos negros amarillentos. [33] ¡Ay de los incrédulos en ese Día! [34] Ese será un Día en que no tendrán qué decir, [35] ni se les permitirá para ofrecer sus excusas. [36] ¡Ay de los incrédulos en ese Día! [37] Este será el Día de la decisión. Congregaremos a ustedes y a las generaciones anteriores. [38] Ahora, sí ustedes tienen una artimaña, úselo contra Mí. [39] ¡Ay de los incrédulos en ese Día! [40]   77: [29-40]

SECCIÓN: 2

Los virtuosos se darán todos que ellos desearan.

Ciertamente, los virtuosos morarán entre las sombras frescas y fuentes [41] y tendrán cualquier fruta que ellos desearán. [42] Les diremos: "Coman y beban al contento de su corazón, éste es la recompensa por los que hicieron. [43] Así es como recompensaremos a los que hicieron el bien. [44] ¡Ay de los incrédulos en ese Día! [45]   77: [41-45]

Comen y disfruten mientras que pueden por un poco. Ciertamente, ustedes son delincuentes. [46] ¡Ay de los incrédulos en ese Día! [47] Cuando se les dice que arqueen abajo ante Al'lá, ellos no arquean abajo. [48] ¡Ay de los incrédulos en ese Día! [49] ¿En qué declaración después de este Qur'ãn, ellos creerán? [50]   77: [46-50]

Una advertencia a los incrédulos.

ŶÚZ (PARTE): 30

78. AN-NABÂ

El periodo de Revelación

Esta Süra fue revelada durante el periodo inicial de la residencia del Profeta en la ciudad de Meca.

Incluye los siguientes principios, Leyes y Guías Divinas:

➢ *La creación de los cielos, de la tierra, de las montañas y de la vegetación claramente apuntan hacia el Día del Juicio.*
➢ *La resurrección y la responsabilidad de hombre en la corte de Al'lá.*
➢ *El virtuoso se agradará bien, mientras los incrédulos se pondrán en infierno dónde ellos se tratarán con el agua hirviendo y la suciedad decadente.*

El tema de esta Süra es afirmar la Resurrección y Día de la Justicia, y para advertir a las personas de las consecuencias de descreerlo. Cuando el Profeta (paz esté con él) primero empezó a predicar Islam en ciudad de Meca, su mensaje consistió en tres elementos:

1. *Que no deben de asociar a nadie con Al'lá en Su Deidad;*

2. *Que Al'lá lo ha designado a él como Su Rasúl (Mensajero);*

3. *Que, ciertamente, este mundo se acabará un día y luego otro mundo se establecerá. Todas las generaciones, las anteriores y las últimas, serán resucitadas con los mismos cuerpos en que vivieron y trabajaron en este mundo. Ellos van a ser llamados para responder con relación a sus creencias y hechos, y aquellos que surgen como creyentes y virtuosos en esta responsabilidad irán al paraíso y aquellos quienes van a ser encontrados como no-creyentes y malos vivirán para siempre en el infierno.*

De éstos, los primeros elementos eran muy desagradables para las personas de Meca, ellos creían en la existencia de Al'lá. Ellos creían en Su Ser, el Sostenedor Supremo, el Creador y el Providencial y también admitían que todos esos seres quienes ellos consideraron como sus deidades, eran las creaciones de Al'lá. Por consiguiente, la única cosa que ellos disputaban era que si las deidades tenían alguna porción en los atributos y poderes de Divinidad y que si eran propiamente Divino o no.

En cuanto al segundo elemento, las personas de Meca no eran preparadas para aceptarlo. Sin embargo, ellos no podrían negar que durante el 40-años de la vida que el Profeta (paz esté con él) había vivido entre ellos antes de su reclamación de ser un Profeta, ellos nunca lo habían encontrado a él como mentiroso o engañoso o uno que adoptaría los métodos ilícitos para los fines egoísticos.

En cuanto al tercer elemento, la resurrección, ellos se burlaron de él y expresaron la maravilla como 'rara" a él por este concepto. Ellos lo consideraron este concepto como remoto de la razón e imposible. Ellos hablaron sobre él como increíble, incluso inconcebible, en sus asambleas. Por consiguiente, la referencia se hace a la charla común y las dudas que estaban expresándose en las calles de Meca y en cada asamblea de las personas en oír hablar las noticias de la Resurrección. Por lo tanto, siguientes preguntas se hacen a las personas que rechazaban: ¿No ven ustedes a esta tierra que hemos extendido como una alfombra? ¿No ven ustedes las montañas altas que tenemos tan firmemente puestas en la tierra? ¿No ven ustedes a ustedes mismos, cómo hemos creado a los hombres y las mujeres como parejas? ¿Acaso no consideran su sueño que dimos a ustedes como un regalo y que les hacemos que descansen unas horas después de unas horas de labor y esforcemos para guardarlo su salud, para el trabajo, al día siguiente? ¿Ustedes no ven la alternación de la noche y el día que Nosotros estamos perpetuando así regularmente y precisamente según sus necesidades y requisitos? ¿No ven ustedes el sistema fuertemente fortificado de los cielos sobre ustedes? ¿No ven ustedes el sol por medio de cual ustedes están recibiendo su luz y calor? ¿No ven ustedes la lluvia que se cae de las nubes y ayuda a producir las verduras y los jardines? ¿Será que todas estas cosas le dicen que el poder del Omnipotente Al'lá, Quien los ha creado, será incapaz de provocar la Resurrección y establecer el Día del Juicio? ¿Será que la sabiduría suprema que está trabajando claramente alrededor de ustedes en este mundo, y aunque cada uno de estas funciones es para un propósito, ustedes todavía entienden solamente, que la vida en este mundo es todavía sin sentido? Nada podría ser más absurdo y sin sentido de decir, que después de conceder inmensos poderes de apropiación en este mundo, no se sostendrían ustedes como responsable para sus acciones. Él ni debe premiar para el trabajo satisfactorio, ni castigarlo para la actuación repugnante.

En la conclusión, la Corte Divina en el Día de Justicia se ha descrito en esta Süra, mientras haciéndole aclarar que no habrá ninguna posibilidad que alguien podrá conseguir para sus seguidores y socios algún tipo de perdón. Nadie hablará sin permiso de Al'lá, y derecho de la intercesión sólo se dará a aquellos que habían reconocido la Verdad en este mundo; los rebeldes de Al'lá y lo que rechazaron la Verdad, no merecerán ninguna intercesión en absoluto.

78: AN-NABA'

Esta Süra, fue revelada en ciudad de Meca, tiene 2 secciones y 40 versos.

En el nombre de Al'lá, el Compasivo, el Misericordioso

SECCIÓN: 1

La creación de los cielos, de la tierra, de las montañas y de la vegetación claramente apunta hacia el Día del Juicio. La resurrección y la responsabilidad del hombre en la corte de Al'lá.

¿Acerca de qué están preguntando? [1] ¡Acerca de la enorme noticia, [2] de la cual ellos están en la discordancia! [3] Muy pronto ellos vendrán a conocer; [4]. Vamos a repetir otra vez, que muy pronto ellos vendrán a conocer. [5] ¿No es verdad, que hemos extendido la tierra como una expansión inmensa, [6] y las montañas como las estacas, [7] y que hemos creado a ustedes como parejas, [8], y proveímos a ustedes descanso por medio de su sueño, [9] E hicimos la noche como un manto, [10] E hicimos el día para trabajar, para que ganen sus sustento, [11] Y establecimos siete firmamentos encima de ustedes, [12] Y hemos puesto una lámpara brillante (*en sol*) [13] Y de las nubes enviamos el agua abundante, en forma de la lluvia, [14] Por medio de cual producimos los granos, y vegetaciones[15] y jardines con árboles frondosos? [16] El Día del Juicio ya es fijo. [17] En ese Día, la Trompeta se sonará y ustedes acudirán adelante, en la multitud. [18.] El cielo se abrirá, y se volverá como todas puertas [19]. Las montañas desaparecerán, como si ellos fueran un espejismo. [20]. Con seguridad, el infierno es lugar de emboscada, [21] un hogar para los transgresores. [22] Allí, ellos vivirán eternidades, [23], y allí, no les probarán ni refresco ni bebida, [24] excepto el agua hirviendo y suciedad decadente: [25] una recompensa digna a sus hechos. [26]. Porque ellos nunca esperaron de rendir la cuenta final, [27] y sabiéndolos rechazaron Nuestras revelaciones. [28]. Pero habíamos grabado todo en un Libro. [29]. Se dirá: "¡Saborean las frutas de sus hechos! Ustedes tendrán nada más que el aumento en el castigo."[30]   78: [1-30]

SECCIÓN: 2

Los virtuosos se agradarán bien y los incrédulos desearán de seguir siendo meramente el polvo.

Ciertamente, en ese Día, los virtuosos lograrán los deseos de sus Corazones: [31], los jardines bonitos, y uvas deliciosas; [32] y doncellas de la misma edad, [33] y copas llenas; [34]. No oirán allí ningún tipo de vanidad ni cualquier falsedad: [35]. - una recompensa justa y un regalo generoso de su Rab, [36] el Rab de los cielos, de la tierra y lo que hay entre los dos, del Compasivo, antes de Quien nadie podrá hablar. [37]. En ese Día, el Espíritu (*Gabriel*) y los ángeles estarán de pie en sus líneas; ninguno hablará, excepto el uno, a quien el Compasivo (*Al'lá*) concederá el permiso para hablar, y él hablará lo correcto, la verdad. [38. Ese Día es una realidad segura. Quién desea, que busque y tome refugio en su Rab. [39]. De hecho, Nosotros lo hemos advertido de un castigo inminente, muy cercano, ese es el Día, en que el hombre verá lo que sus manos han enviado adelante y el incrédulo llorará: ¡"Ay de mí! Habría que fuera meramente el polvo." [40]   78: [31-40]

79: AN-NAZIÂT

El periodo de Revelación

Esta Süra fue revelada después de la Süra An-Nabâ. Fue revelada durante el periodo temprano de la residencia del Profeta en la Meca.

Incluye los siguientes principios, Leyes y Guías Divinas:

➢ *La muerte, el Día de Resurrección y la vida después de la muerte.*
➢ *La historia del Profeta Musa (paz esté con él) cuando él llamó a Fir'aun (Faraón) hacia su Rab, él negó a Al'lá y consecuentemente fue castigado.*
➢ *La creación del hombre no es más difícil que la creación de los cielos, de la tierra y de sus contenidos.*
➢ *El castigo y los premios en el Día del Juicio.*

El tema de este Süra es la resurrección, la vida después de la muerte y una advertencia sobre las consecuencias de rechazar al Profeta de Al'lá. La Süra abre con los juramentos por los ángeles que toman el alma a lo que esta designado para morir y que aceleran para llevar a cabo los Órdenes de Al'lá y que dirigen los asuntos del universo según la Voluntad Divina, para asegurar que la Resurrección vendrá a pasar ciertamente y la vida después de la muerte tendrá lugar ciertamente.

Relacionando la historia del Profetas Musa (Moisés), brevemente, y de Fir'aun (Faraón), el destino que Fir'aun encontró a consecuencia de negar el Rasúl y de rechazar la guía traído por él. Se advierten las personas de Meca, que si ellos no aprenden una lección de acuerdo con esta historia y cambian sus maneras y actitud, ellos también pueden recibir el mismo destino.

Por lo tanto se dan los argumentos en el apoyo del Día del Juicio y la vida después de la muerte. Se llama la atención a la tierra y a los comestibles que se han colocado en ésta para el sustento de varias criaturas. Se clarifica más allá, que todo esto testifica al hecho que se ha creado con la gran sabiduría por Al'lá en el cumplimiento de algún propósito especial. Después de señalar esto, la pregunta se ha dejado al intelecto de hombre para ponderar y para formar una opinión ¿Cómo responderá el hombre, si tiene que rendir la cuenta por sus pecados, después de ser delegado con la autoridad y la responsabilidad? ¿Estaría siguiendo las demandas de un sistema sabio, o la vida del hombre debe acabar sin la responsabilidad, después de comprometer todas las clases de fechorías en el mundo? ¿Debe él perecer y ser mezclado para siempre con el polvo y que nunca va ha ser llamado para responder en relación a su responsabilidad y la autoridad con que él fue confiado?

79: AN-NAZIÂT

Esta Süra fue revelada en la ciudad de Meca, tiene 2 secciones y 46 versos.

En el nombre de Al'lá, el Compasivo, el Misericordioso

SECCIÓN: 1

La muerte, Día de la Resurrección y Vida después de la muerte.

Por esos ángeles que violentamente arrancan las almas de los injustos. [1] Por aquéllos que toman suavemente las almas de los virtuosos. [2] Por aquéllos que se deslizan rápidamente a través del espacio, [3] y quienes hacen correr deprisa, para llevar a cabo los órdenes de Al'lá, [4] y aquéllos que regulan los asuntos del mundo por el mandamiento de Al'lá [5] El Día en que el temblor causará una conmoción violenta, [6] que se seguirá por otra conmoción violenta. [7] En ese Día, algunos corazones estarán golpeando con el terror [8] y sus vistas serán inclinadas hacia abajo. [9] Los incrédulos dicen: ¿Acaso realmente, restauraremos a nuestro estado anterior? [10] ¿Aún cuándo nosotros nos estaremos los huesos deteriorados?" [11] Ellos llevan hasta más allá y dicen: " ¡Sería entonces una restauración infructuosa!" [12] Ellos deben de saber que será sólo un grito, [13] y ellos regresarán a la vida en la llanura abierta. [14]   79: [1-14]

La historia de Musa cuando él llamó Fir'aun a su Rab, él negó a Al'lá y el castigo le asió.

¿Has oído la historia de Musa (*Moisés*)? [15] Cuándo su Rab le llamó en el sagrado valle de Tuwâ, [16] y dijo: " Vállate al Fir'aun (*Faraón*) porque él ha transgredido todo los límites, [17] y le diga, "¿Tienes el deseo de purificarte? [18] En ese caso, yo te guiaré hacia tu Rab, para que puedas temerle." [19] Luego, Musa le mostró un signo poderoso a Fir'aun (*Faraón*) [20], pero él negó y desobedeció. [21] Entonces él se volvió hacia atrás rápidamente, [22] congregó a sus gentes e hizo una proclamación; [23] "Yo soy su señor, el supremo." [24] Por consiguiente, Al'lá le asió para el castigo ejemplar, ambos, en esta vida y en el Día de la Justicia. [25] En eso, ciertamente, hay una lección para aquéllos que temen a Al'lá. [26]

79: [15-26]

SECCIÓN: 2

La creación del hombre no es más difícil que la creación de los cielos, de la tierra y la que contiene.

¡La humanidad!, ¿Es su creación más difícil que del cielo que Él edificó? [27] Él levantó su dosel y lo formó a la perfección, [28] Él dio la oscuridad, a la noche y brillo, al día. [29] Y después de ese, Él extendió la tierra, [30] entonces de ella, Él sacó su agua y su pasto, [31] y fijó sus montañas, [32] y les hizo una provisión para ustedes y para sus ganados. [33]

79: [27-33]

El castigo y la recompensa en el Día del Juicio.

Cuando la gran Calamidad va a llegar, [34] El Día, cuando el hombre recordará todo que él se había esforzado. [35] Cuando el infierno se pondrá vista de todos, por completo; [36] entonces él, quién era el rebelde [37] y prefirió la vida de este mundo, [38] tendrá su morada en el infierno. [39] Pero él, quién había temido de estar parado ante su Rab y había refrenado sus deseos malos, [40] tendrá su casa en el paraíso. [41] Ellos te preguntan por la Hora: "¿Cuándo vendrá?" [42] Pues no es para ti de saber o decir su cronometraje. [43] Sólo su Rab sabe cuándo vendrá. [44] Tú no eres sino un advertidor a él quién lo teme. [45] En ese Día, cuándo ellos lo verán, se sentirán como si ellos se habían quedado en este mundo sólo una tarde o una mañana. [46]

79: [34-46]

80: ÁBASA

El periodo de Revelación

Los comentaristas y tradicionalista son unánimes en señalar que la revelación de esta Sūra estaba durante las fases tempranas de la residencia del Profeta en la Meca.

Incluye los siguientes principios, Leyes y Guías Divinas:

➤ El mando, que deben darse la preferencia a los buscadores de guía, en cuanto hay que transmitir el mensaje de Al'lá
➤ El recordatorio para el hombre para que reconozca su Creador.
➤ En el Día del Juicio, el hombre será involucrado de tal manera con relación a él mismo, que él ni siquiera preocupará por su propia madre, padre, hermano o hijos.

Al leer la apertura de esta Sūra, uno se siente que en esta Sūra, Al'lá ha expresado Su disgusto contra el Profeta (paz esté con él) para su comportamiento expresado hacia un hombre ciego con una indiferencia y asistir exclusivamente a los jefes grandes. Pero leyendo el Sūra por completo y objetivamente, uno se encuentra, que de hecho, se expresa el disgusto contra el incrédulo tribu de Quraish, debido a su actitud arrogante e indiferencia, que estaba rechazando el verdadero mensaje con el desprecio.

El error en el método que el Profeta (paz esté con él) adoptó al principio de su misión está señalado. Su comportamiento hacia el hombre ciego con el abandono y desconsideración, y consagrando toda su atención, consecuentemente, a los jefes del Quraish, no era porque él consideró el rico como noble y un hombre ciego pobre como desdeñable. Naturalmente, cuando uno llamador de la Verdad, embarca en la misión de llevar su mensaje a las personas, él quiere que las personas más influyentes de la sociedad acepten el mensaje, para que su tarea pueda ponerse más fácil. Al principio, casi la misma actitud fue adoptada por el Profeta (paz esté con él), una actitud de sinceridad y un deseo para promover su misión, y eso no fue fuera de respeto para las personas ricas y odio para los pobres. Pero Al'lá le hizo comprender a él un método correcto de extender la invitación hacia Islam del punto de vista de su misión: cada hombre que era un buscador de la Verdad era importante, aun cuando él era débil o pobre, y cada hombre que estaba distraído a la Verdad era insignificante, aun cuando él ocupaba una posición alta en la sociedad.

80: ÁBASA

Esta Süra fue revelada en la ciudad de Meca, tiene 1 sección y 42 versos.

En el nombre de Al'lá, el Compasivo, el Misericordioso

Él (*el Profeta*) frunció, entrecejo y se volvió hacia atrás, [1] cuándo allí vino a él un hombre ciego (*Ibn Umme Maktûm, que vino al Profeta e interrumpió su conversación que él llevaba con los jefes de Meca.*) [2] ¿Cómo pudieras decir? ¡Él podría estar buscando para que purifiques [3] o dejarte amonestar y podría ser el beneficiador de Nuestro recordatorio! [4] En cuanto a él, quién se piensa que no tiene necesidad, [5] estás dando toda tu atención. [6] Y no es responsabilidad tuya, si él no se quiere purificarse. [7] Mientras, a él quién vino a ti con ganas [8] y con el temor de Al'lá en su corazón, [9] no prestaste la atención. [10] ¡Pero no! No debe ser así. Ciertamente, esta es, sino una admonición; [11] pues quien quiere, preste la atención. [12] Es escrito en las páginas veneradas, [13] exaltadas, purificadas, [14] y que permanecen en las manos de los escritores, [15] quienes son nobles y virtuosos.[16]   80: [1-16]

Debe ceder la preferencia a los buscadores de guía para comunicar el mensaje de Al'lá.

¡Que penas para el hombre incrédulo! ¡Qué ingrato es él! [17] ¿Fuera de qué, Al'lá ha creado el hombre? [18] ¡De una gota de semen! Al'lá lo creó y luego lo formó en la proporción debido, [19] Luego, hace su camino fácil para él. [20] Luego le causa morirse y le guarda en su tumba. [21] Luego, Él le devolverá, ciertamente, a la vida cuando Él Le agrada. [22] ¡Pero no! De ninguna manera él ha cumplido el deber que Al'lá le había asignado. [23] Pues el hombre debe reflejar en la comida que él come. [24] Nosotros vertemos abajo, el agua de la lluvia, en abundancia [25] y partimos la tierra en pedazos. [26] Hacemos brotar los granos, [27] las uvas y las verduras; [28] las aceitunas y los dátiles, [29] los jardines lujuriantes, [30] las frutas y los pastos, [31] como un medio de sustento para ustedes y sus ganados. [32]   80: [17-32]

Reconozca a tu Creador y cumpla tus obligaciones.

Finalmente cuando allí vendrá la explosión ensordecedora, [33] en ese Día, cada hombre huirá de su propio hermano, [34] de su madre y de su padre, [35] de su esposa y de sus hijos. [36] Para cada uno de ellos, en ese Día, tendrá bastante preocupación por su propio ser, que causará ser indiferente a los otros. [37] Algunos rostros, en ese Día, serán brillantes, [38] sonriéndoos y jubilosos. [39] Y algunos rostros en ese Día serán polvorientos, [40] y cubiertos con la negrura. [41] Éstos serán los rostros de los incrédulos perversos. [42]   80: [33-42]

En el Día del Juicio, nadie le importará su propia madre su propio padre, sus hermanos o Hijos.

81: AT-TAKWIR

El periodo de Revelación

　　Esta Süra es una de las Süras revelada en la fase inicial de la residencia del profeta en Meca.

Incluye los siguientes principios, Leyes y Guías Divinas:

> *Una escena de las escenas del Día del Juicio Final.*
> *El Qur'ãn fue revelado al Profeta, a través del ángel Gabriel.*
> *El mensaje del Qur'ãn, es para todas las personas del mundo.*

　　Esta Süra tiene dos temas:
　　　　1.　El Día del Juicio y,
　　　　2.　La Institución de Risâlat (De ser el Mensajero, el profetismo).

　　Los primeros seis versos, mencionan la primera fase del Día del Juicio Final, cuando el sol perderá su luz, las estrellas esparcirán, las montañas se desarraigarán y se dispersarán, las personas se pondrán distraídas de sus más estimadas posesiones, se entorpecerán las bestias de la selva y se reunirán, y los mares hervirán. Los próximos siete versos mencionan la segunda fase cuando las almas se reunirán con sus semejantes, los archivos se pondrán abierto, las personas se llamarán para responder de sus hechos, los cielos se quitarán su velo, y se traerán el Infierno y el Cielo en la vista llena. Después de pintar Día del Juicio de esta manera, ha dejado el hombre para ponderar acerca de sus propios hechos, diciéndolo: " Luego cada hombre sabrá, de sí mismo, lo que él ha traído con él."

　　Se dirigen las personas de la Meca: "Cualquier cosa que Mujámad (paz esté con él) está presentando ante ustedes, no es el fanfarroneado de un loco, ni una sugerencia mala inspirada por los Satanás, sino la palabra de un mensajero noble, exaltado y fidedigno (el arcángel Gabriel) enviado por Al'lá a quien Mujámad (paz esté con él) ha visto con sus propios ojos en el horizonte luminoso del cielo claro en la luz del pleno día.

81: A-TAKWIR

Esta Süra, fue revelada en la ciudad de Meca, tiene 1 sección y 29 versos.

En el nombre de Al'lá, el Compasivo, el Misericordioso

Cuando el sol se pliegue y cesa de brillar; [1] cuando las estrellas pierden su lustre; [2] cuando las montañas echen a andar; [3] cuando las camellas embarazadas de diez meses sean desatendidas; [4] cuando las bestias salvajes sean juntadas; [5] cuando los océanos (*hirviéndoos*) desbordarán ; [6] cuando las almas sean reunidas con sus semejantes(*para formar grupos*); [7] cuando la niña infantil enterrada viva (*aquí la referencia se hace al barbarismo árabe pre-islámico de enterrar, en vivo, a las niñas recién nacidas*) será preguntada: [8] ¿Cuál era tu crimen por lo que fuiste matada? [9] Cuando los registros sean desplegados; [10] cuando el cielo sea despojado; [11] cuando fuego del infierno sea avivado; [12] y cuando el paraíso sea traído muy cerca, [13] entonces cada alma sabrá lo que ha traído. [14]   81: [1-14]

Una escena terrible de Día del juicio Final.

¡Pues no! ¡Juro por las planetas que se retiran; [15] cuando siguen su curso y desaparecen; [16] ¡Por la noche cuando se disipa! [17] Y ¡Por la aurora cuando respira! [18] Ciertamente, ésta es la Palabra del (*el Qur'ãn traído por*) Mensajero más honorable (*Gabriel*), [19] el poseedor de poder poderoso, teniendo el rango muy alto con el Dueño del Trono (*Al'lá*), [20] quién es obedecido en el cielo, y es fidedigno. [21] ¡Residentes de Meca! Su compañero no es ningún poseso; [22] él (*Mujámad*) de hecho lo vio (*a Gabriel*), claramente, en el horizonte [23] y él (*Mujámad*) no es avaro por los conocimiento de lo oculto (*es decir cualquier cosa que se reveló por Al'lá*). [24] Esto (*Qur'ãn*) no es la palabra de un Satanás maldito. [25] ¿A dónde, entonces, está llevando su imaginación? [26] Esto es sino un Recordatorio a todas las personas del mundo, [27] a cada uno de ustedes quién quisiera seguir la Vía Recta. [28] Y ustedes no pueden quererlo sin la Voluntad de Al'lá, quien es Rab de los mundos. [29]   81: [15-29]

El Qur'ãn es traído al Profeta a través del ángel Gabriel y este mensaje es para todas las personas del mundo.

82: AL-INFITÂR

El periodo de Revelación

Esta Süra y la Süra AT-Takwir estrechamente parecen similares en su materia, y fue revelada en el mismo periodo; la fase temprana de la residencia del Profeta en la ciudad de Meca.

Incluye los siguientes principios, Leyes y Guías Divinas:

> ➢ *Una descripción acerca de lo qué pasará en el Día del Juicio.*
> ➢ *Los ángeles guardianes se asignan a cada individual. Ellos están grabando cada uno de los acciones.*
> ➢ *El propio Al'lá será el Juez en el Día del Juicio.*

El tema de esta Süra es el Día del Juicio. Después de describir el Día de la Resurrección, fue señalado que cada persona verá cualquier cosa que él/ella haya hecho en este mundo. Luego al hombre/mujer se pide de ponderar acerca de la pregunta: ¿Quién le engaña a él en pensar que Al'lá (Dios), Quién lo creó de ser como es; y por Cuyo favor y generosidad, él posee el cuerpo, los miembros y los rasgos más finos, entre todas las criaturas? ¿Acaso Él sólo es dadivoso y no Justo? Su ser dadivoso y generoso no significa que ese humano debe ponerse intrépido de Su justicia. Se advierte, al humano, que él no debe tener ninguna equivocación acerca de su responsabilidad en el Día del Juicio, porque Él está preparando su registro en completo. Se han asignado dos ángeles a cada persona. Ellos son los escritores fidedignos. Ellos están apuntando cualquier cosa que él está haciendo.

En la conclusión, se declara que el Día de la Resurrección tendrá lugar ciertamente y en ese Día el virtuoso disfrutará cada tipo de beatitud en el paraíso y el malo se castigará en el infierno. En ese Día, nadie será útil a cualquiera en algo. Todos los poderes de otorgar la recompensa y ordenar el castigo estarán solamente con Al'lá.

82: AL-INFITÂR

Esta Süra fue revelada en la ciudad de Meca, tiene 1 sección y 19 versos.

En el nombre de Al'lá, el Compasivo, el Misericordioso

Cuando el cielo se hará pedazos; [1] cuando las estrellas se dispersen; [2] cuando los océanos sean desbordados; [3] y cuando las tumbas se abren, [4] entonces cada alma sabrá lo que ha enviado adelante y lo que ha dejado detrás. [5] ¡Hombre! ¡Quién te ha llevado lejos de tu Rab Cortés, [6] ¿Quién te ha creado, te ha formado en mejor proporción, [7] y te haya amoldado en una forma que a Él le agrado?! [8] ¡No! De hecho ustedes niegan el Día de la Justicia. [9] Ustedes deben saber que los ángeles guardianes han sido, de hecho, designados para ustedes, [10] quiénes son escritores nobles, [11] ellos saben todos que ustedes hacen. [12] En ese Día, el virtuoso estará ciertamente en la gloria; [13] mientras el malo estará, de hecho, en el infierno, [14] en que ellos estarán quemados en el Día de la Justicia, [15] y de que ellos no podrán escapar. [16] ¿Que podría hacerte entender, qué es este Día del Juicio? [17] De nuevo, ¿Qué podría hacerte entender, qué es este Día del Juicio? [18] Es un Día, cuando nadie tendrá el poder para hacer algo para cualquier otro, y cuando el orden en su totalidad estará junto a Al'lá. [19]   82: [1-19]

La descripción de lo que pasará en el Día del Juicio. Los ángeles guardianes están grabando todas las acciones. El propio Al'lá será el Juez.

83: AL-MUTAFÎFIN

El periodo de Revelación

Esta Süra fue revelada en la fase temprana de la residencia del Profeta en la ciudad de Meca. En esta fase, las Süras después de las Süras fueron reveladas para impresionar la doctrina del Día de la Justicia en las mentes de las gentes de Meca. Esta Süra fue revelada cuando los incrédulos empezaron ridiculizar a los musulmanes y deshonrar públicamente en las calles y en sus asambleas, pero persecución y manipulación de los musulmanes no habían empezado todavía.

Incluye los siguientes principios, Leyes y Guías Divinas:

➢ En el Día de la Justicia, los que cometen los fraudes van a ser llamados a dar cuenta de sus acciones y van a ser castigados, mientras el virtuoso se premiará con las camas suaves, el vino más selecto y agua especial de manantial.

➢ Hoy los incrédulos se ríen de los creyentes, un Día vendrá cuando los creyentes van a reír de ellos.

El tema de esta Süra es el Día de la Justicia. En los primeros seis versos, se llama la atención de las personas acerca de la práctica mala que era prevaleciente en sus relaciones comerciales. Cuando ellos tenían que recibir su deuda de otros, exigían que se den por completo, pero cuando ellos tenían que medir o pesar para otros, ellos daban menos de lo que era debido. Dando este mal como un ejemplo de males innumerables prevaleciente en su sociedad, está era un resultado inevitable de no tener importancia para Día de la Justicia. A menos que las personas comprenden que un día ellos tendrán que aparecer ante Al'lá y responder de cada uno de los actos que ellos están realizando en este mundo, no es posible que ellos adoptaran piedad y rectitud en sus asuntos diarios. Aun cuando una persona podría ejercer honestidad en algunas de sus relaciones menos importantes en vista de "la honestidad es la mejor política," él nunca habría ejercer la honestidad en las ocasiones cuando la deshonestidad parecería ser "la mejor política." El hombre puede desarrollar un verdadero y duradero naturaleza honrada cuando él teme a Al'lá y atentamente cree en el Día de la Justicia, entonces él no consideraría las honestidades meramente como "una política" sino como " un deber " y obligación, y su forma de ser consistentemente en este respeto no sería dependiente que ese será útil o inútil en este mundo.

En la conclusión, los creyentes se consuelan y los incrédulos fueron advertidos, que las personas que están deshonradas y que están humillando a los creyentes hoy, en el Día de la Justicia, serían en un fin peor por las consecuencias de su conducta, y los creyentes se sentirán confortados cuando ellos verán su destino.

83: AL-MUTAFÎFIN

Esta Süra, fue revelada en la meca, tiene 1 sección y 36 versos.

En el nombre de Al'lá, el Compasivo, el Misericordioso

¡Ay de aquéllos que defraudan, [1] quiénes cuando, toman la medida para recibir de las gentes, toman la medida completa, [2] pero cuando tienen que dar a las gentes miden o pesan menos lo que deben! [3] ¿Acaso no piensan que levantarán vivos otra vez [4] en un día grandiosa, [5] el día cuando toda la humanidad estará de pie ante su Rab de los mundos? [6] En realidad el registro de los perversos estará en Si'yïn (*el registro de la prisión*), [7] ¿Qué piensas que es el Si'yïn? [8] Es un libro bien marcado en infierno. [9] ¡Ay ese día para los que niegan la verdad, [10] quiénes niegan el Día del juicio! [11] Ninguno lo niega excepto cada trasgresor pecador. [12] Quién, cuando Nuestras revelaciones se recitan a él, dice: "¡Éstos son los cuentos de los antiguos!" [13] ¡No! De hecho, sus fechorías han lanzado un velo encima de sus corazones. [14] ¡No! Ciertamente, en ese Día, ellos se privarán de la visión de su Rab. [15] Entonces ellos quemarán ciertamente en el infierno, [16] Luego se dirá: " Esto es (*la realidad*) lo que ustedes desmentían." [17] ¡No! Ciertamente, el registro de los virtuosos es en Il-li-llün (*el registro de los exaltados),* [18] y ¿qué te podría hacerlo entender de qué es Il-li-llün? [19] Es un libro marcado en paraíso. [20] Atestiguado por aquéllos que están más cercano a Al'lá (*los ángeles*). [21] Ciertamente, los virtuosos estarán en la gloria, [22] reclinando en las sofás suaves, mirando todo su alrededor, [23] Se reconocerá en sus rostros el brillo de la gloria. [24] Su sed se apagará con el vino puro y sellado, [25] El sello que será de almizcle. Aquéllos que desean sobresalir a otros, se deben de sobresalir en esto. [26] Ese vino tendrá una mezcla de Tasnim, [27] Un manantial de lo que beberán los más cercanos a Al'lá. [28]　　　　　83: [1-28]

Se llamarán los defraudadores para juzgar y se castigarán mientras los virtuosos se premiarán con las camas suaves, más selecto, los vinos especiales y el agua de manantiales.

Durante sus vidas en la tierra, aquéllos que eran los delincuentes se mofaban a los creyentes, [29] se guiñaban el ojo (*para burlar*) cuando pasaban junto a ellos. [30] Cuando ellos devolvían a sus propias gentes, devolvían bromeándose. [31] Y cuando ellos veían a los creyentes, decían: " Éstos son extraviados, ciertamente," [32] aunque no les habían enviado como guardianes sobre ellos. [33] En ese Día, los creyentes estarán riéndose de los incrédulos, [34] mientras reclinando en las sofás, y echando una mirada alrededor de ellos. [35] "¿Acaso no tendrán los incrédulos su retribución en su totalidad, por lo que hicieron?"[36]　　　　　83: [29-36]

Hoy los incrédulos se ríen de los creyentes, vendrá un Día cuando ellos se reirán de los incrédulos.

84: AL-INSHIQÂQ

El periodo de Revelación

Ésta también es una de las Süras iníciales que fueron reveladas en la ciudad de Meca. La persecución de los musulmanes no había empezado todavía; sin embargo, el mensaje del Qur'ãn estaba estando abiertamente opuesto, las personas estaban negándose a reconocer que la Resurrección tendría lugar en otra vida y que ellos tendrían que comparecer ante Al'lá para dar una cuenta de sus hechos.

Incluye los siguientes principios, Leyes y Guías Divinas:

➢ *En el Día del Juicio Final, el cielo se henderá separadamente y la tierra se desplegará.*
➢ *Se distribuirán los libros de hechos, el virtuoso estará contento mientras los incrédulos estarán deseando para la muerte.*
➢ *A las personas se piden de creer, mientras ellos tienen tiempo, durante su vida, en la tierra.*

El tema de esta Süra es la Resurrección y el Día de la Justicia. En los primeros cinco versos se describe el estado de la Resurrección y el argumento de su ser verdadero y cierto, también se da: que un Día, los cielos se henderán apartes, la tierra se extenderá como llanura y se aplanará, y sacará cualquier cosa lo que tiene dentro de él. Será porque así será el orden de Al'lá, el Rab de los cielos y de la tierra.

En ese Día, todos los seres humanos serán divididos en dos grupos:

1. *Aquéllos a quienes se darán los archivos en sus manos derechas, y se perdonarán sin cualquier cuenta severa.*

2. *Aquéllos a quienes se darán los archivos por detrás de sus espaldas, desearán para la muerte, pero ellos no se morirán; en cambio ellos se lanzarán en el infierno. Ellos se encontrarán con este destino porque durante su vida en la tierra, ellos permanecían distraídos acerca de que comparecerán ante Al'lá para dar una cuenta de sus hechos.*

En la conclusión, los incrédulos cuando oyen las enseñanzas del Qur'ãn oponen en lugar de arquear abajo a Al'lá, se previene de un castigo doloroso, mientras se han dado las noticias buenas de premios ilimitados a los creyentes y a los virtuosos.

84: AL-INSHIQÂQ

Esta Süra, revelada en la ciudad de Meca, tiene 1 sección y 25 versos.

En el nombre de Al'lá, el Compasivo, el Misericordioso

¡Cuando el cielo va a ser hendido en pedazos, [1] obedeciendo el orden de su Rab como debe ser; [2] cuando la tierra va a ser nivelada [3] y lanzara fuera todos que están dentro de ella vaciándosela, [4] obedeciendo el orden de su Rab como debe ser! [5] Entonces ¡Humanidad! Ustedes serán, ciertamente, volviéndose hacia su Rab con sus hechos buenos o malos, un retorno seguro, y ustedes estarán a punto de encontrárselo. [6] Entonces él, a quién se dará su Libro de hechos en su mano derecha, [7] tendrá un juzgado rápido y fácil [8] y devolverá a sus gentes alegremente. [9] Pero él, a quién le da su libro de hechos por detrás de su espalda, [10] estará requiriendo el muerte pronto, [11] y se hará entrar en un Fuego llameante; [12] porque él vivía alegremente con su gentes [13] y pensó que él nunca devolvería a Al'lá para dar una cuenta. [14] ¡Claro que sí!, De hecho, su Rab ha estado mirando sus fechorías sutilmente. [15] Juro por el resplandor de puesta del sol; [16] por la noche y por lo que congrega; [17] por la luna, cuando está llena, [18] que ustedes pasarán gradualmente de una fase a la otra. [19]   84: [1-19]

Pero ¿qué les pasa que no creen [20] y cuando el Qur'ãn se les recita a ellos, no se prosternan? [21] Sin embargo los incrédulos negarán; [22] y Al'lá sabe lo que ellos están escondiendo en sus corazones. [23] Por consiguiente, proclame a ellos, un castigo doloroso, [24] excepto aquéllos que abrazan la verdadera fe y hacen los hechos buenos; para ellos habrá un premio interminable. [25]   84: [20-25]

En el Día del juicio Final, el cielo se henderá aparte y la tierra se extenderá fuera. Se distribuirán libros de Hechos; los virtuosos serán contentos, mientras los incrédulos estarán deseando la muerte.

Se piden a las personas de creer mientras que hay todavía el tiempo.

85: AL-BURÛ'Ÿ

El periodo de Revelación

Esta Süra se reveló en la ciudad de Meca durante el periodo cuando la persecución de los musulmanes estaba en su cresta y los incrédulos de Meca estaban intentando su sumo por la tiranía y coerción, para volverse a los nuevos convertido fuera del Islam.

Incluye los siguientes principios, Leyes y Guías Divinas:

> Aquéllos que torturan a los creyentes recibirán el castigo de
> la conflagración en el Día del Juicio
> Él, Quién lo creó la primera vez, lo encarnará a ustedes de nuevo a otra vida para que den cuenta de sus hechos.

Esta Süra advierte a los infieles de las consecuencias malas de la persecución y tiranía, y consolas a los creyentes que si ellos permanecen firmes y constantes contra la tiranía y coerción, ellos se premiarán para él, y el propio Al'lá vengará a sus perseguidores. Es relacionado en conexión a la historia de los fabricantes de la reguera (Asjâb al-Ujdúd), quiénes quemaron a los creyentes a la muerte lanzándolos en los hoyos llenos de fuego. Por el medio de esta historia, se han enseñado los creyentes y los infieles unas lecciones:

1. *Así como los fabricantes de la reguera se hicieron dignos de la maldición de Al'lá y castigo, los jefes de Meca también son adecuadamente digno de lo mismo.*
2. *Así como los creyentes en ese momento, de buena gana aceptaron para sacrificar sus vidas muriéndoos quemados en los hoyos del fuego en lugar de volverse fuera de su fe, igualmente los creyentes también deben soportar la persecución y no dejar la fe.*
3. *Al'lá, a Quien pertenece el Reino de los cielos y de la tierra, es Laudable y está mirando a quiénes de los dos grupos están esforzándose.*

Es hecho claro que los incrédulos no sólo se castigarán en el Infierno para su escepticismo pero, además de eso, ellos sufrirán también castigo del Fuego como una recompensa apropiada para su tiranía y crueldad. Se premiarán los creyentes que son firmes en su creencia y hacen los hechos buenos con el paraíso que de hecho, será el éxito supremo. Los incrédulos se advierten que el asimiento de Al'lá es muy severo. Si ellos están orgullosos de la fuerza de sus organizadores, ellos deben saber que los organizadores de Faraón y de Zamüd eran aun más fuertes y más numerosos. Por consiguiente, ellos deben aprender una lección del destino que se encontraron estas personas del pasado. Nadie puede escapar la jurisdicción de Al'lá y el Qur'ãn que ellos están desmintiendo es invariable: se inscribe en la Lápida En conserva que no puede destruirse.

85: AL-BURÜ' Ý

Esta Süra, revelada en la ciudad de Meca, tiene 1 sección y 22 versos.

En el nombre de Al'lá, el Compasivo, el Misericordioso

¡Por el cielo con su constelaciones! [1] ¡Por el Día prometido (*del juicio*)! [2] ¡Por el testigo y por lo que es atestiguado! [3] Condenados sean los fabricantes de la Zanja, [4] quiénes encendieron el fuego bien alimentado [5] y se sentaba alrededor de eso, [6] para atestiguar, mirando lo que ellos estaban haciendo a los creyentes. [7] Ellos les torturaron por ninguna otra razón sino porque ellos creían en Al'lá, el Todos-Poderoso, el Digno de Alabanza, [8] el Uno a Quien pertenece el Reino de los cielos y de la tierra, y Al'lá es el Testigo de todas las cosas. [9] Aquéllos que persiguen a los creyentes y a las creyentes y no se arrepienten, recibirán el castigo del infierno, en que ellos tendrán el castigo de conflagración. [10] En cuanto a aquéllos que creen y hacen los hechos buenos, ellos tendrán los jardines por cuyo bajos fluyen los ríos; ¡Qué éxito más grande! [11] Ciertamente, el agarre de tu Rab es muy severo. [12] Ciertamente, Él, es Quién origina la creación de todos, y Él es, Quién lo repetirá eso en el Día de la Resurrección. [13] Él es, el Indulgente, el Lleno de Amor, [14] el Dueño del Trono, el Glorioso, [15] el ejecutor de Su propio Voluntad. [16] ¿Te has llegado la historia de los ejércitos [17] de Fir'aun (*Faraón*) y de Zamüd (*Tamudeos*)? [18] Todavía, los incrédulos persisten negar (*la Verdad*), [19] aunque Al'lá los ha rodeado aún por detrás. [20] Ciertamente, éste es el Qur'ãn Glorioso, [21] inscrito en Al-Loje Al-Majfûz (*la Lápida Imperecedera*). [22]   85: [1-22]

Aquéllos que torturan a los creyentes se darán el castigo de conflagración en el Día del Juicio.

Él, Quién creó la primera vez, devolverá a la vida de nuevo para la contabilidad.

86: AT-TÂRIQ

El periodo de Revelación

Ésta es una de las Süras iníciales que fueron revelados en la ciudad de Meca. Se envió en una fase cuando los incrédulos de Meca estaban empleando todas las clases de dispositivos y planes para derrotar y frustrar el mensaje del Islam.

Incluye los siguientes principios, Leyes y Guías Divinas:

> *Al'lá ha designado un ángel guardián para cada alma.*
> *El Qur'ãn es la Palabra firme de Al'lá.*

Esta Süra discute dos temas:

1. *El hombre tiene que aparecer ante Al'lá después de la muerte;*

2. *El Qur'ãn es una Palabra firme que ningún plan o mecanismo de*
   a. *los incrédulos puede derrotar o frustrar.*

Se citan, como una evidencia, las estrellas en que nadie, en sí mismo, puede continuar existiendo y sobreviviendo sin un guardián que les vigile. Luego, se pide el hombre que reflexione acerca de su propia existencia cómo él se ha traído en la existencia, de no más que una gotita de semen y se ha formado en un ser humano viviente. Además, Al'lá Quien lo trajo en la existencia al hombre también ciertamente tiene el poder para recrearlo una vez más y escrutar todos los secretos del hombre que permanecían oculto en él, en este mundo. En ese momento, el hombre no podrá ni escapar las consecuencias de sus hechos por su propio poder, ni nadie más vendrá a su rescate.

En la conclusión, están señalados otros ejemplos como, la caída de la lluvia del cielo, por medio de cual hay el crecimiento de las plantas y otras cosechas de la tierra y que no son como la obra de un niño, pero una tarea seria, semejantemente las verdades expresadas en el Qur'ãn no son ninguna broma, pero una empresa y realidad invariable. Los incrédulos piensan que sus planes y sus invenciones vencerán la invitación del Qur'ãn, pero ellos no saben que Al'lá está formando un plan que anulará todos sus planes. Luego, una palabra de consuelo se proporciona a la Profeta (paz esté con él) y una advertencia se da a los incrédulos que muy pronto ellos sabrán que si ellos han podido derrotar el Qur'ãn por sus esquemas o que si el Qur'ãn les dominará en el mismo lugar dónde ellos están ejerciendo sus esfuerzos para derrotarlo.

86: A-TÂRIQ

Esta Süra, revelada en la ciudad de Meca, tiene 1 sección y 17 versos.

En el nombre de Al'lá, el Compasivo, el Misericordioso

Por el cielo y por el astro nocturno, [1] y ¿qué te podría hacerlo entender qué es el astro nocturno? [2] Es la estrella de penetrante luz. [3] (*así como Al'lá Todo poderoso está cuidando cada estrella en las galaxias*), encima de cada alma hay un guardián. [4] Pues, el hombre debe de considerar ¡de qué ha sido creado! [5] Él se ha creado de un flujo emitido [6] que sale de entre los lomos y las costillas. [7] Ciertamente, Él (*el Creador*), tiene el poder para devolverte a la vida, [8] en el Día cuando los secretos ocultos se traerán al escrutinio; [9] entonces él tendrá ningún poder propio ni cualquier auxiliador para salvarlo del castigo de Al'lá. [10] Por el cielo (*teniendo las nubes de la lluvia*) que envía abajo la lluvia [11] y por la tierra que está reventando en la vida del nuevo crecimientos; [12] ciertamente, este Qur'ãn es una palabra decisiva, [13] y no es ningún chiste. [14] Estos incrédulos están trazando un esquema: [15] y Yo, también, estoy trazando un esquema. [16] Por consiguiente, concedes a los incrédulos una prórroga. Déjelos solo durante algún tiempo. [17]   86: [1-17]

Encima de cada alma hay designado un ángel guardián. El Qur'ãn es una palabra firme de Al'lá.

87: AL-Á'LÂ

El periodo de Revelación

Esta Süra es una de las Süras más temprana que fue revelada en la ciudad de Meca, y las palabras: *"Nosotros te permitiremos que recites, por lo tanto nunca te olvidará "* también de verso 6 indica que se reveló en el periodo cuando el Profeta (paz esté en él) no estaba todavía totalmente acostumbrado como receptor a la Revelación, y en el momento de recibir las Revelaciones, él tenía el miedo que él pudiera olvidarse de las palabras.

Incluye los siguientes principios, Leyes y Guías Divinas:

- ➤ Taujïd: Al'lá es Uno y Único, Quien ha creado todas las cosas y las ha perfeccionado, siempre glorifíquelo.
- ➤ Al'lá ha tomado la responsabilidad de la memorización del Qur'ãn por el Profeta asegurándolo que él no se olvidará de cualquier porción del Qur'ãn.
- ➤ Aquellos que consideran los recordatorios de Al'lá tendrán el éxito en el Día de la Justicia.

En el primer verso, la doctrina de Taujïd (Dios es Uno y Único) está comprimido en una sola frase, mientras diciendo que el nombre de Al'lá debe glorificarse y debe exaltarse, y Él no debe recordarse por cualquier nombre que podría reflejar una deficiencia, falta, debilidad, o semejanza con los seres creados.

Entonces, el Profeta (paz esté en él) se dice: *"Tú no eres responsable para sacar a todos al Camino Recto; su único deber es transmitir el mensaje. La manera más simple de transmitir el mensaje es, amonestarlo a quien se inclina escuchar a la advertencia y aceptarlo. El que no es inclinado a eso, no debe seguirse. El que teme las consecuencias malas de desviación y falsedad, escuchará a la Verdad y lo aceptará, y el desdichado que evita escuchar y aceptar, de sí mismo vera su malo fin."*

La conclusión dice que el éxito sólo es para aquéllos que adoptan pureza de creencia, morales y hechos, recuerdan el nombre de sus Rab y realizan la Oración. Al contrario, la mayoría de las personas está perdida en búsqueda de la facilidad, beneficios y placeres de esta vida mundana, en lugar del empeñar por su bien para el Día del Juicio. Este mundo es transitorio y la vida después de la muerte es eterna, y las bendiciones en otra vida son mucho mejores y buenos que las bendiciones de este mundo. Esta Verdad no sólo se ha expresado en el Qur'ãn, sino también en los libros del Profeta Ibrãjïm (Abraham) y Musa (Moisés) paz esté en ellos.

87: AL-Á'LÂ

Esta Süra, fue revelada en la ciudad de Meca, tiene 1 sección y 19 versos.

En el nombre de Al'lá, el Compasivo, el Misericordioso

Glorifique el nombre de tu Rab, el Altísimo, [1] Quién ha creado todas las cosas y los ha perfeccionado. [2] Quién ha puesto sus destinos y les ha guiado. [3] Quién saca (*de la tierra*) la pastura verde, [4] Luego lo reduce al heno oscuro. [5] Pronto, te haremos recitar Nuestras revelaciones, para que no te olvides a ninguna de ellas [6] excepto lo que Al'lá quiera. Ciertamente, Él sabe lo que está manifiesto y lo que está oculto. [7] Nosotros lo haremos fácil para ti seguir la manera fácil. [8] Por consiguiente, amonestes porque indudablemente la advertencia es beneficiosa. [9] Él, quién tiene temor de Al'lá considerará el recordatorio, [10] y él, quién es infortunado lo evitará. [11] El que evitará, quemará en el Fuego gigantesco, [12] donde ni morirá ni vivirá. [13] Él que tomará la advertencia y se purificará será exitoso, [14] quién recuerda el nombre de su Rab y ora. [15] Pero ¡Humanos! Ustedes prefieren la vida de este mundo; [16] mientras la otra es mejor y eterna. [17] Ciertamente, el mismo fue dicho en las escrituras previas; [18] las escrituras que fueron dadas a Ibrãjïm (*Abraham*) y a Musa (*Moisés*). [19]   87: [1-19]

Glorifique a Al'lá; Él ha tomado la responsabilidad de la memoria del Profeta acerca del Qur'ãn. Es un recordatorio y aquéllos que hacen caso a sus recordatorios tendrán el éxito en el Día del Juicio.

88: AL GHÂSHILLÁ

El periodo de Revelación

Ésta es una de las primeras Süras que fue revelada en la ciudad de Meca durante el tiempo cuando el Profeta (paz esté en él) había empezado predicar su mensaje públicamente, y las personas de la Meca estaban oyéndolo y estaban ignorándolo descuidadamente e irreflexivamente.

Incluye los siguientes principios, Leyes y Guías Divinas:

➢ *La condición de los incrédulos y de los creyentes en el Día del Juicio.*
➢ *Las maravillas de la naturaleza, la advertencia y la contabilidad*

Para entender el contenido de esta Süra, uno debe contener la vista al hecho que en la fase inicial, la predicación del Profeta (paz esté en él) principalmente estaba centrado alrededor de dos siguientes puntos que él quiso instilar en las mentes de las gentes:

1. *Taujïd (Dios es Único y Sólo), y*

2. *La Vida después de la Muerte.*

La guía se proporciona a través de las preguntas, mientras invitando a las personas a pensar: ¿Cómo estas personas no observan las cosas comunes que ellos experimentan en sus vidas diarias? ¿Ellos no consideran cómo los camellos, de quienes la actividad de su vida diaria en el desierto árabe dependen, llegó a ser? ¿Cómo ellos precisamente fueron dotados de las mismas características que exige la vida del desierto? Cuando ellos siguen sus jornadas, ellos ven el cielo, las montañas, y la tierra. ¿No ponderan encima de estos tres fenómenos y consideran acerca de cómo el cielo se estiró sobre ellos, cómo las montañas fueron erigidas y cómo la tierra se extendió bajo ellos? ¿Han venido todo esto sin la habilidad y arte de un Todo Poderoso y Todo Sabio Diseñador? ¿Si ellos reconocen que un Creador ha creado todos esto con la gran sabiduría y poder, y que no hay nadie como socio con Él en su creación, entonces por qué ellos se niegan a aceptarlo a Él Solo como su Sostenedor?

¿En la conclusión, las personas se recuerdan que si ellos reconocen a Al'lá (Dios) que tiene el poder para crear todos esto, entonces en qué basan ellos sus dudas, para también reconocer, que Al'lá tiene el poder para provocar su resurrección, recrear al hombre, tomar la contabilidad, y para hacer el infierno para castigar y el paraíso para recompensar?

88: AL-GHÂSHILLÁ

Esta Süra, revelada en ciudad de Meca, tiene 1 sección y 26 versos.

En el nombre de Al'lá, el Compasivo, el Misericordioso

¿Te has llegado la noticia del evento asombroso de la Resurrección? [1] En ese Día algunos rostros serán humillantes, [2] bien laborados, gastados, [3] ardiendo en el Fuego abrasador, [4] se les dará para beber de una fuente hirviente. [5] Ellos no tendrán la comida excepto una fruta espinosa amarga, [6] que ni proporcionará la nutrición ni satisfará el hambre. [7] Mientras algunas caras en ese Día serán radiantes, [8] bien agradados con sus empeños, [9] en un jardín elevado. [10] En que, ellos no oirán ninguno vaniloquio. [11] En eso, ellos tendrán las fuentes corrientes. [12] En eso, ellos estarán reclinándoos en los lechos suaves elevados, [13] con copas puestas antes ellos; [14] los cojines colocados en el orden [15] y las alfombras finas ricamente extendidas. [16]   88: [1-16]

La condición de los incrédulos y de los creyentes en el Día del Juicio.

¿Es que no reflexionan cómo han sido creados los camellos? [17] Y miran el cielo, ¿cómo se fue elevada? [18] Las montañas, ¿cómo ellos son firmemente puestas? [19] Y la tierra, ¿cómo fue extendido? [20] Pues que sigues amonestándolos, porque eres solamente un amonestador. [2] Tú no eres un capataz sobre ellos. [22] En cuanto a aquéllos que se vuelven, dan espalda y no crean, [23] Al'lá les castigará con el castigo enorme. [24] Ciertamente, hacia Nosotros es su retorno, [25] luego ciertamente, es para Nosotros pedir su cuenta. [26]   88: [17-26]

Las maravillas de naturaleza, advertencia y la responsabilidad

89: AL-FA'ÝR

El periodo de Revelación

Esta Süra se reveló durante el periodo cuando la persecución de los nuevos convertidos al Islam había empezado en la ciudad de Meca.

Incluye los siguientes principios, Leyes y Guías Divinas:

➤ *La advertencia para el bienestar social a través de los ejemplos de naciones anteriores.*
➤ **¿Que debes evitar para hacer, realmente, el bienestar social?*
➤ *El Día del Juicio será demasiado tarde para considerar la advertencia.*

El tema de esta Süra es afirmar los premios y castigos en la vida eterna a través de los juramentos por el alba, las diez noches, el par y el impar, y la noche cuando está partiendo. Los incrédulos se dicen que estas cosas son un símbolo de la regularidad que existe en la noche y en el día, y después de jurar los juramentos por estas cosas se proporciona una pregunta: "¿Aún después de atestiguar este sistema prudente establecido por Al'lá, ustedes todavía necesitan alguna otra evidencia para mostrar que no está más allá del poder de Al'lá, establecer el Día de la Justicia?" Proporcionando el Razonamiento por medio de la propia historia del hombre. Se citan el malo fin de "Âd", de Zamüd y de Faraón como ejemplos que muestran que cuando ellos transgredieron y extendieron la corrupción en la tierra, Al'lá puso en ellos el azote de Su castigo. Ésta es una prueba del hecho que el sistema de este universo no está corriéndose por las fuerzas sordas y ciegas, sino por un Gobernante Sabio, la demanda de Cuyo sabiduría y la Justicia es continuamente visible en la propia historia del hombre.

Después de esto, se hace una evaluación de la sociedad humana, criticando la actitud materialista de las personas; que ellos pasan por alto la moralidad de lo bueno y lo malo; ellos consideran sólo el logro de la riqueza mundana, la jerarquía y la posición o la ausencia de éstos, como el criterio de honor o desgracia; y se olvidan que ni riqueza es un premio ni pobreza un castigo. Al'lá está probando al hombre en ambas condiciones para ver qué actitud él adoptará cuando es bendecido con la riqueza o cuando es afligido por la pobreza. Este discurso se concluye con la aserción que la contabilidad se sostendrá por seguro y se sostendrá en el Día cuando la corte Divina convocara. En ese momento, los rechazadores del Día del Juicio arrepentirán, pero sus pesares no les salvarán del castigo de Al'lá. En cuanto a las personas que han aceptado la Verdad que el Qur'ãn y el Profeta han presentado al mundo, Al'lá se agradará con ellos y ellos se agradarán bien con los premios que se darán a ellos por Al'lá. Ellos se llamarán para unir con los virtuosos y entraran en el paraíso.

89: AL-FA'ÝR

Esta Süra, revelada en la ciudad de Meca, tiene 1 sección y 30 versos.

En el nombre de Al'lá, el Compasivo, el Misericordioso

¡Por la mañana, [1] y por las diez noches (*primero diez días de Zul-Ji'yá*), [2] por el par y por el impar, [3] y por la noche cuando parte! [4] ¿No está allí en estos juramentos bastante evidencia para aquéllos que usan su sentido común? [5] ¿No ha visto cómo tu Rab comportó con la nación de Âd? [6] Los residentes de Iram, la ciudad de pilares bastante altos, [7] Nunca había construido a sus semejantes en cualquier pueblo. [8] Y también con la gente de Zamüd (*tamudios*) que tajó sus moradas en las piedras del valle. [9] Y además con Fir'aun (*Faraón*) el Dueño de estacas. [10] Ellos todos transgredieron más allá de los límites en la tierra, [11] y comprometieron la gran travesura en eso. [12] Por consiguiente, tu Rab descargó sobre ellos Su azote de tormento. [13] Ciertamente, tu Rab es siempre atento. [14]   89: [1-14]

La advertencia para el bienestar social a través de los ejemplos de las naciones anteriores.

En cuanto al hombre, cuando su Rab hace la prueba a través de darle el honor y bendiciones, él dice: "Mi Rab es dadivoso a mí." [15] Pero cuando Él le prueba a través de restringir sus comestibles, él dice: "¡Mi Señor me ha despreciado!" ¡No! Son ustedes que no muestran la bondad al huérfano, [17] ni ustedes animan unos a otros para alimentar a los pobres. [18] Avariciosamente ustedes ponen sus manos en la herencia del débil, [19] y ustedes aman la riqueza con todos sus corazones. [20]   89: [15-20]

¿Qué debe evitarse para hacer el bienestar social?

¡No! cuando la tierra sea reducida al polvo fino, [21] tu Rab vendrá, con ángeles que estarán de pie en las filas, [22] y el infierno se traerá en la vista. En este Día el hombre recordará de sus hechos, pero ¿de qué servirá ese recuerdo y que va a ganar con eso? [23] Él dirá: "¡Ay! Habría que yo había enviado algunos hechos buenos adelante para esta vida mía." [24] Nadie puede castigar como Al'lá castigará en ese Día, [25] y nadie puede atar como Él ligará. [26] Le dirá: "¡Alma virtuosa y totalmente satisfecha!" [27] Vuelves a tu Rab, porque eres bien agradado con Él y bien-agradable a Él. [28] Unes con Mi siervos, [29] y entra en Mi paraíso." [30]   89: [21-30]

Día del Juicio llegará demasiado tarde para considerar la advertencia. La dirección de Al'lá a los creyentes.

90: AL-BALAD

El periodo de Revelación

Esta Süra se reveló en el periodo cuando los incrédulos de Meca empezaron a oponer al Profeta (paz esté en él) a través de la tiranía y excesos contra él.

Incluye los siguientes principios, Leyes y Guías Divinas:

- ➢ *Una advertencia a los incrédulos.*
- ➢ *Al'lá le ha dado dos ojos, una lengua y dos labios para controlar su lengua.*
- ➢ *Las calidades de una persona virtuosa: Liberar a un esclavo, alimentar el hambriento, ser paciente, aconsejar a otros sobre la piedad y la compasión.*

Esta Süra comprimió un inmenso tema en unas frases breves. Es un milagro del Qur'än que una ideología completa de vida que apenas podría explicarse en un volumen espeso se ha compendiado el más eficazmente en pocas frases breves de esta Süra corta. Su tema es explicar la verdadera posición del hombre en el mundo y del mundo respecto al hombre. Dice que Al'lá ha mostrado al hombre, ambos, la Carretera de la virtud y la Carretera del vicio. Al'lá también lo han proporcionado los medios para juzgar, ver y seguir. Ahora es a los esfuerzos propio del hombre y su juicio si él escoge el camino de la virtud y alcanza la felicidad o adopta el camino malo y se encuentra con la condena.

Después de esto, la equivocación del hombre que él es todos en todos en este mundo y que no hay poder superior para mirar de lo que él hace y llamarlo a la contabilidad, se ha refutado. La Carretera que lleva a la depravación moral es fácil y agradable al ego y la Carretera que lleva a las alturas morales es empinada como un camino ascendente para que el hombre tengas que ejercer el auto-refrenamiento.

Finalmente se aconsejan a las personas que dejan de gastar para la ostentación, despliegue y orgullo, y deben gastar sus riquezas para ayudar a los huérfanos y el necesitado. Ellos deben creer en Al'lá, deben unirse a la compañía de creyentes y deben participar en la construcción de la sociedad humana. Como resultado, ellos se pondrían dignos de la misericordia de Al'lá, mientras ésos que seguirán la vía mala se volverían el combustible del infierno de que no hay ningún escape.

90: AL-BALAD

Esta Süra, revelada en la ciudad de Meca, tiene 1 sección y 20 versos.

En el nombre de Al'lá, el Compasivo, el Misericordioso

¡No! Juro por esta Ciudad (*la Meca - dónde dañar a cualquiera es prohibido*), [1] pero para asesinar a ti (*Mujámad*) ha sido hecho lícito en este ciudad, [2] y Yo juro por su padre (*Adán*) y los niños que él engendró (*la humanidad*), [3] Ciertamente, Hemos creado al hombre para estar en la tensión. [4] ¿Acaso él piensa que nadie tiene el poder sobre él? [5] Él puede alardear: "Yo he malgastado la riqueza abundantemente." [6] ¿Acaso él piensa que nadie está observando a él? [7] ¿No le ha dado dos ojos (*para observar*)? [8} ¿Una lengua (*para hablar*) y dos labios (*para controlarla*)? [9] Luego, Nosotros le hemos mostrado las dos Carreteras (*la buena para llevar hacia el paraíso y la mala que lleva hacia el infierno*) [10]. Todavía, él no ha intentado asir el 'Aqabá' (*el camino empinado*). [11] Y ¿cómo sabrás qué es 'Aqabá'? [12] Es darle libertad a un cuello (*el esclavo*) de la esclavitud; [13] o dar comida en tiempo de hambre a un pariente tuyo huérfano [14], [15] o a un necesitado en su aflicción; [16] además, debe ser entre aquéllos que creen, manden la fortaleza, animen la bondad y la compasión. [17] Tales personas son de la Diestra (*yendo hacia el paraíso*). [18] Pero aquéllos que niegan Nuestras revelaciones, ellos son las personas de la Izquierda (*yendo hacia el infierno*), [19] Van a ser cerrados con el Fuego alrededor de ellos. [20]   90: [1-20]

La advertencia a los incrédulos de Meca. Al'lá le ha dado una lengua y dos labios para controlarla.

Las calidades de una persona virtuosa.

91: ASH-SHAMS

El periodo de Revelación

Esta Sūra fue revelada, en la fase temprana en la ciudad de Meca, cuando la oposición al Profeta (paz esté en él) había crecido muy fuerte e intenso.

Incluye los siguientes principios, Leyes y Guías Divinas:

> ➢ El éxito depende de guardar el alma pura y el fracaso depende de adulterarla, se niveló la nación de Zamüd a la tierra por esa misma razón.

Esta Sūra enseña los siguientes:

1. Así como el sol y la luna, el día y la noche, la tierra y el cielo son diferentes entre ellos y contradictorio en sus efectos y resultados, igualmente lo bueno y lo malo son diferentes y contradictorios en sus efectos y resultados; ellos ni son iguales en su apariencia exterior ni ellos pueden ser iguales en sus resultados.

2. Al'lá, después de dar al humano su cuerpo, el sentido y la mente, no lo ha dejado ignorante en el mundo. Él ha instilado en su subconsciente, por medio de una inspiración natural, la capacidad de distinguir entre lo bueno y lo malo, lo recto y lo erróneo.

3. El futuro del hombre depende de reconocerlo estas diferencias, mientras desarrollando lo bueno y suprimiendo las tendencias malas del ego. Si él desarrolla las inclinaciones buenas y se libra de inclinaciones malas, él logrará el éxito eterno, al contrario, si él suprime lo bueno y promueve el mal, él se encontrará con las desilusiones y fracasos.

Esta Sūra relaciona la historia de las personas de Zamüd para mostrar que un Rasúl se manda en el mundo; porque el conocimiento inspirado de lo bueno y lo malo que Al'lá ha puesto en la naturaleza humana, en sí mismo, no es suficiente para la guía del hombre; más bien a causa de su fracaso para entenderlo, el hombre ha inventado un criterio malo, y teorías de lo bueno y de lo malo, y ha ido descaminado. El ejemplo de Zamüd relaciona a ese Profeta Sâlej (paz esté en él) quien fue enviado a esa nación, pero las personas inundados de su mal se puso tan rebelde que ellos le rechazaron. Cuando él presentó ante ellos el milagro de la camella que fue exigido por ellos, él que era el más infeliz de ellos, la desjarretó de acuerdo con la voluntad y los deseos de las personas. Por consiguiente, la entera nación recibió la ira de Al'lá.

91: ASH-SHAMS

Esta Süra, revelada en la ciudad de Meca, tiene 1 sección y 15 versos.

En el nombre de Al'lá, el Compasivo, el Misericordioso

¡Por el sol y su brillantez! [1] ¡Por la luna, como le sigue! (*al sol*) [2] ¡Por el día cuando demuestra su esplendor! [3] ¡Por la noche cuando traza un velo encima! [4] ¡Por el cielo y Quién lo ha edificado! [5] ¡Por la tierra y Quién lo ha extendido! [6] ¡Por el alma y Quién le ha perfeccionado! [7] Y la inspiró instruyéndole sobre lo que está equivocado para él y lo que es correcto para él: [8] de hecho, ¡exitoso será él, quien lo purifique, [9] y en la realidad, infructuoso será él, quien le adultere! [10]
91: [1-10]

El éxito depende de guardar el alma puro y el fracaso depende en adulterarlo.

La nación de Zamüd negó la Verdad debido a su trasgresión y su arrogancia, [1] cuando el peor hombre entre ellos fue delegado para matar la camella. [12] El Rasúl de Al'lá les advirtió, diciéndoles: "¡Ésta es la camella de Al'lá, no la dañen! Permitan que beba (*cuando era su turno*)." [13] Ellos la descreyeron y la desjarretaron. Por consiguiente, por ese crimen, su Rab suelto Su azote en ellos y los niveló a la tierra. [14] Porque Él (*Al'lá*) no tiene ningún miedo de sus consecuencias. [15]   91: [11-15]

Las gentes de Zamüd fueron nivelados por corromper la tierra.

92: AL-LAIL

El periodo de Revelación

Esta Süra se parece a Süra Ash-Shams tan estrechamente que cada Süra parece ser una explicación de la otra. Es una y la misma cosa que se han explicado en Süra Ash-Shams de una manera y en esta Süra de la otra. Esto indica que ambas estas Süras fueron reveladas al mismo periodo lo que está fase temprana de la residencia del Profeta en la ciudad de Meca.

Incluye los siguientes principios, Leyes y Guías Divinas:

➢ Para las personas buenas, Al'lá facilitará la vía fácil y para el malo, la vía difícil.
➢ ¿Qué beneficio recibirá uno de su riqueza si él mismo es condenado?

Esta Süra identifica dos estilos de vida diferentes y explica el contraste entre sus últimos fines y resultados. La primera vía es que gasta su riqueza, adopta Dios-conciencia y piedad, y reconoce el bueno como bueno. La segunda vía es de un avaro, no quiere el placer de Al'lá y le disgusta, y repudia a lo que es lo bueno y lo correcto. Se declara que estos dos modos de acción están claramente opuestos y no pueden ser iguales o parecidos en el respeto de sus resultados. Así como ellos son diferentes en sus naturalezas, así mismo ellos son diferentes en sus resultados. Después de este se declaran, brevemente, las siguientes tres realidades:

1. Al'lá no ha dejado al hombre ignorante en el vestíbulo del examen en éste mundo, sino se ha asumido la responsabilidad para decirle cuál es la Vía Recta y Correcta entre los diferentes estilos de vida. No hay ninguna necesidad de señalar que enviando Sus Rasúles y Sus Libros, Él ha cumplido con Su responsabilidad.

2. El Amo de ambos, este mundo y de la vida eterna, es solamente Al'lá. Si ustedes buscan este mundo, es Él Quién lo dará, y si ustedes buscan la vida eterna, de nuevo es Él Quién les dará. Ahora, es para ustedes de decidir lo que ustedes deben buscar de Él, uno o ambos.

3. El infeliz que rechaza lo bueno, presentado a través de los Rasúles y la escritura, y que voltea contra eso, tendrá un Fuego llameante listo para él. En cuanto a la persona que tiene temor a Dios y que gasta su riqueza en una causa buena, sin cualquier motivo egoístico y sólo por causa del placer de su Señor, su Rab se agradará con él y le bendecirá con tanto que él se agradará bien con su Rab.

92: AL-LAIL

Esta Süra, revelada en la ciudad de Meca, tiene 1 sección y 21 versos.

En el nombre de Al'lá, el Compasivo, el Misericordioso

¡Por la noche, cuando cubre con la oscuridad! [1] ¡Por el día cuando extiende su resplandor! [2] ¡Por Él Quién creó el varón y la hembra! [3] Ciertamente, sus esfuerzos se dirigen hacia los varios fines. [4] Así para él quién cede la caridad, y teme a Al'lá [5] y testifica a la bondad. [6] Nosotros facilitaremos para él, el Camino fácil. [7] En cuanto a él quién es tacaño y se considera independiente de Al'lá, [8] y rechaza lo que es bueno, [9] Nosotros facilitaremos para él el Camino lo que es malo. [10] Qué beneficio él recibirá de su riqueza, si él sí mismo es condenado. [11] Ciertamente, es para Nosotros dar la guía, [12] y ciertamente, a Nosotros pertenecen el final y el principio. [13] Por consiguiente, advierto a ustedes del Fuego llameante, [14] en que sólo arderá uno que es más desdichado, [15] quién niega la Verdad y se aparte. [16] Pero el creyente pío se guardará fuera del eso, [17] quien gasta en la caridad para purificarse, [18] y cuando hace un favor no espera ningún premio cualquiera como recompensa. Sino tan sólo por deseo de agradar a su Altísimo Rab. [20] ¡Sí, ése pronto quedará bien-contento con Al'lá! [21]   92: [1-21]

Para las personas buenas, Al'lá facilitará el camino fácil y para los malos, el camino duro.

Qué beneficio recibirás de la riqueza, si eres condenado.

93: AD-DUJÂ

El periodo de Revelación

Esta Süra se reveló durante el periodo inicial en la ciudad de Meca, cuando la revelación fue suspendido durante un tiempo en la fase inicial de su misión como un Profeta, debido al hecho que profeta Mujámad (paz esté en él) no estaba todavía acostumbrado a llevar la intensidad de la revelación.

Incluye los siguientes principios, Leyes y Guías Divinas:

> ➤ Las buenas noticias al Profeta Mujámad (paz esté en él) que el periodo más tarde será mucho mejor para él que el inicial.

El tema de esta Süra es consolar al Profeta (paz esté en él) y su objeto es quitar su ansiedad y aflicción que fueron causados por la suspensión de la revelación. El Profeta fue reasegurado: *"Tu Rab no te ha desamparado, ni es desagradado contigo."* Luego, él se da las buenas noticias que las penalidades que él estaba sufriendo en la fase inicial de su misión no durarán mucho tiempo y el periodo más tarde de vida para él será mucho mejor que el anterior. Muy pronto, Al'lá lo bendecirá tan abundantemente que él se agradará bien. Éste es una de las profecías expresada en el Qur'ãn que fue literalmente realizada después. Cuando esta declaración fue hecha, allí no parecía ninguna oportunidad aún remota, que el hombre tan imposibilitado e impotente quien había salido a empezar una guerra contra la ignorancia y paganismo, lograría el éxito tan maravilloso en la vida.

Luego se dice al Profeta (paz esté en él): *"¿Qué te hizo pensar que tu Rab te ha desamparado, y que Él está disgustado contigo? Considerando en realidad, Él ha sido desde siempre bueno contigo con la bondad después de la bondad desde el tiempo de tu nacimiento. Tú naciste un huérfano, Él hizo el mejor arreglo para tu cuidado: tú era desprevenido de la Vía Recta, Él te mostró la Vía Recta; tú era indigente, Él te hizo rico. Todos esto muestra que tú has estado favorecido por Él desde principio y Su gracia y la generosidad constantemente ha sido enfocado hacia ti."* Éstas son palabras similares que Al'lá dijo para consolar al Profeta Musa (Moisés) cuando fue enviado a Faraón como descrito en Süra el Tuâ-Jâ. Versículos 37-42: *"Nosotros hemos estado cuidándote desde tiempo de tu nacimiento con la bondad; por consiguiente, debes satisfacerse que tú no vas a ser solito en esta misión terrible. Nuestra generosidad constantemente estará contigo."*

93: AD-DUJÂ

Esta Süra fue revelada en la ciudad de Meca, tiene 1 sección y 11 versos.

En el nombre de Al'lá, el Compasivo, el Misericordioso

¡Por el esplendor de la mañanita!, [1] y ¡por la noche cuando reina la oscuridad y clama!, [2] Tu Rab no te ha abandonado, ni si quiera ha desagradado contigo. [3] Ciertamente, la vida más tarde será mejor para ti que la primera. [4] Pronto tu Rab te concederá algo con que serás bien-agradado. [5] ¿No te encontró un huérfano y te dio el refugio? [6] ¿Y no te encontró perdido (*desprevenido a la fe, el Qur'ãn, y de ser mensajero*) y te dirigió? [7] ¿Y no te encontró pobre y te enriqueció? [8] Por consiguiente, no trates al huérfano con la aspereza, [9] y no regañes el mendigo, [10] y hables agradecidamente acerca de la generosidad de tu Rab. [11]

93: [1-11]

Las noticias buenas para el Profeta Mujámad (pece) que el periodo más tarde será mejor para él que el más temprano.

94: AL-INSHIRÂ

El periodo de Revelación

Esta Süra se reveló durante el mismo periodo como Süra Ad-Dujâ, que era la fase temprana de la residencia del Profeta en la ciudad de Meca.

Incluye los siguientes principios, Leyes y Guías Divinas:

> ➤ Al'lá extendió el pecho del Profeta (Llenó su corazón con el amor para todos), relevó su carga y exaltó su fama.

Este Süra también es para consolar y animar al Profeta (paz esté en él). Él nunca tenía que encontrar las condiciones que de repente él enfrentó como consecuencia de embarcar en su misión de invitar a las personas al Islam. Esto estaba en sí mismo una gran revolución en su vida. Cuando él empezó a predicar el mensaje del Islam, la misma sociedad que lo había otorgado con el honor único, volvió hostil a él. Los mismos parientes y amigos, los mismos miembros de un clan y vecinos que lo trataban con el respeto más alto empezaron a lloverlo con el abuso e insulto. Nadie en la ciudad de Meca estaba preparado a escucharlo. Él fue ridiculizado y se mofó en las calles y en los caminos. A cada paso, él tenía que enfrentar las nuevas dificultades. Aunque, él se volvió gradualmente acostumbrado a las penalidades, así como ellos se pusieron más severos, pero aun así, la fase inicial era bastante descorazonadora para él. Por eso, Süra Ad-Dujâ fue revelada para consolarlo anteriormente, seguido con esta Süra.

Esta Süra declara que Al'lá ha dado tres favores principales al Profeta: el primero es la bendición de Sharja Sadr (abrirse el pecho), el segundo fue quitarle de él la carga pesada que estaba agobiando su espalda antes de la llamada, y el tercio fue exaltarse su nombre como nunca se fue concedido a cualquiera ante él igual que eso.

Finalmente, el Profeta se instruye: "Puedes desarrollar el poder para tolerar sólo y resistir las penalidades de la fase inicial por una cosa significante, que es: `Cuando tú eres libre de tus tareas diarias, debes consagrarse a la labor y trabajo de la adoración a Él, y debes volver toda tu atención exclusivamente a tu Rab."

94: AL-INSHIRÂ

Esta Süra, revelada en la ciudad de Meca, tiene 1 sección y 8 versos.

En el nombre de Al'lá, el Compasivo, el Misericordioso

(¡Profeta!) ¿No te hemos extendido tu pecho, [1] Y te ha relevado tu carga [2] qué agobiaba tu espalda, [3] y ha exaltado tu fama? [4] Ciertamente con cada dificultad hay alivio. [5] Sin duda, con cada dificultad hay alivio. [6] Por consiguiente, cuando tú eres libre de tu tarea diaria, consagre tu tiempo a la labor de culto [7] y vuelvas toda tu atención hacia tu Rab. [8]   94: [1-8]

Al'lá abrió el pecho del Profeta, aligeró su carga y exaltado su fama.

95: AT-TÏN

El periodo de Revelación

Hay dos opiniones diferentes que relacionan a esta Süra: La primera es que eso es una Süra revelada en la Meca, y segunda es que esta Süra fue revelada en la ciudad de Madina. La mayoría de los estudiosos confirman que esta fue revelada en La ciudad de Meca, un símbolo manifiesto de que es el uso de las palabras 'Jázal-Baladil-Amin' (esta ciudad de paz) que quiere decir La ciudad de Meca.

Incluye los siguientes principios, Leyes y Guías Divinas:

> ➢ El hombre es la criatura que es el mejor de todos, con excepción de los incrédulos.

El tema de esta Süra está relacionado a los premios y castigos en el Día de la justicia. Para este propósito, jurando un juramento primero por los dos artículos comestibles que relacionan a la nutrición al cuerpo y los dos sagrados lugares (la Montaña de Tür, dónde Al'lá reveló Su mensaje al Profeta Musa (Moisés) y La Meca dónde Al'lá reveló Su mensaje al Profeta Mujámad, paz esté en ellos), qué son la nutrición al Alma y la fuente para su Guía. Luego se declara que Al'lá ha creado el hombre en el más excelente de moldes, por consiguiente, se espera que él guardará el equilibrio en la nutrición del cuerpo y del alma, siguiendo la guía recibida de su Creador, y para no asociar a nadie más con Él. Esto significa que ese hombre ha sido bendito con las tales capacidades excelentes que él puede lograr la posición más alta que no se ha logrado por cualquier otra criatura. Entonces, dos tipos de hombres fueron mencionados:

En el primer tipo, son aquéllos que a pesar de que fueron creados en el más fino de los moldes, se inclinan hacia el mal y su degeneración moral causa que sean reducidos al más bajo de los bajos. Entre segundo tipo son aquéllos, quiénes adoptaron la vía de la fe y de la rectitud, permanecen seguro de la degeneración y son consistente con la posición noble de que es la demanda necesaria de haber creado en el mejor de los moldes. La existencia entre la humanidad de ambos estos tipos es una verdadera cosa que nadie puede negar. Se ha observado y se ha experimentado por todas partes en todo momento en cualquiera sociedad.

En la conclusión, la realidad de estos dos tipos de hombres se usa como un argumento para demostrar que cuando entre las personas, allí exista dos tipos separados y bastante distintos, cómo puede uno negar el juicio, el premio y el castigo para sus hechos. Si las personas moralmente degradadas no van a ser castigados y las moralmente puras personas no van a ser premiados (si los dos terminarían en el polvo igual al final), significaría que no hay justicia en el Reino de Al'lá, considerando que la naturaleza humana y demandas del sentido común piden que un juez debe hacer la justicia. ¿Cómo se puede concebir que Al'lá, Quien es el más Justo que todos los jueces, no haría la Justicia?

95: AT-TÏN

Esta Süra, revelada en la ciudad de Meca, tiene 1 sección y 8 versos.

En el nombre de Al'lá, el Compasivo, el Misericordioso

¡Por el higo y por la aceituna, [1] por el monte Sinaí [2] y por la esta ciudad de paz! (*el Meca*). [3] Nosotros hemos creado el hombre en el mejor de los moldes, [4] Luego le devolvimos hacia más bajo de los bajos [5] - exceptúe aquéllos que creen y hacen las obras buenas - porque ellos tendrán un premio interminable. [6] ¿Qué está causando a ti de negar el Día de la Justicia? [7] ¿No Es Al'lá quien es el más justo de todo los jueces? [8]   95: [1-8]

El hombre es hecho la mejor criatura de todos, exceptúe los incrédulos.

96: AL-ALÁQ

El periodo de Revelación

Esta Süra, fue revelada en la ciudad de Meca y tiene dos partes: la primera parte consiste de la primera revelación enviada al Profeta. La segunda parte es relacionada al tiempo cuando el Profeta empezó a realizar la Oración prescrita (el Salá) en los recintos del Ka'ba y Abu Yájl, jefe de Quraish, intentó prevenirlo de esto con las amenazas.

Incluye los siguientes principios, Leyes y Guías Divinas:

➤ La primera revelación 'Iqra bismi Rabi kal-lazi jaláq--- Mâlam lla'lam' (Lea en el nombre de su Rab Quien creó---lo que él no sabía)."

➤ Lea en nombre de Al'lá, Quien creó el hombre y le enseñó por medio de la pluma.

➤ Aquellos que prohíben otros del culto de Al'lá se arrastrarán al infierno por su copete.

Cuando el Profeta (paz esté en él) tuvo la experiencia de este evento extraordinario de recibir la primera revelación, él devolvió a la casa a su esposa Sallidá Jadiyá, mientras temblando con el miedo, y le dijo: " Cúbreme, cúbreme, " y él fue cubierto. Cuando el terror lo dejó, él dijo: " ¿Jadiyá, qué ha pasado a mí?" Entonces él narró a ella lo que pasó, y dijo: "Temo por mi vida." Ella le llevó al hombre sabio de su tribu Warqá bin Naufal que se había convertido como un cristiano en los días PRE-islámicos y había trascrito el Evangelio en el árabe y el hebreo, y ya estaba ciego a causa de la vejez. Warqá dijo: "¡Éste es el mismo Namüs (el Ángel asignado para traer las revelaciones) qué Al'lá había enviado a Moisés (paz esté en él). ¡Habría que yo era un hombre joven durante su misión como profeta! ¡Habría que yo estaba vivo cuando su tribu le expulsará!" El Profeta Santo preguntó:"¿Ellos me expulsarán "? Warqá dijo: " Sí, nunca ha pasado en la historia que una persona trajo lo que tú has traído y que no fue tratado como un enemigo. Si yo viviera hasta este tiempo, te ayudaría con todo el poder a mi orden. "Pero no mucho después de esto, Warqá se murió.
    (Para los detalles vea la vida del Profeta en la Meca)

Esta narrativa es suficiente para clarificar que cuando Warqá bin Naufal quién era un Cristiano, oyó la experiencia del Profeta, él no le consideró como una sugerencia mala. Esto significa que incluso según él, Mujámad (paz esté en él) era una persona tan sublime que había nada sorprendente en su ser elevado a la línea de ser como un profeta.

La segunda parte de esta Süra versículos 6-19 fueron reveladas cuando el Profeta empezó a realizar su oración de la manera islámica. Las otras personas estaban mirándolo con la curiosidad, pero Abu Yájl en su arrogancia y el orgullo amenazó al Profeta y le prohibió que se rindiera culto así en el Ka'ba.

96: AL-ALÁQ

Esta Süra, revelada en Meca, tiene 1 sección y 19 versos.

En el nombre de Al'lá, el Compasivo, el Misericordioso

¡Lea! ¡En el nombre de tu Rab Que ha creado [1] - creó al hombre de una masa como sanguijuela! [2] ¡Lea pues tu Rab es lo más Bondadoso! [3] Quien ha enseñado por medio del cálamo. [4] Enseñó al hombre lo que él no sabía. [5] ¡Pero no! ¡Realmente, el hombre transgrede todo los límites! [6] Ya que cree que es auto-suficiente; [7] aunque, ciertamente, hacia su Rab está su retorno. [8] ¿Has visto a uno (*Abu Yájl*) quién prohíbe [9] a un siervo (*Mujámad*) para ofrecer el Salá? [10] ¿No ves que si estuviera bien dirigido, [11] o estuviera ordenando la verdadera piedad? *(¿Prohibiría alguien a orar?)* [12] ¿No ves que si él (*Abu Yájl*) niega la Verdad y se aparta *entonces qué le ha de pasar*? [13] ¿Acaso no sabe que Al'lá está observando todo? [14] ¡No! ¡Si él no detiene, le arrastraremos por el copete, [15] a éste copete que es mentiroso pecador! [16] Pues que llame a sus partidarios para la ayuda. [17] Nos llamaremos a los guardias rudos del infierno. [18] ¡Pero no! ¡No le obedezcas sino prostérnate y vengas más cerca a tu Rab! [19]   96: [1-19]

Lea en el nombre de Al'lá Que creó al hombre y le enseñó por la pluma.

Aquéllos que prohíben del culto de Al'lá serán arrastrados al infierno por sus copetes.

97: AL-QADR

El periodo de Revelación

Esta Süra es una de las Süras que fueron reveladas al principio de la misión del profeta en la ciudad de Meca.

Incluye los siguientes principios, Leyes y Guías Divinas:

➢ La noche de Qadr en que el Qur'än fue revelado, es mucho mejor que mil meses.

El tema de esta Süra es enterar al hombre acerca del valor, estimación e importancia del Qur'än, simplemente poniéndose después de la Süra Al -Aláq en el arreglo del Qur'än en sí mismo explica que en la escritura Santa, la revelación que empezó con los primeros cinco versos de la Süra Al -Aláq, fue enviada abajo en una noche que era destino-formante, la que también se llama la Noche del Poder. Es un Libro glorioso y que su revelación para la humanidad está llena de las bendiciones.

La Noche del Qadr (el destino) tiene dos significados, y los dos son implícitos aquí. Primeramente, es la noche durante cual se deciden los destinos de cada cosa anualmente. Segundo, la revelación de este Libro por esta noche no es meramente la revelación de un libro, sino un evento que cambiará el destino del mundo entero. En otros términos, ésta es una noche de único honor, de dignidad y de la gloria; tanto que es mejor que mil meses. Así, se han advertidos los incrédulos de Meca: " Ustedes, a causa de su ignorancia, consideran este Libro que Mujámad (paz esté en él) ha presentado, como una calamidad para ustedes mismos y se quejan que un desastre les ha ocurrido, considerando que la noche en que fue decretado para ser enviado abajo era tal una noche bendita que es mejor que más de mil meses.

Finalmente, se declara que durante esta noche, los ángeles junto con el ángel Gabriel, descienden en la tierra con todos los decretos con el permiso de su Rab. No hay ninguna interferencia del mal en eso, para todos los decretos de Al'lá que son intentados para promover lo que es bueno.

97: AL-QADR

Esta Süra, revelada en la ciudad de Meca, tiene 1 sección y 5 versos.

En el nombre de Al'lá, el Compasivo, el Misericordioso

Ciertamente, hemos revelado esto (*el Qur'ãn*) en la noche de Qadr (*destino, poder*). [1] Y ¿qué te podría hacerte entender que es la noche de Qadr? [2] La noche de Qadr es mejor que mil meses. [3] Los ángeles y el Espíritu (*Gabriel*) descienden, con el permiso de su Rab, con todos los Decretos. [4] Esa noche es la noche de Paz, sigue hasta el rayar del alba. [5]   97: [1-5]

La noche de Qadr es mucho mejor que mil meses.

98: AL-BÁLLINÁ

El periodo de Revelación

Se informan Ibn Abâs y Qatada para haber expresado dos puntos de vistas, primero que eso es una Süra que fue revelada en Meca, segundo que es Madani Süra. En cuanto a su contenido, hay nada en él que indique si se reveló en la Meca o en la Madina.

Incluye los siguientes principios, Leyes y Guías Divinas:

➢ *Las Personas de la escritura (los judíos y los cristianos) no dividieron en las sectas hasta después de recibir la guía.*

➢ *También fueron ordenados que establecieran el Salá (la Oración) y que pagarían el Zaká (la Caridad Obligatoria) así como también esta ordenado en el Qur'ãn.*

En esta Süra, se explica la necesidad de enviar un Rasúl, luego los errores de los seguidores de los Libros más tempranos están señalados. La causa de su desvío en los credos diferentes no era porque Al'lá no había proporcionado ninguna guía a ellos, sino que ellos se desviaron después de una declaración clara de la verdadera religión había llegados a ellos. De esto, sigue automáticamente que solamente ellos eran responsables para sus errores y desviación. Si después de la venida de la declaración clara a través del Profeta Mujámad (paz esté en él), ellos continúan desviándose, responsabilidad de ellos aumentaría aún más allá de los que tenían antemano.

Los Profetas que vinieron de Al'lá y los Libros que fueron enviados por medio de Ellos, no ordenaron nada más que se adopten la vía de servicio sincero y verdadero hacia Al'lá; aparte de todas las otras vías, nadie debe mezclar el culto, servicio u obediencia de restos con el Suyo. El Salá (la oración) debe de establecerse y el Zaká (la caridad obligatoria) debe de pagarse. Ésta siempre ha sido una parte de la verdadera religión y los seguidores de las escrituras más tempranas, desviándose de esta verdadera religión, han agregados las cosas extrañas a eso, lo que son falsas, y el Rasúl de Al'lá ha venido a invitar a la humanidad hacia atrás hacia la misma fe original.

En la conclusión, fue apuntado que los seguidores de los Libros más tempranos y los adoradores de los ídolos que se negarían a reconocer este Mensaje son el peor de todas las criaturas. Su castigo será infierno eterno; y las personas que creerían y actuarían honradamente, son los superiores de todas las criaturas. Su premio será un paraíso eterno, en qué ellos vivirán para siempre. Al'lá se agradará bien con ellos y ellos se agradarán bien con Al'lá.

98: AL-BÁLLINÁ

Esta Süra, revelada en la ciudad de Madina, tiene 1 sección y 8 versos.

En el nombre de Al'lá, el Compasivo, el Misericordioso

Aquellos que son los incrédulos, entre las gentes de la Escritura y los mushrikïn (*personas quienes asocian las calidades de Al'lá a cualquier otra entidad*) no iban desistir de su incredulidad hasta que la prueba clara viniera a ellos, [1] es decir, un Rasúl de Al'lá que recitará a ellos las escrituras santas de las paginas purificadas, [2] conteniendo los libros infalibles. [3] Aquéllos que fueron dados la Escritura antes de esto (*Al Qur'ãn*) no dividieron en las sectas hasta después que vino a ellos la prueba clara. [4] Aunque, no fueron ordenados sino rendirse culto a Al'lá, con su devoción sincera, siendo verídicos en su fe; para establecer el Salá (*las oraciones*); y para pagar el Zaká (*la caridad obligatoria*); y ésa es la verdadera Religión infalible. [5] Ciertamente, aquellos que descreen entre las gentes de la Escritura y los mushrikïn, estarán en el Fuego del infierno, moraran en eso para siempre. Ellos son los peores de todas las criaturas. [6] Ciertamente, aquellos que creen y hacen los hechos buenos, son superiores a todas las criaturas. [7] Su premio con su Rab será los jardines de eternidad bajo cuales fluyen los ríos, y moraran en eso para toda la eternidad. Al'lá se agradará bien con ellos y ellos se agradarán bien con Él. Eso es sólo para él, quién tiene temor a su Rab. [8]　　　　98: [1-8]

Las personas de la escritura no se dividieron en las sectas hasta después que les llegó la guía.

También les ordenaron que establecieran el Salá y paguen El Zaká.

99: AZ-ZILZÃL

El periodo de Revelación

Se disputa que si esta Süra fue revelada en la ciudad de Meca o Madina. Ibn Mas'ud, Ata, Yâbir, y Muyâjid dicen que es un Mak'ki Süra, una declaración de Ibn ' Abâs también apoya esta vista, sin embargo, mayoría de los otros becarios consideran esa como una Madani Süra.

Incluye los siguientes principios, Leyes y Guías Divinas:

> ➢ En el Día de Juicio, la tierra informará cualquier cosa que pasó en su frente y se mostrarán los seres humanos sus Libros de Hechos.

El tema de esta Süra es la vida después de la muerte y la presentación del récord completo, con los hechos cometidos por el hombre durante su vida en la tierra. Los primeros tres versos explican brevemente cómo la vida después de la muerte tendrá lugar y qué confusos serán para el hombre. Los próximos dos versos dicen que la tierra en que el hombre ha vivido y ha realizado todos los tipos de hechos imprudentemente porque él nunca podría imaginar que estas cosas inanimadas habrían en algún momento ser la testigos en el futuro de sus hechos, hablarán en ese Día por el orden de Al'lá y declararán de cada persona a lo qué acto él había comprometido en un tiempo particular y en qué lugar. Luego, se dice que los hombres en ese Día, mientras saliendo de sus tumbas, entrarán en sus grupos variados de todas las esquinas de la tierra y se mostrarán sus libros de hechos para la contabilidad.

La presentación de sus hechos estará tan completa y tan detallada que aún su acción a medida del peso de un átomo bueno o malo, inadvertido u oculto se saldrá. Las palabras usadas en los versos son: "Cualquiera que haya hecho el peso de un átomo de bien, lo verá y cualquiera que haya hecho el peso de un átomo de mal, lo verá." La palabra " lo verá" es particularmente muy valiosa para reflexionar. Nosotros podemos entenderlo bien hoy como comparado a las generaciones anteriores. Hoy en la tecnología de los videos, nosotros podemos ver hasta fracción de un segundo el movimiento o acción para saber lo que pasó exactamente en un juego o en un evento. La tecnología de Al'lá es infinita y más sofisticada que la tecnología humana para ver de peso de un átomo que normalmente no puede verse aún con un microscopio poderoso. Pueda ser los ángeles asignados a cada individuo son los grabando audio y videos que todas las acciones van a ser producidas como un libro de hechos, para que cada uno, sea el sabio o el analfabeto podrá verlo que él o ella ha hecho exactamente durante su vida en este mundo.

99: AZ-ZILZĀL

Esta Sūra, revelada en Madina, tiene 1 sección y 8 versos.

En el nombre de Al'lá, el Compasivo, el Misericordioso

Cuando la tierra sea agitada por su terremoto, [1] y la tierra sacará todas sus cargas internas, [2] el hombre dirá: "¿Qué es lo que le pasa"? [3] En ese Día, te informará cualquier cosa que había pasado en eso, [4] es porque su Rab le habrá ordenado que haga. [5] En ese Día, los hombres procederán surtidos en grupos, para que se les muestren sus hechos. [6] Cualquiera que haya hecho el peso de un átomo de bien, lo verá [7] Y cualquiera que haya hecho el peso de un átomo de mal, lo verá." [8]

99: [1-8]

La tierra informará de cualquier cosa que pasó en ella y los hombres se muestrearán sus Libros de Hechos

100: AL-ÂDILLÂT

El periodo de Revelación

Hay diferencia de opiniones que si esta Süra fue revelada en la Meca o en la Madina. Pero el contenido de la Süra y su estilo indican claramente, que no es solamente de Meca, sino se reveló en la fase temprana de la residencia del Profeta en la Meca.

Incluye los siguientes principios, Leyes y Guías Divinas:

➢ Contiene un ejemplo de que aún los caballos agradecen a sus dueños más que los hombres a su Rab (Al'lá).

El objeto de esta Süra es hacer a las personas comprender, cómo un hombre se vuelve malo cuando él niega el Día de la Justicia, o se pone atolondrado de él, y también para advertirlos que en el Día de la Justicia, no sólo se sujetarán sus hechos visibles y claros, sino también los secretos escondidos en sus corazones van a ser escrutados. Para este propósito, está mencionado el caos generalizada y confusión que prevalecía en Arabia: el derramamiento de sangre; saqueo y pillaje; tribus que sujetaban a otras tribus a las correrías, nadie podría tener un sueño pacífico por la noche fuera de temor que alguna tribu enemiga podría hacer una incursión en su colonia, temprano por la mañana. Cada árabe estaba consciente sobre este estado de asuntos y comprendió que estaba equivocado. Aunque los que fueron pillados lamentaban su estado miserable e incapaz de hacer algo, pero a otro lado el saqueador regocijaba, pero cuando el saqueador mismo fue pillado, él también comprendía qué desdichado era la condición de la sociedad en que él estaba envuelto. Refiriéndose a este estado de asuntos, se dice: todo esto está pasando porque las personas no son conscientes acerca de su vida después de la muerte y su responsabilidad ante Al'lá.

Entonces un ejemplo de los sementales (los caballos usados en la guerra) se da para reflejar en la actitud humana hacia Al'lá. Sementales a quienes el hombre sólo proporciona comida y le riega, agradece a él de tal modo que ellos se meten en el valle de la muerte por su orden, mientras hombre a quien Al'lá ha dado la vida, las facultades, la comida y otros comestibles son ingratos a Al'lá y él es un testigo a este hecho. Este ejemplo muestra que una persona ingrata es peor que un animal. Tal persona se deslumbra así por el amor de riqueza mundana que él intenta obtenerlo por todo los medios, aunque serán los más impuros y cochinos. Él nunca se habría comportado así, si tenía el conocimiento del tiempo cuando él va a morir y que se levantaría de sus tumbas para su contabilidad. En ese Día, las intenciones y motivos con que ellos habían hecho todas las clases de hechos en el mundo se expondrían y se sacarían ante todos para que su Señor y Sostenedor (Al'lá) lo vea.

100: AL-ÂDILLÂT

Esta Sûra, revelada en Meca, tiene 1 sección y 11 versos.

En el nombre de Al'lá, el Compasivo, el Misericordioso

¡Por los corceles (*caballos que se usan en la guerra*) jadeantes, [1] que golpeándose su pesuño hacen saltar las chispas, [2] haciendo las correrías en el alba, [3] y levantando, así, una nube de polvo, [4] penetrando en medio de las tropas enemigas! [5] Ciertamente, el hombre es muy ingrato con su Rab; [6] y en realidad, él es, sí, testigo de eso, [7] y ciertamente, él es ardientemente consagrado en su amor de esta riqueza mundana. [8] ¿No sabe, acaso, que cuando aquellos que quedan en las tumbas se levantarán a la vida? [9] y se hará público lo que está en sus corazones, [10] ciertamente, su Rab en ese Día, estará bien-enterado de ellos. [11]   100: [1-11]

Un ejemplo de caballos que agradecen más a sus dueños que los hombres para su Rab.

101: AL-QÂRIÁ

El periodo de Revelación

Esta Süra fue revelada en la Meca y es una de las Süras que fueron reveladas al principio.
Incluye los siguientes principios, Leyes y Guías Divinas:

➤ *Una escena de las escenas del Día del Juicio.*

El tema de esta Süra es la Resurrección y el Día de la Justicia. Se advierten a las personas: "¡El Gran Desastre! ¿Cuál es el Gran Desastre? Y ¿Saben ustedes qué es el Gran Desastre?" Así preparando a los oyentes para las noticias de la calamidad terrible, luego la casualidad de resurrección se debuta, que en ese Día, las personas estarán corriendo alrededor en la confusión y desconcierto, así como las polillas esparcidas alrededor de una luz, y las montañas se desarraigarán y se echarán como la lana cardada. Luego se establecerá el corte de Al'lá y las personas se llamarán para responder acerca de sus hechos. Las personas cuya escala de hechos buenos será más pesada que sus hechos malos, se bendecirá con la beatitud y felicidad, y las personas cuyos hechos buenos serán más ligeros que sus hechos malos, se lanzará en el Fuego ardiente del infierno.

101: AL-QÂRIÁ

Esta Süra, revelada en Meca, tiene 1 sección y 11 versos.

En el nombre de Al'lá, el Compasivo, el Misericordioso

¡La Calamidad sorprendente! [1] ¿Qué es la Calamidad sorprendente? [2] Y ¿qué podría hacerte entender, qué es la Calamidad sorprendente (*el Día de la Resurrección*)? [3] Es ese Día, cuando los hombres serán como las polillas esparcidas [4] y las montañas como copos de la lana cardada. [5] En ese Día, él, quién tendrá su escala de obras buenas más pesada, [6] gozará de una vida lujosa agradable. [7] Pero él, quién tendrá su escala de hechos buenos ligera, [8] su morada será Jâwillá; [9] Y ¿qué podría hacerte entender, qué es eso (*Jâwillá*)? [10] ¡Es un Fuego ardiente! [11]

101: [1-11]

Una escena que explica el Día del Juicio.

102: AT-TAKÂZUR

El periodo de Revelación

Esta Süra, dicen todos los comentaristas, fue revelada durante estancia del profeta en Meca. Sus contenidos y estilo indican que es una de las Süras que fueron reveladas al principio de su misión.

Incluye los siguientes principios, Leyes y Guías Divinas:

➤ La causa de la destrucción del hombre es la rivalidad mutua por las ganancias mundanas, y el éxito real está en trabajar para el Día de la Justicia aquí, en esta vida.

En esta Süra las personas se advierten sobre las consecuencias malas de las ganancias mundanas egoístas, cuando ellos gastan sus vidas adquiriendo cada vez más de riqueza mundana, beneficios materialistas y placeres, la posición y poder mundana. La rivalidad entre sí, fanfarronear y alardear sobre sus adquisiciones no van a acabar hasta que ellos llegan a sus tumbas. Esta persecución ha ocupado a las personas de tal manera que ellos no tienen ni tiempo ni oportunidad para seguir las cosas espirituales y más altas en la vida. Después de advertir a las personas de este mal, les dice: "Estas bendiciones que ustedes están juntando y están disfrutando irreflexivamente, no son, no más bendiciones sino también es un medio de su prueba. Para cada uno de estas bendiciones y consuelos, ustedes se llamarán, ciertamente, para contabilidad en el Día del Juicio. Ustedes se preguntarán acerca de cómo usaron sus facultades, sus ojos, sus manos, su tiempo, su riqueza, su salud, su juventud y las oportunidades proporcionadas a ustedes para hacer el bien y refrenar del mal."

La humanidad se dice: "En cuanto ustedes cierren sus ojos (mueran), ustedes averiguarán la realidad de este mundo y qué es lo que ustedes van a enfrentar en el Día de la Justicia. Yo deseo que crean en el conocimiento que se ha proporcionado a ustedes en este Qur'än, porque si no hacen, ustedes averiguarán la realidad cuando verán el Infierno con sus propios ojos pero en ese momento será demasiado tarde para creer. Será el tiempo de su contabilidad y del Juicio para otorgarles el Paraíso o descargarles en el Infierno."

102: A-TAKÂZUR

Esta Süra, revelada en Meca, tiene 1 sección y 8 versos.

En el nombre de Al'lá, el Compasivo, el Misericordioso

¡Hombres! ustedes han estado distraídos por la rivalidad de amontonar entre sí, las ganancias mundanas. [1] Ustedes nunca se satisfarán hasta que ustedes van a llegar a las tumba. [2] ¡No! ¡Ustedes vendrán a saber pronto! [3] De nuevo, ¡No! ¡Ustedes vendrán a saber pronto! [4] ¡No! Ojala que ustedes sepan a través del conocimiento real (*proporcionado a ustedes en este Qur'ãn*) y preocupan por sus vidas en el Día de la Justicia. [5] Porque en el Día del Juicio cuándo ustedes van a ver el Fuego Llameante (*el infierno*), [6] y verán con sus propios ojos de certeza [7] - lo creerán, pero esa creencia va a servir de nada porque - en ese Día, ustedes se cuestionarán acerca de las bendiciones, (*las facultades y recursos que a ustedes le dio en la vida mundana - acerca de ¿cómo ustedes las usaron?*). [8]   102: [1-8]

La causa de la destrucción de hombre es la rivalidad mutua para las ganancias mundanas. El éxito real está en trabajar para Ultima Vida.

103: AL-ÁSR

El periodo de Revelación

Aunque los estudiosos como Muyâhid, Qatada y Muqatil consideran esta Süra como una de las Madani Süras, una gran mayoría de los comentaristas es de la opinión que es un Mak'ki Süra. Su contenido también testifica que se debe de haber revelada durante la fase temprana en la Meca, cuando el mensaje de Islam estaba presentándose de una forma breve pero la manera muy impresionante para que los oyentes que oyeron estos versos una vez no pudieran olvidarse de ellos aun cuando ellos quisieron, porque estos versos se comprometían a la memoria enseguida.

Incluye los siguientes principios, Leyes y Guías Divinas:

> *La fórmula para la Vía a la salvación es volverse un creyente, hacer los hechos buenos, ser verdadero y paciente, y aconsejar el mismo a otros.*

Esta Süra es un ejemplo sin igual de comprensión y brevedad. Un mundo entero del significado ha estado comprimido en sus pocas palabras breves que son demasiado inmensos en el volumen para ser expresado totalmente incluso en un libro. La Vía hacia el verdadero éxito para la humanidad se declara claramente, como también la Vía hacia la ruina y destrucción. Imám Shaf'i ha dicho, "Si las personas comprenden bien esta Süra, solo bastaría eso como la guía a él." Qué importante era esta Süra en la vista de los compañeros se puede juzgar de la tradición citada de Sallidunâ Abdulá bin Jasan y Ad-Darimi Abu Madina, según eso, siempre que se encontraban los dos de ellos, no partirían la compañía hasta que ellos hubieran recitado la Süra Al-Ásr a nosotros.

(Esta narración se toma de Tabarani)

103: AL-ÁSR

Esta Süra, revelada en Meca, tiene 1 sección y 3 versos.

En el nombre de Al'lá, el Compasivo, el Misericordioso

¡Por el tiempo a través de los siglos! [1] Ciertamente, la humanidad está en su perdición, [2] excepto aquellos que creen y hacen los hechos buenos; aquellos que exhortan entre sí, la Verdad y exhortan entre sí, la paciencia. [3]

103: [1-3]

La fórmula para la salvación.

104: AL-JUMAZÁ

El periodo de Revelación

Esta Süra se reveló en la Meca y es una de las Süras que fueron reveladas inicialmente.

Incluye los siguientes principios, Leyes y Guías Divinas:

➤ *El calumniador, maldiciente y tacaño se tirará en el Fuego Llameante.*

Esta Süra condena a los males que son prevalecientes entre los acaparadores materialistas de riqueza. Después de declarar este tipo de carácter feo, se explica el último fin de tales personas en el Día del Juicio. Los dos de estas cosas (i. e., el carácter y el destino de uno en el Día del Juicio) se pinta de tal modo que hace al oyente sacar la conclusión que este tipo de persona merece encontrarse tal fin. Aunque en este mundo, las personas de tal carácter podrán que no sufren y podrá que aparecen estar muy prósperos, pero es precisamente por eso que la ocurrencia del Día del Juicio se pone completamente inevitable.

Si esta Süra se lee en la sucesión de las Süras que empiezan con Az-Zalzál, uno puede entender las creencias fundamentales del Islam en su totalidad. En Süra Az-Zalzál, fue dicho que en el Día del Juicio, el registro de sus hechos se pondrá ante él y no el peso de un átomo de bueno o malo, hecho por él en el mundo, habrá no quedado registrado. En Süra Al-Âdillât, se atrajo la atención al pillaje, botín, derramamiento de la sangre y vandalismo, que prevalecían en Arabia antes del Islam; haciendo entonces a las personas comprender, que la manera que estaban abusándose los poderes dados por Al'lá, era de hecho una expresión de pura ingratitud a Él, qué merece el castigo. En Süra Al-Qâriá, después de pintar la Resurrección, las personas se advirtieron que en el Día del Juicio, el fin bueno o malo de un hombre será dependiente de que si la balanza de sus hechos buenos era más pesada, o que la balanza de sus hechos malos era más pesada. En la Süra At-Takâzur las personas fueron tomadas para atarear para su mentalidad materialista debido a que, ellos permanecían ocupados buscando el aumento en los beneficios mundanos, los placeres, los consuelos y la posición. Ellos fueron advertidos que ellos tendrían que dar una cuenta a su Rab y Sostenedor acerca de cómo ellos lo obtuvieron y cómo ellos lo usaron. En Süra Al-Ásr, fue declarado que cada miembro, cada grupo y cada comunidad de la humanidad, incluso el mundo entero, estaba en la pérdida manifiesta, si sus miembros estuvieran desprovistos de la fe, de los hechos virtuosos y la práctica de exhortar otros a la verdad y la paciencia. Inmediatamente después de esto viene la Süra Al-Jumaza en que, después de presentar un espécimen de dirección de la época pre-islámica de la ignorancia, las personas se hacen esta pregunta: "¿Qué más debe merecer el tal carácter, sino la pérdida y la perdición?"

104: AL-JUMAZÁ

Esta Süra, revelada en la Meca, tiene 1 sección y 9 versos.

En el nombre de Al'lá, el Compasivo, el Misericordioso

¡Ay de cada calumniador y murmurador, [1] quién amase la riqueza y sigue contando! [2] Él piensa que sus riquezas le harán inmortal [3] ¡Por ningún medios! Él se tirará en al-Jotamá. [4] Y ¿cómo sabrás que es al-Jotamá? [5] Es el Fuego de Al'lá, encendido a las llamas, [6] qué subirá derecho a los fondos de los corazones, [7] rodeando a ellos de cada lado [8] en las columnas extendidas. [9]   104: [1-9]

El calumniador, maldiciente y tacaño se tirará en las llamas encendidas.

105: AL-FÏL

El periodo de Revelación

Esta Süra se reveló en la fase muy temprana en la Meca.

Incluye los siguientes principios, Leyes y Guías Divinas:

> ➢ *Un ejemplo es mencionado que como Al'lá preservó Su casa (Al-Ka'ba) destruyendo un ejército de 60,000 con los elefantes, a través de una bandada de pájaros.*

En esta Süra, se refiere al castigo de Al'lá que se infligió en las gentes de los elefantes y se describe muy brevemente porque era un evento de reciente ocurrencia, y todos en la Meca y Arabia eran totalmente conscientes de él. Por eso los árabes creyeron que el Ka'ba era protegido en esta invasión, no por cualquier dios o diosa, sino por el Al'lá Todopoderoso. Entonces Al'lá Solito fue invocado por los jefes de Quraish para la ayuda, y durante los varios años, las personas de Quraish, se habido impresionado por este evento, se había rendido culto a nadie más que a Al'lá. Había ninguna necesidad de mencionar los detalles en Süra Al-Fïl por consiguiente, sino sólo una referencia a él era bastante.

La historia de ataque en Ka'ba y cómo Al'lá lo salvó

Según los historiadores árabes, el ejército abisinio que invadió Yemen tenía dos comandantes, Arillat y Abraja. Arillat se mató en un encuentro, y Abraja tomó mando del país; luego de algún modo él persuadió Negus (el rey abisinio) para designar su virrey sobre Yemen. Abraja era el esclavo de comerciante griego del puerto de mar abisinio de Adolis que, por la diplomacia mañosa, había venido a manejar la gran influencia en el ejército abisinio que ocupo Yemen. Después de la muerte del rey, su sucesor se reconcilió para aceptarlo como su virrey de Yemen. A través del pasaje de tiempo, Abraja se hizo como gobernante independiente de Yemen. Él reconocía sólo la soberanía del Negus en el nombre y se retrató como su diputado.

Después de estabilizar su regla en Yemen, Abraja se volvió su atención al objetivo que desde principio de esta campaña había sido, antes del imperio bizantino y sus aliados, el abisinio cristiano. Éste era para extender la Cristiandad en Arabia y capturar el comercio que se llevaba a cabo a través de los árabes entre las tierras orientales y los dominios bizantinos. La necesidad para esto se aumentó porque el forcejeo bizantino para el poder contra el imperio Susanio de Irán había bloqueado todas las rutas del comercio bizantino con el Este.

Para lograr este objetivo, Abraja construyó en Sana, la capital de Yemen, una catedral magnífica llamada por los historiadores árabes, Al-Qalis. Después de completar el edificio, él escribió a rey Negus, diciendo: "No descansaré hasta que yo haya desviado la peregrinación árabes a él. Así que, en 570 o 571 À. D., él tomó

60,000 tropas y 13 elefantes (según otra tradición, 9 elefantes) y salió para la Meca. Según Mujámad bin Isjâq, cuando él estaba dentro de tres millas de Meca en un lugar llamado ' Al-Mughámas,' Abraja envió su vanguardia que le trajo el pillaje de las personas de Tiámá y de Quraish, que incluyeron doscientos camellos de Abdul Muttalib el abuelo del Profeta Mujámad (paz esté en él). Entonces, él envió a su enviado a Meca con el mensaje que él no había venido a luchar a las gentes de Meca, pero sólo para destruir la Casa (i. e. el Ka'ba). Si ellos no ofrecieran la resistencia, no habría ninguna causa para el derramamiento de sangre. Abraja también instruyó a su enviado que si las gentes de Meca quisieran negociar, él debe traer a su líder a él. El líder de Meca en ese momento era Abdul Muttalib. El enviado fue a él y entregó el mensaje de Abraja. Abdul Muttalib contestó: " Nosotros no tenemos el poder para combatir contra Abraja. Ésta es la Casa de Al'lá. Si Él lega, Él preservará Su Casa." El enviado le pidió que viniera con él a Abraja. Él estaba de acuerdo y lo acompañó a ver Abraja. Abdul Muttalib era tal una persona dignificado y guapa que cuando Abraja lo vio, él fue muy impresionado; él bajó de su trono y se sentó al lado de él en la alfombra. Entonces, él le preguntó lo que él quiso. Abdul Muttalib contestó que él sólo quería que el rey devolviera sus camellos que él había tomado. Abraja dijo: "Yo era muy impresionado cuando yo te vi, pero su contestación te ha derrumbado en mis ojos; tú sólo exiges tus camellos, pero tú no dices nada sobre esta Casa que es su santuario y el santuario de sus antepasados." Él contestó: "Yo soy el dueño de camellos, por consiguiente, que yo estoy pidiéndole que los devuelva. En cuanto a la Casa, tiene su propio Dueño; Él lo defenderá." Cuando Abraja dijo que Él no podría defenderlo contra él, Abdul Muttalib dijo que quede entre Él (Al'lá) y él (Abraja). Con esto, Abdul Muttalib dejó Abraja que había devuelto sus camellos a él.

Una cosa que se pone evidente de esta narración, es, que las tribus que vivían en y alrededor de Meca no tenían el poder de combatir tal una fuerza grande y salvar el Ka'ba. Por consiguiente, obviamente, el Quraish no intentó poner a cualquier resistencia. - El Quraish en la ocasión de la Batalla de la Trinchera (Ajzâb) apenas había podido reunir diez a doce mil hombres a pesar de la alianza con las tribus paganas y judías; ellos no podrían resistirse un ejército de 60,000 de fuerte. Mujámad bin Isjâq dice que después de volver del campamento de Abraja, Abdul Muttalib ordeno al Quraish de retirar de la ciudad e ir a las montañas junto con sus familias por el miedo de una matanza general. Entonces, él fue al Ka'ba junto con algunos jefes del Quraish y sosteniendo la llave férrica de la puerta, oró a Al'lá Todopoderoso. Ibn Jishâm, en su libro ' la Vida del Profeta, ' ha citado la oración de Abdul Muttalib:

"¡Al'lá! El hombre protege su casa, así que Tú proteja la Tuya; No permitas que mañana supere su cruz y su embarcación a Tu embarcación. Si Tú quieres dejar nuestro Qibla a ellos, Tú puedes hacerlo como a Ti Te guste. Mi Señor, yo no acaricio esperanza de cualquiera contra ellos excepto Tuyo. Señor mío, protejas Tu Casa de ellos. El enemigo de esta Casa es Tu enemigo. Deténgalos de destruir Tu pueblo."

Después de hacerse esta suplicación, Abdul Muttalib y sus compañeros también se marcharon a las montañas. El próxima mañana Abraja se preparó para entrar en la Meca, pero su elefante especial, Majmüd, que estaba en la vanguardia se arrodilló. Ellos le pegaron con las barras de hierro, estimularon, pero no levantaba. Cuando ellos le hicieron enfrentar hacia el sur, norte, o este, empezaría inmediatamente y levantaba, pero en cuanto ellos lo dirigieran hacia Meca, se arrodillaba. Entretanto los enjambres de pájaros aparecieron llevando las piedras en sus picos y en sus garras y llovieron éstos sobre las tropas. Quienquiera fue pegado empezaría desintegrarse. Ibn ' Abâs dice que quienquiera fue golpeado por un guijarro, empezaría rascando su cuerpo que resultó en desgarre de su piel y haciendo caer la carne. En otra tradición, Ibn ' Abâs dice que la carne y sangre fluían como el agua y los huesos en el cuerpo se ponían visible. La misma cosa también pasó con Abraja. Lo buscaron y le pidieron guiarlos atrás a Yemen al Nufail bin Habib quien ellos habían traído como la guía del país de Khatham, pero él se negó y dijo: "¿Ahora dónde puede huir uno cuándo Al'lá sigue? La nariz hendida (Abraja) es el conquistado; y no el conquistador."

Según Sallidá Umme Hani y Sallidunâ Zubair bin Al-Awam, el Profeta (paz esté en él) dijo: " El Quraish, durante diez años, no rindieron culto a cualquiera sino a Al'lá, el Único y Sólo. Los árabes describen el año en que este evento tuvo lugar como Ám Al-FÏL (el año de los elefantes). Era el mismo año cuando el Profeta de Al'lá, Mujámad (paz esté en él) nació.

105: AL-FÏL

Esta Süra, revelada en la Meca, tiene 1 sección y 5 versos.

En el nombre de Al'lá, el Compasivo, el Misericordioso

¿No has visto cómo tu Rab se trató a los del elefante? (*la referencia se hace al ejército con los elefante que vino de Yemen bajo el orden de Abraja que pienso a destruir el Ka'ba en la Meca en el año que nació Profeta Mujámad*) [1] ¿No desbarató sus planes [2] y envió contra ellos las bandadas de los pájaros, [3] que golpearon a ellos con las piedras de arcilla cocida, [4] dejándolos como espigas desgranadas? [5]

105: [1-5]

Al'lá tiene el poder para derrotar un ejército con elefantes a través de la bandada de pájaros.

106: QURAISH

El periodo de Revelación

> *Esta Süra se reveló durante la fase muy temprana en la Meca.*

Incluye los siguientes principios, Leyes y Guías Divinas:

> ➤ *Una Advertencia para que crees en Al'lá Quien es el proveedor su sustento.*

Para entender esta Süra, es necesario saber el fondo histórico de la tribu de Quraish. Se esparció a lo largo de Hiyâz hasta el tiempo de Qusaí bin Kilâb, el antepasado del Profeta (paz esté en él). En primer lugar, Qusaí recogió su tribu en Meca y la tribu pudo ganar la autoridad sobre al Ka'ba. En esa base, Qusaí se llamó Muyami (el unidor, ensamblador) por sus personas. Este hombre, por su sagacidad y sabiduría, fundó un estado de la ciudad de Meca e hizo los arreglos excelentes para el bienestar de los peregrinos que venían desde lejos, como resultado, el Quraish pudo ganar la gran influencia entre las tribus árabes. Después de la muerte de Qusaí, el estado de Meca fue dividido entre sus hijos, Abdi Manâf y Abd-Ad-Dar. De los dos, Abdi Manâf ganó la mayor fama, y se sostuvo en la estima alta a lo largo de Arabia.

Abdi Manâf tenía cuatro hijos; Jashim, Abdi Shams, Al-Muttalib, y Naufal. De éstos, Jashim, el padre de Abdul Muttalib y abuelo del Profeta, tuvo la idea de tomar parte en el comercio que hacían entre los países orientales, Siria y Egipto, a través de Arabia. Él también compró las necesidades de vida por los árabes para que las tribus que viven por la ruta de comercio pudieran comprar estos artículos de ellos y los comerciantes que viven en el interior del país se atrajeron al mercado de Meca. Éste era el tiempo cuando el reino de Sasanian de Irán había ganado el mando encima del comercio internacional que se llevó a cabo entre las tierras norteñas, los países orientales y el imperio bizantino a través del Golfo Pérsico. Esto empujado la actividad de comercio en el comercio se dirigió llevando de Arabia del sur a Siria y Egipto, a lo largo de la costa del Mar Roja. El Quraish se aprovechó del hecho que las tribus en esta ruta los sostuvieron en la estima alta debido a su estado de ser Guardianes del Ka'ba. Ellos sentían adeudados por la gran generosidad con que el Quraish les trataba durante la estación del peregrinaje. Por eso el Quraish no sentía ningún miedo que sus caravanas van a ser robadas o ser dañadas por cualquiera por el camino. Las tribus no les cobraban por el camino, incluso los impuestos pesados del tránsito que ellos exigían de las otras caravanas. Jashim, mientras tomando la ventaja de esto, preparó los planes comerciales y nombró sus tres hermanos como compañeros en eso. Así, Jashim obtuvo la privilegia comercial del rey de Ghasanide de Siria, Abdi Shams del Negus, Al-Muttalib del nobles de Yemen y Naufal de los gobiernos de Irak y Irán, y sus comercios empezaron a florecer. Eso es cómo los cuatro hermanos se pusieron famosos como comerciantes y se llamaron Asjâb Al-Ílâf (los generadores de amor y afecto), a causa de sus relaciones amistosas con las tribus y estados en las áreas circundantes.

Debido a sus relaciones comerciales con Siria, Egipto, Irak, Irán, Yemen y Abisinia, el Quraish se volvió la tribu más opulento en Arabia y en Meca y se volvió como el centro comercial más importante de la península árabe. Otra gran ventaja que tuvo de estas relaciones internacionales, era, que las caravanas trajeron la escritura del azulejo de Irak que se usó por apuntarle al Qur'ãn. Ninguna otra tribu del árabe podría alardear de tantas personas instruidas como el Quraish. Por estas mismas razones, el Profeta (paz esté en él) dijo: " Los Quraish son líderes de los hombres". (Musnad Ajmed: Marwillat bin Amr al-As).

Los Quraish estaban prosperando así y floreciendo cuando el evento de la invasión de Abraja de Meca tuvo lugar. Si Abraja hubiera tenido éxito en Meca capturando y destruyendo el Ka'ba, la gloria y renombre de no sólo el Quraish, sino también del propio Ka'ba, habría sufrido un gran retroceso. La creencia de Arabia pre-islámica que la Casa era de verdad la Casa de Al'lá, hubiera estado estrellado, y la estimación alta en que los Quraish fueron sostenidos, por ser guardianes de la Casa, a lo largo del país se hubiera empañado. Luego, después de avance abisinio hacia la Meca, los Bizantinos hubieran tomado también la iniciativa para ganar el mando sobre el comercio dirigida entre Siria y Meca. Los Quraish se hubieran reducido a una condición aun peor en que ellos estaban envueltos antes de Qusaí bin Kilâb. Pero cuando Al'lá mostró la manifestación de Su poder a través de enjambres de pájaros que destruyeron 60,000 tropas abisinias traídas por Abraja golpeándolos con las piedras, que continuaron cayéndose y teniendo por el borde del camino desde Meca hasta Yemen. La fe de los árabes que el Ka'ba era, de hecho, la Casa de Al'lá, aumentó multicopista, y también se reforzó considerablemente la gloria y renombre de Quraish a lo largo del país. Ahora los árabes fueron convencidos que ellos estaban bajo el favor especial de Al'lá. Por consiguiente, ellos visitaron cada parte de Arabia intrépidamente y atravesaron cada tierra con sus caravanas de comercio ileso. Nadie se atrevería tocarlo con una intención mala. Para no hablar referente a ellos, aun cuando ellos tenían un no-Quraishita bajo su protección, le permitieron también pasar ileso. Por eso en esta Süra, a los Quraish se piden considerar simplemente; "¡Cuando ustedes reconocen esta Casa (i. e., el Ka'ba) para ser la Casa de Al'lá, y no de los ídolos, y cuando ustedes saben totalmente que es el Al'lá Solamente Quién lo ha concedido paz en virtud de esta Casa, hecho su comercio prosperar, y lo favoreció con la prosperidad, ustedes no deben rendirse culto a ninguno excepto a Él Solo!"

106: QURAISH

Esta Süra, revelada en la Meca, tiene 1 sección y 4 versos.

En el nombre de Al'lá, el Compasivo, el Misericordioso

Crea en Al'lá Quien es el proveedor de su sustento.

Para el convenio de seguridad disfrutado por el Quraish (*como los conserjes de la Casa de Al'lá*), [1] ellos disfrutan la seguridad durante su viaje comercial de invierno y de verano. [2] Pues, ellos deben rendirse culto al Rab de esta Casa, [3] Quién les ha proporcionado la comida contra el hambre y les ha dado seguridad contra el miedo. [4]   106: [1-4]

107: AL-MÂ'ÜN

El periodo de Revelación

Hay diferencia de opiniones en relación con el lugar de revelación de esta Süra. Ibn Mardulla ha citado Ibn ' Abâs (que Al'lá lo bendiga a ambos) como decir que esta Süra es Mak'ki, y también mismos es la vista de Ata y Yâbir. Pero Abu Hallán en Al-Bajr Al-Mujit, ha citado Ibn 'Abâs, Qatadá y Dajak como decir que esta Süra se reveló en la Madina. Hay también un pedazo de evidencia en la propia Süra que apunta a su ser una revelación en Madina. Declara una amenaza de destrucción a aquellos que ofrecen los Salá (las oraciones) sin reflexionar durante su Salá y a los que quieren ser visto ofreciendo el Salá por presumidos. Estos tipos de hipócritas sólo estaban en la Madina. Al'lá sabe el mejor. Por la razón que la mayoría de los ulemas le han escrito a esta Süra como Mak'ki Süra, por consiguiente, nosotros clasificamos como tal.

Incluye los siguientes principios, Leyes y Guías Divinas:

> El escepticismo en el Día de la Justicia es la causa principal de decaimiento moral.
> La conciencia de Dios, el bienestar social y la preocupación de las necesidades de otras personas son los propósitos principales del Salá (las oraciones).

El tema de esta Süra es señalar qué tipo de morales un hombre puede desarrollar, cuando él se niega a creer en el Día de la Justicia. En los versículos 2-3, se describe la condición de los incrédulos que abiertamente niegan al Día de la Justicia. En los últimos cuatro versos, el estado de esos hipócritas que aparentemente son musulmanes pero no creen en el Día del Juicio, en la recompensa y en el castigo, se han descrito. El objetivo de pintar la actitud y conducta de dos tipos de las personas es, enfatizar el punto que el hombre no puede desarrollar un carácter fuerte, estable y puro en él a menos que él cree en el Día del juicio.

Esas personas que ofrecen Salá (las oraciones), pero no practican la conducta buena con otros creyentes y vecinos, y no proporcionan la ayuda cuando ellos necesitan, no han entendidos la misma razón de porqué el Salá colectivo (la oración junto con otros) es hecho obligatorio. Por consiguiente, fue señalado que sus oraciones son nada más que para presumir y no son aceptable a Al'lá y las tales personas podrán muy bien llegar al infierno.

107: AL-MÂÜN

Esta Süra, fue revelada en la Meca, tiene 1 sección y 7 versos.

En el nombre de Al'lá, el Compasivo, el Misericordioso

¿Has visto uno, que niega el Día del Juicio? [1] Es él, quién ahuyenta al huérfano violentamente [2] y no anima a alimentar a los pobres. [3] ¡Pues, ay de aquellos que ofrecen el Salá (*la oración*), [4] pero descuidan de sus Salá (*quiénes, ni no observan el Salá como ellos deben de observarse, ni lo observan en sus tiempos prescritos*); [5] aquellos que hacen que aparezcan haciendo piedad [6] pero niegan a ofrecer la ayuda al necesitado! [7]   107: [1-7]

El escepticismo en el De ahora en adelante es la causa principal de decaimiento moral y falta de preocuparse de otros.

108: AL-KAUZAR

El periodo de Revelación

Esta Süra se reveló en la Meca durante las fases tempranas, cuando el Profeta estaba aguantando las condiciones sumamente difíciles.

Incluye los siguientes principios, Leyes y Guías Divinas:

➢ *Al'lá ha hecho el nombre Mujámad (paz esté en él) como eterno*

Los incrédulos del Quraish decían: " Mujámad (paz esté en él) está ya afuera de su comunidad y reducido a un individuo impotente y desvalido. Mujámad bin Isjâq dice: "Siempre que el nombre del Profeta (paz esté en él) fue mencionado ante Ás bin Wa'il, el jefe de Meca, él decía: Déjelo solo porque él es sólo un hombre sin hijos (el abtar) sin la descendencia masculina. Cuando él se muere, habrá nadie para recordarlo." (Informó por Ibn Yarir). Ibn Sád y Ibn 'Asâkir han relacionado ese que Sallidunâ Abdulá bin 'Abâs dijo; " El mayor hijo del Profeta (paz esté en él) era Qâsim; luego Zainab (hembra), luego Abdulá y luego siguieron tres hijas; Umme Kulzûm, Ruqallá, y Fátima. Primero, Qâsim y luego Abdulá se murieron. Por eso Ás bin Wa'il dijo: " Su línea se ha acabado; ahora él es el abtar (i. e. cortado por la raíz)." Abu Yajal también había dicho las palabras similares en la muerte de su hijo Abdulá.

Tales eran las condiciones bajo cuáles la Süra Al-Kauzar fue enviada. El Quraish estaba enfadado con él, porque él se rendía culto y servía sólo a Al'lá y repudiaba su idolatría públicamente. Por esta misma razón, él se privó de la jerarquía, estima y honor que él disfrutó entre sus gentes, antes de la declaración como Profeta y por la misma razón estaba cortado de su comunidad. Los pocos compañeros que él tenía eran personas pobres desvalidas que también eran perseguidas y tiranizadas. El Profeta (paz esté en él) se afligió por la muerte de sus dos hijos, uno atrás otro, mientras los parientes cercanos y las personas de su clan estaban regocijando y estaban profiriendo cosas así lo que estaban descorazonantes y que eran perturbadores para el Profeta (paz esté en él), quién incluso había tratado sus enemigos muy amablemente. A esta ocasión, Al'lá sólo en una frase de esta breve Süra, le dio las buenas noticias - las noticias que nunca se ha dado a cualquier otro en este mundo. Serán sus antagonistas que van ha ser cortados de sus raíces.

108: AL-KAUZAR

Esta Süra, revelada en la Meca, tiene 1 sección y 3 versos.

En el nombre de Al'lá, el Compasivo, el Misericordioso

Al'lá ha hecho al nombre del Profeta Mujámad (pece) un nombre eterno.

Ciertamente, te hemos concedido el Kauzar (*las bendiciones innumerables - también es el nombre de una fuente especial que se concederá al Profeta Mujámad en el Día del Juicio*). [1] Por consiguiente, ofrezca el Salá (*la oración*) a tu Rab y ofrezca el sacrificio. [2] Ciertamente, tu enemigo es quien será cortado de la raíz.[3]

108: [1-3]

109: AL-KÂFIRÜN

El periodo de Revelación

Hay diferencia de opiniones que si esta Süra es Mak'ki o Madani. Sin embargo, según la mayoría de comentaristas, es una Mak'ki Süra. Su contenido también apunta a su ser una revelación Mak'ki.

Incluye los siguientes principios, Leyes y Guías Divinas:

➢ *El mando de Al'lá para no transigir cualquier cosa relacionado a la religión.*

Esta Süra no fue revelada para predicar la tolerancia religiosa como algunas personas de hoy parecen pensar, sino fue revelada para exonerar a los musulmanes de la religión de los incrédulos, sus ritos de culto, y sus dioses; para expresar su aversión total y indiferencia con ellos; para decirles que el Islam y Kufr (la incredulidad) no tenía nada en común y que no había ninguna posibilidad de combinarse y mezclarse nunca en una entidad. Aunque se dirigió inicialmente al Quraish que eran incrédulos, en respuesta a sus propuestas de compromiso, no se confina a ellos solamente. Le habiendo hecho una parte del Qur'ãn, Al'lá les dio la enseñanza eterna que dirige a los musulmanes que ellos deben exonerarse por la palabra y hecho del credo de Kufr (la incredulidad), dondequiera que hay y en cualquier forma que se puede estar, y que ellos deben declarar sin ninguna reservación que ellos no pueden hacer ningún compromiso con los incrédulos en las materias de Fe.

Sallidunâ Jabâb dice: " El Profeta (paz esté en él) me dijo; " Cuando ustedes se acuestan en la cama para dormir, recitan Qul llâ-Allujal Kâfirûn, ésta era la propia práctica del Profeta cuando él iba a dormir." - (Este Informó Bazár, Tabarani, Ibn Mardullá). Según Ibn Abâs, el Profeta (paz esté en él) dijo a las gentes: "¿Debo decirles la palabra que protegerá a ustedes del politeísmo? Es que deben recitar Qul Llâ-Allujal Kâfirün cuando ustedes se acuestan." (Este informó Abu Lla'la, Tabarani). Sallidunâ Anas dice que el Profeta dijo a Sallidunâ Mu'az bin Yabal: "Recite Qul Llâ-Allujal-Kâfirün en el momento que te acuestas, porque esto es la inmunidad contra politeísmo". (Este informó Bejaqui en Ash-Shu'aib).

El Problema de Creencia y Escepticismo

Había un tiempo en la Meca cuando aunque una tormenta de oposición se había levantado en la sociedad pagana de Quraish, contra el mensaje del Islam, predicado por el Profeta (paz esté en él), los jefes de Quraish no habían perdido todavía esperanza que ellos van a alcanzar alguna clase de arreglo con él. Por consiguiente, de vez en cuando ellos lo visitaban a él, con las propuestas diferentes de compromiso para que él pueda aceptar cualquier compromiso y la disputa entre ellos puede acabar. En esta conexión, las diferentes narraciones han estados reportados en las Ajadiz. (Los libros que contienen los dichos, hechos u órdenes del Profeta (paz esté en él)).

Según Sallidunâ Abdúla bin Abâs, el Quraish propuso al Profeta: "Nosotros te daremos tanta riqueza que te volverás el hombre más rico de la Meca. Además, te daremos cualquiera mujer que te guste para el matrimonio y estamos preparados para seguirlo y obedecerlo como nuestro líder a condición de que no hablaras mal de nuestros dioses. Si no aceptaras esto, presentamos otra propuesta a que es beneficioso para ti y para nosotros." Cuando el Profeta preguntó acerca de qué trataba, ellos dijeron que si él se rindiera culto a sus dioses, Lât y Úza, durante un año, ellos se rendirían culto a su Dios (Al'lá) para la misma duración de tiempo. El Profeta dijo: " Esperen, déjenme ver lo que mi Rab me ordena en esto." Por esta razón, esta revelación vino. Según otra Jadís por Ibn ' Abâs, el Quraish dijo al Profeta, (paz esté en él): "¡Mujámad! Si besas a nuestros dioses (los ídolos), nos rendiremos culto a tu Dios." Por consiguientemente, esta Süra fue enviada abajo. Todavía en otra narración Sa'id bin Mina (el esclavo librado de Abul Bajtari) ha relacionado que Walid bin Mughirá, Ás bin Wa'il, Aswad bin Al-Mútalib y Umallá bin Jalaf se encontraron el Profeta (paz esté en él) y le dijeron: "¡Mujámad! Vamos estar de acuerdo que nosotros rendiríamos culto a tu Dios y tú rindes culto a nuestros dioses, y nosotros haríamos a ti como un compañero en todo nuestros trabajos. Si lo que tú has traído es mejor de lo que nosotros poseemos, seríamos los compañeros en él contigo, y tendrás nuestra porción en él, y si lo que nosotros poseemos es mejor de lo que tú has traído, serías el compañero en él con nosotros y tendría su porción de él." A este Al'lá reveló: Qul Llâ-Allújal-Kâfirün. (Ibn Jarir, Ibn Abi Jâtim, Ibn Jishâm también han relacionado esta incidencia en la Süra (la biografía) del Profeta Mujámad (paz esté en él).

Debido a estos diálogos repetidos, había una necesidad que se dé una respuesta definitiva y firme al Quraish, para que su esperanza de Mujámad (paz esté en él) de hacer un arreglo con él usando el principio de " dar y recibir" se frustrará para siempre.

109: AL-KÂFIRÜN

Esta Süra, revelada en la ciudad de Meca, tiene 1 sección y 6 versos.

En el nombre de Al'lá, el Compasivo, el Misericordioso

Di: ¡Incrédulos! [1] No me rindo culto a lo que ustedes rinden su culto, [2] Y ustedes no rendirán culto a Quien yo me rindo mi culto. [3] Yo nunca rendiré culto a quienes ustedes rinden su culto, [4] Ni ustedes jamás, rendirán culto a Quien yo me rindo mi culto. [5] Ustedes tienen su religión, y yo la mía. [6]   109: [1-6]

El mando para no comprometer en las materias de religión.

110: AN-NASR

El periodo de Revelación

Sallidinâ Abdulá bin Abâs dice que éste es el última Süra del Qur'ãn que se reveló, i. e. ningún Süra en completo fue revelado al Profeta después de esto. (Informó Muslim Nasâi, Tabarani, Ibn Abi Shaibá, Ibn Mardullá). Según Sallidinâ Abdulá bin Umar, esta Süra se reveló en la ocasión de la despedida en la Peregrinación en un lugar que se llama Mina, y después de eso, el Profeta montó su camello y dio su Sermón de despedida. La madre de los Creyentes, Sallidá Ume Jabibá, dice que cuando esta Süra fue revelada, el Profeta dijo que él dejaría el mundo este año. Al oír esto, la hija del Profeta Sallidá Fátima lloró. Por eso, él dijo: "De entre mi familia, tú serás la primera en unirme. Oyendo esto ella se rió. (Informó Ibn Abi Hâtim e Ibn Mardulla).

Incluye los siguientes principios, Leyes y Guías Divinas:

> La victoria no es una ocasión de exultación, pero para glorificar a Al'lá, porque eso viene con la ayuda de Al'lá.
> Se da la indicación que la misión del Profeta se ha cumplido.

En esta Süra, Al'lá ha informado a Su Rasúl (paz esté en él) que cuando el Islam va a lograr la victoria completa en Arabia y las personas empiezan a entrar en la religión de Al'lá (Islam) en los grandes números, significaría que la misión para que él era designado en este mundo, se hubiera cumplido. Él fue mandado que debe ocuparse alabando y glorificando a Al'lá por Cuya generosidad él había podido lograr tal una gran tarea, y debe implorarle que perdone cualquier fracaso y limitaciones que él podría haber mostrado para cumplir Su servicio.

Aquí, uno puede ver fácilmente la gran diferencia que hay entre un Profeta y un líder mundano común. Si un líder mundano, en su propia vida, puede provocar una revolución que ha sido el objetivo y objetivo de su forcejeo, esto sería una ocasión para la exultación por él. Pero aquí, nosotros atestiguamos un fenómeno enteramente diferente. El Rasúl de Al'lá, en un espacio breve de 23 años, revolucionó una nación entera con relación a sus creencias, los pensamientos, las costumbres, las morales, la civilización, las maneras de vivir, la economía, la política y la habilidad por las batallas, y les sacó de la ignorancia y barbarismo, les permitió conquistar el mundo y volverse como líder de las naciones. Todavía, cuando él había logrado está única tarea, él no fue mandado celebrarlo sino a glorificar y alabar a Al'lá, y a orar para Su perdón. Él se ocupó humildemente en la aplicación de ese orden.

110: AN-NASR

Esta Süra, fue revelada en la Madina, tiene 1 sección y 3 versos.

En el nombre de Al'lá, el Compasivo, el Misericordioso

Cuando venga la ayuda y el triunfo concedido por Al'lá, [1] Y ves a las personas que abrazan la religión de Al'lá (*Islam*) en las multitudes. [2] Entonces, ¡Glorifique tu Rab con Sus alabanzas, y pides Su perdón! Ciertamente, Él está siempre listo para aceptar el arrepentimiento y es el Perdonador. [3]   110: [1-3]

La victoria viene con la ayuda de Al'lá.

111: AL-LAJÁB

El periodo de Revelación

Esta Süra se reveló en la Meca durante el periodo cuando Abu Lajáb había transgredido todos los límites en su hostilidad al Profeta (paz esté en él), y su actitud estaba volviéndose una obstrucción seria en el progreso del Islam.

Incluye los siguientes principios, Leyes y Guías Divinas:

 ➢ Al'lá ha maldecido a Abu Lajáb y su esposa que eran los antagonistas del Profeta Mujámad (paz esté en él)

El fondo de la Maldición de Al'lá por el Nombre

Éste es el único lugar en el Qur'ãn dónde una persona de entre los enemigos de Islam se ha condenado por el nombre, aunque en la Meca, así como en la Madina, después de la migración, había muchas personas que estaban de ninguna manera menos dañoso al Islam y al Profeta Mujámad (paz esté en él) que Abu Lajáb. La pregunta es, ¿Qué era el rasgo especial del carácter de esta persona que se volvió la base de esta condenación por el nombre? Para entender esto, es necesario que uno entienda la sociedad árabe de ese tiempo y el papel que Abu Lajáb jugó.

En los días antiguos a lo largo de Arabia, allí prevaleció caos, confusión, derramamiento de sangre y pillaje. La condición de Arabia durante siglos era que una persona no pudiera tener ninguna garantía de la protección de vida, honor y propiedad excepto con la ayuda y apoyo de sus miembros de un clan y las relaciones de sangres. Por consiguiente, silá rejmi (el tratamiento bueno del pariente) se estimaban mucho más favorablemente entre los valores morales de la sociedad árabe y la ruptura de conexiones con el pariente se consideraba como un gran pecado. Bajo la influencia de esta tradición árabe, el Profeta (paz esté en él) empezó a predicar el mensaje del Islam. Los otros clanes de Quraish y sus jefes se resistieron y lo opusieron con todas las ganas, pero el Bani Jashim y el Bani Al-Mutalib (los hijos de Al-Mutalib, hermano de Jashim) no solamente que no pusieron en contra sino continuaron apoyándolo abiertamente, aunque la mayoría de ellos no había creído todavía en su misión como profeta. Los otros clanes de Quraish entendieron este apoyo perfectamente por las relaciones de la sangre del Profeta como de acuerdo con las tradiciones morales de Arabia. Por eso ellos nunca se mofaron del Bani Jashim y del Bani Al-Mutalib, aunque ellos habían traicionado su fe hereditaria, aparentemente apoyando a una persona que estaba predicando una nueva fe. Ellos sabían y creían que ellos no podían, de ninguna manera, entregar un individuo de su clan a sus enemigos, y su apoyo y la ayuda para un miembro de un clan eran absolutamente naturales en la vista de los Quraish y las personas de Arabia.

Este principio moral que los árabes en los días pre-islámicos de ignorancia, consideraban como digno de respeto e inviolable, sólo fue violado por un hombre en su enemistad del Islam, y ése era Abu Lajáb, hijo de Abdul Mutalib, un tío real del Profeta (paz esté en él). En Arabia, un tío representaba como el padre sobre todo cuando el sobrino era huérfano de padre. Se esperaba que el tío cuidara al sobrino como uno de sus propios hijos. Pero este hombre en su hostilidad al Islam y amor de Kufr, pisoteó encima de todas las tradiciones árabes con sus acciones.

Antes de la proclamación como ser profeta, él casó dos de sus hijas a dos de los hijos de Abu Lajáb, Utbá y Utaibá. Cuando el Profeta empezó a invitar a las personas al Islam, Abu Lajáb dijo a ambos de sus hijos: "Yo me prohibiría a mí mismo para venir y ver a ustedes hasta que ustedes divorcian a las hijas de Mujámad (paz esté en él)." Los dos de ellos se divorciaron a sus esposas como consecuencia.

Siempre que el Profeta fuera a predicar el mensaje del Islam, Abu Lajab le seguía y prohibía a las gentes que le escucharan. Târiq bin Abdulá Al-Muharibi dice: "Yo vi, en la feria de Zul-Mayâz, el Profeta (paz esté en él) exhortando este refrán a las personas: ¡Gentes! dígan La ilaja ilá-Al'lá, lograrán el éxito. Detrás de él había un hombre que estaba tirando las piedras a él hasta que sus talones sangraban y él estaba diciéndoles a las gentes: "No le escuchen, él es un mentiroso." Yo les pregunté a las personas quien era él. Ellos dijeron que él era su tío, Abu Lajáb." (Informo Tirmizi).

En el año 7 de su misión como profeta, cuando todos los clanes de Quraish boicotearon al Bani Jashim y el Bani Al Mutalib socialmente y económicamente, los dos de estos clanes que permanecían firme en el apoyo del Profeta estaban sitiados en Shébe Abi Tâlib. Abu Lajáb era la única persona que estaba al lado de los incrédulos del Quraish, contra su propio clan. Este boicot continuó durante tres años, tanto que el Bani Jashim y el Bani Al-Mutalib empezaron a hambrear. Esto, sin embargo, no movió Abu Lajáb. Cuando una caravana de comercio vino a la Meca y una persona desde sitiada de Shébe Abi Tâlib se los acercó para comprar alguna comida, Abu Lajáb ordenó a los comerciantes para exigir un precio prohibitivo, diciéndoles que él pagaría cualquier pérdida que ellos incurrieron en eso. Así, ellos exigirían las proporciones exorbitantes y el pobre cliente volvería con manos vacíos a sus niños hambrientos. Entonces Abu Lajáb compraría los mismos artículos de ellos a las proporciones del mercado.

(Informó Ibn Sád e Ibn Jishâm)

A causa de estas fechorías Abu Lajáb fue condenado en esta Süra por el nombre. Estaba contra las tradiciones establecidas de Arabia que un tío opondría a su sobrino sin una razón o que tirará las piedras y traerá las acusaciones falsas públicamente contra él. Por consiguiente, las personas fueron influenciadas por lo que Abu Lajáb dijo y estaban en la duda con relación al Profeta (paz esté en él). Pero cuando esta Süra fue revelada, Abu Lajáb llenó de la rabia empezó proferir la cosa sin sentido, las gentes comprendieron que lo que él dijo contra el Profeta era nada fiable y que estaba fuera de la hostilidad a su sobrino.

Cuando el tío del Profeta se condenó por el nombre, las expectativas de las personas que el Rasúl (paz esté en él) podría tratar algún relativo indulgentemente relacionado a la religión, fue para siempre frustrado. Cuando el propio tío del Profeta fue tomado para atarear públicamente, las personas entendieron que no había ningún lugar para preferencia o parcialidad en su fe. Un no-pariente podría volverse muy cercano y estimado si él creyera, y una relación cercana puede ponerse de ser non-relativa si él descreyera. No hay ningún lugar así, para preferir los lazos de sangre en el Islam, si el pariente es un incrédulo.

111: AL-MASÁD / AL-LAJÁB

Esta Süra, fue revelada en la ciudad de Meca, tiene 1 sección y 5 versos.

En el nombre de Al'lá, el Compasivo, el Misericordioso

¡Perezcan las manos de Abu Lajáb!   Y ¡Perezca él! [1] Ni su riqueza y ni sus adquisiciones (*incluyendo sus hijos*) le servirán de nada. [2] Pronto él estará quemado en un Fuego Llameante (*un juego de palabras en que 'Abu Lajáb' significa, "padre de las llamas"*), [3] y su esposa, la portadora de la leña (*ella le ponía las espinas en el camino del Profeta y le calumniaba - la palabra leña se usó por los árabes para aludir para calumniar y murmurar*), [4] tendrá una cuerda de fibra de las hojas de la palma alrededor de su cuello. [5]   111: [1-5]

La maldición de Al'lá en Abu Lajáb, su esposa y a los antagonistas del Profeta.

112: AL-ÍJ'LÂS

El periodo de Revelación

Esta Süra se reveló durante el periodo temprano en la ciudad de Meca cuando todavía los versos en detalles no se habían revelado en el Qur'ãn, así como los versos que tratan los atributos y esencia de Al'lá Todopoderoso. Las personas, mientras oyendo la invitación del Profeta a Al'lá, querían saber cómo es ése Dios a Quién él rinde el culto y hacia Quién él estaba llamándolos.

Incluye los siguientes principios, Leyes y Guías Divinas:

> ➤ *Los únicos atributos de Al'lá*

Es importante a saber qué conceptos religiosos estaban sobre Dios (Al'lá) en este tiempo, en el momento que el Profeta empezó a predicar el mensaje de Taujïd (¡Dios es Uno y Sólo!) Los politeístas idólatras adoraban a dioses hechos de madera, piedra, oro, plata y otras substancias. Tenía la descendencia de uno a otro y estos dioses también tenían las formas, figuras y cuerpos. Ninguna diosa estaba sin un marido y ningún dios sin una esposa. Ellos estaban de pie en la necesidad de comida y de bebida y sus devotos ponían todo éstos para ellos. Un número grande de los politeístas creían que Dios asumió la forma humana y había algunas personas que descendieron de Él. Aunque los cristianos exigen a creer en Un Dios, ellos también creen que su Dios tenía por lo menos un hijo, Isa (Jesús). Que el Hijo y el Espíritu Santo también tenían el honor de ser asociados con la Deidad. Los judíos también exigieron creer en Un Dios, pero su Dios también no era sin físico, material u otras calidades humanas y características. Él fue por un paseo, aparecía en la forma humana, luchaba con siervos Suyos, y era el padre de un hijo, Ezra. Además de estas comunidades religiosas, también existieron los Zoroastrianos (los adoradores de fuego) y los Sabianos (los adoradores de las estrellas). Bajo tales condiciones, cuando las personas fueron invitadas a creer en Al'lá, el Uno y Sólo, Quien no tiene ningún socio, era inevitable que empezaron reflexionar, en sus mentes, acerca de ¿qué tipo de Dios es Él? ¿Porque estaban invitados a creer en sólo un Dios a expensa de todos los otros dioses y deidades? Es un milagro del Qur'ãn que solo con unas palabras breves contestó todas las preguntas y presentó tal un concepto claro del Al'lá que se destruyeron todo los conceptos politeístas, mientras no dejando ningún lugar para la atribución de calidades humanas a Su Ser.

Por eso el Profeta (paz esté en él) sostuvo esta Süra en la tal gran estima. Esto hizo a los musulmanes comprender su importancia de las maneras diferentes y exhortaban frecuentemente, a recitarlo y diseminarlo entre las gentes. Esta Süra declara la doctrina delantera y fundamental del Islam (Taujïd) en cuatro frases breves, y deja una impresión en la memoria humana y puede leerse y recitarse muy fácilmente. Hay un gran número de Ajadiz que muestran que el Profeta, en las ocasiones diferentes y de las maneras diferentes, les dijo a las personas que esta Süra es equivalente a un tercio del Qur'ãn. Varios Ajadiz (las narraciones del Profeta, paz *esté en él) con relación a este asunto han estados relacionados en Bujâri, Muslim, Abu Daûd, Nasâi, Tirmizi, Ibn Mâyá, Musnad Ajmed, Tabarani y otros libros. Comentaristas también han dado muchas explicaciones de este dicho del Profeta. En la opinión de Abul A'lâ Maudûdi, un mufasir (lo que explica en detalle cerca del Qur'ãn) bien conocido, simplemente significa que la religión presentada por el Qur'ãn es basada en tres doctrinas: Taujïd (Dios es Uno y Sólo), Risâlat (los Profetas fueron asignados para la guía de las gentes) y el Âjirá (la contabilidad de las personas en el Día de Juicio). Esta Süra enseña Taujïd, puro e impoluto. Por consiguiente, el Profeta (paz esté en él) lo consideró como igual a un tercio del Qur'ãn.*

112: AL-ÍJ'LÂS

Esta Sūra, revelada en la Meca, tiene 1 sección y 4 versos.

En el nombre de Al'lá, el Compasivo, el Misericordioso

Taujïd - los únicos atributos de Al'lá.

Diga: "¡Él es Al'lá, el Uno y Único!; [1] Al'lá es el Autosuficiente (*independiente de todos, mientras todos son dependientes de Él*); [2] Él no ha engendrado, ni ha sido engendrado (*él no tiene ningún hijo, ni Él es hijo de nadie*); [3] Y no hay nadie comparable a Él." [4]   112: [1-4]

113: AL-FALÁQ & 114: AN-NÂS

El periodo de la Revelación

     Hay diferencia de opiniones en relación al lugar y el periodo de revelación de estas Süras. Según Sallidinâ Jasan Basri, Ikrimá, Ata y Jâbir bin Zaid estos Süras son Mak'ki (reveladas en Meca). Ibn S'ad, Imán Baijaqui, Abd bin Jumaid y otros son de la opinión que estos Süras fueron revelados en 7 D.J., cuando los judíos habían sido la magia al Profeta (paz esté en él) en Madina y él se había enfermado bajo su efecto. Los contenidos de estas Süras es explícitos que fueron enviados en la ciudad de Meca cuando, para la primera vez, la oposición al Profeta había crecido muy intensa. Después, cuando a las tormentas de oposición se levantó en la Madina por los hipócritas, judíos y politeístas, el Profeta fue ordenado a recitar estas Süras, como se ha mencionado en la tradición citada anterior por Sallidinâ Jasan Basri. Después de esto, cuando empezó tener efecto la magia al Profeta (paz esté en él) y su enfermedad creció poco más intensa, Gabriel vino y le instruyó por el orden de Al'lá recitar estas Süras. Por consiguiente, la vista sostenida por los comentaristas que describen ambas estas Süras como Mak'kis es más fiable.

Incluye los siguientes principios, Leyes y Guías Divinas:

> ➤ *Busca el refugio con Al'lá, de todos los males.*
> ➤ *Busca el refugio con Al'lá, del murmurante furtivo.*

     En cuanto el Profeta (paz esté en él) empezó a predicar el mensaje del Islam, parecía como si él hubiera provocado todas las clases de las personas alrededor de él. Cuando su mensaje empezó a propagarse, la oposición de los incrédulos de Quraish también se puso más intensa. Con tal de que ellos tuvieran cualquiera esperanza que ellos podrían impedirle predicar su mensaje; extendiendo alguna tentación para él de cualquier manera, o concluyendo algún convenio con él; su hostilidad no se puso muy activa. Pero cuando el Profeta (paz esté en él) completamente desilusionó a ellos por el hecho que él no aceptaría cualquier tipo de compromiso con ellos, en la materia de Fe, y en Süra Al-Kâfirün les dijo, simplemente: "Yo no me rindo culto a aquellos a quienes ustedes rinden su culto, ni ustedes son los adoradores de Él, a Quien yo me rindo culto; para ustedes es su religión y para mí el mío." La hostilidad alcanzó sus límites extremos. Particularmente, las familias cuyos miembros (los hombres, las mujeres, los muchachos o muchachas) habían aceptado el Islam, estaban quemándoos con la rabia contra el Profeta (paz esté en él). Ellos estaban maldiciéndolo, sosteniendo las consultaciones confidenciales para matarlo calladamente en la oscuridad de la noche para que el Bani Jashim no pudiera descubrir el asesino y tomar la venganza; estaban haciéndoos magias y hechizos sobre él, para causar su muerte, le hicieron caerse enfermo, o que ponga enfadado; los Shaitânes de entre los hombres y Yines empezaron susurrar uno con otro y extendieron por todas partes para poner ideas malas en los corazones de las personas contra él y del Qur'ãn que él había traído, para incitar la sospecha para que él tuviera que correr lejos. Había muchas personas que estaban quemándoos con los celos, porque ellos no pudieran tolerar que un hombre de una familia o clan diferente deba florecer y debe ponerse prominente. Por ejemplo, la razón por qué Abu Yajál estaba cruzando cada límite en su hostilidad al Profeta (paz esté en él) fue explicada por él: " Nosotros y los Bani Abdi Manáf (a que el Profeta perteneció) eran rivales: ellos alimentaron los pobres, nosotros también alimentamos los pobres; ellos proporcionaron medios de transporte a las personas, nosotros también hicimos el mismo; ellos dieron las donaciones, nosotros también dimos las donaciones, tanto para que cuando ellos y nosotros nos hemos puesto iguales en el honor y nobleza, ellos proclamen ahora que ellos tienen un Profeta que está inspirado del cielo; ¿cómo podemos competir con ellos en este campo? Por Dios, nosotros lo reconoceremos nunca, ni afirmaremos la fe en él." (Ibn Jishâm, vol. I, las pp. 337-338)

Bajo estas condiciones, el Profeta (paz esté en él) fue ordenado para decirles a las personas: "Yo busco el refugio con el Rab (Señor) del alba, del mal de todo lo que Él ha creado, y del mal de la oscuridad de la noche y del mal de los magos, que sean los hombres o las mujeres, y del mal de los celos," y para decirles: " Yo busco el refugio con el Rab de la humanidad, el Rey de la humanidad, y el Dios de la humanidad, del mal de los que soplan que vuelven una y otra vez. Y quién susurra (la maldad) en los corazones de los hombres, sea de entre los Yines u hombres." Esto es similar a eso que el Profeta Musa (paz esté en él) había sido ordenado a decir, cuando Faraón había expresado su deseo de matarlo antes de su corte llena: "Yo he tomado el refugio con el Rab mío Lo que también es tuyo contra cada persona arrogante que no cree en el Día de la contabilidad." (Süra Al-Mu'min / Ghâfir: verso 27), y, "Yo he tomado el refugio con el Rab mío Lo que también es tuyo contra ustedes que me dañen." (Süra Ad-Dujân: verso 20).

En ambas situaciones, estos ilustres Profetas de Al'lá (paz esté en ellos) se confrontaron con los enemigos bien-provistos, listos y poderosos. Ellos resistieron y siguieron firmes en el mensaje de Verdad contra sus antagonistas fuertes, aunque ellos no tenían el poder material con que ellos podrían lucharlos, y absolutamente no hicieron caso a las amenazas, planes peligrosos y invenciones hostiles del enemigo, mientras diciendo: "Hemos tomado el refugio con el Rab del universo contra ustedes." Obviamente, la tal firmeza y constancia, sólo pueden ser mostradas por la persona que tiene la convicción que el poder de Su Rab es el poder supremo, que todo los poderes del mundo son insignificantes contra Él, y que nadie puede dañar a lo que ha tomado Su refugio. Sólo tal persona puede decir: "Yo no dejaré de predicar la Palabra de Verdad. A mi no me importa para lo que ustedes pueden decir o pueden hacer, porque yo he tomado el refugio con mi Rab Lo que es también suyo y Rab del universo entero."

113: AL-FALÁQ

Esta Süra, fue revelada en la ciudad de Meca, tiene 1 sección y 5 versos.

En el nombre de Al'lá, el Compasivo, el Misericordioso

Di: "Busco el refugio con el Rab del alba, [1] del mal de todos que Él ha creado, [2] y del mal de oscuridad cuando se extiende, [3] del mal de aquellos que soplan en los nudos, [4] y del mal del envidioso cuando envidia." [5]   113: [1-5]

Busque el refugio con Al'lá de todos los males.

114: AN-NÂS

Esta Süra, fue revelada en la ciudad de Meca, tiene 1 sección y 6 versos.

En el nombre de Al'lá, el Compasivo, el Misericordioso

Dígales: "Busco el refugio en el Rab de la humanidad, [1] el Rey de la humanidad, [2] el Dios Real de la humanidad; [3] del mal de la insinuación, del que se escabulle, (*Shaitän o sus seguidores*) [4] quién susurra en los corazones de los humanos, [5] sea de entre los genios o de entre los humanos." [6]   114: [1-6]

Busque el refugio con Al'lá del murmurante furtivo.

LA ORACIÓN CUANDO UNO CUMPLE
DE LEER AL-QUR'ÃN

¡Al'lá! ¡En mi tumba cambia mi miedo con el amor! ¡Al'lá! Tenga la misericordia en mí en el nombre de este Gran Qur'ãn; y hágale para mí como una Guía y Luz y una fuente de Su Guía y Misericordia; ¡Al'lá! Hágame recordar lo que de él yo me he olvidado; hágame conocerlo que de yo me he vuelto ignorante; y hágame que le recito por las horas de la noche y del día; ¡Y le haga un argumento en mi favor, ya que Tú eres el Sostenedor de todos los mundos.

¡Ãmïn!

GRABACIÓN Y LA PRESERVACIÓN DEL QUR'ĀN

La muy primera palabra que fue revelada al Profeta Mujámad (paz esté en él), era "Iqra" lo que significa leer o recitar (Süra 96, Verso 1). Así que no es sorprendente que en cuanto un verso fuera revelado, él lo memorizaría para que él pudiera recitarlo a otros, y los versos 4 y 5 dieron énfasis al uso del cálamo, "Quien ha enseñado por medio del cálamo. [4] Enseñó al hombre lo que él no sabía." [5] Por consiguiente, los versos revelados no sólo fueron memorizados sino también fueron escritos.

Entre los compañeros del Profeta (paz esté en él) algunos de los más instruidos eran Abu-Bakr, Ali-bin-Abi-Talib, Uzmán -bin-Af'fan, Zaid-bin-Zabit, y Umar-bin-Jat'tab (que Al'lá se agrade con todos ellos). Todos ellos eran las personas muy pías y virtuosas, lleno de integridad y honestidad. Además de actuar como sus escribas, algunos de ellos también memorizaron el Qur'ān directamente del Profeta (paz esté en él). En cuanto una porción del Qur'ān fuera revelada, el Profeta (paz esté en él) llamaría a su escriba, de entre sus compañeros, para grabarlo por escrito. El Profeta (paz esté en él) exigía al escriba que lea la porción para asegurar de lo que fue escrito era literalmente palabra de Al'lá tal como fue revelada a él. Una vez satisfecho con el texto escrito, el Profeta (paz esté en él) instruiría al escriba acerca del nombre de la Süra y el lugar dónde la porción revelada justamente (verso o versos) sería insertado, para asegurar que el orden textual del Qur'ān estaba de acuerdo con el plan Divino.

Sus escribas usaron cueros, pergaminos, hojas y lápidas para apuntar los versos. Estos manuscritos se guardaron en la casa del Profeta (paz esté en él). Era bastante común para muchos compañeros también hacer sus propias copias personales. Así los versos del Qur'ān no sólo fueron memorizados por el Profeta (paz esté en él) y muchos de sus compañeros, sino también existió en la forma escrita durante la vida del Profeta (paz esté en él), al contrario de cualquier otra escritura Divina en la historia. Se informa que todos los años durante el mes de Ramadân, Ángel Gabriel vendría al Profeta (paz esté en él) y le oía recitar el Qur'ān (todo lo que fue revelado hasta la fecha). Y en el último año, antes que el Profeta (paz esté en él) muriera, Ángel Gabriel vino a oírle recitar dos veces el Qur'ān entero, así asegurando que no se han olvidado o cambiados las palabras de Al'lá. El Profeta (paz esté en él), mientras guiando las oraciones, cada vez recitaba algunas porciones del Qur'ān, que se volvió como un medio excelente de asegurar que sus seguidores no se olvidarían de lo que ellos habían memorizado.

El Profeta (paz esté en él), en su último sermón, se informa para haber dicho: " Yo estoy dejando atrás dos cosas, la escritura de Al'lá (el Qur'ān) y mis ejemplos (el Sun'ná) y si ustedes siguieran éstos dos, nunca irían descaminados." Si el Qur'ān no estuviera en la forma escrito durante la vida del Profeta (paz esté en él), él nunca habría dicho: "Yo estoy dejando atrás el libro de Al'lá (Al-Qur'ān)." De, al contrario de cualquier otra escritura, los versos del Qur'ān fueron grabados y apuntados durante la vida del Profeta Mujámad (paz esté en él).

La Primera Copia Oficial del Qur'ãn

Desde que el profeta Mujámad (paz esté en él) era "el Qur'ãn Viviente" y muchos musulmanes durante su vida habían memorizados el Qur'ãn ellos fueron como "Las Copias Vivientes del Qur'ãn," y no había ninguna necesidad o urgencia para reunir los manuscritos para formar la primera copia oficial.

Sin embargo, después de la muerte del Profeta (paz esté en él), más de setenta personas que habían memorizado el Qur'ãn, llamados 'Juf'faz', fueron martirizados en la batalla de Al-Llamamá. Esto causó mucha preocupación a Umar-bin-Jat'tab (uno de los compañeros íntimos del Profeta (paz esté en él)), quién estaba profundamente interesado a esta pérdida súbita de las "Copias Orales del Qur'ãn". Él acercó al Abu-Bakr (que Al'lá se agrade con él), el primer Califa, para empezar el procedimientos de la recolección de los manuscrito del Qur'ãn bajo un volumen oficial como para la referencia. Abu-Bakr (que Al'lá se agrade con él) comisionó uno del escriba principal, lo que también era uno de los que tenían memorizado el Qur'ãn, Zaid-bin-Zabit, (que Al'lá se agrade con él) con esta tarea.

Zaid-bin-Zabit había memorizado el Qur'ãn, él era uno de los escribas principales y había oído al Profeta (paz esté en él) recitar el Qur'ãn al Ángel Gabriel durante Ramadãn. Él también era un hombre de piedad, integridad y honestidad, como a tal; él tenía todas las credenciales necesitadas para emprender tal una tarea suprema.

Zaid, junto con otros colegas fidedignos y competentes, reunió los manuscritos de muchas personas y empezó a compilarlos de acuerdo con las instrucciones originales del Profeta (paz esté en él). Aunque él era una autoridad en el Qur'ãn, él tomó muchos pasos para verificar, cruz-chequeo con otros quienes tenían memorizado el Qur'ãn y también con los manuscritos de muchos otros compañeros para garantizar que la compilación final era auténtica y que ninguna alteración o modificación era hecho.

Simplemente para ilustrar qué auténtica era su recopilación del Qur'ãn, aquí es un ejemplo: cada Süra en el Qur'ãn empieza con " Bismil'la " (En el nombre de Al'lá). Sin embargo, la Süra nueve es la única excepción - no empieza con " Bismil'la". Es la tendencia natural de todos los seres humanos a seguir la práctica más normal y común. Zaid y otros compañeros del Profeta (paz esté en él) se habría tentado para agregar " Bismil'la " para hacerlo consistente con todos los otros 113 Süras del Qur'ãn, pero ellos refrenaron de tal alteración o suma. Las revelaciones de la Süra ocho y de la Süra nueve cronológicamente están separadas por un intervalo de siete años. Aunque el Profeta (paz esté en él) había instruido que la Süra nueve debe seguir la Süra ocho, no estaba claro si los versos formaban una Süra separada o formaban una parte de la Süra ocho. Como a tal, Zaid lo trató como una Süra separada (la Süra 9), pero el " Bismil'la " no se prefijó a ella, como allí no había ninguna garantía para suponer que el Profeta (paz esté en él) usó el " Bismil'la " ante él en su recitación del Qur'ãn. Esta metodología demuestra qué tanto Zaid era honrado y verdadero en su recopilación. Así, la primera copia oficial se preparó bajo la vigilancia de Zaid, y se puso en la custodia de Abu-Bakr, el primer Califa. Antes de su muerte, él pasó esta copia a

Umar-bin-Jat'tab, el segundo Califa que a su vez lo pasó a Jafsá, (que Al'lá se agrade con ella) la que era una de las viudas del Profeta (paz esté en él).

Las copias del Qur'ăn del Original

Durante el tiempo de Uzmán -bin-Af'fan, el tercer Califa, el Islam se extendió muy rápido y muchos de los compañeros del profeta (pece) salieron de Arabia. Entre los muchos países y provincias que aceptaron el Islam estaban Siria e Irak, pero su idioma no era árabe. Uno de los compañeros de Profeta (paz esté en él), Huzaifá-ibne-Llaman, durante su visita a Siria e Irak observó que las personas estaban recitando el Qur'ăn en diferentes modos y estilos. Esto le perturbó mucho y él le pidió a Uzmán que ordenara de hacer varias copias del Qur'ăn en su retorno y distribuir a los lugares lejanos para ayudar a los musulmanes leer o recitar el Qur'ăn de una sola manera consistente.

Uzmán (que Al'lá se agrade con él) designó doce miembros, encabezados por Zaid para escribir el Qur'ăn en el modo de los Quraish, el modo usado por el Profeta (paz esté en él) en su recitación. Zaid junto con los otros colegas se reprodujo varios copias basadas en el volumen original producido durante el tiempo de Abu-Bakr (que Al'lá se agrade con él). La letra era estar de acuerdo con el dialecto árabe del Quraish. Estas copias mantuvieron el orden de las Süras y de los versos dentro de las Süras como fue ordenado por el Profeta (paz esté en él). De las completadas copias oficiales, Uzmán (que Al'lá se agrade con él) pidió enviar tres de ellas respectivamente a Siria, Irak y Meca y una fue guardada en la Madina. El manuscrito original se devolvió a Jafsá (que Al'lá se agrade con ella). Luego Uzmán (que Al'lá se agrade con él) pidió que todos otros materiales del Qur'ăn, escrito en manuscritos fragmentarios o copias del todo el Qur'ăn, fueran quemados. Ésta era una medida preventiva tomada por él, para prevenir cualquier conflicto futuro en el modo de recitar el Qur'ăn y de cualquier posible fabricación o corrupción. La preservación del Qur'ăn también ha estado asegurada por Al'lá en el verso siguiente:

"Ciertamente hemos revelado este recordatorio (*El Qur'ăn*); y ciertamente Nosotros mismos le conservaremos." [9]   (Süra 15, versículo 9)

JESÚS (ISA) EN EL QUR'ÃN

El Qur'ãn explica con detalle la llegada de Jesús, la paz sea con él, su nacimiento, sus milagros, su misión, su ascensión y su retorno a este mundo. En torno a estas cuestiones Al'lá Todopoderoso dice:

Cuando los ángeles dijeron " ¡Marllam! Al'lá te da las buenas noticias con una Palabra que procede de Él que darás luz a un hijo: su nombre será el Mesías, Isa (Jesús Cristo) el hijo de Marllam. Él será noble en este mundo y en el Día de la Justicia; y él será de aquellos que son muy cerca de Al'lá. [45] Él hablará a la gente en la cuna y en su vejez y él será entre los virtuosos." [46]   3: [45-46]

De hecho, el ejemplo del nacimiento de Isa (*Jesús*) en la vista de Al'lá es como el ejemplo de Adán, quien no tenía ni padre ni madre y a quien Él creó fuera de tierra, entonces le dijo, " Sea " y él era. [59] Ésta es la Verdad que viene de tu Rab, por consiguiente, no seas entre aquellos que dudan. [60] Si alguien disputa contigo acerca de esto (*el nacimiento de Jesús*) después de recibir conocimiento completo que ha venido a ti, dígales: "¡Vengan! Vamos llamar a nuestros hijos y a sus hijos, a nuestras mujeres y a sus mujeres, a nosotros mismos y a ustedes mismos, luego pidamos sinceramente e invocamos la maldición de Al'lá que caiga sobre los que mientan." [61] Sin duda, ésta es la verdadera explicación absoluta. La verdad es, que no hay ningún dios sino Al'lá; y con certeza Al'lá es el Poderoso, el Sabio. [62] Pero si ellos se niegan de aceptar este desafío, será la prueba clara de su travesura y Al'lá tiene el conocimiento completo de los corruptores. [63]   3: [59-63]

Ellos entraron en su incredulidad a tal magnitud que ellos profirieron la calumnia terrible contra Marllam (*María*). [156] Ellos aun dicen: "Nosotros hemos matado el Mesías, Isa (*Jesús*), hijo de Marllam, el Rasúl de Al'lá." Cuando por el contrario la verdad es, que ellos ni lo mataron ni lo crucificaron pero pensaron que ellos hicieron así porque este asunto fue hecho dudoso para ellos. Aquéllos que discrepan acerca de eso sólo están en la duda. Ellos no tienen el conocimiento real, ellos siguen nada más que y meramente una conjetura, pero ciertamente ellos no le mataron (*a Jesús*). [157] ¡No! La realidad es que Al'lá se lo elevó hacia Sí. Al'lá es Poderoso, Sabio. [158] No hay ninguno de las Personas de la escritura sino que creerá en este hecho antes de su muerte; y en el Día de la Resurrección Jesús dará testimonio contra ellos. [159]   4: [156-159]

¡Gente de la escritura! No transgreden los límites de su religión. Hablen nada más que la Verdad acerca de Al'lá. El Mesías, Isa (*Jesús*), el hijo de Marllam (*María*) era nada más que un Rasúl de Al'lá y Su Palabra qué Él ha comunicado a Marllam y un Espíritu que había procedido de Él. Así que crean en Al'lá y en Sus Rasúles y no digan: "la Trinidad". Dejen de decir eso que será mejor para ustedes. Al'lá es sólo un Dios Uno. ¡Gloria a Él!, Él es muy arriba de la necesidad de tener un hijo. A Él pertenece todo lo que está en los cielos y en la Tierra. Al'lá solo es suficiente como protector. [171] El Mesías (*Jesús*) nunca había desdeñado de ser el siervo de Al'lá ni tampoco los ángeles que están más cercanos a Al'lá. A todos aquéllos que desdeñan de ser Su siervos y son arrogantes, se congregarán hacia Sí.[172]   4: [171-172]

De hecho aquéllos han comprometido Kufr (*rechazo a la fe*) quienes dijeron, "El Mesías, hijo de Marllam (*María*) es Dios." Pregúnteles, "¿Quién tiene el poder para prevenir a Al'lá si Él había escogido de destruir a Mesías, el hijo de Marllam, a su madre y a todos que están en la tierra?" Al'lá tiene la soberanía encima de los cielos y de la tierra y de todos que están entre ellos. Él crea lo que Él Le agrada y tiene el poder encima de todos. [17]   5: [17]

Los judíos y los cristianos dicen: "Nosotros somos los hijos de Al'lá y Sus predilectos." Les Pregunta, "¿Por qué, entonces, Él lo castiga a ustedes para sus pecados? ¡No! De hecho, ustedes son los seres humanos igual que otros que Él ha creado. Él perdona a quien Él quiere y Él castiga a quien Él Le agrada. ¡A Al'lá Le pertenece la soberanía de los cielos y de la tierra y de todo lo que está entre ellos, y hacia Él es último refugio!" [18]   5: [17-18]

Ciertamente ellos han descreído quienes dicen: " Al'lá es Cristo el hijo de Marllam (*María*). Mientras el propio Cristo dijo: "¡Hijos de Israel! Ríndanse culto a Al'lá, Quien es mi Rab y también suyo." Quienquiera que compromete el acto de Shirk (*asocia algún compañero con Al'lá*), Al'lá le negará el paraíso, y el fuego del infierno será su morada. No habrá ningún auxiliador para los injustos. [72]   5: [72]

Cristo, el hijo de Marllam, era nadie más que un Rasúl; muchos Rasúles ya habían fallecidos ante él y su madre quien era una mujer veraz; ellos los dos comían la comida igual que otros seres humanos. ¡Mira cómo les explicamos las Revelaciones para que sepan la realidad! Y ¡Mira cómo ellos les ignoran! [75]   5: [75]

Recuérdate, cuando inspiré a los apóstoles para tener la fe en Mí y en Mi Rasúl y ellos dijeron: ' Nosotros creemos y sé testigo que nosotros nos hemos vueltos los musulmanes." [111] Cómo cuando los apóstoles preguntaron: "¡Isa, hijo de Marllam! ¿Puede hacer tu Rab que nos baje del cielo una mesa servida de comida?" Y dijiste: " Tengan temor a Al'lá si ustedes son los verdaderos creyentes." [112] Dijeron: "Nosotros sólo deseamos comer y para satisfacer nuestros corazones y también para que sepamos de lo que tú dijiste, en realidad, era la verdad y para que seamos los testigos de ella." [113] Isa, el hijo de Marllam dijo: "¡Al'lá, nuestro Rab! Envíenos del cielo una mesa servida, que sea para nosotros, el primero como el último, motivo de regocijo y una señal tuya; y proporciónanos nuestro sustento, Tú eres el mejor de los proveedores." [114] Al'lá respondió: "Lo enviaré abajo a ustedes, pero si cualquiera de ustedes descree después de eso, lo castigaré con un tormento que nunca he infligido a nadie en los mundos." [115]   5: [109-115]

Después de recordarlo estos favores, Al'lá dirá: "Isa (*Jesús*), hijo de Marllam (*María*) ¿Eres tú quien ha dicho a las gentes, " ríndanse culto a mí y a mi madre como dioses al lado de Al'lá?" Él contestará: "¡Gloria a Ti! ¿Cómo podría decir algo lo que yo no tenía ningún derecho de decir? Si yo hubiera dicho algo así, Tú ciertamente lo habrías sabido. Tú sabes lo que está en mi corazón, pero yo no sé lo que está en Suyo; porque Tú tienes el conocimiento total de todas las cosas ocultas.[116]

Cuando Jesús vuelve a este mundo, él volverá como un líder de los musulmanes, como se revela en estos versos:

Él (*Jesús o el Qur'ãn*), de hecho, será el medio de conocer la Hora (*Día de la Resurrección*). Por consiguiente, no tengan ninguna duda sobre su venida, síganme; ésta es la Vía Recta. [61] No Permitan a ningún Shaitãn refrenarlo, porque él es abiertamente su enemigo. [62] Cuando Isa (*Jesús*) vino con las señales claras, él declaró: "Yo he venido a ustedes con la sabiduría y para clarificar algunas de esas cosas acerca de los cuales ustedes tienen las disputas: así que temen a Al'lá y obedecen a mí. [63] Ciertamente, es Al'lá Quien es mi Rab y Rab de ustedes, así que ríndanse culto a Él. Ésta es la Vía Recta." [64] A pesar de estas enseñanzas, algunas facciones entre ellos discreparon. ¡Qué pena para los injustos por el castigo de un Día doloroso!

43: [61-64]

MARÍA (PECE) EN EL QUR'ÃN

Dios Todopoderoso no se menciona ninguna mujer por su nombre en el Sagrado Qur'ãn a excepción de María (Marllam). Ella ha sido exaltada y en el capítulo # 19 del Sagrado Corán ha sido nombrado después de ella. Acerca de María Dios Todopoderoso dice:

Al'lá oyó cuando la esposa de `Imrãn dijo, "¡Rab mío! Dedico a Su servicio lo que hay en mi útero. Por favor acéptelo de mí. Tu eres único que oyes todo y sabes todo." [35] Cuando ella dio luz a una hija en lugar de un hijo, ella dijo: "¡Rab mío! He dado luz a una hija," - Al'lá sabía muy bien lo que ella había parido - y que el varón no es igual que una hembra, "la he nombrado mi hija Marllam (*María*) y busco Tu protección para ella y su descendencia de la travesura del maldito Shaitãn." [36] Su Rab aceptó a esa muchacha cortésmente. La hizo crecer como una muchacha buena y la confió al cuidado de Zakárilla. Siempre que Zakárilla entraba en el santuario para verla, encontraba ella con su comida. Él preguntaba, "¡Marllam! ¿De dónde conseguiste eso?" Ella contestaba, "Vino de Al'lá." De hecho, Al'lá da sin medida a quien Él quiere. [37]   3: [35-37]

Allí llegó el momento cuando los ángeles dijeron: ¡"Marllam! Ciertamente Al'lá te ha exaltado, te ha purificado, y te ha preferido para Su servicio encima de todas las mujeres de los mundos. [42] ¡Marllam! Seas obediente a tu Rab, postras y arqueas abajo en adoración junto con otros adoradores." [43] Estas son las noticias de lo oculto que estamos revelando a ti. No estabas presente con ellos cuando sacerdotes del templo lanzaron sus plumas para decidir quién de ellos va a hacer el encargado de Marllam; Ni eras con ellos cuando ellos disputaban acerca de eso. [44] Cuando los ángeles dijeron " ¡Marllam! Al'lá te da las buenas noticias con una Palabra que procede de Él que darás luz a un hijo: su nombre será el Mesías, Isa (Jesús Cristo) el hijo de Marllam. Él será noble en este mundo y en el Día de la Justicia; y él será de aquellos que son muy cerca de Al'lá. [45] Él hablará a la gente en la cuna y en su vejez y él será entre los virtuosos."[46]   3: [42-46]

Relacione a ellos la historia de Marllam en la escritura (*El Qur'ãn*) cuando ella retiró de su familia a un lugar en el Este. [16] Ella escogió ser ocultada de ellos con un velo. Enviamos a ella Nuestro ángel y él aparecía antes ella como un hombre en todo el aspecto. [17] Ella dijo: " Yo busco la protección del Rajmãn (*el Compasivo, Al'lá*) contra ti, déjame sola si es que temes a Al'lá." [18] Él dijo: "No tengas miedo, yo soy meramente un mensajero de tu Rab y llegue para decirte sobre el regalo de un hijo santo." [19] Ella dijo: "¿Cómo llevaré a un hijo, cuando ningún hombre me ha tocado ni soy impúdica?" [20] El ángel contestó: "Así será" Tu Rab dice: "Eso es fácil para Mí. Deseamos hacer a él como una Señal para la humanidad y una bendición venida de Nosotros. Y este asunto ya se ha decretado." [21]   19: [19-21]

LOS DERECHOS DEL SAGRADO QUR'ÃN

"Es el mes de Ramadãn en que el Qur'ãn fue revelado, una guía para la humanidad con enseñanzas claras que muestran la Vía Recta y un Criterio entre la Verdad y la falsedad. "- (2:185). Ramadãn es el mes del Qur'ãn, como el Profeta (*la paz sea con él*) ha dicho que el Qur'ãn tiene cuatro derechos:

1. **Qir'át** (de que leas),
2. **Tilawat** (de que comprendas y actúes sobre su Guía),
3. **Tadábur** (de que comprendas sus enseñanzas) y
4. **Balaghat** (de que prediques y transmitas su mensaje).

Al-jamdu-lil'lá, esta publicación, Al Qur'ãn - La Guía para la Humanidad, está destinada a cumplir con todos estos cuatro derechos del Qur'ãn. - Es el texto árabe es leer (Qir'át), la traducción de su significado en el lenguaje contemporáneo Español fácil es para comprender y actuar sobre su Guía (Tilawat), información acerca de importantes temas, las leyes divinas y Guía antes de la traducción de cada sura es comprender sus enseñanzas (Tadábur), y su distribución a las bibliotecas públicas, los musulmanes y no musulmanes en general es el de transmitir su mensaje (Balaghat).

El derecho del Qur'ãn de "Balaghat" - se hizo una asignación obligatoria para la comunidad musulmana

El Profeta Mujámad, la paz sea con él, ha dejado claro esta asignación de la comunidad musulmana en las siguientes palabras:

"*Bal'laghû An'ni Walau alla* - Transmiten de mí, aún tengan el conocimiento de una ãllá".

"¡Musulmanes! Los mejores de ustedes son los que aprendan y enseñan el Qur'ãn."

En Jáya-tul-Widã (La peregrinación de la despedida) él dijo:

"*¡Los que están aquí, transmiten este mensaje a aquellos que no están aquí!*"

Para cumplir con este mandamiento / asignación comenzamos este proyecto y estamos invitando a todos los acompañarnos en este gran esfuerzo personal o mediante el patrocinio de su distribución gratuita. Dado que todos los que trabajan para este proyecto personal son voluntarios, por lo tanto, el 100% de las contribuciones se utilizan para la impresión de Al Qur'ãn, y ponerlo a disposición de los musulmanes y no musulmanes. El Zakã-tul-Mãl también se puede utilizar para este propósito. Si usted desea patrocinar a la impresión y distribución, haga su cheque a nombre del 'Al- Qur'ãn Trust Fund' y debe enviar:

Al Instituto del Conocimiento Islámico
PO Box 8307, Houston, Texas 77288-8307

Al'lá (SWT) dice en el Qur'ãn:

¡Ustedes que creen! Sean los auxiliadores de Al'lá, así como Isa (Jesús) el hijo de Marllam dijo a sus discípulos: "¿Quiénes serán mis auxiliadores en la causa de Al'lá?" Y los discípulos respondieron: "Nosotros seremos sus auxiliadores en la causa de Al'lá." Luego un grupo de los hijos de Israel creyó en él (Jesús) y otros grupos descreyeron. Nosotros ayudamos a los creyentes contra sus enemigos y fueron los vencedores.   *61:[14]*

Suerte y afortunados son aquellos que se unen a la misión profética de transmitir el mensaje de Al'lá (Al-Qur'ãn) para obtener Sus bendiciones

Tengas en cuenta que estamos en la obligación de transmitir el mensaje de Dios para el resto de la humanidad.
Si descuidamos a este deber, los demás seres humanos nos harán responsables en el Día del Juicio por no transmitir el mensaje de Dios a ellos.

Después de leer esta traducción, si usted siente que el traductor fue capaz de aumentar su comprensión del mensaje del Qur'ãn, por favor, ponerlo a disposición de sus amigos, colegas y como las bibliotecas públicas locales, de la Universidad, del Colegio y de la Escuela como sea posible.

Usted puede obtener copias directamente de nuestras impresoras en 713-526-6364 o enviar por fax su solicitud a:713-526-9090 o envíe un e-mail a: cc12@swbell.net

o visite www.al-quraan.org